Scott Foresman·Addison Wesley

Scott Foresman · Addison Wesley
enVisionMATH™
en español

en español

Autores

Randall I. Charles
Professor Emeritus
Department of Mathematics
San Jose State University
San Jose, California

Janet H. Caldwell
Professor of Mathematics
Rowan University
Glassboro, New Jersey

Mary Cavanagh
Mathematics Consultant
San Diego County Office of Education
San Diego, California

Dinah Chancellor
Mathematics Consultant with Carroll ISD
Southlake, Texas
Mathematics Specialist with Venus ISD
Venus, Texas

Juanita V. Copley
Professor
College of Education
University of Houston
Houston, Texas

Warren D. Crown
Associate Dean for Academic Affairs
Graduate School of Education
Rutgers University
New Brunswick, New Jersey

Francis (Skip) Fennell
Professor of Education
McDaniel College
Westminster, Maryland

Alma B. Ramirez
Sr. Research Associate
Math Pathways and Pitfalls WestEd
Oakland, California

Kay B. Sammons
Coordinator of Elementary Mathematics
Howard County Public Schools
Ellicott City, Maryland

Jane F. Schielack
Professor of Mathematics
Associate Dean for Assessment and
Pre K-12 Education, College of Science
Texas A&M University
College Station, Texas

William Tate
Edward Mallinckrodt Distinguished
University Professor in Arts & Sciences
Washington University
St. Louis, Missouri

John A. Van de Walle
Professor Emeritus, Mathematics Education
Virginia Commonwealth University
Richmond, Virginia

Matemáticos asesores

Edward J. Barbeau
Professor of Mathematics
University of Toronto
Toronto, Canada

Sybilla Beckmann
Professor of Mathematics
Department of Mathematics
University of Georgia
Athens, Georgia

David Bressoud
DeWitt Wallace Professor of Mathematics
Macalester College
Saint Paul, Minnesota

Gary Lippman
Professor of Mathematics and Computer Science
California State University East Bay
Hayward, California

Scott Foresman
is an imprint of

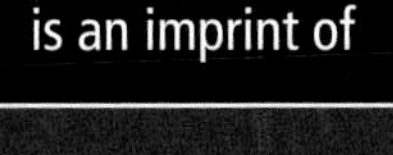

Glenview, Illinois • Boston, Massachusetts • Mesa, Arizona
Shoreview, Minnesota • Upper Saddle River, Nueva Jersey

pearsonschool.com

Scott Foresman · Addison Wesley

enVisionMATH™ en español

ISBN-13: 978-0-328-29097-0
ISBN-10: 0-328-29097-1

2 3 4 5 6 7 8 9 10 V063 12 11 10 09 08

Temas y títulos

COLORES DE RAMAS DE LAS MATEMÁTICAS

Números y operaciones

Álgebra

Geometría

Medición

Análisis de datos y probabilidad

Resolución de problemas

Todas las lecciones incorporan procesos matemáticos que incluyen la resolución de problemas, razonamiento, comunicación, conexiones y representaciones.

Tema 1 Numeración

Tema 2 Sumar y restar números enteros

Tema 3 Multiplicación: Significados y operaciones básicas

Tema 4 División: Significados y operaciones básicas

Tema 5 Multiplicar por números de 1 dígito

Tema 6 Patrones y expresiones

Tema 7

Multiplicación por números de 2 dígitos

Tema 8

División por divisores de 1 dígito

Tema 9

Rectas, ángulos y figuras

Tema 10

Fracciones

Tema 11 Sumar y restar fracciones

Tema 12 Números decimales

Tema 13 Operaciones con números decimales

Tema 14 Área y perímetro

Tema 15 Sólidos

Tema 16 Medición, hora y temperatura

Tema 17 Datos y gráficas

Tema 18 Ecuaciones

Tema 19 Transformaciones, congruencia y simetría

Tema 20 Probabilidad

Recursos para el estudiante

enVisionMATH en español en los EE. UU.

Usos de la resolución de problemas

Números y operaciones

Academia de Música de Filadelfia

La Academia de Música se encuentra en Filadelfia (Pennsylvania). Abrió sus puertas en 1857. La academia es uno de los teatros de ópera más antiguos de los Estados Unidos. Fue la sede de la Orquesta de Filadelfia desde 1900 hasta que la orquesta se mudó.

Academia Militar de Carolina del Sur

En 1842, la Academia Militar de Carolina del Sur abrió sus puertas en Charleston, Carolina del Sur. Hoy, la academia se conoce como La Ciudadela, la Escuela Militar de Carolina del Sur. En 1843 había 34 estudiantes. Cada uno pagó $200 para asistir a la academia. En 1864 había 296 estudiantes. Cada uno pagó $1,200 para asistir a la academia.

La Gran Botella de Leche de Boston

Hay una botella de leche enorme en el Museo de los Niños de Boston, Massachusetts. ¡La botella mide 40 pies de altura! Si fuera una botella de verdad, contendría más de 50,000 galones de leche. La botella de leche funciona como puesto de refrigerios para los visitantes del museo.

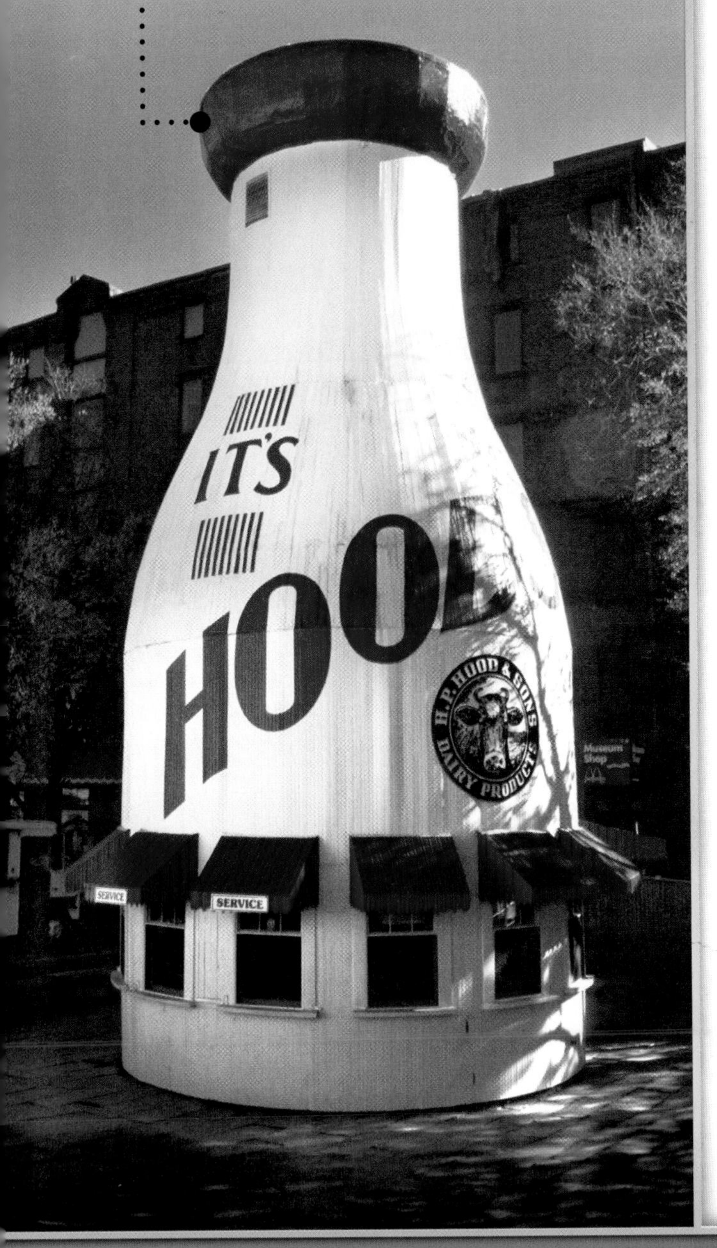

PREPARACIÓN PARA LOS EXÁMENES

Instrucciones: Lee detenidamente las preguntas 1 a 20. Escribe tus respuestas en una hoja aparte.

1. La Academia de Música de Filadelfia abrió sus puertas en 1857. ¿En qué año celebró su centenario?

A 1757 **C** 1957
B 1900 **D** 2007

2. La Orquesta de Filadelfia ha estado en la academia desde 1900. Se mudó después de 101 años. ¿En qué año se mudó la orquesta?

A 2000 **C** 2002
B 2001 **D** 2010

3. ¿Cuántos estudiantes más había en la Academia militar de Carolina del Sur en 1864 que en 1843?

A 262 **C** 1,000
B 330 **D** 1,400

4. ¿Cuánto dinero pagaba una familia para que dos de sus hijos asistieran a la Academia militar de Carolina del Sur en 1843?

A $200 **C** $1,200
B $400 **D** $2,400

5. Supón que un tazón de sopa cuesta 4 dólares en el puesto de refrigerios en forma de botella de leche del Museo de los Niños de Boston. ¿Cuánto costarían dos tazones de sopa?

A 2 dólares **C** 6 dólares
B 4 dólares **D** 8 dólares

6. Kay pagó 6 dólares por 3 bebidas grandes en el puesto de refrigerios en forma de botella de leche. Si cada bebida costaba lo mismo, ¿cuánto costó cada una?

A 2 dólares **C** 4 dólares
B 3 dólares **D** 6 dólares

enVisionMATH en español **en los EE. UU.**

Usos de la resolución de problemas

Geometría

Las esquinas de cuatro estados

Hay un lugar en los Estados Unidos donde se tocan las esquinas de cuatro estados. Los estados son Arizona, Colorado, Nuevo México y Utah. Las esquinas de los estados se unen en ángulos rectos. Hay un disco que marca el lugar donde se unen los cuatro estados. ¡Una persona puede estar en cuatro estados diferentes a la vez si se para sobre el disco!

Michigan

Uno de los apodos de Michigan es "el Estado de los Grandes Lagos". Es el único estado que toca cuatro de los cinco Grandes Lagos. De hecho, cualquier lugar dado en Michigan está a menos de 85 millas de un Gran Lago.

7. ¿Qué identifica el lugar donde se tocan las esquinas de Arizona, Colorado, Nuevo México y Utah?

A Un punto
B Una línea
C Un segmento de recta
D Una semirrecta

8. ¿Cuál es la medida de cada ángulo recto en el lugar donde se tocan Arizona, Colorado, Nuevo México y Utah?

A $0°$
B $45°$
C $90°$
D $180°$

9. Mira el mapa de Michigan. Identifica el polígono formado por los segmentos de recta que conectan las cinco ciudades.

A Triángulo
B Rectángulo
C Pentágono
D Hexágono

Usos de la resolución de problemas
Medición

Fruta oficial del estado de Nueva Jersey: Arándano

Los granjeros en Nueva Jersey cosechan muchos arándanos. En 2003, unos estudiantes de Nueva Jersey pensaron que el arándano debía ser la fruta oficial de su estado. Los estudiantes escribieron cartas. También hablaron con personas del gobierno del estado. En 2004, el arándano se convirtió en la fruta oficial de Nueva Jersey.

Dinosaurio oficial de Maryland

Maryland eligió un dinosaurio oficial del estado en 1998. El dinosaurio se llama *Astrodon johnstoni*. Éste vivió alguna vez en el área que hoy se conoce como Maryland. El dinosaurio medía aproximadamente entre 50 y 60 pies de largo y más de 30 pies de alto. Pesaba aproximadamente 20,000 libras.

Astrodon johnstoni

10. Jin compró un recipiente con arándanos en la tienda. ¿Cuál es la mejor estimación del peso del recipiente con arándanos?

A 1 libra
B 10 libras
C 1 tonelada
D 10 toneladas

11. Había una *Astrodon johnstoni* que medía 30 pies de alto. Hay 3 pies en 1 yarda. ¿Cuántas yardas de altura medía el dinosaurio?

A 90 yardas
B 33 yardas
C 27 yardas
D 10 yardas

12. Había un *Astrodon johnstoni* que medía 60 pies de largo y uno que medía 50 pies de largo. ¿Cuál es la diferencia entre las longitudes de los dos dinosaurios?

A 10 pies
B 11 pies
C 110 pies
D 3,000 pies

enVisionMATH en español en los EE. UU.

Usos de la resolución de problemas

Análisis de datos y probabilidad

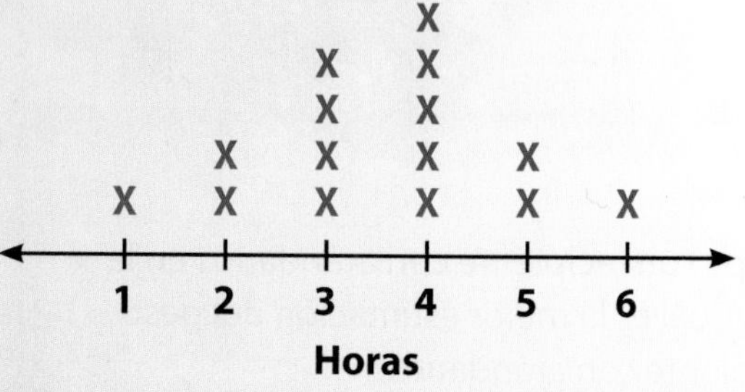

panda menor

guacamayo azul y dorado

Parque Zoológico de Jackson, Mississippi

El Zoológico de Jackson está en Jackson, Mississippi. Abrió sus puertas en 1919. En aquel momento sólo tenía unas cuantas especies de animales. Hoy, el zoológico tiene más de 120 especies diferentes, incluyendo el panda menor, el guacamayo azul y dorado y el oso malayo.

Manantiales de Missouri

Hay más de 3,000 manantiales en Missouri. Un manantial es un lugar donde el agua brota del suelo. Una de los manantiales más grandes del mundo se llama Big Spring y está en Missouri. ¡Millones de galones de agua pueden brotar del Big Spring en un día!

13. Mira el diagrama de puntos del Zoológico de Jackson. Muestra el tiempo que la familia de cada estudiante pasó en el zoológico. ¿Cuántas familias pasaron 4 horas en el zoológico?

A 5 **C** 2
B 4 **D** 1

14. Mira el diagrama de puntos del Zoológico de Jackson. ¿Cuál es el mayor número de horas que una familia pasó en el zoológico?

A 4 **C** 6
B 5 **D** 15

15. Greg visitará uno de los manantiales que se muestran en la tabla. ¿Cuál es la probabilidad de que visite un manantial del que broten más de 1,000 galones de agua por segundo?

A Seguro **C** Poco probable
B Probable **D** Imposible

Cantidad de agua que brota de los manantiales de Missouri

Nombre del manantial	Número de galones por segundo (promedio)
Big Spring	3,200
Greer Spring	2,500
Double Spring	1,200

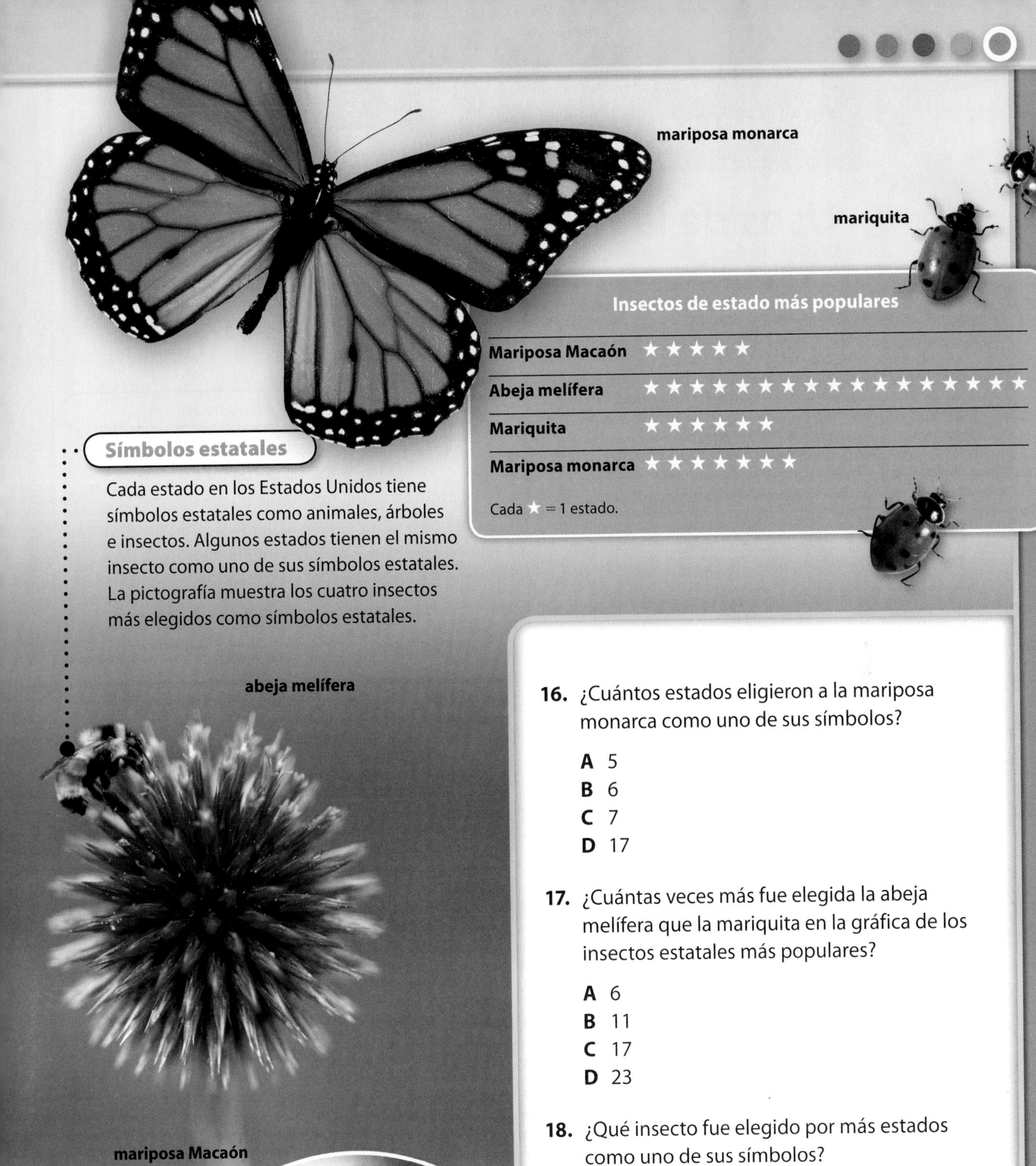

Símbolos estatales

Cada estado en los Estados Unidos tiene símbolos estatales como animales, árboles e insectos. Algunos estados tienen el mismo insecto como uno de sus símbolos estatales. La pictografía muestra los cuatro insectos más elegidos como símbolos estatales.

Insectos de estado más populares	
Mariposa Macaón	★ ★ ★ ★ ★
Abeja melífera	★ ★ ★ ★ ★ ★ ★ ★ ★ ★ ★ ★ ★ ★ ★ ★ ★
Mariquita	★ ★ ★ ★ ★ ★
Mariposa monarca	★ ★ ★ ★ ★ ★ ★

Cada ★ = 1 estado.

16. ¿Cuántos estados eligieron a la mariposa monarca como uno de sus símbolos?

A 5
B 6
C 7
D 17

17. ¿Cuántas veces más fue elegida la abeja melífera que la mariquita en la gráfica de los insectos estatales más populares?

A 6
B 11
C 17
D 23

18. ¿Qué insecto fue elegido por más estados como uno de sus símbolos?

A Mariposa Macaón
B Abeja melífera
C Mariquita
D Mariposa monarca

enVisionMATH en español en los EE. UU.

Usos de la resolución de problemas
Álgebra

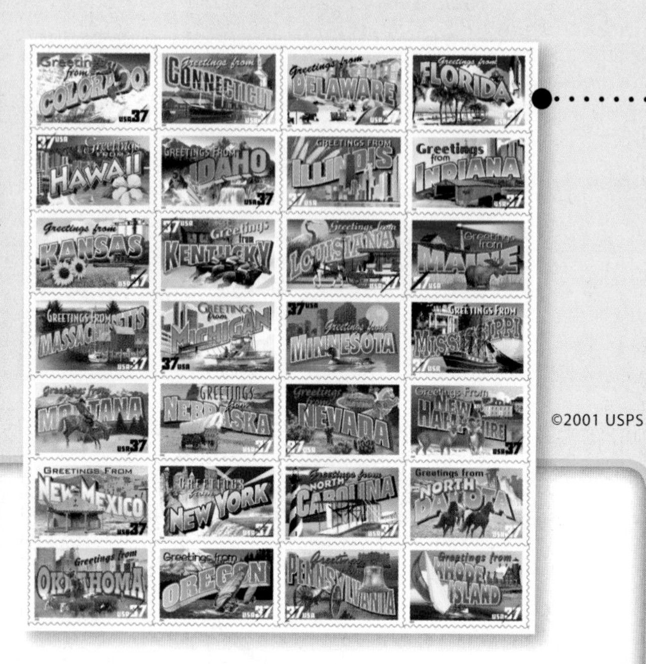

Estampillas muy estadounidenses

En 2002 salió al mercado la edición de estampillas "Saludos desde los Estados Unidos". Cada hoja tenía 50 estampillas. Había una estampilla por cada uno de los 50 estados. Cada estampilla mostraba algo famoso acerca del estado.

En 2006 salió al mercado la edición de estampillas "Maravillas de los Estados Unidos". Cada hoja tenía 40 estampillas. Cada estampilla mostraba objetos especiales y lugares de interés que se encuentran a lo largo y ancho de los Estados Unidos. Las estampillas incluían el reptil más grande, el cactus más alto y la cueva más larga de los Estados Unidos.

19. Pam compró una hoja de estampillas de "Saludos desde los Estados Unidos". Lin compró una hoja de estampillas de "Maravillas de los Estados Unidos". ¿Qué oración numérica muestra cuántas estampillas más compró Pam que Lin?

A $50 + 40 = \square$
B $50 - 40 = \square$
C $50 \times 40 = \square$
D $50 \div 40 = \square$

20. Una hoja de estampillas formó una matriz de 50 estampillas. Cada fila tenía 5 estampillas. ¿Qué oración numérica muestra el número de estampillas en cada columna?

A $50 + 5 = \square$
B $50 - 5 = \square$
C $50 \times 5 = \square$
D $50 \div 5 = \square$

Manual de **resolución de problemas**

Scott Foresman • Addison Wesley

enVisionMATH™

en español

Manual de resolución de problemas

Usa este Manual de resolución de problemas a lo largo del año como ayuda para resolver problemas.

¡No te rindas!

¡Todos podemos tener un buen dominio de la resolución de problemas!

¡Casi siempre hay más de una manera de resolver un problema!

¡No confíes en las palabras clave!

¡Las ilustraciones me ayudan a entender!

¡Explicar algo me ayuda a entenderlo!

Proceso de resolución de problemas

Lee y comprende

¿Qué trato de hallar?
- Decir qué información pide la pregunta.

¿Qué sé?
- Decir el problema en mis propias palabras.
- Identificar información y detalles claves.

Planea y resuelve

¿Qué estrategia o estrategias debo probar?

¿Puedo representar el problema?
- Tratar de hacer un dibujo.
- Tratar de hacer una lista, una tabla o una gráfica.
- Tratar de representarlo o usar objetos.

¿Cómo resolveré el problema?

¿Cuál es la respuesta?
- Decir la respuesta en una oración completa.

Estrategias

- Mostrar lo que sabes
  - Hacer un dibujo
  - Hacer una lista organizada
  - Hacer una tabla
  - Hacer una gráfica
  - Representarlo/Usar objetos
- Buscar un patrón
- Intentar, revisar y corregir
- Escribir una ecuación
- Razonar
- Empezar por el final
- Resolver un problema más sencillo

Vuelve atrás y comprueba

¿Revisé mi trabajo?
- Comparar mi trabajo con la información del problema.
- Estar seguro de que todos los cálculos son correctos.

¿Es razonable mi respuesta?
- Hacer una estimación para ver si mi respuesta tiene sentido.
- Estar seguro de que se respondió a la pregunta.

Usar diagramas de barras

Usa un diagrama de barras para mostrar cómo se relaciona lo que sabes con lo que quieres hallar. Luego, escoge una operación para resolver el problema.

Problema 1

Carrie ayuda en la florería de su familia durante el verano. Lleva un registro de cuántos ramos de flores vende. ¿Cuántos ramos vendió el lunes y el miércoles?

Ventas de Carrie

Datos

Días	Ramos vendidos
Lunes	19
Martes	22
Miércoles	24
Jueves	33
Viernes	41

Diagrama de barras

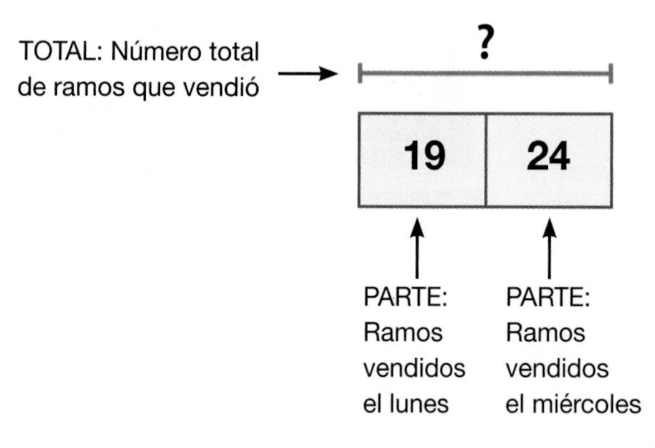

19 + 24 = ?

Puedo sumar para hallar el total.

Problema 2

Kim está ahorrando para comprar una sudadera del colegio universitario al que va su hermano. Tiene $18. ¿Cuánto dinero más necesita para comprar la sudadera?

Diagrama de barras

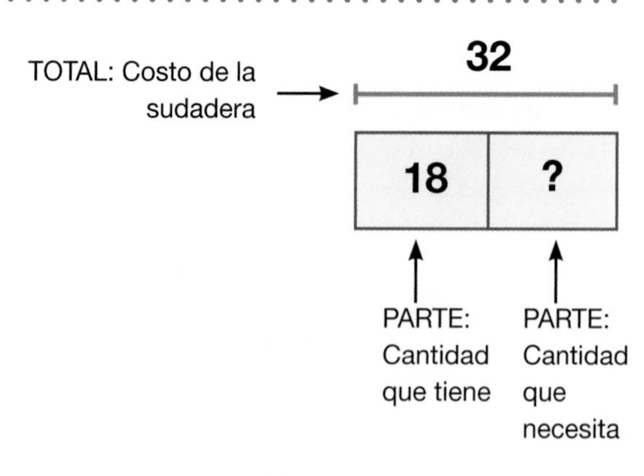

32 − 18 = ?

Puedo restar para hallar la parte que falta.

¡Las ilustraciones me ayudan a entender!

¡No confíes en las palabras clave!

Problema 3

Los sábados, las entradas para una película cuestan sólo $5 cada una, sin importar la edad. ¿Cuál es el costo de las entradas para una familia de cuatro miembros?

Diagrama de barras

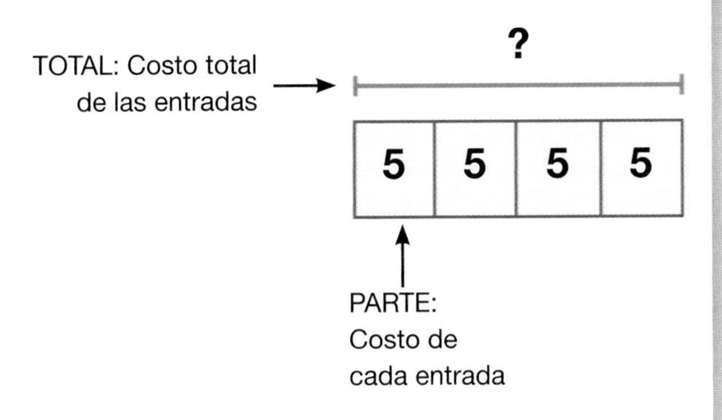

$4 \times 5 = ?$

Puedo multiplicar porque las partes son iguales.

Problema 4

Treinta estudiantes viajaron en 3 microbuses al zoológico. En cada microbús había el mismo número de estudiantes. ¿Cuántos estudiantes había en cada microbús?

Diagrama de barras

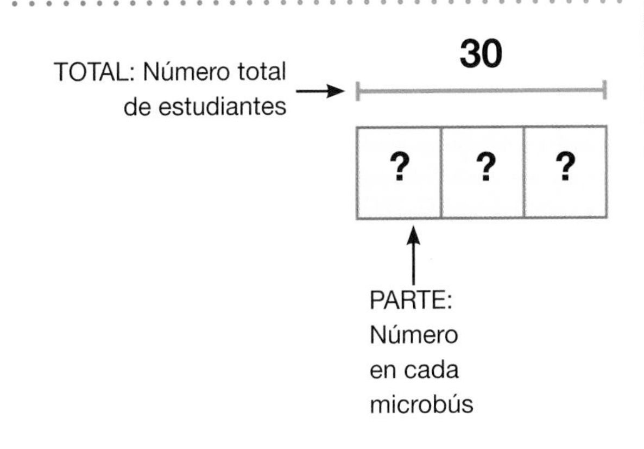

$30 \div 3 = ?$

Puedo dividir para hallar cuántos hay en cada parte.

Estrategias de resolución de problemas

Estrategia	Ejemplo	Cuándo usarla
Hacer un dibujo	La carrera era de 5 kilómetros. Había marcadores en la salida y en la meta. Los marcadores indicaban cada kilómetro de la carrera. Halla el número de marcadores que se usaron. Salida — Meta Salida, 1 km, 2 km, 3 km, 4 km, Meta	Trata de hacer un dibujo cuando te ayude a visualizar el problema o cuando se incluyan relaciones como unir o separar.
Hacer una tabla	Phil y Marcy pasaron todo el sábado en la feria. Phil dio 3 vueltas en los juegos mecánicos cada media hora y Marcy dio 2 vueltas cada media hora. ¿Cuántas vueltas había dado Marcy cuando Phil había dado 24 vueltas?	Trata de hacer una tabla cuando: • haya 2 o más cantidades, • las cantidades cambien según un patrón.
Buscar un patrón	Los números de las casas de la calle Forest cambian de manera planificada. Describe el patrón. Di cuáles deben ser los dos siguientes números de las casas. 3, 6, 10, 15, ?, ?	Busca un patrón cuando algo se repita de manera predecible.

Vueltas de Phil	3	6	9	12	15	18	21	24
Vueltas de Marcy	2	4	6	8	10	12	14	16

¡Todos podemos tener un buen dominio de la resolución de problemas!

Estrategia	Ejemplo	Cuándo usarla
Hacer una lista organizada	¿De cuántas maneras diferentes puedes calcular el cambio para una moneda de 25¢ usando monedas de 10¢ y de 5¢?	Haz una lista organizada cuando se te pida que halles combinaciones de dos o más elementos.

1 moneda de 25¢ =

1 moneda de 10¢ + 1 moneda de 10¢ + 1 moneda de 5¢

1 moneda de 10¢ + 1 moneda de 5¢ + 1 moneda de 5¢ + 1 moneda de 5¢

1 moneda de 5¢ + 1 moneda de 5¢ + 1 moneda de 5¢ + 1 moneda de 5¢ + 1 moneda de 5¢

Estrategia	Ejemplo	Cuándo usarla
Intentar, revisar y corregir	Suzanne gastó \$27, sin incluir impuestos, en artículos para perros. Compró dos unidades de un artículo y una unidad de otro artículo. ¿Qué compró? \$8 + \$8 + \$15 = \$31 \$7 + \$7 + \$12 = \$26 \$6 + \$6 + \$15 = \$27	Usa Intentar, revisar y corregir cuando se combinen cantidades para hallar un total, pero no sepas qué cantidades.
Escribir una ecuación	El nuevo tocadiscos CD de María puede contener 6 discos a la vez. Si ella tiene 204 CDs, ¿cuántas veces se puede llenar el tocadiscos sin repetir ningún CD? Halla $204 \div 6 = n$.	Escribe una ecuación cuando el cuento describa una situación que use una o varias operaciones.

¡Gran venta de artículos para perros!

Correa $8
Collar $6
Plato $7
Camita $15
Juguetes $12

Más estrategias

Estrategia	Ejemplo	Cuándo usarla
Representarlo	¿De cuántas maneras pueden darse la mano 3 estudiantes?	Piensa en representar un problema cuando los números sean pequeños y, en el problema, haya una acción que puedas hacer.
Razonar	Beth recogió algunas conchas marinas, rocas y vidrios gastados por el mar. **Colección de Beth** 2 rocas ●● 3 veces más conchas marinas que rocas ●● ●● ●● 12 objetos en total ¿Cuántos objetos de cada tipo hay en la colección?	Razona cuando puedas usar la información conocida para hacer un razonamiento sobre la información desconocida.
Empezar por el final	Tracy tiene práctica de banda a las 10:15 A.M. Tarda 20 minutos en ir desde su casa a la práctica y 5 minutos en hacer sus ejercicios de calentamiento. ¿A qué hora debe salir de su casa para llegar a tiempo a la práctica? Hora a la que Tracy sale de su casa: **?** ← 20 minutos ← Hora a la que empieza el calentamiento: ← 5 minutos ← Hora a la que empieza la práctica: **10:15**	Trata de empezar por el final cuando: • conozcas el resultado final de una serie de pasos, • quieras saber lo que sucedió al principio.

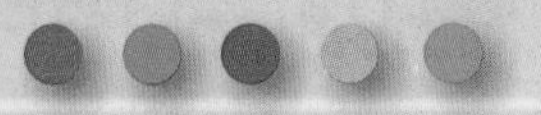

Puedo decidir cuándo usar cada estrategia.

Estrategia	Ejemplo	Cuándo usarla
Resolver un problema más sencillo 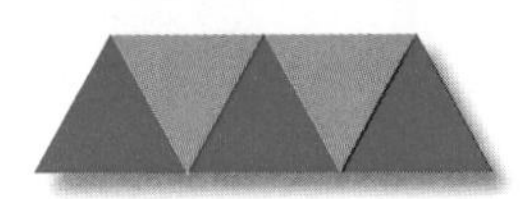	Cada lado de cada triángulo de la figura de la izquierda mide un centímetro. Si hay 12 triángulos uno junto al otro, ¿cuál es el perímetro de la figura? Miro 1 triángulo, luego 2 triángulos, luego 3 triángulos.  perímetro = 3 cm 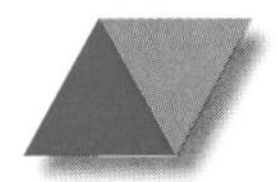 perímetro = 4 cm 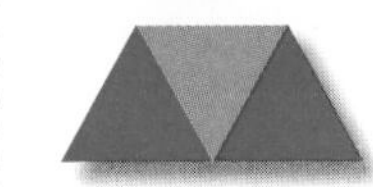 perímetro = 5 cm	Trata de resolver un problema más sencillo cuando puedas crear un caso más sencillo que sea más fácil de resolver.
Hacer una gráfica	Mary fue a una competencia de saltar cuerda. ¿Cómo cambió su número de saltos a lo largo de los cinco días de la competencia? 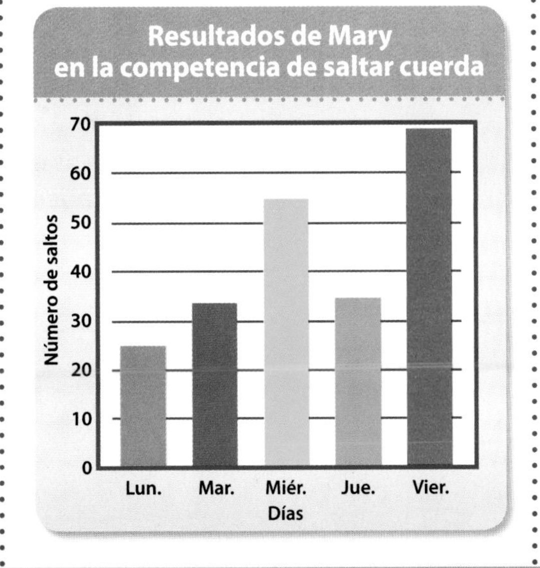	Haz una gráfica cuando: • se den los datos de un evento, • la pregunta se pueda responder leyendo la gráfica.

Escribir para explicar

Ésta es una buena explicación matemática.

Escribir para explicar ¿Qué sucede con el área del rectángulo si la longitud de sus lados se duplica?

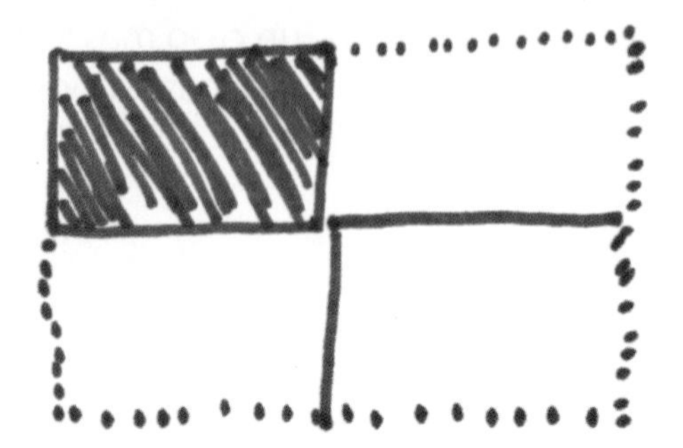

= 1/4 de todo el rectángulo

El área del rectángulo nuevo es 4 veces mayor que el área del rectángulo original.

Consejos para escribir buenas explicaciones matemáticas...

Una buena explicación debe ser:

- correcta
- sencilla
- completa
- fácil de entender

Las explicaciones matemáticas pueden usar:

- palabras
- dibujos
- números
- símbolos

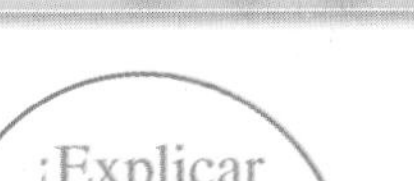

¡Explicar algo me ayuda a entenderlo!

Ésta es otra buena explicación matemática.

Escribir para explicar Usa bloques para mostrar 13×24.
Haz un dibujo de lo que hiciste con los bloques.

Primero hicimos una fila de 24 con 2 decenas y 4 unidades. Luego, hicimos más filas hasta tener 13. Luego, dijimos que 13 filas de 2 decenas equivalen a 13 x 2 decenas = 26 decenas o 260. Luego, dijimos que 13 filas de 4 unidades equivalen a 13 x 4 = 52. Luego, sumamos las partes: 260 + 52 = 312. Por tanto, 13 x 24 = 312.

Resolución de problemas: Hoja de anotaciones

Nombre *Jane*

Elemento didáctico 1

Resolución de problemas: Hoja de anotaciones

Problema:
El 14 de junio de 1777, el Congreso Continental aprobó el diseño de una bandera nacional. La bandera de 1777 tenía 13 estrellas, una por cada colonia. La bandera de hoy tiene 50 estrellas, una por cada estado. ¿Cuántas estrellas se han agregado a la bandera desde 1777?

¿Qué debo hallar?

Número de estrellas agregadas a la bandera

¿Qué sé?

Bandera original
13 estrellas

Bandera de hoy
50 estrellas

¿Qué estrategias uso?

Representar el problema
- ☑ Hacer un dibujo
- ☐ Hacer una lista organizada
- ☐ Hacer una tabla
- ☐ Hacer una gráfica
- ☐ Representarlo/Usar objetos

- ☐ Buscar un patrón
- ☐ Intentar, revisar y corregir
- ☑ Escribir una ecuación
- ☐ Razonar
- ☐ Empezar por el final
- ☐ Resolver un problema más sencillo

¿Cómo represento el problema?

50	
13	?

¿Cómo lo soluciono?

Puedo comparar las dos cantidades. Puedo sumar desde el 13 hasta el 50. También puedo restar 13 de 50. Voy a restar.

$$\begin{array}{r} 50 \\ -\ 13 \\ \hline 37 \end{array}$$

¿Cuál es la respuesta?

Desde 1777 hasta hoy, se han agregado a la bandera 37 estrellas.

¿Se comprueba? ¿Es razonable?

37 + 13 = 50; por tanto, resté correctamente.

50 − 13 es aproximadamente 50 − 10 = 40. 40 se aproxima a 37. 37 es razonable.

Elemento didáctico • 1

Ésta es una manera de organizar mi trabajo de resolución de problemas.

Nombre Benton

Elemento didáctico 1

Resolución de problemas: Hoja de anotaciones

Problema:

Supón que tu maestro te dice que abras tu libro de matemáticas en las páginas opuestas cuyos números sumen 85. ¿En qué dos páginas abrirías tu libro?

¿Qué debo hallar?

Los números de dos páginas opuestas

¿Qué sé?

Dos páginas.
Opuesta una a la otra.
La suma es 85.

¿Qué estrategias uso?

Representar el problema
- ☑ Hacer un dibujo
- ☐ Hacer una lista organizada
- ☐ Hacer una tabla
- ☐ Hacer una gráfica
- ☐ Representarlo/Usar objetos

- ☐ Buscar un patrón
- ☑ Intentar, revisar y corregir
- ☑ Escribir una ecuación
- ☐ Razonar
- ☐ Empezar por el final
- ☐ Resolver un problema más sencillo

¿Cómo represento el problema?

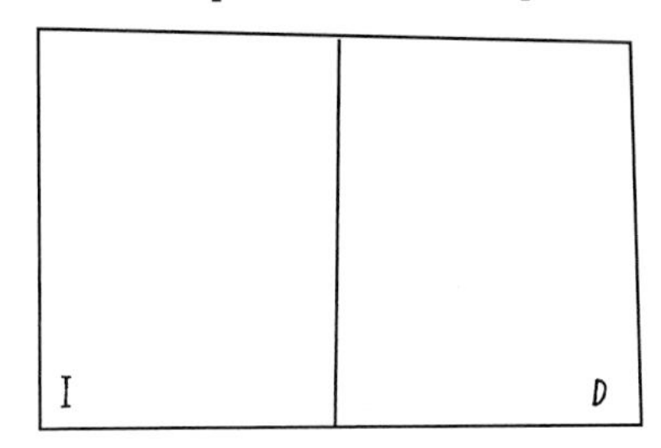

I + D = 85
I es 1 menos que D

¿Cómo lo soluciono?

Voy a probar con algunos números del medio.
40 + 41 = 81, muy bajo
¿Y qué pasa con 46 y 47?
46 + 47 = 93, muy alto
Bien, ahora trato con 42 y 43.
42 + 43 = 85.

¿Cuál es la respuesta?

Los números de página son 42 y 43.

¿Se comprueba? ¿Es razonable?

Sumé correctamente.
42 + 43 es aproximadamente 40 + 40 = 80
80 se aproxima a 85.
42 y 43 es razonable.

Elemento didáctico • 1

Tema 1

Numeración

1 La serpiente llamada "Baby" pesa 403 libras. ¿Es esta serpiente la más pesada de las que viven en cautiverio? Lo averiguarás en la Lección 1-3.

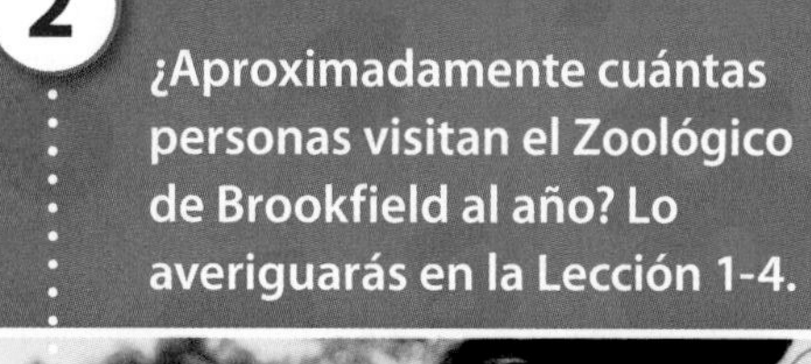

2 ¿Aproximadamente cuántas personas visitan el Zoológico de Brookfield al año? Lo averiguarás en la Lección 1-4.

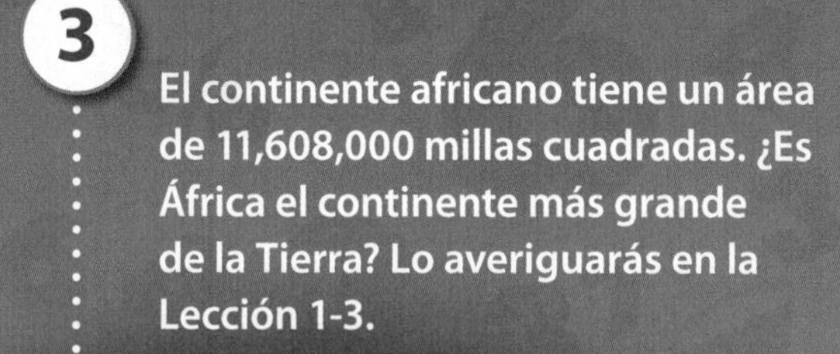

3 El continente africano tiene un área de 11,608,000 millas cuadradas. ¿Es África el continente más grande de la Tierra? Lo averiguarás en la Lección 1-3.

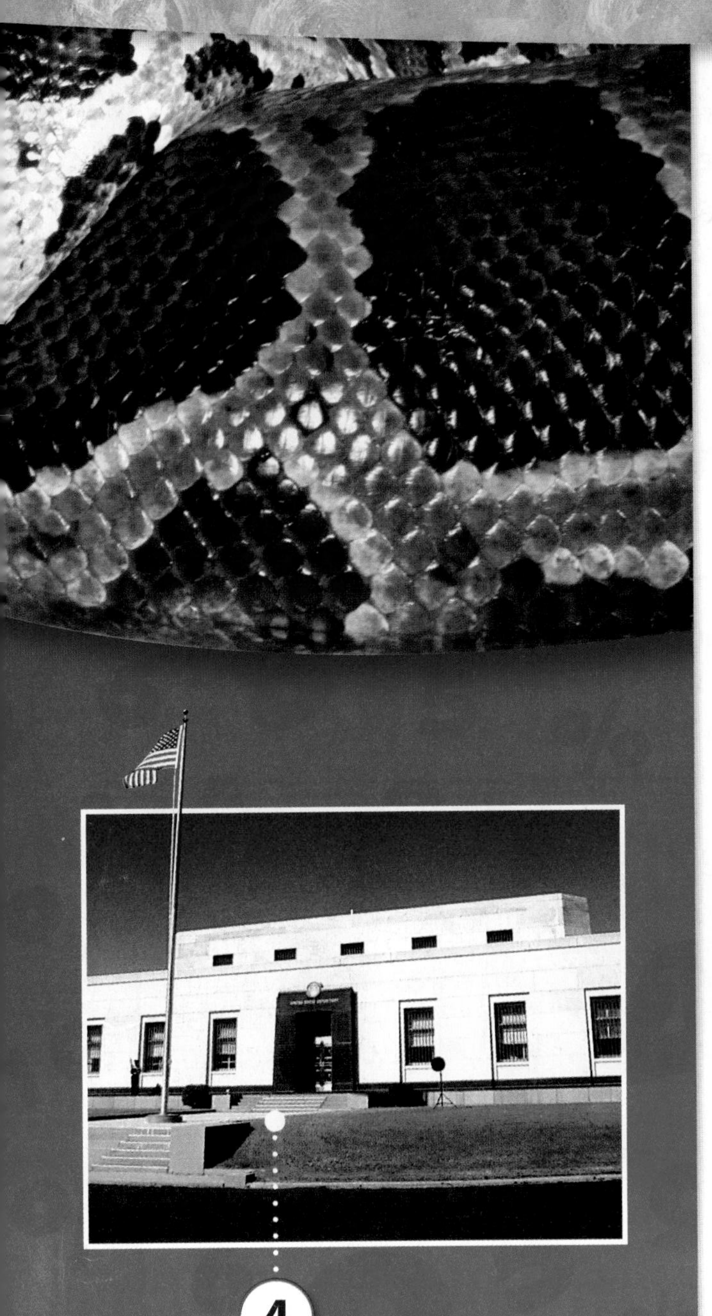

4

¿Cuánto oro hay almacenado en Fort Knox? Lo averiguarás en la Lección 1-2.

Repasa lo que sabes

Vocabulario

Elige el mejor término del recuadro.

- dígitos
- compara
- par
- período
- recta numérica
- impar

1. Un grupo de tres dígitos en un número, separado por una coma, es un ? .
2. Una ? es una recta que muestra números en orden usando una escala.
3. El número 8 es un número ? .
4. El número 5 es un número ? .

Comparar números

Compara los conjuntos de números usando >, < o =.

5. 13 ◯ 10
6. 7 ◯ 7
7. 28 ◯ 29
8. 14 ◯ 5
9. 43 ◯ 34
10. 0 ◯ 1
11. 52 ◯ 52
12. 13 ◯ 65
13. 22 ◯ 33

Valor de posición

Di si el dígito subrayado está en el lugar de las unidades, decenas o centenas.

14. 346
15. 17
16. 921
17. 106
18. 33
19. 47
20. 217
21. 320
22. 810
23. 1,006
24. 999
25. 1,405

26. **Escribir para explicar** ¿De qué manera te ayuda a leer números grandes el uso de la coma para separar períodos?

Lección

1-1

¡Lo entenderás!
Existen muchas maneras de representar un número.

Millares

Manos a la obra
bloques de valor de posición

¿Cuáles son algunas maneras de representar los números de los millares?

Jill está a 3,241 pies sobre el nivel del mar. Hay diferentes maneras de representar 3,241.

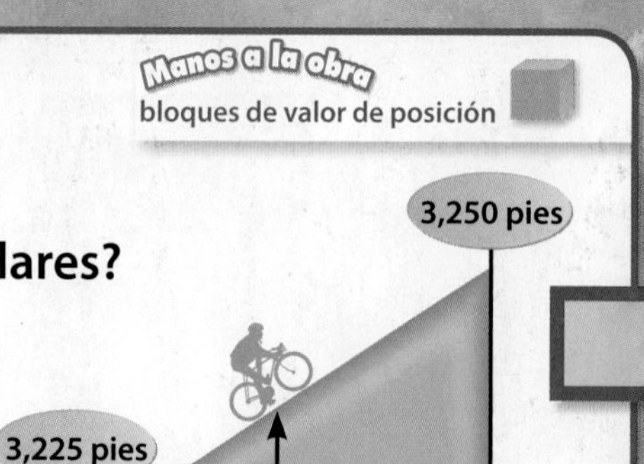

Otro ejemplo **¿Cómo lees y escribes los números de los millares?**

Otro ciclista está a 5,260 pies sobre el nivel del mar. Escribe 5,260 en forma estándar, en forma desarrollada y en palabras.

Cuando escribas un número en forma estándar, escribe sólo los dígitos: 5,260.

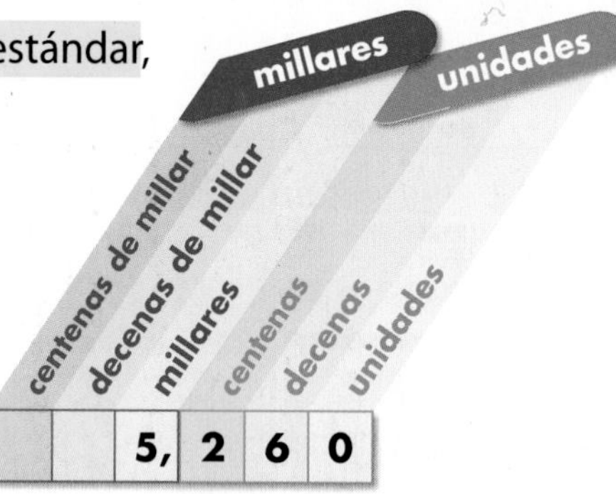

Comenzando por la derecha, cada grupo de 3 dígitos forma un período.

Un número en forma desarrollada se escribe como la suma del valor de los dígitos: 5,000 + 200 + 60 + 0

Usa los períodos de la tabla de valor de posición para escribir 5,260 en palabras: cinco mil doscientos sesenta.

Explícalo

1. Explica por qué el valor de 5 en 5,264 es 5,000.

2. ¿Son iguales las formas desarrolladas de 5,260 y de 5,206?

Puedes representar números con bloques de valor de posición.

3,000 + **200** + **40** + **1**

Puedes representar números en una recta numérica.

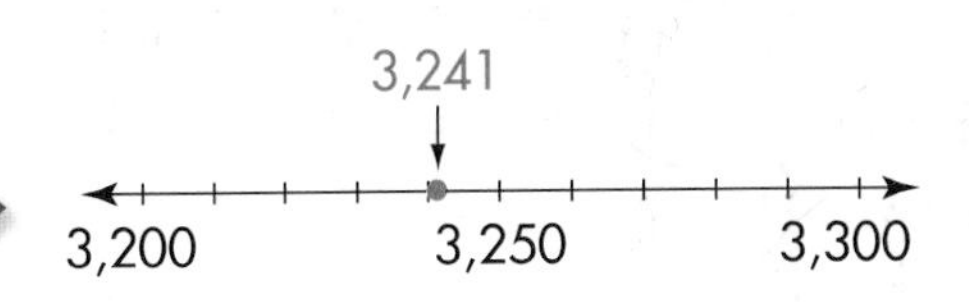

Práctica guiada*

¿CÓMO hacerlo?

En los Ejercicios **1** a **4,** escribe cada número en palabras y di el valor de cada dígito en rojo.

1. 15,324

2. 135,467

3. 921,382

4. 275,206

En los Ejercicios **5** y **6,** escribe la forma desarrollada.

5. 42,158

6. 63,308

¿Lo ENTIENDES?

7. Si Jill subiera 100 pies más, ¿a cuántos pies sobre el nivel del mar estaría?

8. ¿Cuál es el valor del 2 en 3,261? ¿Y del 3? ¿Y del 1?

9. Escribe ciento un mil once en forma estándar.

Práctica independiente

Práctica al nivel En los Ejercicios **10** a **13,** escribe cada número en forma estándar.

10.

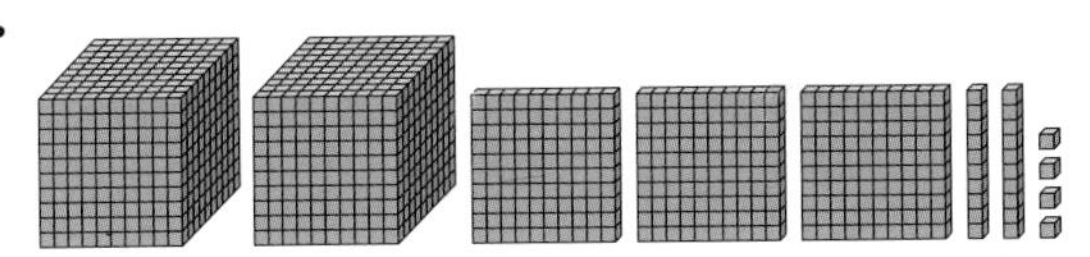

11.

12.

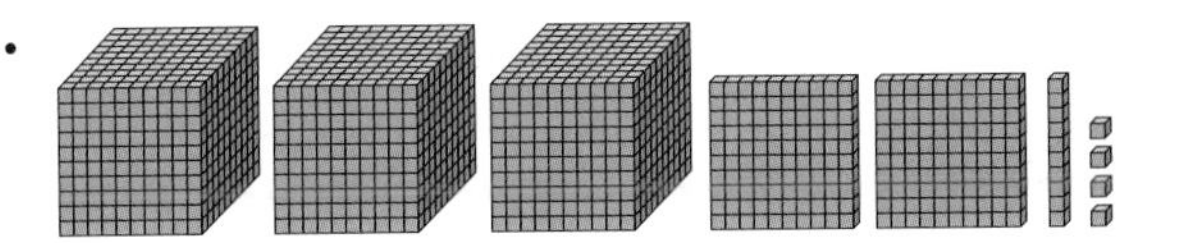

13.

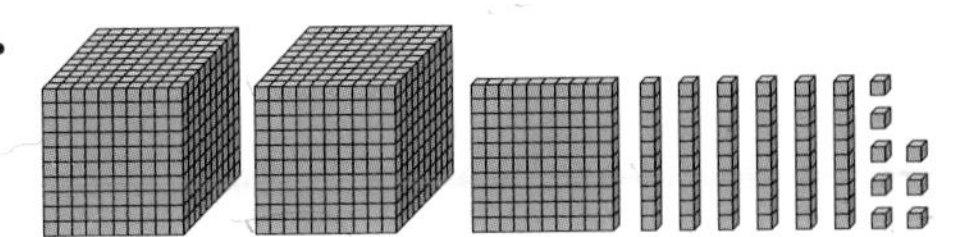

** Puedes encontrar otro ejemplo en el Grupo A, página 24.*

Práctica independiente

En los Ejercicios **14** y **15,** escribe cada número en forma estándar.

14. Ochenta y tres mil novecientos dos

15. Trescientos veintiún mil doscientos nueve

En los Ejercicios **16** y **17,** escribe cada número en forma desarrollada.

16. Cuatrocientos noventa y siete mil trescientos treinta y dos

17. Veintiún mil ochocientos siete

En los Ejercicios **18** y **19,** escribe cada número en palabras.

18. 300,000 + 8,000 + 20 + 9

19.

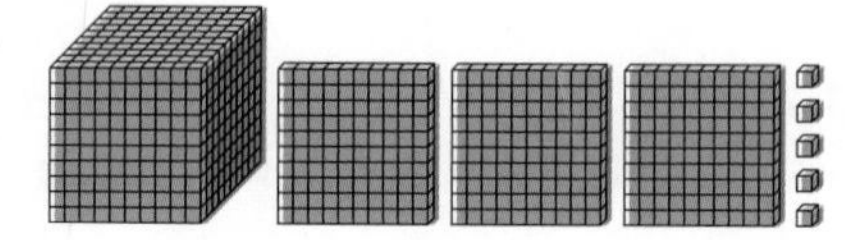

Resolución de problemas

20. Razonamiento El podómetro que está a continuación cuenta el número de pasos que das al caminar. Puede mostrar 5 dígitos. ¿Cuál es el número mayor que puede mostrar?

21. La biblioteca de un pueblo tiene 124,763 libros y 3,142 DVDs. Este año, se compraron 1,000 libros y 2,000 DVDs. ¿Cuántos libros tiene ahora la biblioteca?

A 5,142 libros

B 23,142 libros

C 125,763 libros

D 134,763 libros

22. Sentido numérico ¿Qué dígito está en el mismo lugar en los siguientes tres números? Nombra el lugar que ocupa el valor de posición.

574,632 24,376 204,581

23. Razonamiento ¿Cuál es el mayor número de 4 dígitos que puedes escribir? ¿Cuál es el menor número de 4 dígitos?

24. Una ciudad contó 403,867 votos en la última elección. Escribe este número en palabras.

25. Yellowstone es el primer parque nacional. Se estableció en el año 1872. Escribe este número en forma desarrollada.

Números romanos

En el sistema de números romanos se usan ciertas letras para representar diferentes números. El cuadro de abajo muestra una lista de los números romanos que más se usan, con su número equivalente.

I = 1	C = 100
V = 5	D = 500
X = 10	M = 1,000
L = 50	

La mayoría de los relojes que tienen números romanos muestran el 4 como IIII, y no como IV.

Ejemplos:

Para hallar los números que no están en la lista, suma los valores cuando las letras son las mismas.

$$\textbf{III} = \textbf{1} + \textbf{1} + \textbf{1} = \textbf{3}$$

Cuando una letra está a la derecha de una letra de mayor valor, suma los valores.

$$\textbf{VIII} = \textbf{5} + \textbf{3} = \textbf{8}$$

Cuando una letra está a la izquierda de una letra de mayor valor, resta los valores.

$$\textbf{IV} = \textbf{5} - \textbf{1} = \textbf{4}$$

Cuando una letra está entre dos letras de mayor valor, resta el valor menor del valor mayor a su derecha.

$$\textbf{XIX} = \textbf{10} + \textbf{9} = \textbf{19}$$

Práctica

En los Ejercicios **1** a **4,** escribe la hora que muestra cada reloj.

1. 

2. 

3. 

4. 

En los Ejercicios **5** a **9,** halla el valor de cada conjunto de números romanos.

5. XXXIX **6.** LX **7.** XL **8.** CXXXVI **9.** MMIV

En los Ejercicios **10** a **14,** escribe el número romano para cada número.

10. 23 **11.** 55 **12.** 611 **13.** 333 **14.** 1,666

Lección

1-2

¡Lo entenderás!
Se puede usar el valor de posición para leer y comprender los números en los millones.

Millones

¿De qué maneras se pueden representar los números de los millones?

Desde 2001 hasta 2005, asistieron a partidos de beisbol profesional 356,039,763 aficionados. Escribe 356,039,763 en forma desarrollada y en palabras. Usa la tabla de valor de posición como ayuda.

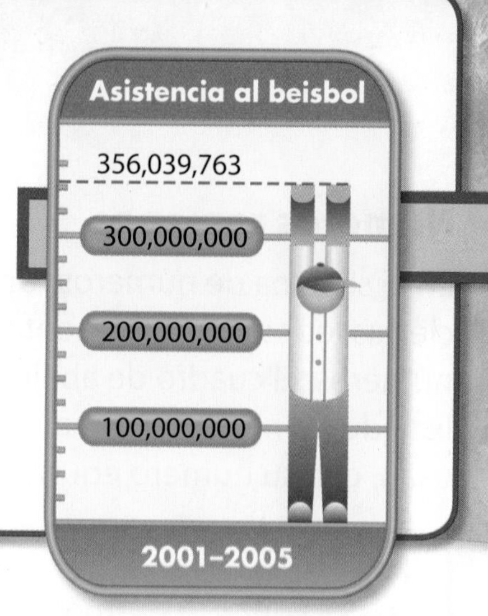

Práctica guiada*

¿CÓMO hacerlo?

En los Ejercicios **1** y **2,** escribe el número en palabras. Luego, di el valor del dígito en rojo de cada número.

1. 75,600,295 **2.** 249,104,330

En los Ejercicios **3** a **6,** escribe el número en forma desarrollada.

3. 6,173,253 **4.** 75,001,432

5. 16,107,320 **6.** 430,290,100

¿Lo ENTIENDES?

7. ¿Cuál es el valor del 5 en 356,039,763?

8. ¿Cuál es el valor del 9 en 356,039,763?

9. Entre 1996 y 2000, asistieron a los partidos 335,365,504 aficionados. En 335,365,504, ¿qué dígito está en el lugar de los millones?

Práctica independiente

En los Ejercicios **10** a **12,** escribe cada número en forma estándar.

10. 300,000,000 + 40,000,000 + 7,000,000 + 300,000 + 10,000 + 6,000 + 20 + 9

11. 900,000,000 + 20,000,000 + 6,000,000 + 20,000 + 4,000 + 10

12. 80,000,000 + 1,000,000 + 600,000 + 20,000 + 900 + 40 + 8

En los Ejercicios **13** a **16,** escribe el número en palabras. Luego, di el valor del dígito en rojo de cada número.

13. 7,915,878 **14.** 23,341,552 **15.** 214,278,216 **16.** 334,290,652

** Puedes encontrar otro ejemplo en el Grupo A, página 24.*

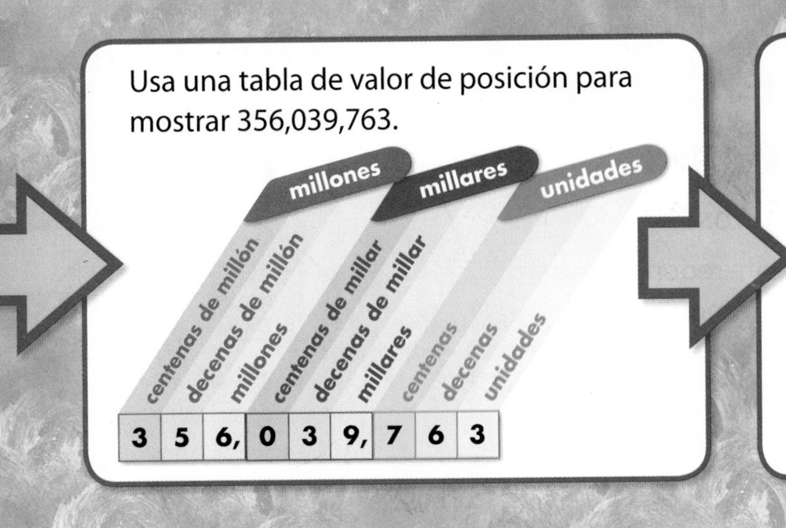

El 3 está en el lugar de las centenas de millón. Su valor es 300,000,000.

Forma desarrollada: 300,000,000 + 50,000,000 + 6,000,000 + 30,000 + 9,000 + 700 + 60 + 3

En palabras: Trescientos cincuenta y seis millones treinta y nueve mil setecientos sesenta y tres

En los Ejercicios **17** a **20,** escribe el número en forma desarrollada. Luego, di el valor del dígito en rojo de cada número.

17. 7,330,968 **18.** 30,290,447 **19.** 133,958,840 **20.** 309,603,114

Resolución de problemas

21. **Escribir para explicar** ¿Qué número te llevará menos tiempo escribir en forma desarrollada, 800,000,000 ó 267,423?

22. Escribe la forma desarrollada de 123,456,789 y de 987,654,321. ¿Qué dígito tiene el mismo valor en ambos números?

23. En 2005, setenta y cuatro millones novecientos quince mil doscientos sesenta y ocho aficionados asistieron a partidos de beisbol. ¿Qué opción muestra este número en forma estándar?

A 74,015,268 **C** 74,905,268

B 74,900,268 **D** 74,915,268

24. Escribe la forma estándar de un número de 9 dígitos que tenga un 5 en el lugar de los millones y un 9 en el lugar de las decenas.

a Escribe un número que sea diez millones mayor que el número que elegiste.

b Escribe un número que sea un millón menor que el número que elegiste.

25. **Sentido numérico** En Fort Knox hay 147,300,000 onzas de oro. Escribe el número que es un millón mayor.

Lección
1-3

¡Lo entenderás!
Se puede usar el valor de posición y la recta numérica para comparar y ordenar números enteros.

Comparar y ordenar números enteros

¿Cómo comparas números?

La Tierra no es perfectamente redonda. El polo Norte está a 6,356 kilómetros del centro de la Tierra. El ecuador está a 6,378 kilómetros del centro. ¿Cuál está más cerca del centro de la Tierra, el polo Norte o el ecuador?

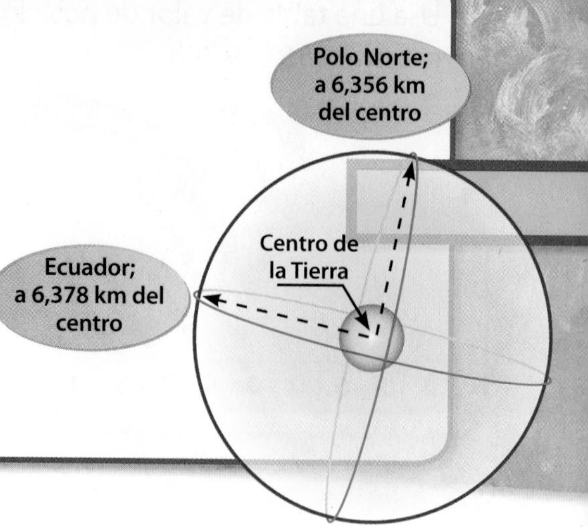

Otro ejemplo ¿Cómo ordenas los números?

En la tabla de la derecha se muestra el área de 3 continentes de la Tierra. ¿Qué opción muestra las áreas ordenadas de **menor** a **mayor?**

A 9,450,000; 4,010,000; 6,890,000

B 4,010,000; 9,450,000; 6,890,000

C 6,890,000; 9,450,000; 4,010,000

D 4,010,000; 6,890,000; 9,450,000

Datos

Continente	Área (en millas cuadradas)
Europa	4,010,000
América del Norte	9,450,000
América del Sur	6,890,000

Paso 1 Marca los números en una recta numérica.

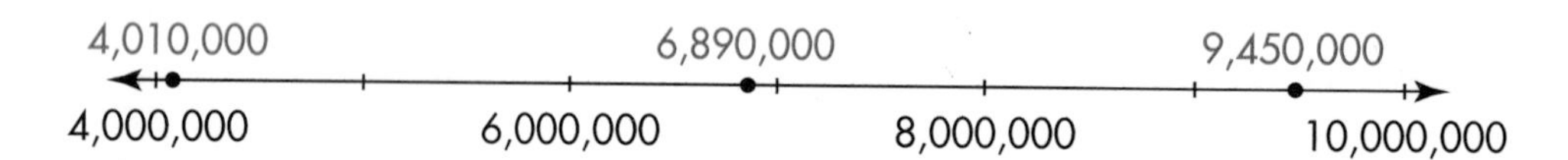

Paso 2 Ordena los números. En una recta numérica, los números de la derecha son mayores.

Leyendo de izquierda a derecha, tenemos: 4,010,000; 6,890,000; 9,450,000.

La opción correcta es la **D.**

Explícalo

1. Describe cómo ordenarías las áreas de los continentes utilizando el valor de posición.
2. **¿Es razonable?** ¿Cómo sabes que las opciones **A** y **C** no son correctas y se pueden descartar?

Paso 1

Usa el valor de posición para comparar los números.

Escribe los números alineando sus posiciones. Empieza por la izquierda y compara.

6,356
6,378

El dígito de los millares es el mismo en ambos números.

Paso 2

Observa el siguiente dígito.

6,356
6,378

El dígito de las centenas es también el mismo en ambos números.

Paso 3

El primer lugar en el que los dígitos son diferentes es el de las decenas. Compara.

6,356 — 5 decenas < 7 decenas;
6,378 — por tanto, 6,356 < 6,378

El símbolo > significa "es mayor que", y el símbolo < significa "es menor que."

El polo Norte está más cerca del centro de la Tierra que el ecuador.

Práctica guiada*

¿CÓMO hacerlo?

En los Ejercicios **1** a **4,** copia y completa con > o < en cada ◯.

1. 2,643 ◯ 2,801 **2.** 6,519 ◯ 6,582

3. 785 ◯ 731 **4.** 6,703 ◯ 6,699

En los Ejercicios **5** y **6,** ordena los números de menor a mayor.

5. 7,502 6,793 6,723

6. 80,371 15,048 80,137

¿Lo ENTIENDES?

7. Escribir para explicar ¿Por qué observarías el lugar de las centenas para ordenar estos números?

32,463 32,482 32,947

8. Compara el área de Europa con la de América del Sur. ¿Cuál es mayor?

Práctica independiente

En los Ejercicios **9** a **16,** copia y completa con > o < en cada ◯.

9. 221,495 ◯ 210,388 **10.** 52,744 ◯ 56,704

11. 138,752 ◯ 133,122 **12.** 4,937 ◯ 4,939

13. 22,873 ◯ 22,774 **14.** 1,912,706 ◯ 1,913,898

15. 412,632 ◯ 412,362 **16.** 999,999,999 ◯ 9,990,999

** Puedes encontrar otro ejemplo en el Grupo B, página 24.*

Práctica independiente

Práctica al nivel En los Ejercicios **17** a **20,** copia y completa las rectas numéricas. Luego, usa las rectas numéricas para ordenar los números de mayor a menor.

17. 27,505 26,905 26,950

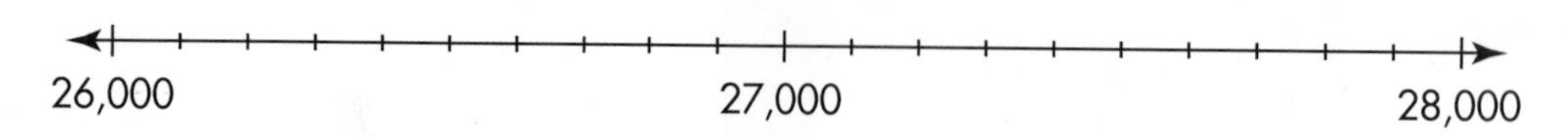

18. 3,422,100 3,422,700 3,422,000

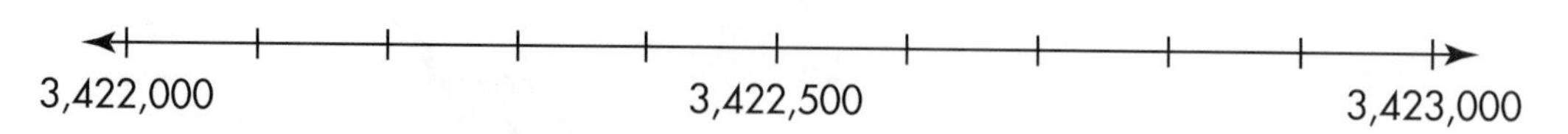

19. 7,502 7,622 7,523 7,852

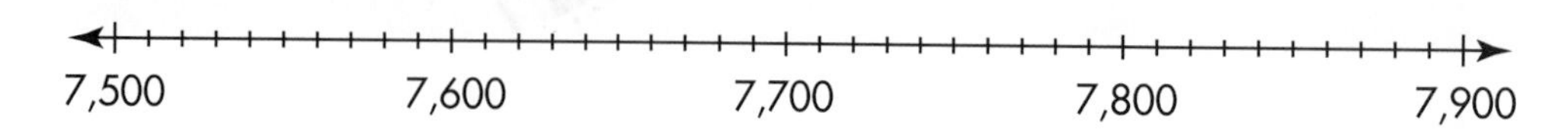

20. 3,030 3,033 3,003

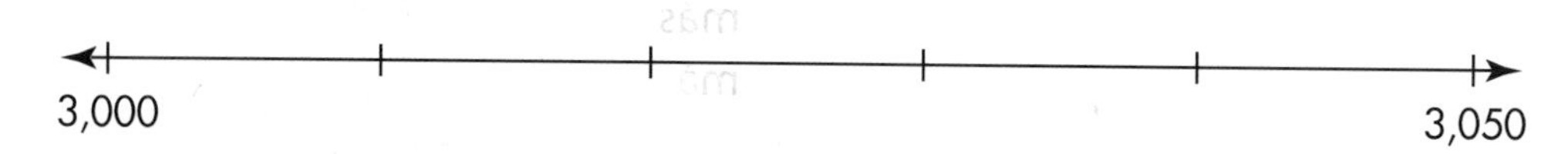

En los Ejercicios **21** a **28,** escribe los números en orden de menor a mayor.

21. 57,535 576,945 506,495

22. 18,764 18,761 13,490

23. 25,988 25,978 25,998

24. 87,837 37,838 878,393

25. 43,783 434,282 64,382

26. 723,433 72,324 72,432

27. 58,028 85,843 77,893

28. 274,849,551 283,940,039 23,485,903

Resolución de problemas

29. Estimación Aaron sumó 57 y 20 y dijo que la respuesta es mayor que 100. ¿Tiene razón Aaron?

30. Sentido numérico Escribe tres números que sean mayores que 780,000 pero menores que 781,000.

31. Razonamiento ¿Podrías usar sólo el período de los millones para ordenar 462,409,524; 463,409,524 y 463,562,391?

32. Describe cómo ordenas 7,463; 74,633; y 74,366 de menor a mayor.

33. La serpiente más pesada que vive en cautiverio es una pitón tigrina llamada "Baby". Una anaconda pesa 330 libras en promedio. ¿Qué serpiente pesa más?

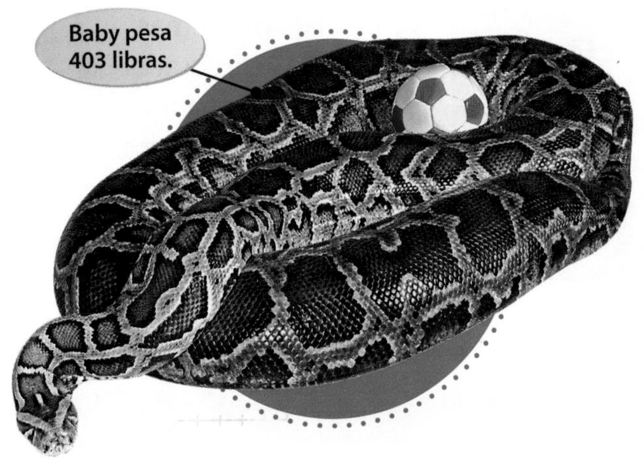

34. ¿Qué lista de números está en orden de menor a mayor?

A 1,534 1,576 1,563

B 18,732 18,723 18,765

C 234,564 234,568 234,323

D 383,847 383,848 383,849

35. Asia y África son los dos continentes más grandes de la Tierra. ¿Cuál es el más grande?

Datos

Continente	Área (en millas cuadradas)
África	11,608,000
Asia	17,212,000

36. El cuadro de abajo muestra el número de tarjetas de juego que tenían los principales coleccionistas de una escuela. ¿Qué estudiante tenía más tarjetas?

A Shani **C** Ariel

B Lin **D** Jorge

Datos

Coleccionista	Número de tarjetas
Shani	3,424
Ariel	3,443
Lin	2,354
Jorge	2,932

37. El océano Atlántico tiene un área de 33,420,000 millas cuadradas. ¿Entre qué números está el área?

A 33,400,000 y 33,440,000

B 33,000,000 y 33,040,000

C 33,100,000 y 33,419,000

D 33,430,000 y 33,500,000

Lección
1-4

¡Lo entenderás!
Se puede usar el valor de posición para redondear números enteros.

Redondear números enteros

¿Cómo redondeas los números?

Redondea 293,655,404 al millar más cercano y a la centena de millar más cercana. Puedes usar el valor de posición para redondear los números.

281,421,906

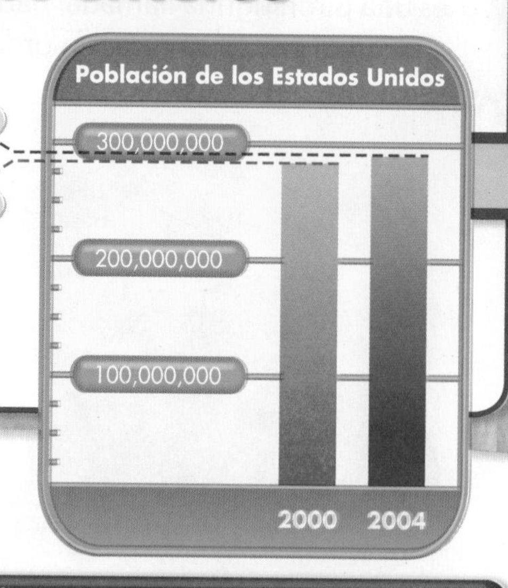

Práctica guiada*

¿CÓMO hacerlo?

En los Ejercicios **1** a **6,** redondea cada número al lugar del dígito subrayado.

1. 128,955 **2.** 85,639

3. 9,924 **4.** 1,194,542

5. 160,656 **6.** 149,590

¿Lo ENTIENDES?

7. Escribir para explicar Explica cómo redondear un número cuando 7 es el dígito que está a la derecha del lugar de redondeo.

8. En 2000, la población de los Estados Unidos era de 281,421,906. Redondea 281,421,906 a la centena de millar más cercana.

Práctica independiente

Práctica al nivel En los Ejercicios **9** a **28,** redondea cada número al lugar del dígito subrayado. Puedes usar una recta numérica como ayuda.

9. 493,295
☐☐☐,000

10. 39,230
☐☐,000

11. 77,292
☐☐,☐☐0

12. 54,846
☐0,000

13. 4,028 **14.** 6,668,365 **15.** 453,280 **16.** 17,909

17. 1,406 **18.** 55,560 **19.** 21,679 **20.** 3,417,547

21. 117,821 **22.** 75,254 **23.** 9,049 **24.** 1,666,821

25. 2,420 **26.** 9,000,985 **27.** 9,511 **28.** 73,065

** Puedes encontrar otro ejemplo en el Grupo C, página 24.*

Redondea 293,655,404 al millar más cercano.

lugar de los millares

281,655,404 — Si el dígito que está a la derecha del lugar de redondeo es 5 o más, suma 1 al dígito de redondeo. Si es menos de 5, el dígito de redondeo queda igual.

293,655,000 — Dado que 4 < 5, el dígito de redondeo queda igual. Cambia los dígitos que están a la derecha del lugar de redondeo a ceros.

Por tanto, 293,655,404 se redondea a 293,655,000.

Redondea 293,655,404 a la centena de millar más cercana.

lugar de las centenas de millar

293,655,404 — El dígito que está a la derecha del lugar de redondeo es 5.

293,700,000 — Dado que el dígito es 5, redondea sumando 1 al dígito que está en el lugar de las centenas de millar.

Por tanto, 293,655,404 se redondea a 293,700,000.

Resolución de problemas

En los Ejercicios **29** y **30,** usa la tabla que está a la derecha.

29. Para cada zoológico de la tabla, redondea la asistencia a la centena de millar más cercana.

30. Razonamiento ¿Qué zoológico tuvo el mayor número de visitantes?

Datos

Asistencia al zoológico	
Zoológico de Nashville	513,561
Zoológico de Brookfield	1,872,544
Zoológico de Oregón	1,350,952

31. Sentido numérico Escribe cuatro números que, cuando se redondeen a la centena más cercana, sean 700.

32. Razonamiento Escribe un número que, cuando se redondee al millar más cercano y a la centena más cercana, dé el mismo resultado.

33. Jonás leyó que aproximadamente 1,760 personas se graduarán de escuela secundaria durante los próximos cuatro años. Él piensa que este número está redondeado a la decena más cercana. ¿Qué número sería si estuviera redondeado a la centena más cercana?

34. Liz había asistido a clase todos los días desde que empezó el kínder. Ella dijo que hacía aproximadamente 1,000 días que estaba en la escuela. ¿Cuál podría ser el número real de días escolares si Liz los redondeara a la decena más cercana?

35. Si se redondeara a la decena de millar más cercana, ¿qué número se redondearía a 120,000?

A 123,900 **C** 128,770

B 126,480 **D** 130,000

36. Un mercado de frutas vendió 3,849 manzanas, 3,498 naranjas y 3,894 peras en un día. Escribe estos números en orden de mayor a menor.

Lección
1-5

¡Lo entenderás!
El valor de posición puede mostrar el valor decimal del dinero.

Usar dinero para comprender los números decimales

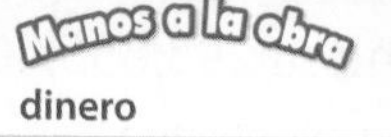

dinero

¿Cómo se relacionan los decimales con el dinero?

Una moneda de 10¢ es una décima de un dólar.

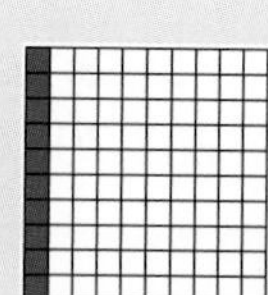

0.1

Una moneda de 1¢ es una centésima de un dólar.

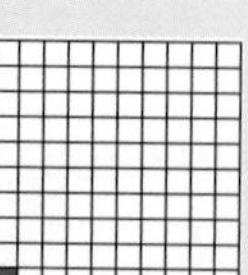

0.01

Práctica guiada*

¿CÓMO hacerlo?

En los Ejercicios **1** y **2,** copia y completa.

1. $9.75 = ☐ dólares + ☐ monedas de 10¢ + ☐ monedas de 1¢

9.75 = ☐ unidades + ☐ décimas + ☐ centésimas

2. $3.62 = ☐ dólares + ☐ monedas de 1¢

3.62 = ☐ unidades + ☐ centésimas

¿Lo ENTIENDES?

3. Escribir para explicar ¿Cuántas centésimas hay en una décima? Explica utilizando monedas de 1¢ y una moneda de 10¢.

4. ¿Cuántas monedas de 1¢ son iguales a 6 monedas de 10¢?

5. La mesada de Gina es de $2.50. ¿Cuánto es en dólares y en monedas de 10¢?

Ojo *Recuerda: La cantidad de monedas de 10¢ es la misma que la cantidad de décimas.*

Práctica independiente

En los Ejercicios **6** a **9,** copia y completa.

6. $5.83 = ☐ dólares + ☐ monedas de 1¢

5.83 = ☐ unidades + ☐ centésimas

7. $7.14 = ☐ dólares + ☐ monedas de 1¢

7.14 = ☐ unidades + ☐ centésimas

8. $2.19 = ☐ dólares + ☐ monedas de 10¢ + ☐ monedas de 1¢

2.19 = ☐ unidades + ☐ décima + ☐ centésimas

9. $3.24 = ☐ dólares + ☐ monedas de 10¢ + ☐ monedas de 1¢

3.24 = ☐ unidades + ☐ décimas + ☐ centésimas

** Puedes encontrar otro ejemplo en el Grupo D, página 25.*

Una manera

Puedes usar una tabla de valor de posición para mostrar el valor decimal del dinero.

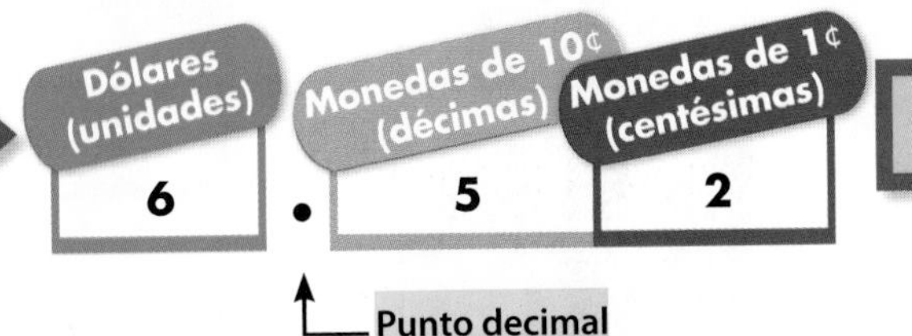

Lee: seis dólares *y* cincuenta y dos centavos.

Otra manera

Puedes representar $6.52 de distintas maneras.

$6.52 = 6 dólares + 5 monedas de 10¢ + 2 monedas de 1¢
= 6 unidades + 5 décimas + 2 centésimas

$6.52 = 6 dólares + 52 monedas de 1¢
= 6 unidades + 52 centésimas

En los Ejercicios **10** a **13,** escribe la suma o total con el signo de dólar y el punto decimal.

10. 6 dólares + 9 monedas de 10¢ + 3 monedas de 1¢

11. 5 dólares + 8 monedas de 1¢

12. 7 dólares + 3 monedas de 10¢ + 4 monedas de 1¢

13. 4 dólares + 7 monedas de 10¢

Resolución de problemas

14. Haz una tabla de valor de posición para representar el valor de 5 dólares, 1 moneda de 10¢ y 3 monedas de 1¢.

15. **Escribir para explicar** ¿Por qué sólo necesitas mirar el número de dólares para saber que $5.12 es mayor que $4.82?

16. Pablo ahorra $1.20 todas las semanas. ¿Cuánto ha ahorrado, en dólares y en monedas de 10¢, después de una semana? ¿De dos semanas? ¿De tres semanas?

17. **Sentido numérico** ¿Cuál es mayor?

a ¿4 monedas de 10¢ y 6 monedas de 1¢ ó 6 monedas de 10¢ y 4 monedas de 1¢?

b ¿5 monedas de 10¢ ó 45 monedas de 1¢?

En los Ejercicios **18** y **19,** usa la información que está a la derecha.

18. ¿Cómo podrías comprar un soplador de burbujas usando solamente dólares, monedas de 10¢ y monedas de 1¢?

19. ¿Cómo podrías comprar el globo de cristal usando solamente dólares, monedas de 10¢ y monedas de 1¢?

20. ¿Cuál es igual a 6 dólares, 3 monedas de 10¢ y 4 monedas de 1¢?

A $3.46 **B** $3.64 **C** $6.34 **D** $6.43

Lección

1-6

¡Lo entenderás!
Se debe comenzar con los billetes y monedas de mayor valor y contar hacia adelante a partir del costo para calcular el cambio.

Contar dinero y calcular el cambio

¿Cómo cuentas dinero y calculas el cambio?

Noreen tiene los billetes y monedas que se muestran. ¿Cuánto dinero tiene?

Otros ejemplos

Dimitri compra flores a $17.65. Paga con un billete de $20. ¿Cuánto cambio recibe?

Cuenta hacia adelante desde $17.65.

Costo $17.65 ⟶ $17.75 ⟶ $18.00 ⟶ $19.00 ⟶ **Cantidad pagada** $20.00

El cambio de Dimitri es dos billetes de $1, 1 moneda de 25¢ y 1 moneda de 10¢ ó $2.35.

Práctica guiada*

¿CÓMO hacerlo?

Cuenta el dinero.

1.

Halla cuánto cambio recibirías si pagaras con los billetes que se muestran.

2. Costo: $14.58

¿Lo ENTIENDES?

3. ¿Por qué empiezas con los billetes o monedas que tienen el mayor valor cuando cuentas dinero?

4. Si Noreen hallara 7 monedas más de 25¢, ¿cuánto dinero tendría?

5. Razonamiento Si compras un objeto que cuesta $8.32, ¿por qué pagarías con un billete de $10, 3 monedas de 10¢ y 2 monedas de 1¢?

*Puedes encontrar otro ejemplo en el Grupo E, página 25.

Primero cuenta los billetes. Empieza con el billete de mayor valor.

 + +  +  + 

$10.00 $15.00 $16.00 $17.00 $18.00

Cuenta las monedas que quedan. Empieza con la moneda de mayor valor.

$18.25 $18.50 $18.60 $18.70 $18.75 $18.76

Escribe: $18.76 **Di:** dieciocho dólares con setenta y seis centavos

Práctica independiente

En los Ejercicios **6** a **9,** cuenta el dinero. Escribe cada cantidad con un signo de dólar y un punto decimal.

6. Tres billetes de $1, 2 monedas de 25¢, 3 monedas de 1¢

7. Un billete de $10, dos billetes de $5, 4 monedas de 10¢

8. Dos billetes de $1, 3 monedas de 25¢, 2 monedas de 10¢ y 1 moneda de 5¢

9. Cuatro billetes de $1, tres monedas de 25¢, 8 monedas de 1¢

En los Ejercicios **10** a **13,** enumera las monedas y los billetes que usarías para calcular el cambio de los billetes que se muestran. Luego escribe las cantidades con un signo de dólar y un punto decimal.

10. Costo: $25.24

11. Costo: $17.59

12. Costo: $46.85

13. Costo: $23.65

14. Escribir para explicar Gina paga un objeto que cuesta $6.23 con un billete de $10. ¿Cuál es el menor número de monedas y billetes que podría recibir de cambio? Explícalo.

15. ¿Qué número es 153,276,337 disminuido en 100,000?

A 153,176,337 **C** 154,214,337

B 153,274,337 **D** 253,276,337

16. El Censo de los EE. UU. de 2005 informó que la población del estado de Nueva York era de diecinueve millones doscientos cincuenta y cuatro mil seiscientos treinta. ¿Cuál es la población de Nueva York en forma estándar?

17. Un número de seis dígitos tiene un 4 en el lugar de los millares y un 6 en el lugar de las unidades. Todos los demás dígitos son dos. ¿Cómo se escribe el número en palabras?

Lección
1-7

¡Lo entenderás!
Aprender cómo y cuándo hacer una lista organizada puede ayudar a resolver problemas.

Resolución de problemas

Hacer una lista organizada

Arthur está poniendo azulejos en las paredes del baño. Tiene 520 azulejos. Los quiere ordenar en series de centenas y decenas.

Usando solamente bloques de centenas y de decenas, ¿de cuántas maneras puede formar 520?

Práctica guiada*

¿CÓMO hacerlo?

Resuelve. Haz una lista organizada como ayuda.

1. La entrada al acuario le cuesta a Celia 50¢. ¿De cuántas maneras puede Celia pagar la entrada solamente con monedas de 25¢, de 10¢ y de 5¢?

¿Lo ENTIENDES?

2. En el Ejercicio 1, ¿cuáles eran los títulos de las columnas de tu lista?

3. **Escribe un problema** Escribe un problema que puedas resolver con una lista organizada.

Práctica independiente

Resuelve.

4. Usando solamente bloques de centenas y bloques de decenas, anota las maneras de mostrar 340.

5. Simón le pidió a Margaret que adivinara un número. Le dio estas pistas.
   - El número tiene 3 dígitos.
   - El dígito que está en el lugar de las centenas es menor que 2.
   - El dígito que está en el lugar de las decenas es mayor que 8.
   - El número es par.

   ¿Cuáles son los números posibles?

6. Haz una lista que muestre las maneras en que puedes formar un dólar usando solamente monedas de 25¢, de 10¢ y de 5¢, pero con no más de una moneda de 5¢ y no más de 9 monedas de 10¢.

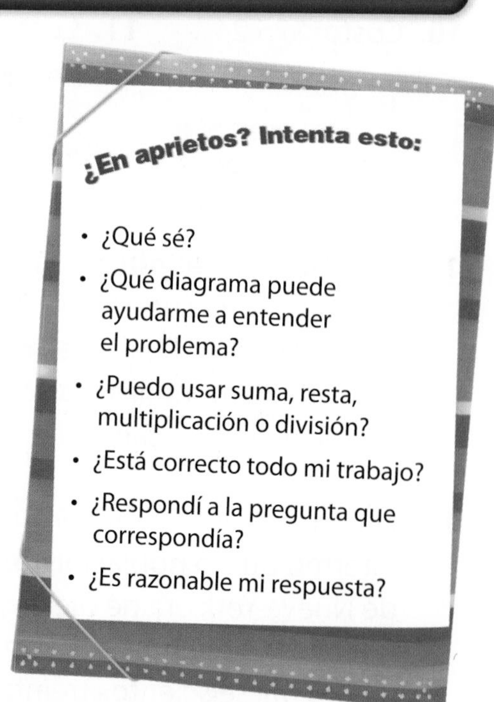

Puedes encontrar otro ejemplo en el Grupo F, página 25.

Lee y comprende

¿Qué sé? Solamente puedo usar bloques de centenas y bloques de decenas.

¿Qué me piden que halle? Todas las combinaciones que muestren un total de 520.

Planea

Anota las combinaciones en una lista organizada.

Centenas	5	4	3	2	1	0
Decenas	2	12	22	32	42	52

Hay 6 maneras de formar 520.

La respuesta es razonable por que las combinaciones tienen 5 o menos bloques de centenas.

7. Los sándwiches de Lou están hechos con pan integral o con pan blanco y tienen un solo tipo de queso: suizo, *cheddar*, americano o *mozzarella*. ¿Cuántos tipos de sándwiches puede hacer Lou?

8. Una revista tiene un total de 24 artículos y anuncios publicitarios. Hay 9 anuncios publicitarios. ¿Cuántos artículos hay?

24 artículos y anuncios

9	?

9. Janie está haciendo una pulsera. Tiene 1 cuenta roja, 1 cuenta azul y 1 cuenta blanca. ¿De cuántas maneras posibles puede Janie ordenar las cuentas?

10. Razonamiento ¿Qué dos números tienen una suma de 12 y una diferencia de 4?

11. Alan tiene un gato, un pez dorado y un perro. Cada día los alimenta en un orden diferente. ¿De cuántas maneras diferentes puede Alan alimentar a sus mascotas?

12. Heather está escribiendo un número de 3 dígitos. Usa los dígitos 1, 5 y 9. ¿Cuáles son los números posibles que puede escribir?

13. James quiere comprar 200 pelotas de golf en el campo de práctica. Las pelotas de golf se venden en cubetas de 100, de 50 y de 10 pelotas. ¿De cuántas maneras diferentes puede James comprar 200 pelotas de golf?

Tema 1

Examen

1. ¿Cuál de las siguientes opciones es otra manera de escribir el numeral 10,220? (1-1)

A Mil doscientos veinte

B Diez mil doscientos dos

C Diez mil doscientos veinte

D Diez mil veintidós

2. Florida tiene aproximadamente dieciséis millones trescientos mil acres de territorio forestal. ¿Cuál de las siguientes opciones es otra manera de escribir este número? (1-2)

A 16,300

B 16,000,300

C 16, 030,000

D 16,300,000

3. ¿Qué número es menor que 4,329,349? (1-3)

A 4, 359,219

B 4,329,391

C 4,329,319

D 4,359,291

4. ¿Cuál es el número que falta? (1-5)

\$5.47 = 5 dólares + ▢ monedas de 10¢ + 7 monedas de 1¢
5.47 = 5 unidades + ▢ décimas + 7 centésimas

A 4

B 5

C 7

D 9

5. ¿Qué número se representa mejor por el punto *P* en la recta numérica? (1-1)

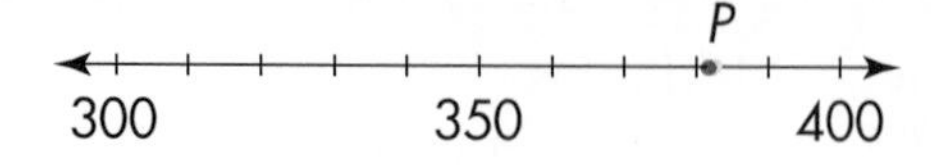

A 378

B 382

C 388

D 392

6. La tabla muestra las áreas de cuatro estados. ¿Cuál de los cuatro estados tiene el área menor? (1-3)

Datos

Estado	Área (en m^2)
Montana	147,042
Oklahoma	69,898
Oregón	98,381
Wyoming	97,814

A Montana

B Oklahoma

C Oregón

D Wyoming

7. Betsy está haciendo una bandera. Puede elegir tres colores entre el rojo, el blanco, el azul y el amarillo. ¿Cuántas opciones tiene Betsy? (1-7)

A 3

B 4

C 6

D 24

8. Un juego cuesta $18.78. Jared dio al cajero un billete de $20. ¿Qué opción muestra su cambio? (1-6)

A 2 monedas de 1¢, 2 monedas de 5¢, 1 moneda de 10¢, 1 dólar

B 2 monedas de 1¢, 2 monedas de 5¢, 1 dólar

C 2 monedas de 1¢, 2 monedas de 10¢, 1 dólar

D 2 monedas de 1¢, 2 monedas de 10¢, dos billetes de $1

9. ¿Cuánto es 543,259,809 redondeado a la decena de millar más cercana? (1-4)

A 540,000,000

B 543,250,000

C 543,259,810

D 543,260,000

10. En 361,427,548, ¿qué dígito está en el lugar de las decenas de millón? (1-2)

A 1

B 2

C 4

D 6

11. Carrie tiene 340 canicas para colocar en floreros. Quiere que los floreros contengan 100 canicas ó 10 canicas. ¿Cuál es una manera en la que puede ordenar las canicas? (1-7)

A 34 centenas

B 3 centenas 40 decenas

C 1 centena 24 decenas

D 2 centenas 24 decenas

12. La Constitución de los EE. UU. contiene 4,543 palabras, incluidas las firmas. ¿Cuánto es 4,543 redondeado a la centena más cercana? (1-4)

4,500 4,543 4,600

A 4,000

B 4,500

C 4,540

D 4,600

13. Jillian tiene el dinero que se muestra a continuación para gastar en el regalo de su madre. ¿Cuánto dinero para gastar tiene Jillian? (1-6)

A $15.76

B $15.66

C $15.71

D $15.51

Refuerzo

Grupo A, páginas 4 a 6 y 8 a 9

Usa una tabla de valor de posición para escribir 26,500 en forma desarrollada y en palabras.

Forma desarrollada: 20,000 + 6,000 + 500

En palabras: veintiséis mil quinientos

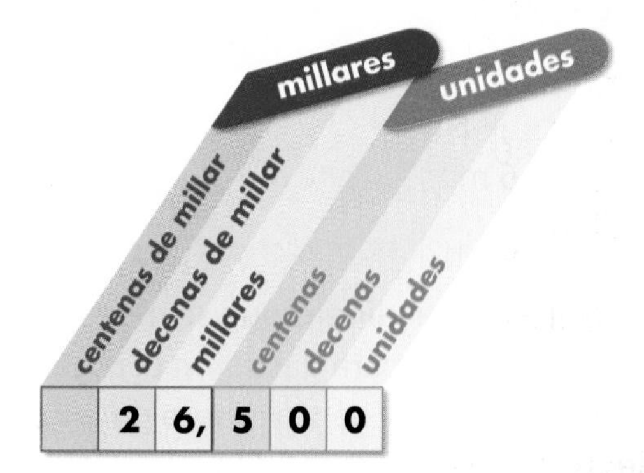

Recuerda que los períodos te pueden ayudar a leer números grandes.

Usa tablas de valor de posición para escribir cada número en forma desarrollada y en palabras.

1. 7,549 **2.** 27,961

3. 321,209 **4.** 3,454

5. 6,792,365 **6.** 15,164,612

Grupo B, páginas 10 a 13

45,423 ◯ 44,897

Usa el valor de posición para comparar. Empieza a comparar desde la izquierda. Busca el primer dígito que sea diferente.

45,423 44,897

5 $>$ 4

Por tanto, 45,423 $>$ 44,897

Recuerda que una recta numérica se puede usar para comparar números.

Escribe $>$ o $<$ cada ◯.

1. 11,961 ◯ 12,961

2. 735,291,000 ◯ 735,291,001

Ordena los números de mayor a menor.

3. 22,981 14,762 21,046

Grupo C, páginas 14 a 15

Redondea 346,764,802 a la centena de millar más cercana.

Lugar de las centenas de millar

↓

346,764,802 El dígito a la derecha del lugar de redondeo es 6.

346,800,000 Dado que 6 $>$ 5, suma 1 al dígito del lugar de las centenas de millar para redondear.

Por tanto, 346,764,802 se redondea a 346,800,000.

Recuerda que debes mirar el número que está a la derecha del lugar de redondeo. Luego convierte los dígitos a la derecha del lugar de redondeo en ceros.

Redondea los números al lugar del dígito subrayado.

1. 166,742 **2.** 76,532

3. 5,861 **4.** 2,432,741

5. 132,505 **6.** 257,931

Refuerzo

Grupo D, páginas 16 y 17

Escribe 4 dólares, 8 monedas de 10¢ y 2 monedas de 1¢ con un signo de dólar y un punto decimal.

Lee: cuatro dólares con ochenta y dos centavos

Escribe: $4.82

Recuerda que una moneda de 10¢ es una décima de dólar y una moneda de 1¢ es una centésima de dólar.

Escribe cada cantidad con un signo de dólar y un punto decimal.

1. 3 dólares + 4 monedas de 1¢
2. 1 dólar + 5 monedas de 10¢ + 6 monedas de 1¢
3. 9 dólares + 6 monedas de 10¢
4. 4 dólares + 9 monedas de 1¢

Grupo E, páginas 18 y 19

Cuenta hacia adelante desde el costo para calcular el cambio.

Jill paga una factura de $18.73 con $20. ¿Cuál es su cambio?

Sumar dos monedas de 1¢ da $18.75.

Sumar una moneda de 25¢ da $19.00.

Sumar un dólar da $20.00.

El cambio es $1 + $0.25 + $0.02 = $1.27.

Recuerda que hay más de una manera correcta de calcular el cambio.

Calcula el cambio de un billete de $10.

1. $4.50
2. $8.90
3. $3.32
4. $4.11
5. $7.84
6. $5.49

Grupo F, páginas 20 y 21

Usando sólo bloques de centenas y decenas, ¿de cuántas maneras puedes sumar 440?

¿Qué sé?	Sólo puedo usar bloques de centenas y bloques de decenas
¿Qué me piden que halle?	Todas las combinaciones que sumen un total de 440

Anota las combinaciones usando una lista organizada.

Centenas	4	3	2	1	0
Decenas	4	14	24	34	44

Recuerda que la manera en que organizas una lista te puede ayudar a hallar todas las posibilidades de un problema.

Resuelve. Haz una lista organizada como ayuda.

1. Troy colecciona alcancías de plástico. Tiene tres alcancías de plástico diferentes: un cerdito, una vaca y una rana. ¿De cuántas maneras puede ordenar sus alcancías en un estante?

Tema 2

Sumar y restar números enteros

1

¿Cuándo se terminó de construir el Monumento a Washington? Lo averiguarás en la Lección 2-2.

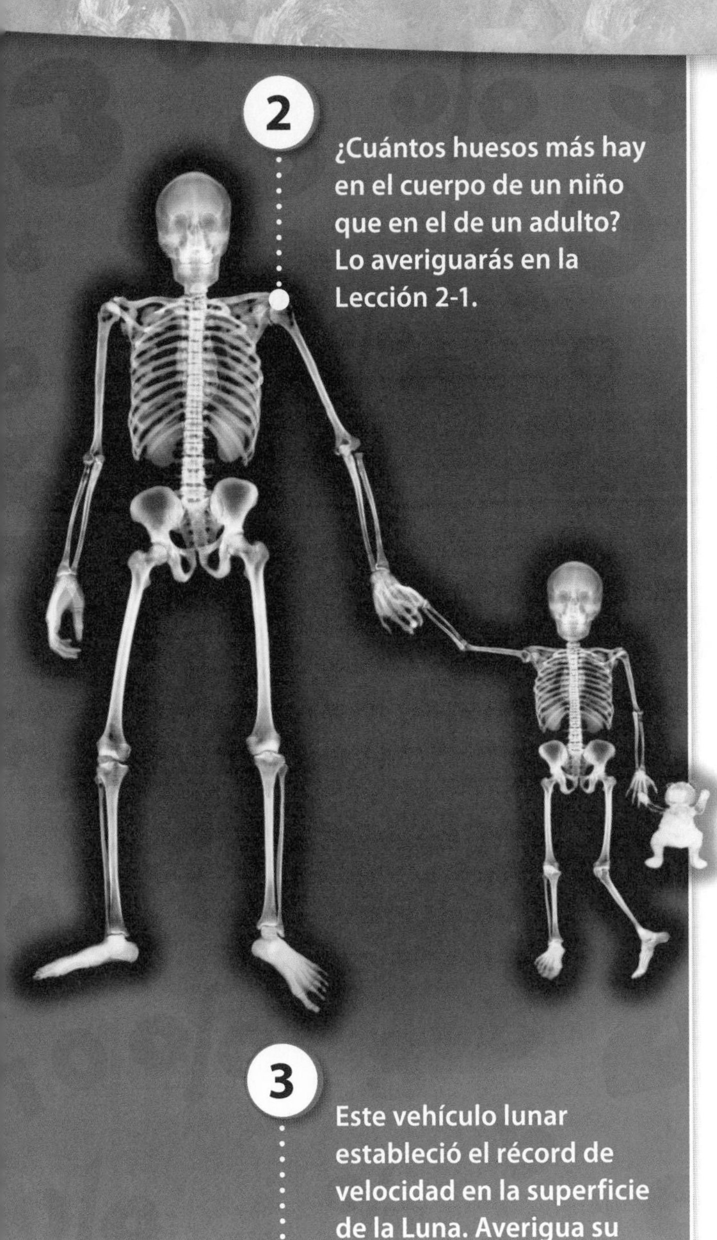

2 ¿Cuántos huesos más hay en el cuerpo de un niño que en el de un adulto? Lo averiguarás en la Lección 2-1.

3 Este vehículo lunar estableció el récord de velocidad en la superficie de la Luna. Averigua su velocidad estimada en la Lección 2-4.

Repasa lo que sabes

Vocabulario

Elige el mejor término del recuadro.

- redondeo
- suma
- diferencia
- cálculo mental
- decenas
- reagrupar

1. Para restar 130 de 530, necesitas _?_.

2. El _?_ nos dice aproximadamente cuánto o cuántos hay.

3. Cuando restas dos números, la respuesta es la _?_.

4. Cuando sumas dos números, hallas la _?_.

Operaciones de suma

Halla las sumas.

5. 4 + 6	**6.** 7 + 5	**7.** 9 + 8
8. 14 + 5	**9.** 3 + 7	**10.** 37 + 7
11. 9 + 6	**12.** 6 + 5	**13.** 15 + 7
14. 3 + 8	**15.** 14 + 6	**16.** 25 + 5

Operaciones de resta

Halla las diferencias.

17. 27 − 3	**18.** 6 − 4	**19.** 15 − 8
20. 11 − 8	**21.** 6 − 2	**22.** 17 − 8
23. 16 − 4	**24.** 20 − 5	**25.** 11 − 6
26. 14 − 6	**27.** 15 − 10	**28.** 13 − 7

29. Escribir para explicar ¿Por qué 843 se redondea a 840 en lugar de a 850?

Lección
2-1

¡Lo entenderás!
Los números se pueden descomponer y combinar de muchas maneras.

Usar el cálculo mental para sumar y restar

¿Cómo se usa el cálculo mental para sumar y restar?

Algunas veces las propiedades te ayudan a calcular mentalmente para sumar. ¿Durante cuántos años han enseñado la señora Walston y el señor Randall? ¿Cuántos años en total han enseñado todos los maestros del cuadro?

Datos

Maestro	Años de enseñanza
Sra. Walston	12
Sr. Roy	5
Sr. Randall	30

Otros ejemplos

Calcula mentalmente para sumar.

Halla 135 + 48.

?

135	48

Usa el método de descomponer números para hallar una decena.

Es fácil sumar 5 a 135. Descompón 48.

?

135	5	43

135 + 5 = 140
140 + 43 = 183
Por tanto, 135 + 48 = 183.

Usa la compensación.

135 + 48
135 + 50 = 185

Piénsalo Sumé 2 de más; por tanto, restaré 2.

185 − 2 = 183
Por tanto, 135 + 48 = 183.

Calcula mentalmente para restar.

Halla 400 − 165.

Usa el conteo.

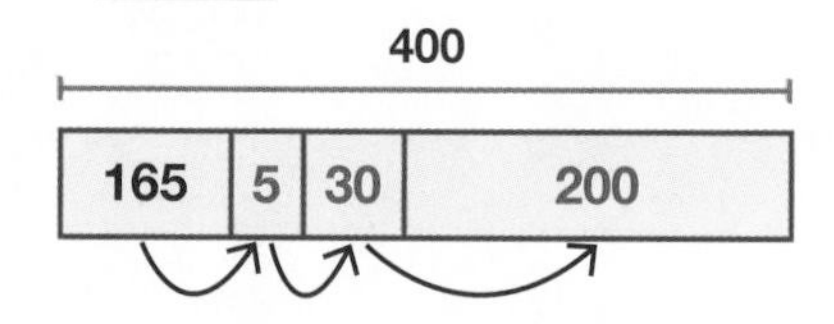

165 + 5 = 170
170 + 30 = 200
200 + 200 = 400

5 + 30 + 200 = 235
Por tanto, 400 − 165 = 235.

Usa la compensación.

Halla 260 − 17.

Es fácil restar 20.

260 − 20 = 240

Piénsalo Resté 3 de más; por tanto, sumaré 3.

240 + 3 = 243
Por tanto, 260 − 17 = 243.

Propiedad conmutativa de la suma

Puedes sumar dos números en cualquier orden.

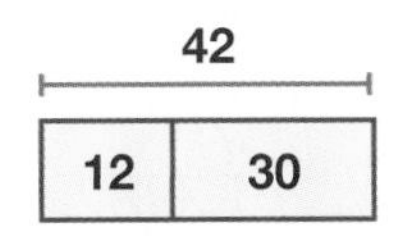

$12 + 30 = 30 + 12$

Entre los dos, la señora Walston y el señor Randall han enseñado un total de 42 años.

Propiedad asociativa de la suma

Puedes cambiar la agrupación de los sumandos.

47		
12	30	5

$(12 + 30) + 5 = 12 + (30 + 5)$

El número total de años durante los cuales han enseñado los tres maestros es 47.

Propiedad de identidad de la suma

Sumar cero no cambia el número.

$12 + 0 = 12$

Práctica guiada*

¿CÓMO hacerlo?

En los Ejercicios **1** a **6,** usa el cálculo mental para sumar o restar.

1. $86 + 25$

2. $497 + 0$

3. $566 - 359$

4. $169 - 48$

5. $239 + 509$

6. $(40 + 5) + 8$

¿Lo ENTIENDES?

7. ¿Cómo podrías usar la compensación para hallar $391 - 26$?

8. **Escribir para explicar** Explica cómo usaste el cálculo mental para hallar la respuesta del Ejercicio 4.

Práctica independiente

Práctica al nivel En los Ejercicios **9** a **18,** usa el cálculo mental para completar la operación.

9. $400 - 227$

400			
227	3	70	100

10. $500 - 89$

500		
89	11	400

11. $906 - 289$

906			
289	11	600	6

12. $7{,}000 + 2{,}130$

?			
7,000	2,000	100	30

13. $583 + 317$

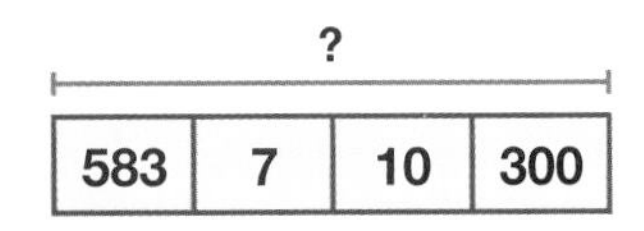

14. $125 + 28$

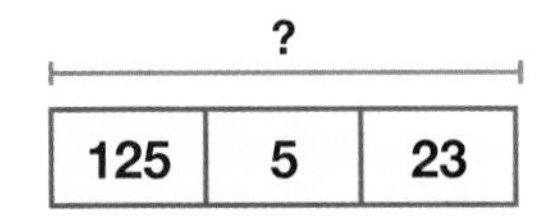

15. $1{,}700 - 315$

16. $2{,}000 + 4{,}996$

17. $438 - 129$

18. $0 + 284$

DIGITAL Glosario animado **www.pearsonsuccessnet.com**

** Puedes encontrar otro ejemplo en el Grupo A, página 50.*

Resolución de problemas

En los Ejercicios **19** a **21,** usa la tabla de la derecha.

19. ¿Qué estado tiene el área territorial más grande en millas cuadradas?

20. ¿Qué dos estados de la tabla tienen la menor diferencia en área territorial?

21. ¿Qué dos estados de la tabla tienen la mayor diferencia en área territorial?

Datos

Estado	Total de millas cuadradas
Alaska	571,951
Texas	261,797
California	155,959
Montana	145,552
Nuevo México	121,356

22. Colin tenía 148 CDs en su colección. Cambió 32 de ellos por 23 que realmente quería. ¿Cuántos CDs tiene Colin en su colección? Usa el cálculo mental.

A 106 CDs

B 108 CDs

C 116 CDs

D 139 CDs

23. La clase de la señora Gómez recolectó lápices para la campaña de útiles escolares de la comunidad. El grupo de Ethan llevó 143 lápices y el de Marcelina agregó 78 más. ¿Cuántos lápices llevaron los grupos en total?

A 184 lápices **C** 221 lápices

B 204 lápices **D** 245 lápices

24. Sentido numérico ¿Es 881 – 262 más o menos que 500? Explica cómo lo sabes calculando mentalmente.

25. Escribir para explicar ¿Cómo puedes usar el cálculo mental para restar 158 – 29?

26. Un cuerpo humano adulto tiene un total de 206 huesos. En el cuerpo de los niños, hay 300 huesos porque algunos de los huesos se unen a medida que los niños crecen. ¿Cuántos huesos más hay en el cuerpo de los niños que en el de los adultos?

300

206	4	90

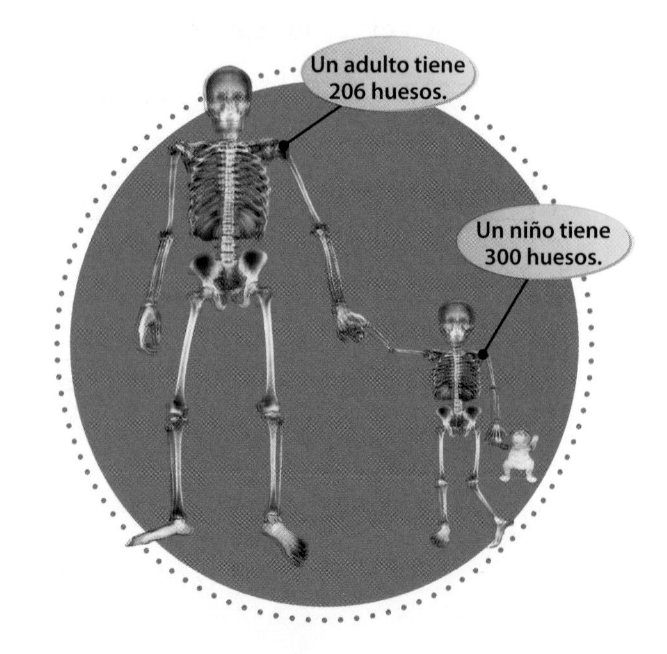

27. Sentido numérico Escribe dos números que tengan un 6 en el lugar de las unidades y un 8 en el lugar de las centenas.

Enlaces con el Álgebra

Resolver oraciones numéricas de suma y resta

Una oración numérica usa el signo igual (=) para mostrar que dos expresiones tienen el mismo valor.

Completa el recuadro de cada oración numérica con el número que la hace verdadera. Comprueba tus respuestas.

Ejemplo: $8 + \square = 35$

Piénsalo *¿Qué número más 8 es igual a 35?*

Cuando resuelvas una oración numérica de suma, usa la resta para identificar el número que falta.

¿Cuánto es 35 menos 8?

Resta 8 de 35.

$35 - 8 = 27$

Ahora, suma 8 y 27.

$8 + 27 = 35$

Copia y completa cada oración numérica.

1. $7 + \square = 31$

2. $\square + 6 = 21$

3. $26 - \square = 25$

4. $56 - \square = 38$

5. $\square - 47 = 12$

6. $66 + \square = 85$

7. $\square - 98 = 1$

8. $103 - \square = 72$

9. $10 + \square = 13$

10. $\square - 8 = 12$

11. $1 + \square = 7$

12. $744 - \square = 327$

En los Ejercicios **13** a **16,** copia y completa la oración numérica que está debajo de cada problema. Úsala para explicar tu respuesta.

13. Cheryl acertó 8 tiros libres. Lanzó un total de 10 tiros libres. ¿Cuántos tiros libres falló?

$8 + \square = 10$

14. George repartió 118 periódicos en dos días. El primer día repartió 57 periódicos. ¿Cuántos periódicos repartió el segundo día?

$57 + \square = 118$

15. 7 conejos menos que cierto número de conejos son 13 conejos. ¿Cuál es el número que falta?

$\square - 7 = 13$

16. El costo de una manzana es de 39¢. Robert tenía 25¢ en el bolsillo. ¿Cuánto dinero más necesitaba Robert para comprar la manzana?

$25 + \square = 39$

Lección
2-2

¡Lo entenderás!
Para estimar, se convierte los números a números que sean fáciles de sumar y restar.

Estimar sumas y diferencias de números enteros

¿Cómo estimas sumas y diferencias de números enteros?

El Edificio Empire State se terminó en 1931. Desde el suelo hasta la punta, mide 1,250 pies. En la parte superior del edificio, hay un pararrayos que mide 204 pies. Estima la altura total de la estructura.

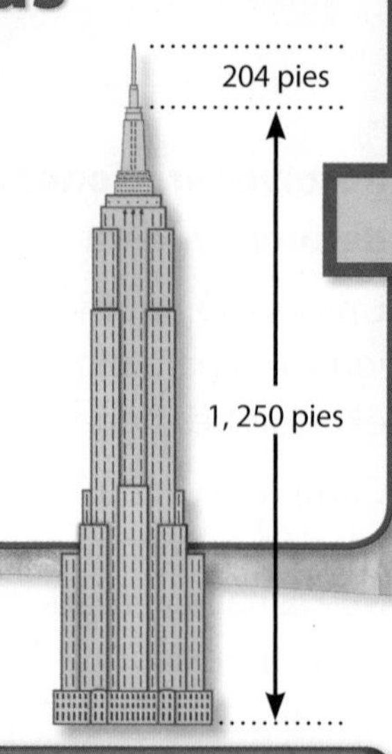

Práctica guiada*

¿CÓMO hacerlo?

En los Ejercicios **1** a **6,** estima cada suma o diferencia.

1. 563 → ☐00
+ 375 → ☐00

2. 288 → ☐☐0
− 171 → ☐☐0

3. 645 + 253

4. 262 − 132

5. 952 − 402

6. 398 + 121

¿Lo ENTIENDES?

7. Escribir para explicar En el primer ejemplo de arriba, ¿por qué no puedes redondear ambos números al millar más cercano?

8. La Estatua de la Libertad se terminó en 1886. ¿Aproximadamente cuántos años después de terminar la Estatua de la Libertad se terminó el Edificio Empire State?

Práctica independiente

En los Ejercicios **9** a **16,** estima redondeando a la decena más cercana.

9. 542 + 27

10. 281 − 172

11. 5,323 − 2,611

12. 6,324 + 3,842

13. 738 + 741

14. 895 − 305

15. 755 − 344

16. 586 + 278

En los Ejercicios **17** a **24,** estima redondeando a la centena más cercana.

17. 368 + 137

18. 918 + 391

19. 5,317 + 1,734

20. 778 + 95

21. 423 + 196

22. 891 + 223

23. 1,724 − 731

24. 551 − 249

Puedes encontrar otro ejemplo en el Grupo B, página 50.

Redondea cada número a la centena más cercana.

$$\begin{array}{r} 1{,}250 \\ +\ 204 \\ \hline \end{array} \longrightarrow \begin{array}{r} 1{,}300 \\ +\ 200 \\ \hline 1{,}500 \end{array}$$

La altura total es de aproximadamente 1,500 pies.

La respuesta es razonable porque la altura total es mayor que la altura del Edificio Empire State.

El Monumento a Washington se terminó en 1884. ¿Aproximadamente cuántos años después se terminó el Edificio Empire State?

$$\begin{array}{r} 1931 \\ -\ 1884 \\ \hline \end{array} \longrightarrow \begin{array}{r} 1930 \\ -\ 1880 \\ \hline 50 \end{array}$$

Redondea cada número a la decena más cercana. Muestra el redondeo para restar.

El Edificio Empire State se terminó aproximadamente 50 años después.

Resolución de problemas

25. Kala compró un juego de mesa por $24.75. Pagó con un billete de $20 y uno de $10. ¿Qué billetes y monedas recibió Kala de cambio?

26. Theo nació en el año 2004. Una de sus hermanas mayores nació en 1992. Redondeando a la decena más cercana, ¿cuántos años más joven es Theo?

27. Este año, 35,658 personas corrieron un maratón. El año pasado, corrieron 8,683 personas menos. ¿Aproximadamente cuántas personas corrieron el año pasado?

28. Durante la práctica de natación, Juan nadó 15 vueltas y Ted nadó 9 vueltas. ¿Cuántas vueltas más que Ted nadó Juan?

29. La siguiente tabla muestra el número de estudiantes por grado. Estima el número total de estudiantes que hay en 3.º, 4.º y 5.º grado. ¿Aproximadamente cuántos estudiantes hay en 4.º y 5.º grado?

Datos

Grado	Número de estudiantes
3.º	145
4.º	152
5.º	144
6.º	149

30. El jueves, Alex vendió 86 entradas para un espectáculo escolar de talentos y, el viernes, 103 entradas. ¿Aproximadamente cuántas entradas para el espectáculo vendió Alex en total?

A Aproximadamente 100

B Aproximadamente 200

C Aproximadamente 300

D Aproximadamente 400

Lección

2-3

¡Lo entenderás!
Algunos problemas tienen información que sobra y otros no tienen suficiente información para resolverlos.

Resolución de problemas

Información que falta o sobra

Kendra tenía $7. Compró un sándwich, una bebida y una manzana en la cafetería. Gastó un total de $3 en el sándwich y la bebida.

¿Cuánto dinero le sobró a Kendra?

Una bebida y un sándwich costaron $3.

Práctica guiada*

¿CÓMO hacerlo?

1. Julia vio 18 pingüinos en el zoológico. Entre ellos, 8 eran pingüinos Adelia. Los demás eran pingüinos de penacho amarillo. Aprendió que estos últimos llegan a pesar de 5 a 8 libras. ¿Cuántos pingüinos de penacho amarillo vio Julia?

¿Lo ENTIENDES?

2. ¿Qué información no era necesaria en el Ejercicio 1?

3. **Escribe un problema** Escribe un problema que contenga información de más o muy poca información.

Práctica independiente

Determina si en cada ejercicio sobra o no hay suficiente información. Di qué información no es necesaria y cuál falta. Resuélvelo si tienes suficiente información.

4. Carmín tardó 30 minutos en terminar su tarea después de la escuela. Luego jugó al futbol. ¿Qué información necesitas para hallar cuántos minutos en total tardó Carmín en terminar su tarea y jugar al futbol?

5. June tiene sólo monedas de 25¢ y de 1¢ en su colección. Tiene 85 monedas en total. ¿Qué necesitarías saber para averiguar cuántas monedas de 25¢ tiene June en su colección?

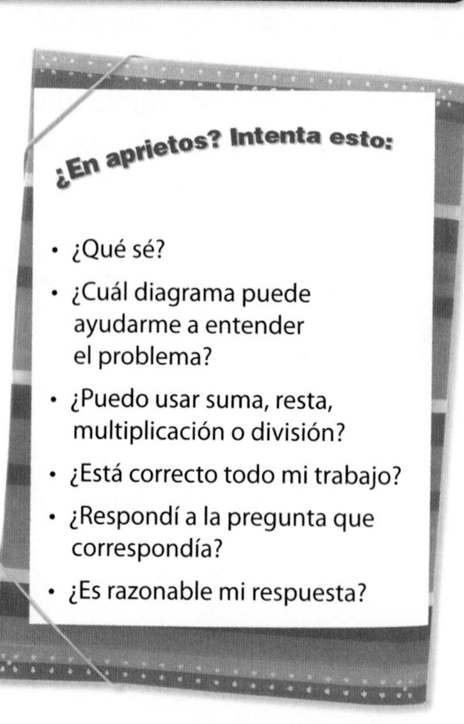

* Puedes encontrar otro ejemplo en el Grupo C, página 50.

Lee y comprende

¿Qué sé? Kendra tenía $7. Compró un sándwich, una bebida y una manzana. El sándwich y la bebida costaron $3.

¿Qué me piden que halle? La cantidad de dinero que le sobró a Kendra.

Planea

Haz un diagrama para mostrar lo que sabes y lo que quieres hallar.

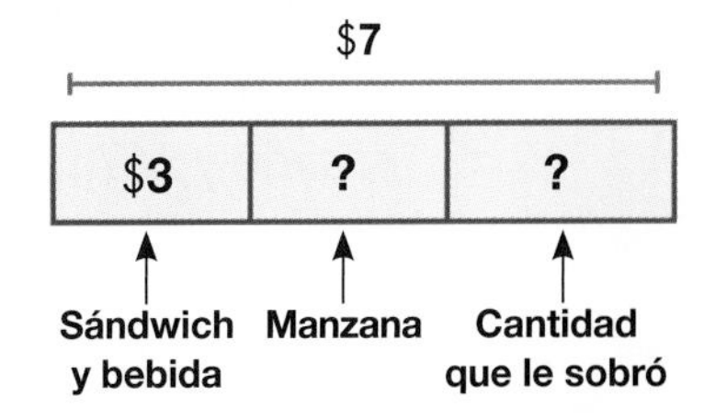

Piénsalo La información que falta, ¿es necesaria para resolver el problema?

¿Hay alguna información que sobra y que no es necesaria para resolver el problema?

6. Kayla se comió dos tacos y una manzana en el almuerzo. Los tacos tenían 260 calorías. ¿Cuántas calorías consumió Kayla en el almuerzo?

7. Hay 35 sopranos en el coro escolar. Los 40 miembros restantes son contraltos. ¿Cuántos estudiantes hay en el coro escolar?

8. Hay 328 lugares para fotografías de actividades en el anuario. El club del anuario ha decidido hacer la mayoría de las fotografías en blanco y negro. ¿Cuántas fotografías en color habrá en el anuario?

9. Un cuaderno cuesta $2.68 y un bolígrafo cuesta $1.79. ¿Tiene Yasmín suficiente dinero para comprar un cuaderno y dos bolígrafos?

10. La montaña rusa de acero más alta está en Jackson, Nueva Jersey. Tiene 456 pies de altura. La montaña rusa de madera más alta está en Cincinnati, Ohio. Tiene 7,032 pies de longitud. ¿Cuánto más alta es la montaña rusa de acero que la de madera? Elige una letra que contenga la información que se necesita para resolver el problema.

A La montaña rusa de acero más alta viaja a 128 millas por hora.

B La montaña rusa de acero más alta tiene 3,118 pies de longitud.

C La montaña rusa de madera más alta viaja a 78.3 millas por hora.

D La montaña rusa de madera más alta tiene 218 pies de altura.

11. La señora Song compró útiles escolares para sus dos hijos, Jason y Kevin. Jason es dos años mayor que Kevin y está en cuarto grado. Gastó $38 en los útiles de Kevin y $46 en los de Jason. Si pagó con un billete de $100, ¿cuánto le dieron de cambio?

$100 en útiles escolares

$38	$46	?

Lección

2-4

¡Lo entenderás!
Se debe sumar números sumando primero las unidades, luego las decenas, luego las centenas y luego los millares.

Sumar números enteros

¿Cómo sumas números enteros?

Si un arrecife creció 257 pulgadas el año pasado y 567 pulgadas este año, ¿cuánto creció en total?

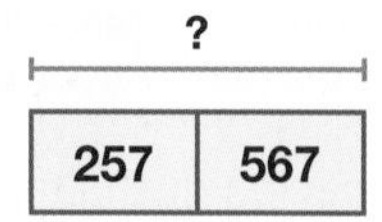

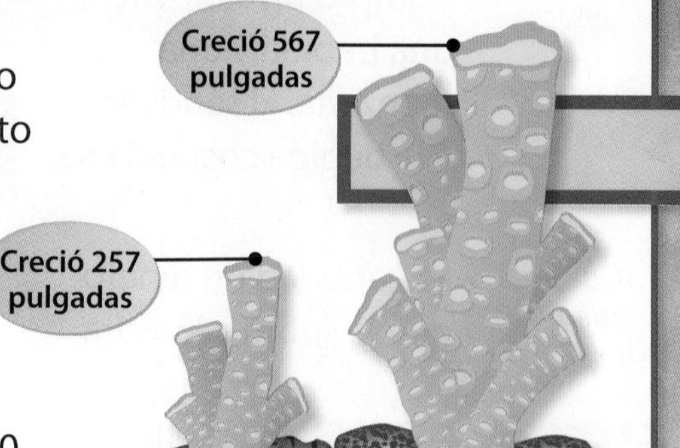

Haz una estimación: 300 + 600 = 900

Otro ejemplo ¿Cómo sumas más de dos números?

Halla la suma.
9,348 + 102 + 5,802 + 1,933

A 17,185 **C** 16,175

B 17,175 **D** 15,175

Haz una estimación: 9,000 + 100 + 6,000 + 2,000 = 17,100

Paso 1

Suma las unidades.
Reagrupa, si es necesario.

```
    1
 9,348
   102
 5,802
+ 1,933
      5
```

Paso 2

Suma las decenas.
Reagrupa, si es necesario.

```
    1
 9,348
   102
 5,802
+ 1,933
     85
```

Paso 3

Suma las centenas, reagrupa y luego suma los millares.

```
 2 1
 9,348
   102
 5,802
+ 1,933
 17,185
```

La opción correcta es la **A.**

Explícalo

1. ¿Cómo están reagrupadas las unidades en el ejemplo de arriba?

2. **¿Es razonable?** En el Paso 3 de arriba, ¿cómo sabes que la respuesta es razonable?

Paso 1

Suma 257 + 567.

Suma las unidades. Reagrupa, si es necesario.

```
   1
  257
+567
    4
```

Paso 2

Suma las decenas. Reagrupa, si es necesario.

```
  11
  257
+567
   24
```

Paso 3

Suma las centenas. Reagrupa, si es necesario.

```
  11
  257
+567
  824
```

El arrecife creció 824 pulgadas en total.

Otros ejemplos

Sumar números más grandes

Suma 36,424 + 24,842.

Haz una estimación:

36,000 + 25,000 = 61,000

```
   11
   36,424
+  24,842
   61,266
```

La suma es razonable porque es cercana a la estimación de 61,000.

Sumar más de dos números

Suma 130,283 + 263,823 + 396,538.

Haz una estimación:

130,000 + 264,000 + 397,000 = 791,000

```
   111 11
   130,283
   263,823
+  396,538
   790,644
```

La suma es razonable porque es cercana a la estimación de 791,000.

Práctica guiada*

¿CÓMO hacerlo?

En los Ejercicios **1** a **6,** halla la suma.

1. 821 + 4,543

2. 14,926 + 3,832

3. 1,321 + 2,246

4. 24,593 + 16,861

5.
```
   3,258
+  1,761
```

6.
```
   16,018
+     135
```

¿Lo ENTIENDES?

7. Cuando sumaste 36,424 y 24,842, ¿por qué no reagrupaste en el último paso?

8. Equipos de voluntarios identificaron en el arrecife 73 especies de peces, 30 de corales y 71 de otros invertebrados. ¿Cuántas especies de peces, corales e invertebrados se encontraron en total?

** Puedes encontrar otro ejemplo en el Grupo D, página 51.*

Práctica independiente

En los Ejercicios **9** a **24,** halla la suma.

9. $78 + 421$

10. $617 + 14{,}312$

11. $873 + 4{,}893$

12. $38{,}911 + 45{,}681$

13. $327 + 886$

14. $295 + 805$

15. $3{,}751 + 4{,}736$

16. $623 + 2{,}815$

17. $4{,}231 + 76{,}118$

18. $265 + 8{,}496$

19. 9,634 + 2,958

20. 4,673 + 262

21. 7,845 + 509 + 3,746

22. 526 + 276 +1,086

23. 2,868 + 865

24. 15,891 + 527 + 1,086

Resolución de problemas

25. En 1972, el vehículo lunar de la *Apolo 16* estableció el récord actual de velocidad lunar de 11 millas por hora. Para salir de la órbita de la Tierra, las misiones *Apolo* tenían que viajar a 24,989 millas por hora más que el récord de velocidad del vehículo lunar. ¿A qué velocidad viajaban las naves *Apolo*?

26. En una semana se prestaron 10,453 artículos de la biblioteca pública. La semana siguiente se prestaron 12,975 artículos. Una semana después se prestaron 9,634 artículos. ¿Cuántos artículos se prestaron en las tres semanas?

27. Sandy leyó 235 páginas de un libro. Tenía que leer 192 páginas más para terminarlo. ¿Cuántas páginas tiene el libro?

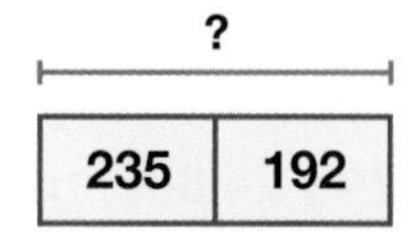

28. Cheryl y Jason coleccionan tarjetas de beisbol. Cheryl tiene 315 tarjetas y Jason tiene 186 tarjetas. ¿Cuántas tarjetas tienen en total?

?

315	186

29. **Sentido numérico** La suma de 86, 68 y 38 es 192. ¿Qué sabes también sobre la suma de 68, 38 y 86?

30. **Estimación** María sumó 45,273 y 35,687. ¿Su respuesta será mayor o menor que 80,000?

31. La población de New City es 23,945. Eastdale tiene una población de 12,774. ¿Cuál es la población total de las dos comunidades?

A 35,719 **B** 36,619 **C** 36,719 **D** 37,619

Resolución de problemas variados

Algunos datos sobre las regiones naturales de los Estados Unidos

Datos

La cordillera de Alaska	El pico más alto de esta cordillera es el monte McKinley, que alcanza 20,320 pies. Al suroeste de esta montaña está el monte Foraker, que alcanza 17,400 pies.
Lago del Cráter	La elevación de este lago es de 6,178 pies. Es el lago más profundo de los Estados Unidos y su punto más bajo está a 1,949 pies sobre el nivel del mar.
Valle de la Muerte	El Valle de la Muerte está a 282 pies bajo el nivel del mar y es el punto más bajo de los Estados Unidos.

1. Estima cuánto más alto es el monte McKinley que el monte Foraker.

2. Estima la profundidad del Lago del Cráter.

3. El monte McKinley es el punto más alto de los Estados Unidos. El Valle de la Muerte es el punto más bajo de los Estados Unidos. Estima la diferencia entre el punto más alto y el más bajo de los Estados Unidos.

4. El punto más profundo del océano Pacífico está a 36,198 pies bajo el nivel del mar, en una región llamada fosa de las Marianas. Estima la diferencia entre los puntos más profundos del océano Pacífico y del Valle de la Muerte.

5. Alaska fue comprada a Rusia en 1867. ¿Cuántos años después de la compra de Luisiana fue la compra de Alaska?

6. Incluidos los intereses, Estados Unidos pagó un total de $23,213,568 por la compra del territorio de Luisiana. Redondea 23,213,568 al millón más cercano.

7. Con la compra de Luisiana el área de los Estados Unidos casi se duplicó. Aproximadamente, ¿de qué tamaño quedó Estados Unidos después de la compra?

8. ¿Cuándo fue el 200.º aniversario de la compra de Luisiana?

Algunos datos históricos sobre la compra de Luisiana

Los Estados Unidos compraron Luisiana a Francia en 1803. El territorio de Luisiana perteneció a España antes que a Francia.

El precio de la tierra era de aproximadamente 3 centavos por acre. El costo total fue de $15,000,000.

Se compraron aproximadamente 828,000 millas cuadradas de territorio.

? millas cuadradas

828,000	828,000

Lección

2-5

¡Lo entenderás!
Se debe restar números restando primero las unidades, luego las decenas, luego las centenas y luego los millares.

Restar números enteros

¿Cómo restas números enteros?

Brenda tiene un total de 221 canciones en su computadora. Susan, su hermana, tiene un total de 186 canciones en su computadora. ¿Cuántas canciones más que Susan tiene Brenda en la computadora?

Escoge una operación Resta para hallar cuántas canciones más.

Práctica guiada*

¿CÓMO hacerlo?

En los Ejercicios **1** a **4,** resta.

1. $527 - 338$

2. $716 - 254$

3. $139 - 86$

4. $1,268 - 429$

¿Lo ENTIENDES?

5. En el ejemplo de arriba, ¿por qué el 0 que está en el lugar de las centenas no aparece en la respuesta?

6. A Brenda le gustaría tener 275 canciones en la computadora para el año que viene. ¿Cuántas canciones más necesita bajar?

Práctica independiente

En los Ejercicios **7** a **26,** resta.

7. $336 - 259$

8. $693 - 150$

9. $881 - 79$

10. $479 - 88$

11. $1,931 - 509$

12. $1,673 - 849$

13. $2,173 - 108$

14. $8,617 - 3,909$

15. 552 − 228

16. 3,711 − 1,683

17. 217 − 166

18. 562 − 199

19. 7,475 − 5,130

20. 5,831 − 1,156

21. 9,385 − 720

22. 1,111 − 589

23. 8,476 − 2,185

24. 6,251 − 964

25. 7,374 − 1,246

26. 8,327 − 3,796

DIGITAL Glosario animado **www.pearsonsuccessnet.com**

Puedes encontrar otro ejemplo en el Grupo E, página 51.

Paso 1

Halla 221 − 186.
Estima: 220 − 190 = 30
Resta las unidades.

Reagrupa, si es necesario.

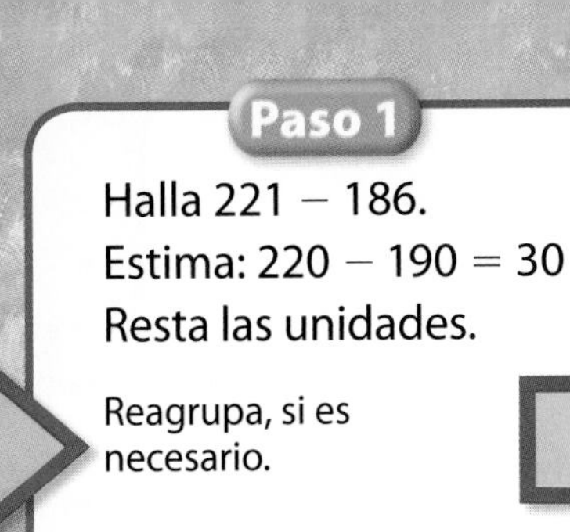

Paso 2

Resta las decenas.
Resta las centenas.

Reagrupa, si es necesario.

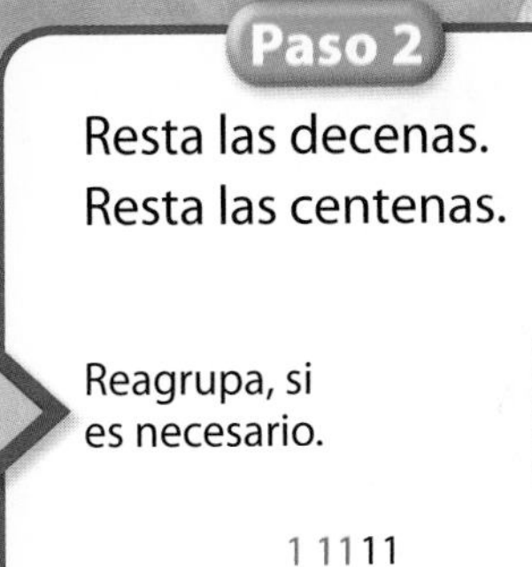

Paso 3

Las operaciones que se cancelan entre sí son **operaciones inversas**.
La suma y la resta tienen una relación inversa.

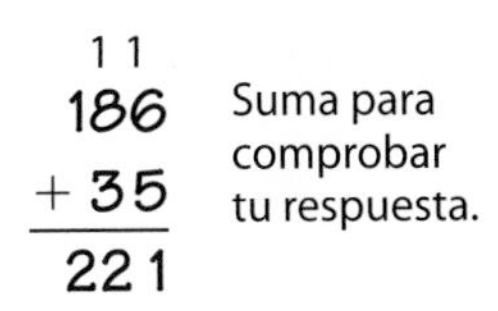

Suma para comprobar tu respuesta.

Se comprueba la respuesta.

Resolución de problemas

27. Una empresa de crayones fabrica 17,491 crayones verdes y 15,063 crayones rojos. ¿Cuántos crayones verdes más que rojos se fabrican?

A 3,463 **C** 10,456

B 2,428 **D** 32,554

28. Ángela subió 526 pies por una senda. Raúl subió 319 pies por otra senda. ¿Cuántos pies más que Raúl subió Ángela?

526 pies

319 pies	?

29. Jermaine y Linda recolectaron latas de aluminio durante un mes. Mira el cuadro que está a continuación para saber cuántas latas de aluminio recolectó cada estudiante.

a ¿Quién recolectó más latas?

b Halla la diferencia entre las cantidades de latas recolectadas.

Datos	
Jermaine	1,353 latas
Linda	1,328 latas

30. El monte Kilimanjaro es una montaña de África. Un grupo de alpinistas comienza el descenso desde la cima. El lunes, los alpinistas descendieron 3,499 pies. El martes, descendieron otros 5,262 pies. ¿Cuántos pies han descendido los alpinistas?

El Monte Kilimanjaro tiene 19,341 pies de altura.

31. El equipo de Mike anotó 63 puntos en el primer tiempo de un partido de básquetbol. El equipo ganó el partido por 124 a 103 puntos. ¿Cuántos puntos anotó el equipo de Mike en el segundo tiempo?

Lección
2-6

¡Lo entenderás!
Se debe reagrupar al restar de ceros.

Restar de ceros

¿Cómo restas de ceros?

Un vuelo de avión hacia Chicago tiene asientos para 300 pasajeros. La aerolínea vendió 278 pasajes para el vuelo. ¿Cuántos asientos quedan todavía disponibles para el vuelo?

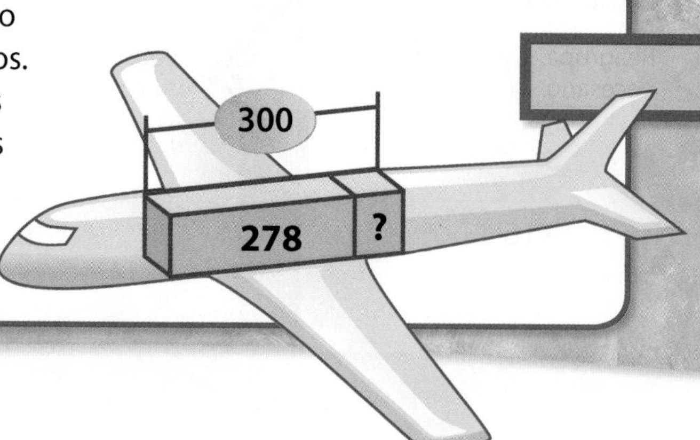

Práctica guiada*

¿CÓMO hacerlo?

En los Ejercicios **1** a **6,** resta.

1. 600 − 177

2. 1,086 − 728

3. 810 − 638

4. 3,304 − 1,137

5. 1,001 − 868

6. 4,000 − 1,698

¿Lo ENTIENDES?

7. ¿Cómo comprobarías si la respuesta del ejemplo anterior es correcta?

8. Un pasajero voló de Nueva York a Phoenix. El vuelo fue de 2,145 millas. Otro pasajero voló de Boston a Seattle. El vuelo fue de 2,496 millas. ¿De cuántas millas más fue el vuelo a Seattle?

Práctica independiente

En los Ejercicios **9** a **28,** resta.

9. 902 − 883

10. 502 − 380

11. 3,000 − 673

12. 5,604 − 1,717

13. 1,830 − 722

14. 7,006 − 3,529

15. 1,902 − 903

16. 6,008 − 4,879

17. 450 − 313

18. 5,025 − 178

19. 406 − 381

20. 1,001 − 35

21. 6,090 − 5,130

22. 2,700 − 1,699

23. 10,807 − 4,373

24. 504 − 319

25. 3,000 − 1,047

26. 5,001 − 368

27. 700 − 520

28. 900 − 406

* *Puedes encontrar otro ejemplo en el Grupo E, página 51.*

Una manera

Halla 300 – 278.

Haz una estimación: 300 – 280 = 20

Reagrupa las centenas con las decenas y las decenas con las unidades.

$$\begin{array}{r} \overset{2\,\overset{9}{10}\,10}{\cancel{3}\cancel{0}\cancel{0}} \\ -278 \\ \hline 22 \end{array}$$

3 centenas = 2 centenas + 9 decenas + 10 unidades

En el vuelo quedan 22 asientos disponibles.

Otra manera

Halla 300 – 278.

Haz una estimación: 300 – 280 = 20

Piensa en 300 como en 30 decenas y 0 unidades.

$$\begin{array}{r} \overset{2\ 9\ 10}{\cancel{30}\cancel{0}} \\ -\ 278 \\ \hline 22 \end{array}$$

30 decenas + 0 unidades = 29 decenas + 10 unidades

En el vuelo quedan 22 asientos disponibles.

Resolución de problemas

29. Shawn anotó 10,830 puntos en un videojuego. Miguel anotó 9,645 puntos. ¿Cuántos puntos más que Miguel anotó Shawn?

30. Escribir para explicar ¿Será mayor o menor que 1,000 la diferencia entre 4,041 y 3,876? Explica tu respuesta.

31. Usa el cuadro de la derecha. Ciudad Musical vende CDs. ¿Cuál de las siguientes opciones indica cuántos CDs más de hip hop que de música latina se vendieron en abril?

A 887 **C** 7,090

B 897 **D** 13,293

Datos

CDs vendidos en abril

Estilo musical	CDs vendidos
Rock	4,008
Hip Hop	7,090
Country	5,063
Música latina	6,203

32. William condujo de Atlanta, Georgia, a Portland, Oregón. El viaje de ida y vuelta fue de 5,601 millas. Recorrió 2,603 millas para llegar a Portland, Oregón, pero decidió tomar una ruta diferente para volver. ¿Cuántas millas recorrió para volver a Atlanta?

33. El jueves, 10,296 personas asistieron a un partido local de básquetbol universitario. La semana siguiente, asistieron a un partido como visitantes 12,000 personas. ¿Cuántas personas más fueron al partido como visitantes que al local?

12,000 personas en total

10,296	?

34. En un partido de dardos, Casey anotó 42 puntos y Maggie anotó 28 puntos. Jesse anotó menos puntos que Casey pero más puntos que Maggie. ¿Cuál es el posible puntaje de Jesse?

A 50 puntos **C** 34 puntos

B 46 puntos **D** 26 puntos

Lección
2-7

¡Lo entenderás!
Aprender cómo y cuándo hacer un dibujo puede ayudar a resolver problemas.

Resolución de problemas

Hacer un dibujo y escribir una ecuación

¿Cuánto mayor es la masa del cerebro de los seres humanos que la del cerebro de un chimpancé?

Promedio de las masas de los cerebros	
Gato doméstico	30 gramos
Chimpancé	420 gramos
Ser humano	1,350 gramos
Delfín	1,500 gramos

El cerebro humano tiene una masa de 1,350 gramos.

Práctica guiada*

¿CÓMO hacerlo?

Resuelve. Haz un dibujo como ayuda.

1. En una semana Sandy ganó $36 con su trabajo de niñera. Obtuvo $15 más por hacer sus tareas. ¿Cuánto dinero ganó Sandy?

? en total

$36	$15

¿Lo ENTIENDES?

2. ¿Cómo muestras que 930 gramos es una respuesta razonable para la pregunta de arriba?

3. **Escribe un problema** Escribe un problema usando la tabla de arriba.

Práctica independiente

Resuelve. Haz un dibujo como ayuda.

4. Cuatro ciudades están en la misma carretera que corre de este a oeste. Fleming está al oeste de Bridgewater, pero al este de Clinton. Union está entre Fleming y Bridgewater. Hay 21 millas de Fleming a Union. Hay 55 millas de Clinton a Union. ¿A qué distancia está Clinton de Fleming?

5. Scott y sus amigos van juntos a la escuela. Scott sale de su casa a las 7:00 A.M. En la esquina se encuentra con Johnny y Zach. A continuación, se reúnen con Paul, Tim y Pete. Una cuadra antes de la escuela, se unen a ellos Dan y Torey. ¿Cuántos amigos van juntos a la escuela?

¿En aprietos? Intenta esto:

- ¿Qué sé?
- ¿Qué diagrama puede ayudarme a entender el problema?
- ¿Puedo usar suma, resta, multiplicación o división?
- ¿Está correcto todo mi trabajo?
- ¿Respondí a la pregunta que correspondía?
- ¿Es razonable mi respuesta?

* *Puedes encontrar otro ejemplo en el Grupo F, página 51.*

Lee y comprende

¿Qué sé? El promedio de la masa del cerebro de un chimpancé es 420 gramos. El promedio de la masa del cerebro humano es 1,350 gramos.

¿Qué me piden que halle? La diferencia entre las masas.

Planea y resuelve

Haz un dibujo.

1,350 gramos	
420 gramos	?

Escribe una ecuación. Usa la resta para resolver.

1,350 − 420 = ▢

El cerebro humano tiene una masa de 930 gramos más que el cerebro del chimpancé.

6. El American Kennel Club reconoce 17 razas de perros de pastoreo y 26 de terriers. Haz un dibujo que te ayude a hallar el número total de perros de pastoreo y de terriers.

7. Usa la información del Ejercicio 6 para escribir una ecuación y hallar cuántas razas más hay de terriers que de perros de pastoreo.

En los Ejercicios **8** a **10,** usa la tabla que está a la derecha.

8. Hay aproximadamente 200 animales más en el Zoológico de Minnesota que en el de Phoenix. ¿Aproximadamente cuántas especies de animales hay en el Zoológico de Minnesota?

9. ¿Aproximadamente cuántas especies más hay en el Zoológico de Indianápolis que en el de Phoenix?

10. ¿Cómo hallas el número de especies de animales que tiene el Zoológico de San Francisco?

Datos

Nombre del Zoológico	Número aproximado de animales
Phoenix	200
Minnesota	▢
San Francisco	▢
Indianápolis	360
Total de animales	1,210

11. En un estacionamiento, un día hubo un total de 243 carros. A las 6:00 A.M., habían llegado 67 carros. Durante la hora siguiente, llegaron 13 carros más. ¿Cuántos carros más habrían llegado al estacionamiento al final del día?

243 carros en total

67	13	?

12. Una zapatería vendió 162 pares de zapatos. El objetivo era vender 345 pares. ¿Cuántos pares de zapatos **NO** vendieron?

345 pares de zapatos

162	?

Práctica independiente

En los Ejercicios **13** y **14,** usa la tabla que está a la derecha.

13. ¿Qué ecuación puedes escribir como ayuda para hallar el costo total de los tenis y los calcetines?

14. ¿Qué ecuación puedes escribir como ayuda para hallar la diferencia entre el costo de la camiseta y el de los pantalones cortos?

Datos

Costo de la ropa de educación física	
Camiseta	$12
Pantalones cortos	$19
Tenis	$42
Calcetines	$2
Gorra	$15

15. Byron gastó $7.75 en palomitas de maíz y una bebida en el cine. Las palomitas de maíz costaban $4.25. ¿Cuánto costaba la bebida?

$7.75 en total

$4.25	?

16. Todos los días de clases, Mikaela vendió el mismo número de entradas para la obra escolar. El lunes vendió 4 entradas. ¿Cuántas entradas vendió en total en 5 días?

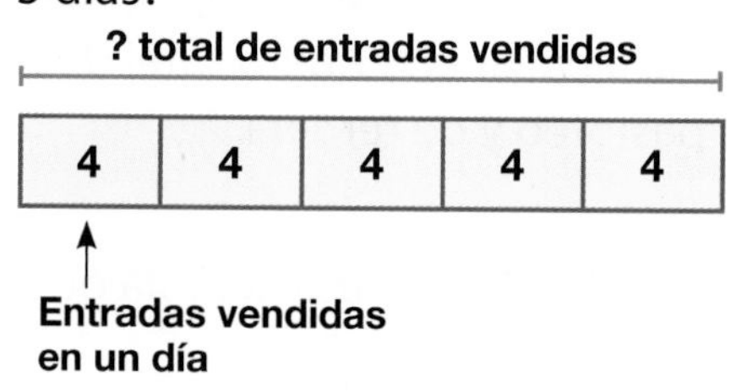

17. Escribir para explicar Ken hace 2 etiquetas de identificación en el tiempo en que Mary hace 5. Si Mary ha hecho 15 etiquetas de identificación, ¿cuántas ha hecho Ken?

18. El señor Li tenía 62 lápices al principio del año escolar. Al final del año, le quedaban 8. ¿Cuántos lápices repartió durante el año?

62 lápices en total

8	?

Piensa en el proceso

19. Carlene compró un libro por $13.58. Pagó con un billete de $10 y uno de $5. ¿Qué expresión hallaría la cantidad de cambio que recibió Carlene?

A $15 − $13.58 **C** $10 + $5

B $15 − $1.42 **D** $13.58 + $1.42

20. Antes del almuerzo, Terrence se montó en 15 atracciones de la feria del condado. Después del almuerzo se montó en 13 atracciones. Para cada atracción se necesitan 3 entradas. ¿Qué expresión representa el número de atracciones que montó durante el día?

A 15 − 13 **C** 15 − 3

B 15 + 13 **D** 13 − 3

Restar decimales

Usa los Bloques de valor de posición, de eTools, para restar 0.82 − 0.57.

Paso 1 Selecciona Bloques de valor de posición, de eTools. Selecciona el área de trabajo doble.

Paso 2 Con la herramienta de flecha selecciona una placa de valor de posición y haz clic en la parte superior del área de trabajo para mostrar la placa.

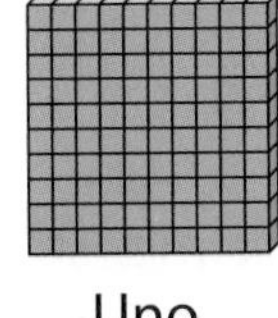
Uno

En el menú desplegable de Seleccionar bloque, selecciona Placa para que este bloque represente uno.

Usa la herramienta de martillo para descomponerlo en partes. Fíjate que cada tira es parte de una placa.

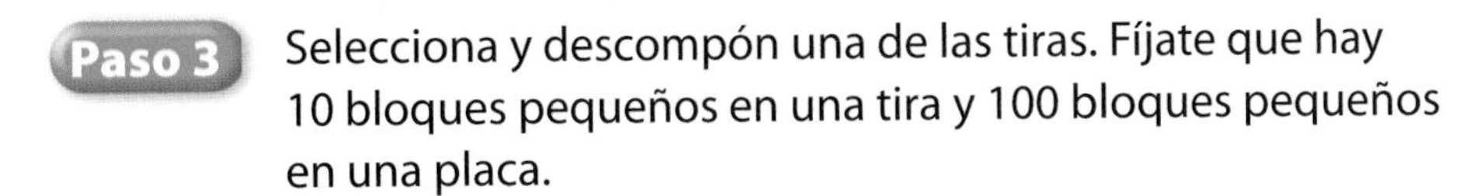

Paso 3 Selecciona y descompón una de las tiras. Fíjate que hay 10 bloques pequeños en una tira y 100 bloques pequeños en una placa.

Paso 4 Representa 0.82 con los bloques de valor de posición. Usa la herramienta de borrar para borrar los bloques que no necesites.

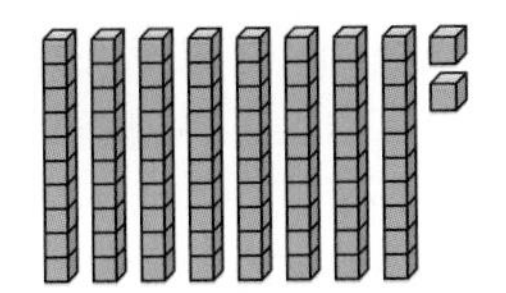

Paso 5 Usa la herramienta de martillo para descomponer una tira de décimas en 10 centésimas. Usa la herramienta de borrar para quitar las 7 centésimas y luego las 5 décimas de 0.57. Muévelas a la parte inferior del área de trabajo. Observa los bloques que están a la izquierda para hallar la diferencia 0.82 − 0.57 = 0.25.

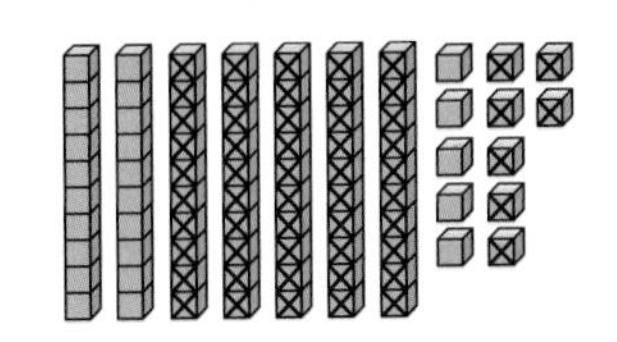

Práctica

Resuelve.

1. 0.64 − 0.14 **2.** 0.27 − 0.13 **3.** 0.89 − 0.72 **4.** 0.93 − 0.27

5. 0.86 − 0.71 **6.** 0.38 − 0.19 **7.** 0.11 − 0.08 **8.** 0.35 − 0.21

9. 0.56 − 0.19 **10.** 0.74 − 0.49 **11.** 0.71 − 0.58 **12.** 0.85 − 0.38

Examen

1. En un videojuego Joe obtuvo 34,867 puntos y Carlos 29,978 puntos. ¿Cuántos puntos más que Carlos obtuvo Joe? (2-5)

   A 14,889

   B 4,999

   C 4,989

   D 4,889

2. La tabla muestra las entradas vendidas para la obra de teatro de la escuela.

   Datos

Entradas vendidas	
Jueves	320
Viernes	282
Sábado	375

   ¿Cuál es la mejor estimación del total de entradas vendidas? (2-2)

   A 1,100

   B 1,000

   C 900

   D 800

3. David compró una carpeta de 3 anillos por $4.49, un paquete de lápices por $1.19 y dos paquetes de papel. ¿Qué información es necesaria para hallar la cantidad total que gastó David antes del impuesto? (2-3)

   A El costo de un paquete de papel

   B El costo de un paquete de borradores

   C El color de la carpeta

   D Cuánto dinero le dio David al dependiente

4. Manuel tiene 60 minutos para llegar a la clase de karate. Si tarda 27 minutos en llegar a su clase en bicicleta y 10 minutos para ponerse su uniforme de karate, ¿cuánto tiempo tiene antes de que deba salir de su casa? (2-7)

   60 minutos

27	10	?

   A 20

   B 21

   C 23

   D 97

5. Para anunciar la feria de la escuela, se imprimieron 325 volantes el miércoles, 468 volantes el jueves y 815 volantes el viernes. ¿Cuántos volantes se imprimieron en total? (2-4)

   A 1,620

   B 1,608

   C 1,508

   D 1,600

6. Garret manejó 239 millas el sábado y 149 millas el domingo. Para hallar 239 + 149, Garrett hizo un múltiplo de diez, como se muestra a continuación. ¿Cuál es el número que falta? (2-1)

   $239 + 149 = 240 + \square = 388$

   A 129

   B 130

   C 147

   D 148

Examen

7. Un grupo musical hizo 8,000 copias de un CD. Hasta ahora, han vendido 6,280 copias. ¿Cuántas copias quedan? (2-6)

A 2,720

B 2,280

C 1,820

D 1,720

8. En abril se sacaron de la biblioteca 5,326 libros. En mayo se sacaron 3,294 libros. ¿Cuántos libros se sacaron en total? (2-4)

A 8,620

B 8,610

C 8,520

D 8,510

9. ¿Qué número hace verdadera la oración numérica? (2-1)

$28 + 79 = \square + 28$

A 59

B 69

C 79

D 89

10. Betty tenía 719 monedas de 1¢ en su alcancía. Si le dio 239 monedas a su hermana, ¿cuántas monedas de 1¢ le quedan a Betty? (2-5)

A 519

B 500

C 480

D 408

11. El último eclipse total de Sol visto en Dallas fue en 1623. El siguiente no será visto sino hasta 2024. ¿Qué oración numérica muestra la mejor manera de estimar el número de años entre los eclipses? (2-2)

A $2020 - 1630 = 390$

B $2030 - 1620 = 410$

C $2020 - 1620 = 400$

D $2020 - 1600 = 420$

12. El libro de Dania tiene 323 páginas. Ella ha leído 141 páginas. ¿Qué diagrama muestra cómo hallar el número de páginas que le falta por leer? (2-7)

A Total: ?

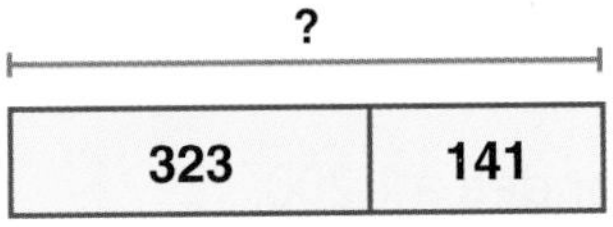

323	141

B Total: 323

141	?

C Total: 141

323	?

D Total: 323

141	141	?

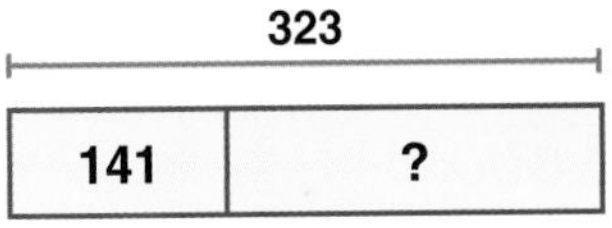

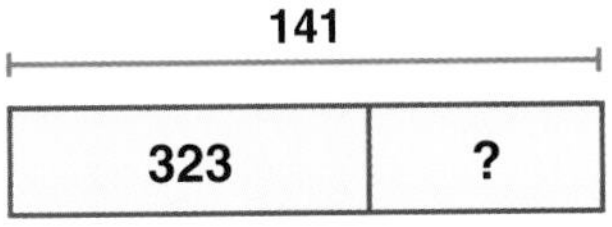

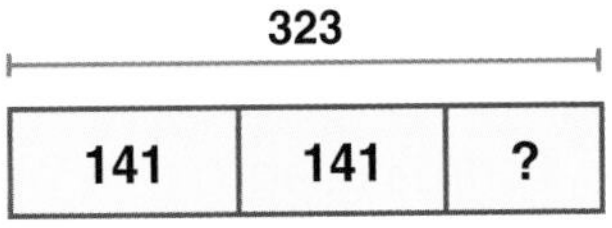

13. Halla 5,000 - 2,898. (2-6)

A 2,000

B 2,210

C 2,120

D 2,102

Refuerzo

Grupo A, páginas 28 a 30

Suma 155 + 83. Usa el cálculo mental.

Usa el método de descomposición.
Sumar 5 a 155 es fácil.
Descompón 83 en 5 y 78.

$155 + 5 = 160$

$160 + 78 = 238$

Por tanto, $155 + 83 = 238$.

Recuerda que cuando uses la compensación debes ajustar la suma o la diferencia.

1. $53 + 88$

2. $372 + 226$

3. $5{,}342 + 1{,}826$

4. $283 - 169$

5. $676 - 521$

6. $1{,}089 - 961$

Grupo B, páginas 32 y 33

Estima

$$\begin{array}{r} 1{,}579 \\ +\ 1{,}248 \\ \hline \end{array}$$

Redondea los números a la centena más cercana.

1,579 se redondea a 1,600.

1,248 se redondea a 1,200.

Suma

$$\begin{array}{r} 1{,}600 \\ +\ 1{,}200 \\ \hline 2{,}800 \end{array}$$

Recuerda que puedes redondear los números a la centena o al millar más cercanos cuando haces una estimación de sumas y diferencias.

1. $473 + 465$

2. $8{,}352 - 3{,}421$

3. $586 - 483$

4. $4{,}094 + 246$

5. $1{,}440 - 933$

6. $748 - 392$

7. $981 + 193$

8. $725 + 635$

Grupo C, páginas 34 y 35

El peso estándar de una moneda de 1¢ es de 2.50 gramos, una moneda de 5¢ estándar pesa 5.0 gramos y medio dólar estándar pesa 11.34 gramos. Estima cuánto más pesado es un medio dólar que una moneda de 5¢.

Usa la resta para resolver.

11.34 se redondea a 11.
$11.0 - 5.0 = 6.0$

El medio dólar es aproximadamente 6.0 gramos más pesado.

El peso de la moneda de 1¢ era la información que sobraba.

Recuerda que algunos problemas no tienen suficiente información para resolverlos.

1. Todd leyó 35 páginas de su libro el sábado. Leyó por 10 minutos el domingo. ¿Cuántas páginas leyó Todd durante el fin de semana?

2. Molly compró 150 hojas de papel. Puso 50 hojas de papel en la carpeta de Matemáticas, 25 hojas en la carpeta de Ciencias, 25 en la de Ciencias sociales y 40 en la de Lectura. ¿Cuántas hojas de papel le quedan a Molly?

Grupo D, páginas 36 a 38

Suma 359 + 723.

Estimación: 400 + 700 = 1,100

Suma las unidades. Reagrupa, si es necesario.

$$\begin{array}{r} {}^{1} \\ 359 \\ +\ 723 \\ \hline 2 \end{array}$$

Suma las decenas. Reagrupa, si es necesario.

$$\begin{array}{r} {}^{1} \\ 359 \\ +\ 723 \\ \hline 82 \end{array}$$

Suma las centenas.

$$\begin{array}{r} {}^{1} \\ 359 \\ +\ 723 \\ \hline 1{,}082 \end{array}$$

La respuesta es razonable.

Recuerda que debes reagrupar, si es necesario, cuando sumas números enteros.

1. 215 + 8,823

2. 14,296 + 444

3. 2,417 + 3,573

4. 572 + 941

5. $\begin{array}{r} 32{,}834 \\ +\ 17{,}384 \\ \hline \end{array}$

6. $\begin{array}{r} 14{,}382 \\ +\ 9{,}243 \\ \hline \end{array}$

Grupo E, páginas 40 a 43

Halla 831 − 796.

Estimación: 830 − 800 = 30

Resta las unidades. Reagrupa, si es necesario.

$$\begin{array}{r} {}^{2\ 11} \\ 8\not{3}\not{1} \\ -\ 7\ 9\ 6 \\ \hline 5 \end{array}$$

Resta las decenas. Resta las centenas. Reagrupa, si es necesario.

$$\begin{array}{r} {}^{7\ 12\ 11} \\ \not{8}\not{3}\not{1} \\ -\ 7\ 9\ 6 \\ \hline 3\ 5 \end{array}$$

Suma para comprobar tu respuesta.

$$\begin{array}{r} {}^{1\ 1} \\ 7\ 9\ 6 \\ +\ \ \ 3\ 5 \\ \hline 8\ 3\ 1 \end{array}$$

La respuesta es razonable.

Recuerda que tal vez necesites reagrupar antes de restar.

1. 415 − 323

2. 4,978 − 2,766

3. 700 − 255

4. 4,508 − 2,613

5. $\begin{array}{r} 18{,}805 \\ -\ 6{,}291 \\ \hline \end{array}$

6. $\begin{array}{r} 601 \\ -\ 482 \\ \hline \end{array}$

Grupo F, páginas 44 a 46

Cathy gastó $8 en el almuerzo. Compró un sándwich, una taza de frutas y un vaso de leche en el bar de bocaditos. Gastó un total de $6 en el sándwich y la leche. ¿Cuánto costó la taza de frutas?

¿Qué se?

Cathy tenía $8, compró un sándwich, un vaso de leche y una taza de frutas. Cathy gastó $6 en el sándwich y la leche.

¿Qué me piden que halle?

La cantidad de dinero que Cathy gastó en la taza de frutas.

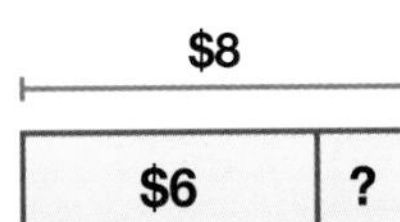

$8 − $6 = $2

Cathy gastó $2 en la taza de fruta.

Recuerda hacer un dibujo como ayuda para resolver un problema. Haz un dibujo y escribe una ecuación para resolver.

1. Doug vio 5 ualabíes ágiles y 9 ualabíes de las rocas en el zoológico. ¿Cuántos ualabíes vio Doug?

2. Luz había recolectado un total de 393 fichas en el parque de juegos Funland. Para ganar un peluche grande se necesitan 500 fichas. ¿Cuántas fichas más necesita Luz para ganar el peluche grande?

Tema 3

Multiplicación: Significados y operaciones básicas

1 ¿Cuántos años había en un ciclo completo del calendario azteca? Lo averiguarás en la Lección 3-4.

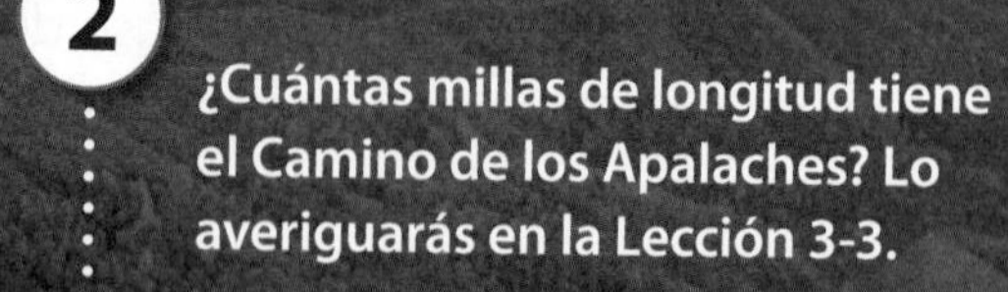

2 ¿Cuántas millas de longitud tiene el Camino de los Apalaches? Lo averiguarás en la Lección 3-3.

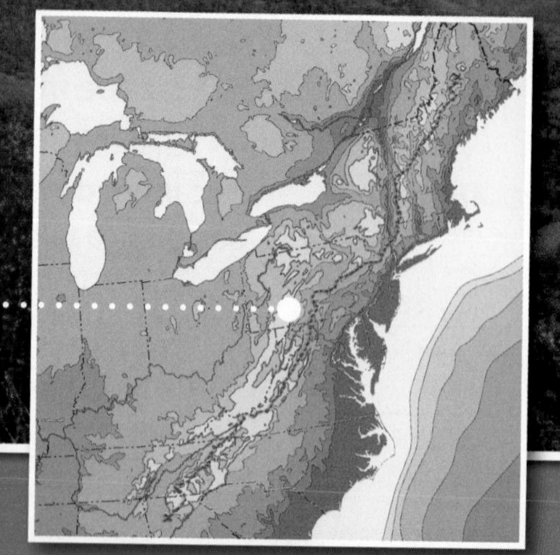

3

¿Cuántas habitaciones tiene la Casa Blanca? Lo averiguarás en la Lección 3-6.

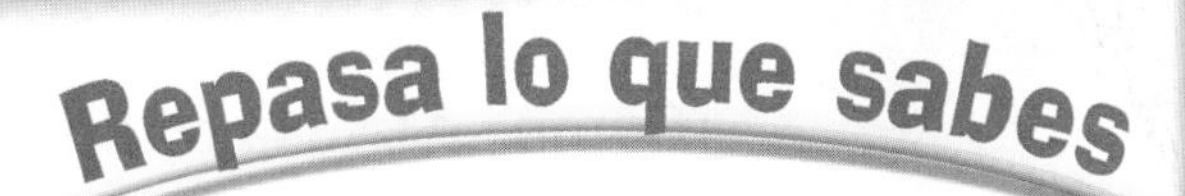

Vocabulario

Elige el mejor término del recuadro.

- descomposición
- producto
- factor
- múltiplos

1. En la oración numérica $8 \times 3 = 24$, el 8 es un _?_.

2. En la oración numérica $2 \times 6 = 12$, el 12 es el _?_.

3. $191 + 67 = (191 + 9) + 58$ es un ejemplo de usar la estrategia de _?_ .

4. Para hallar _?_ del número 3, multiplicas números por 3.

Contar salteado

Halla el término que sigue a continuación en la serie.

5. 2, 4, 6, 8, ▢
6. 20, 25, 30, 35, ▢
7. 6, 9, 12, 15, ▢
8. 8, 16, 24, 32, ▢
9. 7, 14, 21, 28, ▢
10. 11, 22, 33, 44, ▢

Multiplicación

Copia las matrices y encierra en círculos los grupos iguales de 3.

11. ▢ ▢ ▢ ▢
▢ ▢ ▢ ▢
▢ ▢ ▢ ▢

12. ▢ ▢ ▢
▢ ▢ ▢

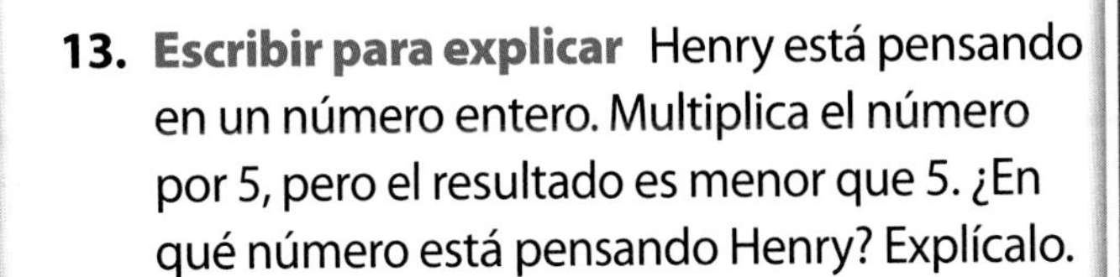

13. **Escribir para explicar** Henry está pensando en un número entero. Multiplica el número por 5, pero el resultado es menor que 5. ¿En qué número está pensando Henry? Explícalo.

Lección

3-1

¡Lo entenderás!
Se debe multiplicar para hallar el total cuando hay grupos o filas iguales.

Significados de la multiplicación

¿Cómo se usa la multiplicación cuando se combinan grupos iguales?

¿Cuántos patos hay en 4 filas de 3? Para hallar el total, multiplica el número de grupos iguales por el número de cada grupo. Los objetos que se ordenan en filas iguales forman una matriz.

Otro ejemplo **¿Cómo puedes usar la multiplicación cuando sólo conoces el número de un grupo?**

Rudi y Eva reúnen ranas de plástico. Rudi reunió 5 ranas. Eva reunió 3 veces más ranas. ¿Cuántas ranas reunió Eva?

A 3 ranas

B 5 ranas

C 10 ranas

D 15 ranas

Ranas de Rudi

Ranas de Eva

Eva reunió 3 veces más ranas que Rudi.

Multiplica por 3:

$3 \times 5 = 15$

Eva reunió 15 ranas. La opción correcta es la **D.**

Explícalo

1. Escribe una suma que muestre cuántas ranas reunió Eva.

2. Dibuja una matriz de 16 ranas. Luego, escribe una multiplicación que describa la matriz.

Una manera

Hay 4 filas. Cada fila tiene 3 patos de goma.

Suma repetida: $\underbrace{3 + 3 + 3 + 3}_{\text{suma 4 filas de 3}} = 12$

Multiplicación: $4 \times 3 = 12$

factores producto

El producto es la respuesta a un problema de multiplicación. Los factores son los números que se multiplican para hallar el producto.

Otra manera

Los mismos patos de goma pueden ordenarse de otra manera.

Cada grupo tiene 4 patos de goma.

Suma repetida: $4 + 4 + 4 = 12$

Multiplicación: $3 \times 4 = 12$

Hay 12 patos de goma en total.

Práctica guiada*

¿CÓMO hacerlo?

En los Ejercicios **1** y **2,** escribe una suma y una multiplicación para cada dibujo.

1.

2.

¿Lo ENTIENDES?

3. Beth encontró 2 grupos de 4 polillas. Haz un dibujo que muestre 2 grupos de 4. Luego, dibuja una matriz que muestre 2×4.

4. ¿Cómo podrías usar la suma repetida para hallar el número total de objetos en 3 grupos de 2?

5. Marta tiene 5 patos de goma. Jim tiene el doble de patos de goma. ¿Cuántos patos de goma tiene Jim?

Práctica independiente

Práctica al nivel En los Ejercicios **6** a **8,** escribe una suma y una multiplicación para cada dibujo.

6.

7.

8.

En los Ejercicios **9** a **11,** escribe una multiplicación para cada suma.

9. $3 + 3 + 3 + 3 = 12$

10. $5 + 5 + 5 + 5 + 5 = 25$

11. $8 + 8 + 8 = 24$

** Puedes encontrar otro ejemplo en el Grupo A, página 72.*

12. ¿Cuál de estas opciones es el número trescientos tres millones treinta y tres mil tres en forma estándar?

 A 300,333,003

 B 330,303,003

 C 300,303,033

 D 303,033,003

13. **Razonamiento** Frank escribió 3×6 para describir el número total de clips que se muestran. Alexa escribió 6×3. ¿Quién tiene razón? Explícalo.

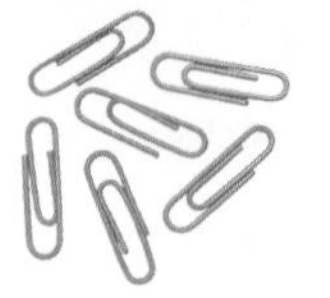
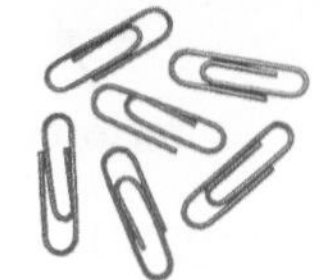
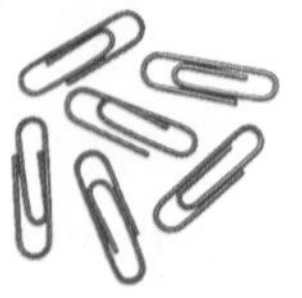

14. Jacob, Hannah y su abuela visitaron el zoológico interactivo. Una ración de alimento para los animales costaba dos dólares. ¿Cuánto pagó la abuela para comprar una ración para cada niño?

15. **Escribir para explicar** Sin multiplicar, ¿cómo sabes que una matriz de 4×4 tendrá más objetos que una matriz de 3×3?

16. Taylor ayudó a su padre con la compra de comestibles. Compró tres bolsas de barras de queso. Cada bolsa contiene 8 barras de queso. ¿Cuántas barras de queso había en total?

 A 3 barras de queso

 B 16 barras de queso

 C 24 barras de queso

 D 30 barras de queso

17. Sam está poniendo la mesa para una cena familiar. Tiene que poner dos tenedores en cada puesto. Irán a cenar diez personas. Escribe una multiplicación que muestre cuántos tenedores necesita Sam.

18. Piensa en el proceso Harry ordenó las canicas como muestra el diseño de la derecha. ¿Qué oración numérica representa mejor el orden de las canicas?

 A 3 grupos de 9 canicas C 2 grupos de 13 canicas

 B 4 grupos de 5 canicas D 4 grupos de 7 canicas

19. Lisa tiene 2 anillos. Tina tiene 4 veces más anillos. ¿Cuántos anillos tiene Tina?

? anillos en total

Tina	2	2	2	2	4 veces más
Lisa	2				

Resolución de problemas variados

Datos

Animales nacionales	Características
Australia: Canguro	Los canguros se mueven a una velocidad de aproximadamente 18 pies por segundo durante varias horas.
Canadá: Castor	Los castores adultos, machos y hembras, pueden pesar más de 55 libras.
India: Tigre de Bengala	Un típico tigre de Bengala macho puede medir 72 pulgadas de largo, sin incluir la longitud de su cola, o 120 pulgadas incluyendo su cola.
Tailandia: Elefante tailandés	El 19 de mayo de 1998 se aprobó el establecimiento del 13 de marzo como el Día de los elefantes tailandeses.
Estados Unidos: Águila americana	El águila americana ha sido un símbolo de los Estados Unidos desde el 20 de junio de 1782.
Botsuana: Cebra	La expectativa de vida de una cebra puede ser 40 años.

1. ¿Qué distancia puede recorrer un canguro en 5 segundos?

? distancia que puede saltar un canguro en 5 segundos

18	18	18	18	18

Pies que salta por segundo

2. ¿Qué longitud puede tener la cola de un tigre de Bengala macho?

120 pulgadas

72 pulgadas	?

3. Aproximadamente, ¿cuántos castores pesan lo mismo que una persona adulta de 165 libras?

4. ¿En qué año se celebrará el 25.° aniversario del Día de los Elefantes Tailandeses?

5. El Congreso Continental adoptó el Gran Sello de los Estados Unidos en 1782. La Guerra de Independencia empezó 7 años antes. ¿En qué año empezó la Guerra de Independencia?

6. La cebra de Grevy es la más grande de todas las cebras. En promedio, una cebra de Grevy macho pesa 431 kilogramos. Una hembra pesa, en promedio, 386 kilogramos. ¿Cuánto más pesa una cebra de Grevy macho que una hembra?

7. Un águila americana puede poner de 1 a 3 huevos por año. ¿Cuál es el número mayor de huevos que puede poner un águila americana en 8 años?

8. Un tigre de Bengala hembra puede medir aproximadamente 60 pulgadas de longitud. Aproximadamente, ¿cuántas pulgadas más largo es el tigre de Bengala macho que el tigre de Bengala hembra?

Lección
3-2

¡Lo entenderás!
Se debe usar patrones para recordar operaciones de multiplicación.

Patrones de las operaciones básicas

¿Cuáles son los patrones para los múltiplos de 2, 5 y 9?

Un múltiplo es el producto de dos números enteros cualesquiera.

○ múltiplos de 2
□ múltiplos de 5
△ múltiplos de 9

1	(2)	3	(4)	[5]	(6)	7	(8)	△9	[(10)]
11	(12)	13	(14)	[15]	(16)	17	△(18)	19	[(20)]
21	(22)	23	(24)	[25]	(26)	△27	(28)	29	[(30)]
31	(32)	33	(34)	[35]	△(36)	37	(38)	39	[(40)]

Práctica guiada*

¿CÓMO hacerlo?

En los Ejercicios **1** a **4,** cuenta salteado para hallar el número que sigue.

1. 2, 4, 6, 8, ▢

2. 20, 22, 24, ▢

3. 20, 25, 30, ▢

4. 36, 45, 54, ▢

En los Ejercicios **5** a **8,** halla el producto.

5. 9×1

6. 2×8

7. 5×4

8. 9×2

¿Lo ENTIENDES?

9. En el cuadro que está arriba, ¿qué patrones ves en los números que tienen tanto círculos rojos como cuadrados verdes?

10. ¿Cómo sabes que 63 no es un múltiplo de 2? Explica usando el patrón de múltiplos de 2.

11. Félix está ordenando calcetines. Tiene 11 pares de calcetines. ¿Cuántos calcetines tiene en total?

Práctica independiente

En los Ejercicios **12** a **15,** cuenta salteado para hallar el número que sigue.

12. 18, 27, 36, ▢

13. 12, 14, 16, ▢

14. 5, 10, 15, ▢

15. 88, 90, 92, ▢

En los Ejercicios **16** a **30,** halla el producto.

16. 2×6

17. 5×3

18. 9×2

19. 5×8

20. 9×1

21. 2×7

22. 5×7

23. 9×3

24. 9×6

25. 2×4

26. 2×3

27. 5×9

28. 5×6

29. 4×7

30. 5×4

Puedes encontrar otro ejemplo en el Grupo B, página 72.

Para hallar múltiplos de 2, cuenta salteado de dos en dos.

2, 4, 6, 8,
10, 12, 14, 16...

Todos los múltiplos de 2 son números pares.

Para hallar los múltiplos de 5, cuenta salteado de cinco en cinco.

5, 10, 15, 20,
25, 30, 35, 40...

Todos los múltiplos de 5 tienen un 0 ó un 5 en el lugar de las unidades.

Para hallar múltiplos de 9, cuenta salteado de nueve en nueve.

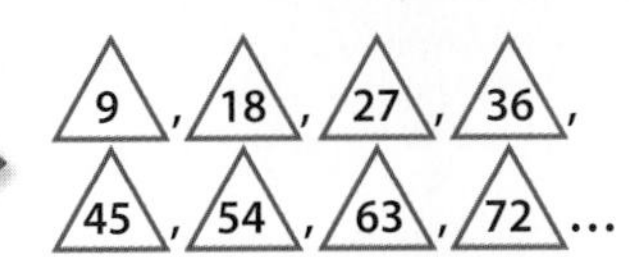

Los dígitos de los múltiplos de 9 suman 9 o un múltiplo de 9.

En 99, por ejemplo, $9 + 9 = 18$, y 18 es un múltiplo de 9.

Resolución de problemas

31. ¿Cuántos brazos tienen en total 9 estrellas de mar

a si cada estrella de mar tiene 6 brazos?

b si cada estrella de mar tiene 7 brazos?

32. En el básquetbol en silla de ruedas, los jugadores usan sillas deportivas que tienen 2 ruedas grandes y 3 ruedas pequeñas. Si hay 5 jugadores, ¿cuántas

a ruedas grandes hay?

b ruedas pequeñas hay?

c ruedas hay en total?

33. Julia está trabajando en su tren a escala. Le agrega 9 trozos de vía. Cada trozo de vía se ajusta con 4 tornillos. ¿Cuántos tornillos necesita en total?

A 18 tornillos

B 36 tornillos

C 54 tornillos

D 72 tornillos

34. **Geometría** Cada pentágono que está a continuación tiene 5 lados. ¿Cuántos lados hay en total? Cuenta salteado de cinco en cinco para hallar la respuesta. Luego escribe la multiplicación.

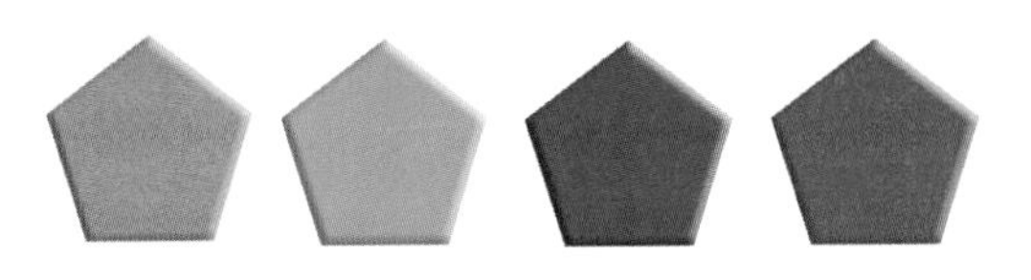

35. Usa los dígitos 3, 4 y 6 para formar tantos números de tres dígitos como puedas. Pon los números en orden, de menor a mayor.

36. ¿Cuál de las opciones es igual a 7 dólares, 8 monedas de 10¢ y 7 monedas de 1¢?

A \$8.87

B \$8.78

C \$7.87

D \$7.78

Lección

3-3

¡Lo entenderás!
Se puede usar las propiedades de la multiplicación para recordar las operaciones básicas.

Propiedades de la multiplicación

¿Cómo te ayudan las propiedades a multiplicar?

Las propiedades de la multiplicación te ayudan a recordar operaciones básicas.

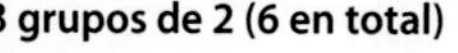

3 grupos de 2 (6 en total)

2 grupos de 3 (6 en total)

$3 \times 2 = 2 \times 3$

Propiedad conmutativa de la multiplicación
Dos números se pueden multiplicar en cualquier orden y el producto será el mismo.

Práctica guiada*

¿CÓMO hacerlo?

En los Ejercicios **1** a **4,** halla el producto.

1. 0×5 **2.** 1×6

3. 1×0 **4.** 1×9

En los Ejercicios **5** y **6,** copia y completa.

5. $4 \times 7 = 7 \times$ ▢

6. $6 \times 10 =$ ▢ $\times 6$

¿Lo ENTIENDES?

7. Cuando multiplicas cualquier número por uno, ¿cuál es el producto?

8. En un torneo de futbol, el equipo de Matt anotó cero goles en cada partido. Jugaron un total de 6 partidos. Escribe una multiplicación para mostrar cuántos goles hicieron en total.

Práctica independiente

En los Ejercicios **9** a **18,** halla el producto.

9. 1×5 **10.** 7×0 **11.** 3×9 **12.** 0×8 **13.** 0×3

14. 4×0 **15.** 9×4 **16.** 2×7 **17.** 5×6 **18.** 1×1

En los Ejercicios **19** a **26,** halla el número que falta.

19. $4 \times 5 =$ ▢ $\times 4$ **20.** $9 \times 12 = 12 \times$ ▢ **21.** $0 \times 6 =$ ▢ $\times 0$ **22.** $9 \times 8 =$ ▢ $\times 9$

23. $8 \times 11 =$ ▢ $\times 8$ **24.** $1 \times 9 =$ ▢ $\times 1$ **25.** $6 \times 4 =$ ▢ $\times 6$ **26.** $7 \times 5 =$ ▢ $\times 7$

DIGITAL
Glosario animado
www.pearsonsuccessnet.com

** Puedes encontrar otro ejemplo en el Grupo C, página 72.*

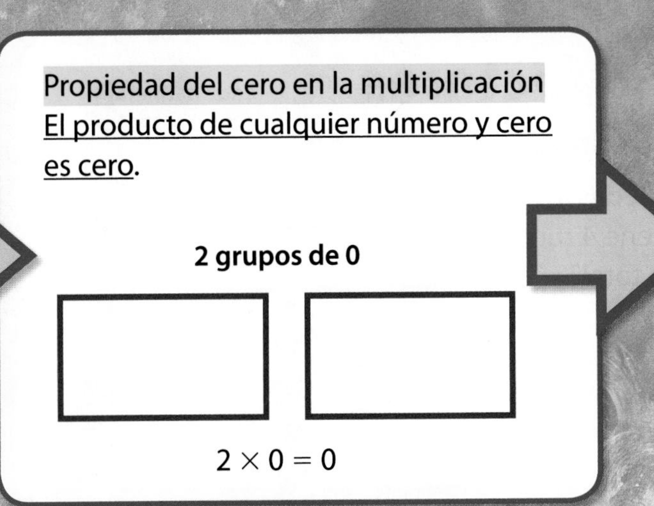

Propiedad del cero en la multiplicación
El producto de cualquier número y cero es cero.

2 grupos de 0

$2 \times 0 = 0$

Propiedad de identidad de la multiplicación
El producto de cualquier número y uno es ese número.

1 grupo de 7

$1 \times 7 = 7$

Resolución de problemas

En los Ejercicios **27** y **28,** usa la tabla de la derecha.

Tipo de pelota	Número en cada paquete
Pelota de beisbol	1
Pelotas de tenis	3
Pelotas de ping-pong	6

27. Annie tiene 6 paquetes de pelotas de tenis. ¿Cuántos paquetes de pelotas amarillas de ping-pong necesitaría Annie para tener un número igual de pelotas de ping-pong y de tenis?

28. Si Annie y sus tres amigas compraron 1 paquete de pelotas de beisbol cada una, ¿cuántas pelotas tienen en total?

29. Escribir para explicar ¿Cómo sabes que $23 \times 15 = 15 \times 23$ sin hallar los productos?

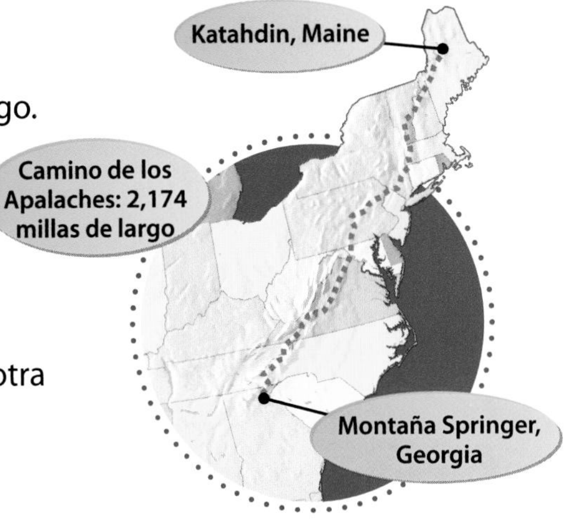

30. El Camino de los Apalaches mide 2,174 millas de largo. Si Andy recorrió todo el camino una vez, ¿cuántas millas recorrió?

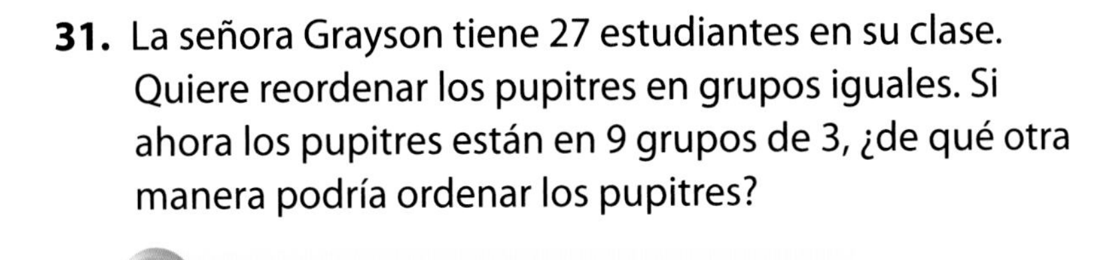

31. La señora Grayson tiene 27 estudiantes en su clase. Quiere reordenar los pupitres en grupos iguales. Si ahora los pupitres están en 9 grupos de 3, ¿de qué otra manera podría ordenar los pupitres?

Ojo *Usa una propiedad de la multiplicación.*

A 3 grupos de 9 pupitres
B 5 grupos de 6 pupitres
C 2 grupos de 13 pupitres
D 4 grupos de 7 pupitres

Lección
3-4

¡Lo entenderás!
Se debe usar operaciones conocidas como ayuda para hallar productos de otras operaciones.

El 3 y el 4 como factores

¿Cómo descompones factores?

Darnel está cambiando las ruedas a 8 patinetas. Cada patineta tiene 4 ruedas. ¿Cuántas ruedas necesita en total?

Usa la propiedad distributiva para descomponer los factores y hallar el producto.

Práctica guiada*

¿CÓMO hacerlo?

En los Ejercicios **1** a **4,** usa la descomposición para hallar los productos.

1. $3 \times 4 = (1 \times 4) + (\square \times 4) = \square$

2. $4 \times 7 = (2 \times 7) + (\square \times 7) = \square$

3. 3×9

4. 4×6

¿Lo ENTIENDES?

5. En el Ejercicio 4, halla 4×6 descomponiendo el 6.

6. El viernes, Darnel recibió de la fábrica una caja de ruedas para patinetas. La caja contenía 12 juegos de 4 ruedas. ¿Cuántas ruedas había en total?

Práctica independiente

Práctica al nivel En los Ejercicios **7** a **20,** usa la descomposición para hallar cada producto.

7. $9 \times 5 = (5 \times 5) + (\square \times 5) = \square$

8. $8 \times 3 = (4 \times 3) + (4 \times \square) = \square$

9. $3 \times 13 = (3 \times \square) + (3 \times 3) = \square$

10. $12 \times 4 = (\square \times 4) + (2 \times 4) = \square$

11. 6×3

12. 0×4

13. 6×4

14. 8×4

15. 5×4

16. 3×5

17. 3×6

18. 4×7

19. 4×9

20. 3×7

DIGITAL
Glosario animado
www.pearsonsuccessnet.com

Puedes encontrar otro ejemplo en el Grupo D, página 73.

Una manera

Halla 8 × 4. Descompón 4 en 2 + 2.

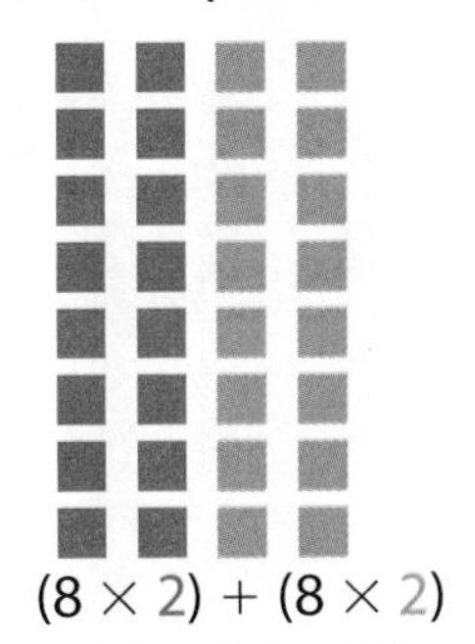

$(8 \times 2) + (8 \times 2)$

$16 + 16 = 32$

Por tanto, $8 \times 4 = 32$

Darnel necesita 32 ruedas en total.

Otra manera

Halla 8 × 4. Descompón 8 en 3 + 5.

$3 \times 4 = 12$

$5 \times 4 = 20$

$12 + 20 = 32$

Por tanto, $8 \times 4 = 32$.

Darnel necesita 32 ruedas en total.

Resolución de problemas

En los Ejercicios **21** y **22,** usa la tabla de la derecha.

21. En el calendario azteca, cada año tiene un número del 1 al 13. También tiene uno de 4 signos, como muestra la tabla. Un ciclo de años completo toma 4 × 13 años. ¿Cuántos años hay en un ciclo?

22. El año 2006 es el año 7-Conejo en el calendario azteca. ¿Qué año del calendario azteca es el 2010?

Nombres de los años aztecas (16 primeros años)

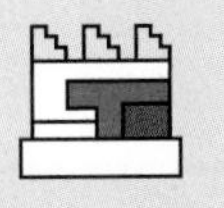			
2-Casa	3-Conejo	4-Caña	5-Pedernal
6-Casa	7-Conejo	8-Caña	9-Pedernal
10-Casa	11-Conejo	12-Caña	13-Pedernal
1-Casa	2-Conejo	3-Caña	4-Pedernal

23. Escribir para explicar Vicki anotó 6 canastas de dos puntos y 6 tiros libres de un punto. Li anotó 6 canastas de tres puntos. Explica cómo sabes que las dos niñas anotaron el mismo total.

24. En su último partido de básquetbol, Andrew anotó 15 puntos. ¿Cuál de las siguientes **NO** es una manera en que habría anotado su puntaje?

A 5 tiros de tres puntos

B 3 tiros de tres puntos en la primera mitad y 2 tiros de tres puntos en la segunda mitad

C 3 tiros de dos puntos y 2 tiros libres de un punto

D 5 tiros de dos puntos y 5 tiros libres de un punto

Lección
3-5

¡Lo entenderás!
Se debe usar operaciones conocidas para descomponer una operación.

El 6, el 7 y el 8 como factores

¿Hay diferentes maneras de descomponer un factor?

La clase de la señora White dibujó un mapa de su pueblo. El mapa tiene 6 cuadras por 6 cuadras. ¿Cuántas manzanas hay en el mapa?

Otros ejemplos

Halla 7×8.
Descompón el primer factor, 7, en $5 + 2$.

$7 \times 8 = (5 \times 8) + (2 \times 8)$

$40 + 16 = 56$

Halla 8×8.
Descompón el primer factor, 8, en $5 + 3$.

$8 \times 8 = (5 \times 8) + (3 \times 8)$

$40 + 24 = 64$

Práctica guiada*

¿CÓMO hacerlo?

En los Ejercicios **1** a **4**, usa la descomposición para hallar los productos.

1. $6 \times 8 = (6 \times 4) + (6 \times \square) = \square$

2. $7 \times 3 = (7 \times 1) + (\square \times 2) = \square$

3. 7×9

4. 8×8

¿Lo ENTIENDES?

5. Escribir para explicar En el ejemplo de arriba, ¿cómo te ayuda $3 \times 6 = 18$ a hallar 6×6?

6. Se agregan dos calles en un lado del mapa; por tanto, ahora éste cubre un área de 8 cuadras por 6 cuadras. ¿Cuántas manzanas hay ahora en el mapa?

Práctica independiente

Práctica al nivel En los Ejercicios **7** a **20,** usa la descomposición para hallar los productos.

7. $9 \times 5 = (9 \times 1) + (9 \times \square) = \square$

8. $3 \times 5 = (2 \times \square) + (1 \times 5) = \square$

9. $7 \times 6 = (7 \times \square) + (7 \times 4) = \square$

10. $4 \times 8 = (4 \times 5) + (4 \times \square) = \square$

* *Puedes encontrar otro ejemplo en el Grupo E, página 73.*

Lo que muestras

Halla 6×6.

Puedes descomponer el primer factor o el segundo factor.

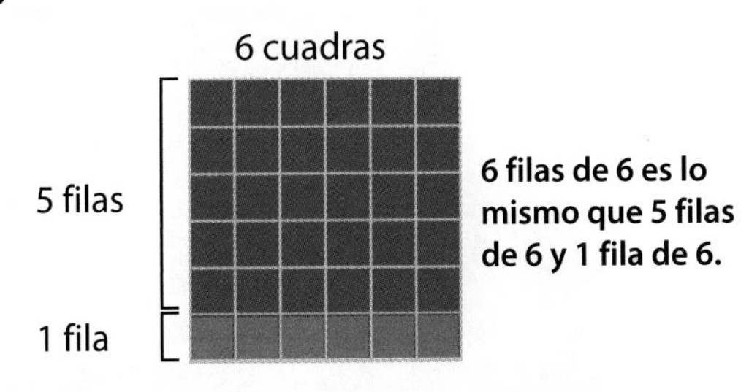

Lo que escribes

Descompón 6 en $5 + 1$.

$6 \times 6 = (5 \times 6) + (1 \times 6)$

$30 + 6 = 36$

Por tanto, $6 \times 6 = 36$.

Hay 36 manzanas en el mapa.

11. 6×6 **12.** 7×5 **13.** 8×7 **14.** 4×6 **15.** 3×7

16. 9×3 **17.** 8×9 **18.** 4×4 **19.** 6×3 **20.** 7×7

Resolución de problemas

21. Tina dijo que multiplicó 6×6 para hallar el producto de 7×6. Haz un dibujo y explica lo que ella quiere decir.

22. La escuela de Betsy necesita $2,000 para enviar a la banda a las finales del estado. Hasta el momento, han recaudado $465 en una colecta. ¿Cuánto dinero más necesitan?

23. Joe, Vicki y Tom salieron de excursión. Caminaron las distancias que se muestran en la siguiente tabla. ¿Quién caminó más?

A Joe

B Tom

C Vicki

D Todos caminaron la misma distancia.

24. Para el tablero de ajedrez que se muestra abajo, escribe una multiplicación para hallar el número total de

a piezas rojas.

b casillas con piezas.

c casillas en el tablero.

Datos

Excursionista	Distancia que caminó
Joe	9 millas por día durante 8 días.
Vicki	8 millas por día durante 4 días y 4 millas por día durante 8 días.
Tom	7 millas por día durante 5 días, luego 5 millas por día durante 7 días.

Lección
3-6

¡Lo entenderás!
Se debe usar patrones para recordar operaciones de multiplicación.

El 10, el 11 y el 12 como factores

¿Cuáles son los patrones de los múltiplos de 10, de 11 y de 12?

¿Cuántas plantas hay en 3 docenas de recipientes si hay una planta por recipiente?

Los patrones pueden ayudarte a multiplicar por 10, por 11 o por 12.

Práctica guiada*

¿CÓMO hacerlo?

En los Ejercicios **1** a **4,** usa patrones para hallar cada producto.

1. 10×3 **2.** 11×4

3. 11×7 **4.** 10×5

¿Lo ENTIENDES?

5. Escribir para explicar ¿Cómo puedes usar 7×10 como ayuda para hallar 7×12?

6. Una tienda de flores ordenó una gruesa de macetas de flores. Una gruesa son 12 docenas. Usa la descomposición para averiguar cuántas macetas de flores ordenaron.

Práctica independiente

Práctica al nivel En los Ejercicios **7** a **26,** usa la descomposición y los patrones para hallar cada producto.

7. $12 \times 6 = (10 \times 6) + (\square \times 6) = \square$

8. $12 \times 8 = (10 \times 8) + (2 \times \square) = \square$

9. $9 \times 11 = (9 \times \square) + (9 \times 1) = \square$

10. $11 \times 11 = (11 \times 10) + (\square \times 1) = \square$

11. 11×6 **12.** 12×2 **13.** 10×6 **14.** 4×11

15. 4×10 **16.** 12×4 **17.** 11×8 **18.** 10×8

19. 10×3 **20.** 7×12 **21.** 11×10 **22.** 10×10

23. 11×2 **24.** 12×5 **25.** 10×1 **26.** 12×10

Puedes encontrar otro ejemplo en el Grupo F, página 73.

Múltiplos de 10

$10 \times 1 = 10$
$10 \times 2 = 20$
$10 \times 3 = 30$
$10 \times 4 = 40$
$10 \times 5 = 50$
⋮

Sitúa un cero a la derecha del número para crear un nuevo dígito de unidades.

Múltiplos de 11

$11 \times 1 = 11$
$11 \times 2 = 22$
$11 \times 3 = 33$
$11 \times 4 = 44$
$11 \times 5 = 55$
⋮

Multiplica por 10 el factor que no es 11. Luego suma el factor al producto.

$11 \times 6 = (10 \times 6) + 6$

Múltiplos de 12

$12 \times 1 = 12$
$12 \times 2 = 24$
$12 \times 3 = 36$
$12 \times 4 = 48$
$12 \times 5 = 60$
⋮

Descompón 12.

$12 = 10 + 2$

$12 \times 3 = (10 \times 3) + (2 \times 3)$

Hay 36 plantas en 3 docenas de recipientes.

Resolución de problemas

27. Una tienda de mascotas tiene 55 gupis. El viernes, el sábado y el domingo, la tienda vendió 11 gupis cada día. ¿Cuántos gupis quedan?

28. **¿Es razonable?** Jillian dijo que el producto de 11×12 es 1,212. ¿Es razonable? ¿Por qué o por qué no?

29. Roger tiene 3 monedas de 10¢ y 6 monedas de 1¢. Escribió una multiplicación para mostrar el valor total. Un factor fue 12.

a ¿Cuál fue el otro factor?

b ¿Cuál es el producto?

30. **Piensa en el proceso** La señora Sánchez está colocando baldosas nuevas en el piso del baño. Si una matriz de baldosas de 7×12 cabe perfectamente, ¿qué expresión representa cuántas baldosas se necesitan?

A $7 + 7 + 7 + 7 + 7 + 7 + 7$

B $(7 \times 10) - (7 \times 2)$

C $(7 \times 10) + (7 \times 2)$

D $(4 \times 10) + (3 \times 2)$

31. Usa la descomposición para hallar el número de habitaciones que tiene la Casa Blanca.
$12 \times 11 = (12 \times \square) + (12 \times \square) = \square$

32. Steve, John y Damon fueron juntos a una carrera de carros. Cada uno pagó $34 por el día, que incluyó una entrada de $24 y su parte del costo de estacionamiento. ¿Cuánto fue el total del costo de estacionamiento?

A $10 **C** $40

B $30 **D** $60

Lección
3-7

¡Lo entenderás!
Aprender cómo y cuándo hacer un dibujo puede ayudar a resolver problemas.

Resolución de problemas

Hacer un dibujo y escribir una ecuación

El estegosaurio era 5 veces más largo que el velocirraptor. Si un velocirraptor medía 6 pies de longitud, ¿cuánto medía un estegosaurio?

Velocirraptor: 6 pies de longitud

Estegosaurio: ? pies de longitud

Práctica guiada*

¿CÓMO hacerlo?

Resuelve. Escribe una ecuación como ayuda.

1. Manuel tiene una colección de monedas, y todas son de 5¢ y de 25¢. Tiene 8 monedas de 5¢ y tres veces más monedas de 25¢.

a ¿Cuántas monedas de 25¢ tiene?

b ¿Cuántas monedas tiene Manuel en total?

¿Lo ENTIENDES?

2. ¿Cómo te ayudó el dibujo del ejemplo de arriba a escribir una ecuación?

3. **Escribe un problema** La longitud de un iguanodonte es 28 pies. Un velocirraptor mide 6 pies de longitud. Usa esta información para escribir un problema que puedas resolver con una ecuación. Luego, resuelve.

Práctica independiente

Resuelve.

4. Para la feria de ciencias, James decidió hacer un modelo de sauroposeidón, el dinosaurio más alto que se ha descubierto. Hizo un modelo de 3 pies de altura. El dinosaurio verdadero era 20 veces más alto que el modelo de James. ¿Cuánto medía el sauroposeidón?

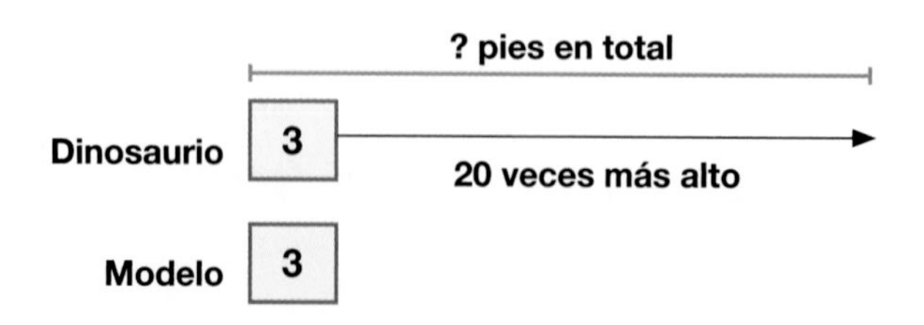

¿En aprietos? Intenta esto:

- ¿Qué sé?
- ¿Qué diagrama puede ayudarme a entender el problema?
- ¿Puedo usar suma, resta, multiplicación o división?
- ¿Está correcto todo mi trabajo?
- ¿Respondí a la pregunta que correspondía?
- ¿Es razonable mi respuesta?

Puedes encontrar otro ejemplo en el Grupo G, página 73.

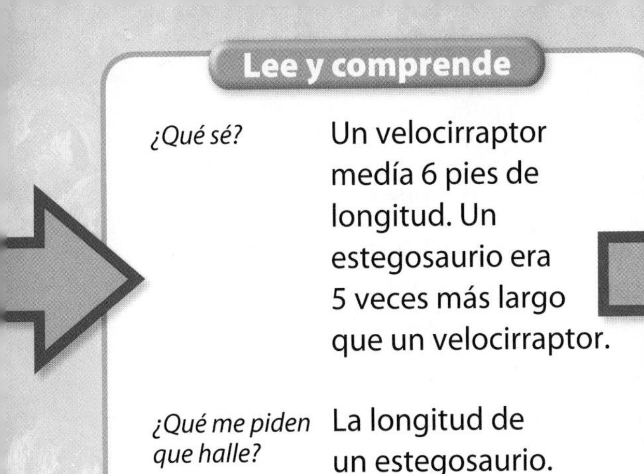

Planea

Haz un dibujo.

? pies en total

Estegosaurio	6	6	6	6	6	**5 veces más largo**
Velocirraptor	6					

Escribe una oración numérica.

Multiplica: $5 \times 6 = 30$

Un estegosaurio medía 30 pies de longitud.

5. La receta de Carmen lleva tres veces más zanahorias que arvejas. Si Carmen usa 2 tazas de arvejas, ¿cuántas tazas de zanahorias usará?

? tazas de zanahorias en total

Zanahorias	2	2	2	**3 veces más**
Arvejas	2			

6. La receta de Rae lleva el doble de tomates que de pimentones. Ella usa 2 tazas de pimentones. ¿Cuántas tazas de tomates y de pimentones usará en total?

? tazas de tomates en total

Tomates	2	2	**2 veces más**
Pimentones	2		

7. Marley, Jon y Bart nadan en una carrera de relevos. Jon nada dos vueltas más que Marley. Bart nada el doble de vueltas que Marley. Si Marley nada 3 vueltas, ¿cuántas vueltas nadan entre todos?

8. El perro de Jack tiene una jaula rectangular que es dos pies más larga que ancha. Mide 6 pies de ancho. Escribe una ecuación para hallar el perímetro. ¿Cuál es el perímetro de la jaula?

9. Cuando Matilda nació, medía 20 pulgadas de altura. Su mamá es 3 veces más alta que Matilda al nacer. Usa el modelo siguiente para hallar la altura de la mamá de Matilda.

? pulgadas de altura

Mamá de Matilda	20	20	20	**3 veces más**
Matilda	20			

10. **Piensa en el proceso** Cuatro miembros del equipo de relevo corren partes iguales en una carrera de 8 millas. ¿Qué oración numérica muestra qué distancia corre cada miembro?

A $2 + 2 = 4$

B $4 \times 2 = 8$

C $4 + 4 + 4 + 4 = 16$

D $2 \times 2 = 4$

Examen

1. ¿Cuál tiene el mismo valor que 3×5? (3-1)

   A $5 + 3$

   B $5 + 5 + 5$

   C $5 + 5 + 5 + 3$

   D $3 + 3 + 3 + 3$

2. Grant hizo 4 banderas para la obra escolar. Cada bandera tenía 1 estrella blanca. ¿Cuántas estrellas blancas necesitó Grant? (3-3)

   A 5

   B 4

   C 1

   D 0

3. ¿Cuál es una manera de hallar 7×8? (3-5)

   A $(7 \times 5) + (7 \times 2)$

   B $(4 \times 8) + (3 \times 8)$

   C $(7 \times 5) + (8 \times 1)$

   D $(5 \times 8) + (2 \times 7)$

4. Cada flor tiene 5 pétalos.

   Si Stephanie contó los pétalos en grupos de 5, ¿qué lista muestra números que pudo haber nombrado? (3-2)

   A 12, 15, 18, 30

   B 15, 20, 34, 40

   C 15, 20, 25, 30

   D 10, 12, 14, 16

5. Elizabeth compró 3 paquetes de botones. Cada paquete tenía 12 botones. ¿Qué oración numérica se puede usar para hallar el número total de botones que Elizabeth compró? (3-6)

   A $12 - 3 = \square$

   B $3 + 12 = \square$

   C $3 \times \square = 12$

   D $3 \times 12 = \square$

6. Derrik ordenó algunas pelotas sobre una mesa, como se muestra.

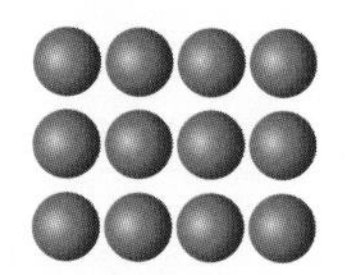

   ¿Qué oración numérica representa mejor la ordenación de Derrik? (3-1)

   A $3 \times 4 = 12$

   B $3 \times 5 = 15$

   C $3 + 4 = 7$

   D $12 - 4 = 8$

7. Gina hizo una invitación para cada uno de sus 10 amigos. Ella usó 11 calcomanías en cada invitación. ¿Cuántas calcomanías usó Gina en total? (3-6)

   A 100

   B 101

   C 110

   D 111

Examen

8. La vitrina de Trevor tiene 6 estantes. En cada estante, se exhiben 8 pelotas de golf. ¿Qué oración numérica muestra la cantidad de pelotas de golf que se exhiben en la vitrina? (3-7)

? total de pelotas de golf

8	8	8	8	8	8

Pelotas de golf en cada estante

A $6 + 8 = 14$

B $6 - 3 = 3$

C $6 \times 8 = 48$

D $8 \times 8 = 64$

9. Sue recogió 5 rocas. Angie recogió 4 veces más rocas que Sue. ¿Cuál de las opciones muestra el número total de rocas que recogió Angie? (3-1)

A La suma de 4 y 5

B La diferencia entre 20 y 4

C El cociente de 20 y 4

D El producto de 4 y 5

10. La familia Méndez reemplazó azulejos del mostrador de su cocina. En el área cabe una matriz de azulejos de 9×4. ¿Cuántos azulejos usaron? (3-4)

A 13

B 27

C 34

D 36

11. ¿Qué número hace que la oración numérica sea verdadera? (3-3)

$6 \times 2 = \square \times 6$

A 0

B 1

C 2

D 6

12. ¿Cuál de las siguientes es una manera de descomponer 4×8? (3-4)

A $(4 \times 8) + (4 \times 8)$

B $(2 \times 5) + (2 \times 3)$

C $(2 \times 4) + (2 \times 4)$

D $(2 \times 8) + (2 \times 8)$

13. Antes de visitar el Parque Estatal Kickapoo Cavern, se reunió a los alumnos de 4.º grado en 6 grupos de 12 estudiantes. ¿Cuál es una manera de hallar 6×12? (3-6)

A $(3 \times 10) + (3 \times 2)$

B $(3 \times 6) + (3 \times 6)$

C $(6 \times 10) + (6 \times 2)$

D $(6 \times 12) + (6 \times 12)$

14. Dave tarda 7 minutos en pintar una sección de una valla. ¿Cuántos minutos tardaría en pintar 3 secciones? (3-5)

A 18

B 21

C 24

D 28

Refuerzo

Grupo A, páginas 54 a 56

Escribe una suma y una multiplicación.

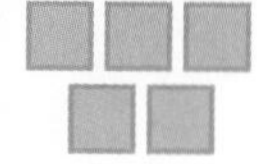  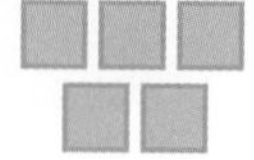

$5 + 5 + 5 = 15$

$3 \times 5 = 15$

Recuerda que puedes multiplicar cuando sumas el mismo número varias veces.

1. 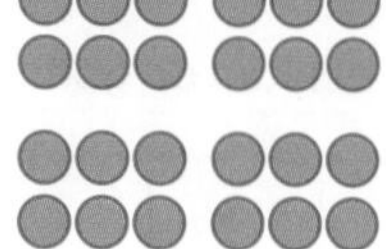

2. 

Grupo B, páginas 58 y 59

Halla 2×10.

Cuando multiplicas un número por 2, el producto siempre es par.

$2 \times 10 = 20$

Cuando multiplicas un número por 5, el producto siempre termina en 0 ó 5.

$5 \times 2 = 10$

Recuerda que puedes resolver algunas multiplicaciones usando patrones de múltiplos.

1. 6×5 **2.** 9×8

3. 9×6 **4.** 2×3

5. 2×7 **6.** 5×7

7. 9×5 **8.** 2×5

9. 5×8 **10.** 9×3

11. 9×9 **12.** 5×3

Grupo C, páginas 60 y 61

Halla 9×0.

Cuando multiplicas cualquier número por 0, el producto es 0.

$9 \times 0 = 0$

Cuando multiplicas cualquier número por 1, el producto es el número original.

$6 \times 1 = 6$

Recuerda que puedes cambiar el orden de los factores cuando multiplicas.

1. 10×0 **2.** 8×4

3. 4×8 **4.** 1×12

5. 1×11 **6.** 7×2

7. 1×5 **8.** 9×6

9. 7×1 **10.** 0×11

11. 0×100 **12.** 9×4

Refuerzo

Grupo D, páginas 62 y 63

Halla 3×9 usando la descomposición.

3 grupos de 9 = 3 grupos de 5 + 3 grupos de 4.

$$3 \times 9 = (3 \times 5) + (3 \times 4)$$
$$15 + 12$$
$$27$$

Recuerda que puedes usar la descomposición para recordar las multiplicaciones.

1. 3×8 **2.** 4×9

3. 4×2 **4.** 3×10

Grupo E, páginas 64 y 65

¿Cuáles son dos maneras de descomponer 8×7?

Descompón el primer factor.

$$8 \times 7 = (4 \times 7) + (4 \times 7)$$
$$28 + 28$$
$$56$$

Descompón el segundo factor.

$$8 \times 7 = (8 \times 5) + (8 \times 2)$$
$$40 + 16$$
$$56$$

Recuerda que puedes descomponer cualquier factor para hallar una multiplicación.

1. 12×6 **2.** 8×8

3. 9×8 **4.** 6×9

Grupo F, páginas 66 y 67

Halla 7×12 usando la descomposición.

7 grupos de 12 = 7 grupos de 10 + 7 grupos de 2.

$$7 \times 12 = (7 \times 10) + (7 \times 2)$$
$$70 + 14$$
$$84$$

Recuerda que puedes usar patrones o descomposición para multiplicar.

1. 12×12 **2.** 9×9

3. 11×7 **4.** 10×6

Grupo G, páginas 68 y 69

Marisol tiene 8 monedas de 1¢ en su colección. Tiene cuatro veces más monedas de 25¢ que de 1¢. ¿Cuántas monedas hay en la colección de Marisol?

? monedas de 25¢ en total

Monedas de 25¢	8	8	8	8	**4 veces más**
Monedas de 1¢	8				

4 × 8 = 32 monedas de 25¢

Suma 8 monedas de 1¢ para hallar cuántas monedas hay en la colección de Marisol.

$32 + 8 = 40$ monedas en total

Recuerda que puedes hacer un dibujo como ayuda para escribir una ecuación.

Haz un dibujo y escribe una ecuación para resolver.

1. La longitud del sótano de Mel es 10 veces más que la longitud de una escoba. La longitud de una escoba es 3 pies. ¿Cuál es la longitud del sótano?

Tema 4

División: Significados y operaciones básicas

1

¿Cuándo empezaron las personas a montar en carruseles en los Estados Unidos? Lo averiguarás en la Lección 4-4.

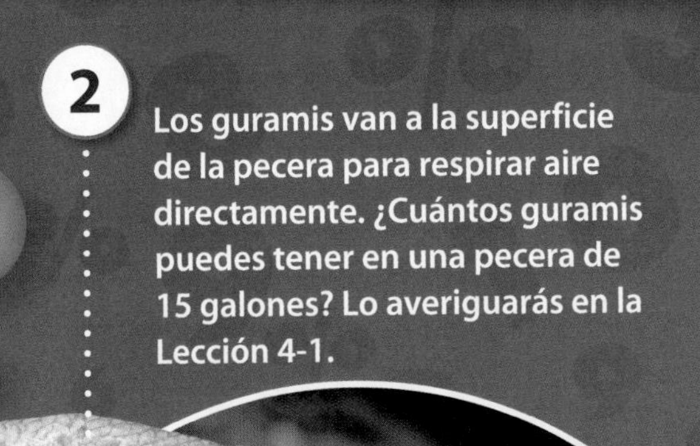

2 Los guramis van a la superficie de la pecera para respirar aire directamente. ¿Cuántos guramis puedes tener en una pecera de 15 galones? Lo averiguarás en la Lección 4-1.

3 ¿Cuántos años tardará la Casa de la Moneda de los EE. UU. para emitir todas las monedas de 25¢ de los 50 estados? Lo averiguarás en la Lección 4-2.

Repasa lo que sabes

Vocabulario

Elige el mejor término del recuadro.

- divisor
- múltiplo
- factor
- cociente
- producto
- división

1. En la oración numérica $9 \times 5 = 45$, el 45 es el _?_.

2. El número por el que divides es el _?_.

3. La respuesta en un problema de división es el _?_.

Operaciones de multiplicación

Halla los productos.

4. 5×3 **5.** 7×2 **6.** 6×8

7. 8×0 **8.** 1×4 **9.** 2×8

10. 5×7 **11.** 3×6 **12.** 4×4

13. 4×5 **14.** 4×8 **15.** 2×6

Operaciones de suma y resta

Escribe una operación de resta para cada operación de suma.

16. $8 + 8 = 16$ **17.** $4 + 7 = 11$

18. $6 + 6 = 12$ **19.** $9 + 5 = 14$

20. Escribe una operación de resta para la siguiente matriz.

21. Escribir para explicar Explica cómo restarías $146 - 51$ con el cálculo mental.

Lección
4-1

¡Lo entenderás!
Se debe dividir para hallar el número de grupos iguales y el número que hay en cada grupo.

Significados de la división

¿Cuándo divides?

Un museo quiere exhibir una colección de 24 gemas en cuatro mostradores, colocando el mismo número de gemas en cada uno. ¿Cuántas gemas habrá en cada mostrador?

Escoge una operación Piensa en repartir. Divide para hallar el número en cada grupo.

Otro ejemplo ¿Cómo puedes dividir para hallar el número de grupos?

Terri tiene 24 gemas. Quiere exhibirlas en mostradores. Decide colocar 4 gemas en cada uno. ¿Cuántos mostradores necesita?

Escoge una operación Piensa en una resta repetida. Divide para hallar el número de grupos.

Lo que muestras

Para hallar el número de mostradores, coloca 4 gemas en cada grupo. ¿Cuántos grupos hay?

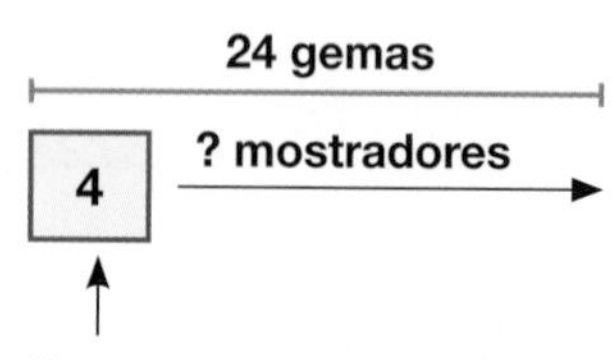

Terri necesita 6 mostradores.

Lo que escribes

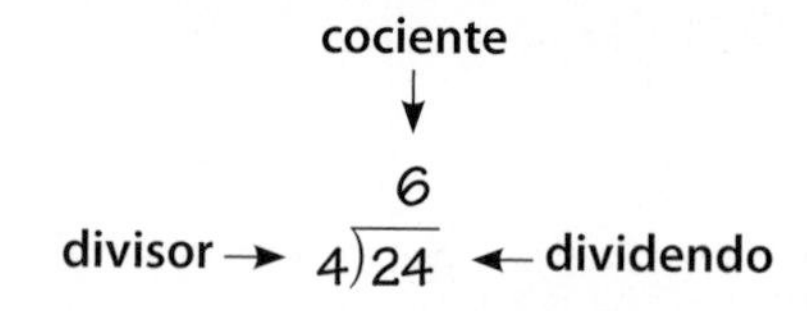

Explícalo

1. ¿Cómo se puede usar la resta repetida para hallar el número de mostradores necesarios que contengan 24 gemas, si cada uno contiene 6 gemas?
2. Explica qué representa el cociente en cada uno de los ejemplos de arriba.

Lo que muestras

Piensa en repartir equitativamente las gemas entre los 4 mostradores. ¿Cuántas gemas hay en cada mostrador?

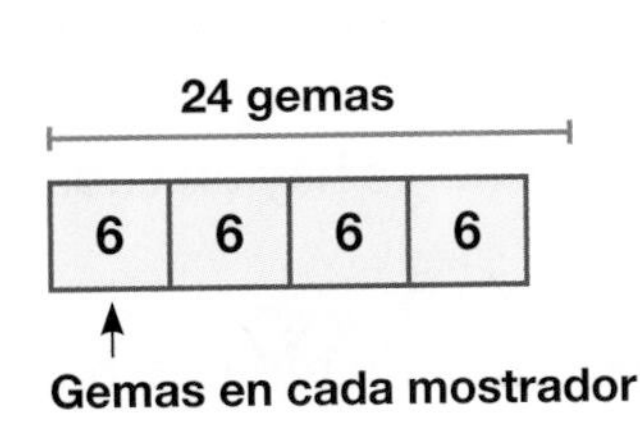

Lo que escribes

divisor

$$24 \div 4 = 6$$

dividendo cociente

Cada mostrador debe tener 6 gemas.

Práctica guiada*

¿CÓMO hacerlo?

En los Ejercicios **1** y **2,** haz dibujos como ayuda para dividir.

1. Colocas a 18 personas en 3 filas. ¿Cuántas personas hay en cada fila?

2. Rocco coloca 14 dibujos en 2 carpetas de arte. ¿Cuántos dibujos hay en cada carpeta?

¿Lo ENTIENDES?

3. Explica cómo usarías la suma repetida para comprobar la respuesta del ejemplo de arriba.

4. Dieciséis jugadores fueron a una práctica de futbol. Formaron cuatro equipos con el mismo número de jugadores por equipo. ¿Cuántos jugadores había en cada equipo?

Práctica independiente

Práctica al nivel En los Ejercicios **5** a **7,** copia y completa los diagramas como ayuda para dividir.

5. Kevin está ordenando 12 sillas en 3 grupos iguales. ¿Cuántas sillas hay en cada grupo?

6. Meg tiene 36 cuentas. Cada pulsera tiene 9 cuentas. ¿Cuántas pulseras tiene?

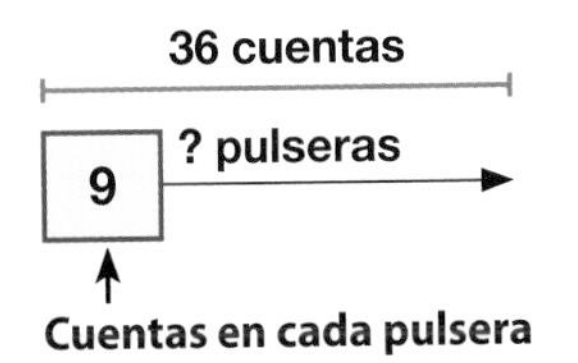

7. Un granjero tiene 15 árboles frutales. Planta 3 árboles en cada fila. ¿Cuántas filas hay?

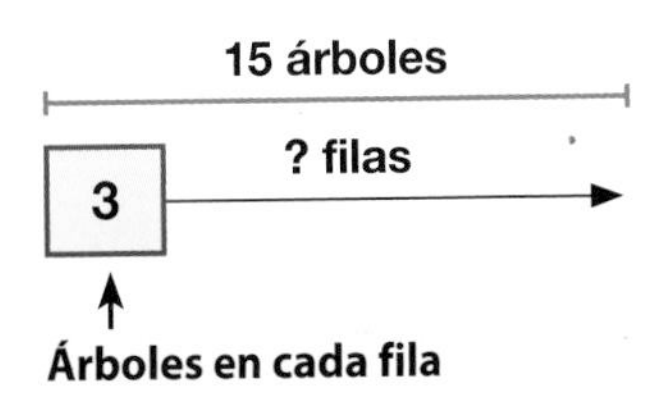

Puedes encontrar otro ejemplo en el Grupo A, página 92.

Práctica independiente

En los Ejercicios **8** a **11,** haz dibujos para resolver cada problema.

8. Jeff pone 25 monedas de 25¢ en 5 grupos iguales. ¿Cuántas monedas de 25¢ hay en cada grupo?

9. Sally tiene 12 bulbos de flores y los divide en 4 grupos iguales. ¿Cuántos bulbos de flores hay en cada grupo?

10. Jena está haciendo pasteles de manzana. Tiene 33 manzanas. Coloca 11 en cada pastel. ¿Cuántos pasteles hace Jena?

11. En una tienda de regalos, hay 30 osos de peluche ordenados en 5 filas iguales. ¿Cuántos osos hay en cada fila?

Resolución de problemas

En los Ejercicios **12** a **15,** usa la tabla de la derecha.

12. ¿Cuántos estudiantes habrá en cada fila para la foto de la clase de la señora Raymond?

13. ¿Cuántos estudiantes más habrá en cada fila de la clase del señor Peterson que en cada fila de la clase del señor Chen?

14. ¿En qué clase habrá 7 estudiantes en cada fila?

Datos

Día de la foto de la clase

Cada clase debe estar ordenada en tres filas iguales.

Nombre del maestro	Número de estudiantes
Sra. Raymond	24
Sr. Chen	18
Srta. Clifford	21
Sr. Peterson	27

15. Si 3 estudiantes estuvieran ausentes de la clase de la señorita Clifford el día de la foto, ¿cuántos estudiantes menos habría en cada fila?

16. Una tienda de peces te dice que necesitas 3 galones de agua por cada gurami. ¿Cuántos guramis puedes tener en una pecera de 15 galones?

17. Ray colecciona carros de juguete. Los guarda en cajas especiales en las que caben 6 carros. Tiene un total de 48 carros. Hoy recibió 12 carros más. ¿Cuántas cajas necesitará Ray para guardar ahora todos sus carros?

A 2 cajas

B 6 cajas

C 8 cajas

D 10 cajas

18. Piensa en el proceso El club de teatro reúne 242 botellas y 320 latas en una función para recaudar fondos. Cada una vale una moneda de 5¢. Sin embargo, la máquina recicladora rechazó 48 latas. ¿Qué expresión muestra cuántas monedas de 5¢ se recaudaron?

A $(242 + 320) - 48$

B $242 + 320 + 48$

C $(320 - 242) + 48$

D $(320 - 242) - 48$

Enlaces con el Álgebra

Propiedades y oraciones numéricas

Recuerda que las propiedades de la multiplicación pueden usarse como ayuda para resolver problemas de multiplicación:

- Propiedad conmutativa
  $3 \times 2 = 2 \times 3$
- Propiedad asociativa
  $(5 \times 2) \times 4 = 5 \times (2 \times 4)$
- Propiedad de identidad
  $9 \times 1 = 9$
- Propiedad del cero
  $8 \times 0 = 0$

Ejemplo: $(6 \times 4) \times 2 = \square \times (4 \times 2)$

Piénsalo *La propiedad asociativa de la multiplicación te permite cambiar el agrupamiento de los factores.*

Dado que $(6 \times 4) \times 2 = \square \times (4 \times 2)$, el valor de $\square$ debe ser 6.

Copia y completa. Comprueba tus respuestas.

1. $39 \times \square = 39$

2. $\square \times 12 = 12$

3. $(8 \times 5) \times 2 = \square \times (5 \times 2)$

4. $20 \times 4 = 4 \times \square$

5. $6 \times \square = 5 \times 6$

6. $0 = \square \times 9$

7. $\square \times 8 = 8 \times 9$

8. $1 \times \square = 24$

9. $\square \times 25 = 0$

10. $15 \times 3 = \square \times 15$

11. $16 \times \square = 16$

12. $\square \times 5 = 6 \times (4 \times 5)$

13. $12 \times 0 = \square$

14. $7 \times \square = 0$

15. $7 \times (1 \times \square) = (7 \times 1) \times 3$

En los Ejercicios **16** a **18,** usa la información de la tabla para hallar la respuesta.

16. Escribe dos oraciones numéricas para representar el número de asientos que hay en 6 filas.

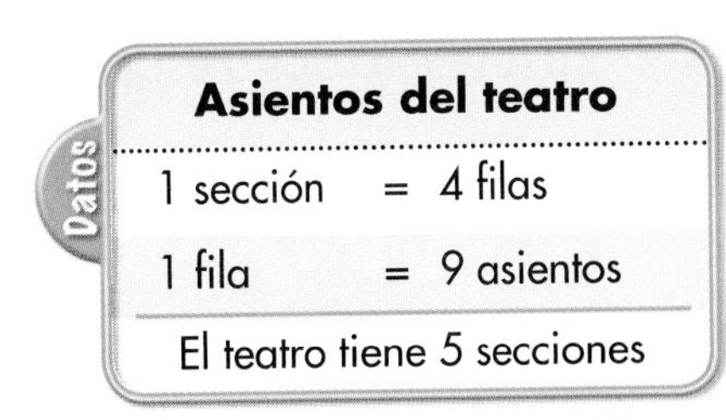

Datos

Asientos del teatro		
1 sección	=	4 filas
1 fila	=	9 asientos
El teatro tiene 5 secciones		

17. Nadie está sentado en la última fila del teatro, y el resto está lleno. ¿Cuántos asientos están ocupados?

18. ¿Cuántas filas de asientos tiene el teatro?

Lección

4-2

¡Lo entenderás!
La multiplicación y la división se relacionan de la misma manera en que se relacionan la suma y la resta.

Relacionar la multiplicación y la división

Las operaciones que se cancelan entre sí son operaciones inversas. Multiplicar por 3 y dividir por 3 son operaciones inversas.

Cada portatarjetas tiene 3 filas con 2 bolsillos en cada fila. ¿Cuántos bolsillos hay en cada portatarjetas?

Práctica guiada*

¿CÓMO hacerlo?

En los Ejercicios **1** y **2,** copia y completa cada familia de operaciones.

1. $8 \times \square = 32$
$32 \div \square = 4$
$32 \div \square = \square$
$\square \times \square = 32$

2. $6 \times 9 = \square$
$54 \div \square = 9$
$54 \div 9 = \square$
$9 \times \square = \square$

En los Ejercicios **3** y **4,** escribe la familia de operaciones de cada conjunto de números.

3. 3, 6, 18

4. 5, 7, 35

¿Lo ENTIENDES?

5. ¿Por qué hay cuatro oraciones numéricas en el ejemplo anterior?

6. ¿Es $2 \times 6 = 12$ parte de la familia de operaciones del ejemplo anterior?

7. ¿Por qué $3 + 3 = 6$ **NO** está en la familia de operaciones de 2, 3 y 6?

8. Si sabes que $7 \times 9 = 63$, ¿qué operaciones de división conoces?

Práctica independiente

Práctica al nivel En los Ejercicios **9** a **12,** copia y completa cada familia de operaciones.

9. $5 \times \square = 35$
$35 \div 7 = \square$
$\square \times \square = 35$
$35 \div \square = \square$

10. $9 \times \square = 72$
$72 \div 8 = \square$
$\square \times \square = 72$
$72 \div \square = \square$

11. $3 \times \square = 18$
$18 \div 6 = \square$
$\square \times \square = 18$
$18 \div \square = \square$

12. $2 \times \square = 24$
$24 \div 12 = \square$
$\square \times \square = 24$
$24 \div \square = \square$

DIGITAL Glosario animado **www.pearsonsuccessnet.com**

** Puedes encontrar otro ejemplo en el Grupo B, página 92.*

Una familia de operaciones muestra todas las operaciones de multiplicación y de división relacionadas de un conjunto de números. Puedes usar familias de operaciones para recordar divisiones.

Ésta es la familia de operaciones de 2, 3 y 6:

$\mathbf{2 \times 3 = 6}$ $\mathbf{6 \div 2 = 3}$

$\mathbf{3 \times 2 = 6}$ $\mathbf{6 \div 3 = 2}$

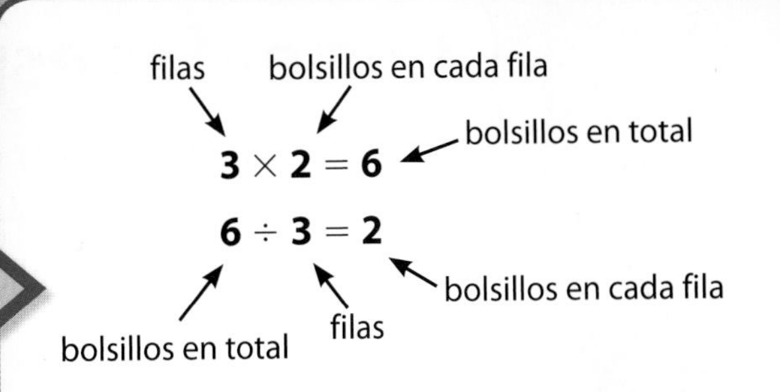

Cada portatarjetas tiene 6 bolsillos.

En los Ejercicios **13** a **24,** escribe una familia de operaciones para cada conjunto de números.

13. 7, 8, 56 **14.** 2, 8, 16 **15.** 6, 7, 42 **16.** 6, 6, 36

17. 3, 8, 24 **18.** 7, 10, 70 **19.** 6, 5, 30 **20.** 5, 8, 40

21. 4, 4, 16 **22.** 9, 3, 27 **23.** 1, 7, 7 **24.** 8, 6, 48

Resolución de problemas

25. Usa la tabla de la derecha. ¿Cuántos años tardará emitir todas las monedas de 25¢ de los 50 estados? Escribe una división que puedas usar para hallar este cociente.

Monedas de los estados de EE. UU.

Emisión de primeras monedas de 25¢	1999
Número de monedas de 25¢ nuevas cada año	5

26. En la familia de operaciones de los números 3, 7 y 21, ¿qué término **NO** se puede usar para describir el 3 o el 7?

A Factor
B Divisor
C Producto
D Cociente

27. Josh practicó con su batería dos horas antes de cenar y tres horas después de cenar. ¿Cuántas horas practicó en total?

A 3 horas
B 4 horas
C 5 horas
D 6 horas

28. Escribe la familia de operaciones que tiene 9 como factor y 45 como producto.

29. **Sentido numérico** ¿Por qué la familia de operaciones de 64 y 8 tiene solamente dos oraciones numéricas?

Lección

4-3

¡Lo entenderás!
Pensar en la multiplicación puede ser útil para dividir con cero y con uno.

Cocientes especiales

¿Cómo puedes dividir con 1 y con 0?

Un sándwich se corta en 8 partes. ¿Cuántas personas pueden tener 1 parte? Halla $8 \div 1$.

1 grupo de 8

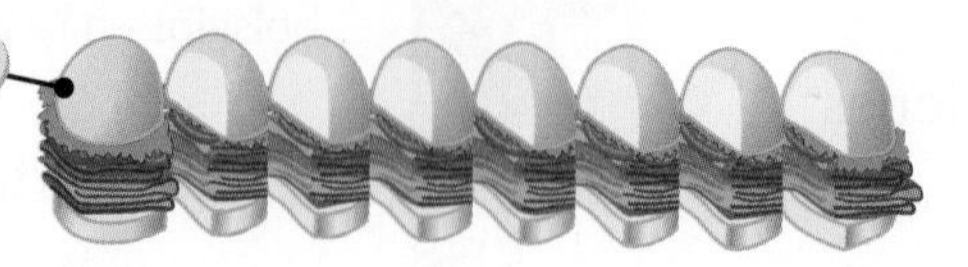

8 personas pueden tener 1 parte del sándwich

Dividir por 1

Piénsalo ¿Qué número multiplicado por 1 es igual a 8?

$1 \times 8 = 8$

Por tanto, $8 \div 1 = 8$.

Regla: Cualquier número dividido por 1 es igual a sí mismo.

Práctica guiada*

¿CÓMO hacerlo?

En los Ejercicios **1** a **8,** usa multiplicaciones como ayuda para dividir.

1. $9 \div 9$ **2.** $5 \div 1$

3. $0 \div 4$ **4.** $7 \div 1$

5. $3\overline{)0}$ **6.** $1\overline{)1}$

7. $1\overline{)2}$ **8.** $6\overline{)6}$

¿Lo ENTIENDES?

9. ¿Qué multiplicación puede ayudarte a hallar $0 \div 8$?

10. ¿Qué multiplicación puede ayudarte a hallar $8 \div 8$?

11. Escribir para explicar Si no queda nada de pan, ¿cuántas partes pueden tener 4 personas?

Práctica independiente

En los Ejercicios **12** a **15,** usa multiplicaciones como ayuda para dividir.

12. $1\overline{)3}$ **13.** $8\overline{)0}$ **14.** $2\overline{)0}$ **15.** $4\overline{)4}$

En los Ejercicios **16** a **27,** copia y completa escribiendo $>$, $<$ o $=$ en cada ◯.

16. $7 \div 7$ ◯ $2 \div 2$ **17.** $0 \div 5$ ◯ $3 \div 1$ **18.** $4 \div 1$ ◯ $4 \div 4$

19. $6 \div 6$ ◯ $0 \div 4$ **20.** $9 \div 1$ ◯ $4 \div 1$ **21.** $3 \div 3$ ◯ $6 \div 1$

22. $0 \div 3$ ◯ $0 \div 8$ **23.** $0 \div 5$ ◯ $5 \div 5$ **24.** $8 \div 1$ ◯ $6 \div 1$

25. $0 \div 9$ ◯ $0 \div 7$ **26.** $0 \div 1$ ◯ $1 \div 1$ **27.** $7 \div 1$ ◯ $0 \div 6$

** Puedes encontrar otro ejemplo en el Grupo C, página 93.*

1 como cociente

Para hallar 8 ÷ 8, piensa: ¿qué número multiplicado por 8 es igual a 8?

$8 \times 1 = 8$

Por tanto, 8 ÷ 8 = 1.

Regla: Cualquier número (excepto el 0) dividido por sí mismo es igual a 1.

Dividir 0 por un número

Para hallar 0 ÷ 8, piensa: ¿qué número multiplicado por 8 es igual a 0?

$8 \times 0 = 0$

Por tanto, 0 ÷ 8 = 0.

Regla: 0 dividido por cualquier número (excepto 0) es igual a 0.

Dividir por 0

Para hallar 8 ÷ 0, piensa: ¿qué número multiplicado por 0 es igual a 8?

No existe tal número.

Regla: No puedes dividir por 0.

Resolución de problemas

28. Tres amigos decidieron salir a almorzar. Ana gastó $3.42, Saúl gastó $4.41 y Ryan gastó $4.24. Escribe estos números de menor a mayor.

29. La familia de Tony debe recorrer 70 millas para ir a una feria. Ya ha recorrido 30 millas. Viaja a una velocidad de 40 millas por hora. ¿Cuántas horas más tardará en completar el resto del viaje?

30. En un viaje a la playa, la familia Tórrez lleva 5 pelotas playeras para sus 5 hijos.

a Si dividen las pelotas playeras equitativamente, ¿cuántas pelotas recibirá cada niño?

b Si los niños le dan las 5 pelotas a 1 de los padres, ¿cuántas pelotas tendrá esa persona?

31. **Álgebra** Si □ ÷ △ = 0, ¿qué sabes acerca de □?

A □ no puede ser igual a 0.

B □ debe ser igual a 0.

C □ debe ser igual a 1.

D □ debe ser igual a △.

32. **Escribe un problema** Escribe un problema verbal en el que 5 se divida por 5 y otro problema en el que 5 se divida por 1.

33. En una temporada, un equipo de beisbol practicará 3 veces por semana. Si hay 36 prácticas, ¿cuántas semanas practicará el equipo en la temporada?

34. **Sentido numérico** Escribe una familia de operaciones de 3, 3 y 9.

Lección

4-4

¡Lo entenderás!
Pensar en la multiplicación puede ayudarte a dividir.

Usar operaciones de multiplicación para hacer operaciones de división

¿Cómo te ayuda la multiplicación a dividir?

Matt quiere comprar 28 pelotas saltarinas para darlas como premios. ¿Cuántos paquetes necesita comprar?

7 pelotas en cada paquete

Escoge una operación Divide para hallar el número de grupos iguales.

Práctica guiada*

¿CÓMO hacerlo?

En los Ejercicios **1** a **6,** usa multiplicaciones como ayuda para dividir.

1. $27 \div 9$

2. $40 \div 5$

3. $24 \div 4$

4. $66 \div 6$

5. $9\overline{)63}$

6. $9\overline{)81}$

¿Lo ENTIENDES?

7. ¿Qué multiplicación podrías usar como ayuda para hallar $72 \div 9$?

8. Matt tiene 40 pelotas saltarinas para poner en 10 bolsas. Él pone el mismo número en cada bolsa. ¿Qué multiplicación puedes usar para hallar el número de pelotas que hay en cada bolsa?

Práctica independiente

Práctica al nivel En los Ejercicios **9** a **27,** usa multiplicaciones como ayuda para hallar el cociente.

9. $\square \times 3 = 27$ $27 \div 3 = \square$

10. $\square \times 8 = 40$ $40 \div 8 = \square$

11. $\square \times 6 = 42$ $42 \div 6 = \square$

12. $\square \times 7 = 63$ $63 \div 7 = \square$

13. $7\overline{)49}$ **14.** $3\overline{)27}$ **15.** $6\overline{)48}$ **16.** $7\overline{)21}$ **17.** $4\overline{)16}$

18. $9\overline{)36}$ **19.** $5\overline{)15}$ **20.** $12\overline{)60}$ **21.** $6\overline{)36}$ **22.** $2\overline{)14}$

23. $3\overline{)24}$ **24.** $4\overline{)32}$ **25.** $2\overline{)18}$ **26.** $7\overline{)35}$ **27.** $7\overline{)56}$

Puedes encontrar otro ejemplo en el Grupo D, página 93.

Lo que piensas

¿Cuántos grupos de 7 hay en 28?

$28 \div 7 = \square$

Convierte esto en una multiplicación:

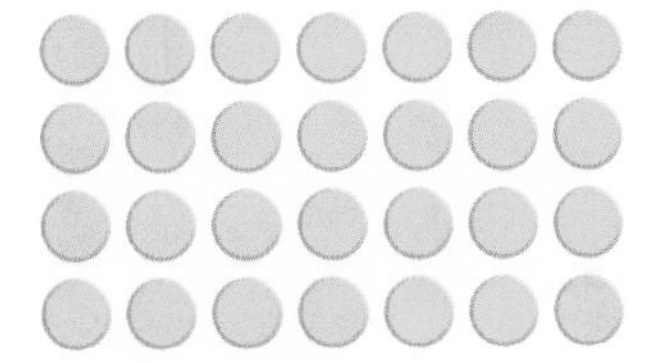

¿Qué número multiplicado por 7 es igual a 28?

$\square \times 7 = 28$ $4 \times 7 = 28$

Lo que escribes

Hay dos maneras de escribir operaciones de división.

$28 \div 7 = 4$

ó

$7\overline{)28}$ = 4

Matt necesita comprar 4 paquetes de pelotas saltarinas.

Resolución de problemas

En los Ejercicios **28** y **29,** usa la tabla de la derecha.

Lista de precios	
Paquetes de postales	$3
Minibanderas	$6
Gorra de mapache	$8

Datos

28. En una excursión al Álamo, Shana gasta $24 en la tienda de regalos. ¿Cuál objeto puede comprar Shana en mayor cantidad? Explícalo.

29. ¿Cuántas minibanderas puede comprar Shana si usa todo su dinero?

En el Ejercicio **30,** usa el diagrama de la derecha.

30. En los Estados Unidos, las personas empezaron a montar en carruseles en el año 1835. El dibujo del carrusel que está a la derecha tiene un total de 36 caballos con igual número de caballos en cada círculo. Escribe una división que puedas usar para hallar el número de caballos que hay en el círculo externo.

31. Carson juega un juego de cartas para formar palabras. Da el mismo número de cartas a cada uno de 4 jugadores. Si hay 20 cartas en total, ¿cuántas cartas recibe cada jugador?

32. La cuenta total del almuerzo de 6 personas es $52. Le suman $8 de propina y reparten la cuenta en partes iguales. ¿Cuánto es la parte igual del total que le corresponde a cada persona?

A $6 **C** $10

B $8 **D** $12

Lección
4-5

¡Lo entenderás!
Aprender cómo y cuándo hacer un dibujo y escribir una ecuación puede ayudar a resolver problemas.

Resolución de problemas

Hacer un dibujo y escribir una ecuación

La tropa de exploradores de Rubén está haciendo 4 comederos para pájaros con envases de leche y varas de madera. Cada comedero tendrá el mismo número de varas. Si tienen 24 varas en total, ¿cuántas usarán en cada comedero?

Práctica guiada*

¿CÓMO hacerlo?

Resuelve. Escribe una ecuación como ayuda.

1. Tina puso 32 flores en ocho buqués. ¿Cuántas flores había en cada buqué si cada uno tenía el mismo número de flores?

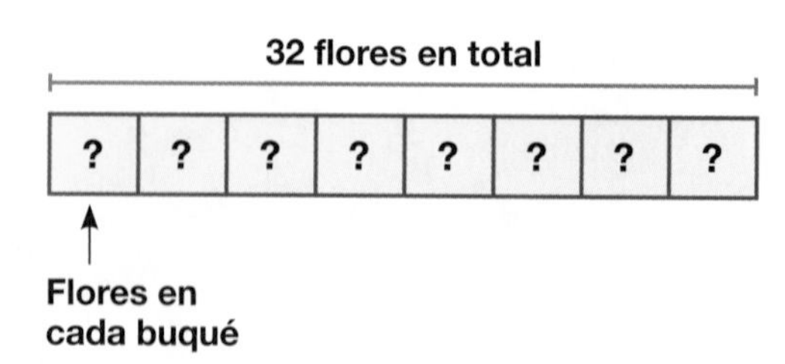

¿Lo ENTIENDES?

2. ¿Cómo te ayuda el dibujo en el Problema 1 a escribir una ecuación?

3. ¿Cuántos comederos podría hacer Rubén con 36 varas?

4. **Escribe un problema** Escribe un problema acerca de repartir objetos que puedas resolver haciendo un dibujo. Luego, resuélvelo.

Práctica independiente

Resuelve.

5. Kylie compró una bolsa de 30 cuentas para hacer pulseras. Cada pulsera lleva 5 cuentas. ¿Cuántas pulseras puede hacer Kylie?

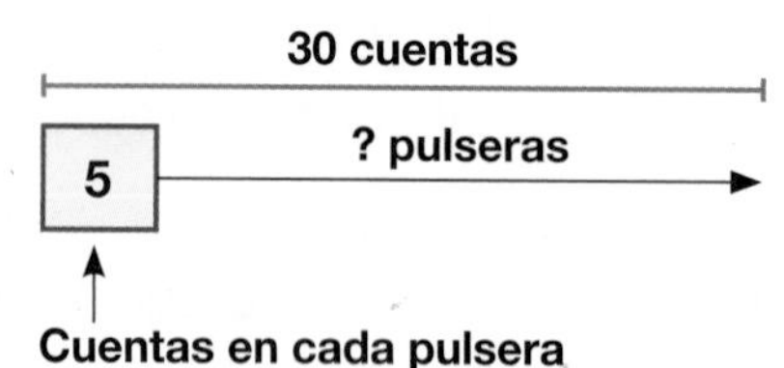

6. En el Ejercicio 5, ¿qué ecuación puedes escribir para resolver el problema?

¿En aprietos? Intenta esto:

- ¿Qué sé?
- ¿Qué diagrama puede ayudarme a entender el problema?
- ¿Puedo usar suma, resta, multiplicación o división?
- ¿Está correcto todo mi trabajo?
- ¿Respondí a la pregunta que correspondía?
- ¿Es razonable mi respuesta?

Puedes encontrar otro ejemplo en el Grupo E, página 93.

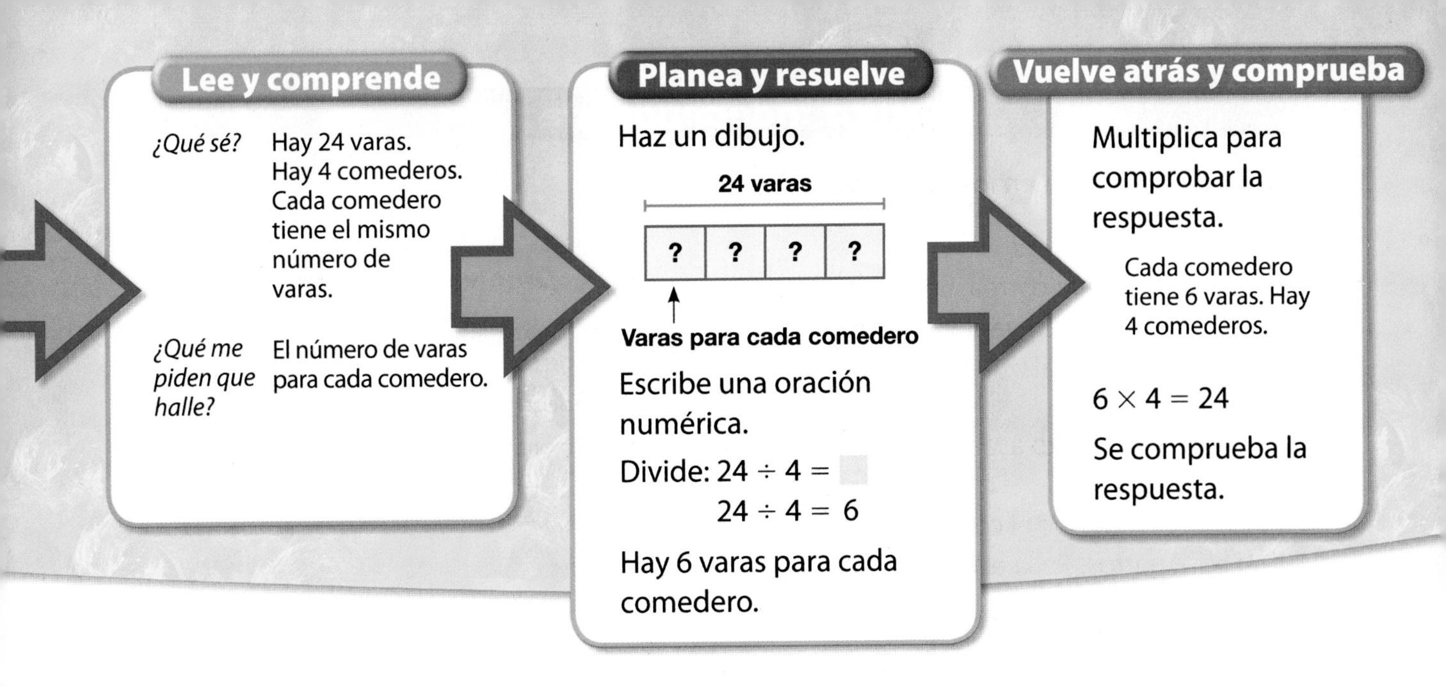

7. Sheena está empacando 18 pisapapeles en cajas. Los empaca en 6 cajas y todas tienen el mismo número de pisapapeles. ¿Cuántos pisapapeles hay en cada caja?

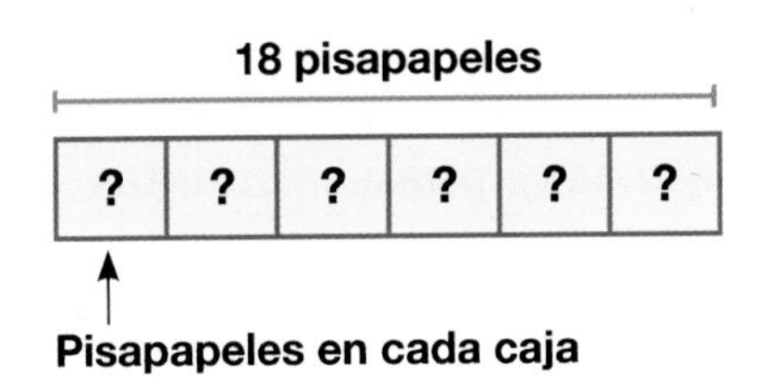

8. Julia está atando periódicos en bultos. Tiene 66 periódicos y pone 6 en cada bulto. ¿Cuántos bultos hace Julia?

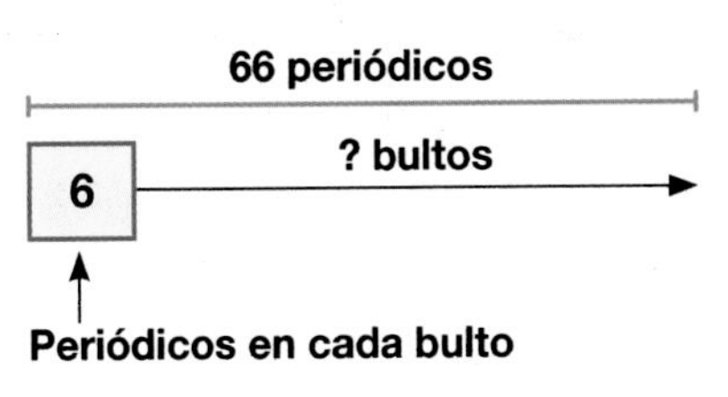

Usa la gráfica de barras de la derecha en los Ejercicios **9** y **10.**

9. ¿Cuánto dinero más ahorró Katie en septiembre que en octubre?

10. Katie usó el dinero que ahorró en noviembre y diciembre para comprarle un regalo a su mamá. ¿Cuánto gastó?

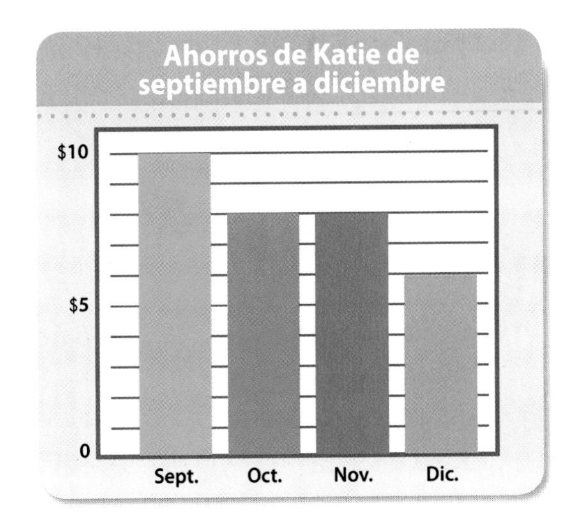

11. **Dibújalo** Manny se va de campamento con los amigos. Empacó 60 sándwiches. ¿Cuántos sándwiches pueden comer Manny y sus amigos cada día si van 5 días de campamento y comen el mismo número de sándwiches todos los días?

12. **Dibújalo** Jenna compró 36 lápices para dárselos a sus amigas antes del primer día de clases. Si cada amiga recibió 6 lápices, ¿para cuántas amigas compró lápices Jenna?

Práctica independiente

Usa la tabla de la derecha en los Ejercicios **13** y **14.**

13. Everett compró una correa, un collar y una cama en la gran venta. ¿Cuánto gastó Everett en total?

14. Dibújalo Everett hizo asear a su perro en la tienda de mascotas. El costo de asearlo es tres veces más que el costo de un tazón para perros. Halla el costo del aseo.

Datos

Gran venta de artículos para perros	
Correa	$8
Collar	$6
Tazones	$7
Camas medianas	$15

15. Rena tiene 16 bufandas. Si 4 de sus bufandas son azules y la mitad de sus bufandas son rojas, ¿cuántas bufandas **NO** son rojas o azules?

16. Frank, Chuck, Bob y Dan ordenaron sus colchonetas en una fila. La colchoneta de Bob está al lado de una sola colchoneta. Dan está en la tercera colchoneta. Chuck no está al lado de Dan. ¿Quién está en cada colchoneta?

17. Emma está cercando un jardín cuadrado con 52 pies de valla. ¿Cuántos pies de valla usará Emma en cada lado? Dibuja un diagrama de barras y escribe una oración numérica para resolver el problema.

18. Oliver tiene 25 rodajas de manzana que distribuye entre 5 estudiantes de su clase de gimnasia. ¿Cuántas rodajas recibe cada estudiante?

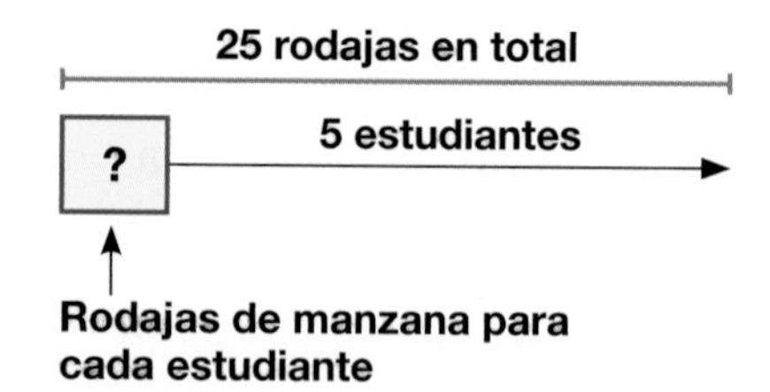

Piensa en el proceso

19. Sandy gastó $36 en juguetes para mascotas. Cada juguete costaba $12. ¿Qué oración numérica puede usarse para hallar cuántos juguetes compró?

A $12 + 24 = \square$

B $36 \div 12 = \square$

C $6 \times 6 = \square$

D $36 \div 6 = \square$

20. Tres grupos, de 24 estudiantes cada uno, participaron en la competencia de matemáticas de relevos. ¿Qué dos problemas más sencillos puedes usar para hallar el número total de estudiantes que hay en los tres grupos?

A $(3 + 24) - (12 + 4)$

B $(3 \times 12) + (20 + 2)$

C $(3 \times 20) + (3 \times 4)$

D $(4 \times 12) + (32 + 4)$

Usar la multiplicación para dividir

Usa Fichas, de eTools.

Usa la multiplicación para hallar $28 \div 7$, $42 \div 7$ y $72 \div 8$.

Paso 1 Selecciona Fichas, de eTools. Haz clic en el área de trabajo de la matriz. Arrastra el botón de cambio de tamaño que está en la esquina superior derecha del rectángulo para hacer una fila que tenga 7 fichas de largo. Arrastra el botón hacia arriba para aumentar el número de filas hasta que haya 28 fichas en total. El número total de fichas se muestra en el odómetro que está en la parte de abajo de la página.

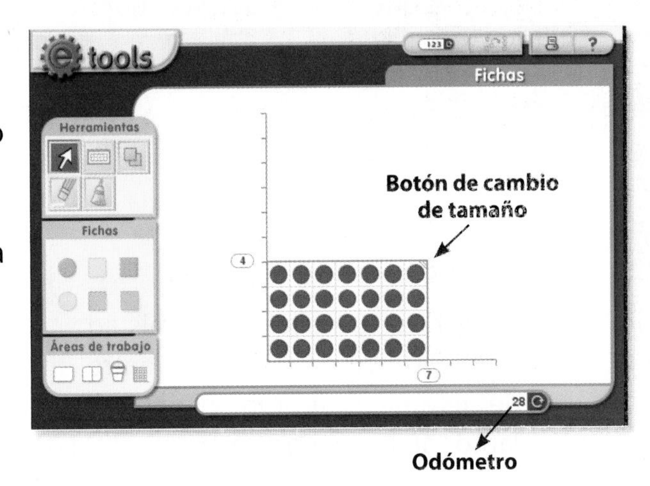

La matriz muestra que $4 \times 7 = 28$; por tanto $28 \div 7 = 4$.

Paso 2 Aumenta el número de filas con 7 fichas en cada una hasta que haya 42 fichas en total. La matriz muestra que $6 \times 7 = 42$; por tanto, $42 \div 7 = 6$.

Paso 3 Haz una matriz con 8 fichas en cada fila. Aumenta el número de filas hasta que haya 72 fichas en total. La matriz muestra que $9 \times 8 = 72$; por tanto, $72 \div 8 = 9$.

Práctica

Halla el cociente usando la multiplicación.

1. $16 \div 2$ **2.** $24 \div 4$ **3.** $45 \div 5$ **4.** $49 \div 7$

5. $36 \div 6$ **6.** $63 \div 9$ **7.** $21 \div 3$ **8.** $35 \div 5$

9. $56 \div 7$ **10.** $32 \div 8$ **11.** $48 \div 6$ **12.** $20 \div 5$

13. $40 \div 8$ **14.** $30 \div 6$ **15.** $10 \div 2$ **16.** $72 \div 9$

17. $18 \div 9$ **18.** $27 \div 3$ **19.** $45 \div 9$ **20.** $24 \div 8$

21. $21 \div 7$ **22.** $54 \div 9$ **23.** $24 \div 12$ **24.** $33 \div 11$

Examen

1. Kent usa 8 clavos para hacer cada pajarera. Hasta el momento ha usado 24 clavos. ¿Qué oración numérica se puede usar para hallar el número de pajareras que ha hecho hasta ahora? (4-4)

   A $24 + 8 = 32$

   B $24 - 8 = 16$

   C $24 \times 8 = 192$

   D $24 \div 8 = 3$

2. Tammy hizo 10 anillos de la amistad para repartir en partes iguales entre 5 de sus amigas. ¿Cómo puedes hallar cuántos anillos le da a cada amiga? (4-1)

   A Divide el número de anillos por 5.

   B Suma el número de anillos 5 veces.

   C Resta el número de anillos de 5.

   D Multiplica el número de anillos por 5.

3. Sierra compró 30 conchas marinas para sus 6 cangrejos ermitaños. ¿Qué oración numérica **NO** pertenece a la misma familia de operaciones que las otras? (4-2)

   A $6 \times 5 = 30$

   B $5 \times 6 = 30$

   C $30 \div 5 = 6$

   D $5 \times 30 = 150$

4. ¿En qué oración numérica el 7 hace verdadera la oración? (4-4)

   A $35 \div \square = 7$

   B $28 \div \square = 4$

   C $48 \div \square = 8$

   D $20 \div \square = 5$

5. Tres amigos tienen 27 globos de agua para repartir en partes iguales. ¿Cuántos globos de agua recibirá cada uno? (4-1)

   27 globos de agua

?	?	?

   Globos de agua que recibe cada amigo

   A 9

   B 8

   C 6

   D 3

6. ¿Qué oración numérica pertenece a la misma familia de operaciones que $63 \div 9 = \square$? (4-2)

   A $63 \times 9 = \square$

   B $\square \times 9 = 63$

   C $\square - 9 = 63$

   D $9 + \square = 63$

7. ¿Qué número hace verdadera la oración numérica? (4-4)

   $40 \div \square = 8$

   A 7

   B 6

   C 5

   D 4

8. ¿Qué oración numérica es verdadera? (4-3)

   A $4 \div 4 = 0$

   B $7 \div 1 = 1$

   C $2 \div 2 = 2$

   D $0 \div 8 = 0$

Examen

9. ¿Qué número hace verdaderas ambas oraciones numéricas? (4-4)

$4 \times \square = 32$

$32 \div 4 = \square$

A 9

B 8

C 7

D 6

10. Olivia tiene 48 margaritas y 6 floreros. ¿Qué oración numérica muestra cuántas margaritas puede poner en cada florero si pone el mismo número en cada uno? (4-5)

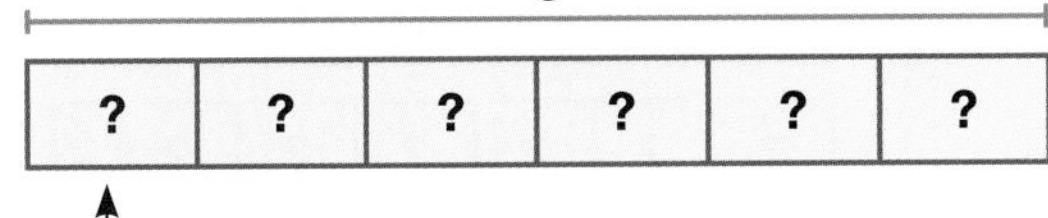

A $48 - 6 = 42$

B $48 + 6 = 54$

C $48 \div 6 = 8$

D $6 \times 48 = 288$

11. ¿Qué signo hace verdadera la oración numérica? (4-3)

$0 \div 9 \bigcirc 6 \div 6$

A $\times$

B $=$

C $<$

D $>$

12. La señora Warren compró 3 paquetes de lápices para sus estudiantes. Cada paquete tenía 6 lápices. ¿Qué oración numérica pertenece a esta familia de operaciones? (4-2)

A $2 \times 3 = 6$

B $6 - 3 = 3$

C $3 + 6 = 9$

D $18 \div 3 = 6$

13. Mason compró un paquete de 20 ruedas. Cada carro a escala necesita 4 ruedas. ¿Cuántos carros puede armar? (4-1)

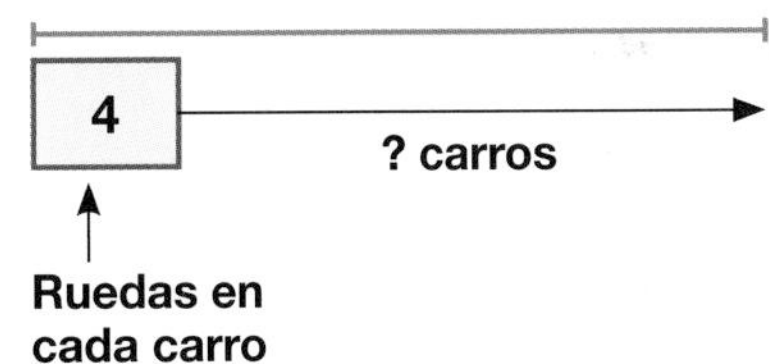

A 4

B 5

C 16

D 24

14. El señor Nessels compró 14 manzanas para alimentar a su caballo. Quiere darle el mismo número de manzanas por día durante 7 días. ¿Cuántas manzanas recibirá el caballo cada día? (4-4)

A 2

B 7

C 14

D 98

Refuerzo

Grupo A, páginas 76 a 78

Katherine está preparando 6 almuerzos. Tiene 30 palitos de zanahoria. ¿Cuántos palitos de zanahoria van en cada almuerzo?

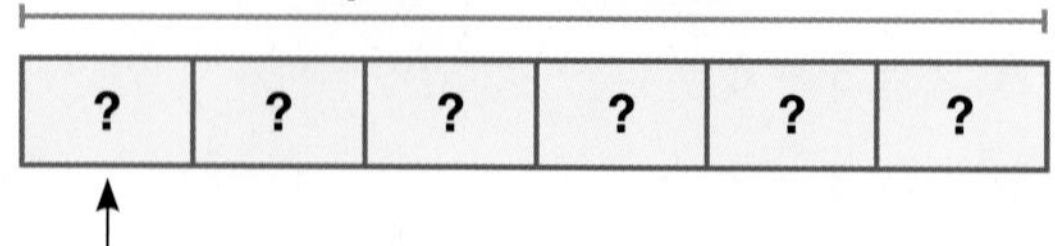

$30 \div 6 = 5$

Al repartir 30 en partes iguales entre los 6 almuerzos, quedan 5 palitos de zanahoria por almuerzo.

Recuerda que para dividir puedes pensar en repartir o en la resta repetida.

Usa el diagrama como ayuda para dividir.

1. Hay 15 sillas en 3 grupos. ¿Cuántas sillas hay en cada grupo?

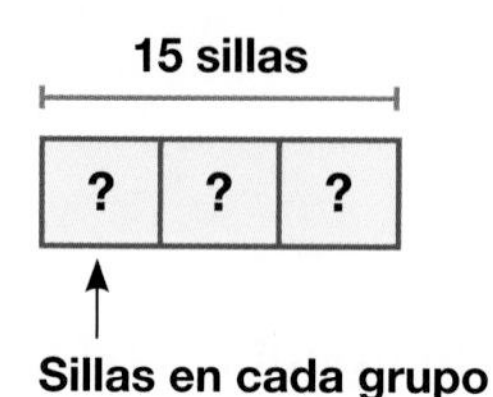

2. El club de futbol tiene 32 pelotas que debe repartir por igual entre 8 equipos. ¿Cuántas pelotas de futbol recibirá cada equipo?

32 pelotas

?	?	?	?	?	?	?	?

Pelotas para cada equipo

Grupo B, páginas 80 y 81

Francine ubica 12 muñecas en 3 estantes con la misma cantidad de muñecas en cada uno.

estantes — muñecas en cada estante

$3 \times \square = 12$ ← muñecas en total

Usa la familia de operaciones de 3, 4 y 12 para hallar cuántas muñecas hay en cada estante.

$3 \times 4 = 12$ $\qquad 12 \div 3 = 4$

$4 \times 3 = 12$ $\qquad 12 \div 4 = 3$

Hay 4 muñecas en cada estante.

Recuerda que una familia de operaciones muestra todas las operaciones relacionadas de un grupo de números.

Copia y completa cada familia de operaciones.

1. $5 \times \square = 40$ $\qquad \square \div 5 = 8$

$8 \times 5 = \square$ $\qquad \square \div 8 = \square$

2. $7 \times 9 = \square$ $\qquad \square \div 7 = 9$

$9 \times \square = 63$ $\qquad 63 \div \square = 7$

3. $6 \times 2 = \square$ $\qquad \square \div 6 = 2$

$2 \times \square = 12$ $\qquad 12 \div \square = 6$

Refuerzo

Grupo C, páginas 82 y 83

Halla $6 \div 6$ y $6 \div 1$.

Cualquier número dividido por sí mismo, excepto 0, es 1.
Por tanto, $6 \div 6 = 1$.

Cualquier número dividido por 1 es igual a sí mismo.
Por tanto, $6 \div 1 = 6$.

Recuerda que cero dividido por cualquier número es cero, pero no puedes dividir por cero.

Compara. Usa $>$, $<$ o $=$ en cada ◯.

1. $8\overline{)8}$ ◯ $3\overline{)3}$

2. $1\overline{)7}$ ◯ $6\overline{)0}$

3. $1\overline{)7}$ ◯ $1\overline{)4}$

4. $2\overline{)0}$ ◯ $9\overline{)0}$

5. $1\overline{)8}$ ◯ $1\overline{)5}$

6. $2\overline{)0}$ ◯ $1\overline{)2}$

Grupo D, páginas 84 y 85

Halla $24 \div 4$.

¿Qué número multiplicado por 4 es igual a 24?

$\square \times 4 = 24$

$6 \times 4 = 24$

Por tanto, $24 \div 4 = 6$.

Recuerda que puedes usar la multiplicación como ayuda para dividir.

1. $5\overline{)30}$

2. $2\overline{)18}$

3. $7\overline{)28}$

4. $9\overline{)81}$

5. $8\overline{)56}$

6. $8\overline{)48}$

Grupo E, páginas 86 a 88

¿Qué sé? La señora Collins tiene 24 tijeras. Pone la misma cantidad en 6 cajones. ¿Cuántas tijeras hay en cada cajón?

¿Qué me piden que halle? La cantidad de tijeras que hay en cada cajón.

Haz un dibujo.

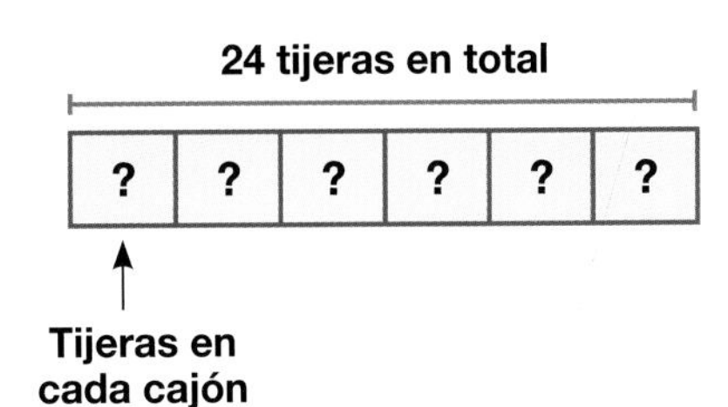

Divide para hallar la cantidad de tijeras que hay en cada cajón.

$24 \div 6 = \square$

$24 \div 6 = 4$

Hay 4 tijeras en cada cajón.

Recuerda que puedes hacer un dibujo como ayuda para resolver el problema.

Resuelve.

1. Winnie compra 20 marcapáginas para ella y para tres de sus amigos. Cada persona recibe la misma cantidad de marcapáginas. ¿Cuántos marcapáginas recibió cada uno?

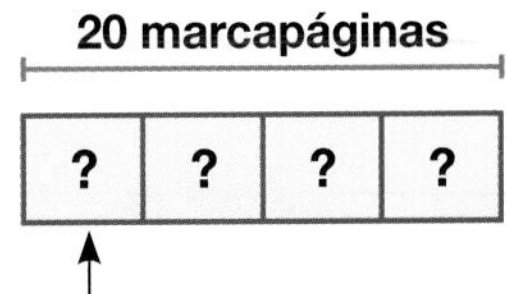

Tema 5

Multiplicar por números de 1 dígito

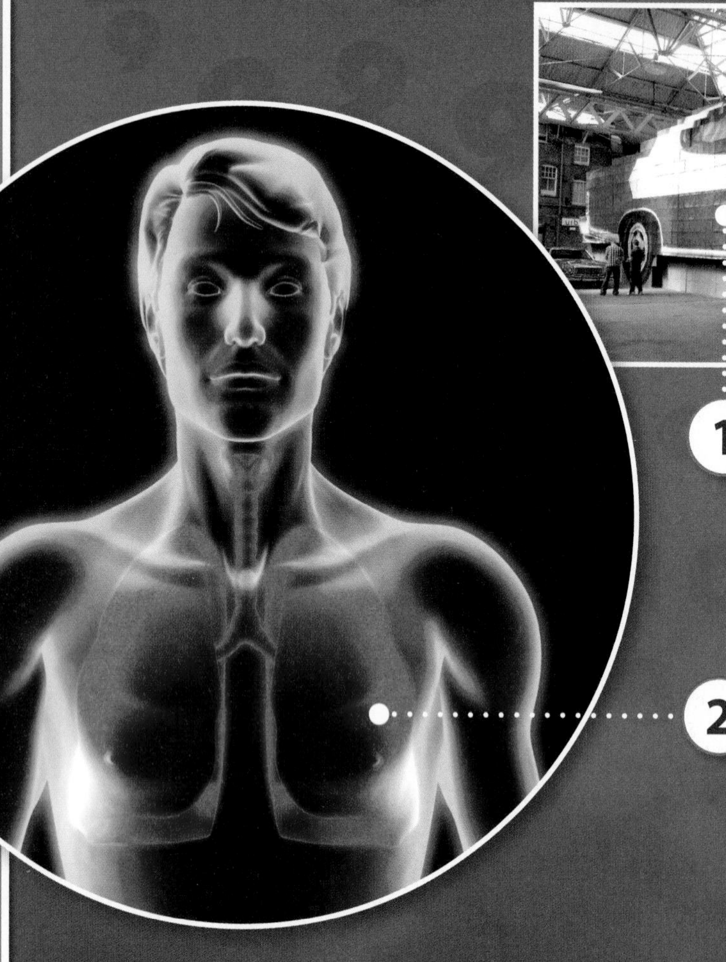

1 Esta escultura está hecha con cajas pegadas con cinta adhesiva. ¿Cuántos rollos de cinta adhesiva se necesitan para hacer una de estas esculturas? Lo averiguarás en la Lección 5-6.

2 ¿Cuántos galones de aire respira un estudiante por día de clases? Lo averiguarás en la Lección 5-1.

3

El águila americana fue declarada símbolo nacional de los Estados Unidos en 1782. Aproximadamente, ¿cuál es la envergadura de una águila americana hembra adulta? Lo averiguarás en la Lección 5-3.

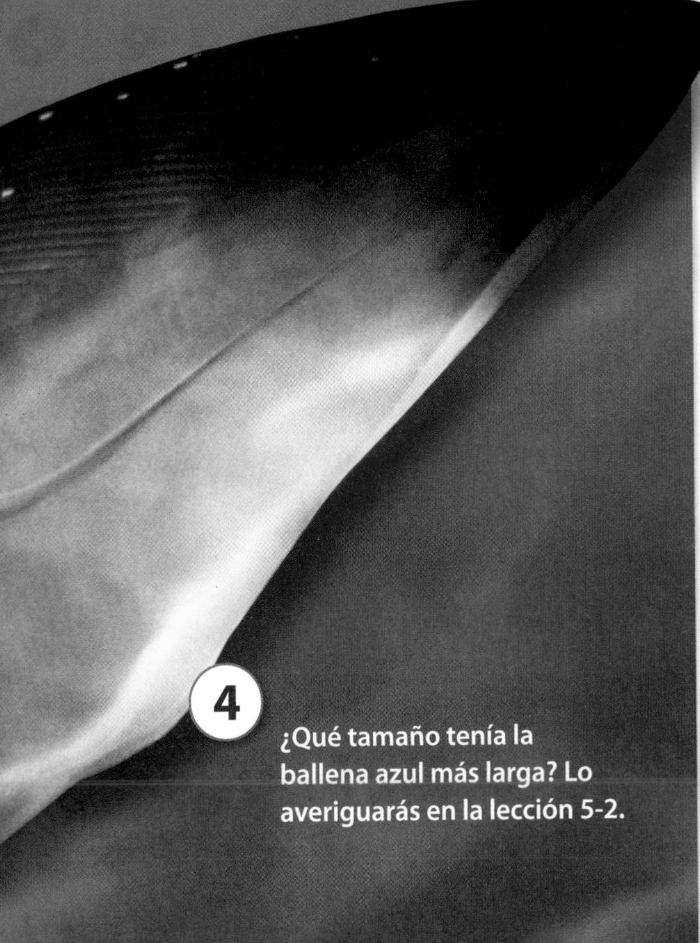

4

¿Qué tamaño tenía la ballena azul más larga? Lo averiguarás en la lección 5-2.

Repasa lo que sabes

Vocabulario

Elige el mejor término del recuadro.

- producto
- matriz
- factor
- redondeo

1. Multiplicas números para hallar un _?_.

2. En la oración numérica $8 \times 6 = 48$, el 8 es un _?_.

3. Cuando haces una estimación a la decena o centena más cercana puedes _?_.

Operaciones de multiplicación

Halla los productos.

4. 5×6

5. 7×3

6. 9×5

7. 6×8

8. 6×4

9. 12×3

10. 8×5

11. 9×9

Redondear

Redondea cada número a la decena más cercana.

12. 16 **13.** 82 **14.** 35

15. 52 **16.** 24 **17.** 96

18. 78 **19.** 472 **20.** 119

Redondea cada número a la centena más cercana.

21. 868 **22.** 499 **23.** 625

24. 167 **25.** 772 **26.** 341

27. 1,372 **28.** 9,009 **29.** 919

30. Escribir para explicar Explica cómo redondear 743 al lugar de las centenas.

¡Lo entenderás!
Un patrón puede ser útil para multiplicar números como 40 y 300.

Multiplicar por múltiplos de 10 y de 100

¿Cuál es la regla cuando multiplicas por múltiplos de 10 y de 100?

Para multiplicar por múltiplos de 10 y 100, puedes usar operaciones básicas de multiplicación. Halla 3×50.

? en total

Práctica guiada*

¿CÓMO hacerlo?

En los Ejercicios **1** a **6**, multiplica con operaciones básicas.

1. 7×10 **2.** 2×100

3. 3×20 **4.** 9×800

5. 6×10 **6.** 8×500

¿Lo ENTIENDES?

7. ¿Cuántos ceros habrá en el producto de 5×200? Explica cómo lo sabes.

8. **¿Es razonable?** Peter dijo que el producto de 4×500 es 2,000. Bob dijo que es 200. ¿Quién tiene razón?

Práctica independiente

Práctica al nivel En los Ejercicios **9** a **32,** halla cada producto.

9. $3 \times 7 = \square$
$3 \times 70 = \square$
$3 \times 700 = \square$

10. $6 \times 4 = \square$
$6 \times 40 = \square$
$6 \times 400 = \square$

11. $8 \times 5 = \square$
$8 \times 50 = \square$
$8 \times 500 = \square$

12. $2 \times 8 = \square$
$2 \times 80 = \square$
$2 \times 800 = \square$

13. 4×20 **14.** 7×40 **15.** 70×2 **16.** 8×60 **17.** 3×70

18. 5×500 **19.** 3×600 **20.** 9×700 **21.** 600×6 **22.** 100×9

23. 5×40 **24.** 200×6 **25.** 9×50 **26.** 900×4 **27.** 80×3

28. 8×70 **29.** 2×90 **30.** 300×4 **31.** 7×100 **32.** 800×5

** Puedes encontrar otro ejemplo en el Grupo A, página 122.*

Halla 3×50.

Multiplica por el dígito en el lugar de las decenas.

Multiplica:
$3 \times 5 = 15$

Escribe un cero después de 15.

$3 \times 5\underline{0} = 15\underline{0}$

Por tanto,
$3 \times 50 = 150$.

Halla 3×500.

Multiplica por el dígito en el lugar de las centenas.

Multiplica:
$3 \times 5 = 15$

Escribe dos ceros después de 15.

$3 \times 5\underline{00} = 1{,}5\underline{00}$

Por tanto,
$3 \times 500 = 1{,}500$.

Cuando un factor de una operación básica termina en cero, la respuesta tendrá un cero adicional.

$6 \times 5 = 30$

$6 \times 50 = 300$

$6 \times 500 = 3{,}000$

Resolución de problemas

En los Ejercicios **33** y **34,** usa la tabla de la derecha.

33. Tina visitó el Parque Funland con su mamá y una amiga. Eligieron el Plan C. ¿Cuánto dinero ahorraron en las entradas de las dos niñas al comprar entradas combinadas en lugar de individuales?

34. La tropa de exploradoras de Aimee tiene 8 niñas y 4 adultos. ¿Cuánto pagó la tropa por las entradas para el parque de diversiones?

Datos

Precios de las entradas al Parque Funland

	Adulto	Niño
Plan A Parque acuático	\$30	\$20
Plan B Parque de diversiones	\$40	\$30
Plan C Combinación de A + B	\$60	\$40

35. Un alumno de cuarto grado respira aproximadamente 50 galones de aire por hora. Shana, una niña de cuarto grado, llega a la escuela a las 8:00 A.M. y se va a las 3:00 P.M. ¿Cuántos galones de aire respira Shana en la escuela?

36. **Sentido numérico** Sin calcular la respuesta, di cuál tiene el producto mayor, 4×80 u 8×400. Explica cómo lo sabes.

37. El año pasado, los alumnos de cuarto grado de la Escuela Summit reunieron 500 latas para la colecta de alimentos. Los alumnos de cuarto grado de este año quieren reunir dos veces esa cantidad de latas. ¿Cuántas latas esperan reunir los alumnos de cuarto grado de este año?

A 250 latas

B 500 latas

C 1,000 latas

D 10,000 latas

38. Ted, Jason y Angelina están intentando recaudar 200 dólares para un refugio local. Ted recaudó 30 dólares. Jason recaudó 90 dólares. ¿Cuánto dinero tiene que recaudar Angelina para alcanzar su objetivo?

Objetivo	\$200		
Cantidad recaudada	\$30	\$90	?

Lección

5-2

¡Lo entenderás!
Las maneras en que se puede hallar los productos mentalmente dependen de los tipos de números de los cálculos.

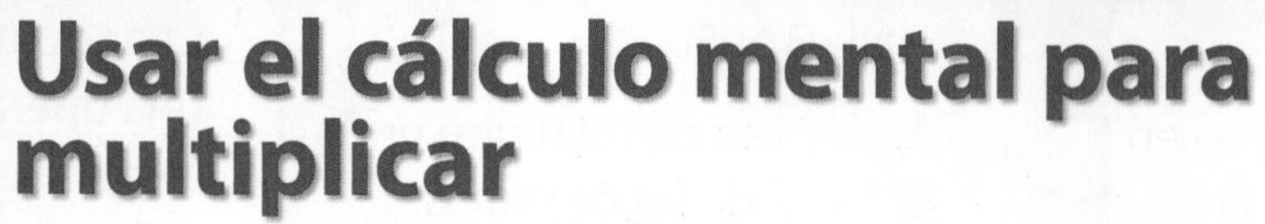

Usar el cálculo mental para multiplicar

¿Cuáles son algunas de las formas de multiplicar mentalmente?

Evan montó en bicicleta 18 millas por día durante 3 días. ¿Cuántas millas recorrió en total?

Halla 3 × 18 mentalmente.

Práctica guiada*

¿CÓMO hacerlo?

En los Ejercicios **1** y **2,** halla los productos mentalmente con el método para descomponer números.

1. 6 × 37 **2.** 51 × 3

En los Ejercicios **3** y **4,** halla los productos mentalmente con números compatibles.

3. 33 × 4 **4.** 9 × 83

¿Lo ENTIENDES?

5. Explica cómo se usa el cálculo mental para multiplicar 56 × 4.

6. ¿Cómo se podrían usar bloques de valor de posición para demostrar el método de descomponer números en el ejemplo de arriba?

Ojo *Puedes dibujar los bloques de valor de posición para visualizar el modelo.*

Práctica independiente

Práctica al nivel En los Ejercicios **7** a **20,** usa cálculo mental para hallar los productos.

7. 4 × 36 Descomponer: (4 × ▢) + (4 × ▢) = ▢

8. 6 × 42 Descomponer: (6 × ▢) + (6 × ▢) = ▢

9. 5 × 17 Números compatibles: 5 × ▢ = 100 ▢ − 15 = ▢

10. 7 × 29 Números compatibles: 7 × ▢ = 210 ▢ − 7 = ▢

11. 7 × 28 **12.** 61 × 8 **13.** 14 × 5 **14.** 64 × 3 **15.** 2 × 58

16. 4 × 23 **17.** 3 × 27 **18.** 44 × 6 **19.** 5 × 35 **20.** 9 × 52

* *Puedes encontrar otro ejemplo en el Grupo B, página 122.*

Una manera

Halla 3×18.

Descompón 18 en 10 y 8.

Piensa en 3×18 como $(3 \times 10) + (3 \times 8)$.

$30 + 24$

Suma para hallar el total.
$30 + 24 = 54$

Por tanto, $3 \times 18 = 54$.

Otra manera

Los números compatibles son números con los que es fácil trabajar mentalmente. Reemplaza el 18 por un número que sea fácil de multiplicar por 3.

$$3 \times 18$$
$$\downarrow$$
$$3 \times 20 = 60$$

Ahora ajusta. Resta 2 grupos de 3.

$60 - 6 = 54$ Por tanto, $3 \times 18 = 54$.

Evan recorrió en bicicleta 54 millas en total.

Resolución de problemas

En los Ejercicios **21** y **22,** usa la tabla de la derecha.

21. Para recaudar dinero, los miembros de la banda de la escuela secundaria vendieron los artículos que aparecen en la tabla. Usa el cálculo mental para hallar cuánto dinero recaudó la banda en total.

Datos

Artículo	Costo	Número vendido
Gorras	\$9	36
Tazas	\$7	44
Banderines	\$8	52

22. ¿Cuánto más cuestan 10 gorras que 10 banderines?

23. Escribir para explicar Ashley y 3 amigos compraron entradas para un musical. El costo de cada entrada fue de 43 dólares por persona. ¿Cuánto costaron las entradas en total? Explica cómo hallaste la respuesta.

? costo total

\$43	\$43	\$43	\$43

Costo por persona

24. Piensa en el proceso Helen caminó 5 millas por día durante 37 días. ¿Qué opción muestra cómo hallar cuántas millas caminó Helen?

A 35×5

B $(40 \times 5) + (3 \times 5)$

C $(30 \times 5) + (7 \times 5)$

D $(30 \times 5) - (3 \times 5)$

25. La altura de un buzo es de aproximadamente 6 pies. La ballena azul más larga que se haya registrado medía aproximadamente 18 buzos de longitud. Usa la descomposición para estimar la longitud de la ballena azul.

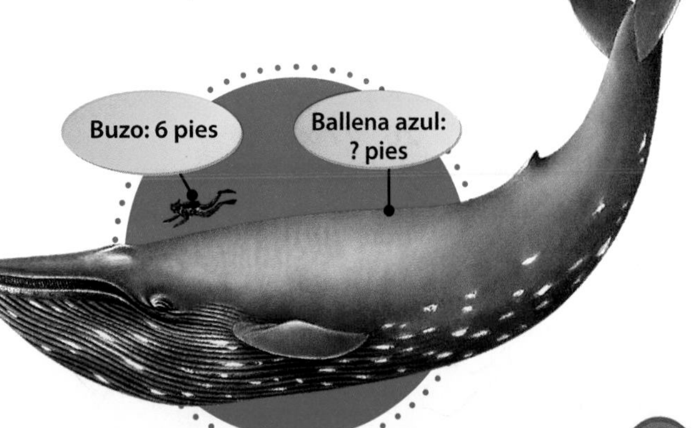

Lección
5-3

¡Lo entenderás!
Para estimar, se redondea los factores a números que se puedan multiplicar mentalmente.

Usar el redondeo para estimar

¿Cómo puedes usar el redondeo para estimar cuando multiplicas?

La escuela Hoover está llevando a cabo un maratón de lectura. Cualquier estudiante que reúna más de $500 gana un premio. Héctor tiene donativos de $4 por página leída. Alan tiene donativos de $3 por página leída. Ambos quieren saber si ganarán un premio.

Héctor lee 153 páginas.

Alan lee 115 páginas.

Práctica guiada*

¿CÓMO hacerlo?

En los Ejercicios **1** a **8**, estima cada producto.

1. 6 × 125 **2.** 39 × 5

3. 538 × 3 **4.** 7 × 314

5. 2 × 97 **6.** 4 × 261

7. 63 × 6 **8.** 9 × 48

¿Lo ENTIENDES?

9. La estimación del Ejercicio 1, ¿es mayor o menor que la respuesta verdadera? Explica cómo lo sabes.

10. Alan reúne donativos para 70 páginas más. Estima si ahora ganará un premio.

Práctica independiente

Práctica al nivel En los Ejercicios **11** a **34**, estima los productos.

11. 7 × 34 es cercano a 7 × ▢. **12.** 6 × 291 es cercano a 6 × ▢.

13. 41 × 9 es cercano a ▢ × 9. **14.** 814 × 3 es cercano a ▢ × 3.

15. 117 × 4 **16.** 3 × 86 **17.** 9 × 476 **18.** 34 × 6 **19.** 7 × 77

20. 52 × 9 **21.** 46 × 5 **22.** 3 × 287 **23.** 6 × 131 **24.** 602 × 9

25. 354 × 2 **26.** 77 × 8 **27.** 2 × 863 **28.** 44 × 8 **29.** 303 × 5

30. 486 × 7 **31.** 719 × 5 **32.** 6 × 609 **33.** 249 × 4 **34.** 54 × 9

* *Puedes encontrar otro ejemplo en el Grupo C, página 123.*

Estima cuánto es 4×153 usando el redondeo.

4×153

Redondea 153 a 150.

$4 \times 150 = 600$

Dos 150 es 300. Cuatro 150 es 600.
Por tanto, 4×153 es aproximadamente 600.

Héctor recaudó más de 500 dólares.

Ha ganado un premio.

Estima cuánto es 3×115 usando el redondeo.

3×115

Redondea 115 a 100.

$3 \times 100 = 300$

Alan ha recaudado aproximadamente 300 dólares.

No es suficiente para ganar un premio.

Resolución de problemas

35. Sam y sus dos hermanos quieren viajar a San Antonio. Una línea aérea ofrece un pasaje de ida y vuelta por $319. Otra línea aérea tiene un pasaje de ida y vuelta por $389. ¿Aproximadamente cuánto ahorrarán Sam y sus hermanos si compran el pasaje menos costoso?

36. Una hembra de águila americana adulta tiene una envergadura de aproximadamente 7 pies de largo. Si hay 12 pulgadas en un pie, ¿qué longitud estimarías que tiene una hembra de águila americana adulta en pulgadas?

37. **¿Es razonable?** Ellie estima que el producto de 211 y 6 es 1,800. ¿Es razonable esta estimación? ¿Por qué o por qué no?

38. **Sentido numérico** ¿Cuáles tienen más lápices, 3 paquetes con 40 lápices o 40 paquetes con 3 lápices? Explícalo.

39. Los estudiantes de la Escuela Primaria Spring votaron para elegir una mascota de la escuela. La gráfica de barras de la derecha muestra los resultados de la votación.

¿Qué mascota tiene aproximadamente 4 veces más votos que el unicornio?

A León **C** Dragón

B Lechuza **D** Oso

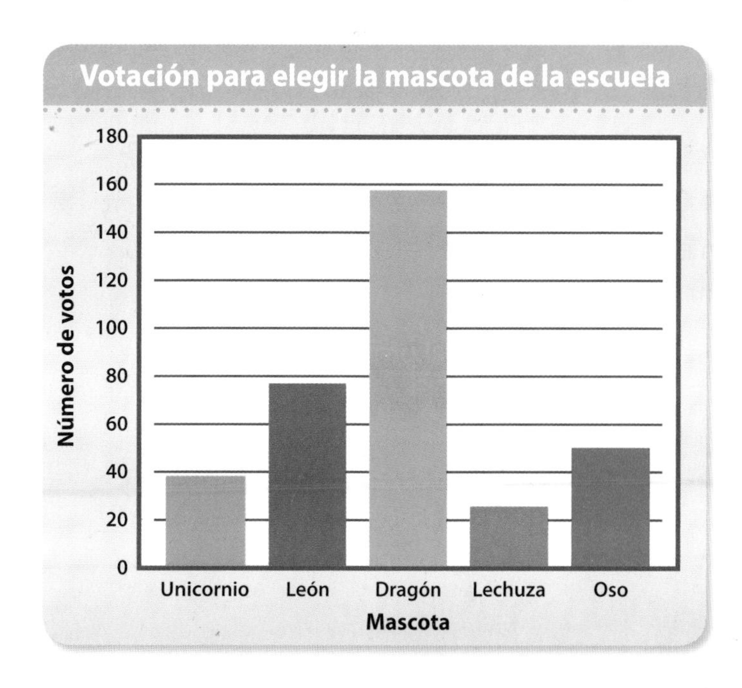

40. ¿Qué mascota tuvo la menor cantidad de votos?

Lección

5-4

¡Lo entenderás!
Determinar si una respuesta es razonable puede ayudar a resolver problemas.

Resolución de problemas

¿Es razonable?

Karen pegó lentejuelas en su proyecto. Usó 7 filas de 28 lentejuelas cada una. ¿Cuántas lentejuelas pegó Karen en total?

Después de resolver un problema, comprueba si tu respuesta es razonable. Pregúntate: ¿Respondí a la pregunta que correspondía? ¿Es razonable el cálculo?

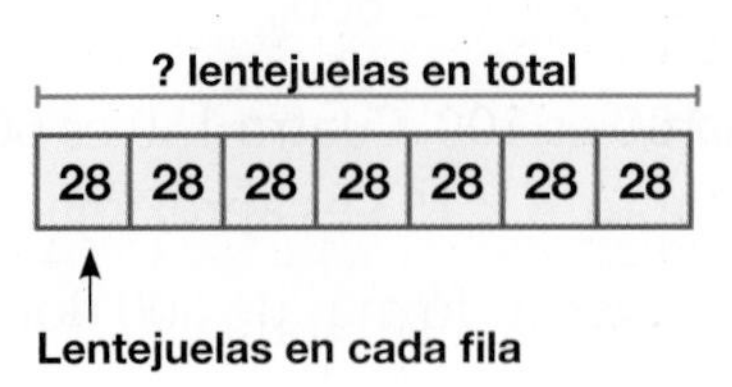

Práctica guiada*

¿CÓMO hacerlo?

Resuelve y haz una estimación para mostrar que tu respuesta es razonable.

1. Una tienda de peces tiene 8 peceras vacías. Después de recibir un envío, colocan 40 peces en cada pecera. ¿Cuántos peces recibieron?

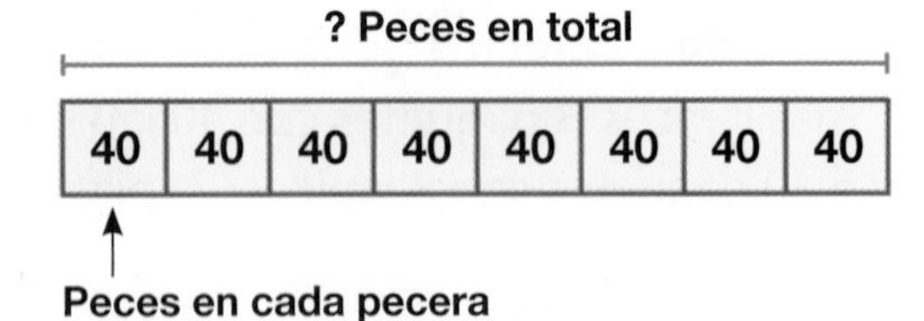

¿Lo ENTIENDES?

2. En el Ejercicio 1, si tu estimación fuera aproximadamente 40 veces más que tu respuesta real, ¿qué harías?

3. Escribe un problema Escribe un problema sobre peces que tenga una respuesta cercana a 80. Luego resuélvelo y haz una estimación para mostrar que tu respuesta es razonable.

Práctica independiente

Usa el siguiente problema en los Ejercicios **4** y **5**.

La profesora de español de Dawn encargó 20 CDs en español para su clase. Cada CD cuesta $9.00, ¿cuál será el costo total?

4. Da una respuesta al problema con oraciones completas.

5. Comprueba tu respuesta. ¿Respondiste a la pregunta que correspondía? ¿Es razonable tu respuesta? ¿Cómo lo sabes?

¿En aprietos? Intenta esto:

- ¿Qué sé?
- ¿Qué diagrama puede ayudarme a entender el problema?
- ¿Puedo usar suma, resta, multiplicación o división?
- ¿Está correcto todo mi trabajo?
- ¿Respondí a la pregunta que correspondía?
- ¿Es razonable mi respuesta?

* *Puedes encontrar otro ejemplo en el Grupo D, página 123.*

Es razonable

Había 196 lentejuelas en total.

Haz una estimación: $7 \times 30 = 210$

La respuesta es razonable porque 210 es cercano a 196.

Se respondió la pregunta correcta y el cálculo es razonable.

No es razonable

Había 140 lentejuelas en total.

Haz una estimación: $7 \times 20 = 140$

La respuesta no es razonable porque 140 no es cercano a 196.

Se respondió la pregunta correcta, pero el cálculo no es razonable.

En los Ejercicios **6** a **9,** usa el cuadro de la derecha, y la información siguiente.

Un avión aumenta su altura a una velocidad de 400 pies por segundo.

6. ¿A qué altura estará después de 5 segundos?

7. ¿Qué oración numérica puedes usar para resolver el Ejercicio 6?

8. ¿Respondiste a la pregunta que correspondía?

9. ¿Es razonable tu respuesta? ¿Cómo lo sabes?

Datos

Segundos transcurridos	Aumento de altura	Altura
1 seg	400 pies	400 pies
2 seg	400 pies	800 pies
3 seg	400 pies	1,200 pies
4 seg	400 pies	1,600 pies
5 seg	400 pies	2,000 pies
6 seg	400 pies	2,400 pies

En los Ejercicios **10** a **12,** usa el cuadro que está a la derecha.

10. ¿Cuánto dinero gasta una familia estadounidense en 8 semanas para alimentar a un hijo de 11 años?

11. En cuatro semanas, ¿más o menos cuánto dinero más gasta una familia para alimentar a un hijo de 8 años que a uno de 3?

12. ¿Es razonable tu respuesta al Ejercicio 11? ¿Cómo lo sabes?

Datos

Dinero que gasta una familia estadounidense para alimentar a un hijo

Edad del hijo	Cantidad semanal
3–5 años	\$20
6–8 años	\$30
9–14 años	\$35
15–17 años	\$40

Práctica independiente

En los Ejercicios **13** a **16,** usa la tabla de la derecha.

Calcomanías del señor Richardson

En pliegos	♥♥♥
En rollos	♥♥♥♥
En cajas	♥

1 ♥ = 10 calcomanías

13. ¿Cuántas calcomanías en rollos tiene el señor Richardson?

14. ¿Cuántas más calcomanías en pliegos que en cajas tiene el señor Richardson?

15. ¿Es razonable tu cálculo en el Ejercicio 14? ¿Cómo lo sabes?

16. ¿Cuántas calcomanías tiene en total el señor Richardson?

17. La distancia de la casa de Bethany a la ciudad de Nueva York es 180 millas. Después de viajar 95 millas, Bethany dijo que había recorrido más de la mitad de la distancia. ¿Tiene razón Bethany?

180 millas a Nueva York

95 millas	?

18. En el camino de vuelta a su casa desde Nueva York, después de conducir 116 millas, Bethany se detuvo a tomar un descanso. ¿Cuántas millas le faltan para llegar a su casa?

180 millas para llegar a casa

116 millas	?

Piensa en el proceso

19. ¿Cuál de las siguientes opciones usa la propiedad distributiva para resolver la ecuación 4×9?

A $4 \times 9 = (3 \times 3) + (1 \times 6)$

B $4 \times 9 = (4 \times 9) + (4 \times 9)$

C $4 \times 9 = (2 \times 9) + (2 \times 9)$

D $4 \times 9 = (2 \times 3) + (2 \times 6)$

20. Luisa resolvió la ecuación $m - 16 = 54$ y obtuvo $m = 38$. ¿Qué enunciado explica mejor por qué la respuesta de Louisa **NO** es razonable?

A Luisa no restó correctamente.

B Luisa olvidó reagrupar.

C Luisa debería haber sumado.

D Luisa olvidó que 16 es menor que 38.

Multiplica mentalmente

Usa Bloques de valor de posición de eTools.
Explica cómo usas números compatibles para hallar 4×28.

Paso 1 Selecciona Bloques de valor de posición, de eTools. Selecciona el área de trabajo doble. 30 es el número más cercano a 28 que es fácil de multiplicar. Haz clic en la barra de decena horizontal. Luego, haz clic en la parte superior del área de trabajo para mostrar 4 filas con 3 barras de decenas cada una o 4×30.

Paso 2 Haz clic en el ícono de la herramienta de martillo. Luego, haz clic en la última barra de decena de cada fila para descomponerla en diez unidades. Usa la herramienta de flecha para seleccionar dos unidades del primer grupo y moverlas hasta la parte inferior del área de trabajo. Haz lo mismo con las dos últimas unidades de cada fila.

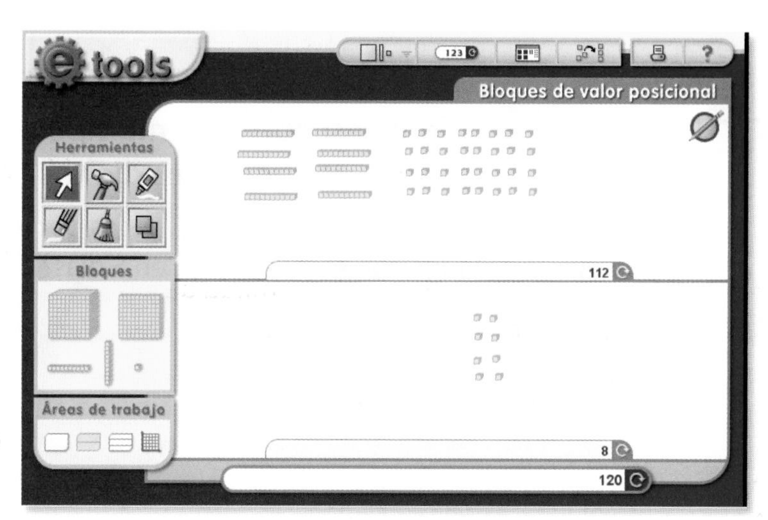

Para hallar 4×28, calcula
$4 \times 30 = 120$
y resta $4 \times 2 = 8$.

Por tanto, $120 - 8 = 112$.

Práctica

Usa números compatibles para hallar los productos mentalmente.

1. 3×19 **2.** 4×18 **3.** 2×67 **4.** 6×29

5. 4×38 **6.** 3×47 **7.** 3×29 **8.** 4×49

9. 2×49 **10.** 3×58 **11.** 4×39 **12.** 2×39

13. 3×27 **14.** 3×28 **15.** 4×47 **16.** 2×48

17. 4×37 **18.** 4×48 **19.** 3×57 **20.** 3×68

21. 2×47 **22.** 3×38 **23.** 2×67 **24.** 4×58

Lección
5-5

¡Lo entenderás!
Para hallar un producto de dos números, se puede construir una matriz y descomponerla en dos partes más sencillas.

Usar un algoritmo desarrollado

Manos a la obra
bloques de valor de posición

¿Cómo escribes una multiplicación?

Una tienda encargó 2 cajas de videojuegos. ¿Cuántos juegos encargó la tienda?

Escoge una operación Multiplica para unir grupos iguales.

Otro ejemplo ¿Cómo escribes una multiplicación cuando el producto tiene tres dígitos?

Gene jugó con su videojuego nuevo 23 veces por día durante 5 días. ¿Cuántas veces jugó con el videojuego en 5 días?

A 18

B 28

C 115

D 145

Elige una operación Dado que se han unido 5 grupos iguales de 23, multiplicarás. Halla 5×23.

Lo que muestras

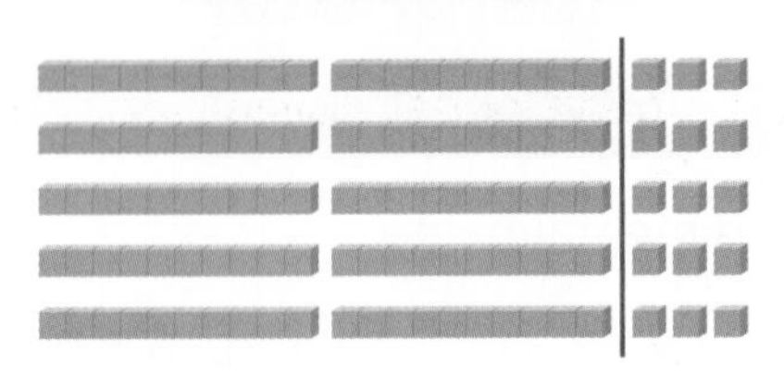

Lo que escribes

$$\begin{array}{r} 23 \\ \times \quad 5 \\ \hline 15 \\ + \ 100 \\ \hline 115 \end{array}$$

Gene jugó con su videojuego 115 veces en 5 días.
La opción correcta es la **C.**

Explícalo

1. Explica cómo se hallaron los productos parciales, 15 y 100, en el trabajo de arriba.

2. **¿Es razonable?** ¿Cómo puede ayudarte una estimación a eliminar las opciones anteriores?

Lo que muestras

Forma una matriz que muestre 2 × 16.

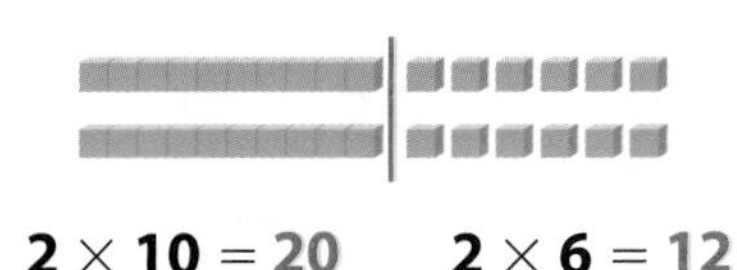

2 × **10** = 20   **2** × **6** = 12

20 + 12 = **32**

Lo que escribes

Ésta es una manera de escribir una multiplicación.

$$\begin{array}{r} 16 \\ \times \quad 2 \\ \hline 12 \\ +\ 20 \\ \hline 32 \end{array}$$

12 ← Productos parciales
20 ←

La tienda encargó 32 juegos.

Práctica guiada*

¿CÓMO hacerlo?

En los Ejercicios **1** y **2,** usa bloques de valor de posición o haz dibujos para representar cada matriz. Copia el cálculo y complétalo.

1. 2 × 34 = ▢

$$\begin{array}{r} 34 \\ \times \quad 2 \\ \hline \square \\ +\ \square \\ \hline \square \end{array}$$

2. 3 × 18 = ▢

$$\begin{array}{r} 18 \\ \times \quad 3 \\ \hline \square \\ +\ \square \\ \hline \square \end{array}$$

¿Lo ENTIENDES?

Usa la matriz y el cálculo que se muestran en el Ejercicio 3.

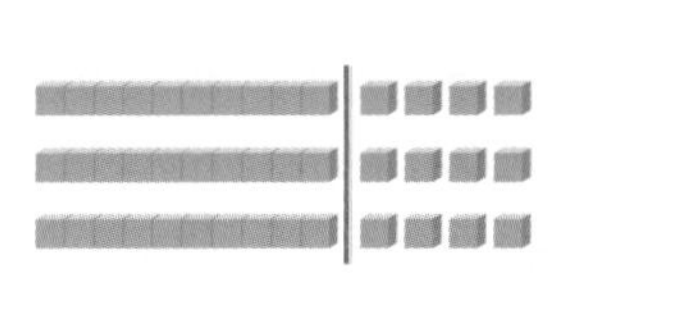

$$\begin{array}{r} 14 \\ \times \quad 3 \\ \hline 12 \\ +\ 30 \\ \hline 42 \end{array}$$

3. ¿Qué cálculo se usó para obtener el producto parcial 12? ¿Y 30? ¿Cuál es el producto de 3 × 14?

Práctica independiente

Práctica al nivel En los Ejercicios **4** y **5,** usa bloques de valor de posición o haz dibujos para representar cada matriz. Copia el cálculo y complétalo.

4. 

$$\begin{array}{r} 27 \\ \times \quad 3 \\ \hline \square \\ +\ \square \\ \hline \square \end{array}$$

5. 

$$\begin{array}{r} 22 \\ \times \quad 4 \\ \hline \square \\ +\ \square \\ \hline \square \end{array}$$

** Puedes encontrar otro ejemplo en el Grupo E, página 124.*

Práctica independiente

Práctica al nivel En los Ejercicios **6** a **15,** copia el cálculo y complétalo. Haz un dibujo como ayuda.

6. $\begin{array}{r} 26 \\ \times \quad 5 \\ \hline \square\square \\ + \square\square\square \\ \hline \square\square\square \end{array}$

7. $\begin{array}{r} 19 \\ \times \quad 3 \\ \hline \square\square \\ + \square\square \\ \hline \square\square \end{array}$

8. $\begin{array}{r} 24 \\ \times \quad 2 \\ \hline \square \\ + \square\square \\ \hline \square\square \end{array}$

9. $\begin{array}{r} 21 \\ \times \quad 4 \\ \hline \square \\ + \square\square \\ \hline \square\square \end{array}$

10. $\begin{array}{r} 24 \\ \times \quad 3 \\ \hline \square\square \\ + \square\square \\ \hline \square\square \end{array}$

11. $\begin{array}{r} 22 \\ \times \quad 8 \\ \hline \end{array}$

12. $\begin{array}{r} 17 \\ \times \quad 3 \\ \hline \end{array}$

13. $\begin{array}{r} 24 \\ \times \quad 8 \\ \hline \end{array}$

14. $\begin{array}{r} 16 \\ \times \quad 5 \\ \hline \end{array}$

15. $\begin{array}{r} 23 \\ \times \quad 7 \\ \hline \end{array}$

Resolución de problemas

16. Geometría Los lados de cada una de las siguientes figuras tienen la misma longitud en números enteros. ¿Qué figura tiene un perímetro de 64 unidades? ¿Cuánto mide cada lado?

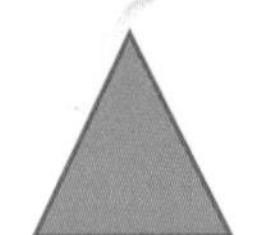

17. Álgebra Copia cada oración numérica y complétala.

a $\square \times 14 = A$, donde A es mayor que 100.

b $\square \times 24 = B$, donde B es menor que 100.

18. Las mesas grandes de la biblioteca tienen 8 sillas y las mesas pequeñas tienen 4 sillas. ¿Cuántos estudiantes caben en 3 mesas grandes y en 5 mesas pequeñas si se ocupa cada asiento?

A 20 estudiantes **C** 44 estudiantes

B 36 estudiantes **D** 52 estudiantes

19. Estimación Emma quiere colocar 3 calcomanías de caritas sonrientes en cada una de sus tarjetas de apuntes. Usa la estimación para decidir si un rollo de caritas tiene suficientes calcomanías para 42 tarjetas de apuntes.

Tipo de calcomanía	Número de calcomanías por rollo
	50
	75
	100
	125

100 calcomanías

20. Escribir para explicar Tim dijo que 3×20 y 3×4 son *cálculos sencillos*. Explica lo que quiso decir.

Enlaces con el Álgebra

Simplificar expresiones numéricas

Para simplificar una expresión numérica debes seguir el orden de las operaciones.

Primero, completa las operaciones entre paréntesis.

Luego, multiplica y divide en orden de izquierda a derecha.

Luego, suma y resta en orden de izquierda a derecha.

Ejemplo: $(5 + 3) \times 4$

Comienza con las operaciones entre paréntesis. ¿Cuánto es 5 + 3?

$5 + 3 = 8$

Luego, multiplica 8×4.

$8 \times 4 = 32$

Por tanto, $(5 + 3) \times 4 = 32$.

Simplifica. Sigue el orden de las operaciones.

1. $4 \times 8 - 6$

2. $12 + 8 \div 4$

3. $5 \times (8 - 2)$

4. $35 + (4 \times 6) - 7$

5. $7 \times 5 + 9$

6. $8 + 18 \div 3$

7. $6 + 4 + (12 \div 2)$

8. $(8 - 2) \div 3$

9. $(9 + 8) \times 2$

10. $10 + 4 \div (9 - 7)$

11. $(54 \div 9) + (6 \times 6)$

12. $(16 - 4) + (16 - 4)$

13. $(21 - 3) + 7$

14. $9 + 9 \div 3 \times 3$

15. $2 \div 2 + 2 - 1$

16. $3 \times 3 \div 3 + 6 - 3$

17. $5 + 4 \times 3 + 2 - 1$

18. $6 \div 3 \times 2 + 7 - 5$

En los Ejercicios **19** a **24,** escribe la expresión que representa cada problema y luego simplifica la expresión.

19. Hay 2 maestros y 6 filas de 4 estudiantes en un salón de clase.

20. Tres cartones de una docena de huevos cada uno, con 4 huevos rotos en cada cartón

21. En una habitación hay dos grupos de 10 estudiantes. Cuatro estudiantes salen de la habitación.

22. Seis filas de 5 juguetes pequeños y 1 fila de 7 juguetes grandes

23. 4 cestas de 10 manzanas, con 2 manzanas magulladas en cada cesta

24. Cinco grupos de 4 tulipanes y 2 rosas en cada grupo

Lección

5-6

¡Lo entenderás!
Se puede hallar un producto como 26 x 3 descomponiéndolo en problemas más sencillos.

Multiplicar números de 2 dígitos por números de 1 dígito

¿Cuál es una manera común de escribir la multiplicación?

¿Cuántas camisetas con la leyenda *y lo que quieres decir es…* hay en 3 cajas?

Escoge una operación Multiplica para unir grupos iguales.

Leyenda de la camiseta	Número de camisetas por caja
CONFÍA EN MÍ	30 camisetas
y lo que quieres decir es...	26 camisetas
Es que soy la princesa	24 camisetas
Porque yo lo digo	12 camisetas

Otro ejemplo ¿Funciona con productos grandes la manera común de escribir una multiplicación?

La señora Stockton encargó 8 cajas de camisetas con la leyenda *Es que soy la princesa*. ¿Cuántas camisetas encargó?

Elige una operación Dado que estás uniendo 8 grupos de 24, multiplicarás. Halla 8×24.

Paso 1 Multiplica las unidades. Reagrupa si es necesario.

$$\begin{array}{r} {}^{3} \\ 24 \\ \times 8 \\ \hline 2 \end{array}$$

$8 \times 4 = 32$ unidades
Reagrupa las 32 unidades en 3 decenas y 2 unidades

Paso 2 Multiplica las decenas. Suma las decenas adicionales.

$$\begin{array}{r} {}^{3} \\ 24 \\ \times 8 \\ \hline 192 \end{array}$$

8×2 decenas $= 16$ decenas
16 decenas $+$ 3 decenas $=$ 19 decenas
o 1 centena y 9 decenas

La señora Stockton encargó 192 camisetas.

Explícalo

1. **¿Es razonable?** ¿Cómo puedes usar la estimación para decidir que 192 es una respuesta razonable?
2. En el ejemplo de arriba, ¿es 8×2 u 8×20? Explícalo.

Recuerda que una manera de multiplicar es hallar productos parciales.

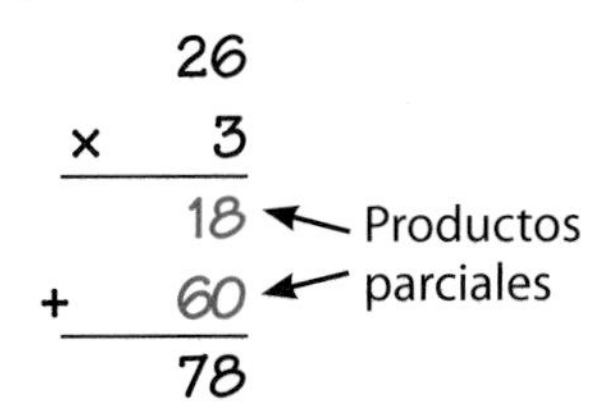

A la derecha se muestra un modo abreviado para el método de los productos parciales.

Paso 1

Multiplica las unidades. Reagrupa si es necesario.

$$\begin{array}{r} {}^{1}\\ 26 \\ \times\ \ 3 \\ \hline 8 \end{array}$$

Paso 2

Multiplica las decenas. Suma las decenas adicionales.

$$\begin{array}{r} {}^{1}\\ 26 \\ \times\ \ 3 \\ \hline 78 \end{array}$$

Hay 78 camisetas en 3 cajas.

Práctica guiada*

¿CÓMO hacerlo?

Halla los productos. Estima para comprobar que son razonables.

1. $\begin{array}{r} 15 \\ \times\ 5 \\ \hline \end{array}$

2. $\begin{array}{r} 28 \\ \times\ 3 \\ \hline \end{array}$

3. $\begin{array}{r} 34 \\ \times\ 7 \\ \hline \end{array}$

4. $\begin{array}{r} 43 \\ \times\ 4 \\ \hline \end{array}$

5. 5×70

6. 5×78

7. 3×24

8. 3×79

¿Lo ENTIENDES?

9. Explica cómo estimarías la respuesta en el Ejercicio 3.

10. Carrie compró 8 cajas de camisetas con la leyenda *Porque yo lo digo*. ¿Cuántas camisetas compró Carrie?

11. Escribir para explicar Explica cómo se puede usar la respuesta al Ejercicio 5 para hallar la respuesta al Ejercicio 6.

Práctica independiente

En los Ejercicios **12** a **19,** halla los productos. Estima para comprobar que son razonables.

12. $\begin{array}{r} 12 \\ \times\ 6 \\ \hline \end{array}$

13. $\begin{array}{r} 18 \\ \times\ 7 \\ \hline \end{array}$

14. $\begin{array}{r} 72 \\ \times\ 5 \\ \hline \end{array}$

15. $\begin{array}{r} 49 \\ \times\ 8 \\ \hline \end{array}$

16. $\begin{array}{r} 31 \\ \times\ 4 \\ \hline \end{array}$

17. $\begin{array}{r} 52 \\ \times\ 6 \\ \hline \end{array}$

18. $\begin{array}{r} 79 \\ \times\ 7 \\ \hline \end{array}$

19. $\begin{array}{r} 87 \\ \times\ 7 \\ \hline \end{array}$

** Puedes encontrar otro ejemplo en el Grupo F, página 124.*

Práctica independiente

En los Ejercicios **20** a **27,** halla los productos. Estima para comprobar que son razonables.

20. 9×23 **21.** 6×51 **22.** 4×29 **23.** 8×42

24. 3×64 **25.** 5×56 **26.** 6×83 **27.** 4×47

Resolución de problemas

28. Usa el diagrama de la derecha. ¿Cuántos pisos tiene la Torre si equivalen a 5 veces la cantidad que tiene un edificio de oficinas de 15 pisos?

A 60 **B** 75 **C** 105 **D** 1,010

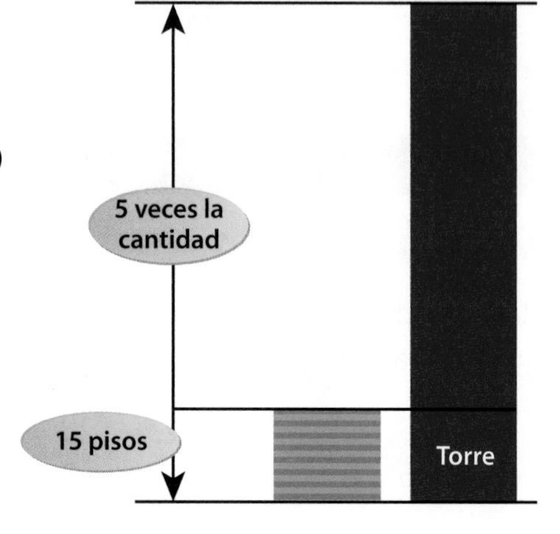

29. Estimación Se necesitan 286 rollos de cinta para hacer la escultura de un carro con cajas. ¿Qué número es éste redondeado a la centena más cercana?

A 200 **C** 300

B 280 **D** 380

30. 

Katie hizo 24 muñecas de trapo. Regaló 8 de ellas. ¿Qué expresión da el número de muñecas de trapo que le quedaron a Katie?

A $24 + 8$

B 24×8

C $24 - 8$

D $24 \div 8$

31. En 1998, se estableció un récord de velocidad en patineta, de casi 63 millas por hora (aproximadamente 92 pies por segundo). A esa velocidad, ¿aproximadamente cuántos pies recorrería el patinador en 6 segundos?

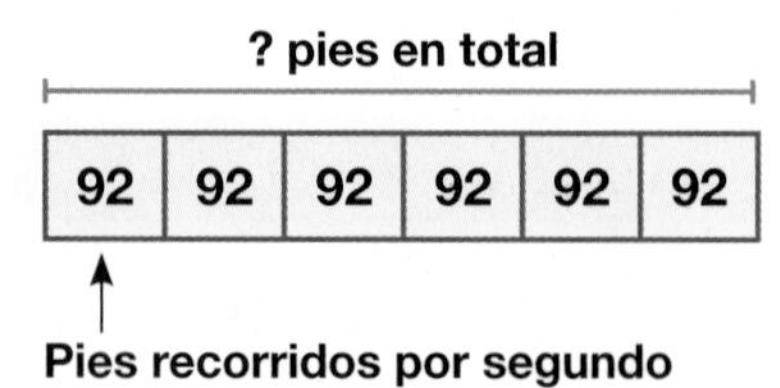

En los Ejercicios **32** y **33,** usa la tabla de la derecha.

32. En promedio, ¿cuánto crecerán las uñas durante un año?

A 60 mm **C** 40 mm

B 50 mm **D** 5 mm

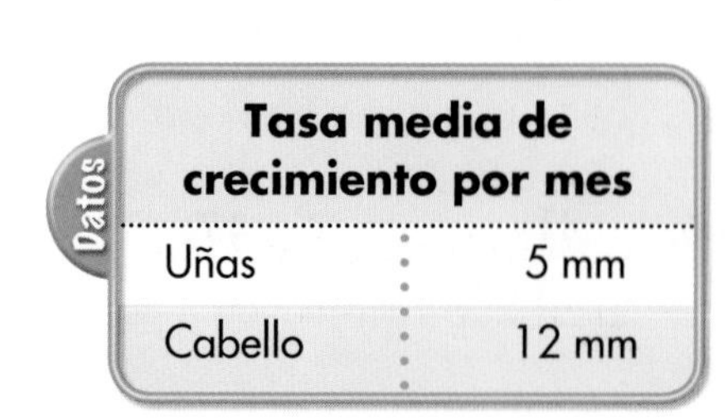

Tasa media de crecimiento por mes	
Uñas	5 mm
Cabello	12 mm

33. ¿Cuánto más crecerá el cabello que las uñas en un año?

Enlaces con el Álgebra

Multiplicación y oraciones numéricas

Recuerda que una oración numérica tiene dos números o expresiones relacionadas por $<$, $>$ o $=$. La estimación o el razonamiento pueden ayudarte a decir si es mayor el lado izquierdo o el lado derecho.

Copia y completa. Escribe $<$, $>$ o $=$ en el círculo. Comprueba tus respuestas.

Recuerda,

$>$	$<$	$=$
es mayor que	*es menor que*	*es igual a*

Ejemplo: $7 \times 52 \bigcirc 7 \times 60$

Piénsalo *¿Es 7 grupos de 52 más que 7 grupos de 60?*

Dado que 52 es menor que 60, el lado izquierdo es menor. Escribe "$<$".

$7 \times 52 \; (<) \; 7 \times 60$

1. $5 \times 71 \bigcirc 5 \times 70$ **2.** $8 \times 30 \bigcirc 8 \times 35$ **3.** $2 \times 90 \bigcirc 89 + 89$

4. $4 \times 56 \bigcirc 200$ **5.** $6 \times 37 \bigcirc 37 \times 6$ **6.** $190 \bigcirc 9 \times 25$

7. $3 \times 33 \bigcirc 100$ **8.** $80 \bigcirc 4 \times 19$ **9.** $10 \times 10 \bigcirc 9 \times 8$

10. $1 \times 67 \bigcirc 1 + 67$ **11.** $2 + 34 \bigcirc 2 \times 34$ **12.** $6 \times 18 \bigcirc 7 \times 20$

En los Ejercicios **13** y **14,** copia y completa la oración numérica que está debajo de cada problema. Úsala para explicar tu respuesta.

13. Una bandeja roja tiene 7 filas de naranjas, con 8 naranjas en cada fila. Una bandeja azul tiene 8 filas de naranjas, con 5 naranjas en cada fila. ¿Qué bandeja tiene más naranjas?

14. Mira los sombreros de abajo. El señor Fox compró 2 sombreros marrones. La señora Lee compró 3 sombreros verdes. ¿Quién pagó más por los sombreros?

15. **Escribe un problema** Escribe un problema usando una de las oraciones numéricas de los Ejercicios 1 a 6.

Lección

5-7

¡Lo entenderás!
Para hallar un producto como 264 x 3, se descompone 264 usando el valor de posición.

Multiplicar números de 3 dígitos por números de 1 dígito

¿Cómo multiplicas números más grandes?

Juan calculó que la botella grande tenía 3 veces más monedas de 1¢ que la pequeña. ¿Cuántas calculó?

Escoge una operación Multiplica para hallar "3 veces más".

Práctica guiada*

¿CÓMO hacerlo?

En los Ejercicios **1** a **4,** halla los productos. Haz una estimación para determinar si la respuesta es razonable.

1. 519×4

2. 337×2

3. 181×9

4. 6×268

¿Lo ENTIENDES?

5. **Sentido numérico** En el ejemplo de arriba, ¿cuántas decenas son 3×6 decenas?

6. Sue calculó que la botella grande tenía 8 veces más monedas de 1¢ que la pequeña. ¿Cuántas calculó?

Práctica independiente

En los Ejercicios **7** a **22,** halla los productos. Estima para comprobar si son razonables.

7. 423×2

8. 506×4

9. 821×3

10. 159×5

11. 624×7

12. 124×6

13. 281×9

14. 114×7

15. 2×256

16. 3×300

17. 3×649

18. 5×410

19. 2×125

20. 3×310

21. 4×265

22. 5×412

* *Puedes encontrar otro ejemplo en el Grupo G, página 125.*

Paso 1

Multiplica las unidades. Reagrupa si es necesario.

$$\begin{array}{r} {\scriptstyle 1} \\ 264 \\ \times \quad 3 \\ \hline 2 \end{array}$$

3×4 unidades = 12 unidades, o 1 decena y 2 unidades

Paso 2

Multiplica las decenas. Suma cualquier decena adicional. Reagrupa si es necesario.

$$\begin{array}{r} {\scriptstyle 1\,1} \\ 264 \\ \times \quad 3 \\ \hline 92 \end{array}$$

(3×6 decenas) + 1 decena = 19 decenas, o 1 centena y 9 decenas

Paso 3

Multiplica las centenas. Suma cualquier centena adicional.

$$\begin{array}{r} {\scriptstyle 1\,1} \\ 264 \\ \times \quad 3 \\ \hline 792 \end{array}$$

(3×2 centenas) + 1 centena = 7 centenas

Juan calculó 792 monedas de 1¢.

Resolución de problemas

En los Ejercicios **23** a **25,** halla el peso de los animales.

23. Caballo

24. Rinoceronte

25. Elefante

Elefante: Pesa 9 veces más que el oso

Caballo: Pesa 2 veces más que el oso

Oso: Pesa 836 libras

Rinoceronte: Pesa 5 veces más que el oso

26. **Álgebra** ¿Qué compró el señor Sims en la gran venta de aparatos electrónicos si ($3 \times \$129$) + \$180 representa el precio total?

Datos

Venta de artículos electrónicos	
Cámara digital	\$295
Computadora portátil	\$420
Reproductor de DVD	\$129
Videoteléfono	\$180

27. **Sentido numérico** ¿Qué cuesta más: 2 computadoras portátiles o 4 videoteléfonos? Usa el sentido numérico para determinar tu respuesta.

28. **Piensa en el proceso** ¿Cuál de las opciones indica cómo hallar el costo total de 1 computadora portátil y 5 cámaras digitales?

A $5 \times \$420 \times \$295$

B $(5 \times \$420) + \$295$

C $\$420 + \$295 + 5$

D $\$420 + (5 \times \$295)$

Lección
5-8

¡Lo entenderás!
Aprender cómo y cuándo hacer un dibujo y escribir una ecuación puede ayudar a resolver problemas.

Resolución de problemas

Hacer un dibujo y escribir una ecuación

Las minimotos son mucho más pequeñas que los carros, pero pueden ir a 35 millas por hora. La longitud del carro familiar que está en la tabla de la derecha es 5 veces la longitud de la minimoto. ¿Cuánto mide el carro familiar?

	Minimoto Modelo 235	Carro familiar
Altura (asiento)	19 pulgadas	?
Longitud	38 pulgadas	?
Peso	39 libras	3,164 lb

Práctica guiada*

¿CÓMO hacerlo?

Resuelve.

1. Fran pagó $8 por una semana de gasolina para su supermoto. ¿Cuánto pagó por la gasolina de 6 semanas?

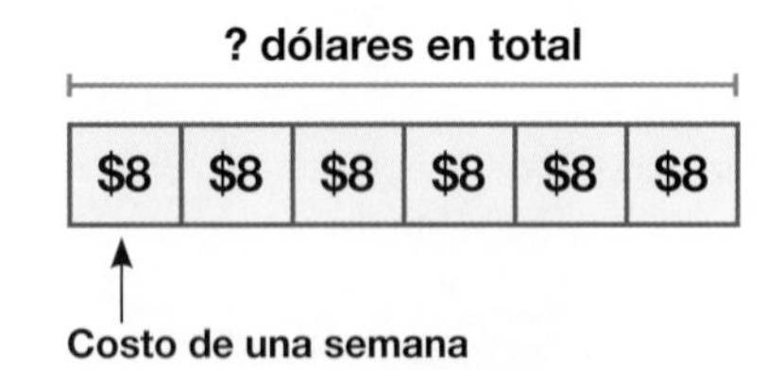

¿Lo ENTIENDES?

2. ¿Qué operación se necesita para resolver el Problema 1? Di por qué.

3. **Escribe un problema** Escribe un problema que puedas resolver por medio de
   a la suma.
   b la multiplicación.

Práctica independiente

Resuelve. Di la operación o las operaciones que usaste.

4. Los agentes de policía caminan aproximadamente 1,632 millas por año. Los carteros caminan aproximadamente 1,056 millas por año. ¿Aproximadamente cuántas millas más por año camina un agente de policía que un cartero?

1,632 millas por año

1,056	?

$1{,}632 - 1{,}056 = ?$

5. En el mapa de David, cada media pulgada representa 13 millas. El aeropuerto está a 2 pulgadas del parque estatal. ¿Cuántas millas es esto?

- ¿Qué sé?
- ¿Qué diagrama puede ayudarme a entender el problema?
- ¿Puedo usar suma, resta, multiplicación o división?
- ¿Está correcto todo mi trabajo?
- ¿Respondí a la pregunta que correspondía?
- ¿Es razonable mi respuesta?

* Puedes encontrar otro ejemplo en el Grupo H, página 125.

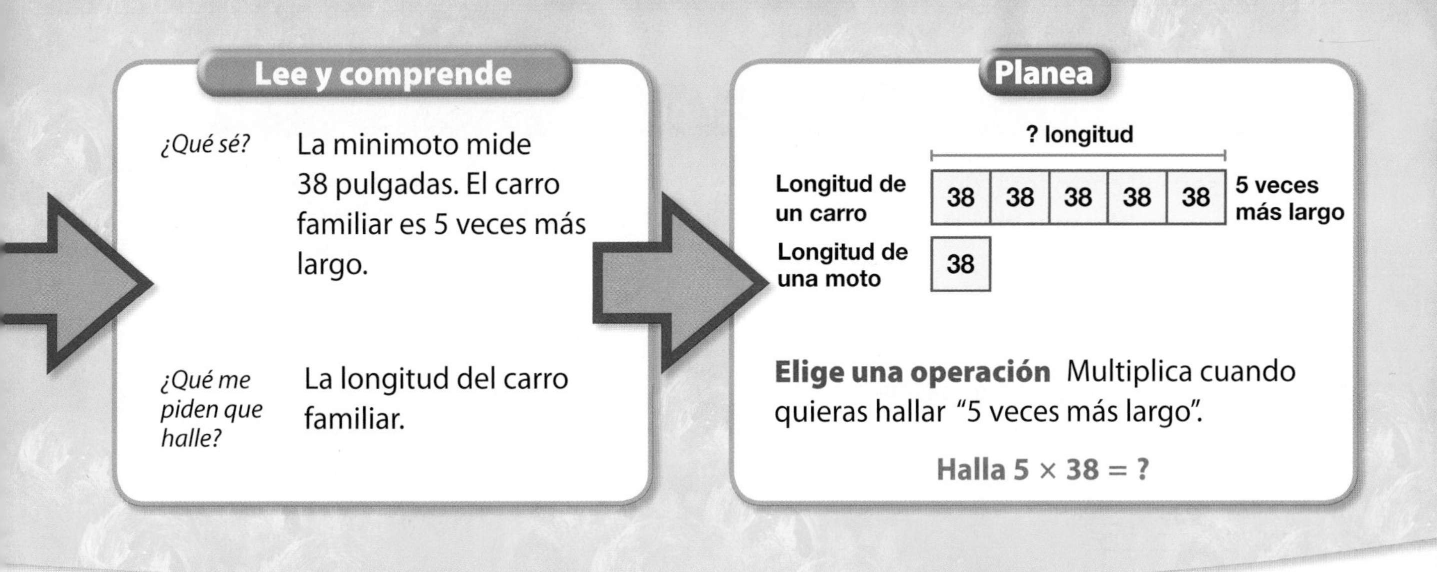

6. En 1990, una clase de la escuela secundaria de Indiana hizo un yoyó muy grande. Pesaba 6 veces lo que pesa un estudiante de 136 libras. ¿Cuál era el peso del yoyó?

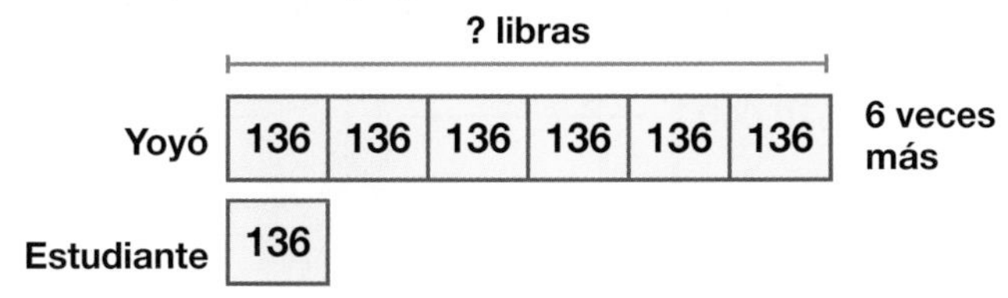

7. Los yoyós aparecieron por primera vez en los Estados Unidos en 1866, pero el nombre "yoyó" se usó por primera vez 50 años más tarde. Probablemente se deriva de un término filipino que significa "venir-venir" o "volver". ¿En qué año obtuvo el juguete el nombre de yoyó?

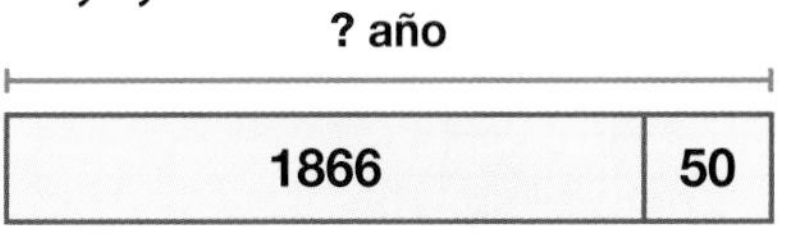

8. ¿Cuál es la distancia del contorno (perímetro) del patio de juegos que se muestra a la derecha?

9. Si la longitud de este parque que está a la derecha aumentara en 10 pies, ¿cuál sería el nuevo perímetro?

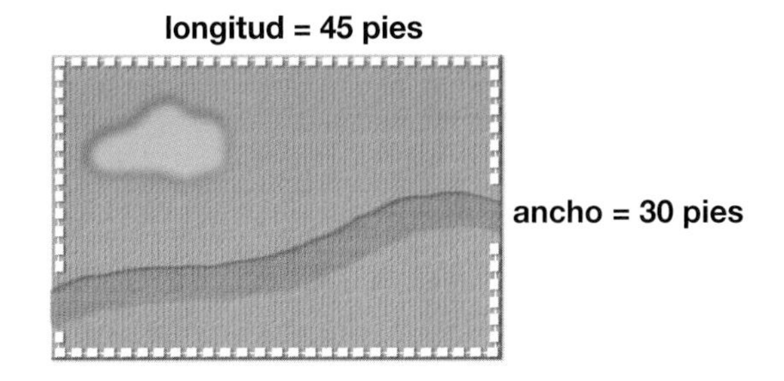

10. En una gran exposición canina, hubo 45 inscripciones para cada una de las razas que se especifican en el cuadro de la derecha. ¿Cuál es el número total de perros en esta exposición?

11. Un chihuahua pesa 6 libras. Un perro de montaña de los Pirineos pesa 17 veces más. ¿Cuál es el peso del perro de montaña de los Pirineos?

Práctica independiente

12. ¿Cuál sería el costo total de tres pasajes de avión de ida y vuelta a Hawái?

Ojo *¡Los precios de la tabla son sólo de ida!*

Datos

Destino	Precio de ida
Chicago	$296
Nueva York	$239
Los Ángeles	$349
Orlando	$189
Hawái	$625

13. ¿Cuánto menos cuesta un pasaje de avión de ida a Orlando que un pasaje de avión de ida a Chicago?

$296

$189	?

14. Usa los datos de la derecha. ¿Cuanto más dinero representa una tonelada de monedas de 10¢ que una tonelada de monedas de 1¢?

15. Cuatro amigos comparten el costo de un paseo en barco. El costo total del paseo fue de $28. ¿Cuánto pagó cada amigo?

$28

?	?	?	?

Cantidad que pagó cada uno

16. El carrito de comidas de un avión tiene 6 compartimentos. Cada compartimento contiene dos bandejas. ¿Cuántas bandejas hay en 8 carritos de comida?

Piensa en el proceso

17. Una minimoto Super cuesta 5 veces más que una bicicleta de 10 velocidades. Si la bicicleta cuesta $150, ¿qué expresión da el costo de la minimoto Super?

A $150 - 5$ **C** $150 + 5$

B 150×5 **D** $150 \div 5$

18. Las entradas para una película cuestan $8 para un adulto y $6 para un niño. Wally compra 2 entradas de adultos y 1 de niño. ¿Qué expresión puede usarse para hallar el total?

A $8 + 6 + 2 + 1$ **C** $8 + 6$

B $(2 \times 8) + (2 \times 6)$ **D** $(2 \times 8) + 6$

Operaciones en una calculadora

Este verano Jamie hizo 4 viajes entre Foster y Andersonville. Cada viaje fue de 379 millas. ¿Cuál fue el total de millas de los 4 viajes?

En septiembre, Jamie viajó 379 millas de Andersonville a Foster, 244 millas de Foster a Leyton y 137 millas para volver de Leyton a Andersonville. ¿Cuántas millas viajó Jamie en septiembre?

Paso 1 Haz un dibujo y elige una operación para la primera pregunta.

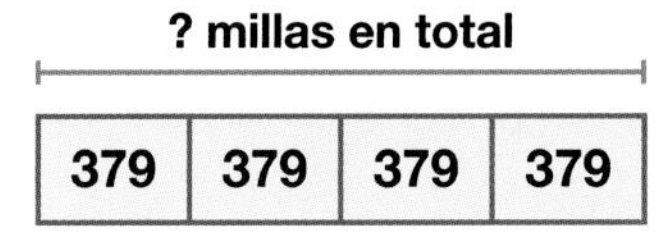

Multiplica 4×379.

Paso 2 Presiona: 4 [×] 379 [ENTER =]

Pantalla: 1516

Los cuatro viajes de Jamie cubrieron un total de 1,516 millas.

Paso 1 Haz un dibujo y elige una operación para la segunda pregunta.

? millas en total

379	244	137

Suma $379 + 244 + 137$.

Paso 2 Presiona: 379 [+] 244 [+] 137 [ENTER =]

Pantalla: 760

Jamie viajó 760 millas en septiembre.

Práctica

Para cada problema, haz un dibujo, elige una operación y resuelve.

1. ¿Cuánto más viajó Jamie de Andersonville a Foster que de Foster a Leyton?

2. ¿Cuántas millas viajaría Jamie si fuera de Andersonville a Leyton y regresara a Andersonville?

Examen

1. La señora Ortiz puede hacer 50 sopaipillas de una tanda de masa. Si hace 4 tandas de masa, ¿cuántas sopaipillas puede hacer? (5-1)

A 8

B 20

C 200

D 2,000

2. La señora Henderson compró 4 cajas de pañuelos de papel. Cada caja tiene 174 pañuelos. ¿Qué oración numérica muestra la mejor manera de usar redondeo para estimar el número total de pañuelos? (5-3)

A $4 + 100 = 104$

B $4 + 200 = 204$

C $4 \times 100 = 400$

D $4 \times 200 = 800$

3. ¿Cuál muestra una manera de usar la descomposición para hallar 7×32? (5-2)

A $210 + 14 = 224$

B $210 + 7 = 217$

C $210 + 21 = 231$

D $7 + 32 = 39$

4. Un galón de pintura puede cubrir aproximadamente 400 pies cuadrados de pared. ¿Cuántos pies cuadrados de pared cubrirán 3 galones? (5-1)

A 12

B 120

C 1,200

D 12,000

5. Un circuito para bicicletas tiene 8 millas de longitud. Ed dio 18 vueltas al circuito. Para hallar 18×8, Ed usó números compatibles y multiplicó $20 \times 8 = 160$. ¿Qué debe hacer Ed a continuación? (5-2)

A $160 - 8 = 152$

B $160 + 8 = 168$

C $160 + 16 = 176$

D $160 - 16 = 144$

6. La escuela de Susana tiene 5 grados con un promedio de 48 estudiantes en cada grado. ¿Cuál es un número razonable de estudiantes en la escuela de Susana? (5-4)

A 205, porque 5×48 es aproximadamente $5 \times 40 = 200$.

B 240, porque 5×48 es aproximadamente $5 \times 50 = 250$.

C 285, porque 5×48 es aproximadamente $5 \times 60 = 300$.

D 315, porque 5×48 es aproximadamente $6 \times 50 = 300$.

7. Cada sala de cine tiene 278 asientos. ¿Qué oración numérica se puede usar para hallar el número de asientos en 3 salas de cine? (5-8)

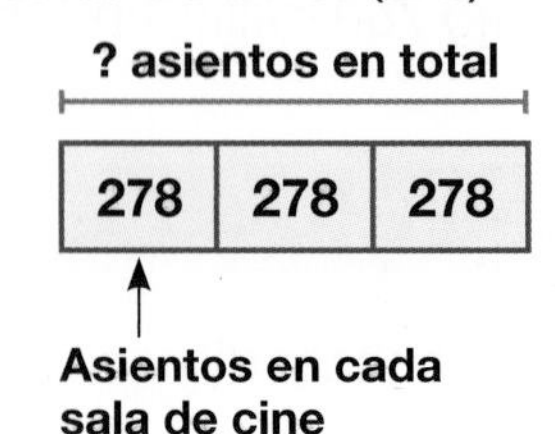

A 3×278

B $278 + 278$

C $278 + 3$

D $278 - 3$

Examen

8. Una fábrica produce 275 carros por semana. A este ritmo, ¿cuántos carros produciría la fábrica en 4 semanas? (5-7)

A 880 carros

B 1,000 carros

C 1,100 carros

D 8,300 carros

9. Nia tiene 48 clips en 5 pilas. ¿Cuántos clips hay en total? (5-6)

A 340 clips

B 240 clips

C 140 clips

D 60 clips

10. A continuación se muestra parte del cálculo para 3 × 26. ¿Qué producto parcial debe reemplazar a ▯▯?(5-5)

A 8

B 18

C 20

D 60

$$\begin{array}{r} 26 \\ \times\ 3 \\ \hline \square\square \\ +\ 60 \\ \hline 78 \end{array}$$

11. Blane ganó 230 puntos jugando un videojuego. Jane obtuvo 7 veces más puntos que Blane. ¿Cuántos puntos ganó Jane? (5-7)

A 1,610 puntos

B 1,421 puntos

C 1,410 puntos

D 161 puntos

12. Iván obtiene $22 a la semana por hacer sus tareas domésticas. ¿Cuál es la mejor estimación de la cantidad de dinero que Iván tendría si ahorrara todo el dinero de sus tareas domésticas durante 6 semanas? (5-3)

A $120

B $180

C $200

D $1,200

13. Ray cortó 6 trozos de cuerda. Cada trozo medía entre 67 y 84 pulgadas de longitud. ¿Cuál podría ser la longitud total de los 6 trozos de cuerda? (5-6)

A 360 pulgadas

B 390 pulgadas

C 480 pulgadas

D 540 pulgadas

14. Hay 52 semanas en un año. Si Jean cumplió 9 años hoy, ¿cuál es la mejor estimación del número de semanas que ha vivido Jean? (5-3)

A 300

B 350

C 400

D 450

15. Alí corrió durante 19 minutos en 7 días seguidos. ¿Cuántos minutos corrió Alí? (5-6)

A 26 minutos

B 70 minutos

C 106 minutos

D 133 minutos

Refuerzo

Grupo A, páginas 96 y 97

Se usan operaciones básicas de multiplicación para multiplicar por múltiplos de 10 y de 100.

Para múltiplos de 10, se multiplica por el dígito que está en el lugar de las decenas. Luego, se escribe un cero en el producto.

Hallar $4 \times 60 \rightarrow$ Se multiplica $4 \times 6 = 24$.

Se escribe un cero después de 24.

$4 \times 60 = 240$

Por tanto, $4 \times 60 = 240$.

Para múltiplos de 100, se multiplica por el dígito que está en el lugar de las centenas. Luego se escriben dos ceros en el producto.

Hallar $4 \times 600 \rightarrow$ Se multiplica $4 \times 6 = 24$.

Se escriben dos ceros después de 24.

$4 \times 600 = 2{,}400$

Por tanto, $4 \times 600 = 2{,}400$.

Recuerda que, cuando el producto de una operación básica tiene un cero, la respuesta tendrá un cero más.

Escribe la operación básica. Luego halla el producto.

1. 8×60
2. 3×40
3. 6×50
4. 5×300
5. 700×4
6. 2×900
7. 300×7
8. 80×8
9. 100×4
10. 30×6
11. 20×9
12. 9×800
13. 5×70
14. 2×70
15. 300×3
16. 40×9
17. 7×70
18. 500×4

Grupo B, páginas 98 y 99

Una forma de multiplicar mentalmente es usar números compatibles.

Halla 2×27.

Resta 2 de 27 para tener 25.

$2 \times 25 = 50$

Ahora ajusta. Suma 2 grupos de 2.

$50 + 4 = 54$

Por tanto, $2 \times 27 = 54$.

Recuerda que debes comprobar si la respuesta es razonable.

Halla los productos.

1. 6×13
2. 3×46
3. 7×63
4. 9×24
5. 5×87
6. 6×14
7. 2×72
8. 28×6
9. 61×9
10. 49×4
11. 47×6
12. 81×8
13. 5×72
14. 76×4

15

Refuerzo

Grupo C, páginas 100 y 101

Estima 9×83.

Redondea 83 a 80.

9×83
↓
9×80

$9 \times 80 = 720$

9×83 es aproximadamente 720.

Recuerda que, cuando ambos números redondeados son menores que los factores que reemplazan, su producto también será menor que el producto de los factores.

Estima cada producto.

1. 8×76
2. 493×3
3. 96×5
4. 678×6
5. 707×4
6. 42×9
7. 148×3
8. 719×9
9. 5×299
10. 6×109
11. 4×253
12. 287×3

Grupo D, páginas 102 a 104

Tony está preparando centros de mesa para un banquete. Habrá 12 mesas con un centro de mesa en cada una. Para cada centro de mesa necesita 5 hojas de cartulina.

¿Qué sé?	Hay 12 mesas en el banquete. Cada centro de mesa necesita 5 hojas de cartulina.
¿Qué me piden que halle?	El número de hojas de cartulina que se necesitarán para preparar los centros de mesa.

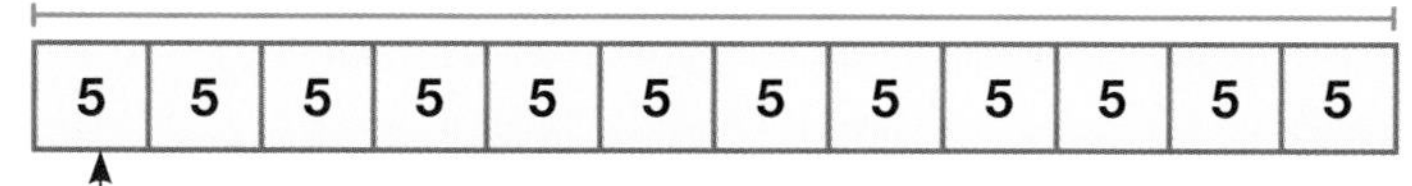

$12 \times 5 = 60$

Estima para determinar si la respuesta es razonable.

12 se redondea a 10.
$10 \times 5 = 50$

La respuesta es razonable porque 50 está cerca de 60.

Recuerda que debes comprobar si la respuesta es razonable.

Resuelve.

1. Mitchell gana 8 dólares por hora repartiendo periódicos. ¿Cuánto ganará Mitchell si trabaja durante10 horas?

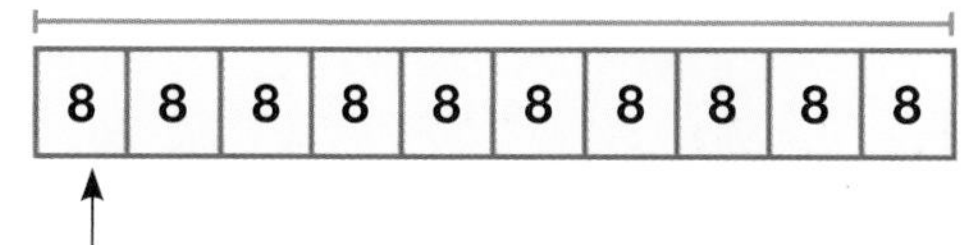

2. Joan necesita sobres. Cada paquete cuesta $4. ¿Cuánto pagará Joan por 9 paquetes de sobres?

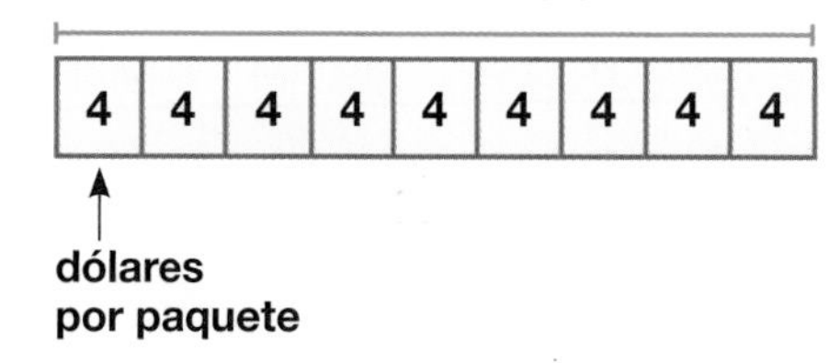

Refuerzo

Grupo E, páginas 106 a 108

Halla 4×12.

Usa bloques o haz un dibujo para hacer una matriz.

$$\begin{array}{r} 12 \\ \times \ 4 \\ \hline 8 \\ +40 \\ \hline 48 \end{array}$$

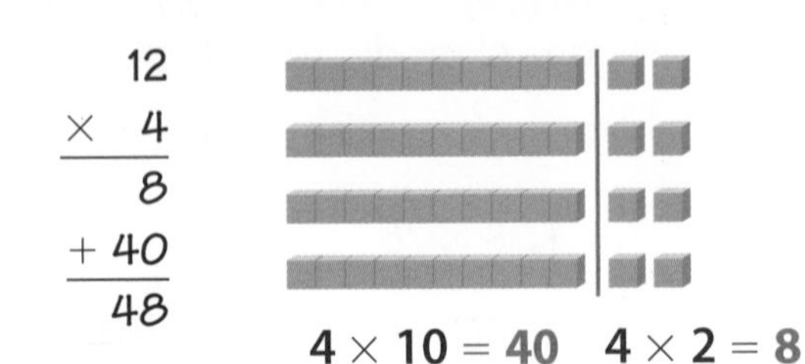

$4 \times 10 = 40 \quad 4 \times 2 = 8$

$40 + 8 = 48$

Halla 6×22.

$$\begin{array}{r} 22 \\ \times \ 6 \\ \hline 12 \\ +120 \\ \hline 132 \end{array}$$

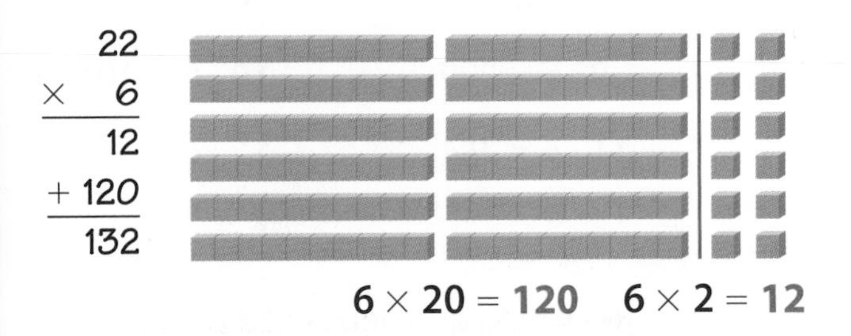

$6 \times 20 = 120 \quad 6 \times 2 = 12$

$120 + 12 = 132$

Recuerda que debes comprobar que tu dibujo muestra en forma precisa los números que se están multiplicando.

1. 28×6
2. 28×3
3. 75×5
4. 53×4
5. 88×2
6. 21×6
7. 12×8
8. 45×5
9. 42×7
10. 37×3

Grupo F, páginas 110 a 112

Halla 5×13.

Paso 1

Multiplica las unidades. Reagrupa, si es necesario.

$$\begin{array}{r} {}^{1} \\ 13 \\ \times \ 5 \\ \hline 5 \end{array}$$

Paso 2

Multiplica las decenas. Suma cualquier decena adicional.

$$\begin{array}{r} {}^{1} \\ 13 \\ \times \ 5 \\ \hline 65 \end{array}$$

Halla 8×24.

Paso 1

Multiplica las unidades. Reagrupa, si es necesario.

$$\begin{array}{r} {}^{3} \\ 24 \\ \times \ 8 \\ \hline 2 \end{array}$$

Paso 2

Multiplica las decenas. Suma cualquier decena adicional.

$$\begin{array}{r} {}^{3} \\ 24 \\ \times \ 8 \\ \hline 192 \end{array}$$

Recuerda que puedes usar una matriz como ayuda para multiplicar. Comprueba tu respuesta con una estimación.

1. 18×2
2. 48×5
3. 33×6
4. 97×7
5. 62×4
6. 25×8
7. 45×8
8. 88×4
9. 72×6
10. 54×7

Refuerzo

Grupo G, páginas 114 y 115

Halla 768×6.

Paso 1

Multiplica las unidades. Reagrupa, si es necesario.

$$\begin{array}{r} {}^{4}\\ 768 \\ \times \quad 6 \\ \hline 8 \end{array}$$

Paso 2

Multiplica las decenas. Suma cualquier decena adicional. Reagrupa, si es necesario.

$$\begin{array}{r} {}^{4\,4}\\ 768 \\ \times \quad 6 \\ \hline 08 \end{array}$$

Paso 3

Multiplica las centenas. Suma cualquier centena adicional.

$$\begin{array}{r} {}^{4\,4}\\ 768 \\ \times \quad 6 \\ \hline 4{,}608 \end{array}$$

Recuerda que debes comprobar tu respuesta con una estimación.

1. 239×4
2. 148×5
3. 233×6
4. 907×7
5. 261×4
6. 250×8

Grupo H, páginas 116 a 118

Un huerto tiene 3 veces tantos manzanos como cerezos. Si hay 52 cerezos, ¿cuántos manzanos hay?

¿Qué sé? Hay 52 cerezos. Hay 3 veces esa cantidad de manzanos.

¿Qué me piden que halle? El número de manzanos.

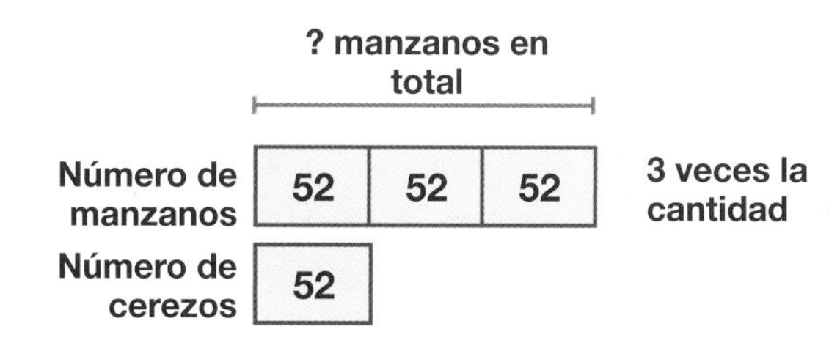

Escoge una operación Multiplica cuando quieras hallar "tantas veces más".

$3 \times 52 = 156$

Hay 156 manzanos.

Recuerda que puedes hacer un dibujo como ayuda para resolver un problema.

1. Un día tiene 24 horas. ¿Cuántas horas tiene una semana?

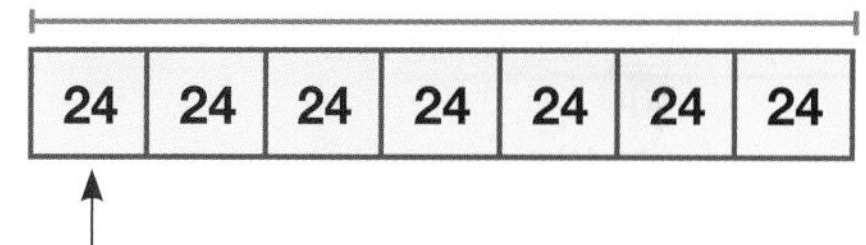

2. Una oficina pidió 6 máquinas copiadoras. Cada máquina pesaba 108 libras. Halla el peso total del pedido.

3. Celia tiene cuatro semanas para ahorrar $58 para sus vacaciones. En la primera semana, ahorró $10; en la segunda semana, $21, y en la tercera semana, $17. ¿Cuánto más necesita ahorrar?

Tema 6

Patrones y expresiones

1 ¿Cuántos representantes de Nueva York hay en el Congreso? Lo averiguarás en la Lección 6-2.

2 El kudzú es la planta de crecimiento más rápido del mundo. ¿A qué velocidad puede crecer esta enredadera? Lo averiguarás en la Lección 6-3.

3

En un año bisiesto, se le agrega un día a febrero. ¿Cuál será el quinto año bisiesto después del año 2000? Lo averiguarás en la Lección 6-1.

Repasa lo que sabes

Vocabulario

Elige el mejor término del recuadro.

- expresión
- par ordenado
- factores
- múltiplo

1. Un _?_ es el producto de un número entero y cualquier otro número entero.

2. Una _?_ puede incluir números y al menos una operación.

3. Un _?_ es un par de números usados para identificar un punto en una gráfica de coordenadas.

4. Los _?_ son números que se multiplican para hallar un producto.

Patrones

En cada conjunto de números, halla el número que falta.

5. 2, ▢, 4, 5, 6

6. ▢, 10, 15, 20

7. 3, 6, 9, ▢

8. 4, 8, ▢, 16

9. 17, ▢, 35, 44

10. 50, 39, ▢, 17

Multiplicación

Resuelve.

11. 5×6

12. 120×4

13. 35×2

14. 9×8

15. 14×3

16. 132×5

17. En el beisbol, hay 6 *outs* en 1 entrada completa. ¿Multiplicarías o dividirías para hallar el número de *outs* en 2 entradas?

18. Escribir para explicar ¿Cómo describirías el patrón de los múltiplos de 2? ¿Y de los múltiplos de 5?

Lección
6-1

¡Lo entenderás!
Las expresiones pueden tener tanto variables como números.

Variables y expresiones

¿Cómo puedes usar expresiones con variables?

Una variable es un símbolo que representa un número.

Una clase de taekwondo tiene 23 personas. Si se inscriben *n* personas más, ¿cuántas personas tomarán la clase?

n	$23 + n$
3	
5	
7	

Otros ejemplos

Una expresión algebraica es una frase matemática que contiene números o variables y, al menos, una operación.

En palabras	Expresión
suma 5	$n + 5$
multiplica por 2	$n \times 2$

Práctica guiada*

¿CÓMO hacerlo?

En los Ejercicios **1** a **3**, copia y completa la tabla.

	c	$c + 8$
1.	4	
2.	9	
3.	13	

¿Lo ENTIENDES?

4. Escribir para explicar ¿Puedes usar la variable *k* en lugar de la *n* para representar más estudiantes que se inscriben para la clase de taekwondo?

5. Si *n* es 12, ¿cuántas personas tomarán la clase de taekwondo?

Práctica independiente

En los Ejercicios **6** a **8**, copia y completa la tabla de cada problema.

6.

d	$d + 30$
3	
7	
12	

7.

g	$5 \times g$
6	
9	
15	

8.

m	$m \div 10$
350	
240	
120	

DIGITAL
Glosario animado
www.pearsonsuccessnet.com

** Puedes encontrar otro ejemplo en el Grupo A, página 138.*

Lo que muestras

Usa la expresión, $23 + n$, para hallar los números que faltan.

$23 + n$

↓

$23 + 3 = 26$

n	$23 + n$
3	$23 + 3$
5	$23 + 5$
7	$23 + 7$

Lo que escribes

Si se inscriben 3 personas más, habrá 26 personas en la clase.

Si se inscriben 5 personas más, habrá 28 personas en la clase.

Si se inscriben 7 personas más, habrá 30 personas en la clase.

En los Ejercicios **9** a **12,** completa los números que faltan.

9.

z	152	128	112	88
$z \div 8$	19		14	11

10.

t	43	134	245	339
$t + 47$	90	181		386

11.

y	387	201	65	26
$y - 13$	374	188		

12.

x	5	7	10	20
$x \times 12$	60	84		

Resolución de problemas

13. El año 2020 será el quinto año bisiesto después del año 2000. Nombra los años bisiestos entre el 2000 y el 2020.

Un año bisiesto ocurre cada 4 años entre el 2000 y el 2020.

14. ¿Cuál expresión representa la cantidad de segundos que hay en 5 minutos?

A $s + 5$

B $s \div 5$

C $s \times 5$

D $s - 5$

15. Una rueda de Chicago tiene 12 cabinas. El operador necesita mantener vacías las cabinas 2, 4 ó 6. Haz una tabla para mostrar cuántas personas pueden subir si cada cabina lleva 4 personas.

16. Escribe una expresión numérica para representar el costo de estacionar un carro durante n horas en un estacionamiento que cobra $7.00 por hora. Halla el costo de estacionar el carro durante 3 horas.

17. ¿Es razonable? Edgar usó $10 \times d$ para representar el número de monedas de 10¢ que hay en d dólares. ¿Es esto razonable?

18. Razonamiento ¿Cómo podrías formar $36.32 con sólo 4 billetes y 4 monedas?

Lección
6-2

¡Lo entenderás!
Las reglas nos pueden ayudar al escribir expresiones.

Expresiones de suma y de resta

¿Cómo puedes hallar una regla y escribir una expresión?

¿Cuál es la regla de la tabla? ¿Cómo puedes usar la regla para escribir una expresión y hallar el precio rebajado cuando el precio normal es $18? Sea *p* el precio normal.

Precio normal (p)	$21	$20	$19	$18
Precio rebajado	$16	$15	$14	

Práctica guiada*

¿CÓMO hacerlo?

En los Ejercicios **1** y **2,** usa la tabla de abajo.

Número total de preguntas del examen (p)	20	30	40	50
Número de preguntas de opción múltiple	10	20	30	

1. ¿Cuál es la regla en palabras para la tabla? ¿Y en símbolos?

2. ¿Cuántas preguntas de opción múltiple habría en un examen de 50 preguntas?

¿Lo ENTIENDES?

3. Escribir para explicar ¿Cómo usarías bloques de valor de posición para hallar una regla de la tabla de la izquierda?

4. Tony gana $7 y ahorra $2. Cuando gana $49, ahorra $44. Cuando gana $10, ahorra $5. Escribe una expresión para la cantidad que ahorra.

Ojo *Haz una tabla como ayuda para hallar la regla.*

5. En el ejemplo de arriba, ¿cuál es el precio rebajado cuando el precio normal es $30?

Práctica independiente

Práctica al nivel En los Ejercicios **6** a **11,** halla la regla.

6.

n	3	4	5
$n +$ ▢	7	8	9

7.

b	31	42	55
$b -$ ▢	23	34	47

8.

q	0	2	8
$q +$ ▢	15	17	23

9.

p	3	4	5
$p +$ ▢	68	69	70

10.

x	18	21	26
$x -$ ▢	5	8	13

11.

r	112	96	62
$r -$ ▢	73	57	23

* *Puedes encontrar otro ejemplo en el Grupo B, página 138.*

Resta para hallar el precio rebajado.

Para un precio normal de $21:

$21 - 5 = 16$

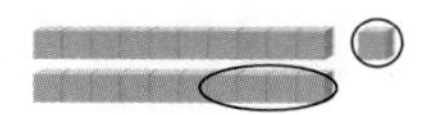

Para un precio normal de $20:

$20 - 5 = 15$

Para un precio normal de $19:

$19 - 5 = 14$

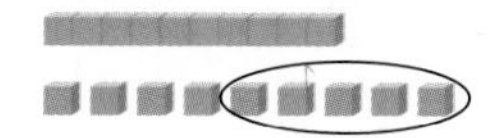

La regla es restar 5.
Por tanto, la expresión es $p - 5$.

Usa la expresión $p - 5$ para hallar el valor que falta cuando $p = 18$.

Resta 5 al precio normal, p.

Precio normal (p)	$21	$20	$19	$18
Precio rebajado	$16	$15	$14	$18 − 5

Cuando el precio normal es $18, el precio rebajado es $13.

En los Ejercicios **12** a **15,** copia cada tabla, complétala y halla la regla.

12.

n	15	18	20	27
$n +$ ▢	58	61	63	▢

13.

u	212	199	190	188
$u -$ ▢	177	164	155	▢

14.

c	31	54	60	64
$c -$ ▢	5	28	34	▢

15.

a	589	485	400	362
$a -$ ▢	575	471	386	▢

Resolución de problemas

En los Ejercicios **16** y **17,** usa la tabla de la derecha.

Datos

Número de miembros en el Congreso de los Estados Unidos

Estado	Cámara	Senado
Texas	32	2
Missouri	9	2
Hawái	2	2
Nueva York	29	2

16. El Congreso de los Estados Unidos incluye 2 senadores de cada estado además de los miembros de la Cámara de Representantes. El número de representantes, r, se basa en la población del estado. Escribe una regla para el número total de miembros que cada estado tiene en el Congreso.

17. ¿Cuántos miembros tiene en el Congreso cada estado de la tabla?

18. Razonamiento Don, Wanda y Stu practican softbol, básquetbol o futbol americano. Cada uno practica sólo un deporte. Wanda no practica futbol americano. Don no practica softbol. Stu no practica básquetbol ni softbol. ¿Qué deporte practica cada uno?

19. Escribir para explicar Chang ha manejado 1,372 millas. Si el millaje total de este viaje es de 2,800 millas, ¿cuántas millas le quedan por manejar a Chang? Explícalo.

Lección
6-3

¡Lo entenderás!
Las reglas nos pueden ayudar al escribir expresiones.

Expresiones de multiplicación y de división

¿Cómo puedes hallar una regla y escribir una expresión?

¿Cuál es la regla de la tabla? ¿Cómo puede Josie usar la regla para escribir una expresión y hallar el número de tarjetas que hay en 4 cajas? Sea *c* el número de cajas.

Número de cajas (c)	1	2	3	4
Número de tarjetas de apuntes	15	30	45	■

Práctica guiada*

¿CÓMO hacerlo?

En los Ejercicios **1** y **2,** usa la tabla de abajo.

Número de entradas (e)	2	4	6	8
Precio total	$60	$120	$180	■

1. ¿Cuál es la regla para la tabla en palabras? ¿Y en símbolos?

2. ¿Cuánto costarán 8 entradas?

¿Lo ENTIENDES?

3. **Escribir para explicar** ¿Cómo podrías usar bloques de valor de posición para describir la regla de la tabla de la izquierda?

4. ¿Cómo podrías hallar el precio de 1 entrada con la información de los Ejercicios 1 y 2?

5. En el ejemplo anterior, ¿cuántas tarjetas de apuntes hay en 13 cajas?

Práctica independiente

Práctica al nivel En los Ejercicios **6** a **8,** halla la regla.

6.

n	3	8	10
n × ■	18	48	60

7.

p	2	4	8
p ÷ ■	1	2	4

8.

t	2	3	4
■ × *t*	16	24	32

En los Ejercicios **9** a **12,** copia y completa las tablas y halla la regla.

9.

e	4	8	12	16
e ÷ ■	1	2	3	■

10.

j	7	9	11	16
■ × *j*	98	126	154	■

11.

w	5	7	8	10
■ × *w*	35	49	56	■

12.

s	60	80	85	90
s ÷ ■	12	16	17	■

* *Puedes encontrar otro ejemplo en el Grupo C, página 139.*

Multiplica para hallar el número de tarjetas.

Para 1 caja:
$1 \times 15 = 15$

Para 2 cajas:
$2 \times 15 = 30$

Para 3 cajas:
$3 \times 15 = 45$

La regla es multiplicar por 15.
Por tanto, la expresión es $c \times 15$.

Usa la expresión $c \times 15$ para hallar el valor que falta cuando $c = 4$.

$c \times 15 = 4 \times 15$

Número de cajas (c)	1	2	3	4
Número de tarjetas de apuntes	15	30	45	4×15

Hay 60 tarjetas de apuntes en 4 cajas.

Resolución de problemas

En los Ejercicios **13** y **14,** usa la tabla de la derecha.

La familia Baker está decidiendo qué tipo de televisor comprar para la sala.

Datos

Tipo de televisor	Costo
Plasma de 50 pulgadas	$2800.00
Pantalla plana de 34 pulgadas	$900.00
Cristal líquido de 26 pulgadas	$500.00

13. ¿Cuánto más cuesta un televisor con pantalla de plasma de 50 pulgadas que uno de pantalla plana de 34 pulgadas?

14. ¿Cuánto menos cuesta un televisor con pantalla de cristal líquido de 26 pulgadas que uno con pantalla de plasma de 50 pulgadas?

15. Hay 60 minutos en una hora y 7 días en una semana. ¿Aproximadamente cuántos minutos hay en una semana?

A Aproximadamente 1,500 minutos

B Aproximadamente 6,000 minutos

C Aproximadamente 10,000 minutos

D Aproximadamente 42,000 minutos

16. Cami compró un libro por $12.52 y un marcalibros por $1.19. ¿Cuánto cambio obtendrá si pagó con un billete de $20?

A $6.19

B $6.29

C $9.29

D $13.71

En el Ejercicio **17,** usa la tabla de la derecha.

17. El kudzú es la hierba de crecimiento más rápido en el mundo. Copia y completa la tabla de la derecha para hallar una regla de la velocidad de crecimiento del kudzú. ¿Cuál es la regla en palabras?

Día	1	2	3	4	5	6
Pulgadas	12	24				72

Lección
6-4

¡Lo entenderás!
Aprender cómo y cuándo usar el razonamiento puede ayudar a resolver problemas.

Resolución de problemas

Usar objetos y razonar

Cubos

La colección de conchas de Annette tiene conchas de caracol, conchas amarillas y conchas rojas. Usa cubos para mostrar los objetos y resuelve el problema.

¿Cuántas conchas de cada tipo hay en la colección de Annette?

Colección de Annette

- 2 conchas de caracol
- 3 veces la cantidad de conchas rojas
- 6 conchas en total

2 conchas de caracol

Práctica guiada*

¿CÓMO hacerlo?

Resuelve.

1. Patty preparó el almuerzo para un picnic con sus amigos. Hizo 6 sándwiches. Tres de ellos eran de pavo. Había 1 sándwich de pollo menos que de rosbif. ¿Cuántos sándwiches de cada tipo había?

¿Lo ENTIENDES?

2. ¿Es razonable? ¿Es razonable tu respuesta al Ejercicio 1? ¿Qué oración numérica puedes escribir para comprobarla?

3. Escribe un problema Escribe un problema que use la siguiente información:

- 5 camisas en total
- 2 camisas azules
- 1 camisa amarilla más que rojas

Práctica independiente

Resuelve. Usa objetos como ayuda.

4. Margo lleva envases de jugo al parque. Lleva de jugo de manzana, de naranja y de uva. Hay 9 envases en total. Hay uno más de jugo de manzana que de uva. Hay 2 de jugo de uva. ¿Cuántos envases de cada tipo de jugo hay?

5. Jamie lleva fruta seca, pretzels y zanahorias a la sede del club. Hay 4 paquetes de fruta seca. Hay 1 paquete menos de pretzels que de zanahorias. Hay 7 bocaditos en total. ¿Cuántos bocaditos de cada tipo hay?

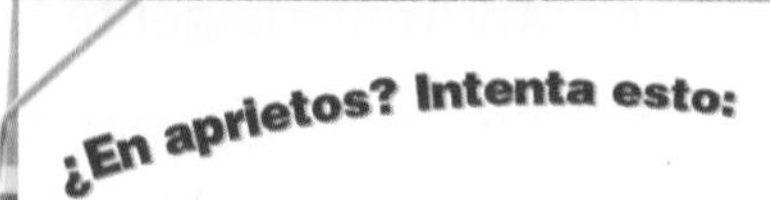

- ¿Qué sé?
- ¿Qué diagrama puede ayudarme a entender el problema?
- ¿Puedo usar suma, resta, multiplicación o división?
- ¿Está correcto todo mi trabajo?
- ¿Respondí a la pregunta que correspondía?
- ¿Es razonable mi respuesta?

* *Puedes encontrar otro ejemplo en el Grupo D, página 139.*

Lee y comprende

Usa objetos para mostrar lo que sabes. Usa el razonamiento para sacar conclusiones.

Hay 6 conchas en total.

Hay 2 conchas de caracol.

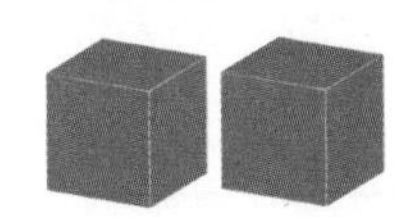

Eso deja un total de 4 conchas amarillas y rojas.

Planea

Hay 4 conchas amarillas y rojas.

Hay 3 veces más conchas amarillas que rojas.

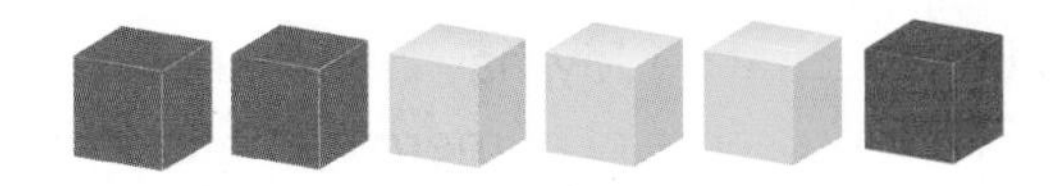

Tiene que haber 2 conchas de caracol, 3 conchas amarillas y 1 concha roja.

$2 + 3 + 1 = 6$

Por tanto, la respuesta es razonable.

6. Mark está ahorrando su mesada para una bicicleta nueva. La bicicleta que quiere le costará $240. Puede ahorrar $30 cada semana. ¿Cuántas semanas necesitará Mark para poder comprar la bicicleta?

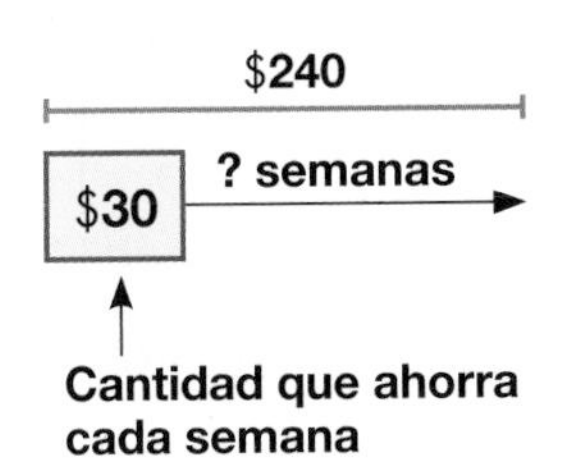

7. El huerto de Leah tiene 11 filas. Hay 4 filas de tomates. Hay una fila más de pepinos que de tomates. Las demás filas son de pimentones. ¿Cuántas filas de cada tipo de verduras hay en el huerto de Leah?

8. En el Grupo 1 hay 14 excursionistas. Seis excursionistas están paseando en bote y $\frac{1}{2}$ de esa cantidad está haciendo artesanías. ¿Cuántos excursionistas del Grupo 1 están haciendo cada actividad?

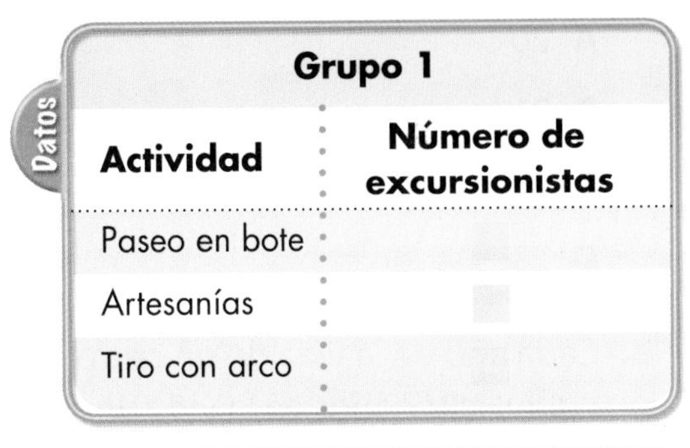

Datos

Grupo 1

Actividad	Número de excursionistas
Paseo en bote	
Artesanías	
Tiro con arco	

9. En el Grupo 2 hay 13 excursionistas. Cuatro excursionistas están jugando al tenis y uno está pescando. Hay dos veces más excursionistas nadando que jugando al tenis. ¿Cuántos excursionistas del Grupo 2 están haciendo cada actividad?

Datos

Grupo 2

Actividad	Número de excursionistas
Natación	
Tenis	
Pesca	

10. En el Grupo 1 se agregó un excursionistas más y cada uno realizó una actividad diferente. Ahora 8 excursionistas están paseando en bote y $\frac{1}{2}$ de esa cantidad está practicando tiro con arco. ¿Cuántos excursionistas del Grupo 1 están haciendo cada actividad?

Examen

1. En el recital de Joy, hay 24 bailarines. Si *n* representa el número de bailarines de jazz, ¿qué expresión representa el número de otro tipo de bailarines? (6-1)

A $24 + n$

B $24 - n$

C $24 \times n$

D $24 \div n$

2. Según el patrón de la tabla, ¿cuántas carreras tendrá el equipo de softbol de Shanna para la temporada si anotaron 6 carreras en su partido? (6-2)

Equipo de softbol de Shanna

Carreras anotadas en el partido	1	3	4	6
Total para la temporada	16	18	19	

A 20

B 21

C 22

D 23

3. Cada año de la vida de un perro equivale a 7 años en la vida de los humanos. ¿Qué manera hay de hallar el número de años humanos que equivalen a 9 años de perro? (6-3)

Años de perro	1	2	3	4
Años humanos	7	14	21	28

A Resta 7 a 9

B Suma 7 a 9

C Divide 9 por 7

D Multiplica 9 por 7

4. ¿Cuál es la regla para la tabla? (6-2)

Precio normal (p)	\$157	\$145	\$133	\$121
Precio con el cupón	\$145	\$133	\$121	\$109

A $p + 13$

B $p - 13$

C $p + 12$

D $p - 12$

5. El señor Robinson usó la siguiente tabla para calcular cuántos adultos se necesitan para organizar el viaje de 4.º grado al observatorio.

Número de estudiantes (e)	8	16	24	32
Número de adultos	1	2	3	4

¿Qué regla muestra cuántos adultos se necesitan para *e* estudiantes? (6-3)

A $e - 7$

B $8 \times e$

C $e \div 8$

D $8 + e$

6. Las pelotas de tenis se venden de a 3 por lata. Vera y Tina compraron 12 latas en total. Tina compró dos veces más latas que Vera. ¿Cuántas latas compró Vera? (6-4)

A 12

B 8

C 4

D 3

Examen

7. Alan participó en una competencia de lectura. Leyó la misma cantidad de tiempo cada noche durante 2 semanas. La tabla muestra el total parcial de cuántos minutos leyó.

Número de días	3	7	10	14
Total de minutos que leyó	60	140	200	280

Según el patrón de la tabla, ¿cómo podría el maestro decir cuántos minutos leyó Alan cada noche? (6-3)

A Multiplica el Número de días por el Total de minutos que leyó

B Resta el Total de minutos que leyó al Número de días

C Divide el Total de minutos que leyó por el Número de días

D Suma todos los números del Total de minutos que leyó y divide por 4

8. ¿Qué número completa la tabla? (6-1)

w	72	60	48	42
$w \div 6$	12	10		7

A 8

B 9

C 42

D 288

9. ¿Cuál es la regla de la tabla? (6-2)

d	7	11	17	21
	42	46	52	56

A $d + 35$

B $d + 4$

C $d + d + d + d + d + d$

D $d - 35$

10. La tabla muestra cuántas lámparas solares se instalaron a lo largo de una acera.

Número de yardas de acera	*Número de lámparas solares*
100	20
200	40
250	50
300	

¿Cómo se puede hallar el número de lámparas solares instaladas en 900 yardas de acera? (6-3)

A Multiplica 5 por 300

B Divide 300 por 5

C Suma 300 a 5

D Resta 300 a 5

11. Corrina tiene $138. Después de cuidar a un bebé, tendrá $\$138 + x$, donde x es igual a la cantidad que gana como niñera. Si x es $25, ¿cuánto dinero tendrá? (6-1)

A $138

B $153

C $158

D $163

Refuerzo

Grupo A, páginas 128 y 129

En un viaje, cada carro lleva 8 niños. Para n niños, estarán llenos $n \div 8$ carros en el viaje. ¿Cuántos carros estarán llenos si hay 16, 24 ó 40 niños?

Encuentra el valor de $n \div 8$ para cada valor de n.

n	$n \div 8$
16	2
24	3
40	5

Si hay 16 niños, estarán llenos 2 carros.

Si hay 24 niños, estarán llenos 3 carros.

Si hay 40 niños, estarán llenos 5 carros.

Recuerda que para hallar valores desconocidos, reemplazas la variable con valores conocidos.

1.

e	16	25	36
$20 + e$	▢	▢	▢

2.

h	14	16	18
$h \times 4$	▢	▢	▢

3.

n	112	56	28
$n - 14$	▢	▢	▢

4.

f	18	36	42
$f \div 6$	▢	▢	▢

Grupo B, páginas 130 y 131

Mira la tabla de abajo. Empieza con el número de la primera columna. ¿Qué regla te dice cómo hallar el número de la segunda columna?

Precio normal (p)	Precio rebajado
$43	$41
$45	$43
$46	$44
$47	▢

43 − 2 = 41
45 − 2 = 43
46 − 2 = 44

La regla es restar 2 o $p - 2$.

Usa la regla para hallar el número que falta en la tabla.

47 − 2 = 45

Cuando el precio normal es $47, el precio rebajado es $45.

Recuerda que debes preguntar: "¿Cuál es la regla?".

Copia y completa las tablas, y halla las reglas.

1.

n	▢ $- n$
3	12
5	10
8	7
12	▢

2.

x	▢ $+ x$
34	100
0	66
8	74
13	▢

3.

t	4	6	8	13
$t -$ ▢	▢	4	6	11

4.

r	80	48	27	13
$r +$ ▢	88	56	35	▢

Grupo C, páginas 132 y 133

Mira la tabla de abajo. ¿Qué regla te dice cómo hallar los números de la segunda columna?

Horas trabajadas (*h*)	Salario
2	\$10
4	\$20
6	\$30
8	

Piénsalo

$2 \times 5 = 10$

$4 \times 5 = 20$

$6 \times 5 = 30$

La regla es multiplicar por 5 o $h \times 5$.

Usa la regla para hallar el número que falta en la tabla.

$8 \times 5 = 40$

Recuerda que una regla debe funcionar con todos los números de la tabla.

1.

n	2	6	8	10
$\square \times n$	6	18	24	

2.

r	3	7	8	11
$r \times \square$	12	28		44

3.

e	80	70	60	50
$e \div \square$	8	7		5

4.

s	55	40	35	15
$s \div \square$	11	8		3

Grupo D, páginas 134 y 135

Janet colecciona piedras. Su colección tiene piedras negras, piedras blancas y piedras café. Usa cubos para mostrar los objetos y resuelve el problema.

Colección de Janet:

2 piedras negras

2 veces más piedras cafés que piedras blancas

14 objetos en total

¿Qué sé?	La colección tiene piedras negras, blancas y café. Hay dos veces más piedras café que piedras blancas. Hay 14 objetos en total.
¿Qué me piden que halle?	El número de piedras negras, piedras café y piedras blancas que tiene la colección de Janet.

Hay 2 piedras negras, 4 piedras blancas y 8 piedras café.

$2 + 4 + 8 = 14$; por tanto, la respuesta es razonable.

Recuerda que para resolver un problema puedes hacer una lista, usar objetos y razonar.

1. Seis amigos juegan en tres equipos diferentes: Orioles, Cardinals y Blue Jays. Hay igual número de jugadores en cada equipo. Dos de los amigos juegan en los Cardinals. Los nombres de los amigos restantes son Fedor, Lisa, John y Ashton. Fedor está en los Orioles. John está en el mismo equipo que Lisa. Ashton no está en los Blue Jays. ¿En qué equipo está Lisa?

Tema 7

Multiplicación por números de 2 dígitos

1

En 1858, un cable de telégrafo unió a Europa y América por primera vez. ¿Qué longitud tenía el cable? Lo averiguarás en la Lección 7-2.

2

El ferrocarril de cremallera del pico Pikes es el más alto del mundo. ¿Qué distancia recorre el tren hasta la cima? Lo averiguarás en la Lección 7-4.

3

¡El *Queen Mary II* es tan alto como un edificio de 23 pisos! ¿Cuántos pies por encima del agua es esa altura? Lo averiguarás en la Lección 7-5.

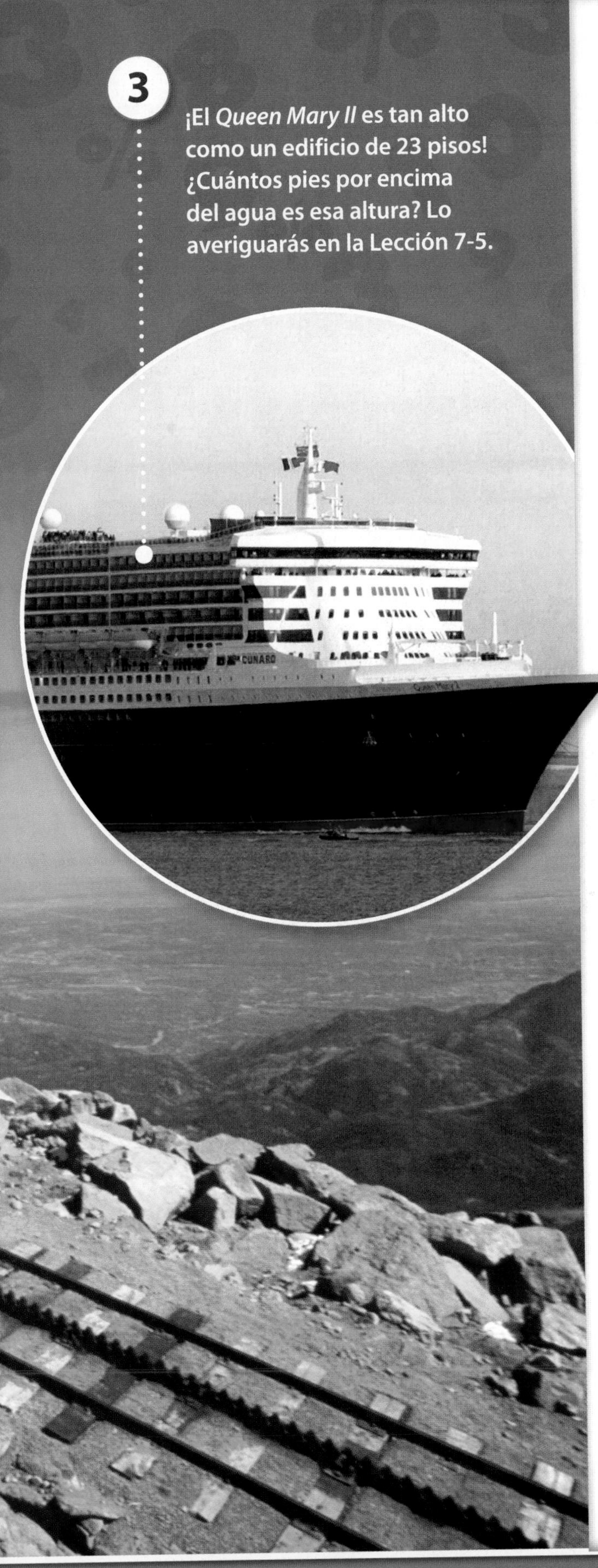

Repasa lo que sabes

Vocabulario

Elige el mejor término del recuadro.

- redondeo
- propiedad conmutativa
- compatibles
- propiedad distributiva

1. Los números ? son fáciles de calcular mentalmente.
2. Descomponer un problema en dos problemas más sencillos es un ejemplo de la ? de la multiplicación.
3. Puedes usar el ? cuando no necesitas una respuesta exacta.

Estimar sumas

Estima las sumas.

4. $16 + 13$

5. $688 + 95$

6. $1,511 + 269$

7. $3,246 + 6,243$

8. $283 + 178$

9. $1,999 + 421$

Multiplicar por números de 1 dígito

Halla los productos.

10. 53×9

11. 172×7

12. 512×6

13. 711×4

14. 215×3

15. 914×5

Productos parciales

16. Escribir para explicar Explica por qué la siguiente matriz representa 3×21.

Lección
7-1

¡Lo entenderás!
Se puede usar un patrón para multiplicar números como 20, 400 ó 5,000.

Usar el cálculo mental para multiplicar números de 2 dígitos

¿Cómo puedes multiplicar por múltiplos de 10 y 100?

¿Cuántos adultos menores de 65 años visitan el parque de diversiones Sunny Day en 10 días? ¿Cuántos niños visitan el parque en 100 días? ¿Cuántos adultos de 65 años y más visitan el parque en 200 días?

Práctica guiada*

¿CÓMO hacerlo?

En los Ejercicios **1** a **8,** usa operaciones básicas y patrones para hallar el producto.

1. 30×100

2. $50 \times 1,000$

3. 25×10

4. 60×200

5. 20×20

6. 40×100

7. 400×50

8. 80×500

¿Lo ENTIENDES?

9. Cuando multiplicas 60×500, ¿cuántos ceros hay en el producto?

10. Cuando hace frío, van menos personas al parque de diversiones Sunny Day. Noviembre tiene 30 días. Si el parque vendiera 300 entradas cada día de noviembre, ¿cuántas venderían en todo el mes?

Práctica independiente

En los Ejercicios **11** a **34,** usa el cálculo mental para multiplicar.

11. 30×10

12. 100×60

13. 50×10

14. 80×40

15. $20 \times 1,000$

16. 70×900

17. 40×20

18. 500×30

19. 250×40

20. 20×40

21. 300×40

22. 60×90

23. 70×800

24. 30×80

25. 60×500

26. 700×30

27. 600×50

28. 30×900

29. 25×400

30. 30×600

31. 400×30

32. 800×30

33. 500×80

34. 600×90

* *Puedes encontrar otro ejemplo en el Grupo A, página 160.*

Adultos menores de 65 años en 10 días

Para multiplicar 400 × 10, usa un patrón.

$4 \times 10 = 40$

$40 \times 10 = 400$

$400 \times 10 = 4{,}000$

4,000 adultos menores de 65 años visitan el parque en 10 días.

Niños en 100 días

El número de ceros en el producto es el número total de ceros en ambos factores.

$800 \times 100 = 80{,}000$

2 ceros 2 ceros 4 ceros

80,000 niños visitan el parque en 100 días.

Adultos de 65 años y más en 200 días

Si el producto de una operación básica termina en cero, incluye ese cero en la cuenta.

$5 \times 2 = 10$

$50 \times 200 = 10{,}000$

10,000 adultos de 65 años y más visitan el parque en 200 días.

Resolución de problemas

En los Ejercicios **35** y **36,** usa la tabla que está a la derecha.

Datos

Partes de una competencia de triatlón olímpica	
Natación	1,500 metros
Carrera	10,000 metros
Ciclismo	40,000 metros

35. ¿Cuál es la distancia total recorrida en un triatlón?

36. Susan ha terminado 10 triatlones. ¿Qué distancia recorrió en bicicleta en las carreras?

37. Escribir para explicar Explica por qué el producto de 50 y 800 tiene cuatro ceros, cuando 50 tiene un cero y 800 tiene dos ceros.

38. Esther tenía 5 monedas y dos billetes de un dólar para comprar un refrigerio en la escuela. Pagó $1.40 por su refrigerio. Le quedó exactamente un dólar. ¿Cómo pagó Esther por su refrigerio?

39. En cada 30 minutos de transmisión televisiva, aproximadamente 8 de esos minutos son para comerciales. Si se transmiten 90 minutos de televisión, ¿cuántos minutos de comerciales se pasarán?

A 8 minutos

B 24 minutos

C 38 minutos

D 128 minutos

40. Si en un año una ciudad registró un total de 97 días lluviosos, ¿en cuántos de esos días **NO** llovió?

365 días en un año	
97	?

Lección
7-2

¡Lo entenderás!
Se debe usar estrategias como el redondeo y números compatibles como ayuda para multiplicar mentalmente.

Estimar productos

¿Cuáles son algunas de las formas de estimar?

En 1991 la NASA lanzó el Satélite de Investigación de la Atmósfera Superior (UARS, por sus siglas en inglés). El satélite orbita la Tierra aproximadamente 105 veces por semana. Hay 52 semanas en un año.

¿Aproximadamente cuántas órbitas completas recorre en un año?

Práctica guiada*

¿CÓMO hacerlo?

En los Ejercicios **1** y **2,** usa el redondeo para estimar los productos.

1. 203 × 37 **2.** 177 × 14

En los Ejercicios **3** y **4,** usa números compatibles para estimar los productos.

3. 24 × 37 **4.** 15 × 27

¿Lo ENTIENDES?

5. Escribir para explicar En el ejemplo de arriba, ¿por qué las estimaciones no son iguales?

6. ¿Aproximadamente cuántas veces orbita la Tierra el UARS en 30 días?

Práctica independiente

En los Ejercicios **7** a **30,** usa el redondeo o números compatibles para estimar los productos.

Ojo *Puedes redondear uno o ambos números para hacerlos compatibles.*

7. 32 × 83	**8.** 64 × 85	**9.** 31 × 46	**10.** 63 × 61
11. 42 × 703	**12.** 51 × 23	**13.** 27 × 41	**14.** 61 × 202
15. 62 × 20	**16.** 18 × 74	**17.** 12 × 89	**18.** 22 × 27
19. 79 × 43	**20.** 26 × 43	**21.** 346 × 18	**22.** 6 × 153
23. 602 × 43	**24.** 210 × 19	**25.** 79 × 79	**26.** 96 × 37
27. 840 × 49	**28.** 17 × 78	**29.** 35 × 45	**30.** 8 × 55

** Puedes encontrar otro ejemplo en el Grupo B, página 160.*

Una manera

Usa el **redondeo** para estimar el número de órbitas por año.

52×105

Redondea 105 a 100.

$52 \times 100 = 5{,}200$

El UARS orbita la Tierra aproximadamente 5,200 veces por año.

Otra manera

Usa **números compatibles** para estimar el número de órbitas por año.

Los números compatibles son fáciles de multiplicar.

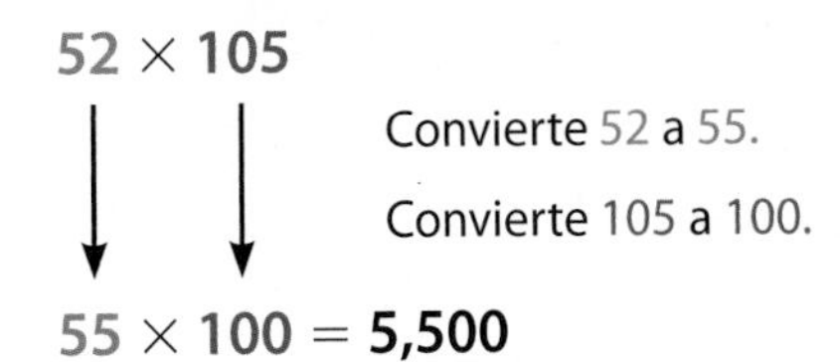

El UARS orbita la Tierra aproximadamente 5,500 veces por año.

Resolución de problemas

31. El año pasado, la conductora de un camión de carga hizo 37 viajes. Si el promedio de su viaje fue 1,525 millas, ¿aproximadamente qué distancia recorrió en total?

32. En una misión, un astronauta estadounidense pasó más de 236 horas en el espacio. ¿Aproximadamente cuántos minutos pasó en el espacio?

Ojo *Hay 60 minutos en 1 hora.*

33. Estima para decidir cuál tiene un producto más grande, 39×21 ó 32×32. Explícalo.

34. La nave Mars Orbiter da una vuelta alrededor del planeta Marte cada 25 horas. ¿Aproximadamente cuántas horas tarda en describir 125 órbitas?

35. Usa el diagrama de abajo. En 1858, dos barcos conectaron por primera vez un cable de telégrafo a través del océano Atlántico. Un barco tendió 1,016 millas de cable. El otro barco tendió 1,010 millas de cable. Estima la longitud total del cable usado.

36. **Piensa en el proceso** En un partido de beisbol profesional se usan aproximadamente 57 pelotas. ¿Cuál es la mejor forma de estimar cuántas pelotas se usan en una temporada de 162 partidos?

A 6×100

B 60×160

C $60 \times 1{,}000$

D 100×200

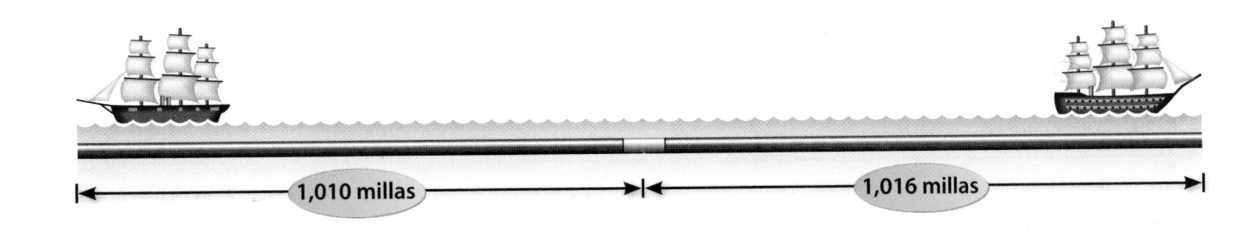

Lección
7-3

¡Lo entenderás!
Se puede usar matrices para descomponer un problema como 12 × 25 en cuatro problemas más sencillos.

Matrices y un algoritmo desarrollado

Manos a la obra
papel cuadriculado

¿Cómo puedes multiplicar con una matriz?

Hay 13 perros con cabeza movible en cada fila de un puesto de la feria. Hay 24 filas. ¿Cuántos perros hay?

Escoge una operación
Multiplica para unir grupos iguales.

13 perros por fila

Otro ejemplo ¿De qué otra manera se pueden mostrar los productos parciales?

Hay 37 filas con 26 asientos alrededor de la pista de la exposición canina. ¿Cuántos asientos hay?

Haz una estimación $40 \times 25 = 1{,}000$

Paso 1 Dibuja una tabla. Separa cada factor en decenas y unidades. $(30 + 7) \times (20 + 6)$

	30	7
20		
6		

Paso 2 Multiplica para hallar los productos parciales.

	30	7
20	600	140
6	180	42

Paso 3 Suma los productos parciales para hallar el total.

$$\begin{array}{r} 42 \\ 180 \\ 140 \\ +\ 600 \\ \hline 962 \end{array}$$

$26 \times 37 = 962$
Hay 962 asientos en la pista de la exposición canina.

Explícalo

1. ¿En qué se parecen descomponer el problema 37×26 y resolver cuatro problemas sencillos?
2. **¿Es razonable?** Explica por qué la respuesta 962 es razonable.

Paso 1

Halla 24 × 13.

Dibuja una matriz para 24 × 13.

Suma cada parte de la matriz para hallar el producto.

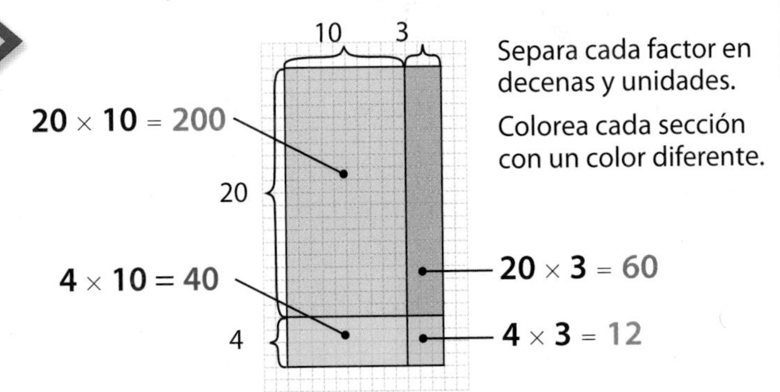

Paso 2

Halla el número de cuadrados en cada rectángulo.

$$\begin{array}{r} 12 \\ 40 \\ 60 \\ +\ 200 \\ \hline 312 \end{array}$$

productos parciales

En el puesto hay 312 perros con cabeza movible.

Práctica guiada*

¿CÓMO hacerlo?

En los Ejercicios **1** y **2,** copia y completa el cálculo hallando los productos parciales.

1. $\begin{array}{r} 13 \\ \times\ 17 \\ \hline \end{array}$

2. 24 × 16

	20	4
10		
6		

¿Lo ENTIENDES?

3. En el ejemplo de arriba, ¿qué cuatro multiplicaciones más sencillas se usaron para hallar 24 × 13?

4. En la exposición canina, las 2 primeras filas están reservadas. ¿Cuántas personas se pueden sentar en las 35 filas restantes?

Ojo *Hay 26 asientos por fila.*

Práctica independiente

Práctica al nivel Usa papel cuadriculado para trazar un rectángulo. Luego copia y completa los cálculos.

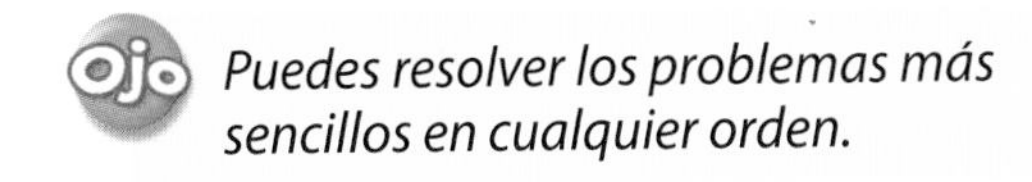

Ojo *Puedes resolver los problemas más sencillos en cualquier orden.*

5.

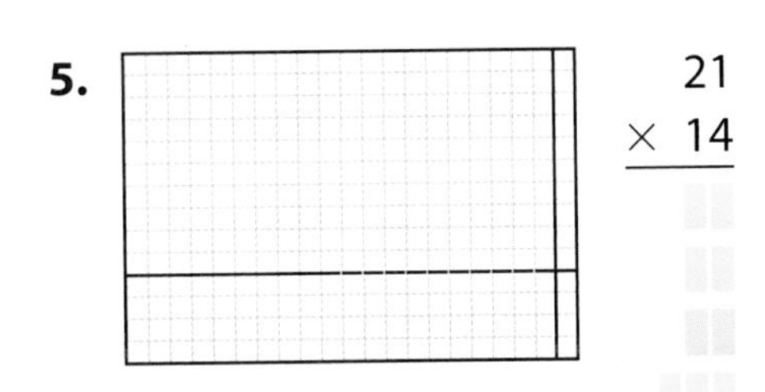

$\begin{array}{r} 21 \\ \times\ 14 \\ \hline \end{array}$

6.

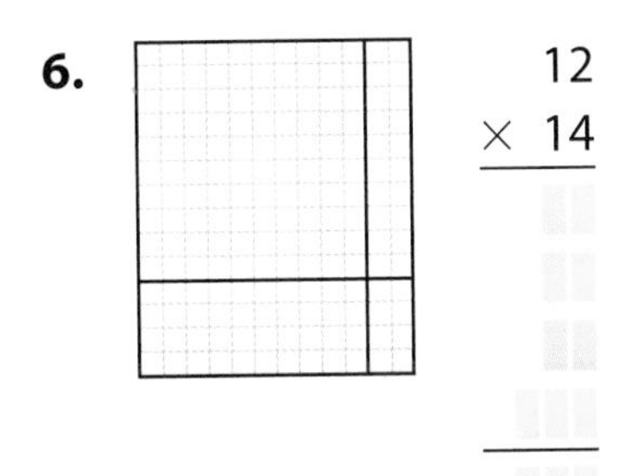

$\begin{array}{r} 12 \\ \times\ 14 \\ \hline \end{array}$

DIGITAL eTools **www.pearsonsuccessnet.com**

* *Puedes encontrar otro ejemplo en el Grupo C, página 160.*

Práctica independiente

Práctica al nivel En los Ejercicios **7** y **8,** usa papel cuadriculado para trazar un rectángulo. Luego copia y completa los cálculos.

7.

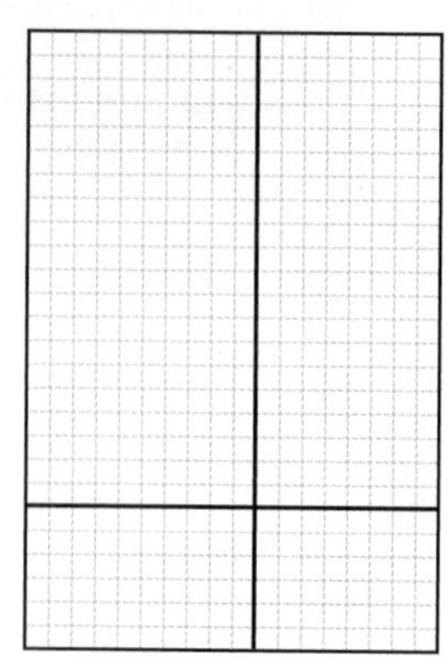

$$\begin{array}{r} 18 \\ \times\ 26 \\ \hline \end{array}$$

8.

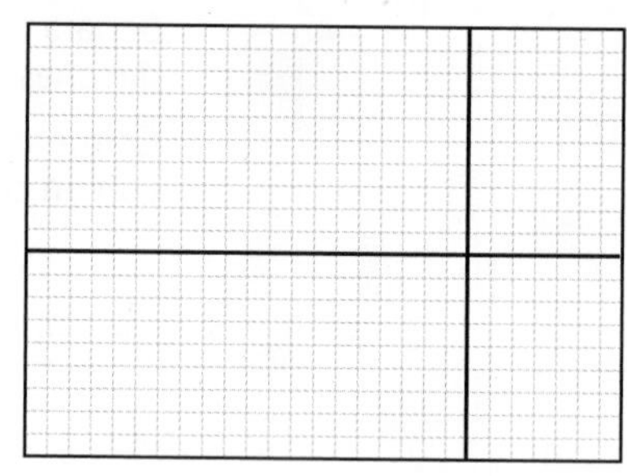

$$\begin{array}{r} 27 \\ \times\ 19 \\ \hline \end{array}$$

En los Ejercicios **9** a **16,** copia y halla los productos parciales. Luego halla el total.

9. 25×18

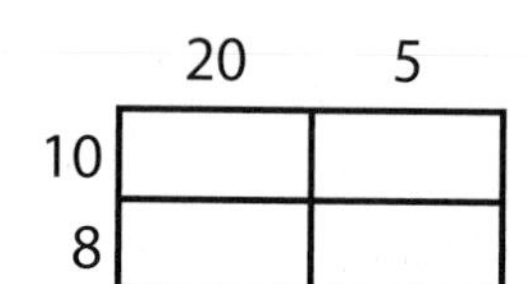

10. 28×12

11. 68×17

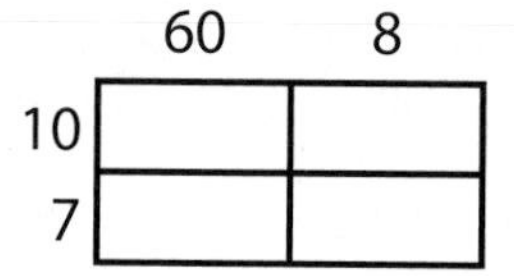

12.

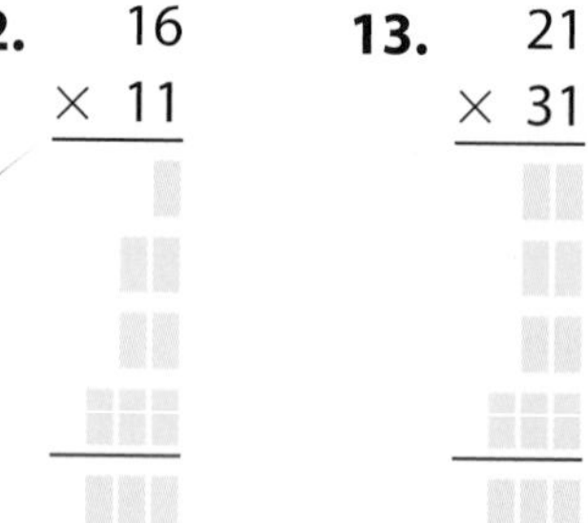

$$\begin{array}{r} 16 \\ \times\ 11 \\ \hline \end{array}$$

13. $$\begin{array}{r} 21 \\ \times\ 31 \\ \hline \end{array}$$

14.

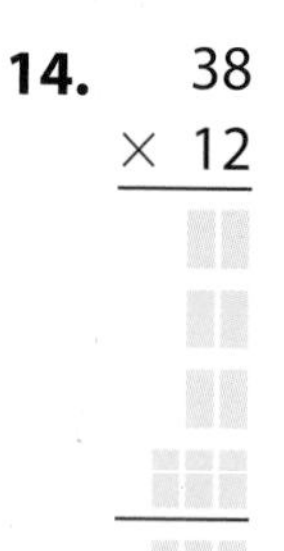

$$\begin{array}{r} 38 \\ \times\ 12 \\ \hline \end{array}$$

15. $$\begin{array}{r} 29 \\ \times\ 17 \\ \hline \end{array}$$

16. $$\begin{array}{r} 43 \\ \times\ 19 \\ \hline \end{array}$$

En los Ejercicios **17** a **31,** halla los productos. Usa los productos parciales como ayuda. Estima para comprobar que sean razonables.

17. $$\begin{array}{r} 31 \\ \times\ 13 \\ \hline \end{array}$$

18. $$\begin{array}{r} 21 \\ \times\ 33 \\ \hline \end{array}$$

19. $$\begin{array}{r} 27 \\ \times\ 16 \\ \hline \end{array}$$

20. $$\begin{array}{r} 59 \\ \times\ 41 \\ \hline \end{array}$$

21. $$\begin{array}{r} 18 \\ \times\ 23 \\ \hline \end{array}$$

22. $$\begin{array}{r} 28 \\ \times\ 29 \\ \hline \end{array}$$

23. $$\begin{array}{r} 24 \\ \times\ 36 \\ \hline \end{array}$$

24. $$\begin{array}{r} 43 \\ \times\ 39 \\ \hline \end{array}$$

25. $$\begin{array}{r} 76 \\ \times\ 54 \\ \hline \end{array}$$

26. $$\begin{array}{r} 88 \\ \times\ 22 \\ \hline \end{array}$$

27. $$\begin{array}{r} 41 \\ \times\ 12 \\ \hline \end{array}$$

28. $$\begin{array}{r} 38 \\ \times\ 27 \\ \hline \end{array}$$

29. $$\begin{array}{r} 58 \\ \times\ 19 \\ \hline \end{array}$$

30. $$\begin{array}{r} 29 \\ \times\ 15 \\ \hline \end{array}$$

31. $$\begin{array}{r} 73 \\ \times\ 47 \\ \hline \end{array}$$

Resolución de problemas

32. Escribir para explicar ¿Por qué el producto de 15×32 es igual a la suma de 10×32 y 5×32?

33. El asta de la bandera frente a la alcaldía en la ciudad de Luis tiene 35 pies de altura. ¿Cuántas pulgadas de altura tiene el asta?

Ojo *12 pulgadas = 1 pie*

34. A la derecha se muestran los precios de la tienda Nolan's Novelties. Si se compraran 27 cajas de llaveros luminosos y 35 cajas de bolígrafos fosforescentes, ¿cuál sería el costo total?

Datos

Artículo	Precio por caja
Llaveros luminosos	$15
Bolígrafos fosforescentes	$10

35. El Hollywood Bowl puede acomodar a casi 18,000 personas. La sección G2 tiene 22 filas de gradas que pueden acomodar a 18 personas. ¿Cuántos asientos hay en esta sección?

36. Álgebra Elías tiene n clientes a quienes corta el césped de su jardín. Corta el césped de cada jardín una vez por semana. ¿Qué expresión muestra cuántos céspedes corta en 12 semanas?

A $n + 12$ **C** $12 - n$

B $n \times 12$ **D** $12 \div n$

En los Ejercicios **37** y **38,** usa el diagrama de la derecha.

37. Maggie está preparando un juego con globos para la feria escolar. Los niños arrojarán dardos para tratar de reventar los globos. ¿Cuántos globos son necesarios para armar el juego?

38. **Piensa en el proceso** Maggie sabe que tendrá que volver a llenar por completo el tablero de globos aproximadamente 15 veces por día. ¿Qué expresión muestra cómo hallar el número de globos que necesitará?

A 15×13 **C** $15 \times (13 \times 14)$

B 15×14 **D** $15 \times (13 + 14)$

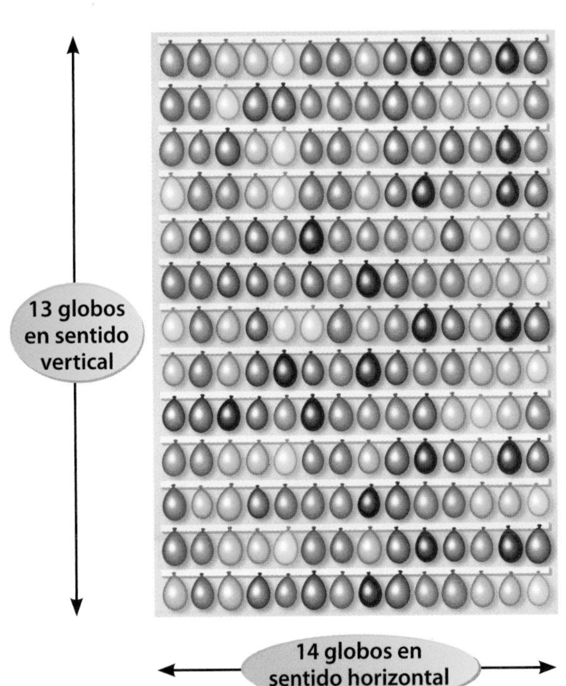

Lección
7-4

¡Lo entenderás!
Se debe usar operaciones básicas y valores de posición para multiplicar números como 30 y 200.

Multiplicar números de 2 dígitos por múltiplos de 10

¿Cómo puedes hallar el producto?

El señor Jeffrey compra 20 equipos para identificación de rocas para sus clases de ciencia. Si cada equipo tiene 28 rocas, ¿cuántas rocas hay en total?

Escoge una operación
Multiplica para hallar el número de rocas.

Práctica guiada*

¿CÓMO hacerlo?

En los Ejercicios **1** a **6,** multiplica para hallar cada producto.

1. $\begin{array}{r} 12 \\ \times\ 20 \\ \hline \square\square 0 \end{array}$

2. $\begin{array}{r} 21 \\ \times\ 30 \\ \hline \square\square 0 \end{array}$

3. 35×20

4. 63×20

5. 27×60

6. 66×40

¿Lo ENTIENDES?

7. Escribir para explicar En el ejemplo anterior, ¿por qué hay un cero en el lugar de las unidades cuando multiplicas por 30?

8. ¿Qué problema de multiplicación más simple puedes resolver para hallar 38×70?

9. Todos los años, la escuela del señor Jeffrey pide 100 equipos de rocas. ¿Cuántas rocas hay en todos los equipos?

Práctica independiente

Práctica al nivel En los Ejercicios **10** a **30,** multiplica para hallar cada producto.

10. $\begin{array}{r} 12 \\ \times\ 30 \\ \hline \square\square 0 \end{array}$

11. $\begin{array}{r} 24 \\ \times\ 10 \\ \hline \square\square 0 \end{array}$

12. $\begin{array}{r} 33 \\ \times\ 20 \\ \hline \square\square 0 \end{array}$

13. $\begin{array}{r} 71 \\ \times\ 30 \\ \hline \square\square\square 0 \end{array}$

14. $\begin{array}{r} 63 \\ \times\ 40 \\ \hline \square\square\square 0 \end{array}$

15. 18×10

16. 20×51

17. 32×30

18. 40×22

19. 24×40

20. 34×50

21. 40×73

22. 88×30

23. 75×40

24. 22×60

25. 13×50

26. 60×23

27. 32×30

28. 82×80

29. 62×60

30. 52×50

** Puedes encontrar otro ejemplo en el Grupo D, página 160.*

Una manera

Halla 20×28.

Descompón 28 en decenas y unidades:
$28 = 20 + 8$.

Usa una cuadrícula para hallar los productos parciales.

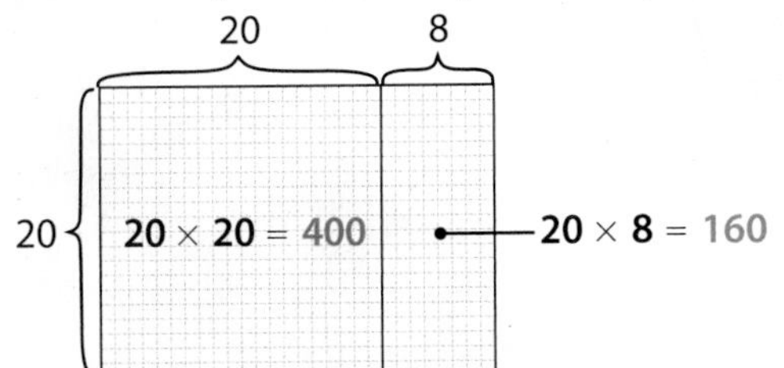

Suma los productos parciales para hallar el total. $400 + 160 = 560$

Otra manera

Halla 20×28.

Multiplica 28×2 decenas.

$$\begin{array}{r} \scriptstyle 1 \\ 28 \\ \times\ 20 \\ \hline 560 \end{array}$$

Anota un 0 en el lugar de las unidades de la respuesta. Esto muestra cuántas decenas hay en la respuesta.

Hay 560 rocas en total.

Resolución de problemas

31. Sentido numérico La clase de Rex crió ranas a partir de renacuajos. La clase tiene 21 estudiantes y cada uno crió 6 renacuajos. Todos los renacuajos, excepto 6, llegaron a ser ranas. Escribe una oración numérica para mostrar cuántas ranas tiene la clase.

32. ¿Cuántos equipos de fósiles con 12 muestras cada uno tienen el mismo número de fósiles que 30 equipos con 8 muestras cada uno?

A 20 equipos de fósiles

B 24 equipos de fósiles

C 200 equipos de fósiles

D 240 equipos de fósiles

33. Una vuelta en el ferrocarril de cremallera del pico Pikes dura 75 minutos. Si la velocidad promedio del tren es de 100 pies por minuto, ¿qué longitud tiene el recorrido del ferrocarril del pico Pikes?

34. En los Estados Unidos, los estudiantes pasan 900 horas al año en la escuela. ¿Cuántas horas pasaría en la escuela un estudiante durante 12 años?

35. Una montaña rusa da 50 vueltas en una hora y alcanza velocidades de 70 millas por hora. Si en cada vuelta hay 8 filas de 4 personas, ¿cuántas personas dan vueltas cada hora?

A 160 personas

B 1,500 personas

C 1,600 personas

D 2,240 personas

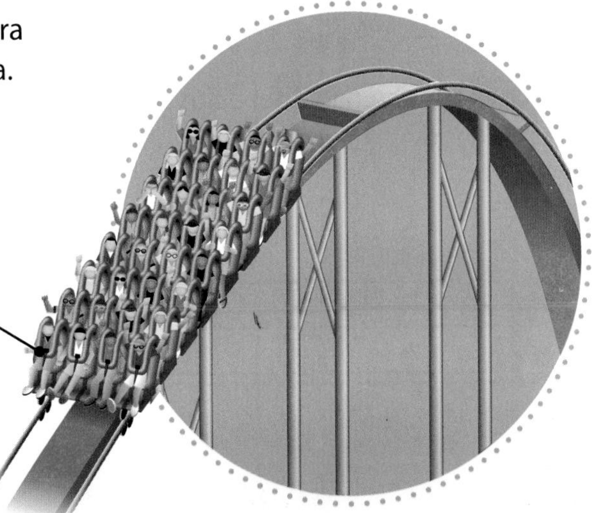

Lección
7-5

¡Lo entenderás!
Se puede hallar productos parciales para resolver un problema de multiplicación.

Multiplicar números de 2 dígitos por números de 2 dígitos

¿Cuál es la manera común de anotar la multiplicación?

Un transbordador llevó un promedio de 37 carros por viaje el sábado. Si el transbordador hizo 24 viajes de ida, ¿cuántos carros llevó?

Escoge una operación Multiplica para unir grupos iguales.

37 carros por viaje

Práctica guiada*

¿CÓMO hacerlo?

En los Ejercicios **1** a **6,** dibuja un diagrama y complétalo con los productos parciales. Luego halla el producto.

1. 41×23

2. 63×31

3. 12×27

4. 23×36

5. 42×18

6. 92×34

¿Lo ENTIENDES?

7. En el ejemplo de arriba, ¿es 888 una respuesta razonable para 37×24?

8. Escribir para explicar El transbordador hizo 36 viajes de ida el domingo y llevó un promedio de 21 carros en cada viaje.

a ¿Cuántos carros llevó el domingo?

b ¿Qué día llevó más carros, el sábado o el domingo? Explícalo.

Práctica independiente

Práctica al nivel En los Ejercicios **9** y **10,** copia cada diagrama y muestra los cálculos para cada producto parcial. Luego halla el producto.

9. 18×33

	30	3
10	$30 \times 10 = 300$	
8		$3 \times 8 = 24$

10. 22×46

	40	6
20		
2		

* *Puedes encontrar otro ejemplo en el Grupo E, página 161.*

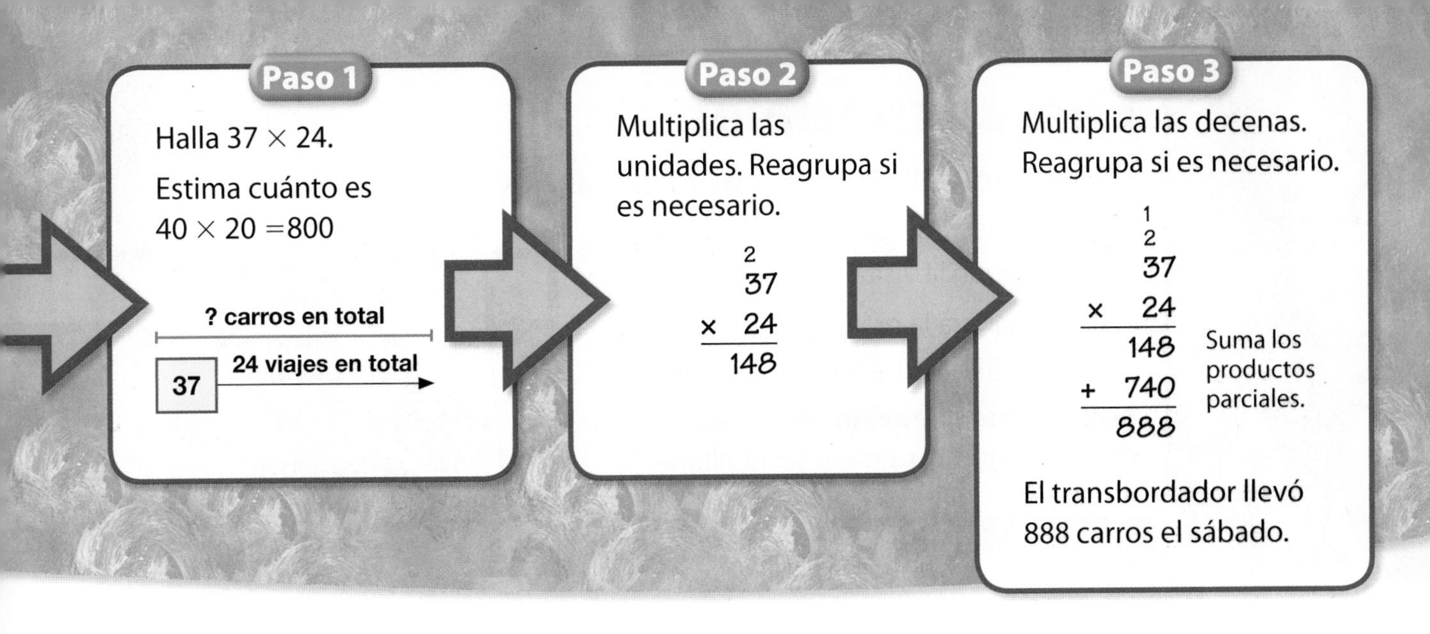

En los Ejercicios **11** a **20,** halla el producto.

11. 37×21 **12.** 54×37 **13.** 63×22 **14.** 34×41 **15.** 81×17

16. 56×31 **17.** 53×17 **18.** 81×46 **19.** 15×16 **20.** 17×21

21. **Álgebra** Evalua la expresión $7 \times (15 + m)$ cuando $m = 31$.

A 136 **C** 322

B 232 **D** 682

22. **¿Es razonable?** Sara estimó cuánto es 32×45 usando 30×40. ¿Cómo podría hacer Sara una estimación más exacta?

23. Usa el diagrama de la derecha. La altura por encima del agua del *Queen Mary II* es igual a la de un edificio de 23 pisos. Si un piso mide 11 pies de alto, ¿cuál es la altura por encima del agua del *Queen Mary II*?

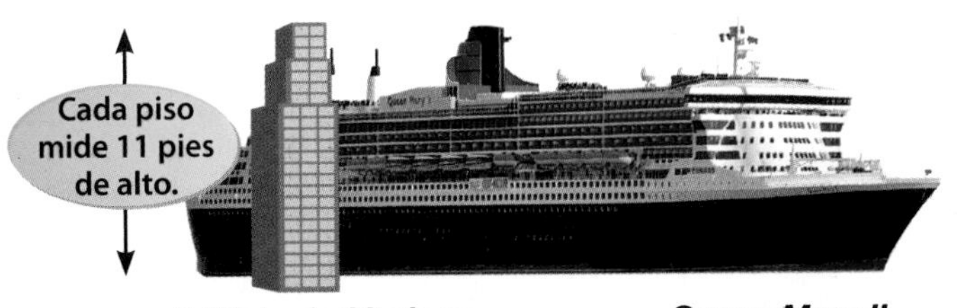

24. El señor Morris compró blocs de dibujo para 24 de sus estudiantes. Cada bloc contenía 50 hojas. ¿Cuántas hojas de papel había en total?

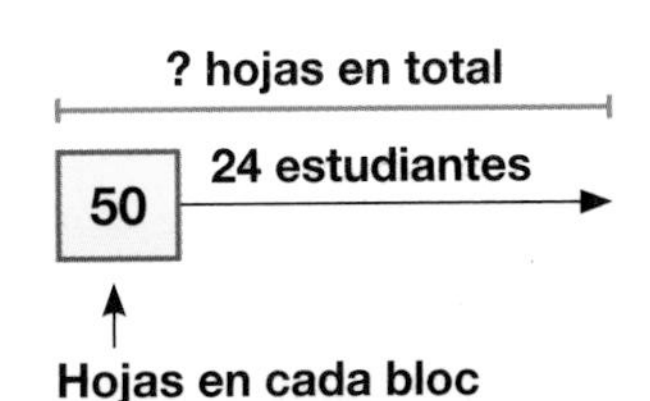

25. **Geometría** El patio de Jon es un rectángulo que mide 32 pies por 44 pies. ¿Cuántos pies cuadrados mide el patio?

Ojo *El área de un rectángulo es longitud × ancho.*

Lección

7-6

¡Lo entenderás!
Los factores que son fáciles de multiplicar ayudan al cálculo mental.

Casos especiales

¿Cómo multiplicas números más grandes?

¿Cuánto ganará la granja cuando 1,600 familias hagan la visita de una hora?

¿Cuánto ganará la granja cuando 2,000 familias hagan la visita de dos horas?

Escoge una operación Multiplica el costo por familia por el número de familias.

Datos

Visitas a la granja Barrington

Visitas	Costo por familia
1-hora	$20
2-horas	$25

Práctica guiada*

¿CÓMO hacerlo?

En los Ejercicios **1** a **6,** usa el cálculo mental para hallar el producto.

1. 100×25
2. 200×50
3. $3,000 \times 30$
4. $40,000 \times 50$
5. 30×600
6. 20×150

¿Lo ENTIENDES?

7. **Escribir para explicar** ¿Por qué el producto de $25 \times 2,000$ tiene 4 ceros cuando 2,000 sólo tiene 3 ceros?

8. Una escuela recibe un abono familiar especial de $20 por cada una de sus 134 familias. ¿Cuánto se les cobrará en total a las familias de la escuela?

Práctica independiente

En los Ejercicios **9** a **28,** usa el cálculo mental para hallar el producto.

9. 240×15
10. 440×20
11. $9,000 \times 60$
12. $1,000 \times 25$
13. 170×10
14. $1,500 \times 40$
15. $1,870 \times 20$
16. $20,000 \times 40$
17. 290×20
18. $4,200 \times 40$
19. $5,000 \times 70$
20. 660×40
21. $2,000 \times 25$
22. $1,200 \times 80$
23. $1,870 \times 30$

* *Puedes encontrar otro ejemplo en el Grupo E, página 161.*

Halla 1,600 × 20.

Usa el cálculo mental.

$16 \times 2 = 32$
$1{,}600 \times 20 = 32{,}000$

La granja ganará $32,000 por las visitas de una hora.

Halla 2,000 × 25.

Usa el cálculo mental.

$25 \times 2 = 50$
$25 \times 2{,}000 = 50{,}000$

La granja ganará $50,000 por las visitas de dos horas.

24. $2{,}500 \times 50$

25. 700×50

26. 600×25

27. $2{,}000 \times 15$

28. 800×30

Resolución de problemas

En los Ejercicios **29** y **30,** usa la tabla de la derecha.

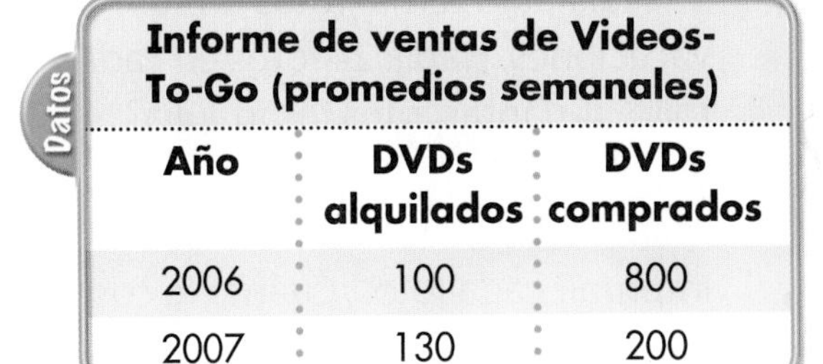

Datos

Informe de ventas de Videos-To-Go (promedios semanales)		
Año	**DVDs alquilados**	**DVDs comprados**
2006	100	800
2007	130	200

29. En 2006, ¿cuántos DVDs se alquilaron en 52 semanas? ¿Cuántos DVDs se compraron en ese mismo tiempo?

30. En 2007, ¿cuántos DVDs se alquilaron? ¿Cuántos se compraron?

31. Piensa en el proceso ¿Cuáles son los productos parciales de 9 × 25?

A $(9 \times 20) + (9 \times 5)$

B $(9 \times 20) + (9 \times 25)$

C $(20 \times 20) + (5 \times 5)$

D $(3 \times 20) + (3 \times 5)$

32. Una escuela compra 43 monitores de pantalla plana para computadora por $270 cada uno. ¿Cuál es la cantidad total de la compra?

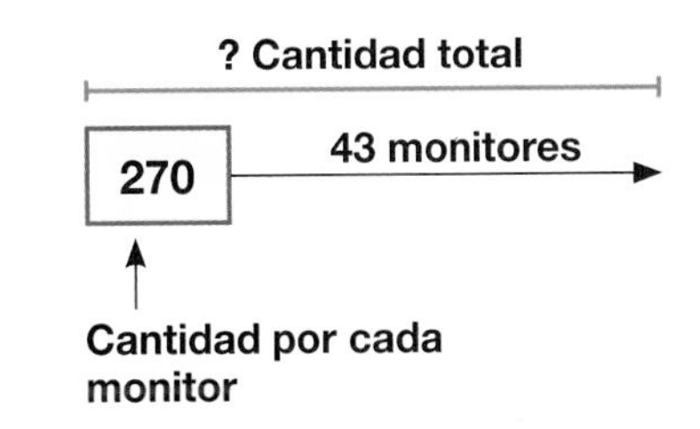

33. **Álgebra** ¿Cuál es el valor de la expresión $\$752 + (\$20 \times t)$ si $t = 125$?

Lección
7-7

¡Lo entenderás!
La respuesta a una pregunta ayuda a resolver problemas de dos preguntas.

Resolución de problemas

Problemas de dos preguntas

Problema 1: Maya y José se están preparando para una carrera de bicicletas. El miércoles recorrieron 32 millas por la mañana y 22 millas por la tarde. ¿Cuántas millas recorrieron en total?

Problema 2: Maya y José recorrieron en bicicleta el mismo número de millas el miércoles, el jueves, el viernes y el sábado. ¿Cuántas millas recorrieron durante la semana?

Práctica guiada*

¿CÓMO hacerlo?

Resuelve.

1. **Problema 1:** Julia usó 3 rollos de película para tomar fotos en sus vacaciones. Había 24 fotos en cada rollo. ¿Cuántas fotos tomó Julia?

   Problema 2: A Julia le cuesta 10¢ imprimir cada foto. ¿Cuánto le costará a Julia imprimir todas las fotos?

¿Lo ENTIENDES?

2. ¿Por qué necesitas saber cuántas fotos tomó Julia para resolver el Problema 2?

3. **Escribe un problema** Escribe un problema que use la respuesta del Problema 1 siguiente.
   Problema 1: Cal pone un florero sobre cada una de 5 mesas. Hay 6 flores en cada florero. ¿Cuántas flores usa Cal?

Práctica independiente

Resuelve. Usa la respuesta del Problema 1 para resolver el Problema 2.

4. **Problema 1:** Martín compra un sándwich por $4, una manzana por $1 y una bebida por $2. ¿Cuánto pagó en total?

   ? Costo del almuerzo de Martín

$4	$1	$2

   Problema 2: ¿Cuánto cambio recibió Martín si pagó con un billete de $20?

   $20

Almuerzo	Cambio

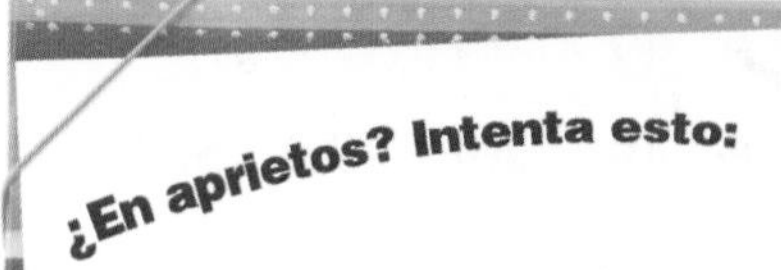

- ¿Qué sé?
- ¿Qué diagrama puede ayudarme a entender el problema?
- ¿Uso suma, resta, multiplicación o división?
- ¿Está correcto todo mi trabajo?
- ¿Respondí a la pregunta que correspondía?
- ¿Es razonable mi respuesta?

* Puedes encontrar otro ejemplo en el Grupo F, página 161.

Lee y comprende

A veces tienes que responder a un problema para resolver otro problema.

? millas que recorrieron el miércoles

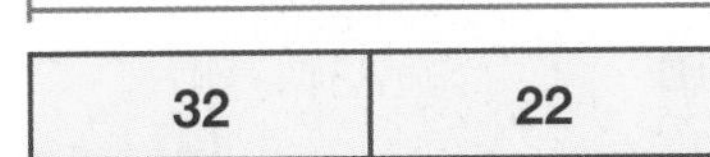

32 millas + 22 millas = 54 millas

El miércoles Maya y José recorrieron en bicicleta 54 millas.

Planea

Usa la respuesta del Problema 1 para resolver el Problema 2.

? millas recorridas durante la semana

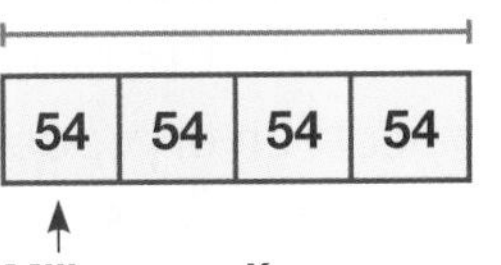

Millas por día

4×54 millas = 216 millas

Durante la semana Maya y José recorrieron en bicicleta 216 millas.

5. **Problema 1:** En el verano, Sally y Byron cortan el césped de los jardines de sus vecinos. Sally corta el césped de 5 jardines por semana. Byron corta el césped de tres veces más jardines que Sally. ¿El césped de cuántos jardines corta Byron por semana?

? jardines cortados por semana

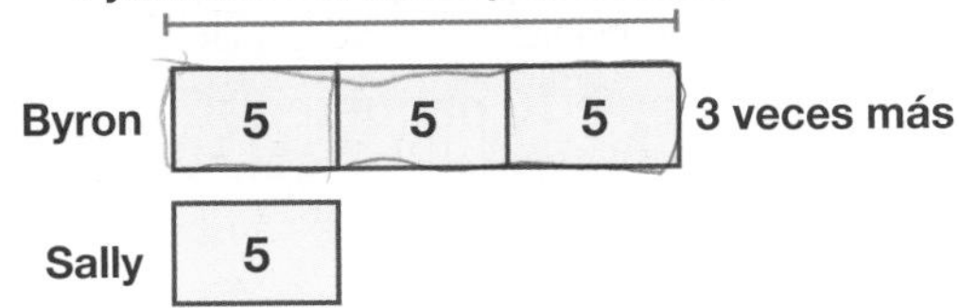

Problema 2: A Byron le pagan $20 por cortar el césped de cada jardín. ¿Cuánto gana Byron por semana?

? cantidad que gana Byron por semana

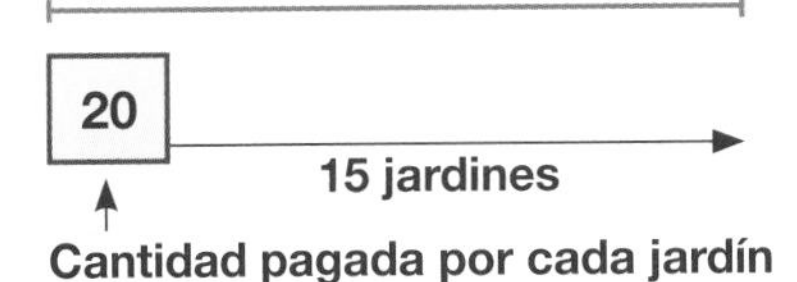

6. **Problema 1:** La mamá de June llevó al parque 3 bolsas de palomitas de maíz y 3 botellas de agua. ¿Cuántas bolsas de palomitas de maíz y botellas de agua llevó al parque la mamá de June?

? bolsas y botellas en total

3	3

Problema 2: Cada bolsa de palomitas de maíz que llevó al parque la mamá de June contenía 16 porciones. ¿Cuántas porciones de palomitas de maíz llevó al parque la mamá de June?

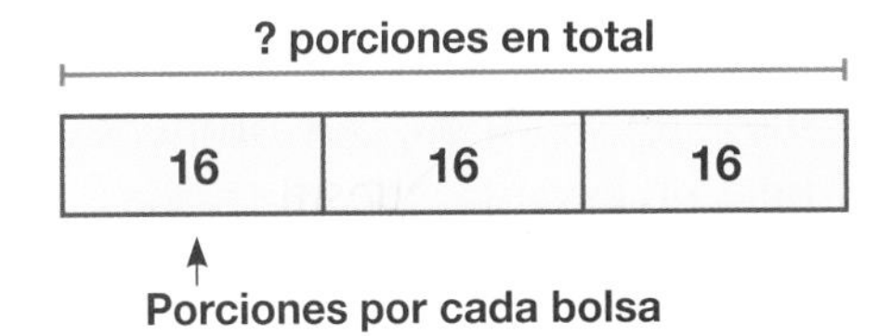

7. **Problema 1:** Sydney hizo pingüinos de madera para vender en una feria. Para cada pingüino usó 5 pompones y 4 cuentas. ¿Cuántos pompones y cuentas hay en total en cada pingüino de madera?

Problema 2: Sydney hizo 21 pingüinos de madera. ¿Cuántos pompones y cuentas en total usó para todos los pingüinos de madera?

8. **Problema 1:** Dave planea cambiar las baldosas del piso de su porche. Quiere comprar 25 baldosas negras y 23 baldosas blancas. ¿Cuántas baldosas comprará en total?

Problema 2: Cada baldosa que planea usar mide un pie cuadrado. Cada baldosa cuesta 2 dólares. ¿Cuánto dinero les costará cambiar las baldosas del piso de su porche?

Examen

1. Para hallar 30×700, Scott halló primero $3 \times 7 = 21$. ¿Cuántos ceros debe incluir Scott en el producto? (7-1)

   A 1

   B 2

   C 3

   D 4

2. Hay 27 escuelas participando en una competencia regional de bandas. Cada escuela trajo 38 participantes. ¿Cuál es la mejor forma de estimar cuántos participantes hay en la competencia? (7-2)

   A 20×30

   B 20×40

   C 25×40

   D 30×30

3. Telly tiene 15 páginas en su libro de coleccionista de monedas. Cada página tiene 32 monedas. Con la siguiente tabla, Telly está calculando cuántas monedas tiene en su libro. ¿Qué número falta en la tabla? (7-3)

	10	5
30	300	■
2	20	10

   A 15

   B 150

   C 315

   D 480

4. ¿Con qué productos parciales se puede hallar 35×64? (7-5)

   A 140 y 210

   B 140 y 2,100

   C 120 y 2,100

   D 140 y 1,800

5. Hay 16 onzas en una libra. ¿Cuál es la mejor estimación del número de onzas que pesa un perro de 97 libras? (7-2)

   A 160

   B 900

   C 1,600

   D 9,000

6. El banco pidió 24 cajas de papel. Cada caja tenía 10 paquetes. ¿Cuántos paquetes de papel pidió el banco? (7-4)

   A 240

   B 250

   C 2,400

   D 2,500

7. El señor Taylor instaló 10 docenas de baldosas en el piso de su cocina. Cada baldosa costó $3. ¿Cuánto gastó el señor Taylor, sin impuestos? (7-7)

   A $390

   B $360

   C $300

   D $108

8. El distrito escolar compró 95 microscopios nuevos. Cada microscopio costó $52. ¿Cuánto gastó el distrito? (7-5)

A $4,940

B $4,930

C $4,240

D $655

9. ¿Qué par completa mejor la oración numérica? (7-1)

▢ × 100 = ▢

A 300 y 3,000

B 30 y 30,000

C 30 y 3,000

D 30 y 300

10. El objetivo de Tom es aprender 15 palabras nuevas cada día. Al final del día 40, ¿cuántas palabras nuevas habrá aprendido Tom? (7-4)

A 55

B 400

C 450

D 600

11. Un parque de diversiones vendió 500 entradas para adultos. Cada entrada para adultos cuesta $30. ¿Cuánto es el costo total de las entradas para adultos? (7-6)

A $800

B $1,500

C $8,000

D $15,000

12. ¿Cuánto es 15 × 29? (7-3)

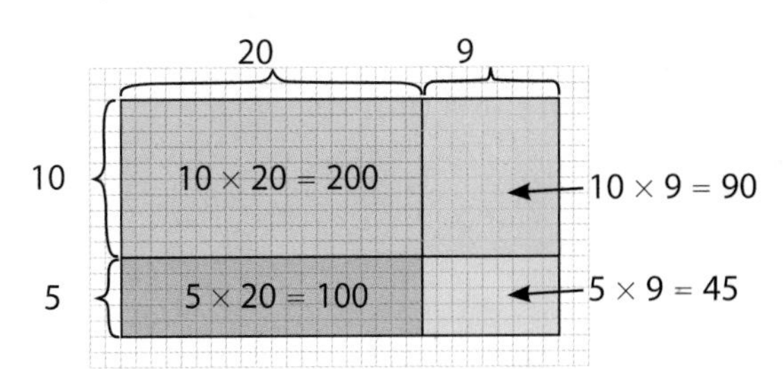

A 535

B 435

C 390

D 335

13. Si se vendieron 82 asientos para un vuelo a $89 cada uno, ¿aproximadamente cuánto dinero recibió la compañía aérea? (7-2)

A $7,200

B $8,200

C $9,200

D $11,000

14. ¿Cuál muestra una manera de hallar 60 × 78 con productos parciales? (7-4)

A (30 × 70) + (30 × 8)

B (60 × 70) + (60 × 80)

C (60 × 70) + (60 × 78)

D (60 × 70) + (60 × 8)

15. En la feria de ciencias hay 42 estuches en exhibición. Cada estuche tiene 16 insectos. ¿Cuántos insectos hay en la exhibición? (7-5)

A 7

B 26

C 58

D 672

Refuerzo

Grupo A, páginas 142 y 143

Usa el cálculo mental para hallar 26×300.

Puedes pensar en el patrón.

$26 \times 3 = 78$

$26 \times 30 = 780$

$26 \times 300 = 7{,}800$

Recuerda que, cuando el producto de una operación básica termina en cero, hay un cero más en la respuesta.

1. 4×10 **2.** $7 \times 1{,}000$

3. 80×600 **4.** $50 \times 4{,}000$

5. 3×900 **6.** 600×10

Grupo B, páginas 144 y 145

Usa la multiplicación para estimar 16×24.

Redondea 24 a 20.

Redondea 16 a 20.

$20 \times 20 = 400$

Recuerda que también puedes usar números compatibles para estimar.

1. 41×54 **2.** 79×32

3. 64×86 **4.** 32×71

Grupo C, páginas 146 a 149

Halla 14×12. Dibuja una matriz de 14×12.

Separa cada factor en decenas y unidades. Colorea cada sección con un color diferente. Suma las partes para hallar el producto.

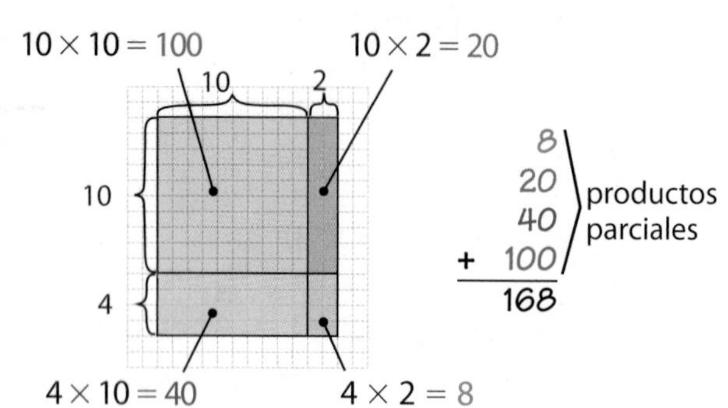

Recuerda que puedes resolver los problemas más sencillos en cualquier orden y la respuesta seguirá siendo igual.

Halla el producto. Usa productos parciales como ayuda.

1. 14×32 **2.** 64×12

3. 56×17 **4.** 72×15

5. 26×63 **6.** 47×27

Grupo D, páginas 150 y 151

Halla 16×30. Multiplica 16×3 decenas.

```
  1
  16
× 30
 480
```

El 0 que está en el lugar de las unidades indica cuántas decenas hay en la respuesta.

Recuerda que debes anotar un 0 en el lugar de las unidades de la respuesta.

1. 39×10 **2.** 56×30

3. 41×20 **4.** 60×13

Refuerzo

Grupo E, páginas 152 a 153 y 154 a 155

Halla 19×14.

Multiplica las unidades. Reagrupa si es necesario.

$$\begin{array}{r} {}^{3} \\ 19 \\ \times\ 14 \\ \hline 76 \end{array}$$

Multiplica las decenas. Reagrupa si es necesario.

$$\begin{array}{r} 19 \\ \times\ 14 \\ \hline 76 \\ +\ 190 \\ \hline 266 \end{array}$$

Recuerda que debes reagrupar si es necesario.

1. $\begin{array}{r} 53 \\ \times\ 36 \\ \hline \end{array}$

2. $\begin{array}{r} 23 \\ \times\ 18 \\ \hline \end{array}$

3. $\begin{array}{r} 73 \\ \times\ 33 \\ \hline \end{array}$

4. $\begin{array}{r} 31 \\ \times\ 74 \\ \hline \end{array}$

5. 56×64

6. 39×82

7. 700×40

8. 420×20

9. 250×30

10. $6{,}000 \times 15$

Grupo F, páginas 156 y 157

Cuando resuelves problemas de dos preguntas, resuelve el primer problema y usa esa respuesta como ayuda para resolver el segundo problema.

Problema 1: Una entrada para la piscina cuesta \$3 y una entrada para el parque acuático cuesta \$7. ¿Cuánto les cuesta a 4 personas ir a cada uno?

Costo de 4 entradas para la piscina:
$\$3 \times 4 = \$12$

Costo de 4 entradas para el parque acuático:
$\$7 \times 4 = \$28$.

Problema 2: ¿Cuánto más le cuesta al grupo de 4 ir al parque acuático que a la piscina?

$28 - 12 = 16$

Cuesta \$16 más.

Recuerda que debes usar la información del Problema 1 para resolver el Problema 2.

Resuelve.

Problema 1: Rosa visitó 14 ciudades en sus vacaciones. En cada ciudad, compró 3 regalos para enviar a sus amigas. ¿Cuántos regalos compró Rosa en sus vacaciones?

Problema 2: A Rosa le cuesta \$2 enviar cada regalo a sus amigas. ¿Cuánto le costó a Rosa enviar todos los regalos que compró en las vacaciones?

Tema 8

División por divisores de 1 dígito

1 ¿Dónde se exhibió la bandera estadounidense más grande del mundo? Lo averiguarás en la Lección 8-6.

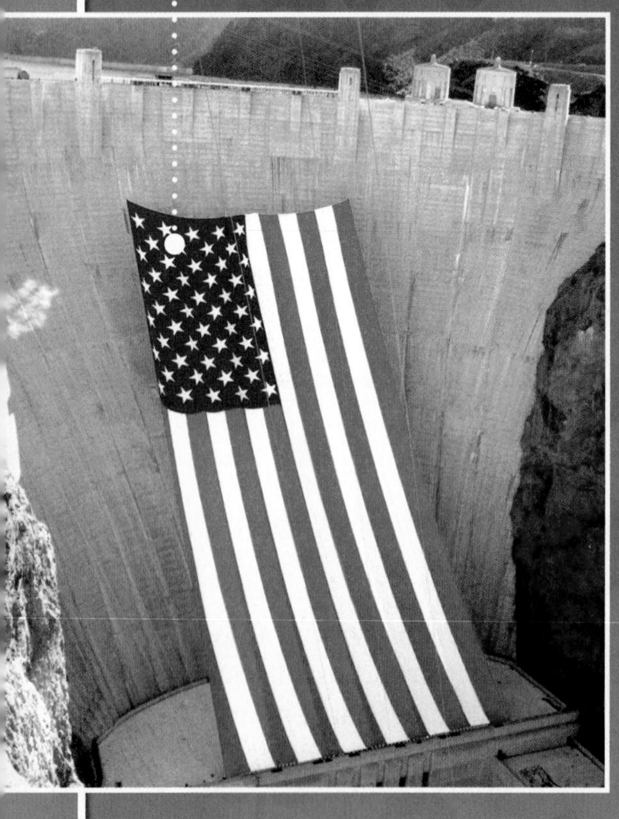

2 El selenio es un elemento que se halla en ciertos minerales, como en estos cristales de selenita. Se usa a menudo como conductor de electricidad. Algunos de los cristales de selenita más altos se hallan en Chihuahua, México. Averigua cuántas veces más altos son que un estudiante de cuarto grado de 4 pies de estatura en la Lección 8-5.

3 ¿Cuántas celdas solares hacen falta para impulsar un carro solar? Lo averiguarás en la Lección 8-1.

4

¿Cuánto tarda la Estación Espacial Internacional en orbitar la Tierra una vez? Lo averiguarás en la Lección 8-2.

Repasa lo que sabes

Vocabulario

Elige el mejor término del recuadro.

- matriz
- números compatibles
- factores
- producto parcial

1. Una ordenación de objetos en filas y columnas se llama un(a) _?_.

2. Al multiplicar un número de dos dígitos por un número de dos dígitos, se halla un _?_ multiplicando el primer factor por las unidades del segundo factor.

3. Los números que son fáciles de calcular mentalmente se llaman _?_.

Operaciones de división

Divide.

4. $15 \div 3$ **5.** $64 \div 8$ **6.** $72 \div 8$

7. $35 \div 7$ **8.** $12 \div 4$ **9.** $45 \div 9$

Multiplicar por 10 y 100

Halla los productos.

10. 62×10 **11.** 24×100 **12.** 65×100

13. 14×10 **14.** 35×100 **15.** 59×10

Matrices

16. Escribe un problema de multiplicación para la matriz de la derecha.

17. Escribir para explicar ¿Es una matriz de 4×3 igual o diferente a la matriz anterior? Explícalo.

Lección

8-1

¡Lo entenderás!
Se debe usar operaciones básicas y patrones de valor de posición para hallar el cociente.

Usar el cálculo mental para dividir

¿Cómo puedes usar patrones para dividir mentalmente?

El señor Díaz pidió una provisión de 320 crayones pastel. Necesita dividirlos equitativamente entre cuatro clases de arte. ¿Cuántos crayones pastel recibe cada clase?

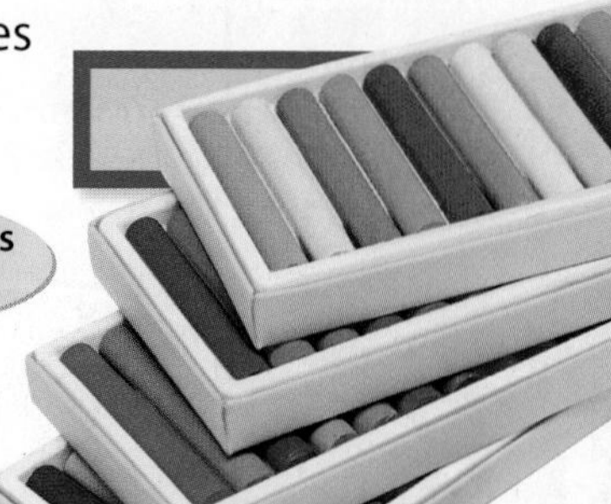

320 crayones pastel

Escoge una operación

La división se usa para formar grupos iguales.

Práctica guiada*

¿CÓMO hacerlo?

En los Ejercicios **1** y **2**, usa patrones para hallar cada cociente.

1. 28 ÷ 7 = ☐
280 ÷ 7 = ☐
2,800 ÷ 7 = ☐
28,000 ÷ 7 = ☐

2. 64 ÷ 8 = ☐
640 ÷ 8 = ☐
6,400 ÷ 8 = ☐
64,000 ÷ 8 = ☐

¿Lo ENTIENDES?

3. ¿En qué se parecen dividir 320 por 4 y dividir 32 por 4?

4. José pide 240 carpetas y las divide por igual entre las 4 clases. ¿Cuántas carpetas recibirá cada clase? ¿Qué operación básica usaste?

Práctica independiente

Práctica al nivel En los Ejercicios **5** a **8,** usa patrones para hallar cada cociente.

5. 36 ÷ 9 = ☐
360 ÷ 9 = ☐
3,600 ÷ 9 = ☐
36,000 ÷ 9 = ☐

6. 10 ÷ 2 = ☐
100 ÷ 2 = ☐
1,000 ÷ 2 = ☐
10,000 ÷ 2 = ☐

7. 45 ÷ 5 = ☐
450 ÷ 5 = ☐
4,500 ÷ 5 = ☐
45,000 ÷ 5 = ☐

8. 24 ÷ 8 = ☐
240 ÷ 8 = ☐
2,400 ÷ 8 = ☐
24,000 ÷ 8 = ☐

En los Ejercicios **9** a **23,** usa el cálculo mental para dividir.

9. 200 ÷ 5 **10.** 360 ÷ 4 **11.** 540 ÷ 9 **12.** 160 ÷ 4 **13.** 160 ÷ 2

14. 900 ÷ 3 **15.** 320 ÷ 8 **16.** 360 ÷ 6 **17.** 180 ÷ 3 **18.** 210 ÷ 7

19. 720 ÷ 8 **20.** 500 ÷ 5 **21.** 350 ÷ 7 **22.** 630 ÷ 9 **23.** 480 ÷ 6

* *Puedes encontrar otro ejemplo en el Grupo A, página 190.*

Halla 320 ÷ 4.

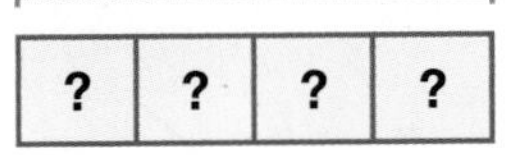

Crayones pastel para cada clase

La operación básica es 32 ÷ 4 = 8.

32 decenas ÷ 4 = 8 decenas u 80.
320 ÷ 4 = 80

Cada clase recibirá 80 crayones pastel.

El señor Díaz quiere dividir 400 borradores entre 8 clases. ¿Cuántos borradores recibirá cada clase? Halla 400 ÷ 8.

La operación básica es 40 ÷ 8.

40 decenas ÷ 8 = 5 decenas o 50.
400 ÷ 8 = 50

Cada clase recibirá 50 borradores.

Resolución de problemas

24. Sentido numérico Selena usó una operación básica para resolver 180 ÷ 6. ¿Qué operación básica usó Selena?

25. Un año tiene 52 semanas. ¿A cuántos años equivalen 520 semanas?

26. En la North American Solar Challenge, los equipos usan hasta 1,000 celdas solares para diseñar y construir carros propulsados por energía solar para una carrera. Si hay 810 celdas solares en filas de 9, ¿cuántas filas de celdas solares hay?

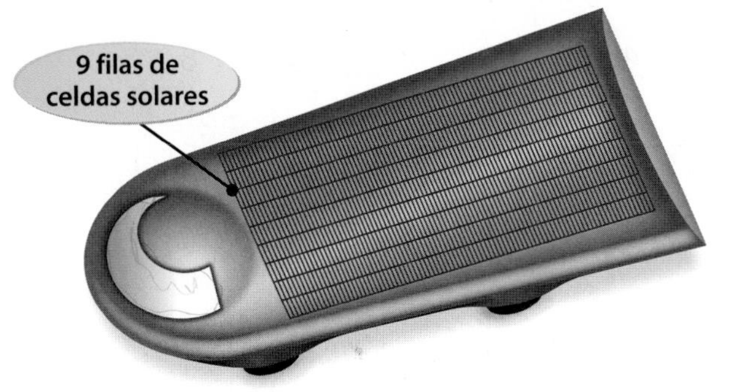

27. Una panadería produjo 37 panes en una hora. ¿Cuántos panes se produjeron en 4 horas?

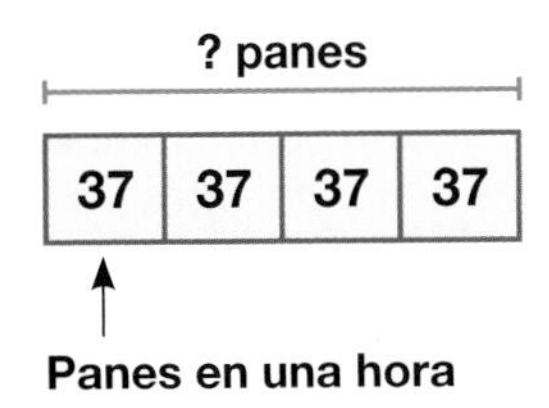

28. En la tarde de un sábado, 350 personas asistieron a una obra de teatro. El número de asientos se ordenó en 7 filas iguales. ¿Cuántas personas había en cada fila? ¿Cómo lo sabes?

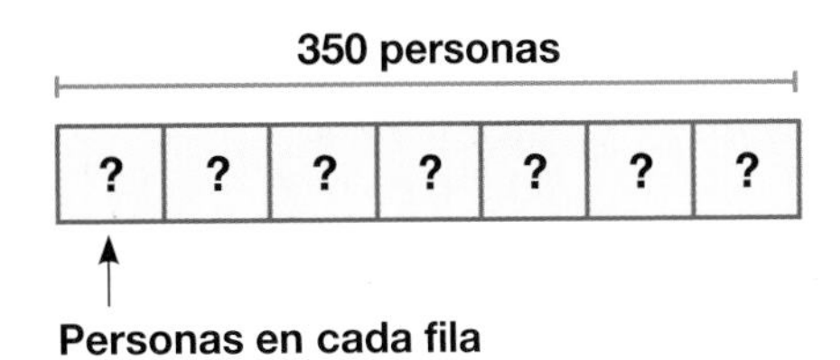

29. Cada fila de asientos en un estadio tiene 32 sillas. Si las 3 primeras filas están ocupadas, ¿cuántas personas hay en esas 3 filas?

A 9 personas

B 10 personas

C 96 personas

D 256 personas

30. Escribir para explicar Si sabes que 20 ÷ 5 = 4, ¿cómo te ayuda esa operación a hallar 200 ÷ 5?

Lección

8-2

¡Lo entenderás!
Existen maneras diferentes de estimar cocientes.

Estimar cocientes

¿Cuándo y cómo estimas cocientes para resolver problemas?

Max quiere hacer 9 pelotas de ligas. Compró un frasco de 700 ligas. ¿Aproximadamente cuántas ligas puede usar para cada pelota?

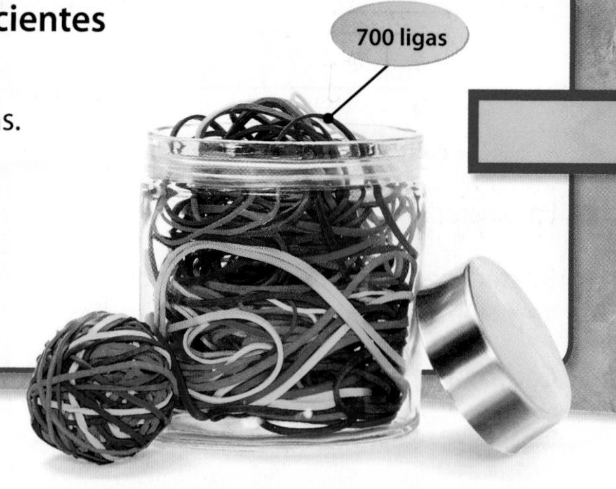

Práctica guiada*

¿CÓMO hacerlo?

En los Ejercicios **1** a **6,** estima los cocientes. Usa la multiplicación o números compatibles.

1. $48 \div 5$ **2.** $235 \div 8$

3. $547 \div 6$ **4.** $192 \div 5$

5. $662 \div 8$ **6.** $362 \div 3$

¿Lo ENTIENDES?

7. Escribir para explicar Para el problema siguiente, ¿es necesaria una estimación o una respuesta exacta?
Max compró dos frascos de ligas a $4.65 cada uno. ¿Cuánto gastó?

8. ¿Es razonable? Max decide usar las 700 ligas para hacer 8 pelotas. ¿Es razonable decir que cada pelota llevará aproximadamente 90 ligas?

Práctica independiente

Práctica al nivel En los Ejercicios **9** a **28,** estima el cociente.

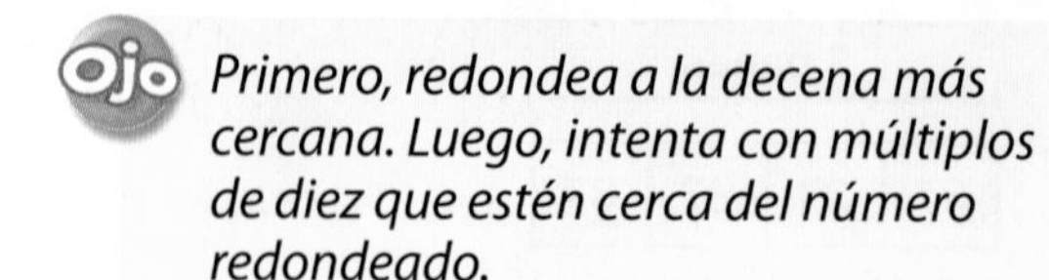

9. $430 \div 9$ **10.** $620 \div 7$ **11.** $138 \div 5$ **12.** $232 \div 6$ **13.** $172 \div 3$

14. $342 \div 8$ **15.** $652 \div 6$ **16.** $599 \div 9$ **17.** $813 \div 8$ **18.** $326 \div 4$

19. $637 \div 6$ **20.** $841 \div 2$ **21.** $747 \div 8$ **22.** $232 \div 9$ **23.** $387 \div 4$

24. $552 \div 7$ **25.** $527 \div 5$ **26.** $392 \div 2$ **27.** $625 \div 3$ **28.** $821 \div 3$

** Puedes encontrar otro ejemplo en el Grupo B, página 190.*

Una manera

Usa números compatibles.

¿Qué número cercano a 700 se divide fácilmente por 9?

Intenta con múltiplos de diez cercanos a 700.

710 no se puede dividir fácilmente por 9.

720 son 72 decenas y se puede dividir por 9.

$720 \div 9 = 80$

Una buena estimación es 80 ligas para cada pelota.

Una solución redondeada es todo lo que se necesita. Max no necesita saber el número exacto de ligas que usará para cada pelota.

Otra manera

Usa la multiplicación.

¿Nueve veces qué número es aproximadamente 700?

$9 \times 8 = 72$;
por tanto, $9 \times 80 = 720$.

$700 \div 9$ es aproximadamente 80.

Resolución de problemas

Usa el cuadro de la derecha para los Ejercicios **29** y **30.**

29. Ada vendió sus tazas en 3 semanas. ¿Aproximadamente cuántas vendió cada semana?

30. Ben vendió sus tazas en 4 semanas. ¿Aproximadamente cuántas vendió cada semana?

31. Sentido numérico El camión de Tony puede transportar con seguridad 3,000 libras. Él necesita entregar 21 televisores. Cada televisor pesa 95 libras.

a ¿Puede Tony transportar con seguridad todos los televisores en su camión?

b ¿Es necesaria una respuesta exacta o una estimación? Explícalo.

32. Escribir para explicar Copia el círculo y llénalo con > o <. Sin dividir, explica cómo sabes cuál cociente es mayor.

$930 \div 4 \bigcirc 762 \div 4$

33. La Estación Espacial Internacional tarda 644 minutos en orbitar la Tierra 7 veces. ¿Aproximadamente cuánto tiempo tarda cada órbita?

A 80 minutos

B 90 minutos

C 95 minutos

D 100 minutos

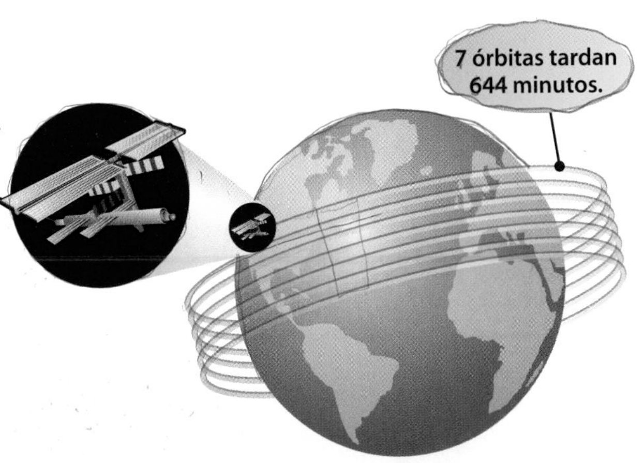

Lección

8-3

¡Lo entenderás!
En la división, a veces hay algunos sobrantes.

Dividir con residuos

Manos a la obra
fichas

¿Qué pasa cuando sobra algo?

María tiene 20 plantas de pimentones para situar en 3 filas. Tiene que plantar el mismo número en cada fila. ¿Cuántas plantas irán en cada fila? ¿Cuántas sobran?

Práctica guiada*

¿CÓMO hacerlo?

En los Ejercicios **1** a **4,** usa fichas o haz dibujos. Di cuántos objetos hay en cada grupo y cuántos sobran.

1. 26 bolígrafos
5 grupos

2. 34 carros
7 cajas

3. 30 canicas
4 bolsas

4. 40 pelotas
6 recipientes

¿Lo ENTIENDES?

5. Escribir para explicar Cuando divides un número por 6, ¿qué residuos son posibles?

6. Tina va a plantar 15 plantas en su jardín. Quiere plantarlas en grupos iguales de 4. ¿Cuántos grupos de 4 puede formar? ¿Cuántas plantas le sobrarán?

Práctica independiente

Práctica al nivel En los Ejercicios **7** a **14,** copia y luego completa los cálculos. Usa fichas o dibujos como ayuda.

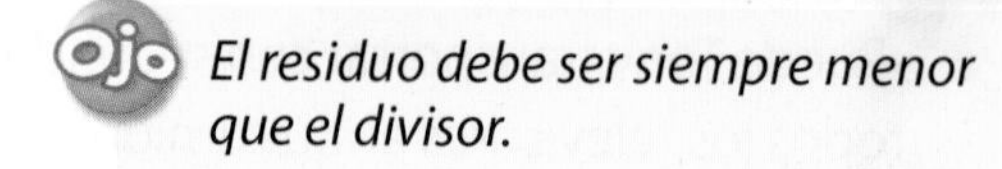
Ojo *El residuo debe ser siempre menor que el divisor.*

7. $8\overline{)35}$ R

8. $3\overline{)17}$ R

9. $9\overline{)51}$ R

10. $5\overline{)48}$ R

11. $6\overline{)47}$ R

12. $7\overline{)65}$ R

13. $9\overline{)77}$ R

14. $4\overline{)30}$ R

* *Puedes encontrar otro ejemplo en el Grupo C, página 191.*

Divide 20 fichas entre 3 filas.

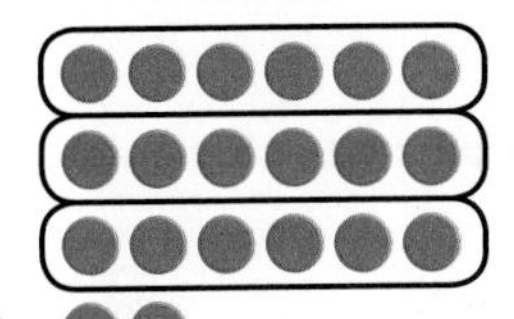

$3 \times 6 = 18$ fichas

La parte que sobra después de dividir se llama el residuo.

Hay 2 fichas sobrantes. Esto no es suficiente para otra fila; por tanto, el residuo es 2.

Comprueba tu respuesta.

$$\begin{array}{r} 6 \text{ R}2 \\ 3\overline{)20} \\ -18 \\ \hline 2 \end{array}$$

Divide: 3 grupos de 6 en 20

Multiplica: $3 \times 6 = 18$

Resta: $20 - 18 = 2$

Compara: $2 < 3$

$3 \times 6 = 18$ y $18 + 2 = 20$

María puede colocar 6 plantas en cada fila. Le sobrarán 2 plantas.

En los Ejercicios **15** a **29,** divide. Puedes usar fichas o dibujos como ayuda.

15. $3\overline{)29}$ **16.** $7\overline{)41}$ **17.** $9\overline{)55}$ **18.** $8\overline{)62}$ **19.** $5\overline{)37}$

20. $7\overline{)45}$ **21.** $4\overline{)22}$ **22.** $6\overline{)28}$ **23.** $8\overline{)33}$ **24.** $8\overline{)75}$

25. $9\overline{)86}$ **26.** $6\overline{)34}$ **27.** $7\overline{)39}$ **28.** $5\overline{)23}$ **29.** $8\overline{)61}$

Resolución de problemas

30. **Álgebra** Si $69 \div 9 = n$ R6, ¿cuál es el valor de n?

31. ¿Cuántas piezas de palillos de manualidades sobran si 9 amigos se reparten en partes iguales un paquete de 85 palillos de manualidades?

32. Escribe una división con un cociente de 7 y un residuo de 3.

33. **Sentido numérico** Cuando divides un número por 3, ¿puede ser 5 el residuo?

34. **¿Es razonable?** La maestra de Carlos tomó 27 fotos durante la excursión de su clase. Ella quiere ordenarlas en la pared, en 4 filas iguales. Carlos dijo que si lo hace así, le sobrarán 7 fotos. ¿Es esto razonable?

35. **Escribir para explicar** Jim tiene 46 discos compactos. Quiere comprar 5 estuches donde quepan 8 discos. Explica por qué Jim necesita comprar 6 estuches para guardar sus 46 discos compactos.

36. **Piensa en el proceso** Jack ayudó a la señora Sánchez a empacar 61 libros en 7 cajas. Cada caja contenía 8 libros. ¿Qué expresión muestra cómo hallar cuántos libros le sobraron?

A $61 - (7 + 8)$ **C** $61 + (7 \times 8)$

B $61 - (7 \times 8)$ **D** $61 + (7 + 8)$

37. En el concierto escolar había 560 personas sentadas en 8 filas. Si no quedaron asientos vacíos, ¿cuántas personas había en cada fila?

A 553 personas **C** 70 personas

B 480 personas **D** 60 personas

Lección

8-4

¡Lo entenderás!
Se puede hallar un cociente usando el valor de posición.

Relacionar modelos y símbolos

Manos a la obra
Bloques de valor de posición

¿Cómo te ayuda a dividir el valor de posición?

La señora Lynch exhibió 57 dibujos de los estudiantes en 3 paredes de la clase de arte. Si dividiera los dibujos en partes iguales, ¿cuántos habría en cada pared?

Haz una estimación: $60 \div 3 = 20$

57 dibujos de estudiantes

dibujos en cada pared

Otro ejemplo ¿Cómo representas los residuos?

Helen tiene 55 tarjetas postales. Para un proyecto de arte, ella planea pegar 4 tarjetas en hojas de papel de color.

¿Cuántas hojas de papel puede llenar?

Paso 1 Divide las decenas.

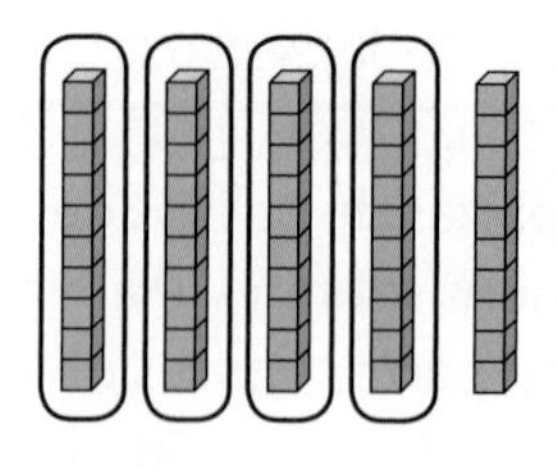

La división se usa para hallar el número de grupos iguales.

$$\begin{array}{r} 1 \\ 4\overline{)55} \\ -4 \\ \hline 1 \end{array}$$

Hay 1 decena en cada grupo y 1 decena sobrante.

Paso 2 Reagrupa 1 decena en 10 unidades y divide.

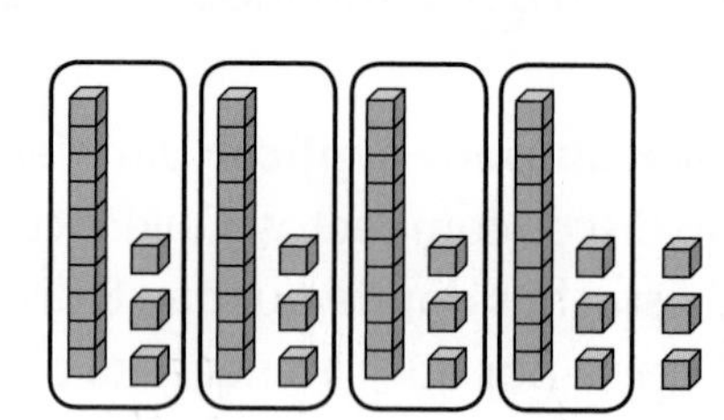

$$\begin{array}{r} 13 \text{ R3} \\ 4\overline{)55} \\ -4 \\ \hline 15 \\ -12 \\ \hline 3 \end{array}$$

Cambia la decena adicional por diez unidades.

1 decena y 5 unidades forman 15.

Hay 3 unidades en cada grupo y 3 sobrantes.

Helen llenará 13 hojas de papel de color.

Explícalo

1. En el primer paso de arriba, ¿qué representa el 1 del cociente?

2. **¿Es razonable?** ¿Cómo puedes comprobar que la respuesta es correcta?

Usa bloques de valor de posición para mostrar 57.

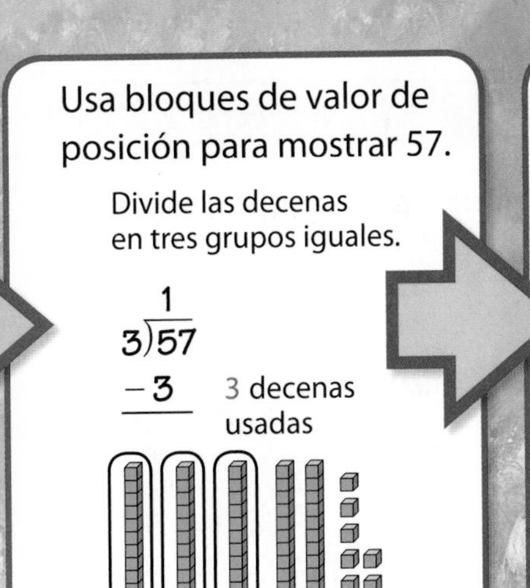

Cambia las decenas adicionales por unidades.

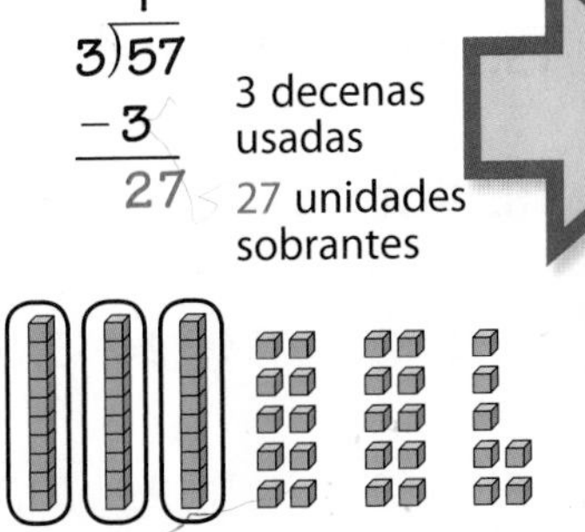

Divide las unidades.

$$\begin{array}{r} 19 \\ 3\overline{)57} \\ -3 \\ \hline 27 \\ -27 \\ \hline 0 \end{array}$$

27 unidades usadas

Hay 19 dibujos en cada pared.

Práctica guiada*

¿CÓMO hacerlo?

En los Ejercicios **1** a **4,** usa bloques de valor de posición o haz dibujos. Di cuántos objetos hay en cada grupo y cuántos sobrantes hay.

1. 76 revistas
5 cajas

2. 56 canicas
3 bolsas

3. 82 pastelitos
7 cajas

4. 72 fotos
3 álbumes

¿Lo ENTIENDES?

5. Describe otra manera de mostrar 57 con bloques de valor de posición.

6. La señora Lynch exhibió 48 pinturas en 3 grupos. Si cada grupo tenía el mismo número de pinturas, ¿cuántas había en cada grupo?

Práctica independiente

Práctica al nivel En los Ejercicios **7** a **10,** usa el modelo para completar las divisiones.

7. 71 ÷ ☐ = ☐ R2

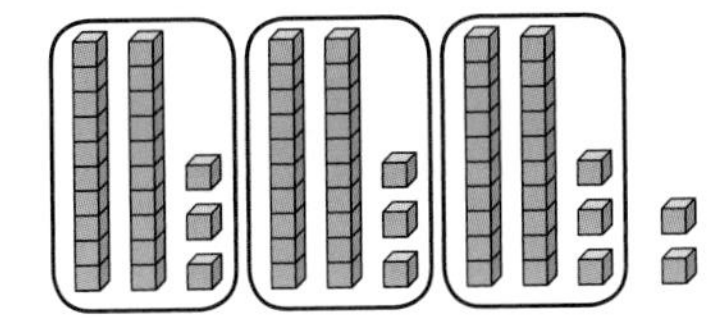

8. ☐ ÷ 4 = ☐

9. ☐ ÷ ☐ = ☐

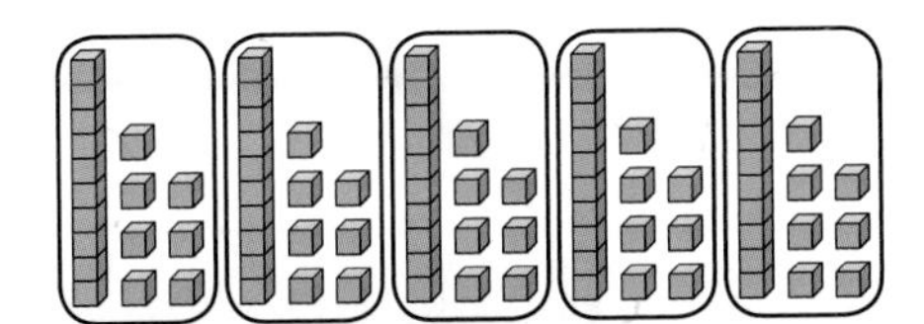

10. ☐ ÷ ☐ = ☐ R ☐

Puedes encontrar otro ejemplo en el Grupo D, página 191.

Práctica independiente

En los Ejercicios **11** a **30,** usa bloques de valor de posición o haz dibujos para resolverlos.

11. $3\overline{)46}$ **12.** $8\overline{)96}$ **13.** $4\overline{)55}$ **14.** $2\overline{)51}$ **15.** $5\overline{)89}$

16. $6\overline{)76}$ **17.** $7\overline{)36}$ **18.** $3\overline{)72}$ **19.** $2\overline{)63}$ **20.** $4\overline{)92}$

21. $3\overline{)44}$ **22.** $4\overline{)67}$ **23.** $6\overline{)85}$ **24.** $3\overline{)56}$ **25.** $5\overline{)97}$

26. $2\overline{)39}$ **27.** $4\overline{)31}$ **28.** $5\overline{)87}$ **29.** $7\overline{)82}$ **30.** $5\overline{)22}$

Resolución de problemas

31. Maya usó bloques de valor de posición para dividir 87. Formó grupos de 17 y le quedaron 2 sobrantes. Usa bloques de valor de posición o haz dibujos para determinar cuántos grupos formó Maya.

32. **Escribir para explicar** Harold tiene 64 carros de juguete en 4 cajas iguales. Para hallar el número que tiene en cada caja, él dividió 64 por 4. ¿Cuántas decenas reagrupó en unidades?

33. Piensa en el proceso Jake pasea perros y reparte periódicos para ganar dinero. Este mes ganó \$52 repartiendo periódicos y \$43 paseando perros. Cada mes pone la mitad de su dinero en el banco. ¿Qué opción muestra cuánto ahorró Jake este mes?

A $(52 + 43) + 2$

B $(52 + 43) \times 2$

C $(52 + 43) \div 2$

D $(52 + 43) - 2$

34. **Sentido numérico** Tina tiene 50 fresas. Quiere comer algunas cada día en el almuerzo. ¿Cuántas fresas puede comer cada día si quiere terminarlas en 5 días?

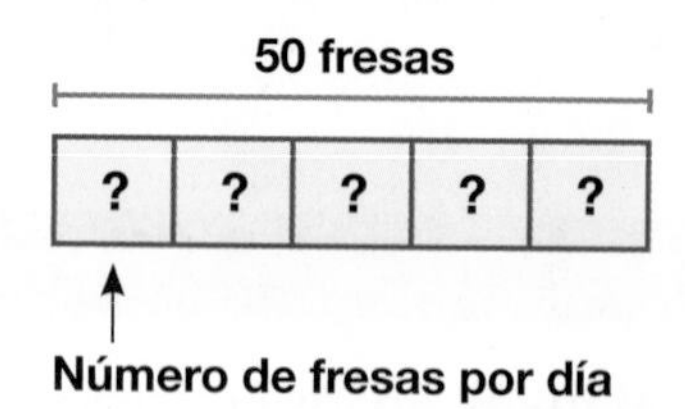

35. Las 4 clases de cuarto grado de la escuela primaria Jameson fueron al Capitolio de los Estados Unidos. Cada clase tenía 24 estudiantes. En el Capitolio, se dividieron en 6 grupos iguales. ¿Cuántos estudiantes había en cada grupo?

36. En una visita al Capitolio, se permite un máximo de 40 personas a la vez. Después de 16 visitas, ¿cuántas personas han visitado el Capitolio?

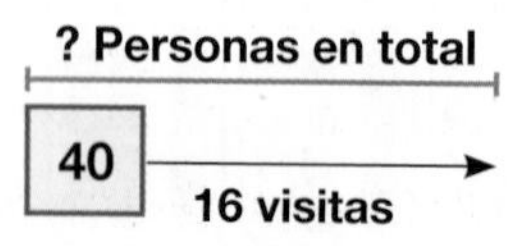

Ampliación

Dividir por múltiplos de 10

Se pueden usar patrones al dividir por múltiplos de 10. Es fácil dividir mentalmente con operaciones básicas y patrones de valor de posición.

Ejemplos:

$7\overline{)21} = 3$

$7\overline{)210} = 30$

$7\overline{)2{,}100} = 300$

$7\overline{)21{,}000} = 3{,}000$

A medida que el número de ceros aumenta en el dividendo, los ceros en el cociente también aumentan en la misma cantidad.

$4\overline{)20} = 5$

$40\overline{)200} = 5$

$400\overline{)2{,}000} = 5$

$4{,}000\overline{)20{,}000} = 5$

El número de ceros en el dividendo y el divisor aumenta en la misma cantidad y el cociente sigue siendo el mismo que el de la operación básica.

Práctica

En los Ejercicios **1** a **12**, divide. Usa el cálculo mental.

1. $30\overline{)90}$ **2.** $90\overline{)6{,}300}$ **3.** $2\overline{)8{,}000}$ **4.** $900\overline{)4{,}500}$

5. $80\overline{)560}$ **6.** $8\overline{)7{,}200}$ **7.** $200\overline{)1{,}400}$ **8.** $70\overline{)4{,}200}$

9. $7\overline{)350}$ **10.** $20\overline{)120}$ **11.** $70\overline{)2{,}800}$ **12.** $400\overline{)1{,}600}$

13. **Sentido numérico** Nombra otro problema de división que tenga la misma respuesta que $90\overline{)3{,}600}$.

14. **Sentido numérico** ¿En qué se parece dividir 490 por 7 a dividir 49,000 por 700?

15. Un museo de ciencias exhibe 2,400 piedras preciosas repartidas equitativamente en 30 estuches. ¿Cuántas piedras preciosas hay en cada estuche?

16. Ryan tiene una colección de 1,800 calcomanías. Quiere ordenarlas en grupos iguales en 20 álbumes de calcomanías. ¿Cuántas calcomanías habrá en cada álbum?

Lección
8-5

¡Lo entenderás!
Se puede hallar cocientes de 2 dígitos descomponiendo el problema y dividiendo las decenas y luego las unidades.

Dividir números de 2 dígitos por números de 1 dígito

¿Cuál es la manera común de anotar la división?

Para la colecta de alimentos organizada por la escuela, Alan necesita poner el mismo número de latas de sopa en cuatro cajas. ¿Cuántas latas de sopa irán en cada caja?

Escoge una operación Divide para hallar el número en cada grupo.

Otro ejemplo ¿Cómo divides con un residuo?

Alan recolecta 58 latas de verduras. Pone el mismo número de latas en cuatro cajas. ¿Cuántas latas de verduras irán en cada caja? ¿Cuántas latas sobrarán?

A 14 latas, sobrarán 2 latas

B 15 latas, sobrarán 2 latas

C 16 latas, sobrarán 2 latas

D 18 latas, sobrarán 2 latas

Paso 1

Divide las decenas.

Reagrupa la decena restante en 10 unidades.

$$\begin{array}{r} 1 \\ 4\overline{)58} \\ -4 \\ \hline 1 \end{array}$$

Paso 2

Divide las unidades.

Resta para hallar el residuo.

$$\begin{array}{r} 14 \\ 4\overline{)58} \\ -4 \\ \hline 18 \\ -16 \\ \hline 2 \end{array}$$

Paso 3

Comprueba: $14 \times 4 = 56$ y $56 + 2 = 58$.

Habrá 14 latas de verduras en cada caja y sobrarán 2 latas.

La opción correcta es la **A.**

Explícalo

1. **¿Es razonable?** ¿Cómo puedes usar la estimación para determinar si 14 latas es razonable?

2. ¿Por qué se usa la multiplicación para comprobar la división?

Paso 1

Divide las decenas.

$$\begin{array}{r} 1 \\ 4\overline{)76} \\ -4 \\ \hline 3 \end{array}$$

Piénsalo: Hay **1** decena en cada grupo y **3** decenas sobrantes.

Paso 2

Divide las unidades.

$$\begin{array}{r} 19 \\ 4\overline{)76} \\ -4 \\ \hline 36 \\ -36 \\ \hline 0 \end{array}$$

Piénsalo: Cambia las 3 decenas por 30 unidades. 30 unidades y 6 unidades forman **36** unidades.

Habrá 19 latas de sopa en cada caja.

Paso 3

Multiplica para comprobar.

$$\begin{array}{r} {}^{3} \\ 19 \\ \times\ 4 \\ \hline 76 \end{array}$$

Se comprueba la respuesta.

Práctica guiada*

¿CÓMO hacerlo?

En los Ejercicios **1** y **2,** copia y completa cada cálculo.

1. $\begin{array}{r} 4\square \\ 2\overline{)94} \\ -\square \\ \hline \square4 \\ -1\square \\ \hline 0 \end{array}$

2. $\begin{array}{r} 6\text{R}\square \\ 5\overline{)82} \\ -5 \\ \hline \square\square \\ -\square\square \\ \hline \square \end{array}$

¿Lo ENTIENDES?

3. Explica cómo estimarías la respuesta en el Ejercicio 2.

4. Alan recolecta 85 latas de fruta. Pone el mismo número de latas en 4 cajas. ¿Tendrá alguna lata sobrante? Si así fuera, ¿cuántas latas tendrá?

Práctica independiente

Práctica al nivel En los Ejercicios **5** a **8,** copia y completa los cálculos. Haz estimaciones para ver si los resultados son razonables.

5. $\begin{array}{r} \square\square \\ 7\overline{)84} \\ -7 \\ \hline \square4 \\ -\square\square \\ \hline 0 \end{array}$

6. $\begin{array}{r} \square6 \\ 3\overline{)78} \\ -\square \\ \hline \square8 \\ -1\square \\ \hline 0 \end{array}$

7. $\begin{array}{r} \square\square\text{R} \\ 4\overline{)93} \\ -8 \\ \hline \square\square \\ -1\square \\ \hline 1 \end{array}$

8. $\begin{array}{r} 1\square\text{R}\square \\ 6\overline{)80} \\ -\square \\ \hline \square\square \\ -\square\square \\ \hline \square \end{array}$

En los Ejercicios **9** a **18,** halla los cocientes. Usa la multiplicación para comprobarlos.

9. $3\overline{)63}$ **10.** $7\overline{)88}$ **11.** $6\overline{)96}$ **12.** $4\overline{)52}$ **13.** $5\overline{)73}$

14. $5\overline{)93}$ **15.** $3\overline{)87}$ **16.** $4\overline{)72}$ **17.** $6\overline{)77}$ **18.** $2\overline{)37}$

* *Puedes encontrar otro ejemplo en el Grupo E, página 191.*

Práctica independiente

En los Ejercicios **19** a **28,** halla los cocientes. Usa la multiplicación para comprobarlos.

19. $3\overline{)46}$ **20.** $7\overline{)65}$ **21.** $8\overline{)27}$ **22.** $9\overline{)86}$ **23.** $4\overline{)66}$

24. $8\overline{)59}$ **25.** $4\overline{)92}$ **26.** $3\overline{)74}$ **27.** $5\overline{)68}$ **28.** $2\overline{)89}$

Resolución de problemas

29. Algunos de los cristales de selenita más altos en una cueva de Chihuahua, México, tienen 50 pies de altura. ¿Aproximadamente cuántas veces más altos son estos cristales que un alumno de cuarto grado que mide 4 pies de altura?

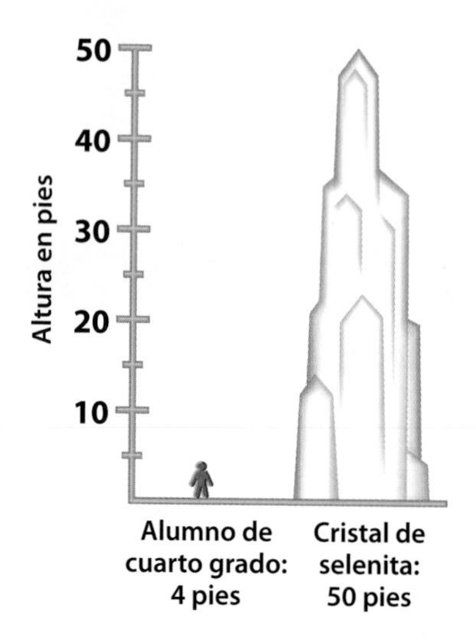

30. Geometría Zelda tiene un pedazo de tela que mide 74 pulgadas de largo. Ella quiere dividirlo en 2 pedazos iguales. ¿Cuál es la longitud de cada pedazo?

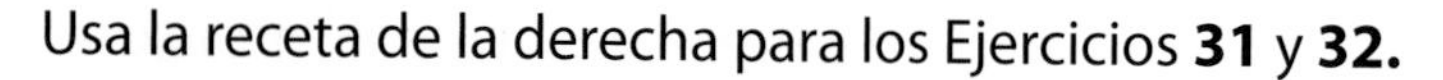

Usa la receta de la derecha para los Ejercicios **31** y **32.**

31. ¿Cuántas onzas de mezcla de frutas secas se hacen con la receta?

32. Maggie está haciendo mezcla de frutas secas. Prepara 4 porciones de la receta que se muestra. Luego las divide en tres bolsas del mismo tamaño. ¿Cuántas onzas hay en cada bolsa?

Datos

Mezcla de frutas secas	
Granola	8 oz
Nueces	5 oz
Pasas de uva	2 oz
Arándanos	3 oz

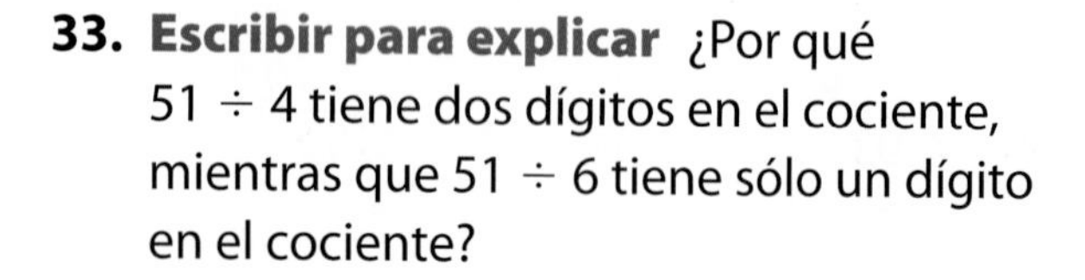

33. Escribir para explicar ¿Por qué $51 \div 4$ tiene dos dígitos en el cociente, mientras que $51 \div 6$ tiene sólo un dígito en el cociente?

34. Escribe un problema Escribe un problema que pueda resolverse dividiendo 78 por 5.

35. Estimación Paulo tiene 78 cabezas de ganado en su rancho. Necesita dividirlas en grupos iguales entre 3 potreros. ¿Cuál de las opciones muestra la mejor manera de estimar el número de cabezas de ganado en cada potrero?

A $60 \div 3$ **C** $75 \div 3$

B $66 \div 3$ **D** $90 \div 3$

36. Todos los años, la ciudad de San Marcos festeja el Cinco de Mayo. Si 60 estudiantes actúan en 5 grupos iguales, ¿cuántos estudiantes hay en cada grupo?

A 10 estudiantes **C** 25 estudiantes

B 12 estudiantes **D** 55 estudiantes

Diagramas de Venn

Un **diagrama de Venn** es un diagrama que usa círculos para mostrar las relaciones entre grupos de datos. Cuando los círculos se sobreponen o **intersecan,** los datos pertenecen a más de un grupo.

Ejemplo: Robin, Kevin y Coreen están en el club de matemáticas.

Sara, Callie, Mike, Brad y Rachel están en el club de ciencias.

Gwen y Dan están en ambos clubes.

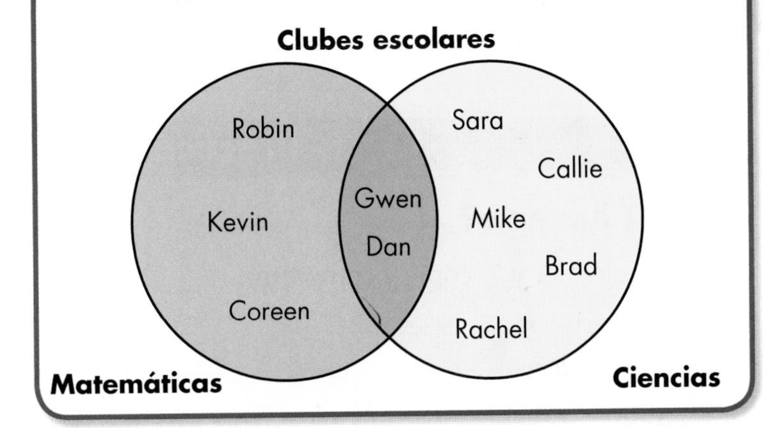

Práctica

En los Ejercicios **1** a **3,** usa el diagrama de Venn de la derecha.

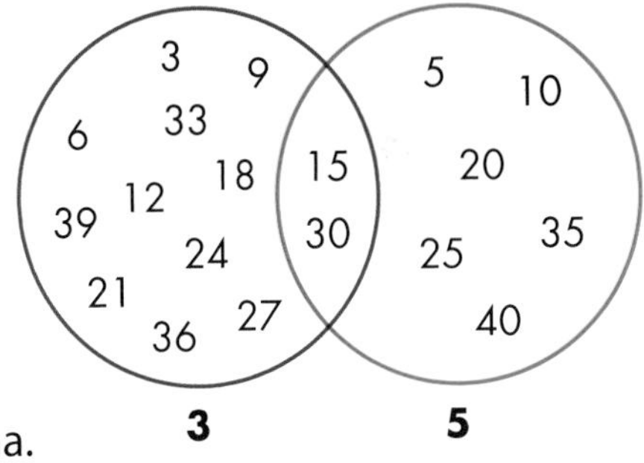

1. ¿A qué conjunto de múltiplos pertenece 24?
2. ¿Qué números son múltiplos tanto de 3 como de 5?
3. Si continuaras con los múltiplos, ¿en qué parte del diagrama de Venn pondrías 48? ¿Y 50? ¿Y 60?

En los Ejercicios **4** a **6,** usa el diagrama de Venn de la derecha.

4. ¿Qué factores de 16 son también factores de 48?
5. Nombra los factores de 48 que ni son factores de 16 ni son factores de 40.
6. ¿Qué números son factores de 16, 40 y 48?
7. Haz un diagrama de Venn que use dos círculos.
8. Haz un diagrama de Venn que use tres círculos.

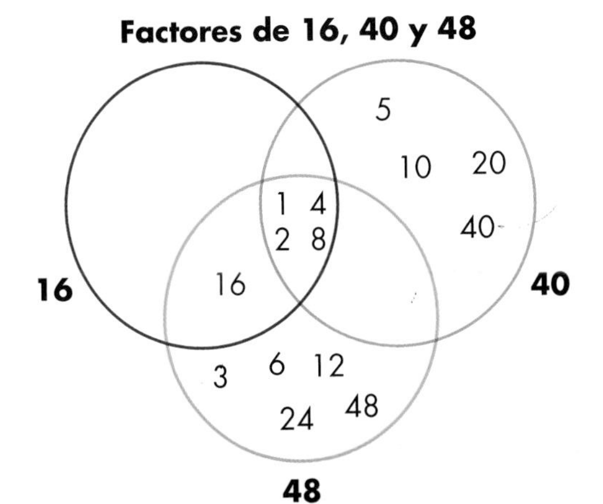

Lección
8-6

¡Lo entenderás!
Los números más grandes se pueden dividir de la misma manera en que se dividen los números más pequeños.

Dividir números de 3 dígitos por números de 1 dígito

¿Cómo puedes dividir los números por centenas?

Una fábrica despachó 378 relojes en 3 cajas. Si se dividieron los relojes en grupos iguales, ¿cuántos había en cada caja?

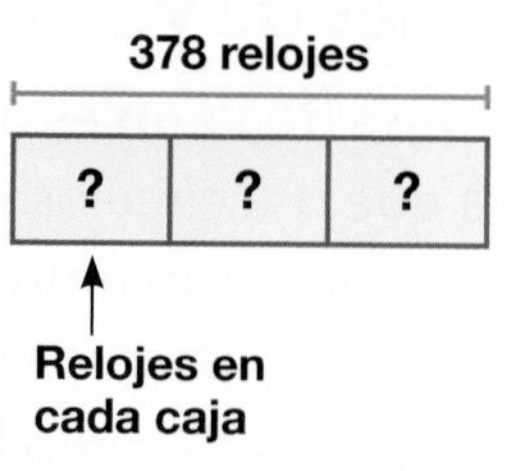

Escoge una operación Divide para hallar el número en cada grupo.

Práctica guiada*

¿CÓMO hacerlo?

En los Ejercicios **1** y **2,** copia y completa los cálculos.

1.
```
   3▢▢
 2)658
  -▢
   ▢
  -▢
   ▢▢
  -▢▢
    ▢
```

2.
```
   ▢▢▢ R▢
 4)954
  -8
   ▢▢
  -▢▢
    ▢▢
   -▢▢
     2
```

¿Lo ENTIENDES?

3. Cuando divides las centenas en el primer paso de arriba, ¿qué representa el 1 del cociente?

4. Jenny pagó $195 para tomar clases de violín durante 3 meses. ¿Cuánto le costó 1 mes de clases?

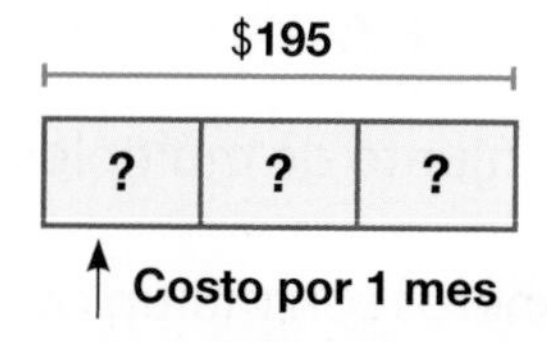

Práctica independiente

Práctica al nivel En los Ejercicios **5** a **13,** divide. Puedes hacer un dibujo como ayuda.

5.
```
   1▢▢
 5)595
  -▢
   ▢
  -▢
   4▢
  -▢▢
    ▢
```

6.
```
   ▢▢▢
 2)832
  -▢
   3
  -▢
   ▢2
  -▢▢
    ▢
```
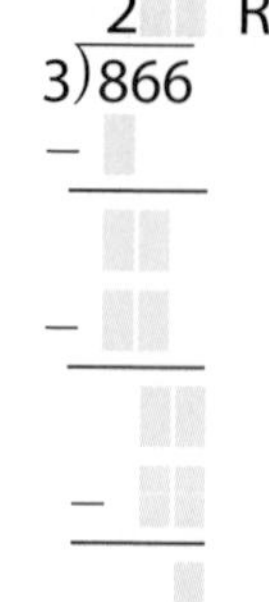

7.
```
   2▢▢ R▢
 3)866
  -▢
   ▢▢
  -▢▢
    ▢▢
   -▢▢
     ▢
```

8.
```
   ▢▢▢ R▢
 4)575
  -▢
   ▢▢
  -▢▢
    ▢▢
   -▢▢
     ▢
```

9. 4)952 **10.** 3)761 **11.** 5)615 **12.** 2)871 **13.** 3)638

* *Puedes encontrar otro ejemplo en el Grupo F, página 192.*

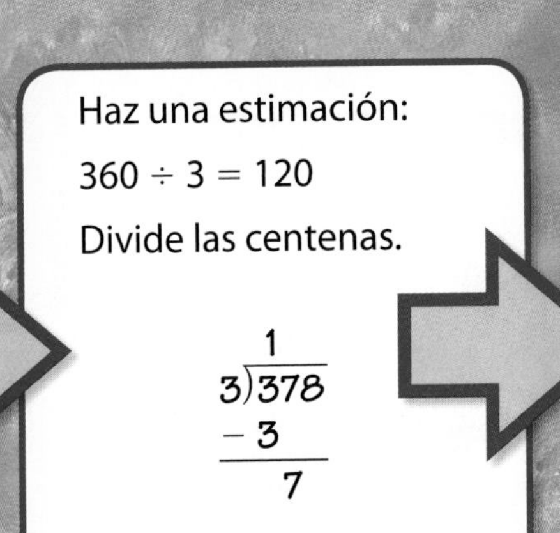

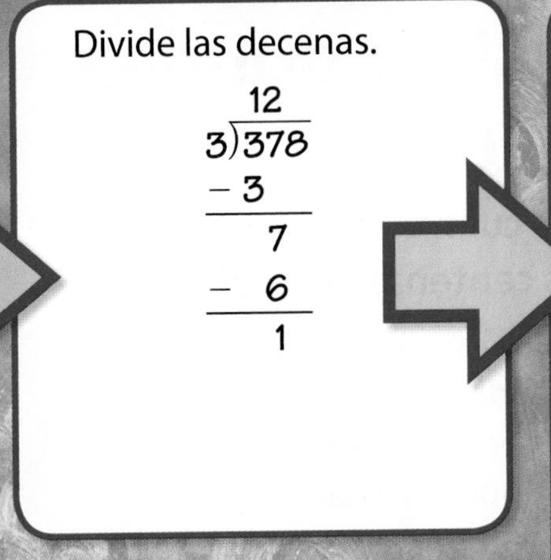

Divide las unidades.

```
  126
3)378
 − 3
   7
 − 6
   18
 − 18
    0
```

Había 126 relojes en cada caja.

La respuesta es razonable porque 126 está cerca de 120.

Resolución de problemas

14. Geometría La bandera de los Estados Unidos más grande que existe se desplegó en la represa Hoover. Mide 255 pies por 505 pies. ¿Cuántos pies más mide la bandera de largo que de ancho?

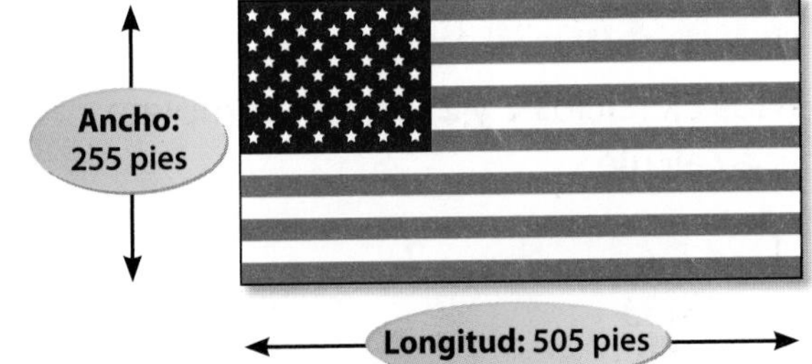

En los Ejercicios **15** y **16,** usa la tabla de la derecha.

15. A bordo de la embarcación *Memphis Belle* suben 848 personas. ¿Cuántos asientos se necesitan para que todas puedan sentarse?

16. Escribir para explicar Si en la embarcación *Natchez Willie* hay 793 personas, ¿cuántos asientos se necesitarían para que todas puedan sentarse?

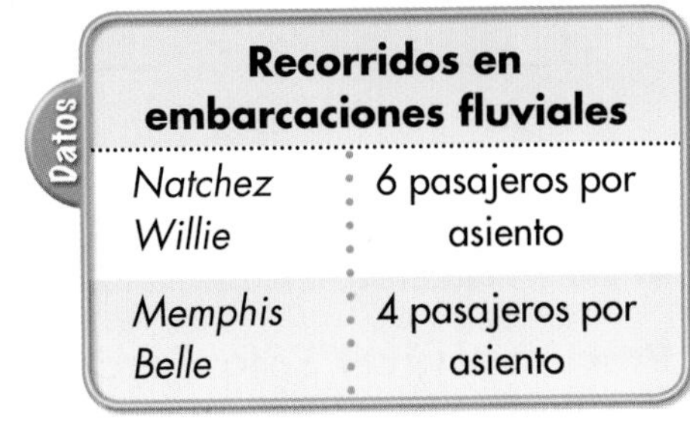

Datos

Recorridos en embarcaciones fluviales	
Natchez Willie	6 pasajeros por asiento
Memphis Belle	4 pasajeros por asiento

17. Álgebra Si 698 ÷ 4 = 174 R ▢, ¿cuál es el valor de ▢?

18. El transbordador *Galveston-Port Bolívar* transporta carros a través de la bahía de Galveston. Un día, llevó un total de 685 carros en un período de 5 horas. Si transportó el mismo número de carros por hora, ¿cuántos llevó por hora?

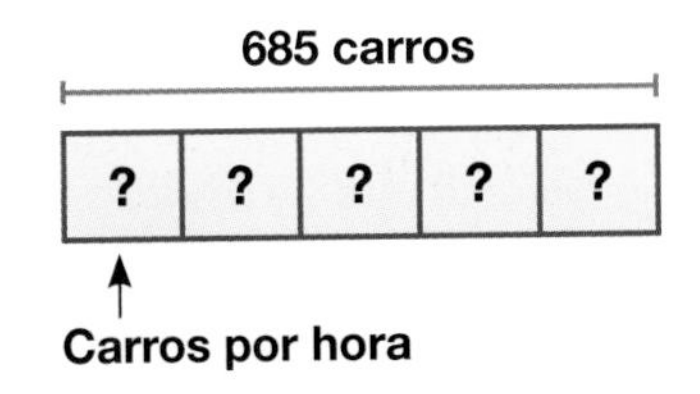

19. Theo compró una camiseta por $21 y unos pantalones cortos por $16. Pagó con dos billetes de $20. ¿Cuánto dinero le devolvieron a Theo?

A $1

B $2

C $3

D $4

Lección
8-7

¡Lo entenderás!
El primer paso para hallar un cociente es decidir por dónde empezar a dividir.

Determinar dónde empezar a dividir

¿Qué haces cuando no hay suficientes centenas para dividir?

Madison fabrica llaveros con forma de iguana usando pompones. Ella tiene 145 pompones rosados. ¿Hay suficientes pompones rosados para fabricar 36 llaveros?

2 pompones amarillos
4 pompones rosados
7 pompones azules
31 pompones verdes
3 yardas de cordón flexible

4 pompones rosados

Práctica guiada*

¿CÓMO hacerlo?

En los Ejercicios **1** y **2**, copia y completa cada cálculo.

1. $7\overline{)455}$ (cociente: 6▢)
− ▢▢
▢5
− ▢▢
▢

2. $5\overline{)319}$ (cociente: ▢▢ R▢)
− 3▢
▢▢
− ▢▢
▢

¿Lo ENTIENDES?

3. Madison tiene 365 pompones azules. ¿Cuántos llaveros puede fabricar?

4. Explica cómo te ayuda un cociente estimado a determinar por dónde empezar.

Práctica independiente

Práctica al nivel En los Ejercicios **5** a **13**, divide. Puedes hacer un dibujo como ayuda.

5. $6\overline{)444}$ (cociente: ▢▢)
− ▢▢
▢▢
− ▢▢
▢

6. $3\overline{)588}$ (cociente: 1▢▢)
− ▢
▢8
− ▢▢
▢8
− ▢▢
▢

7. $8\overline{)417}$ (cociente: 5▢ R▢)
− ▢▢
▢▢
− ▢▢
▢

8. $2\overline{)935}$ (cociente: ▢▢▢ R▢)
− 8
▢▢
− ▢▢
▢▢
− ▢▢
▢

9. $8\overline{)526}$ **10.** $5\overline{)690}$ **11.** $3\overline{)769}$ **12.** $4\overline{)923}$ **13.** $6\overline{)342}$

Puedes encontrar otro ejemplo en el Grupo G, página 192.

No hay suficientes centenas para poner una en cada grupo.

Empieza por dividir las decenas.

$$\begin{array}{r} 3 \\ 4\overline{)145} \\ -12 \\ \hline 25 \end{array}$$

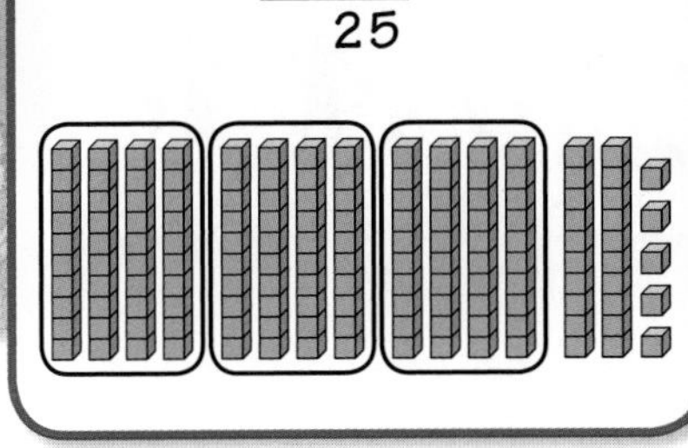

Divide las unidades.

$$\begin{array}{r} 36 \text{ R1} \\ 4\overline{)145} \\ -12 \\ \hline 25 \\ -\ 24 \\ \hline 1 \end{array}$$

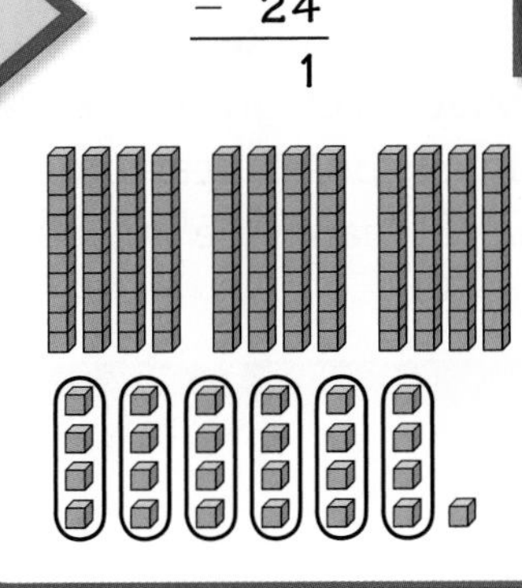

Para comprobar, multiplica el cociente por el divisor y suma el residuo.

$$\begin{array}{r} {}^{2} \\ 36 \\ \times\ 4 \\ \hline 144 \end{array}$$

144 + 1 = 145

Madison tiene suficientes pompones rosados para fabricar 36 llaveros.

En los Ejercicios **14** a **23,** divide. Luego comprueba tu respuesta.

14. $6\overline{)96}$ **15.** $5\overline{)295}$ **16.** $2\overline{)306}$ **17.** $9\overline{)517}$ **18.** $4\overline{)624}$

19. $7\overline{)430}$ **20.** $4\overline{)229}$ **21.** $5\overline{)655}$ **22.** $3\overline{)209}$ **23.** $6\overline{)438}$

Resolución de problemas

En los Ejercicios **24** y **25,** usa la gráfica de barras que está a la derecha.

James está organizando sus CDs. Planea ponerlos en cubos apilables que contienen 8 CDs cada uno.

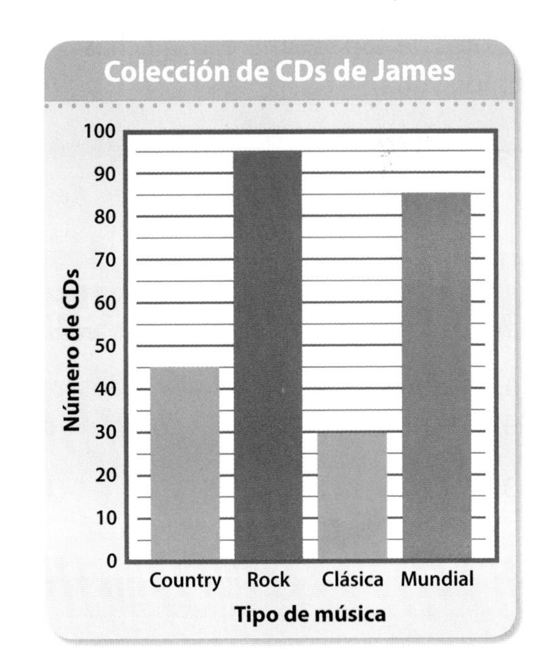

24. ¿Cuántos cubos necesitará James para toda su colección?

25. Si James decidiera agrupar los CDs de rock junto con los de música mundial, ¿cuántos cubos necesitaría?

26. **Sentido numérico** ¿Cómo sabes, sin dividir, que 479 ÷ 6 tendrá un cociente de 2 dígitos?

27. Una familia hará un viaje de 3 días. El costo total del hotel es de \$336. Calcularon un presupuesto de \$100 por día para comida. ¿Cuánto costará por día el viaje?

A \$33 **B** \$112 **C** \$145 **D** \$212

Lección
8-8

¡Lo entenderás!
Los productos se pueden descomponer en muchos factores.

Factores

Manos a la obra
fichas

¿Cómo puedes usar la multiplicación para hallar todos los factores de un número?

Jean tiene 16 muñecos de juguete. Quiere ordenarlos en su habitación en grupos de igual tamaño. ¿De qué maneras puede Jean ordenar los muñecos de juguete? Jean tiene que pensar en todos los factores de 16.

Práctica guiada*

¿CÓMO hacerlo?

En los Ejercicios **1** a **4,** escribe cada número como un producto de dos factores, de dos maneras diferentes.

1. 36　　**2.** 42

3. 50　　**4.** 64

En los Ejercicios **5** a **8,** halla todos los factores de cada número. Usa fichas como ayuda.

5. 12　　**6.** 20

7. 28　　**8.** 54

¿Lo ENTIENDES?

9. ¿Qué factor tiene todo número par?

10. Escribir para explicar ¿Es 5 un factor de 16?

11. Jean consiguió 2 muñecos de juguete más. ¿Cuáles son todas las agrupaciones iguales que puede hacer ahora?

12. El hermano de Jean tiene 100 muñecos de juguete. ¿Cuáles son todos los factores de 100?

Práctica independiente

En los Ejercicios **13** a **32,** halla todos los factores de cada número. Usa fichas como ayuda.

Ojo *Para los números pares, recuerda que 2 siempre es un factor.*

13. 6　　**14.** 32　　**15.** 45　　**16.** 11　　**17.** 36

18. 25　　**19.** 63　　**20.** 22　　**21.** 51　　**22.** 30

23. 14　　**24.** 18　　**25.** 27　　**26.** 21　　**27.** 40

28. 55　　**29.** 39　　**30.** 35　　**31.** 29　　**32.** 48

* *Puedes encontrar otro ejemplo en el Grupo H, página 192.*

$16 = 1 \times 16$

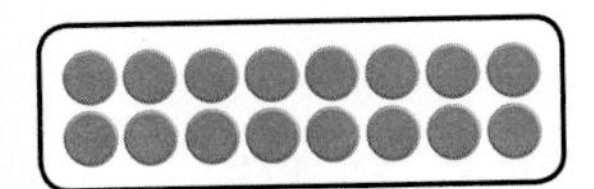

Jean puede ordenar los 16 muñecos en 1 grupo

o

en 16 grupos de 1 muñeco.

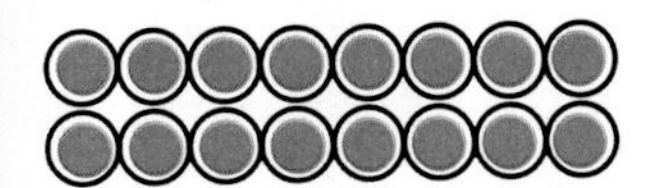

Por tanto, 1 y 16 son factores de 16.

$16 = 2 \times 8$

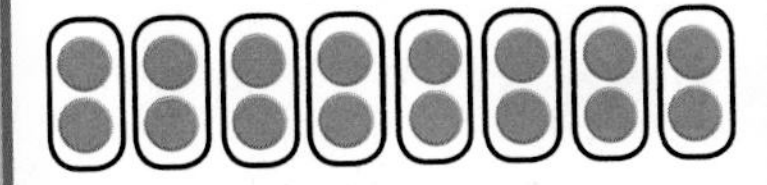

Jean puede ordenar 2 muñecos en 8 grupos

o

en 2 grupos de 8 muñecos.

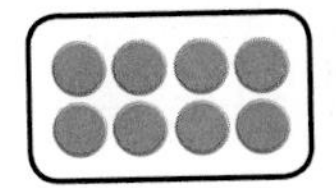

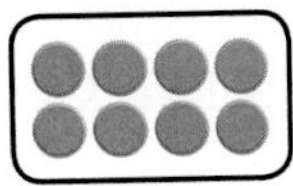

Por tanto, 2 y 8 son factores de 16.

$16 = 4 \times 4$

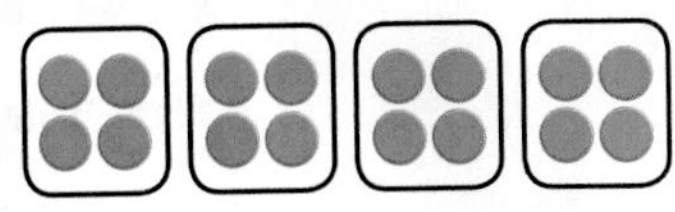

Jean puede ordenar 4 muñecos en 4 grupos.

4 es un factor de 16.

Los factores de 16 son 1, 2, 4, 8 y 16.

Resolución de problemas

33. Como parte de su proyecto de ciencias, Shay está haciendo un modelo de una granja eólica de California. Quiere ponerle a su modelo 24 turbinas. ¿Qué matrices puede hacer usando 24 turbinas?

34. Anita quiere incluir en su sitio Web una matriz de 15 fotos. Describe las matrices que puede hacer.

35. ¿Qué opción incluye todos los factores de 38?

A 1, 38

B 1, 2, 14, 38

C 1, 2, 38

D 1, 2, 19, 38

36. **Sentido numérico** Cualquier número que tenga 9 como factor también tiene 3 como factor. ¿Por qué ocurre esto?

37. **Escribir para explicar** ¿Cuál es mayor, $\frac{3}{4}$ ó 0.75?

38. El manatí es un mamífero marino en peligro de extinción. Un manatí hembra, como la que aparece en la foto de la derecha, es tres veces más largo que su cría. ¿Qué longitud tiene la cría?

Ojo $3 \times ? = 12$

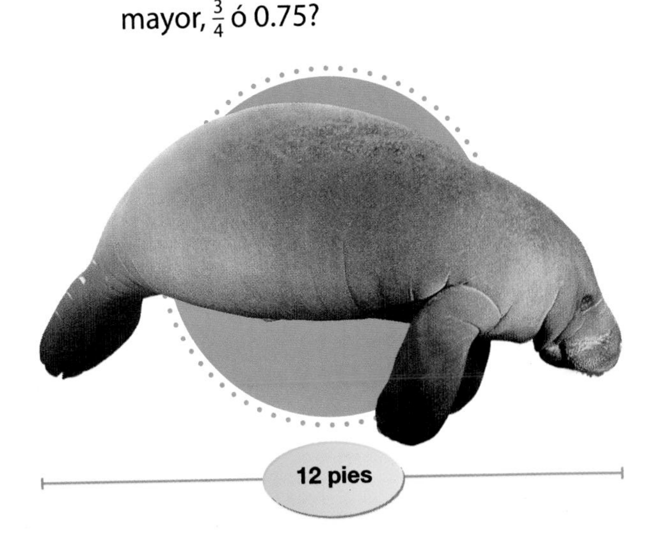

12 pies

Lección
8-9

¡Lo entenderás!
Saber cuántos factores tiene un número entero puede ayudar a saber si el número es primo o compuesto.

Números primos y compuestos

Un número primo es un número entero mayor que 1 que tiene exactamente dos factores, 1 y el número mismo.

Un número compuesto es un número entero mayor que 1 que tiene más de dos factores.

Datos

Números	Factores
2	1, 2
3	1, 3
4	1, 2, 4
5	1, 5
6	1, 2, 3, 6

Práctica guiada*

¿CÓMO hacerlo?

En los Ejercicios **1** a **6,** di si cada número es primo o compuesto.

1. 32 **2.** 41

3. 57 **4.** 21

5. 95 **6.** 103

¿Lo ENTIENDES?

7. ¿Cuál es el único número par primo?

8. Escribir para explicar Da un ejemplo de un número impar que no sea primo. ¿Qué lo hace un número compuesto?

9. Roger tiene 47 carros. ¿Puede agrupar los carros en más de 2 maneras?

Práctica independiente

Práctica al nivel En los Ejercicios **10** a **31**, escribe si cada número es primo o compuesto.

10. 7 **11.** 9

12. 23 **13.** 33 **14.** 56 **15.** 67 **16.** 38

17. 58 **18.** 75 **19.** 101 **20.** 51 **21.** 300

22. 9 **23.** 2 **24.** 97 **25.** 1,900 **26.** 37

27. 11 **28.** 44 **29.** 1,204 **30.** 10 **31.** 59

*Puedes encontrar otro ejemplo en el Grupo J, página 193.

Números primos

El número 5 es un número primo. Tiene sólo dos factores, 1 y él mismo.

$1 \times 5 = 5$

Números compuestos

El número 6 es un número compuesto. Sus factores son 1, 2, 3 y 6.

$1 \times 6 = 6$

$2 \times 3 = 6$

El número 1 es un número especial. No es ni primo ni compuesto.

Resolución de problemas

En los Ejercicios **32** y **33,** usa la pictografía que está a la derecha.

32. ¿Por qué clase de flor votó un número primo de personas?

33. ¿A cuántas personas representa la pictografía?

Flores favoritas	
Narcisos	
Margaritas	
Tulipanes	

Clave: Cada símbolo de flor es igual a 2 votos.

34. ¿Cuál de los siguientes grupos de números son todos primos?

A 1, 2, 7, 11, 25 **C** 3, 5, 13, 19

B 1, 3, 5, 7, 9 **D** 15, 21, 27, 31

35. **Escribir para explicar** Greta dijo que el producto de dos números primos debe ser también un número primo. Juana no estuvo de acuerdo. ¿Quién tiene razón?

36. Usa los siguientes pasos ideados por el matemático griego Eratóstenes para crear una lista de los números primos del 1 al 100. ¿Cuántos números primos hay entre 1 y 100?

- Escribe todos los números del 1 al 100.
- Dibuja un triángulo alrededor del número 1; no es ni primo ni compuesto.
- Encierra el 2 en un círculo y tacha todos los múltiplos de 2.
- Encierra el 3 en un círculo y tacha todos los múltiplos de 3.
- Encierra el 5 en un círculo, que es el número siguiente que no está tachado. Tacha todos los múltiplos de 5.
- Continúa de la misma manera. Cuando hayas terminado, los números encerrados en un círculo son los primos.

1	2	3	4	5
6	7	8	9	10
11	12	13	14	15
16	17	18	19	20
21	22	23	24	25
26	27	28	29	30
31	32	33	34	35
36	37	38	39	40

Lección
8-10

¡Lo entenderás!
Identificar las preguntas escondidas puede ayudar a resolver los problemas de varios pasos.

Resolución de problemas

Problemas de varios pasos

Justine y su padre se van de pesca. Los precios de las provisiones, con impuesto incluido, se muestran en la tabla. Justine y su padre tienen $25. Compraron 2 cajas de almuerzo, 2 botellas de agua, 5 anzuelos y 5 pesas de plomo. ¿Cuántas libras de carnada pueden comprar?

Datos

Lista de precios de Capitán Bob	
Carnada	$3 la libra
Anzuelos	60¢ cada uno
Pesas de plomo	40¢ cada una
Botellas de agua	$1 cada una
Caja de almuerzo	$6 cada una

Práctica guiada*

¿CÓMO hacerlo?

Resuelve.

1. Elsa cuida a los niños de la familia Smyth. Gana $10 por hora durante los días de semana. Gana $15 por hora durante el fin de semana. La semana pasada, trabajó 3 horas durante la semana y 4 horas durante el fin de semana. ¿Cuánto ganó Elsa la semana pasada?

¿Lo ENTIENDES?

2. ¿Cuál es la pregunta escondida o cuáles son las preguntas escondidas?

3. **Escribe un problema** Escribe un problema que contenga una pregunta escondida.

Práctica independiente

Escribe la respuesta a la pregunta escondida o a las preguntas escondidas. Luego resuelve el problema. Escribe tu respuesta en una oración completa.

4. Gabriela compra el almuerzo para ella y para su amiga. Compra dos sándwiches y 2 bebidas. Cada sándwich cuesta $4. Cada bebida cuesta $1.50. ¿Cuánto gastó Gabriela en el almuerzo?

5. Jamie está comprando tazones para helado para una reunión en la escuela. Compra 5 paquetes de tazones rojos, 3 paquetes de tazones anaranjados, 4 paquetes de tazones verdes y 7 paquetes de tazones blancos. Cada paquete contiene 8 tazones. ¿Cuántos tazones compró en total?

¿En aprietos? Intenta esto:

- ¿Qué sé?
- ¿Qué diagrama puede ayudarme a entender el problema?
- ¿Puedo usar suma, resta, multiplicación o división?
- ¿Está correcto todo mi trabajo?
- ¿Respondí a la pregunta que correspondía?
- ¿Es razonable mi respuesta?

* Puedes encontrar otro ejemplo en el Grupo K, página 193.

Lee y comprende

¿Qué sé? Compraron:

2 almuerzos a $6 cada uno
2 botellas de agua a $1 cada una
5 anzuelos a 60¢ cada uno
5 pesas de plomo a 40¢ cada uno

¿Qué me piden que halle? La cantidad de libras de carnada que pueden comprar con el dinero que les quedó.

Planea

Halla la pregunta escondida. ¿Cuánto dinero les sobró a Justine y a su padre?

El costo de los almuerzos es	$2 \times \$6 = \$12$
El costo del agua es	$2 \times \$1 = \$2$
El costo de los anzuelos es	$5 \times 60¢ = \$3$
El costo de las pesas de plomo es	$5 \times 40¢ = \$2$
	El total es de $19

$\$25 - \$19 = \$6$ Les sobraron $6

Divide para hallar cuántas libras de carnada pueden comprar.

$6 \div 3 = 2$ Pueden comprar 2 libras de carnada.

6. Kelly usó 6 tazas de manzanas, 4 tazas de naranjas y 2 tazas de uvas para hacer una ensalada de frutas. Puso igual cantidad en cada uno de 6 tazones. ¿Cuántas tazas de ensalada de frutas había en cada tazón?

7. Muriel usó la misma receta que Kelly para hacer ensalada de frutas. Muriel también agregó 1 taza de cerezas y 1 taza de plátanos. Puso dos tazas de ensalada de frutas en cada tazón. ¿Cuántos tazones necesitó Muriel?

Usa la información que está a la derecha para hacer los Ejercicios **8** a **11.**

Datos — Tienda de Camisetas

Cantidad de camisetas	Precio
10	$90
20	$180
50	$450

Datos — Sólo Camisetas

Cantidad de camisetas	Precio
8	$80
24	$240
48	$480

8. La banda necesita comprar 60 camisetas. ¿Cuánto costaría comprarlas en la Tienda de Camisetas?

9. ¿Cuánto mas les costaría a la banda comprar 60 camisas en Sólo Camisetas?

10. ¿Cuánto más les costaría comprar 24 camisas en Sólo Camisetas que en la Tienda de Camisetas?

11. **Escribir para explicar** ¿Sería menos costoso comprar una camiseta en Sólo Camisetas o en la Tienda de Camisetas? Explícalo.

12. Cada práctica de futbol dura 45 minutos. El próximo partido del equipo será después de 6 prácticas. ¿Cuántos minutos practicarán antes del partido?

A 135 minutos **C** 243 minutos

B 270 minutos **D** 2430 minutos

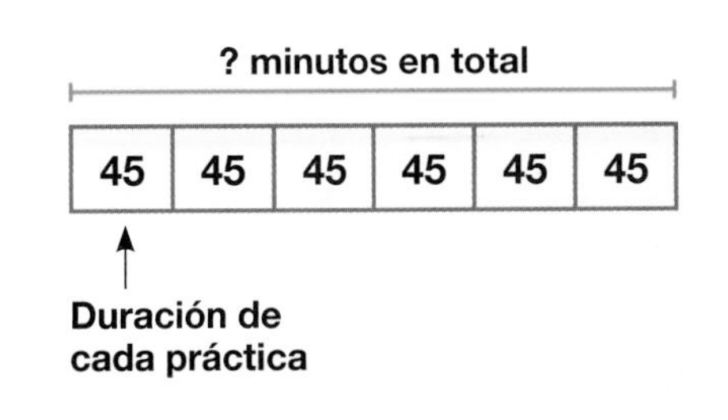

Tema 8

Examen

1. Un estadio tiene 30,000 asientos y 6 puertas principales. ¿A cuántos asientos se accede desde cada puerta si cada una abarca la misma cantidad de asientos? (8-1)

A 50

B 500

C 5,000

D 50,000

2. ¿Cuál es el cociente? (8-3)

A 3 R8

B 4 R2

C 4 R3

D 5 R2

$$\begin{array}{r} \square\ \text{R}\ \square \\ 7\overline{)30} \\ -\ \square\square \\ \hline \square \end{array}$$

3. Dos cajas contienen un total de 576 lápices. ¿Cuántos lápices hay en cada caja si cada caja tiene el mismo número de lápices? (8-6)

A 1,152

B 328

C 288

D 238

4. Tina tiene 15 rocas metamórficas, 8 ígneas y 7 sedimentarias. Las exhibe en 2 estuches, repartidas en grupos iguales. ¿Qué opción muestra cómo halló el número de rocas para cada estuche? (8-10)

A $2 \times 16 =$

B $16 \div 2 =$

C $2 \times 30 =$

D $30 \div 2 =$

5. Nelly tiene 74 ladrillos para demarcar 5 lechos de flores. ¿Cuántos ladrillos usará para cada lecho de flores si usa el mismo número en cada uno? (8-4)

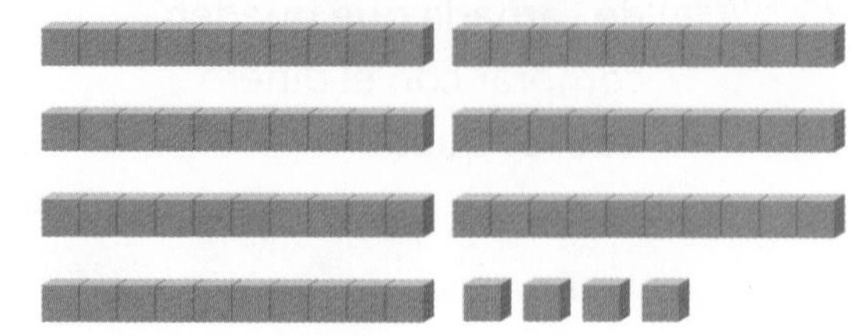

A Usará 10 ladrillos en cada lecho. Sobrarán 4.

B Usará 13 ladrillos en cada lecho. Sobrarán 9.

C Usará 14 ladrillos en cada lecho. Sobrarán 0.

D Usará 14 ladrillos en cada lecho. Sobrarán 4.

6. ¿Cuánto es $318 \div 4$? (8-6)

A 78 R2

B 78

C 79 R2

D 79

7. Harold ganó $196 cortando 5 céspedes. ¿Qué oración numérica muestra la mejor manera de estimar la cantidad que ganó por cada césped? (8-2)

A $\$200 \div 5 = \$40$

B $\$150 \div 5 = \$30$

C $\$200 \div 10 = \$20$

D $5 \times \$200 = \$1{,}000$

Examen

8. Eugenia compró 16 flores. Usó 3 flores en cada centro de mesa. ¿Cuántas flores sobraron? (8-3)

A Ninguna

B 1 flor

C 2 flores

D 6 flores

9. Cada disfraz requiere 2 yardas de material. ¿Cuántos disfraces puede hacer Sara con 35 yardas? ¿Cuánto material le sobrará? (8-5)

A Puede hacer 17 disfraces y sobrará 1 yarda.

B Puede hacer 17 disfraces y sobrarán 0 yardas.

C Puede hacer 16 disfraces y sobrarán 3 yardas.

D Puede hacer 16 disfraces y sobrará 1 yarda.

10. ¿Qué opción muestra todos los factores de 24? (8-8)

A 1, 2, 3, 4, 6, 8, 12, 24

B 2, 3, 4, 6, 8, 12

C 1, 2, 3, 4, 12, 24

D 1, 2, 3, 4, 6, 12, 24

11. ¿Qué número es primo? (8-9)

A 88

B 65

C 51

D 17

12. Holly usa 7 hojas de pañuelos de papel para hacer una flor. Si compró un paquete con 500 hojas de pañuelos de papel, ¿aproximadamente cuántas flores podrá hacer? (8-2)

A 80

B 70

C 60

D 7

13. El panadero hizo 52 panecillos. Puso la misma cantidad en cada una de las 4 canastas del mostrador. ¿Cuántos panecillos puso en cada canasta? (8-5)

A 9

B 12

C 13

D 14

14. ¿Qué enunciado es verdadero? (8-9)

A Los únicos factores de 3 son 3 y 1.

B Los únicos factores de 4 son 4 y 1.

C Los únicos factores de 6 son 6 y 1.

D Los únicos factores de 8 son 8 y 1.

15. ¿Qué puedes decir sobre $427 \div 7$ con sólo mirar el problema? (8-7)

A Tendrá un cociente de tres dígitos.

B Tendrá un cociente de dos dígitos.

C Tendrá un cociente de un dígito.

D Tendrá un residuo.

Refuerzo

Grupo A, páginas 164 y 165

Una clase reparte 270 bolígrafos equitativamente en 3 grupos de estudiantes.

Halla 270 ÷ 3.

La operación básica es 27 ÷ 3 = 9.

27 decenas ÷ 3 = 9 decenas ó 90

Por tanto, 270 ÷ 3 = 90 bolígrafos.

Recuerda que puedes usar patrones con cero para dividir múltiplos de 10.

1. 250 ÷ 5 **2.** 81,000 ÷ 9

3. 3,200 ÷ 4 **4.** 42,000 ÷ 7

5. 1,000 ÷ 2 **6.** 240 ÷ 4

7. 450 ÷ 5 **8.** 72,000 ÷ 9

9. 3,600 ÷ 4 **10.** 49,000 ÷ 7

11. 2,000 ÷ 2 **12.** 280 ÷ 4

13. 2,100 ÷ 7 **14.** 56,000 ÷ 8

Grupo B, páginas 166 y 167

Usa la estimación para hallar 42 ÷ 8.

¿Qué número cercano a 42 es fácilmente divisible por 8?

Prueba con múltiplos de diez cercanos a 42:

40 es 4 decenas y es divisible por 8.
40 ÷ 8 = 5

Por tanto, 42 ÷ 8 es aproximadamente 5.

Usa la estimación para hallar 130 ÷ 7.

¿Qué número cercano a 130 es fácilmente divisible por 7?

Prueba con múltiplos de diez cercanos a 130:

140 es 14 decenas y es divisible por 7.
140 ÷ 7 = 20

Por tanto, 130 ÷ 7 es aproximadamente 20.

Recuerda que debes tratar de redondear el dividendo a la decena más cercana.

Estima los cocientes.

1. 718 ÷ 8 **2.** 156 ÷ 4

3. 482 ÷ 8 **4.** 28 ÷ 3

5. 843 ÷ 7 **6.** 321 ÷ 2

7. 428 ÷ 6 **8.** 811 ÷ 9

9. 561 ÷ 8 **10.** 723 ÷ 8

11. 632 ÷ 9 **12.** 362 ÷ 9

13. 57 ÷ 6 **14.** 122 ÷ 6

15. 251 ÷ 5 **16.** 362 ÷ 6

17. 494 ÷ 7 **18.** 93 ÷ 3

19. 331 ÷ 4 **20.** 174 ÷ 3

Refuerzo

Grupo C, páginas 168 y 169

Halla $56 \div 9$.

$$\begin{array}{r} 6 \text{ R2} \\ 9\overline{)56} \\ -\ 54 \\ \hline 2 \end{array}$$

Divide: 9 grupos de 6 en 56
Multiplica: $9 \times 6 = 54$
Resta: $56 - 54 = 2$
Compara: $2 < 9$

Comprueba: $9 \times 6 = 54$ y $54 + 2 = 56$

$56 \div 9 = 6$ R2

Recuerda que puedes usar dibujos como ayuda.

1. $8\overline{)41}$
2. $2\overline{)15}$
3. $7\overline{)59}$
4. $5\overline{)22}$
5. $3\overline{)28}$
6. $4\overline{)27}$
7. $7\overline{)69}$
8. $6\overline{)47}$

Grupo D, páginas 170 a 172

Tom divide 54 monedas de 1¢ en 4 pilas iguales. ¿Cuántas monedas de 1¢ hay en cada pila? ¿Cuántas sobran?

Usa bloques de valor de posición.

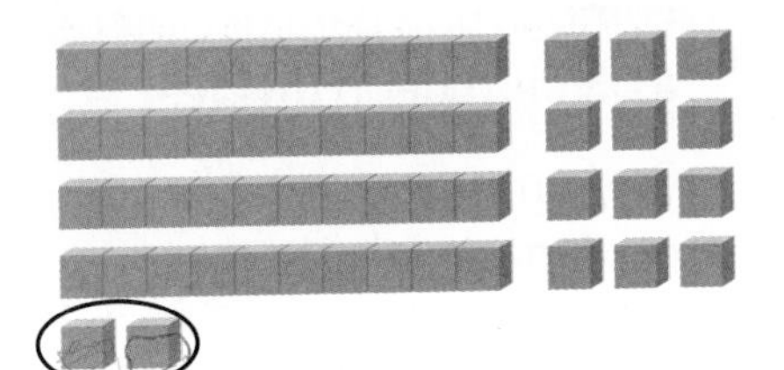

Cada pila tiene 13 monedas de 1¢. Sobran dos monedas de 1¢.

Recuerda que debes dividir las decenas y luego las unidades.

Divide. Puedes usar bloques de valor de posición o dibujos como ayuda.

1. 38 CDs
   5 pilas
2. 42 monedas de 5¢
   3 pilas
3. 2 monedas de 10¢
   4 pilas
4. 77 monedas de 5¢
   6 pilas

Grupo E, páginas 174 a 176

Halla $67 \div 4$.

$$\begin{array}{r} 1 \\ 4\overline{)67} \\ -4 \\ \hline 2 \end{array}$$

Divide.
Multiplica.
Resta.

$$\begin{array}{r} 16 \text{ R3} \\ 4\overline{)67} \\ -4\downarrow \\ \hline 27 \\ -24 \\ \hline 3 \end{array}$$

Baja el 7.
Divide.
Multiplica.
Resta.

Comprueba:

$$\begin{array}{r} {}^{2} \\ 16 \\ \times\ \ 4 \\ \hline 64 \end{array} \qquad \begin{array}{r} 64 \\ +\ \ 3 \\ \hline 67 \end{array}$$

Se comprueba la respuesta.

Refuerzo

Grupo F, páginas 178 y 179

Halla 915 ÷ 6.

Estima: 900 ÷ 6 = 150

La estimación es más que 100; por tanto, puedes empezar dividiendo las centenas.

$$\begin{array}{r} 152 \text{ R3} \\ 6\overline{)915} \\ -6 \\ \hline 31 \\ -30 \\ \hline 15 \\ -12 \\ \hline 3 \end{array}$$

Divide las centenas.

Divide las decenas.

Divide las unidades.

Incluye el residuo.

Recuerda que debes usar una estimación para comprobar tus respuestas.

Divide. Comprueba tu respuesta.

1. 448 ÷ 4

2. 651 ÷ 5

3. 398 ÷ 3

4. 365 ÷ 3

5. $7\overline{)710}$

6. $5\overline{)572}$

7. $6\overline{)618}$

8. $7\overline{)814}$

Grupo G, páginas 180 y 181

Halla 566 ÷ 6.

$$\begin{array}{r} 94 \text{ R2} \\ 6\overline{)566} \\ -0 \\ \hline 56 \\ -54 \\ \hline 26 \\ -24 \\ \hline 2 \end{array}$$

No hay suficientes centenas para dividir.

Reagrupa las centenas como decenas y divide.

Baja las unidades y divide.

Recuerda que debes estimar el cociente como ayuda para decidir dónde empezar a dividir. Luego divide.

Di si empezarás dividiendo en las centenas o las decenas.

1. 710 ÷ 9

2. 601 ÷ 5

3. 398 ÷ 8

4. 429 ÷ 2

Grupo H, páginas 182 y 183

Halla los factores de 12.

Empieza con 1 grupo de 12.
12 = 1 × 12

Luego, 2 grupos de 6.
12 = 2 × 6

Luego, 3 grupos de 4.
12 = 3 × 4

Dado que los pares de factores se han empezado a repetir, estos son todos los factores posibles de 12: 1, 2, 3, 4, 6, 12.

Recuerda que puedes usar fichas como ayuda para hallar maneras de multiplicar.

Escribe cada número de dos maneras diferentes usando la multiplicación.

1. 45

2. 40

3. 56

4. 63

5. 36

6. 16

Refuerzo

Grupo J, páginas 184 y 185

¿Es 49 primo o compuesto?

Busca factores que sean distintos de 1 y de 49.

49 es compuesto porque es divisible por 7.

$49 = 7 \times 7$

Recuerda que puedes usar una matriz para determinar si un número es primo o compuesto.

Escribe si los números son primos o compuestos.

1. 13 **2.** 25

3. 355 **4.** 2

5. 29 **6.** 2,232

Grupo K, páginas 186 y 187

Responde a la pregunta escondida primero. Luego resuelve el problema.

Brett y su familia gastaron $21 en entradas para la feria del condado. Compraron 2 entradas para adultos a $6 cada uno y 3 entradas para niños a $3 cada uno. ¿Cuánto dinero más gastó la familia de Brett en entradas para adultos que en entradas para niños?

$\$6 \times 2 = \$12$ → Precio de entradas para adultos

$\$3 \times 3 = \$9$ → Precio de entradas para niños

La familia de Brett gastó $12 en las entradas para adultos y $9 en las entradas para niños.

Usa la pregunta escondida para resolver el problema.

¿Cuánto dinero más gastó la familia de Brett en entradas para adultos que en entradas para niños?

$\$12 - \$9 = \$3$

La familia de Brett gastó $3 más en las entradas para adultos.

Recuerda que puedes buscar una pregunta escondida como ayuda para resolver el problema.

1. Angelique trabaja en una tienda en el centro comercial. Gana un sueldo de $8 por hora y, si trabaja los fines de semana y los feriados, gana $10 por hora. La semana pasada, trabajó 24 horas durante la semana y 16 horas durante el fin de semana. ¿Cuánto ganó Angelique la semana pasada?

2. Brendan toma lecciones de violín y de guitarra. Cada día, practica 40 minutos con el violín y 25 minutos con la guitarra. ¿Cuántos minutos practica sus instrumentos en 5 días?

Tema 9

Rectas, ángulos y figuras

1

La sede del Departamento de Defensa de los Estados Unidos recibe su nombre del polígono al que se parece. ¿A qué polígono se parece? Lo averiguarás en la Lección 9-4.

2

En tu cuello hay 3 músculos esenciales para respirar y cantar. Reciben el nombre de un tipo de triángulo que tiene una forma similar. ¿Qué tipo de triángulo es? Lo averiguarás en la Lección 9-5.

3

¿Cómo puedes usar términos geométricos para describir objetos en un mapa de Nevada? Lo averiguarás en la Lección 9-2.

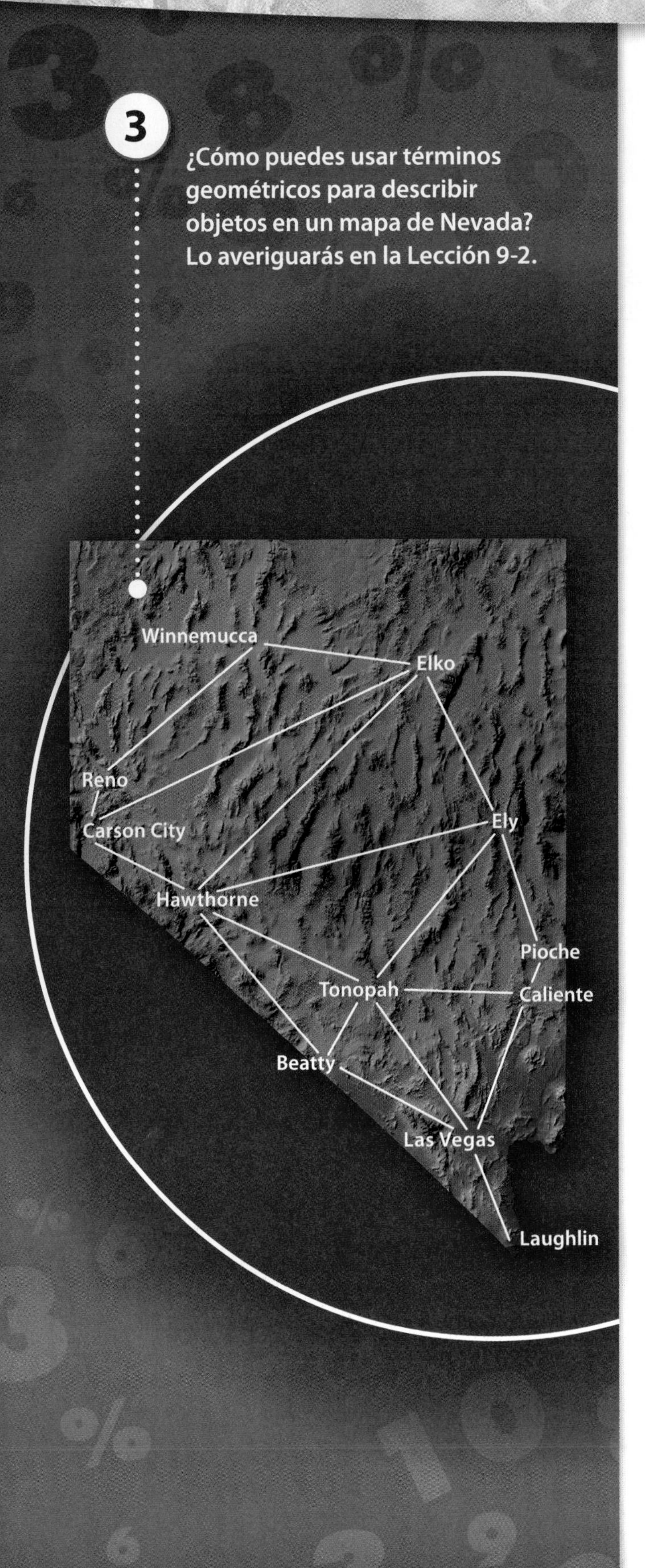

Repasa lo que sabes

Vocabulario

Elige el mejor término del recuadro.

- triángulo
- cuadrilátero
- figura plana
- recta

1. Un polígono que tiene cuatro lados es un _?_.
2. Un polígono que tiene tres lados es un _?_.
3. Una _?_ es un camino rectilíneo de puntos que continúa al infinito en dos direcciones.
4. Una figura que tiene sólo dos dimensiones es una _?_.

Sólidos

Identifica a qué se parece cada figura.

5. 

6. 

7. 

8. 

Suma

Resuelve.

9. 35 + 39 **10.** 72 + 109 **11.** 44 + 12

12. 145 + 238 **13.** 642 + 8 **14.** 99 + 41

15. 984 + 984 **16.** 22 + 888 **17.** 72 + 391

18. **Escribir para explicar** Para hallar la suma de 438 + 385, ¿cuántas veces necesitarás reagrupar? Explícalo.

Lección
9-1

¡Lo entenderás!
Se puede usar términos geométricos para describir la ubicación y posición de las cosas en el mundo real.

Puntos, rectas y planos

¿Cuáles son algunos términos geométricos importantes?

Un punto es una ubicación exacta en el espacio.

Una línea recta es una sucesión de puntos alineados que se extiende en dos direcciones.

Un plano es una superficie plana infinita.

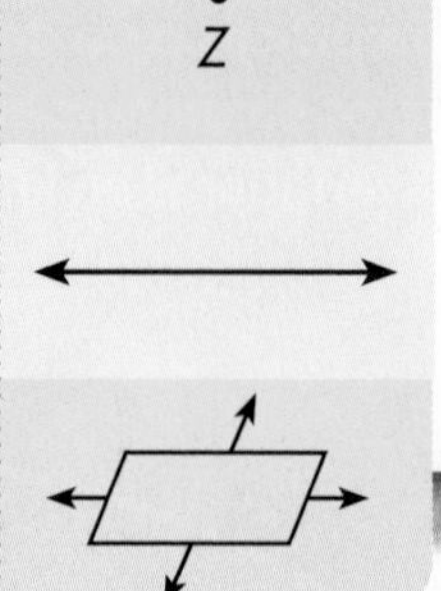

Práctica guiada*

¿CÓMO hacerlo?

En los Ejercicios **1** a **4**, usa el diagrama de la derecha.

1. Nombra cuatro puntos.

2. Nombra cuatro líneas.

3. Nombra dos pares de líneas paralelas.

4. Nombra dos pares de líneas perpendiculares.

W X Y Z

¿Lo ENTIENDES?

5. ¿Qué término geométrico usarías para describir el lado superior y el lado inferior de un pizarrón? ¿Por qué?

6. ¿Qué término geométrico puedes usar para describir un pizarrón?

7. ¿Qué término geométrico usarías para describir la punta de tu lápiz?

Práctica independiente

En los Ejercicios **8** a **14**, usa términos geométricos para describir lo que se muestra.

8.
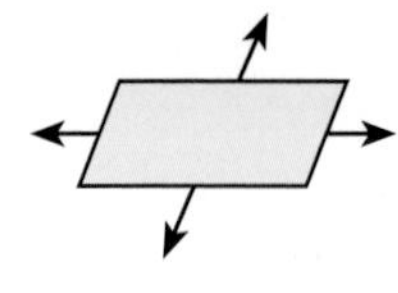

9.
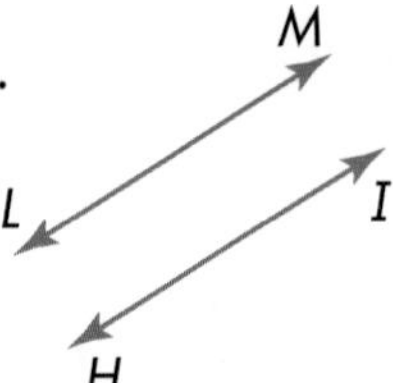

10.
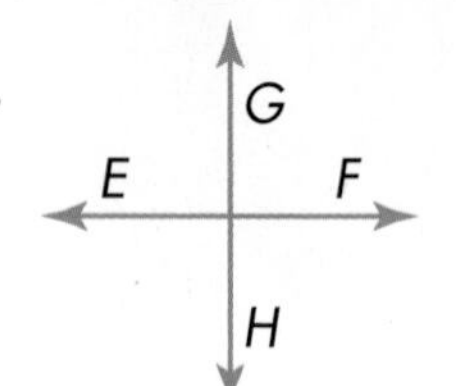

11.
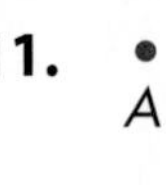

12.
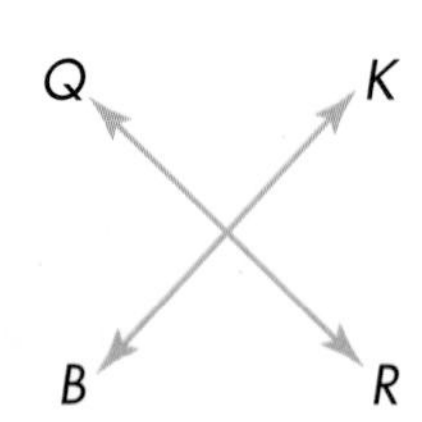

13.
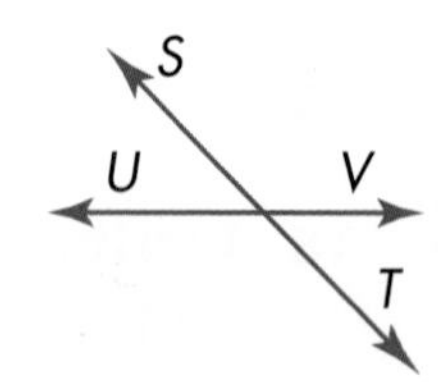

14.
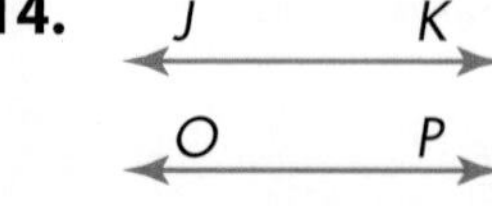

* *Puedes encontrar otro ejemplo en el Grupo A, página 212.*

Los pares de líneas reciben un nombre especial según sea su relación.

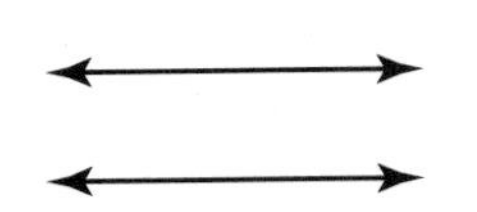

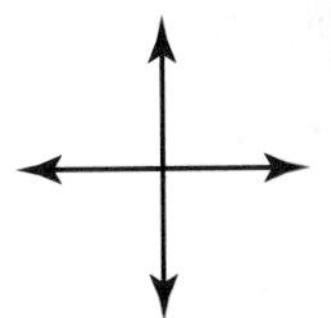

Las líneas paralelas nunca se intersecan.

Las líneas intersecantes pasan por el mismo punto.

Las líneas perpendiculares son rectas que forman esquinas cuadradas.

En los Ejercicios **15** a **17,** describe con términos geométricos las imágenes que se muestran.

15.

16.

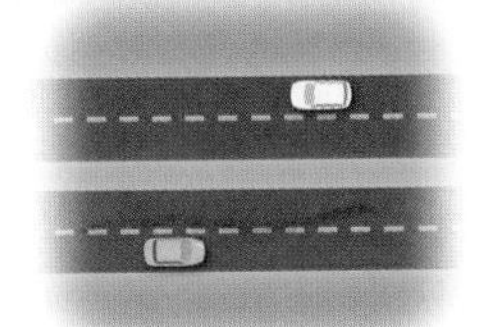

17.

Resolución de problemas

18. **Estimación** Georgia compró ingredientes para hacer la cena. Compró pollo por $5.29, verduras para ensalada por $8.73 y arroz por $1.99. Estima cuánto gastó Georgia en total.

19. Tengo 6 caras cuadradas y 8 vértices. ¿Qué soy?

A Cubo
B Cuadrado
C Pirámide
D Círculo

En el Ejercicio **20,** usa el diagrama de la derecha.

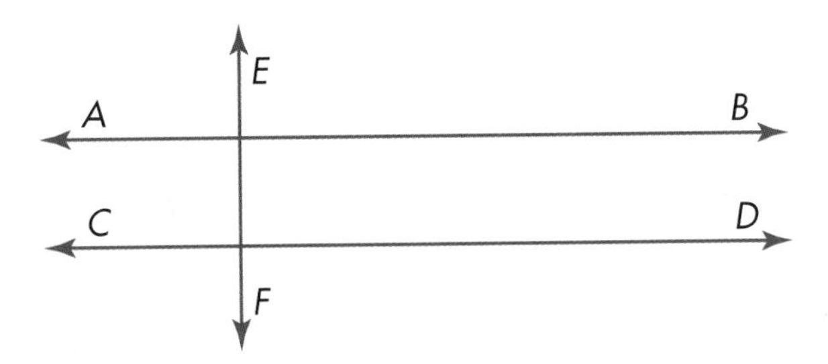

20. **Razonamiento** La línea *AB* es paralela a la línea *CD* y la línea *CD* es perpendicular a la línea *EF*. ¿A qué conclusión llegas respecto de *AB* y *EF*?

21. El sitio web de la compañía que vende equipos deportivos recibe un promedio de 850 visitantes por día. ¿Cuántos visitantes recibiría en promedio el sitio web en 7 días?

22. ¿Cuál de los siguientes términos geométricos describe mejor la superficie de un escritorio?

A Punto
B Plano
C Línea
D Paralela

23. **Escribir para explicar** Si todas las líneas perpendiculares son también líneas intersecantes, ¿son también todas las líneas intersecantes líneas perpendiculares? Explica.

24. Si $40 \times 8 = 320$, ¿cuántos ceros habrá en el producto $4{,}000 \times 8$?

Lección
9-2

¡Lo entenderás!
Se puede usar términos geométricos para describir la ubicación y posición de las cosas en el mundo real.

Segmentos de recta, semirrectas y ángulos

¿Qué términos geométricos se usan para describir partes de rectas y clases de ángulos?

Un segmento de recta es una parte de una recta con dos extremos.

Una semirrecta es una parte de una recta que tiene un extremo y continúa indefinidamente en una dirección.

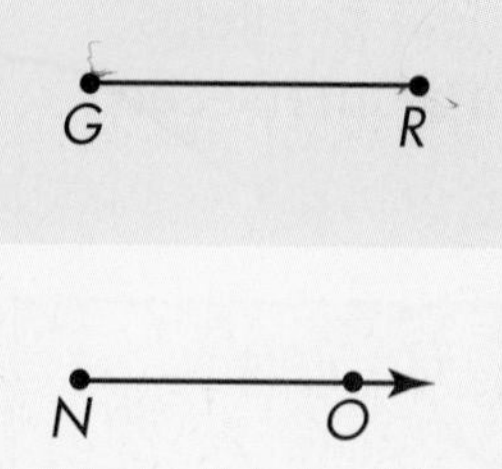

Práctica guiada*

¿CÓMO hacerlo?

En los Ejercicios **1** a **4,** usa términos geométricos para describir lo que se muestra.

1. P X

2.

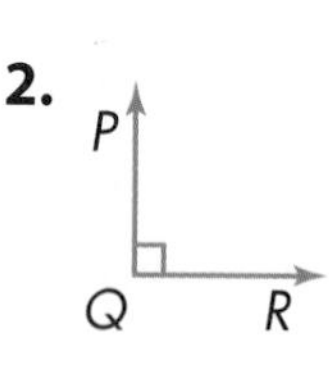

3. B Y

4.

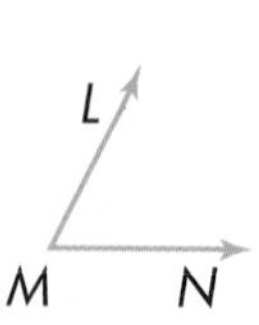

¿Lo ENTIENDES?

5. ¿Qué término geométrico describe una recta que tiene un solo extremo?

6. ¿Qué término geométrico describe una recta que tiene dos extremos?

7. ¿Qué término geométrico describe lo que hacen dos muros cuando se forma una esquina?

Práctica independiente

En los Ejercicios **8** a **11,** usa términos geométricos para describir lo que se muestra.

8. H O S

9.

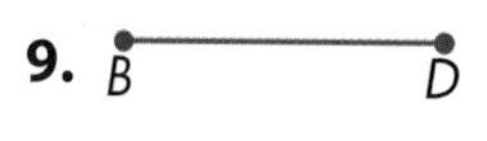

10.

11.

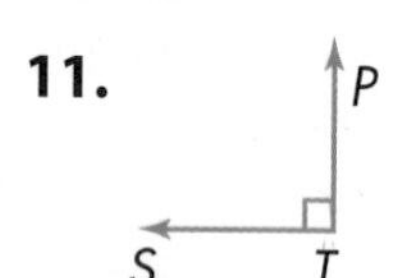

En los Ejercicios **12** a **14,** usa la figura que está a la derecha.

12. Nombra cuatro segmentos de recta.

13. Nombra cuatro semirrectas.

14. Nombra 2 ángulos rectos.

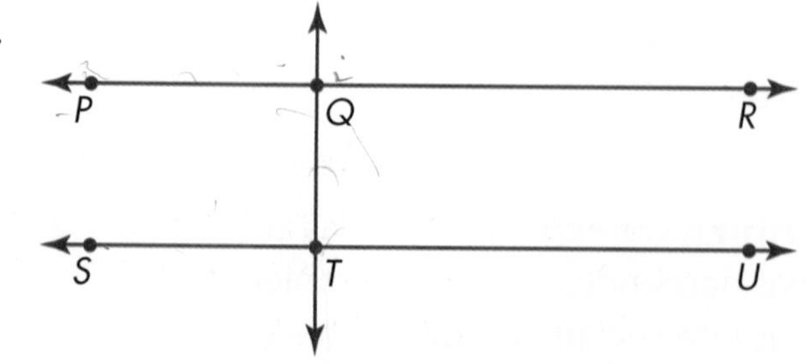

** Puedes encontrar otro ejemplo en el Grupo B, página 212.*

Un ángulo es una figura formada por dos semirrectas que tienen el mismo extremo. Los ángulos reciben un nombre especial según sea su tamaño.

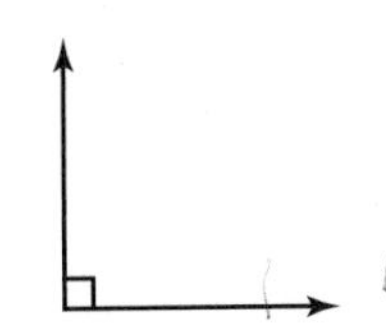

Un ángulo recto es una esquina cuadrada.

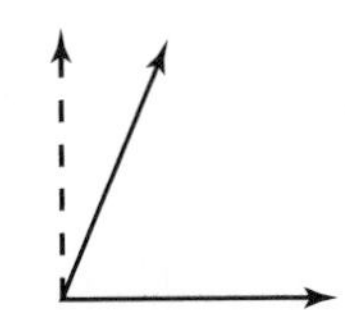

Un ángulo agudo es menor que un ángulo recto.

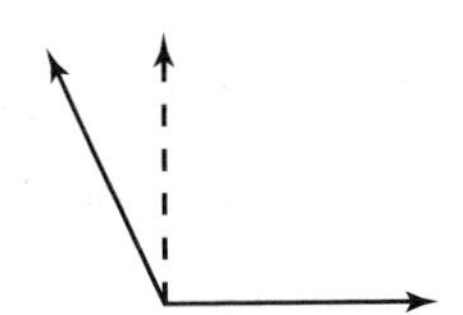

Un ángulo obtuso es mayor que un ángulo recto.

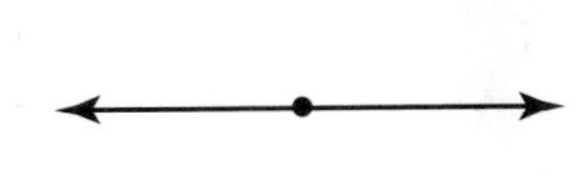

Un ángulo llano forma una línea recta.

Resolución de problemas

15. **Escribir para explicar** ¿Está formada la siguiente figura por dos semirrectas con un extremo común? Si así fuera, ¿es un ángulo? Explícalo.

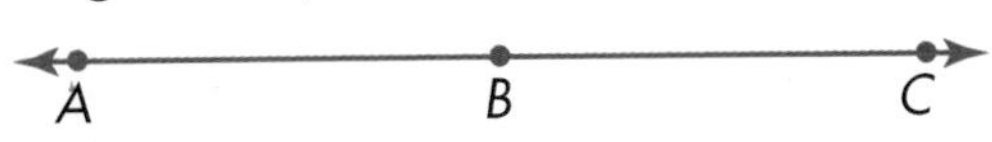

16. ¿Qué opción nombra la figura que aparece abajo?

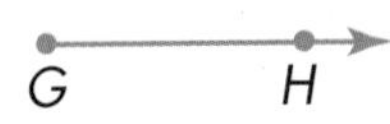

A Semirrecta *HG*

B Recta *GH*

C Semirrecta *HG*

D Ángulo *GH*

17. ¿Qué tres letras mayúsculas se pueden escribir trazando dos segmentos de recta paralelos y luego un segmento de recta que sea perpendicular a los segmentos de recta que ya trazaste?

18. Lexi dijo que dos segmentos de recta pueden intersecar a una recta y cada uno formar líneas perpendiculares. Haz un dibujo para explicar lo que quiso decir.

En los Ejercicios **19** a **21**, usa el mapa de Nevada de la derecha. ¿Qué término geométrico es el más apropiado para cada descripción?

19. El camino entre 2 ciudades

20. Las ciudades

21. Las fronteras del norte y oeste

22. **Dibújalo** Randy usó 96 paletas de helado para construir el modelo de un proyecto. Bryan usó 3 veces esa cantidad. Haz un diagrama que muestre cuántas paletas de helado usó Bryan.

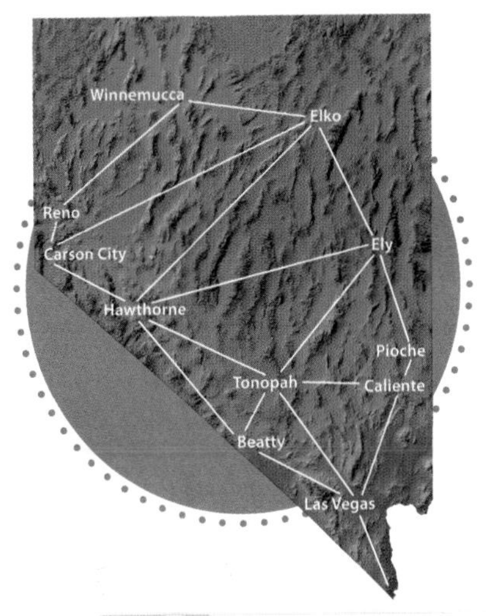

DIGITAL Glosario animado **www.pearsonsuccessnet.com**

Lección

9-3

¡Lo entenderás!
El transportador se usa para medir ángulos.

Medir ángulos

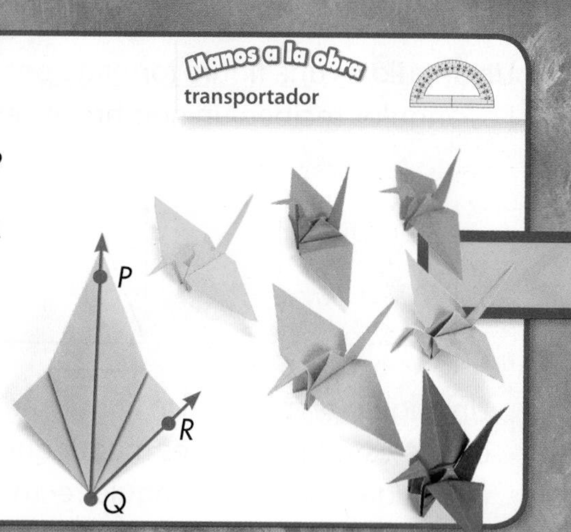

¿Cómo mides y dibujas ángulos?

Los ángulos por lo general se miden en unidades llamadas grados. El símbolo ° indica grados. Un transportador es un instrumento que se usa para medir y dibujar ángulos.

A la derecha se muestra una grulla parcialmente plegada. Mide $\angle PQR$.

Práctica guiada*

¿CÓMO hacerlo?

En los Ejercicios **1** y **2,** mide los ángulos.

1.

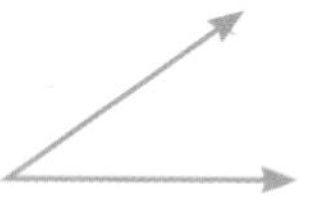

2.

En los Ejercicios **3** y **4,** dibuja un ángulo con cada medida.

3. 110° **4.** 50°

¿Lo ENTIENDES?

5. ¿Cuál es la medida del ángulo de una línea recta?

6. ¿Cuáles son el vértice y los lados de $\angle PQR$?

Práctica independiente

En los Ejercicios **7** y **14,** mide los ángulos. Di si los ángulos son agudos, rectos u obtusos.

Ojo *Para medir un ángulo, es posible que necesites calcarlo y extender sus lados.*

7.

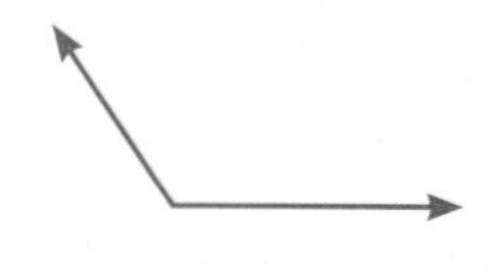

8.

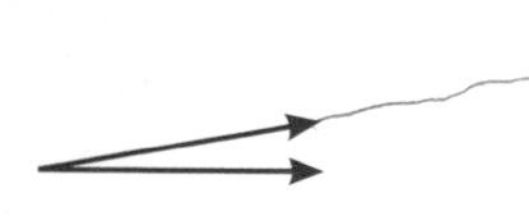

9.

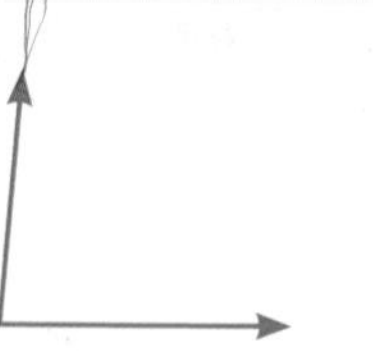

10.

11.

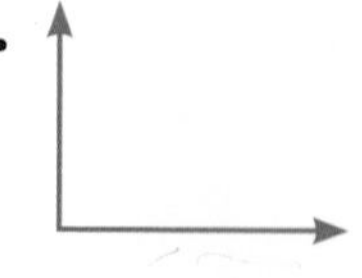

12.

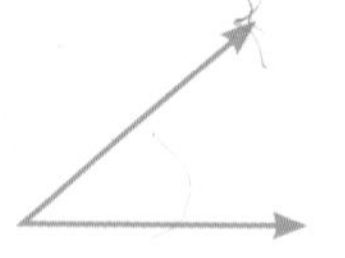

13.

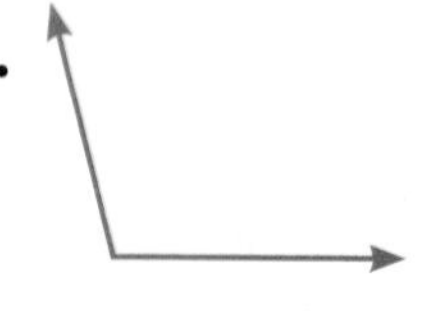

14.

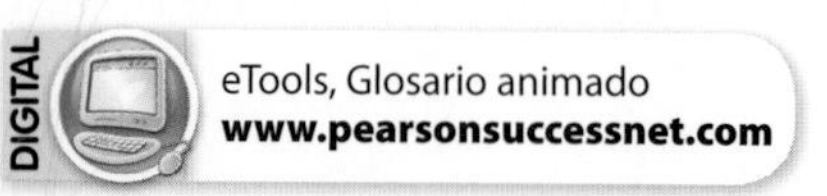

* *Puedes encontrar otro ejemplo en el Grupo C, página 212.*

Mide ∠PQR

Pon el centro del transportador en el vértice del ángulo, *Q*. Pon un lado del borde inferior sobre uno de los lados del ángulo. Lee la medida donde el otro lado del ángulo cruza el transportador. Si el ángulo es agudo, usa el número más pequeño. Si el ángulo es obtuso, usa el número más grande.

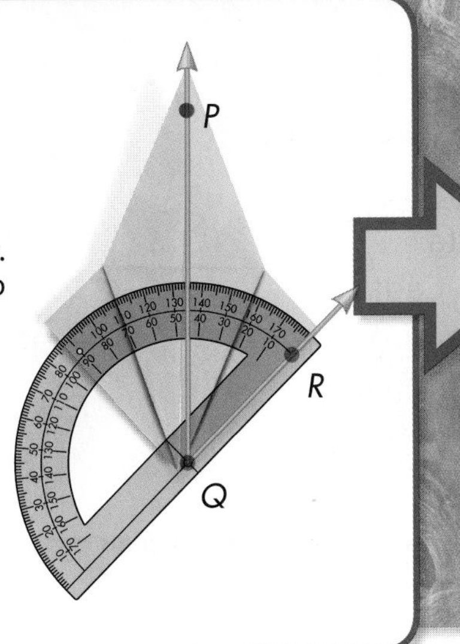

La medida de ∠*PQR* es 45°.

Dibuja un ángulo que mida 130°.

Dibuja una semirrecta. Rotula el extremo *T*. Pon el transportador de modo que el medio del borde inferior esté sobre el extremo de la semirrecta. Coloca un punto en 130°. Rotúlalo *W*. Dibuja la semirrecta *TW*.

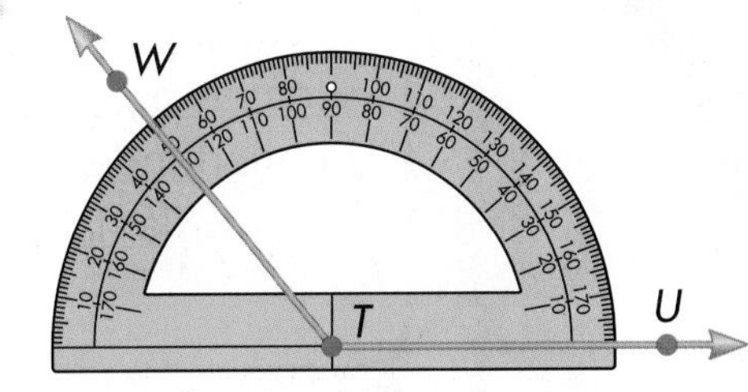

La medida de ∠*WTU* es de 130°.

En los Ejercicios **15** y **22,** dibuja un ángulo con cada medida.

15. 140° **16.** 180° **17.** 20° **18.** 65°

19. 45° **20.** 115° **21.** 90° **22.** 155°

Resolución de problemas

23. Jorge está leyendo un libro que tiene 3 capítulos. El primer capítulo tiene 20 páginas. El segundo capítulo tiene 36 páginas. El libro tiene 83 páginas. ¿Cuántas páginas tiene el tercer capítulo?

24. Mariah anotó 5 canastas de tres puntos en su primer partido y 3 en su segundo partido. También anotó 4 canastas de dos puntos en cada partido; pero no anotó ningún punto en los tiros libres de ningún partido. ¿Cuántos puntos anotó en total?

Usa el diagrama de la derecha en el Ejercicio **25.**

25. Mide todos los ángulos creados por las intersecciones de la Calle Main y la Calle Pleasant.

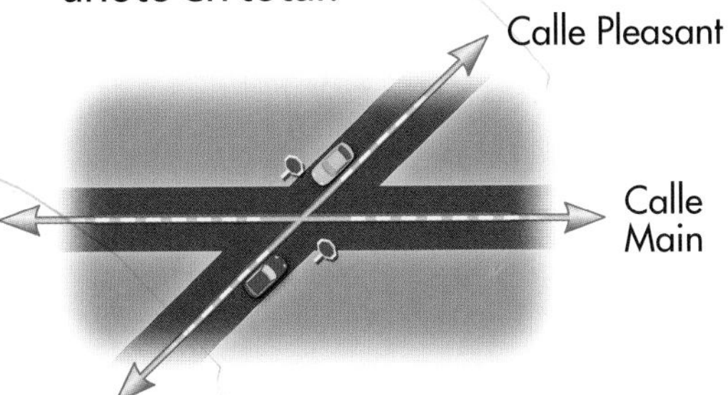

26. Si ∠*ABC* es un ángulo obtuso, ¿cuál de las siguientes opciones **NO** podría ser su medida?

A 140° **C** 105°

B 95° **D** 90°

27. Un puesto de periódicos pide 325 periódicos por día. ¿Cuántos periódicos se pedirán en el mes de mayo?

Ojo *Mayo tiene 31 días.*

Lección
9-4

¡Lo entenderás!
Los polígonos obtienen su nombre según el número de lados que tienen.

Polígonos

¿Cómo identificas los polígonos?

Un polígono es una figura plana cerrada, compuesta por segmentos de recta. Cada segmento de recta es un lado. El punto donde se encuentran dos lados se llama vértice.

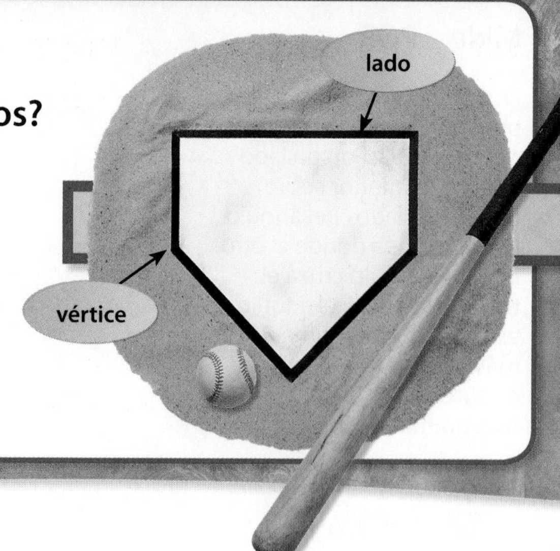

Práctica guiada*

¿CÓMO hacerlo?

Traza un ejemplo de cada polígono. Escribe el número de lados y de vértices que tiene.

1. Pentágono

2. Triángulo

3. Octágono

4. Cuadrilátero

¿Lo ENTIENDES?

5. Un círculo, ¿es un polígono? ¿Por qué o por qué no?

6. Escribir para explicar ¿Tienen la misma forma todos los hexágonos?

Práctica independiente

En los Ejercicios **7** a **18,** nombra los polígonos si es posible. Escribe el número de lados y de vértices que tienen.

7. 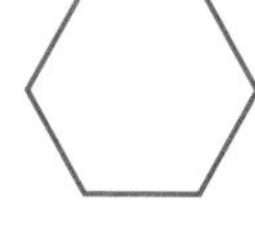

8. 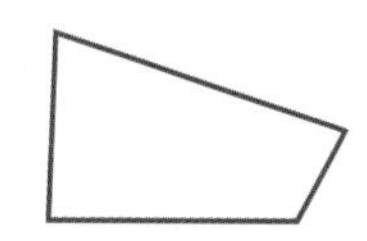

9. 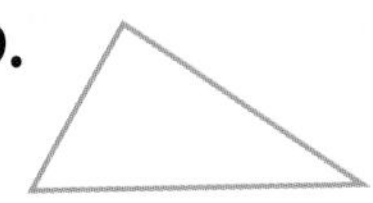

10. 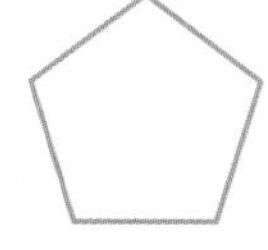

11. 

12. 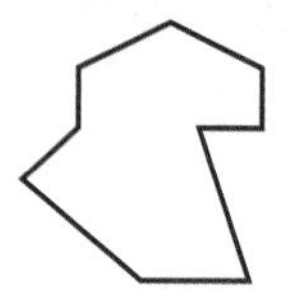

13. 

14. 

15. 

16. 

17. 

18. 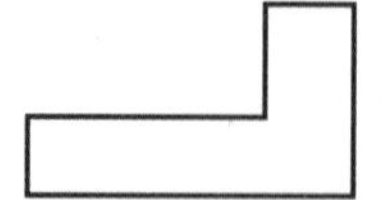

DIGITAL Glosario animado
www.pearsonsuccessnet.com

Puedes encontrar otro ejemplo en el Grupo D, página 213.

Éstos son algunos ejemplos de polígonos.

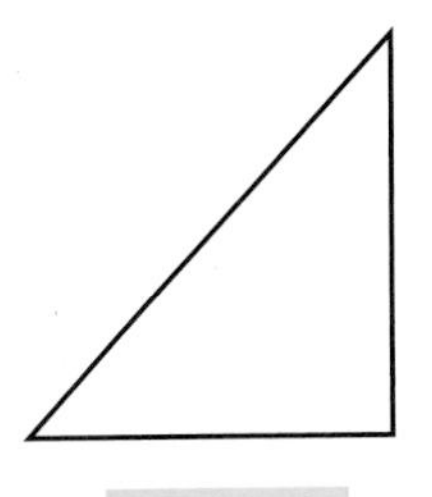

Triángulo
3 lados

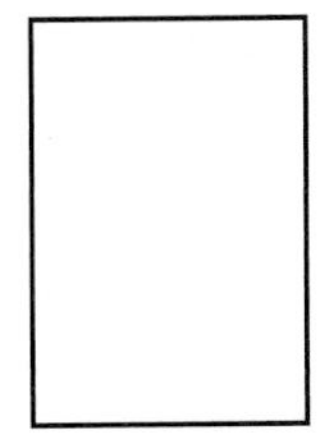

Cuadrilátero
4 lados

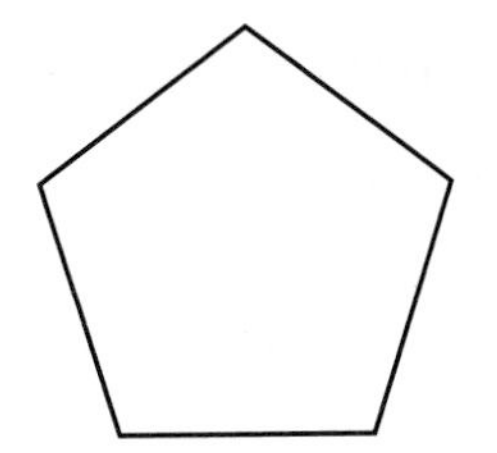

Pentágono
5 lados

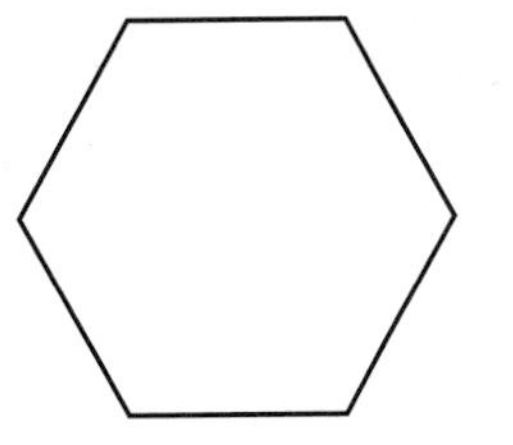

Hexágono
6 lados

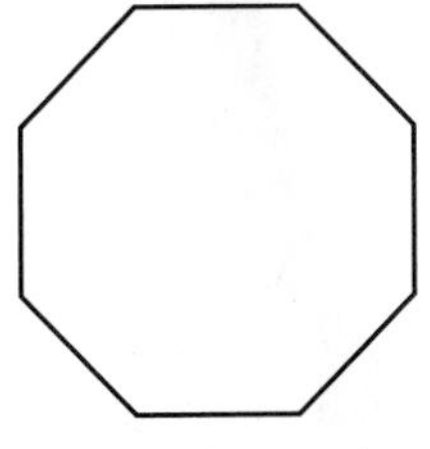

Octágono
8 lados

Resolución de problemas

19. El edificio de la derecha recibe su nombre por el polígono al que se parece. ¿Cuál es el nombre del polígono?

5 lados

A Cuadrilátero **C** Hexágono

B Pentágono **D** Octágono

20. ¿Qué regla se podría usar para agrupar estos polígonos?

Grupo A

Grupo B

21. Dibújalo Tim y Peter están en un equipo de natación. En una semana, Tim nadó 244 vueltas y Peter nadó 196 vueltas. Dibuja un diagrama de barras para mostrar cuántas vueltas más nadó Tim que Peter.

22. Carla reunió un total de 124 conchas marinas. ¿Cuántas conchas marinas tendría si hubiera reunido 4 veces esa cantidad?

23. Tasha está organizando una fiesta para 216 personas. Si a cada mesa pueden sentarse 6 personas, ¿cuántas mesas necesitará preparar Tasha?

24. Escribir para explicar ¿Qué observas con respecto al número de lados y el número de vértices que tiene un polígono? ¿Cuántos vértices tendría un polígono de 20 lados?

25. ¿Cuál de los siguientes polígonos **NO** tiene al menos 4 lados?

A Octágono **C** Cuadrilátero

B Hexágono **D** Triángulo

Lección
9-5

¡Lo entenderás!
Los triángulos se pueden clasificar según la longitud de sus lados y según sus ángulos.

Triángulos

¿Cómo puedes clasificar los triángulos?

Los triángulos se pueden clasificar por sus lados.

Triángulo equilátero
3 lados iguales

Triángulo isósceles
2 lados iguales

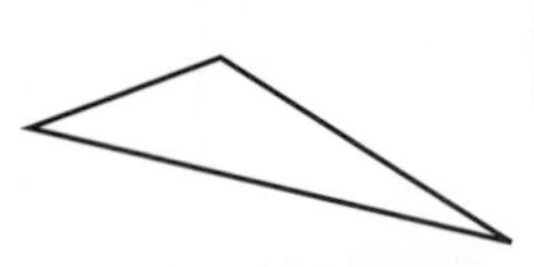

Triángulo escaleno
0 lados iguales

Práctica guiada*

¿CÓMO hacerlo?

En los Ejercicios **1** a **4**, clasifica los triángulos por sus lados y luego por sus ángulos.

1. 

2. 

3. 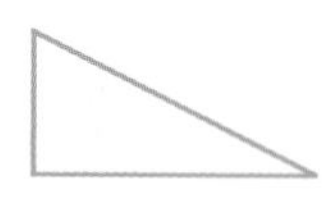

4. 

¿Lo ENTIENDES?

5. ¿Puede un triángulo tener más de un ángulo obtuso? Explícalo.

6. ¿Es posible dibujar un triángulo rectángulo isósceles? Si lo es, dibuja un ejemplo.

7. ¿Puede un triángulo tener más de un ángulo recto? Si así fuera, traza un ejemplo.

Práctica independiente

En los Ejercicios **8** a **16**, clasifica los triángulos por sus lados y luego por sus ángulos.

8. 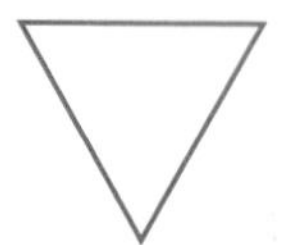

9. 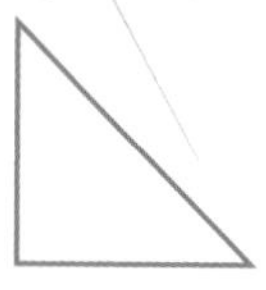

10. 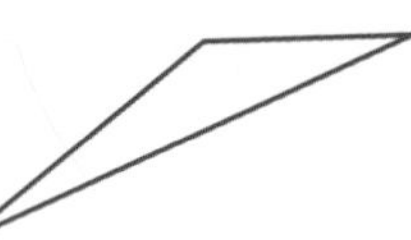

11. 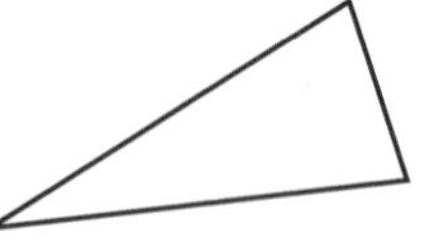

12. 

13. 

14. 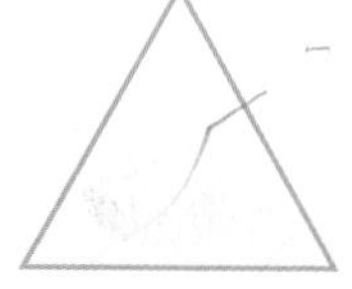

15. 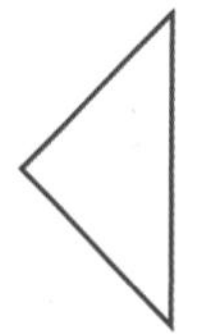

16. 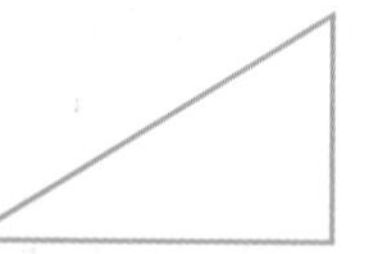

DIGITAL Glosario animado
www.pearsonsuccessnet.com

** Puedes encontrar otro ejemplo en el Grupo E, página 213.*

Los triángulos se pueden clasificar también por sus ángulos.

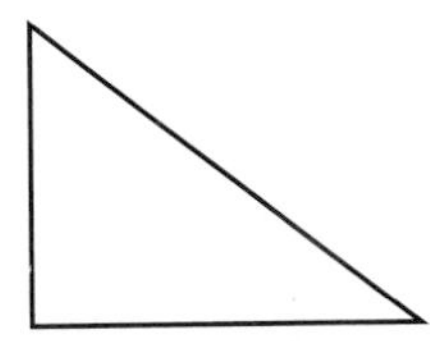

Un triángulo rectángulo tiene un ángulo recto.

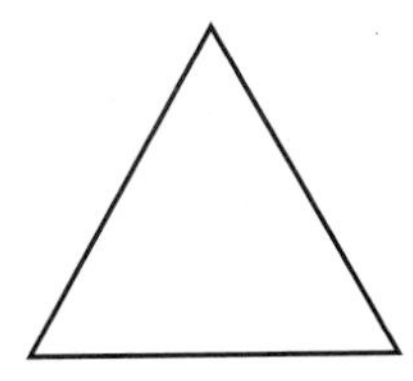

Un triángulo acutángulo tiene tres ángulos agudos. Todos sus ángulos miden menos que un ángulo recto.

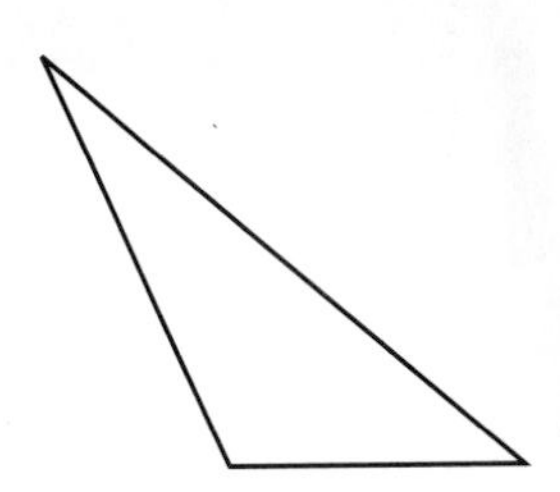

Un triángulo obtusángulo tiene un ángulo obtuso. Uno de sus ángulos tiene una medida mayor que un ángulo recto.

En los Ejercicios **17** a **19,** clasifica los triángulos por sus lados y luego por sus ángulos.

17.

18.

19.

Resolución de problemas

20. Razonamiento Usa el diagrama de abajo. Si el patio trasero es un triángulo equilátero, ¿qué sabes de la longitud de los otros dos lados?

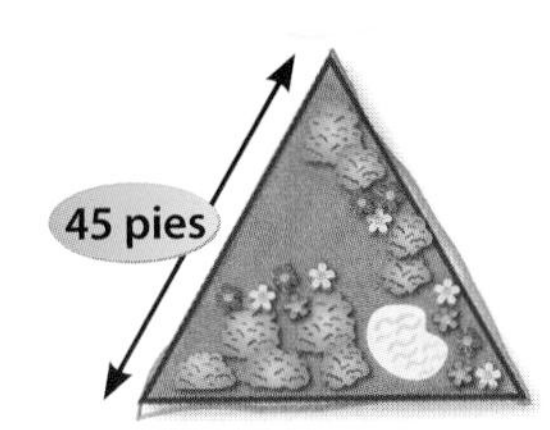

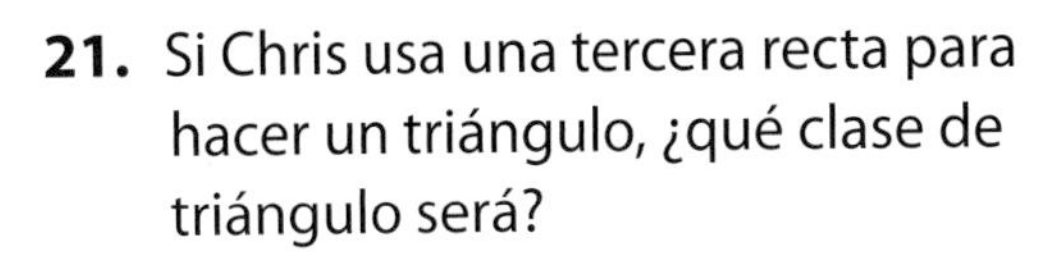

21. Si Chris usa una tercera recta para hacer un triángulo, ¿qué clase de triángulo será?

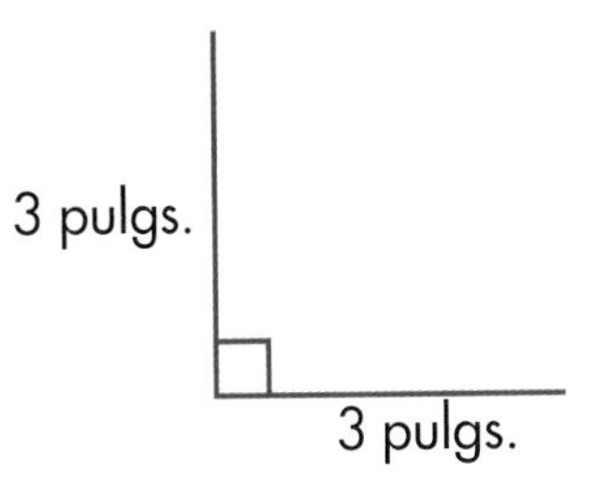

22. Escribir para explicar Un triángulo equilátero, ¿es siempre un triángulo isósceles?

23. Cuando multiplicas cualquier número por 1, ¿cuál es el producto?

Usa el diagrama de la derecha para el Ejercicio **24.**

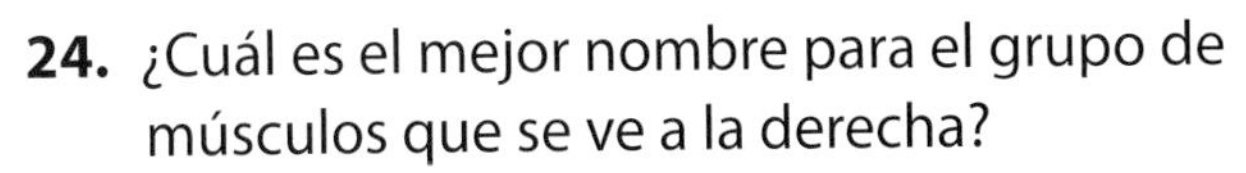

24. ¿Cuál es el mejor nombre para el grupo de músculos que se ve a la derecha?

A Grupo de músculos obtusángulos

B Grupo de músculos escalenos

C Grupo de músculos isósceles

D Grupo de músculos equiláteros

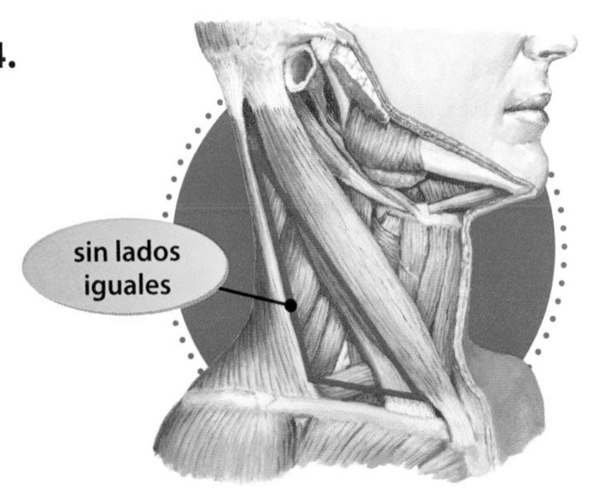

Lección
9-6

¡Lo entenderás!
Algunos cuadriláteros tienen nombres especiales según sus ángulos y lados.

Cuadriláteros

¿Cómo puedes clasificar los cuadriláteros?

Los cuadriláteros se pueden clasificar por sus ángulos o por los pares de sus lados.

Otros ejemplos

Un rombo es un cuadrilátero que tiene lados opuestos paralelos, y todos los lados de la misma longitud.

Un trapecio es un cuadrilátero con un solo par de lados paralelos.

Práctica guiada*

¿CÓMO hacerlo?

En los Ejercicios **1** a **4,** escribe todos los nombres que puedas para cada cuadrilátero.

1.

2. 

3. 

4. 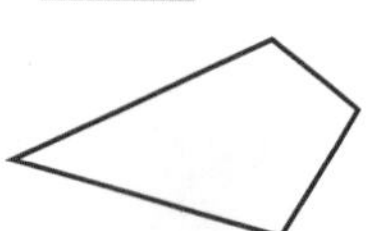

¿Lo ENTIENDES?

5. ¿Qué es verdadero acerca de todos los cuadriláteros?

6. ¿Por qué un trapecio no es un paralelogramo?

7. ¿Cuál es la diferencia entre un cuadrado y un rombo?

Práctica independiente

En los Ejercicios **8** a **15,** escribe todos los nombres que puedas para cada cuadrilátero.

8. 

9. 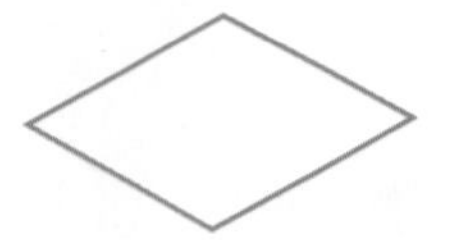

10. 

11. 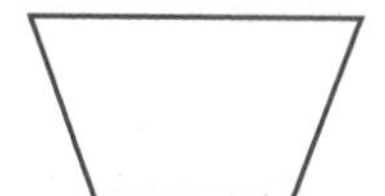

** Puedes encontrar otro ejemplo en el Grupo E, página 213.*

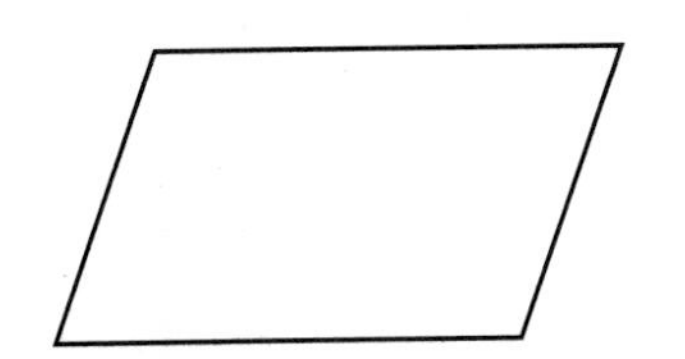

Un paralelogramo tiene 2 pares de lados paralelos.

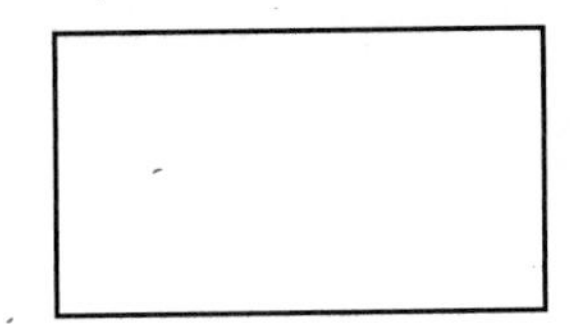

Un rectángulo tiene 4 ángulos rectos. Es también un paralelogramo.

Un cuadrado tiene 4 ángulos rectos y todos los lados tienen la misma longitud. Es un paralelogramo, un rectángulo y un rombo.

12. 

13. 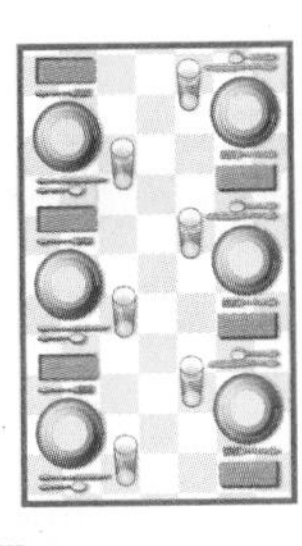

14. 

15. 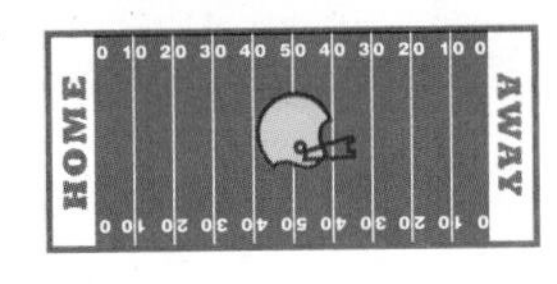

Resolución de problemas

16. Un cuadrilátero tiene dos pares de lados paralelos y exactamente 4 ángulos rectos. ¿Qué cuadrilátero se describe?

17. Razonamiento ¿Es posible que un cuadrilátero sea un rombo y un paralelogramo al mismo tiempo?

18. Álgebra ¿Qué número sigue en la serie?

4, 16, 64, 256,

19. Escribir para explicar Todos los lados de un triángulo equilátero son congruentes. Un triángulo equilátero, ¿es también un rombo? Explícalo.

20. La escuela primaria de Valley Ridge tiene 108 estudiantes de cuarto grado y 4 maestros de cuarto grado. Si se dividen en partes iguales, ¿cuántos estudiantes habrá en cada clase?

21. Si una sala cinematográfica puede acomodar a 235 personas a la vez y proyecta una película 5 veces al día, ¿cuántas personas podrán ver la película en un día?

22. En la clase de matemáticas, el señor Meyer trazó una figura en el pizarrón. Tenía un solo conjunto de lados paralelos y ningún ángulo recto. ¿Qué figura trazó?

A Cuadrado

B Rombo

C Rectángulo

D Trapecio

23. Jamie fue a practicar en una piscina. La longitud de la piscina era 25 yardas. Si nadó un total de 6 vueltas, ¿cuántas yardas nadó Jamie?

? yardas en total

25	25	25	25	25	25

Longitud de la piscina

Lección
9-7

¡Lo entenderás!
Aprender cómo y cuándo hacer generalizaciones puede ayudar a resolver problemas.

Resolución de problemas

Hacer generalizaciones y comprobarlas

¿Qué es verdadero acerca de todas estas figuras?

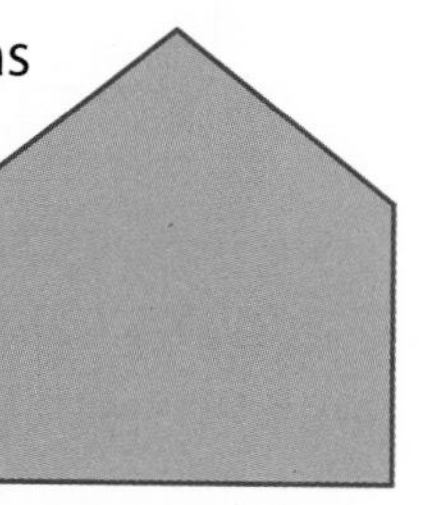

Práctica guiada*

¿CÓMO hacerlo?

1. Observa cada grupo de tres letras que está a continuación. Da una generalización para cada grupo de letras que no aplique para el otro grupo de tres letras.

EFT	COS

¿Lo ENTIENDES?

2. Escribir para explicar La generalización de que todos los polígonos de cuatro lados tienen, por lo menos, un ángulo recto, ¿es correcta? Si no, haz un dibujo para mostrar por qué.

3. Escribe un problema Elige 3 objetos y haz dos generalizaciones correctas sobre ellos.

Práctica independiente

Resuelve.

4. Observa cada grupo de números que está a continuación. Compara el tamaño de los factores para cada producto. ¿Qué generalización puedes hacer acerca de los factores y de los productos para los números enteros?

$6 \times 8 = 48$ $46 \times 5 = 230$ $1 \times 243 = 243$

5. Escribe los factores para 8, 16 y 20. ¿Qué generalización puedes hacer acerca de todos los múltiplos de 4?

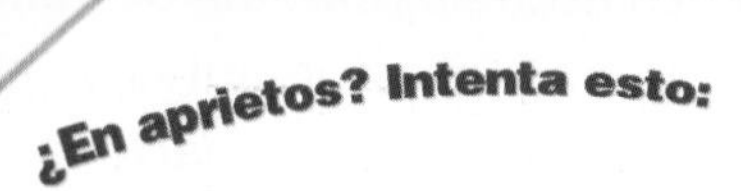

- ¿Qué sé?
- ¿Qué diagrama puede ayudarme a entender el problema?
- ¿Puedo usar suma, resta, multiplicación o división?
- ¿Está correcto todo mi trabajo?
- ¿Respondí a la pregunta que correspondía?
- ¿Es razonable mi respuesta?

Puedes encontrar otro ejemplo en el Grupo F, página 213.

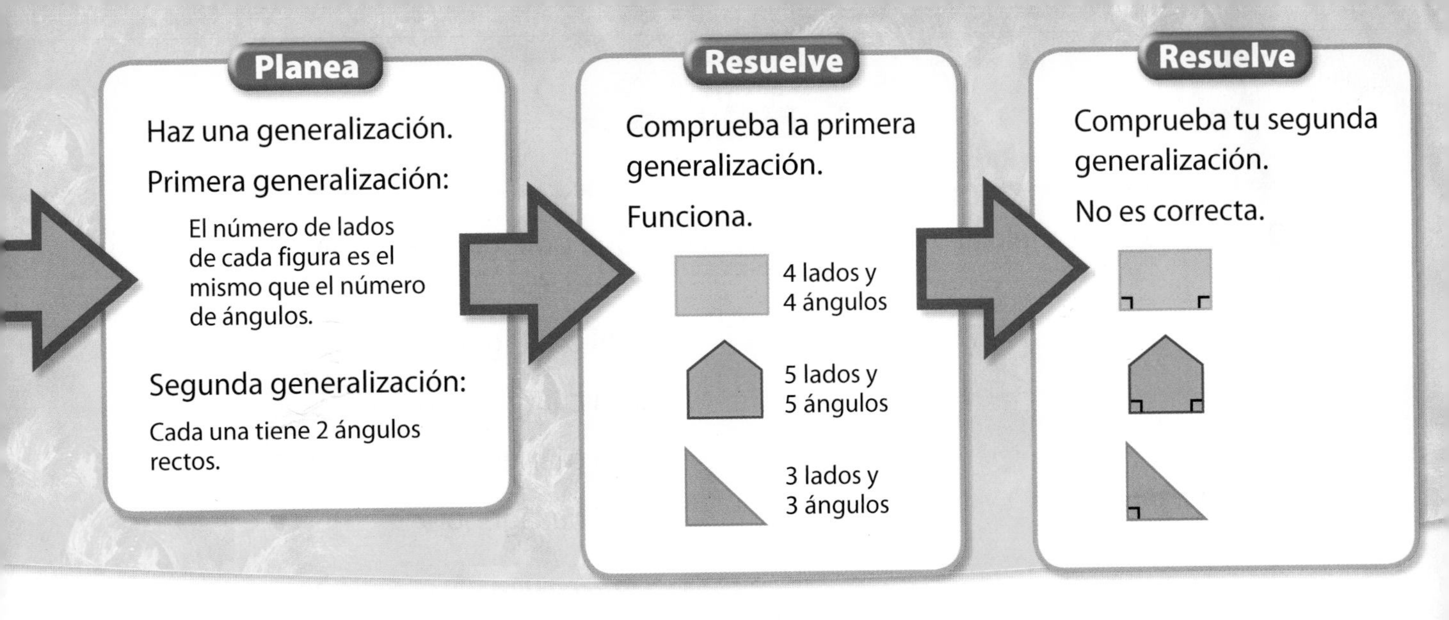

6. ¿Qué generalización puedes hacer acerca de cada uno de los polígonos que están a la derecha?

A Todos los lados de cada polígono tienen la misma longitud.

B Todos los polígonos tienen 5 lados.

C Todos los polígonos tienen 4 ángulos.

D Todos los polígonos tienen 3 ángulos.

7. Los factores para 3 y para 6 se muestran en la tabla de la derecha. Jan llegó a la conclusión de que si duplicas un número, entonces duplicas el número de factores. ¿Tiene razón Jan? ¿Por qué o por qué no?

Número	3	6
Factores	1, 3	1, 2, 3, 6

8. ¿Cuántos lados tiene un octágono? ¿Cuántos vértices?

9. ¿Cuántos ángulos agudos puede tener un triángulo isósceles?

10. Mira el patrón que está a continuación. Dibuja la figura que seguiría.

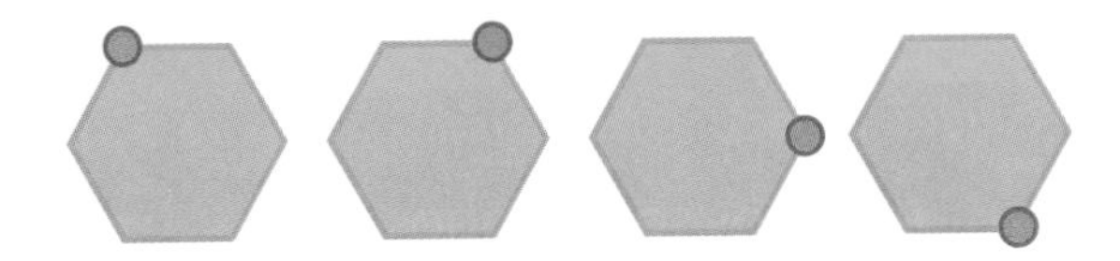

11. ¿Qué generalización podría hacerse sobre los triángulos que están a continuación?

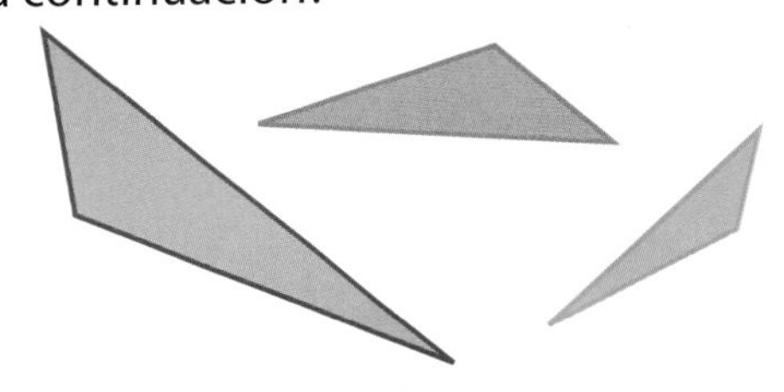

12. Escribir para explicar Susan dijo que todos los cuadrados son rectángulos y, por tanto, todos los rectángulos son cuadrados. ¿Tiene razón Susan? ¿Por qué o por qué no?

13. Michael vive en el piso 22 de un edificio de 25 pisos. Si cada piso tiene 12 pies de altura, ¿a cuántos pies sobre el nivel del suelo está el apartamento de Michael?

Examen

1. ¿Qué palito es paralelo al palito *S*? (9-1)

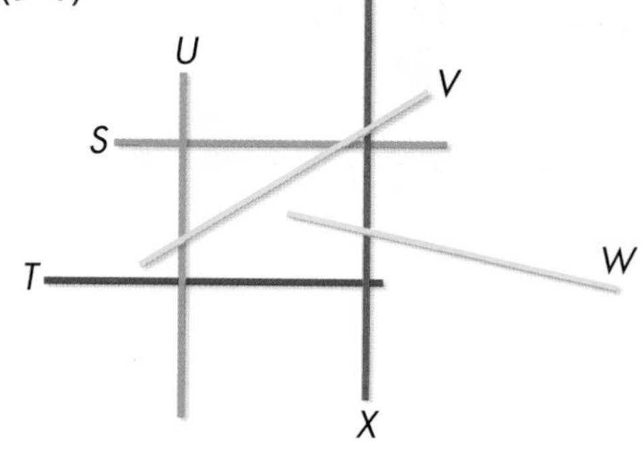

A El palito *T*

B El palito *U*

C El palito *W*

D El palito *X*

2. ¿Qué tipo de ángulo es el ángulo *A*? (9-2)

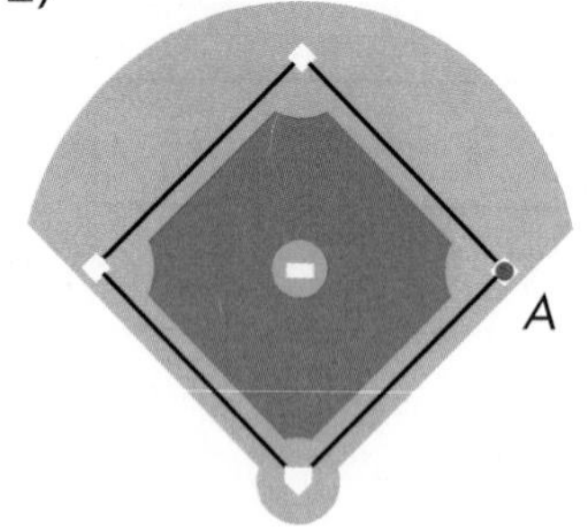

A Agudo

B Obtuso

C Recto

D Llano

3. ¿Qué triángulo no tiene lados congruentes? (9-5)

A El isósceles

B El escaleno

C El equilátero

D El rectángulo

4. ¿Qué polígono tiene más de 5 vértices? (9-4)

A El pentágono

B El cuadrilátero

C El triángulo

D El hexágono

5. Laney usó pajillas en arte para hacer una figura que tenía lados perpendiculares. ¿Cuál podría ser su figura? (9-1)

A 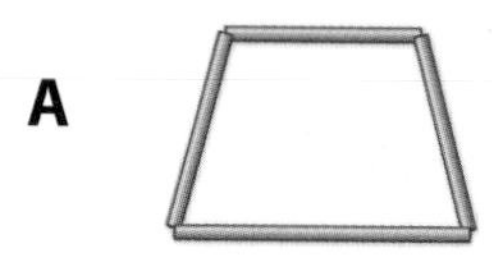

B 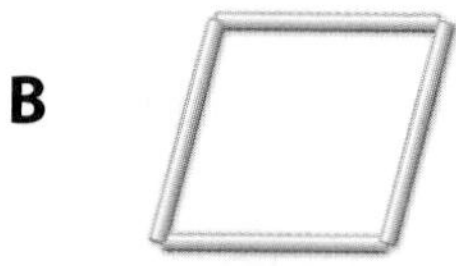

C 

D 

6. ¿Qué enunciado sobre los siguientes cuadriláteros es verdadero? (9-6)

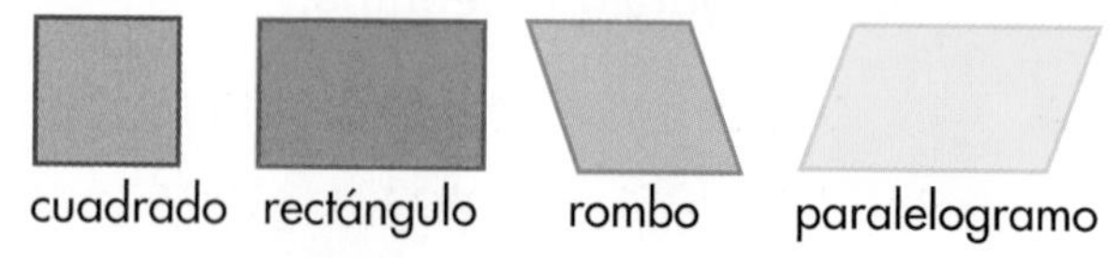

A Todos son rombos.

B Todos son cuadrados.

C Todos son rectángulos.

D Todos son paralelogramos.

Examen

7. ¿Qué término geométrico describe mejor la luz que emite una linterna? (9-2)

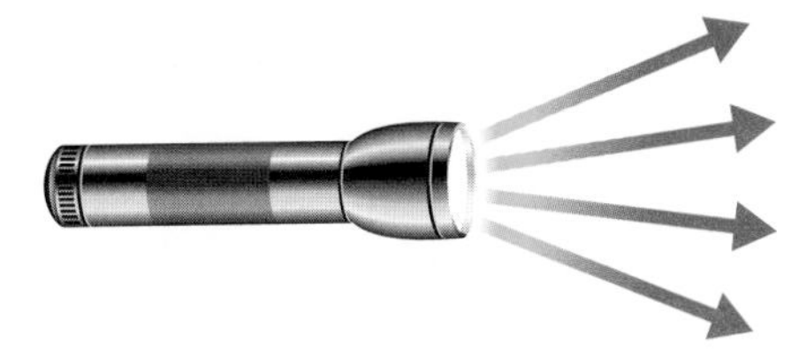

A Punto

B Semirrecta

C Segmento de recta

D Plano

8. ¿Qué términos geométricos describen mejor el siguiente triángulo? (9-5)

A Isósceles; acutángulo

B Isósceles; rectángulo

C Equilátero; obtusángulo

D Escaleno; acutángulo

9. ¿Cuál cuadrilátero tiene menos de 2 pares de lados paralelos? (9-6)

A El cuadrado

B El paralelogramo

C El trapecio

D El rombo

10. ¿Qué polígono tiene 8 lados? (9-4)

A El pentágono

B El octágono

C El triángulo

D El hexágono

11. Thomas eligió estas figuras.

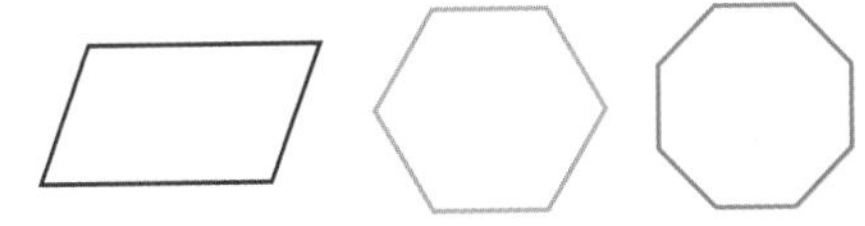

Dijo que las figuras siguientes no pueden agruparse con las que él eligió.

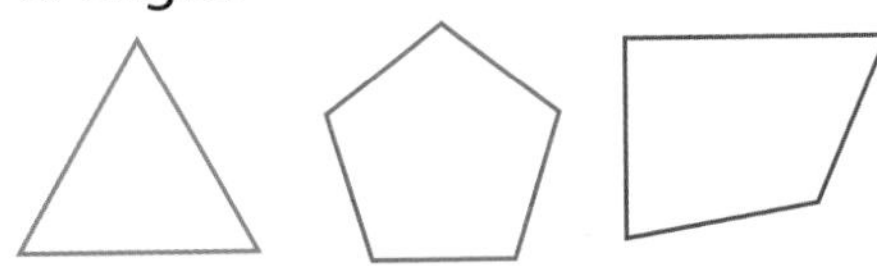

¿Cuál es la mejor descripción de las figuras que eligió Thomas? (9-7)

A Polígonos con más de 4 lados

B Polígonos con lados paralelos

C Polígonos con todos los lados congruentes

D Polígonos con un ángulo recto

12. ¿Cuál es la medida del ángulo? (9-3)

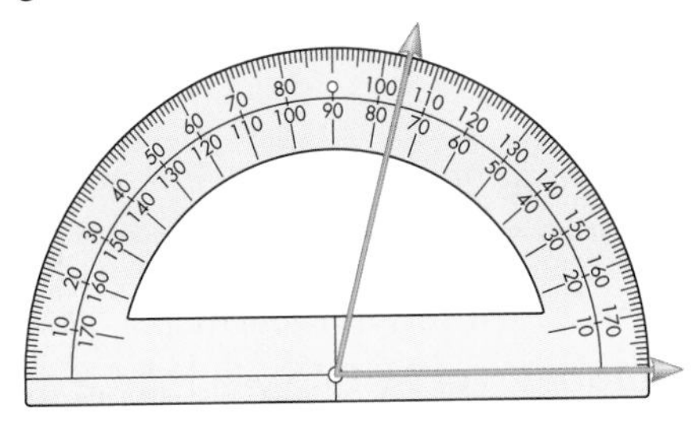

A 115°

B 85°

C 75°

D 65°

Refuerzo

Grupo A, páginas 196 y 197

Los pares de líneas reciben nombres especiales.

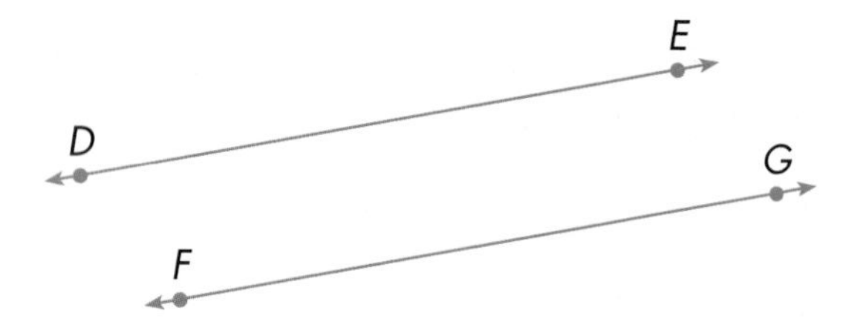

Las líneas *DE* y *FG* son líneas paralelas.

Recuerda que las líneas perpendiculares se intersecan.

Haz coincidir cada elemento que está a la izquierda con la imagen correcta que está a la derecha.

1. ____ Líneas paralelas **a**

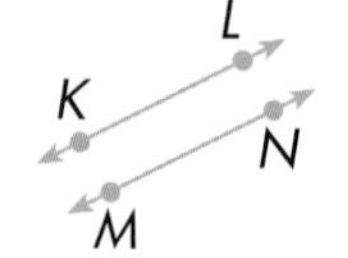

2. ____ Punto **b**

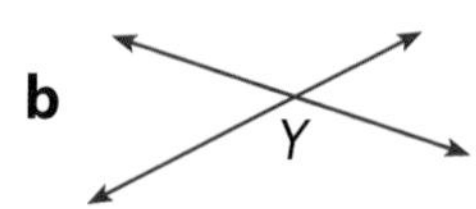

3. ____ Líneas intersecantes **c** • *B*

Grupo B, páginas 198 y 199

Los términos geométricos se usan para describir figuras.

Una semirrecta tiene un extremo y continúa indefinidamente en una dirección.

F *K* *L* *G*

Un ángulo se forma con dos semirrectas o segmentos de recta con un extremo común.

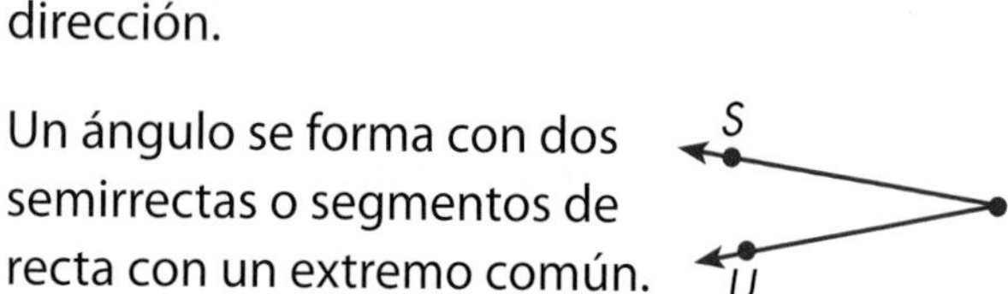

Recuerda que un segmento de recta no continúa más allá de sus extremos.

Usa términos geométricos para describir lo que se muestra.

1.

2.

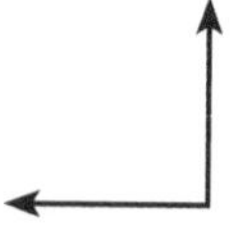

3.

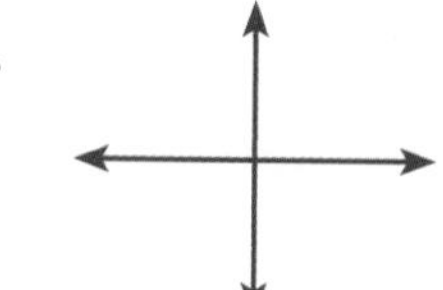

4.

Grupo C, páginas 200 y 201

Los ángulos se miden colocando el centro del transportador en el vértice y la marca del 0° a un lado.

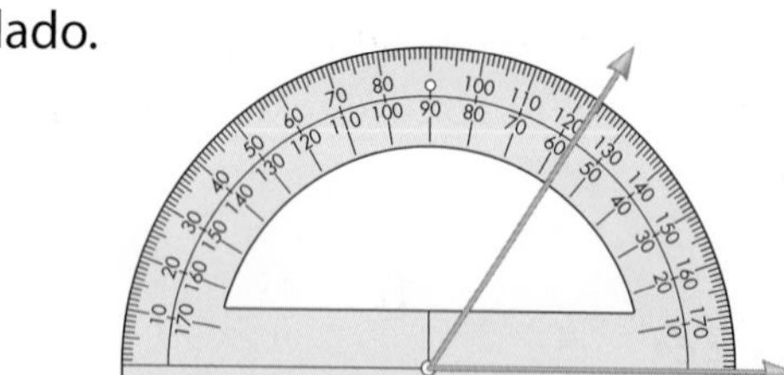

La medida del ángulo es 57°.

Recuerda que una línea recta forma un ángulo de 180°.

Mide los ángulos.

1.

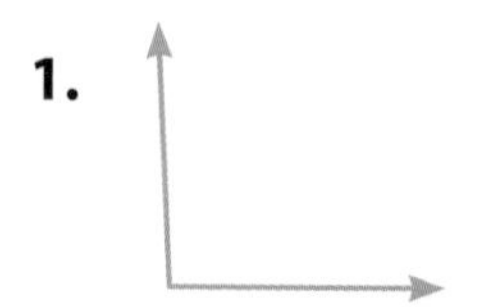

2.

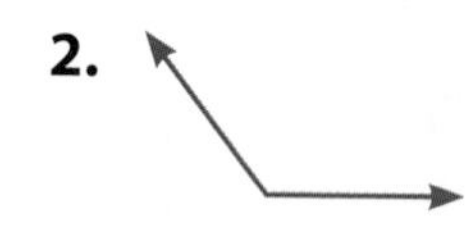

3.

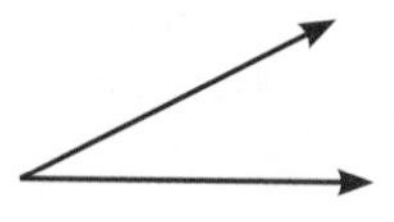

4.

Refuerzo

Grupo D, páginas 202 y 203

Un polígono es una figura cerrada formada por segmentos de rectas llamados lados. Cada lado se une en un punto llamado vértice.

Cuenta el número de lados y vértices para identificar el polígono.

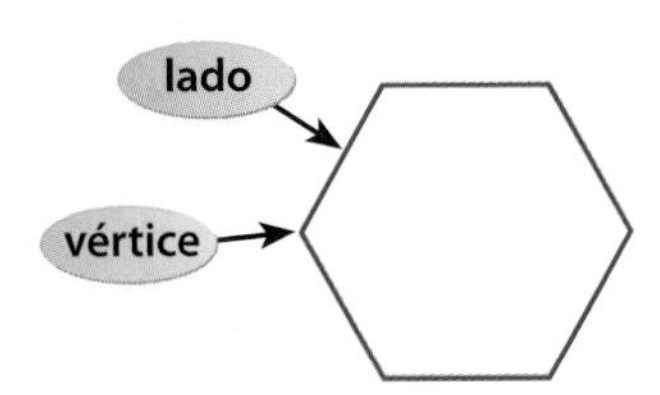

El polígono es un hexágono.

Recuerda que los polígonos tienen el mismo número de lados y de vértices.

Escribe el número de lados y de vértices de cada polígono.

1. Octágono
2. Cuadrado
3. Triángulo
4. Trapecio

Grupo E, páginas 204 a 207

Los triángulos se pueden clasificar por sus lados y por sus ángulos.

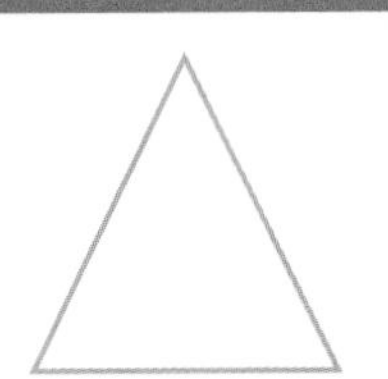

Dos lados tienen la misma longitud y todos los ángulos son agudos. Este es un triángulo isósceles acutángulo.

Identifica el cuadrilátero.

Los lados opuestos son paralelos. Este es un paralelogramo.

Recuerda que un cuadrilátero puede ser un rectángulo, un cuadrado, un trapecio, un paralelogramo o un rombo.

Clasifica cada figura por sus lados y por sus ángulos.

1. 

2. 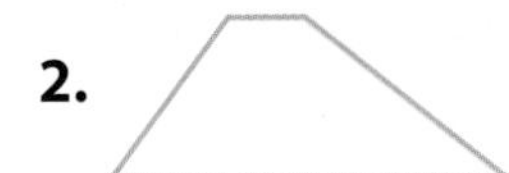

3.  

4.  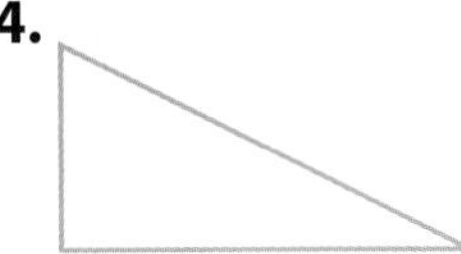

Grupo F, páginas 208 y 209

¿Qué es verdadero acerca de todas estas figuras?

 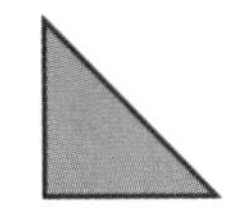 

El número de lados en cada una es el mismo que de ángulos. Comprueba tu generalización.

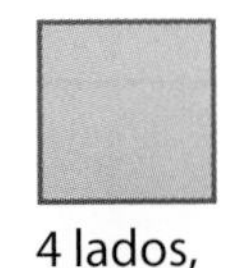 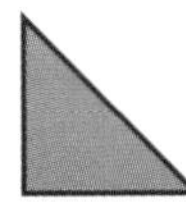 

4 lados, 4 ángulos | 3 lados, 3 ángulos | 4 lados, 4 ángulos

Recuerda que debes comprobar tus generalizaciones.

1. Observa cada grupo de números que está a continuación. Da una generalización para cada grupo de números que no aplique para el otro grupo de tres números.

1 4 7 **3 6 9**

Tema 10

Fracciones

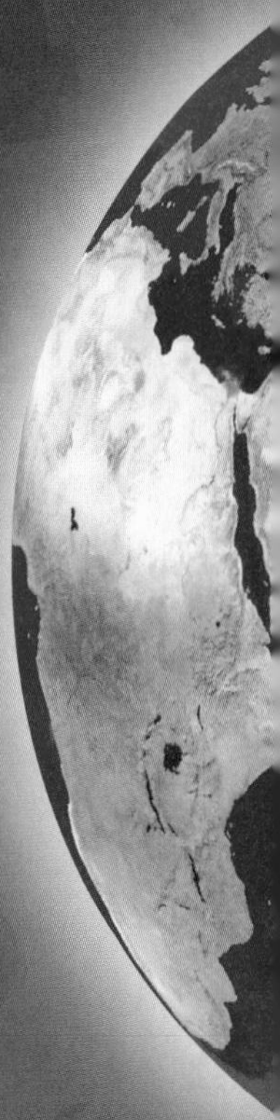

1 La bandera del estado de Maryland es la única bandera estatal formada por 2 escudos familiares. ¿Qué escudos familiares están en la bandera? Lo averiguarás en la Lección 10-1.

2 En promedio, ¿cuántos galones de leche al día produce una vaca lechera? Lo averiguarás en la Lección 10-6.

3

Asia es el continente más grande, y cubre aproximadamente $\frac{3}{10}$ del área total de la Tierra. Aproximadamente, ¿qué fracción de los habitantes de la Tierra vive en Asia? Lo averiguarás en la Lección 10-3.

4

El pastel de calabaza más grande del mundo se hizo en el 2005. ¿Cuánto pesó? Lo averiguarás en la Lección 10-4.

Repasa lo que sabes

Vocabulario

Elige el mejor término del recuadro.

- fracción
- denominador
- tercios
- numerador

1. Tres partes iguales de una figura se llaman _?_.
2. Una _?_ puede identificar una parte de un todo.
3. En una fracción, el número que está debajo de la barra de la fracción es el _?_ .

División

Divide.

4. 454 ÷ 5	**5.** 600 ÷ 3	**6.** 336 ÷ 4
7. 625 ÷ 5	**8.** 387 ÷ 3	**9.** 878 ÷ 7
10. 240 ÷ 8	**11.** 816 ÷ 2	**12.** 284 ÷ 4
13. 626 ÷ 6	**14.** 312 ÷ 3	**15.** 847 ÷ 9

Conceptos de fracciones

Identifica el número de partes iguales en cada figura.

16. 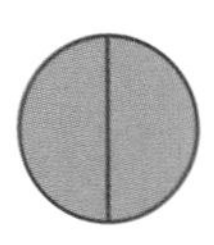

17. 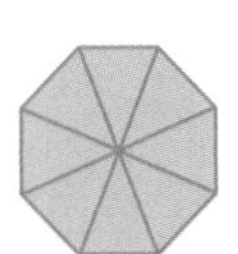

18. 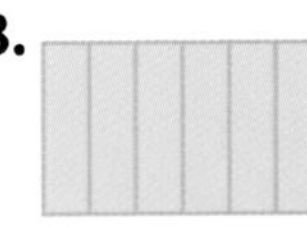

19. 

20. 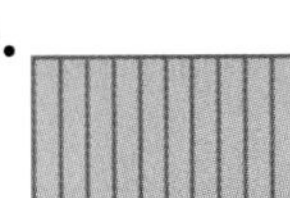

21. 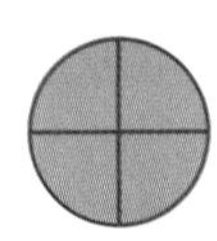

22. **Escribir para explicar** ¿Es rojo $\frac{1}{4}$ de la figura siguiente? ¿Por qué o por qué no?

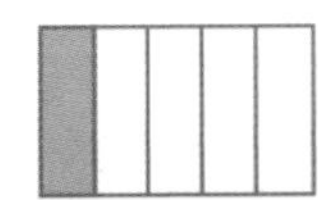

Lección
10-1

¡Lo entenderás!
Las fracciones identifican partes de una región entera o partes de un conjunto de objetos.

Regiones y conjuntos

¿Cómo nombras y muestras partes de una región y partes de un conjunto?

Una fracción es un símbolo, como $\frac{2}{3}$ ó $\frac{5}{1}$, que se usa para nombrar una parte de un todo, una parte de un conjunto, una posición en una recta numérica o una división de números enteros.

¿Qué fracción de la bandera nigeriana es verde?

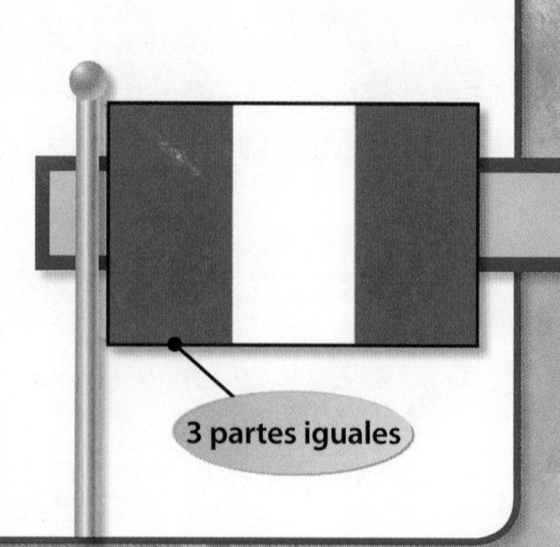

Otro ejemplo ¿Cómo puedes dibujar partes de una región y partes de un conjunto?

Dibuja partes de una región

Dibuja una bandera que sea $\frac{3}{5}$ verde.

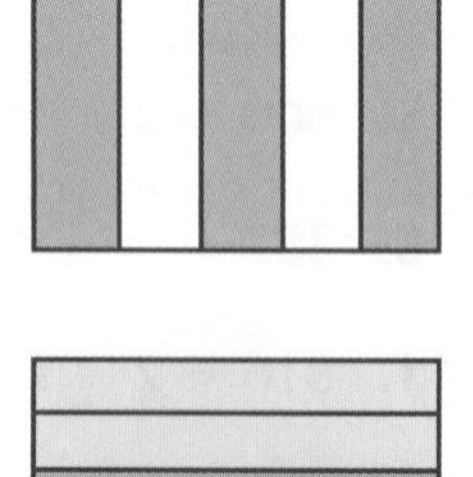

En ambas banderas hay 5 partes iguales y 3 de ellas son verdes. Las dos banderas son $\frac{3}{5}$ verdes.

Dibuja partes de un conjunto

Dibuja un conjunto de figuras en el que $\frac{4}{10}$ de ellas sean triangulitos.

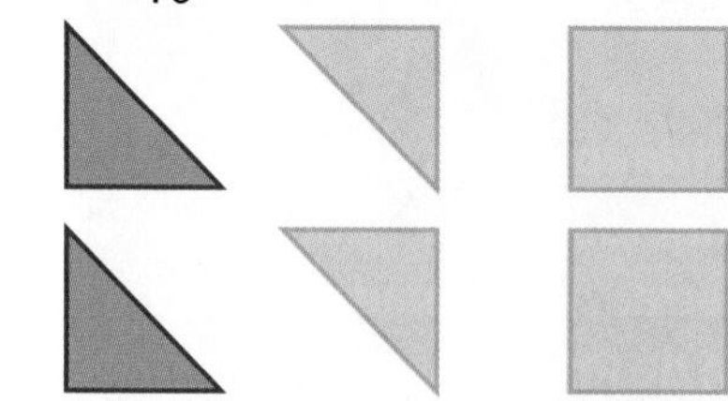

Hay 4 triangulitos de un total de 10 figuras. Por tanto, $\frac{4}{10}$ o cuatro décimos, de las figuras son triangulitos.

Explícalo

1. Dibuja una bandera que sea $\frac{3}{6}$ verde. ¿Cómo se compara esta bandera con una bandera del mismo tamaño que es $\frac{3}{5}$ verde?

2. ¿Qué fracción del conjunto de figuras de arriba es anaranjada? ¿Qué fracción de las figuras son cuadrados? ¿Que tienen en común estas dos fracciones?

Partes de una región

El numerador dice cuántas partes iguales se describen. El denominador dice cuántas partes iguales hay en total.

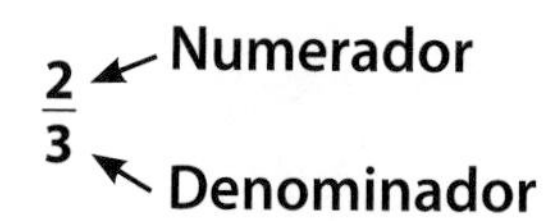

$\frac{2}{3}$ ← Numerador / Denominador

En la bandera nigeriana, $\frac{2}{3}$ son verdes.

Partes de un conjunto

Estas banderas muestran las 4 primeras letras del Código Internacional de Señales:

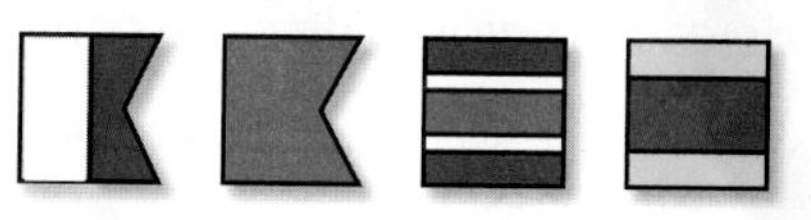

¿Qué fracción de estas banderas son rectángulos?

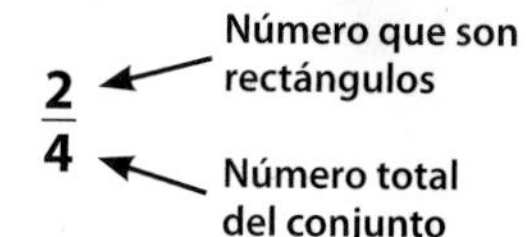

$\frac{2}{4}$ ← Número que son rectángulos / Número total del conjunto

En este conjunto de 4 banderas, $\frac{2}{4}$ son rectángulos.

Práctica guiada*

¿CÓMO hacerlo?

En los Ejercicios **1** y **2,** escribe una fracción que describa qué parte de cada región o de cada conjunto es verde.

1. 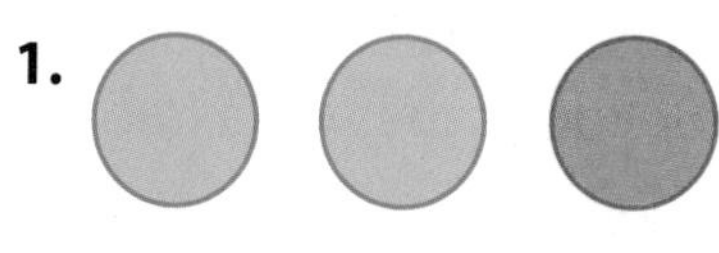

2. 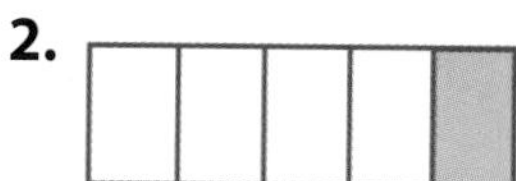

En los Ejercicios **3** y **4,** dibuja un modelo de cada fracción.

3. $\frac{4}{5}$ de una región   **4.** $\frac{2}{9}$ de un conjunto

¿Lo ENTIENDES?

5. Escribir para explicar ¿Qué fracción de las banderas de señales que aparecen arriba contiene azul? ¿Qué fracción de las banderas contiene amarillo? ¿Por qué tienen el mismo denominador estas dos fracciones?

6. ¿Qué fracción de los cuadrados de abajo contiene un círculo rojo? ¿Qué fracción de los círculos es roja?

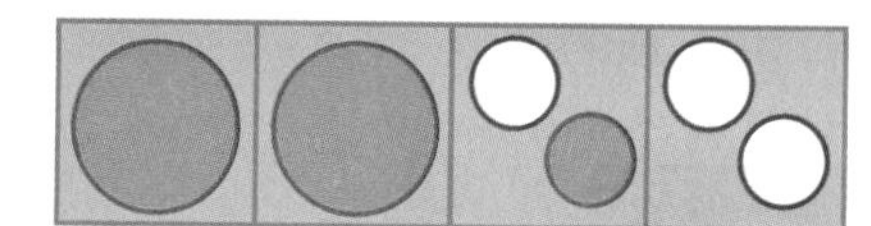

Práctica independiente

En los Ejercicios **7** y **8,** escribe una fracción que describa qué parte de cada región o de cada conjunto es verde.

7. 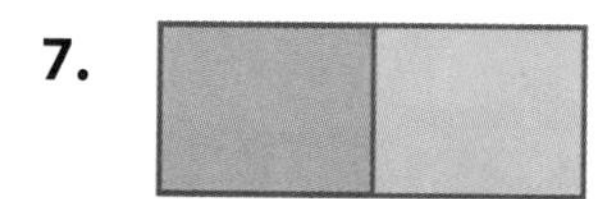

8.        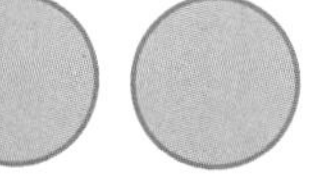

** Puedes encontrar otro ejemplo en el Grupo A, página 244.*

Práctica independiente

En los Ejercicios **9** y **10,** escribe una fracción que describa qué parte de cada región o de cada conjunto es azul.

9. 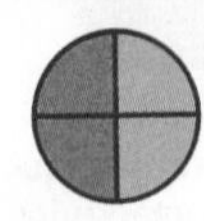

10. 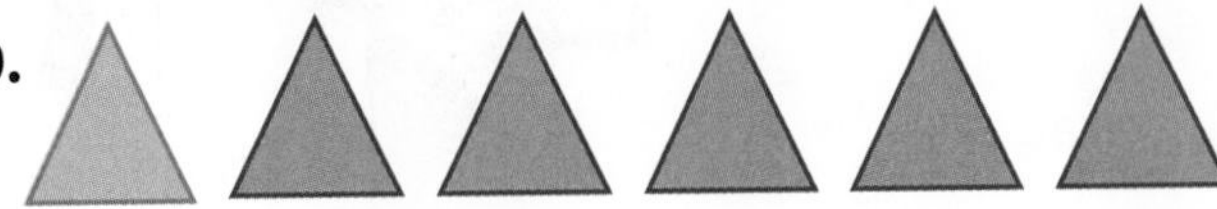

En los Ejercicios **11** a **18,** dibuja un modelo de cada fracción.

11. $\frac{7}{10}$ de una región **12.** $\frac{2}{8}$ de una región **13.** $\frac{1}{6}$ de una región **14.** $\frac{3}{9}$ de una región

15. $\frac{1}{8}$ de un conjunto **16.** $\frac{5}{6}$ de un conjunto **17.** $\frac{3}{7}$ de un conjunto **18.** $\frac{1}{10}$ de un conjunto

Resolución de problemas

19. Maya intentó hacer un truco 12 veces con su monopatín. Logró hacerlo 3 veces. ¿Qué fracción describe el número de veces que **NO** logró hacer el truco?

20. Jane tiene una pecera. Dibuja un modelo que muestre que $\frac{3}{10}$ de los peces son negros y el resto son anaranjados.

21. Los estudiantes ordenaron 32 sillas en filas iguales para un concierto escolar. Describe dos formas en que los estudiantes pudieron haber ordenado las sillas.

22. Cuando el numerador es igual que el denominador, ¿qué sabes de la fracción?

23. En la bandera de señales que se ve abajo, ¿es rojo $\frac{1}{3}$ de la bandera? ¿Por qué o por qué no?

24. El abuelo de Alan hizo 10 panqueques. Alan comió 3 panqueques. Su hermana comió 2 panqueques. ¿Qué fracción de los panqueques comió Alan?

A $\frac{3}{10}$ **C** $\frac{5}{10}$

B $\frac{2}{5}$ **D** $\frac{3}{5}$

Usa el diagrama de la derecha para el Ejercicio **25.**

25. La bandera del estado de Maryland está hecha con los escudos de las familias Calvert y Crossland. El escudo de cada familia aparece dos veces. ¿Qué fracción de la bandera cubre uno de los escudos?

A $\frac{1}{4}$ **B** $\frac{1}{3}$ **C** $\frac{1}{2}$ **D** $\frac{3}{4}$

Halla cada suma. Haz una estimación para comprobar si la respuesta es razonable.

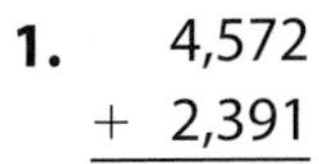

1. 4,572 + 2,391

2. 73,901 + 5,799

3. 3,468 + 947

4. 247 + 312

5. 5,474 + 723

6. 47,090 + 2,910

7. 6,685 + 37

Halla cada resta. Haz una estimación para comprobar si la respuesta es razonable.

8. 4,087 − 496

9. 8,354 − 2,568

10. 9,115 − 76

11. 6,000 − 1,473

12. 6,249 − 123

13. 5,302 − 88

14. 2,249 − 51

15. 8,001 − 4,832

Identifica los errores Halla cada suma o diferencia que no sea correcta. Escríbela correctamente y explica el error.

16. 543 + 29 = 562

17. 6,043 + 972 = 7,025

18. 76,248 + 19,046 = 95,294

19. 354 − 74 = 320

20. 14,953 − 10,834 = 4,119

Sentido numérico

Haz una estimación y razona Escribe si cada enunciado es verdadero o falso. Explica tu respuesta.

21. El número 213,753 es diez mil unidades mayor que 223,753.

22. La suma de 6,823 y 1,339 es mayor que 7,000 pero menor que 9,000.

23. La suma de 42,239 y 11,013 es menor que 50,000.

24. La diferencia de 7,748 – 989 es mayor que 7,000.

25. La suma de 596 + 325 es 4 unidades menor que 925.

26. La diferencia de 12,023 y 2,856 está más cerca de 9,000 que de 10,000.

Lección

10-2

¡Lo entenderás!
Las fracciones describen partes iguales.

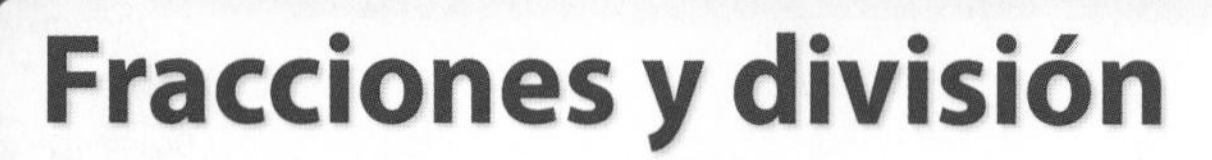

Fracciones y división

¿Cómo puedes repartir objetos?

Tom, Joe y Sam hicieron vasijas con dos rollos de arcilla. Si repartieron la arcilla en partes iguales, ¿qué fracción de los rollos de arcilla usó cada amigo?

Escoge una operación
Divide para hallar una fracción del total.

Práctica guiada*

¿CÓMO hacerlo?

Di qué fracción recibe cada persona.

1. Tres personas se reparten 2 latas de pintura.
2. Dos estudiantes se reparten 1 hoja de papel.
3. Cuatro amigos se reparten 3 manzanas.
4. Cinco amigos se reparten 5 roscas.

¿Lo ENTIENDES?

5. ¿Cómo escribes $3 \div 5$ en forma de fracción?
6. En los Ejercicios 1 a 4, ¿usaste el número de objetos como denominador o como numerador?
7. Si 6 personas se repartieron en partes iguales 3 rollos de arcilla para hacer vasijas, ¿cuánta arcilla usó cada persona?

Práctica independiente

En los Ejercicios **8** a **13,** menciona qué fracción recibe cada persona al repartir en partes iguales.

El número de objetos repartidos es el numerador y el número de personas es el denominador.

8. Cuatro estudiantes se reparten 3 barras de cereal.
9. Diez amigos se reparten 7 dólares.
10. Cada una de cinco mujeres corre una parte igual de una carrera de relevos de 3 millas.
11. Diez estudiantes se reparten 1 hora para dar sus informes.
12. Seis futbolistas se reparten 5 naranjas.
13. Cinco amigos pagan un regalo de 4 dólares.

** Puedes encontrar otro ejemplo en el Grupo B, página 244.*

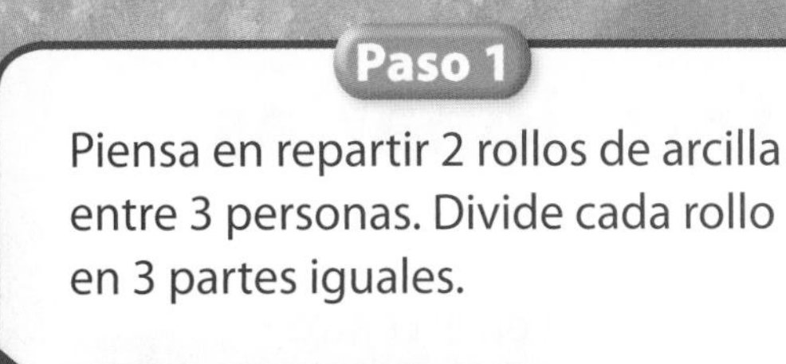

Paso 1

Piensa en repartir 2 rollos de arcilla entre 3 personas. Divide cada rollo en 3 partes iguales.

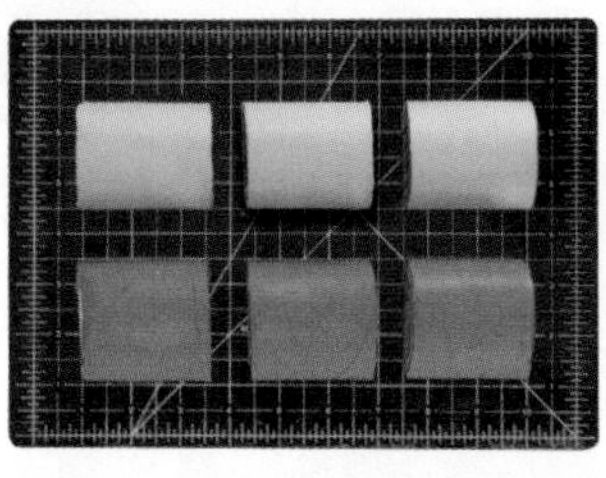

Cada parte es $1 \div 3$ o $\frac{1}{3}$.

Paso 2

Las partes se repartieron equitativamente.

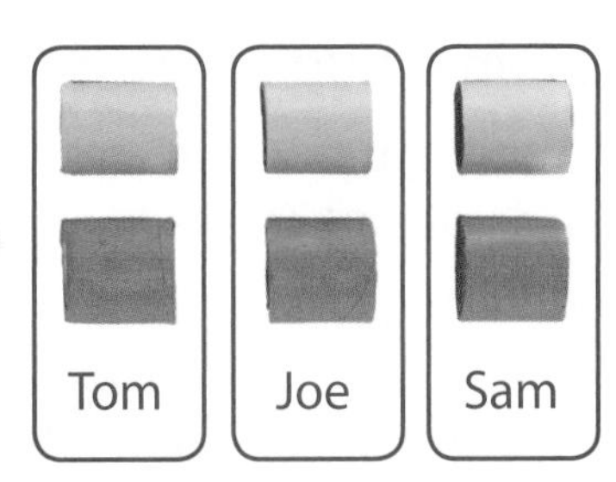

Cada persona usó una parte de cada rollo de arcilla, lo que da un total de 2 partes.

Eso es lo mismo que $\frac{2}{3}$ de un rollo de arcilla.

Puedes escribir una división en forma de fracción. Por tanto, $2 \div 3 = \frac{2}{3}$.

Resolución de problemas

14. Ocho amigos dividen 3 pizzas en partes iguales. ¿Cuánta pizza recibe cada amigo?

15. Álgebra Halla los números que faltan en la siguiente serie:
1, 3, 9, ▢, 81, ▢

16. Razonamiento Un grupo de amigos fue al cine. Se repartieron 2 bolsas de palomitas de maíz en partes iguales. Si cada persona recibió $\frac{2}{3}$ de bolsa de palomitas de maíz, ¿cuántas personas había en el grupo?

17. Cuando el grupo de lectura de Sharon se turnó para leer en voz alta, todos los estudiantes tuvieron una oportunidad de leer. Leyeron un cuento de 12 páginas. Si cada estudiante leyó 3 páginas, ¿cuántos estudiantes había en el grupo de lectura?

18. En un encuentro de gimnasia había 16 equipos. Cada equipo tenía 12 miembros. ¿Cuántos gimnastas participaron en el encuentro?

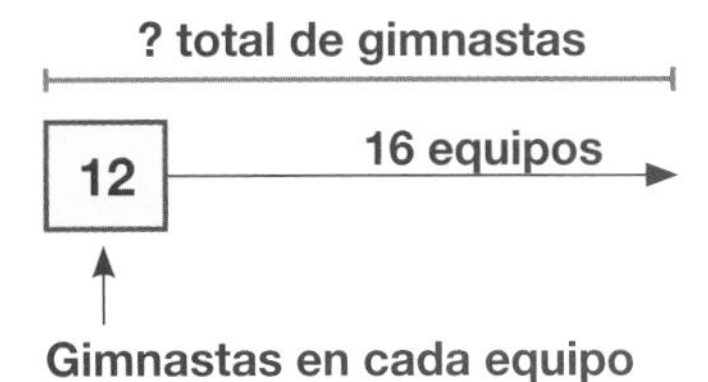

19. Pusieron a veintiún futbolistas en 3 equipos iguales. ¿Cuántos futbolistas había en cada equipo?

20. *Piensa en el proceso* Cuatro amigas están horneando pan. Se reparten 3 barras de mantequilla en partes iguales. ¿Qué oración numérica se usa para hallar la fracción de una barra de mantequilla que usa cada amiga?

A $3 \div 12 =$ ▢ **C** $3 \div 4 =$ ▢

B $5 \div 12 =$ ▢ **D** $3 \div 5 =$ ▢

Lección
10-3

¡Lo entenderás!
Se debe usar fracciones de referencia para estimar cantidades fraccionarias.

Estimar cantidades fraccionarias

¿Cómo puedes estimar partes?

Emma ayudó a su mamá a empezar a pintar un mural en el centro de la ciudad. ¿Aproximadamente qué fracción del muro han pintado?

Práctica guiada*

¿CÓMO hacerlo?

En los Ejercicios **1** a **3,** estima la parte fraccionaria que es anaranjada.

1.

2.

3.

¿Lo ENTIENDES?

4. **Escribir para explicar** ¿Cómo puedes estimar si una parte de una región es aproximadamente $\frac{1}{2}$ del todo?

5. ¿Cuál de los rectángulos en los Ejercicios 1 a 3 tiene la parte fraccionaria anaranjada más grande?

6. ¿Aproximadamente qué fracción del muro **NO** ha sido pintada?

Práctica independiente

En los Ejercicios **7** a **9,** estima la parte fraccionaria en cada uno que es verde.

7.

8.

9.

En los Ejercicios **10** a **12,** estima la parte fraccionaria en cada uno que tiene flores.

10.

11.

12.

* *Puedes encontrar otro ejemplo en el Grupo C, página 244.*

Paso 1

Piensa en fracciones de referencia. Una fracción de referencia es una fracción simple que es fácil de visualizar, como $\frac{1}{4}$, $\frac{1}{3}$, $\frac{1}{2}$, $\frac{2}{3}$ y $\frac{3}{4}$.

Puedes usar las fracciones de referencia para estimar partes fraccionarias.

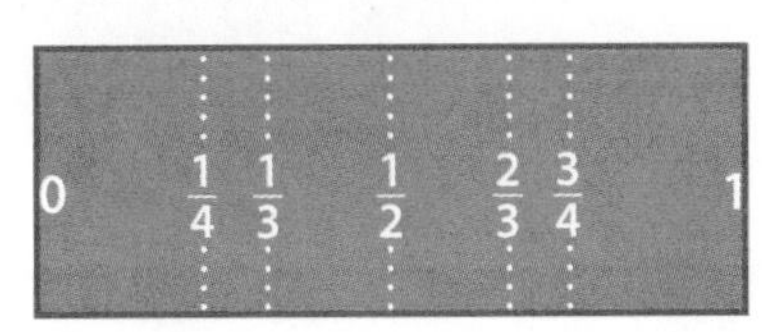

Paso 2

Compara las fracciones de referencia con la parte del muro que han pintado.

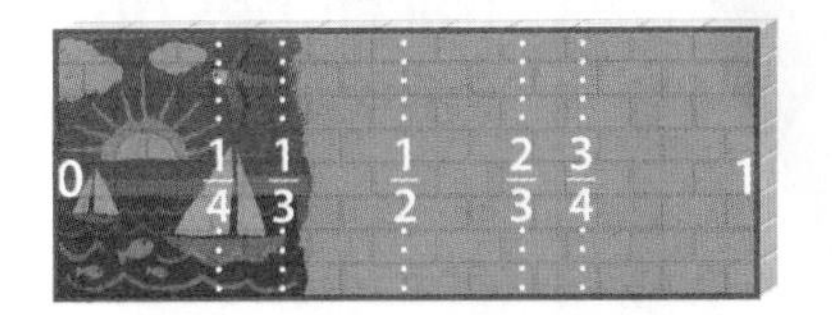

La parte pintada es más que $\frac{1}{4}$ pero menos que $\frac{1}{2}$. Han pintado aproximadamente $\frac{1}{3}$ del muro.

Resolución de problemas

13. Asia tiene más población que ningún otro continente. ¿Aproximadamente qué fracción de la población de la Tierra vive en Asia?

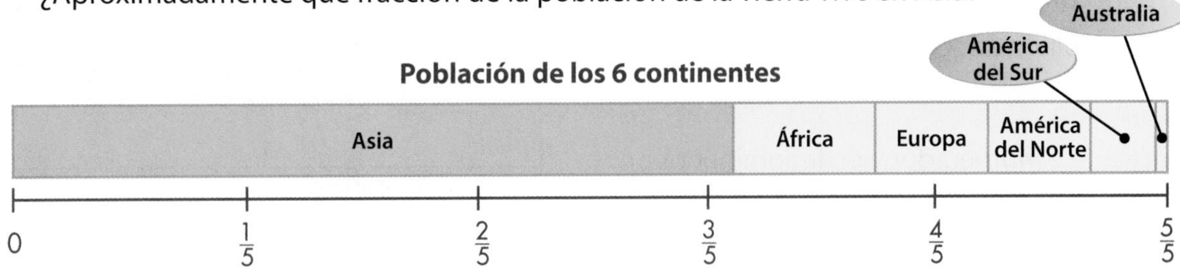

14. En la pista de bolos hay 32 bolas. De éstas, 8 son azules, 5 son rosadas, 6 son rojas y el resto son negras. ¿Cuántas bolas negras hay?

15. ¿Es razonable? Si menos de la mitad de una huerta está sembrada con maíz, ¿es razonable estimar que están sembrados con maíz $\frac{2}{3}$ de la huerta? Explícalo.

16. Sentido numérico En la gráfica de abajo faltan los números. Compara las barras para decidir qué granjero tiene aproximadamente $\frac{1}{3}$ de las vacas que tiene el señor Harris.

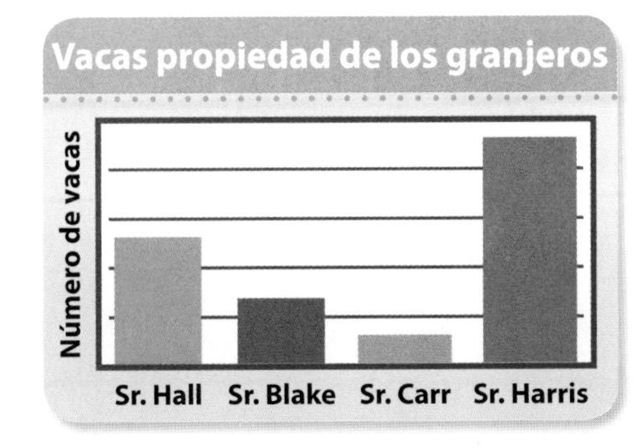

17. Geometría ¿Cuál es el perímetro de la figura que aparece abajo?

Ojo *El perímetro de un rectángulo es igual a la suma de las longitudes de los 4 lados.*

A 6 unidades

B 8 unidades

C 12 unidades

D 16 unidades

4

2

Lección

10-4

¡Lo entenderás!
Una misma fracción tiene muchos nombres diferentes.

Fracciones equivalentes

Manos a la obra tiras de fracciones $\frac{1}{8}$

¿Cómo puedes hallar dos fracciones que identifiquen la misma parte de un entero?

León comió $\frac{1}{4}$ de una pizza. Escribe otra fracción que sea equivalente a $\frac{1}{4}$.

Las fracciones equivalentes identifican la misma parte de un entero.

Otro ejemplo

¿Cómo puedes dividir para hallar una fracción equivalente?

Sara comió $\frac{6}{8}$ de una pizza pequeña de champiñones. ¿Qué fracción es equivalente a $\frac{6}{8}$?

Divide el numerador y el denominador por el mismo número para hallar una fracción equivalente.

$$\frac{6}{8} \overset{\div 2}{=} \frac{3}{4} \quad (\div 2)$$

Por tanto, $\frac{3}{4}$ es equivalente a $\frac{6}{8}$.

Comprueba tu respuesta usando tiras de fracciones.

Halla $\frac{6}{8}$ contando 6 de las tiras de $\frac{1}{8}$.

Halla $\frac{3}{4}$ contando 3 de las tiras de $\frac{1}{4}$.

Tanto $\frac{6}{8}$ como $\frac{3}{4}$ identifican la misma parte de un entero.

1

$\frac{1}{2}$ $\frac{1}{2}$

$\frac{1}{3}$ $\frac{1}{3}$ $\frac{1}{3}$

$\frac{1}{4}$ $\frac{1}{4}$ $\frac{1}{4}$ $\frac{1}{4}$

$\frac{1}{5}$ $\frac{1}{5}$ $\frac{1}{5}$ $\frac{1}{5}$ $\frac{1}{5}$

$\frac{1}{6}$ $\frac{1}{6}$ $\frac{1}{6}$ $\frac{1}{6}$ $\frac{1}{6}$ $\frac{1}{6}$

$\frac{1}{8}$ $\frac{1}{8}$ $\frac{1}{8}$ $\frac{1}{8}$ $\frac{1}{8}$ $\frac{1}{8}$ $\frac{1}{8}$ $\frac{1}{8}$

$\frac{1}{10}$ $\frac{1}{10}$ $\frac{1}{10}$ $\frac{1}{10}$ $\frac{1}{10}$ $\frac{1}{10}$ $\frac{1}{10}$ $\frac{1}{10}$ $\frac{1}{10}$ $\frac{1}{10}$

$\frac{1}{12}$ $\frac{1}{12}$ $\frac{1}{12}$ $\frac{1}{12}$ $\frac{1}{12}$ $\frac{1}{12}$ $\frac{1}{12}$ $\frac{1}{12}$ $\frac{1}{12}$ $\frac{1}{12}$ $\frac{1}{12}$ $\frac{1}{12}$

Explícalo

1. ¿Puedes dividir 6 y 8 por cualquier número para hallar una fracción equivalente? Explícalo.

2. Con tiras de fracciones, halla dos fracciones que sean equivalentes a $\frac{9}{12}$.

Una manera

Para hallar una fracción equivalente, puedes multiplicar el numerador y el denominador por el mismo número.

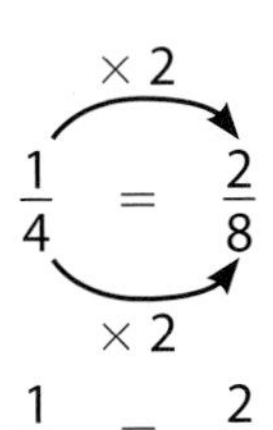

$$\frac{1}{4} = \frac{2}{8}$$

Otra manera

Usa tiras de fracciones para hallar fracciones equivalentes.

Tanto $\frac{1}{4}$ como $\frac{2}{8}$ identifican la misma parte de un entero.

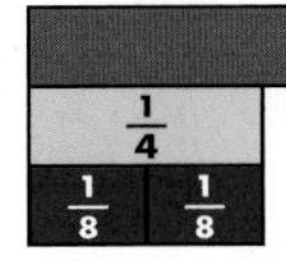

Por tanto, $\frac{1}{4}$ y $\frac{2}{8}$ son fracciones equivalentes.

Práctica guiada*

¿CÓMO hacerlo?

En los Ejercicios **1** a **6,** multiplica o divide para hallar una fracción equivalente.

1. $\frac{2}{3} = \frac{\square}{\square}$ (× 3)

2. $\frac{10}{15} = \frac{\square}{\square}$ (÷ 5)

3. $\frac{1}{4} = \frac{\square}{16}$

4. $\frac{10}{12} = \frac{5}{\square}$

5. $\frac{15}{20} = \frac{\square}{4}$

6. $\frac{3}{8} = \frac{9}{\square}$

¿Lo ENTIENDES?

7. Supón que la pizza de León tiene 12 porciones iguales en vez de 4. ¿Cuántas porciones faltarían si él se comiera $\frac{1}{4}$ de la pizza? Explícalo.

8. Razonamiento Josh, Lisa y Vicki comieron $\frac{1}{2}$ pizza cada uno. Las pizzas eran del mismo tamaño, pero Josh se comió 1 porción, Lisa se comió 3 porciones y Vicki se comió 4 porciones. ¿Cómo es esto posible?

Práctica independiente

Práctica al nivel En los Ejercicios **9** a **16,** multiplica o divide para hallar fracciones equivalentes.

Puedes comprobar tus respuestas usando tiras de fracciones.

9. $\frac{4}{9} = \frac{\square}{\square}$ (× 5)

10. $\frac{9}{15} = \frac{\square}{\square}$ (÷ 3)

11. $\frac{5}{7} = \frac{\square}{\square}$ (× 2)

12. $\frac{2}{4} = \frac{\square}{\square}$ (÷ 2)

13. $\frac{10}{10} = \frac{1}{\square}$

14. $\frac{3}{4} = \frac{12}{\square}$

15. $\frac{10}{20} = \frac{\square}{4}$

16. $\frac{30}{40} = \frac{6}{\square}$

* *Puedes encontrar otro ejemplo en el Grupo D, página 245.*

Práctica independiente

En los Ejercicios **17** a **26,** halla una fracción equivalente para cada uno.

17. $\frac{8}{18}$ **18.** $\frac{2}{10}$ **19.** $\frac{1}{3}$ **20.** $\frac{3}{5}$ **21.** $\frac{24}{30}$

22. $\frac{60}{80}$ **23.** $\frac{2}{15}$ **24.** $\frac{21}{28}$ **25.** $\frac{12}{15}$ **26.** $\frac{12}{20}$

Resolución de problemas

En los Ejercicios **27** y **28,** usa las tiras de fracciones de la derecha.

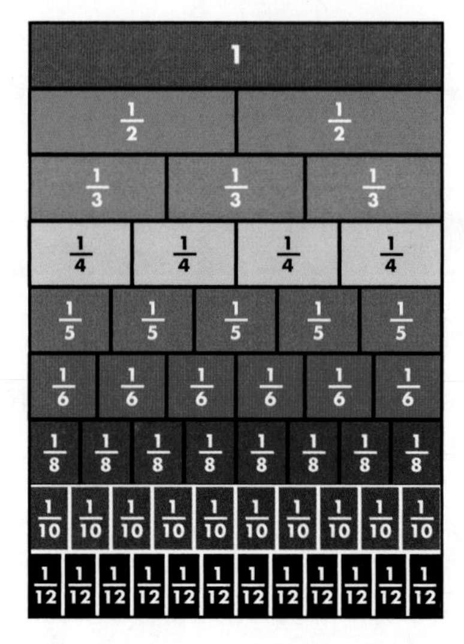

27. Identifica 10 pares de fracciones equivalentes.

28. Razonamiento ¿Cómo puedes mostrar con la multiplicación y la división que $\frac{6}{8}$ y $\frac{9}{12}$ son equivalentes?

Ojo *Primero, divide el numerador y el denominador de $\frac{9}{12}$ por 3. Luego, multiplica.*

29. El pastel de calabaza más grande del mundo pesó 2,020 libras. El pastel tenía $12\frac{1}{3}$ pies de ancho y $\frac{1}{3}$ de pie de espesor. Escribe una fracción equivalente a $\frac{1}{3}$.

30. En un concurso escolar de poesía, 15 de los 45 estudiantes que participan ganarán un pequeño premio. La mitad de los estudiantes restantes recibe un certificado. ¿Cuántos estudiantes reciben un certificado?

31. Álgebra James tiene 18 libros de misterio y 12 libros de deportes. Rich tiene dos veces más libros de misterio y tres veces más libros de deportes. ¿Cuántos libros tiene Rich?

32. Escribir para explicar En los Estados Unidos, $\frac{2}{5}$ de todos los estados empiezan con las letras M, A o N. ¿Cómo puedes usar fracciones equivalentes para hallar cuántos estados es esto?

33. Observa el modelo. Identifica tres fracciones equivalentes para el área que es roja.

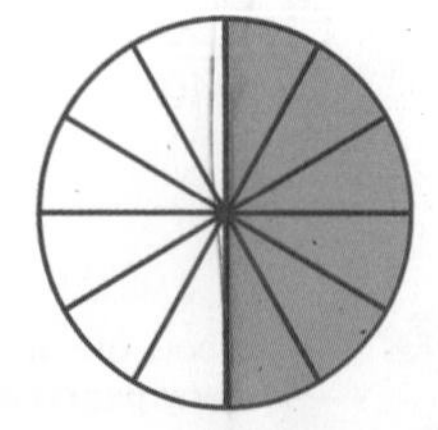

34. ¿Dónde se pondrían los paréntesis para que la siguiente expresión sea verdadera?

$7 + 5 - 8 - 3 = 7$

A $(7 + 5) - 8 - 3$

B $7 + (5 - 8) - 3$

C $7 + 5 - (8 - 3)$

D $(7 + 5 - 8 - 3)$

Enlaces con el Álgebra

Divisibilidad

Un número es divisible por otro cuando el cociente es un número entero y el residuo es 0.

Halla qué números de las listas son divisibles por el número que se muestra.

1. 5
(5, 8, 10, 12, 15)

2. 8
(8, 14, 16, 19, 24)

3. 12
(12, 18, 25, 36, 48)

4. 14
(14, 27, 42, 56, 96)

5. 15
(15, 35, 45, 70, 90)

6. 16
(16, 32, 63, 80, 98)

7. 17
(17, 28, 34, 51, 69)

8. 22
(22, 33, 44, 55, 66)

9. 31
(31, 62, 83, 91, 124)

10. 4
(4, 8, 9, 12, 17)

11. 6
(6, 18, 21, 24, 35)

12. 7
(12, 14, 20, 28, 35)

13. 9
(18, 26, 36, 55, 63)

14. 18
(18, 35, 54, 72, 91)

Ejemplo:

¿Cuáles de estos números son divisibles por 3?

(11, 14, 23, 42)

Usa las reglas de divisibilidad por 3:

Piénsalo *¿Es divisible por 3 la suma de los dígitos del número?*

Intenta con el 14.

$\mathbf{1 + 4 = 5}$

5 no es divisible por 3; por tanto, 14 no es divisible por 3.

Ahora intenta con el 42.

$\mathbf{4 + 2 = 6}$

6 es divisible por 3; por tanto, 3 es un factor de 42.

Comprueba: $\mathbf{42 \div 3 = 14}$

---

15. Bonnie tiene 64 paquetes de pimentones. Quiere guardarlos en bolsas, de modo que cada bolsa contenga la misma cantidad de paquetes. ¿Cuáles son tres maneras diferentes como Bonnie puede hacerlo?

16. ¿Cuántos pedazos de tela de 7 yardas de longitud podrías cortar de un pedazo de 42 yardas de longitud? Explícalo.

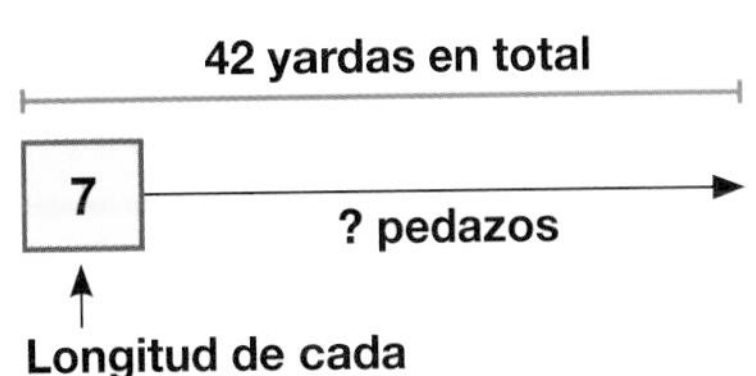

Lección
10-5

¡Lo entenderás!
Se puede escribir las fracciones de modo que el numerador y el denominador no tengan otro factor común además del 1.

Fracciones en su mínima expresión

¿Cómo escribes una fracción en su mínima expresión?

Jason corrió $\frac{4}{12}$ del recorrido de la pista.
Escribe $\frac{4}{12}$ en su mínima expresión.
Dado que 4 es un factor de 12, es un factor común de 4 y de 12.

Una fracción está en su mínima expresión cuando el numerador y el denominador no tienen ningún otro factor común aparte del 1.

$\frac{4}{12}$ del recorrido alrededor de la pista

Práctica guiada*

¿CÓMO hacerlo?

En los Ejercicios **1** a **6,** escribe cada fracción en su mínima expresión.

1. $\frac{6}{8}$ **2.** $\frac{15}{45}$

3. $\frac{10}{100}$ **4.** $\frac{16}{80}$

5. $\frac{21}{33}$ **6.** $\frac{12}{14}$

¿Lo ENTIENDES?

7. Escribir para explicar Explica cómo puedes saber que $\frac{4}{9}$ está en su mínima expresión.

8. Jamal corrió $\frac{8}{12}$ del recorrido de la pista. Escribe esta fracción en su mínima expresión.

Ojo *Si el numerador y el denominador son números pares, tienen el 2 como factor común.*

Práctica independiente

En los Ejercicios **9** a **33,** escribe cada fracción en su mínima expresión. Si está en su mínima expresión, escribe *mínima expresión.*

9. $\frac{3}{12}$ **10.** $\frac{2}{10}$ **11.** $\frac{4}{8}$ **12.** $\frac{12}{16}$ **13.** $\frac{4}{6}$

14. $\frac{2}{5}$ **15.** $\frac{2}{6}$ **16.** $\frac{3}{16}$ **17.** $\frac{8}{10}$ **18.** $\frac{5}{12}$

19. $\frac{3}{7}$ **20.** $\frac{8}{20}$ **21.** $\frac{9}{10}$ **22.** $\frac{9}{15}$ **23.** $\frac{12}{20}$

24. $\frac{5}{6}$ **25.** $\frac{3}{9}$ **26.** $\frac{15}{18}$ **27.** $\frac{30}{40}$ **28.** $\frac{30}{35}$

29. $\frac{2}{3}$ **30.** $\frac{7}{14}$ **31.** $\frac{9}{16}$ **32.** $\frac{4}{12}$ **33.** $\frac{5}{15}$

DIGITAL
Glosario animado
www.pearsonsuccessnet.com

** Puedes encontrar otro ejemplo en el Grupo E, página 245.*

Escribe $\frac{4}{12}$ en su mínima expresión dividiendo dos veces.

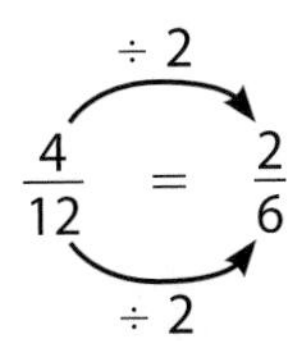

4 y 12 son ambos pares. El dos es un factor común.

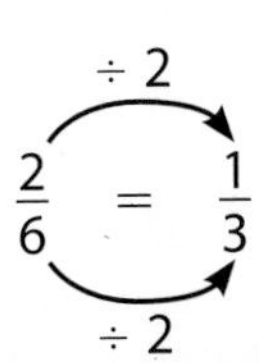

2 y 6 son ambos pares. El dos es un factor común.

Escribe $\frac{4}{12}$ en su mínima expresión dividiendo por 4.

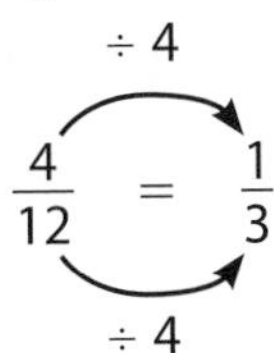

En su mínima expresión, $\frac{4}{12} = \frac{1}{3}$.

Resolución de problemas

34. Razonamiento Si el numerador y el denominador de una fracción son ambos números primos y no son iguales, ¿se puede simplificar la fracción?

35. Estimación ¿Aproximadamente qué fracción de este modelo es roja?

Usa la tabla de la derecha para los Ejercicios **36** y **37**.

36. ¿Qué fracción de los miembros de la banda ensayan más de 2 horas por semana? Escribe tu respuesta en su mínima expresión.

37. ¿Qué fracción de los miembros de la banda dedican más tiempo a las lecciones que a los ensayos? Escribe tu respuesta en su mínima expresión.

Datos — Diario semanal de la banda

Miembro de la banda	Lecciones (horas)	Ensayos (horas)
Will	1.5	1
Kaitlyn	1	3.5
Madison	0.75	1.75
Ryan	1.5	1.25
Kirk	1.25	4
Gina	1	0.75

38. Piensa en el proceso ¿Cuál de las siguientes opciones te ayuda a hallar $\frac{4}{8}$ en su mínima expresión?

A Restar 4 de 8.

B Dividir 4 por 8.

C Comparar tiras de fracciones para cuartos y octavos.

D Comparar tiras de fracciones para octavos y medios.

39. El año 2005 fue un año récord en nacimientos de pandas. En ese año, nacieron en cautiverio 16 pandas. Si un total de 180 pandas viven en cautiverio, ¿qué fracción de pandas nacieron en 2005? Escribe tu respuesta en su mínima expresión.

Lección
10-6

¡Lo entenderás!
Las fracciones pueden tener un valor mayor que 1.

Fracciones impropias y números mixtos

Manos a la obra
tiras de fracciones

¿Cómo nombras una cantidad de dos maneras diferentes?

¿Cuántas veces necesitará Matt llenar su recipiente de $\frac{1}{4}$ de taza para preparar $2\frac{1}{4}$ tazas de ponche?

$2\frac{1}{4}$ es un número mixto. Un número mixto tiene una parte entera y una parte fraccionaria.

Otro ejemplo ¿Cómo puedes escribir una fracción impropia en forma de número mixto o de número entero?

Jack usó $\frac{10}{3}$ de taza de agua para preparar limonada.

Escribe $\frac{10}{3}$ en forma de número mixto.

A $10\frac{1}{3}$ tazas

B $3\frac{1}{3}$ tazas

C $3\frac{1}{10}$ tazas

D $\frac{3}{3}$ tazas

Usa un modelo. Representa $\frac{10}{3}$ ó 10 tercios.

Hay 3 enteros coloreados y $\frac{1}{3}$ de otro entero coloreado.

Por tanto, $\frac{10}{3} = 3\frac{1}{3}$.

Jack hizo $3\frac{1}{3}$ tazas de limonada.

La respuesta correcta es la **B.**

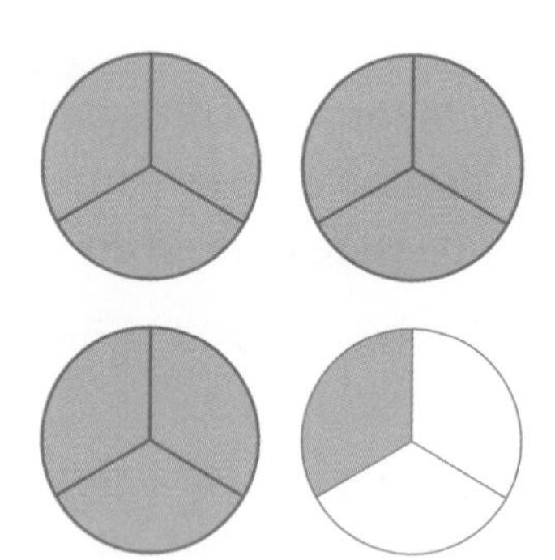

Explícalo

1. Explica por qué $\frac{6}{3} = 2$. Dibuja un modelo como ayuda.

2. Jacquelyn hizo ponche con $\frac{7}{2}$ de taza de agua. Escribe $\frac{7}{2}$ en forma de número mixto.

Una manera

Usa un modelo para escribir $2\frac{1}{4}$ en forma de fracción impropia. Una fracción impropia tiene un numerador igual o mayor que su denominador.

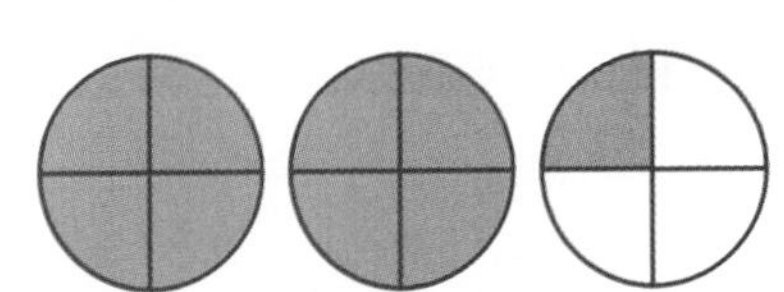

Cuenta los cuartos coloreados.

Hay 9 cuartos, es decir, $\frac{9}{4}$ coloreados. Por tanto, $2\frac{1}{4} = \frac{9}{4}$. $\frac{9}{4}$ es una fracción impropia.

Matt necesita llenar 9 veces el recipiente de $\frac{1}{4}$ de taza.

Otra manera

Usa tiras de fracciones.

1			
$\frac{1}{4}$	$\frac{1}{4}$	$\frac{1}{4}$	$\frac{1}{4}$
$\frac{1}{4}$	$\frac{1}{4}$	$\frac{1}{4}$	$\frac{1}{4}$
$\frac{1}{4}$			

Por tanto, $2\frac{1}{4} = \frac{9}{4}$.

Práctica guiada*

¿CÓMO hacerlo?

Escribe cada número mixto en forma de fracción impropia. Escribe cada fracción impropia en forma de número mixto o de número entero. Usa modelos como ayuda.

1. $1\frac{3}{8}$

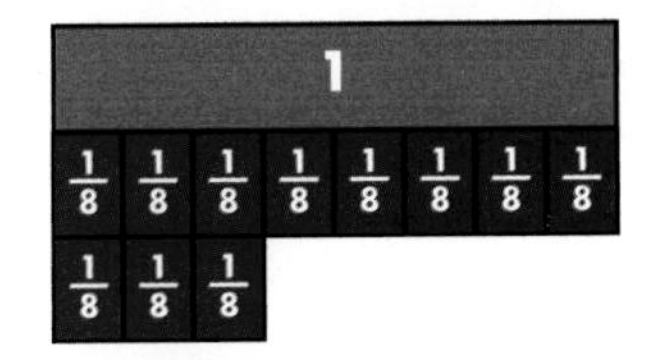

2. $\frac{4}{3}$

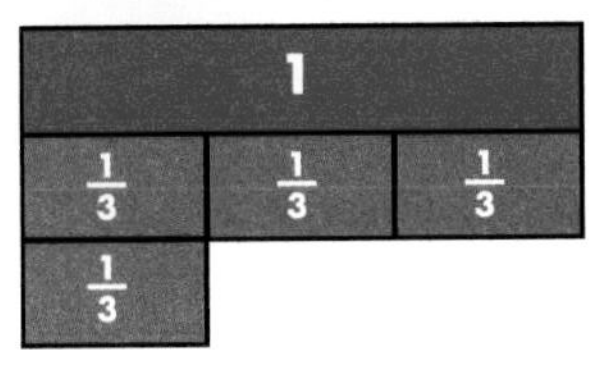

¿Lo ENTIENDES?

3. ¿De qué otra manera representas $2\frac{1}{4}$ con tiras de fracciones?

4. Si Matt llenó un recipiente de $2\frac{1}{5}$ tazas, ¿cuántos $\frac{1}{5}$ de taza necesita usar?

5. Nancy compró $7\frac{1}{2}$ galones de leche para la cafetería de la escuela. Compró sólo recipientes de medio galón. ¿Cuántos recipientes de medio galón compró?

Práctica independiente

En los Ejercicios **6** a **8,** halla cada número mixto o fracción impropia usando tiras de fracciones.

6. $1\frac{3}{4}$

1			
$\frac{1}{4}$	$\frac{1}{4}$	$\frac{1}{4}$	$\frac{1}{4}$
$\frac{1}{4}$	$\frac{1}{4}$	$\frac{1}{4}$	

7. $\frac{7}{3}$

1		
$\frac{1}{3}$	$\frac{1}{3}$	$\frac{1}{3}$
$\frac{1}{3}$	$\frac{1}{3}$	$\frac{1}{3}$
$\frac{1}{3}$		

8. $3\frac{1}{5}$

1				
$\frac{1}{5}$	$\frac{1}{5}$	$\frac{1}{5}$	$\frac{1}{5}$	$\frac{1}{5}$
$\frac{1}{5}$	$\frac{1}{5}$	$\frac{1}{5}$	$\frac{1}{5}$	$\frac{1}{5}$
$\frac{1}{5}$	$\frac{1}{5}$	$\frac{1}{5}$	$\frac{1}{5}$	$\frac{1}{5}$
$\frac{1}{5}$				

eTools, Glosario animado
www.pearsonsuccessnet.com

Puedes encontrar otro ejemplo en el Grupo F, página 246.

Práctica independiente

En los Ejercicios **9** a **11,** escribe cada número mixto o fracción impropia.

9. $4\frac{2}{3}$

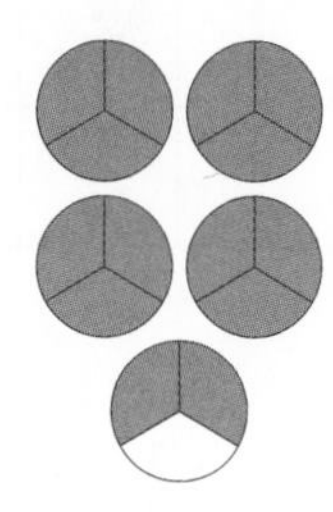

10. $\frac{10}{3}$

1		
$\frac{1}{3}$	$\frac{1}{3}$	$\frac{1}{3}$
$\frac{1}{3}$	$\frac{1}{3}$	$\frac{1}{3}$
$\frac{1}{3}$	$\frac{1}{3}$	$\frac{1}{3}$
$\frac{1}{3}$		

11. $1\frac{1}{2}$

1	
$\frac{1}{2}$	$\frac{1}{2}$
$\frac{1}{2}$	

Resolución de problemas

12. Jeremy usó esta receta para preparar un batido de frutas. ¿Cuántas $\frac{1}{2}$ tazas de hielo necesita Jeremy?

Datos

Receta de batido de frutas	
Té de frambuesa	1 taza
Agua	1 taza
Arándanos	$\frac{1}{2}$ taza
Jugo de lima	1 cucharada
Hielo	$1\frac{1}{2}$ tazas

13. Chris terminó de comer su almuerzo en 11 minutos. Su hermano tardó 3 veces más. ¿Cuántos minutos tardó su hermano en terminar el almuerzo?

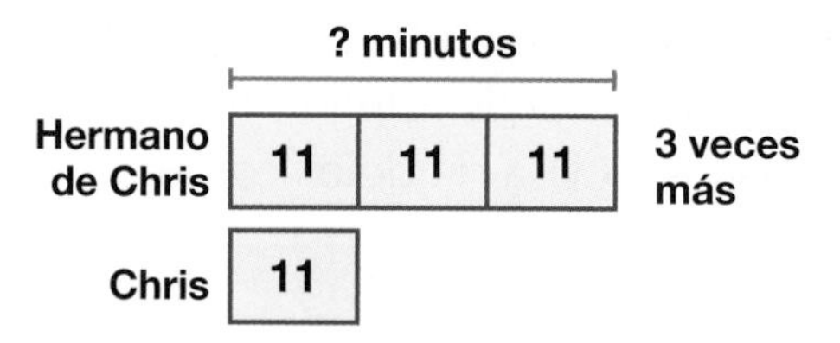

14. Sara compró una caja de 6 barras de granola. El peso total era de $7\frac{1}{3}$ onzas. Escribe $7\frac{1}{3}$ en forma de fracción impropia.

15. Kathy escribió el número mixto para $\frac{35}{5}$ como $\frac{7}{5}$. ¿Tiene razón? ¿Por qué o por qué no?

16. Julia compró $3\frac{1}{4}$ yardas de tela. ¿Cuántos $\frac{1}{4}$ de yarda de tela compró Julia?

17. En una semana, Nate bebió $\frac{17}{3}$ de taza de leche. Escribe $\frac{17}{3}$ en forma de número mixto.

18. ¿Qué fracción o número mixto representa este modelo?

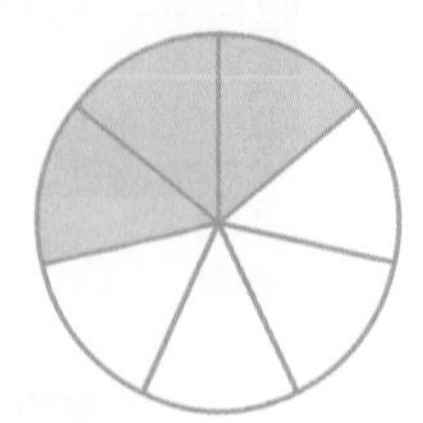

19. En promedio, una vaca lechera produce $4\frac{1}{2}$ galones de leche por día. ¿A cuánta leche equivale esta cantidad en forma de fracción impropia?

A $\frac{11}{9}$ de galón

B $\frac{19}{9}$ de galón

C $\frac{9}{2}$ de galón

D $\frac{19}{2}$ de galón

Resolución de problemas variados

Frecuentemente, los artistas mezclan colores base para crear tonos diferentes que usan en las pinturas. Empiezan con los tres colores primarios: azul, rojo y amarillo. Los colores que se producen dependen de la fracción de pinturas que se combinen.

El señor McCrory mezcla pinturas para crear colores para usar en ciertas pinturas al óleo.

Datos

Pintura 1	$\frac{1}{4}$ de azul	$\frac{1}{6}$ de rojo	$\frac{5}{6}$ de amarillo
Pintura 2	$\frac{3}{4}$ de rojo	$\frac{1}{3}$ de amarillo	$\frac{5}{8}$ de azul
Color	Morado claro	Anaranjado	Verde oscuro

1. Usa tiras de fracciones para comparar las fracciones de pintura de color que se usaron para formar el tono verde oscuro y el tono morado claro. Escribe las fracciones de *mayor* a *menor*.

2. Usa tiras de fracciones para ordenar de *menor* a *mayor* todas las fracciones de pintura usadas.

3. Jared pintó un lienzo usando cantidades fraccionarias de pintura de color. El cuadro de la derecha muestra la cantidad fraccionaria de cada color que se usó. Ordena cada fracción de *menor* a *mayor*.

Datos

Color de pintura	Azul	Rojo	Amarillo	Blanco
Cantidad usada	$\frac{2}{3}$	$\frac{6}{12}$	$\frac{8}{9}$	$\frac{4}{10}$

4. Elsie asistió a un curso de elaboración de cristales de colores en un centro artístico comunitario. Usó $\frac{2}{6}$ de cristal de color verde, $\frac{1}{2}$ de cristal de color amarillo y $\frac{1}{6}$ de cristal de color rojo para hacer un atrapasol. La mayor parte de su atrapasol, ¿estaba hecho de cristales verdes o amarillos? Dibuja un modelo para mostrar tu respuesta.

5. Una bandera está hecha de colores fraccionarios. $\frac{1}{2}$ de la bandera es azul y $\frac{1}{4}$ es blanco. El resto de la bandera está hecha de $\frac{2}{12}$ de rojo y $\frac{1}{12}$ de verde. Ordena las fracciones de color de *menor* a *mayor*.

Lección
10-7

¡Lo entenderás!
Existen muchas maneras diferentes de comparar fracciones.

Comparar fracciones

Manos a la obra
tiras de fracciones

¿Cómo puedes comparar fracciones?

El padre de Isabella está construyendo un dinosaurio a escala con pedazos sobrantes de madera que miden $\frac{1}{4}$ de pulgada y $\frac{5}{8}$ de pulgada.

¿Cuáles son más largos, los pedazos de $\frac{1}{4}$ de pulgada o los pedazos de $\frac{5}{8}$?

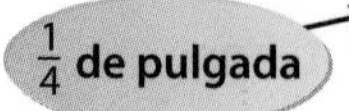

Práctica guiada*

¿CÓMO hacerlo?

Compara. Escribe >, < o = en cada ◯. Usa tiras de fracciones o dibujos como ayuda.

1. $\frac{3}{4}$ ◯ $\frac{6}{8}$

2. $\frac{1}{4}$ ◯ $\frac{1}{10}$

3. $\frac{3}{5}$ ◯ $\frac{7}{15}$

4. $\frac{1}{2}$ ◯ $\frac{4}{5}$

¿Lo ENTIENDES?

5. Mary dice que $\frac{1}{8}$ es mayor que $\frac{1}{4}$ porque 8 es mayor que 4. ¿Tiene razón? Explica tu respuesta.

6. El señor Arnold usó trozos de madera que medían $\frac{2}{5}$ de pie, $\frac{1}{3}$ de pie y $\frac{3}{8}$ de pie para construir una casa para aves. Compara estas longitudes.

Práctica independiente

En los Ejercicios **7** a **38,** compara. Luego escribe >, < o = en cada ◯. Usa tiras de fracciones o fracciones de referencia como ayuda.

7. $\frac{5}{6}$ ◯ $\frac{10}{12}$

8. $\frac{3}{10}$ ◯ $\frac{7}{8}$

9. $\frac{5}{12}$ ◯ $\frac{1}{2}$

10. $\frac{7}{8}$ ◯ $\frac{3}{4}$

11. $\frac{1}{3}$ ◯ $\frac{2}{8}$

12. $\frac{1}{4}$ ◯ $\frac{2}{3}$

13. $\frac{7}{12}$ ◯ $\frac{3}{4}$

14. $\frac{2}{3}$ ◯ $\frac{2}{12}$

15. $\frac{3}{8}$ ◯ $\frac{2}{3}$

16. $\frac{3}{4}$ ◯ $\frac{1}{8}$

17. $\frac{2}{3}$ ◯ $\frac{5}{12}$

18. $\frac{1}{2}$ ◯ $\frac{3}{4}$

19. $\frac{7}{10}$ ◯ $\frac{11}{12}$

20. $\frac{7}{12}$ ◯ $\frac{4}{10}$

21. $\frac{5}{12}$ ◯ $\frac{4}{5}$

22. $\frac{2}{6}$ ◯ $\frac{3}{12}$

23. $\frac{8}{10}$ ◯ $\frac{3}{4}$

24. $\frac{3}{8}$ ◯ $\frac{11}{12}$

25. $\frac{2}{3}$ ◯ $\frac{10}{12}$

26. $\frac{7}{8}$ ◯ $\frac{1}{6}$

DIGITAL
eTools
www.pearsonsuccessnet.com

** Puedes encontrar otro ejemplo en el Grupo G, página 246.*

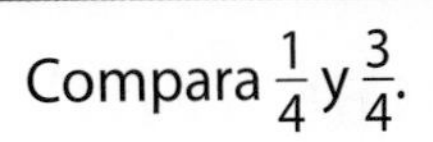

Usa fracciones de referencia.

Compara $\frac{1}{4}$ y $\frac{5}{8}$.

Para comparar ambas fracciones con $\frac{1}{2}$, puedes usar tiras de fracciones.

$\frac{1}{4} < \frac{1}{2}$,

$\frac{5}{8} > \frac{1}{2}$,

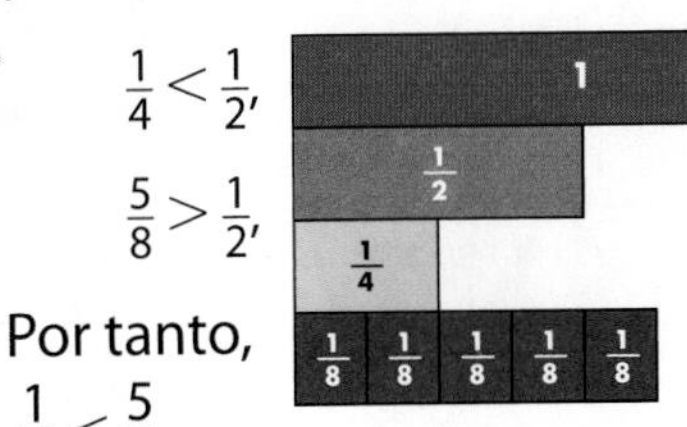

Por tanto, $\frac{1}{4} < \frac{5}{8}$

Los pedazos de $\frac{5}{8}$ de pulgada son más largos.

Compara $\frac{1}{4}$ y $\frac{3}{4}$.

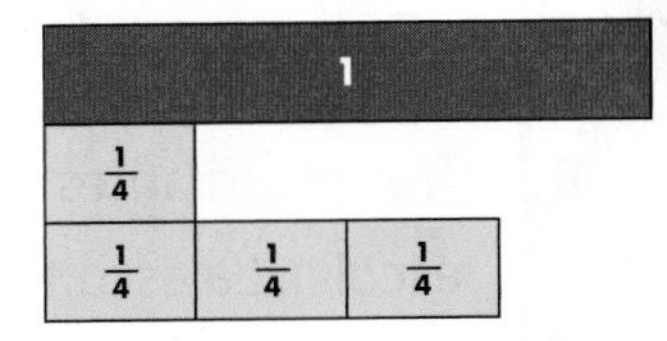

Cuando las dos fracciones tienen el mismo denominador, comparas los numeradores.

3 > 1

Por tanto, $\frac{3}{4} > \frac{1}{4}$.

27. $\frac{3}{8} \bigcirc \frac{7}{8}$ **28.** $\frac{2}{4} \bigcirc \frac{4}{8}$ **29.** $\frac{6}{8} \bigcirc \frac{8}{12}$ **30.** $\frac{1}{3} \bigcirc \frac{4}{9}$

31. $\frac{6}{8} \bigcirc \frac{8}{10}$ **32.** $\frac{3}{5} \bigcirc \frac{3}{6}$ **33.** $\frac{2}{10} \bigcirc \frac{2}{12}$ **34.** $\frac{5}{6} \bigcirc \frac{4}{5}$

35. $\frac{4}{4} \bigcirc \frac{1}{1}$ **36.** $\frac{2}{4} \bigcirc \frac{8}{10}$ **37.** $\frac{7}{8} \bigcirc \frac{3}{5}$ **38.** $\frac{3}{9} \bigcirc \frac{1}{3}$

Resolución de problemas

39. Sentido numérico Felicia hizo el dibujo que está a la derecha para demostrar que $\frac{3}{8}$ es mayor que $\frac{3}{4}$. ¿Cuál fue el error de Felicia?

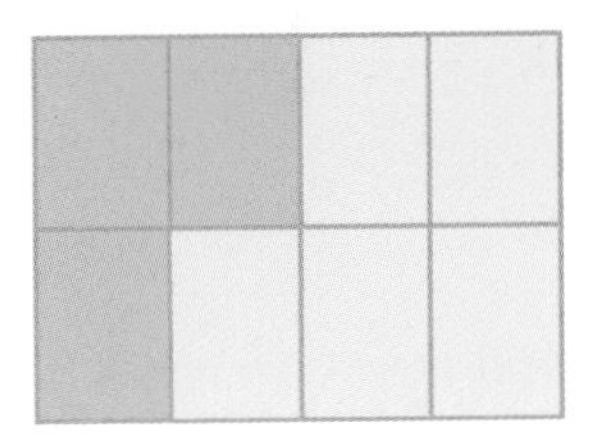

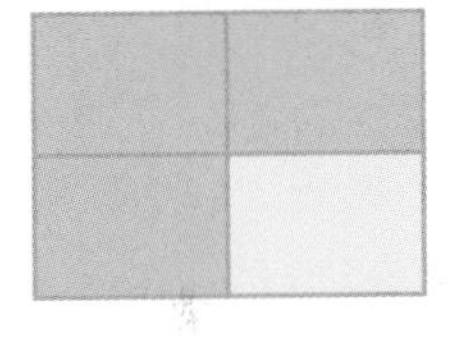

40. Escribir para explicar ¿Por qué puedes comparar dos fracciones con el mismo denominador comparando sólo los numeradores?

41. ¿A qué conclusión puedes llegar respecto de $\frac{3}{5}$ y $\frac{12}{20}$ si sabes que $\frac{3}{5} = \frac{6}{10}$ y que $\frac{6}{10} = \frac{12}{20}$?

42. Razonamiento ¿Cuál es más largo, $\frac{1}{4}$ de pie o $\frac{1}{4}$ de yarda? Explica.

43. Si $34 \times 20 = 680$ entonces $34 \times 200 =$

44. Un melón se dividió en 8 tajadas iguales. Juan comió tres tajadas. Tom y Stacy comieron las tajadas restantes. ¿Qué fracción del melón comieron Tom y Stacy?

A $\frac{1}{4}$ **B** $\frac{2}{8}$ **C** $\frac{2}{3}$ **D** $\frac{5}{8}$

45. Neil está planeando una cena. Tiene 6 mesas en las que se pueden sentar 5 invitados en cada una, y otra mesa en la que se pueden sentar los 3 invitados restantes. ¿Cuántas personas irán a la cena de Neil?

Lección
10-8

¡Lo entenderás!
Se puede usar fracciones equivalentes para ordenar fracciones.

Ordenar fracciones

Manos a la obra
tiras de fracciones

¿Cómo puedes ordenar fracciones?

Tres estudiantes hicieron esculturas para un proyecto escolar. La escultura de Jeff tiene una altura de $\frac{9}{12}$ de pie; la de Scott , $\frac{1}{3}$ de pie y la de Kristen, $\frac{3}{6}$ de pie. Haz una lista de las alturas de las esculturas en orden de menor a mayor.

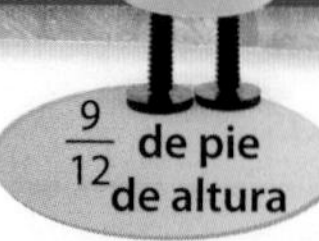

$\frac{9}{12}$ de pie de altura

Práctica guiada*

¿CÓMO hacerlo?

En los Ejercicios **1** a **6,** ordena las fracciones de menor a mayor. Usa tiras de fracciones o dibujos como ayuda.

1. $\frac{2}{3}, \frac{1}{2}, \frac{5}{12}$

2. $\frac{5}{6}, \frac{1}{3}, \frac{1}{6}$

3. $\frac{7}{8}, \frac{3}{8}, \frac{3}{4}$

4. $\frac{2}{3}, \frac{3}{12}, \frac{3}{4}$

5. $\frac{7}{9}, \frac{2}{3}, \frac{4}{9}$

6. $\frac{2}{3}, \frac{1}{4}, \frac{1}{6}$

¿Lo ENTIENDES?

7. ¿Qué denominador usarías para hallar fracciones equivalentes cuando comparas $\frac{2}{3}, \frac{2}{4}$ y $\frac{2}{12}$?

8. Otros tres estudiantes hicieron esculturas que tienen estas alturas: $\frac{2}{3}$ de pie, $\frac{5}{6}$ de pie, y $\frac{2}{12}$ de pie. Escribe estas alturas en orden de menor a mayor.

Práctica independiente

En los Ejercicios **9** a **20,** halla fracciones equivalentes. Luego, ordena las fracciones de menor a mayor. Usa dibujos o tiras de fracciones como ayuda.

9. $\frac{1}{4}, \frac{1}{6}, \frac{1}{2}$

10. $\frac{2}{4}, \frac{2}{6}, \frac{2}{12}$

11. $\frac{2}{3}, \frac{5}{6}, \frac{7}{12}$

12. $\frac{5}{12}, \frac{2}{3}, \frac{1}{4}$

13. $\frac{3}{5}, \frac{4}{10}, \frac{1}{2}$

14. $\frac{1}{2}, \frac{3}{5}, \frac{2}{10}$

15. $\frac{5}{6}, \frac{3}{4}, \frac{8}{12}$

16. $\frac{8}{12}, \frac{1}{2}, \frac{3}{4}$

17. $\frac{6}{8}, \frac{1}{2}, \frac{3}{8}$

18. $\frac{2}{5}, \frac{3}{10}, \frac{3}{5}$

19. $\frac{10}{12}, \frac{1}{2}, \frac{3}{4}$

20. $\frac{2}{4}, \frac{3}{12}, \frac{2}{3}$

* *Puedes encontrar otro ejemplo en el Grupo H, página 247.*

Paso 1

Halla fracciones equivalentes que tengan un denominador común.

$\frac{3}{6} = \frac{6}{12}$

$\frac{1}{6}$		$\frac{1}{6}$		$\frac{1}{6}$	
$\frac{1}{12}$	$\frac{1}{12}$	$\frac{1}{12}$	$\frac{1}{12}$	$\frac{1}{12}$	$\frac{1}{12}$

$\frac{1}{3} = \frac{4}{12}$

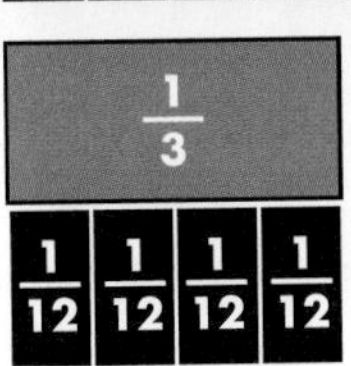

Paso 2

Compara los numeradores.

$\frac{4}{12} < \frac{6}{12} < \frac{9}{12}$

Por tanto, $\frac{1}{3} < \frac{3}{6} < \frac{9}{12}$.

Ordena las fracciones de menor a mayor.

Las alturas de las esculturas en orden de menor a mayor son $\frac{1}{3}$ de pie, $\frac{3}{6}$ de pie y $\frac{9}{12}$ de pie.

Resolución de problemas

21. Escribir para explicar La escultura de Sandy es más alta que la de Jason. La escultura de Becca es más alta que la de Sandy. Si la escultura de Sandy mide $\frac{2}{3}$ de pie, ¿cuál sería la altura de las esculturas de Jason y de Becca?

22. Estimación La fracción $\frac{2}{3}$ es $\frac{1}{3}$ menor que 1 entero. Sin hallar fracciones equivalentes, ordena las fracciones $\frac{7}{8}$, $\frac{2}{3}$, y $\frac{5}{6}$ de menor a mayor.

23. La tabla de la derecha muestra el número de páginas que leyeron cuatro estudiantes. ¿Cuál de las opciones tiene el número de páginas en orden de menor a mayor?

A 25, 69, 96, 64

B 25, 64, 69, 96

C 64, 25, 69, 96

D 25, 64, 96, 69

Datos

Estudiantes	Número de páginas
Francine	25
Ty	69
Greg	96
Vicki	64

24. Álgebra Halla los números que faltan en la serie de abajo.

▭, 36, 54, ▭, ▭, 108, ▭

25. Katie le pidió a Kerry que nombrara 3 fracciones entre 0 y 1. Kerry dijo $\frac{5}{12}$, $\frac{1}{4}$ y $\frac{2}{6}$. Ordena las fracciones de Kerry de menor a mayor.

26. Geena tenía 6 pares de aretes. Kiera tenía 3 veces esa cantidad. ¿Cuántos pares de aretes tenía Kiera?

27. Cada estudiante de cuarto grado tuvo que leer el mismo libro. Charles leyó $\frac{2}{3}$ del libro y Drew leyó $\frac{3}{5}$ del libro. ¿Quién leyó más?

Lección

10-9

¡Lo entenderás!
Se puede usar palabras, dibujos o símbolos para escribir una explicación matemática.

Resolución de problemas

Escribir para explicar

Jake encontró un trozo de madera que tiene forma de triángulo equilátero. Cortó una parte del triángulo como se muestra a la derecha.

¿Cortó Jake $\frac{1}{3}$ del triángulo? Explícalo.

Otro ejemplo

Erin dice que $\frac{1}{2}$ es siempre la misma cantidad que $\frac{2}{4}$. Matthew dice que $\frac{1}{2}$ y $\frac{2}{4}$ son fracciones equivalentes, pero que podrían ser cantidades diferentes. ¿Cuál estudiante tiene razón? Explícalo.

Los círculos son del mismo tamaño.

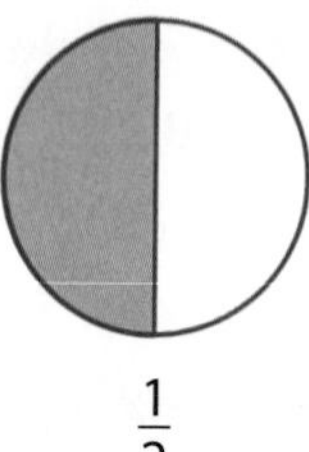

$\frac{1}{2}$

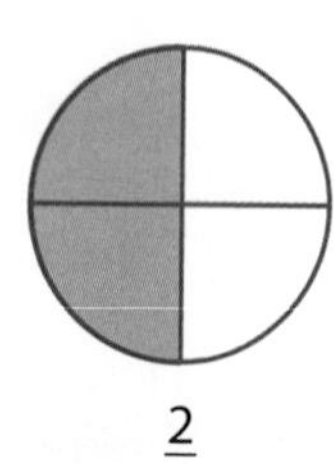

$\frac{2}{4}$

Las cantidades son las mismas.

Los círculos no son del mismo tamaño.

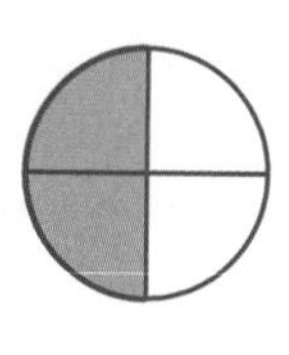

$\frac{2}{4}$

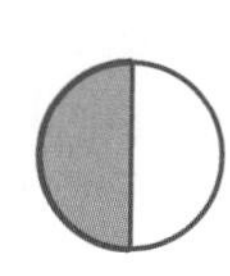

$\frac{1}{2}$

Las cantidades son diferentes.

Matthew está en lo cierto. $\frac{1}{2}$ y $\frac{2}{4}$ son fracciones equivalentes, pero podrían representar cantidades diferentes.

Explícalo

1. ¿Cuándo son iguales las cantidades de $\frac{1}{2}$ y $\frac{2}{4}$?

2. ¿Cuándo no son iguales las cantidades fraccionarias de $\frac{3}{6}$ y $\frac{2}{4}$?

Lee y comprende

¿Qué sé? El triángulo es equilátero. Se corta una parte.

¿Qué me piden que halle? ¿Es la parte que se corta $\frac{1}{3}$ del triángulo?

Planea

Usa palabras, dibujos, números o símbolos para escribir una explicación matemática.

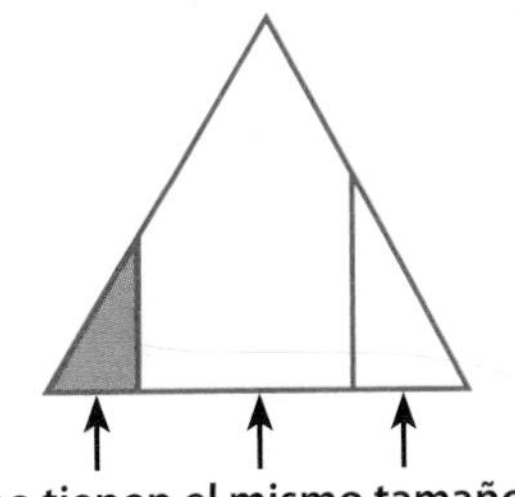

$\frac{1}{3}$ significa que el entero se ha dividido en 3 partes iguales. Las partes deben tener el mismo tamaño.

La parte coloreada no es $\frac{1}{3}$ del triángulo.

Práctica guiada*

¿CÓMO hacerlo?

1. Se corta una tabla en 12 partes iguales. ¿Cuántas partes representan $\frac{3}{4}$ de la tabla? Explica cómo llegaste a la respuesta.

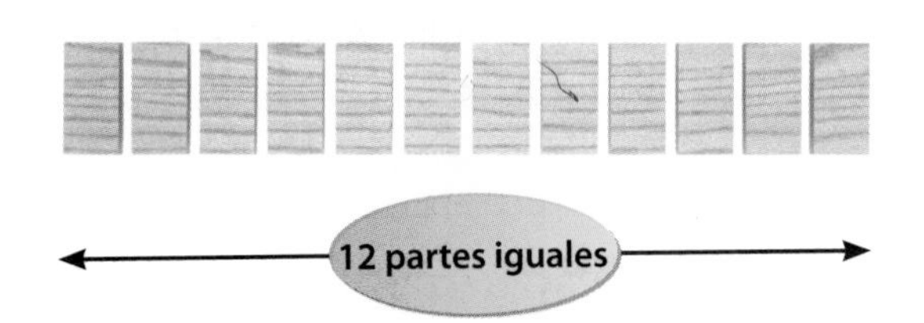

¿Lo ENTIENDES?

2. Copia y traza el triángulo de arriba. Colorea $\frac{1}{3}$ del triángulo.

3. Escribe un problema Escribe un problema que use la figura siguiente en su explicación.

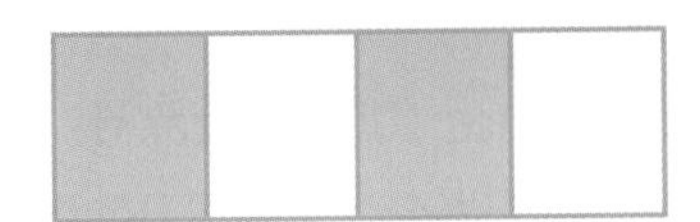

Práctica independiente

Escribir para explicar.

4. Devon y Amanda tejen una bufanda del mismo tamaño. La de Devon tiene $\frac{3}{5}$ de color amarillo. La de Amanda tiene $\frac{3}{4}$ de color amarillo. ¿Cómo usas un dibujo para mostrar qué bufanda tiene más cantidad de amarillo?

5. El periódico escolar tiene un total de 18 artículos y anuncios. Tiene 6 artículos más que anuncios. ¿Cuántos artículos y cuántos anuncios hay? Explica cómo hallaste la respuesta.

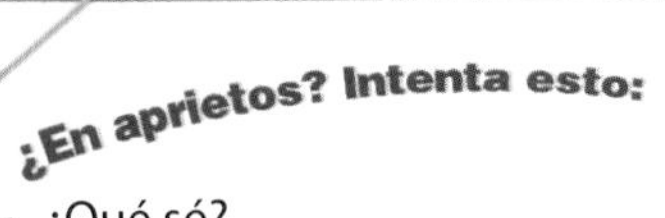

¿En aprietos? Intenta esto:

- ¿Qué sé?
- ¿Qué diagrama puede ayudarme a entender el problema?
- ¿Uso suma, resta, multiplicación o división?
- ¿Está correcto todo mi trabajo?
- ¿Respondí a la pregunta que correspondía?
- ¿Es razonable mi respuesta?

** Puedes encontrar otro ejemplo en el Grupo J, página 247.*

Práctica independiente

6. Mira el patrón de la célula de abajo. Explica cómo cambia el número de células a medida que cambia el número de divisiones.

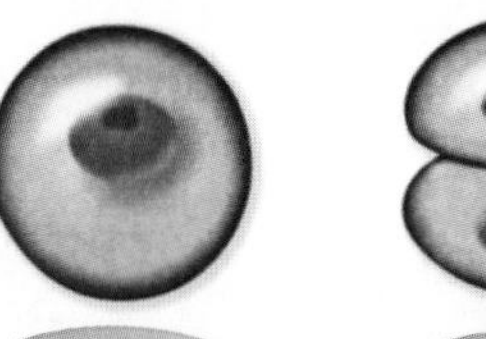
1 célula

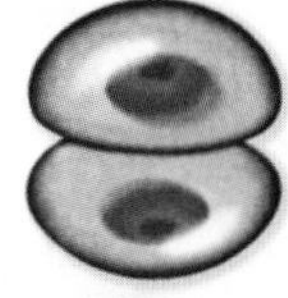
1.ª división

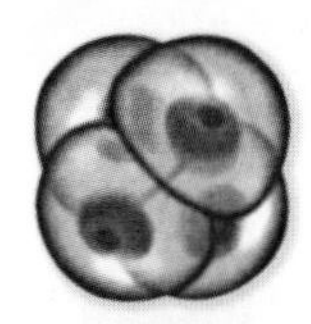
2.ª división

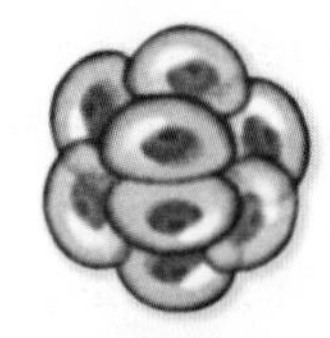
3.ª división

7. Álgebra Mira las oraciones numéricas de abajo. ¿Qué números reemplazan a ●, ▲ y ■? Explícalo.

▲ + ■ = 18
● + ▲ = 20
■ + ■ = 14

8. Geometría Tres calles se intersecan entre sí. La calle East corre en sentido horizontal; North, en sentido vertical y Fourth corre en diagonal e interseca a East y North. ¿Qué figura geométrica forman las tres calles?

Usa los datos de la derecha en los Ejercicios **9** y **10.**

9. ¿Cómo hallas el número de tarjetas que Linda tiene en su colección?

10. George tiene 100 tarjetas de novatos en su colección. ¿Cómo hallas el número de imágenes de la pictografía que representa las tarjetas de novatos de George?

Colecciones de tarjetas de beisbol

George	🂠🂠🂠🂠🂠🂠🂠🂠🂠🂠🂠🂠
Becky	🂠🂠🂠🂠🂠🂠🂠🂠🂠🂠🂠🂠
Trent	🂠🂠🂠🂠🂠🂠🂠🂠🂠🂠🂠🂠🂠🂠
Linda	🂠🂠🂠🂠🂠🂠🂠🂠🂠🂠🂠🂠

Cada 🂠 = 25 tarjetas

Piensa en el proceso

11. Janet recibe $25 por semana para comprar el almuerzo en la escuela. Gasta $4 cada día y ahorra lo demás. ¿Cuánto dinero ahorrará Janet después de 5 días?

A $(4 \times 5) + 25$ **C** $(25 - 5) + 4$

B $25 + (5 - 4)$ **D** $25 - (5 \times 4)$

12. Durante el recreo, Rachel jugó en las barras y en los columpios. Estuvo 10 minutos en las barras y el doble en los columpios. ¿Cuánto tiempo jugó en las barras y los columpios?

A $10 - (2 + 10)$ **C** $(10 + 2) - 10$

B $10 + (2 \times 10)$ **D** $(10 \div 2) + 10$

Fracciones equivalentes

Usa Fracciones de eTools.

Halla el numerador que haga equivalentes las fracciones $\frac{3}{4} = \frac{\square}{8}$.

Paso 1 Haz clic en Fracciones de eTools. Selecciona el modo de área de trabajo de equivalencia.

Haz clic en $\frac{1}{4}$ tres veces para mostrar $\frac{3}{4}$ en el primer círculo.

Paso 2 Haz clic en el segundo círculo haciendo clic en él. Selecciona $\frac{1}{8}$ hasta que el símbolo cambie de $>$ a $=$. Lee las fracciones que están en la parte inferior del área de trabajo. $\frac{3}{4} = \frac{6}{8}$

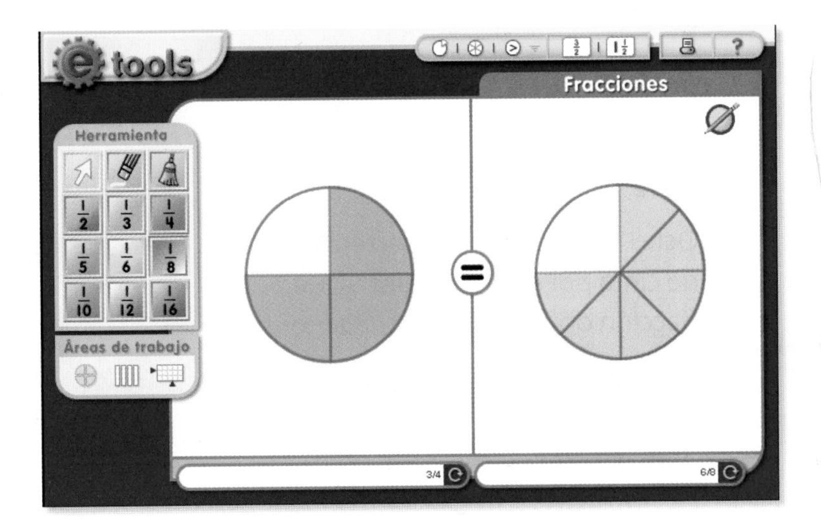

Paso 3 Para limpiar el área de trabajo antes de hacer otro problema, usa la Herramienta para limpiar.

Práctica

Usa las fracciones de eTools para hallar el numerador que hace equivalente la fracción.

1. $\frac{3}{4} = \frac{\square}{8}$
2. $\frac{2}{5} = \frac{\square}{10}$
3. $\frac{4}{6} = \frac{\square}{3}$
4. $\frac{6}{16} = \frac{\square}{8}$
5. $\frac{1}{2} = \frac{\square}{16}$
6. $\frac{1}{3} = \frac{\square}{12}$
7. $\frac{8}{10} = \frac{\square}{5}$
8. $\frac{3}{12} = \frac{\square}{4}$
9. $\frac{3}{4} = \frac{\square}{12}$
10. $\frac{5}{8} = \frac{\square}{16}$
11. $\frac{3}{4} = \frac{\square}{16}$
12. $\frac{4}{8} = \frac{\square}{2}$
13. $\frac{1}{2} = \frac{\square}{12}$
14. $\frac{1}{2} = \frac{\square}{10}$
15. $\frac{5}{6} = \frac{\square}{12}$
16. $\frac{4}{5} = \frac{\square}{15}$

Examen

1. Tonya compró las frutas que se muestran a continuación. ¿Qué fracción de las frutas son manzanas? (10-1)

A $\frac{7}{10}$

B $\frac{3}{7}$

C $\frac{3}{10}$

D $\frac{3}{12}$

2. Ocho estudiantes comparten 5 yardas de cinta por partes iguales. ¿Qué fracción obtiene cada estudiante? (10-2)

A $\frac{8}{5}$ de yarda

B $\frac{8}{8}$ de yarda

C $\frac{5}{5}$ de yarda

D $\frac{5}{8}$ de yarda

3. Jase completó 8 de un total de 10 vueltas requeridas para aprobar su examen de natación. ¿Qué fracción de las etapas completó, reducida a su mínima expresión? (10-5)

A $\frac{8}{10}$

B $\frac{4}{5}$

C $\frac{3}{4}$

D $\frac{2}{3}$

4. Javier y Mark sacaron pajillas para ver quién se lanzaría primero por el tobogán de agua. La pajilla de Javier medía $\frac{5}{12}$ de pulgada de largo y la de Mark medía $\frac{7}{12}$ de pulgada. ¿Qué símbolo hace verdadera la comparación? (10-7)

$\frac{5}{12} \bigcirc \frac{7}{12}$

A $\times$

B $=$

C $<$

D $>$

5. Sandy tenía 3 botellas de jugo. Vertió el contenido de las botellas en 7 vasos para que bebieran sus amigos. ¿Qué oración numérica se puede usar para hallar la fracción de botella de jugo que obtiene cada amigo? (10-2)

A $3 \times 7 = \square$

B $3 \div 4 = \square$

C $7 \div 3 = \square$

D $3 \div 7 = \square$

6. Durante un partido de futbol, Yao bebió $\frac{11}{4}$ de botella de agua. ¿Cuál es este número escrito como un número mixto? (10-6)

A $3\frac{1}{4}$

B $2\frac{3}{4}$

C $2\frac{1}{2}$

D $2\frac{1}{4}$

7. ¿Qué enunciado **NO** se usaría en una explicación de cómo los dibujos muestran que $\frac{2}{3} = \frac{4}{6}$? (10-9)

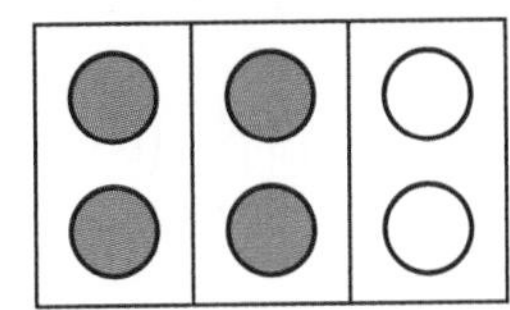

A 2 de los 3 rectángulos están llenos con círculos coloreados.

B 4 de un total de 6 rectángulos están coloreados.

C Tanto $\frac{2}{3}$ como $\frac{4}{6}$ describen la parte que está coloreada.

D En los rectángulos, 4 de un total de 6 círculos están coloreados.

8. El consejo estudiantil pidió pizza para su reunión. La mitad de los miembros votaron por pizza de queso, $\frac{1}{10}$ de hamburguesa y $\frac{2}{5}$ de verdura.

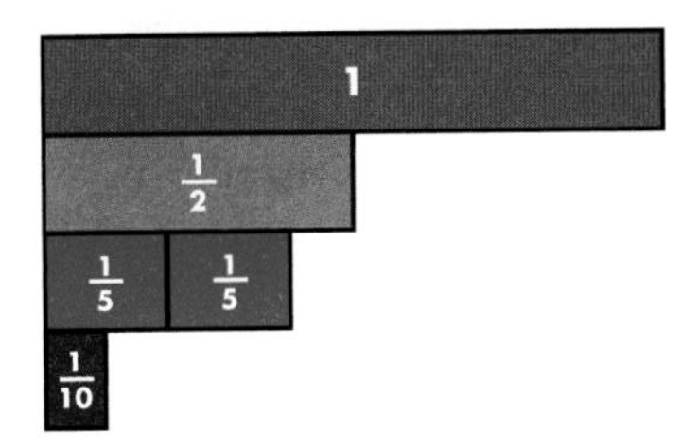

¿Cuál de las siguientes opciones muestra las fracciones ordenadas de menor a mayor? (10-8)

A $\frac{1}{2}, \frac{1}{10}, \frac{2}{5}$

B $\frac{2}{5}, \frac{1}{10}, \frac{1}{2}$

C $\frac{1}{10}, \frac{1}{2}, \frac{2}{5}$

D $\frac{1}{10}, \frac{2}{5}, \frac{1}{2}$

9. ¿Cuál es el número que falta y que hace equivalentes las fracciones? (10-4)

$\frac{3}{5} = \frac{9}{\square}$

A 10

B 11

C 15

D 20

10. Elmer está pintando una pared de su habitación. ¿Aproximadamente qué fracción de la pared pintó de azul? (10-3)

A $\frac{3}{4}$

B $\frac{1}{4}$

C $\frac{1}{2}$

D $\frac{2}{3}$

11. Mary pesaba $7\frac{1}{2}$ libras cuando nació. ¿Qué número hace verdadero el enunciado? (10-6)

$7\frac{1}{2} = \frac{\square}{2}$

A 15

B 14

C 9

D 8

Grupo A, páginas 216 a 218

Puedes escribir fracciones para representar partes de un conjunto. ¿Qué parte de las uvas son verdes?

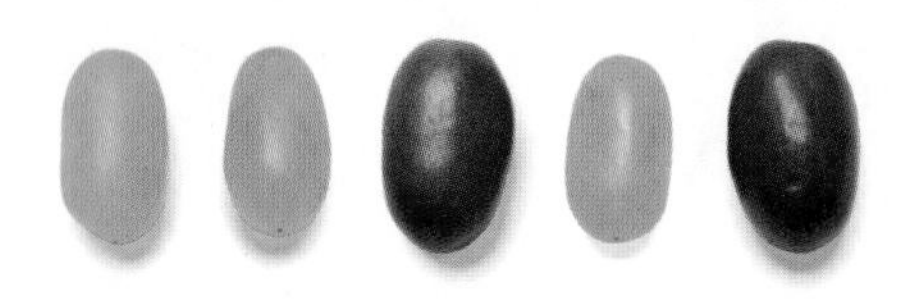

$$\frac{\text{numerador}}{\text{denominador}} = \frac{\text{uvas verdes}}{\text{partes en total}}$$

$\frac{3}{5}$ de las uvas son verdes.

Recuerda que el numerador dice cuántas partes iguales se describen y el denominador dice cuántas partes iguales hay en total.

Escribe una fracción para la parte roja de cada conjunto.

1. 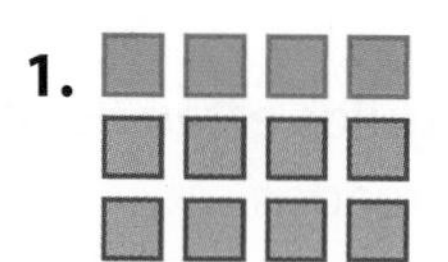

2. 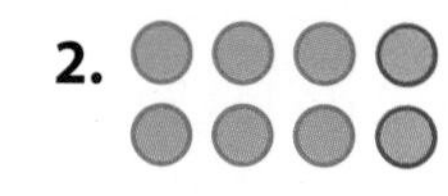

3. 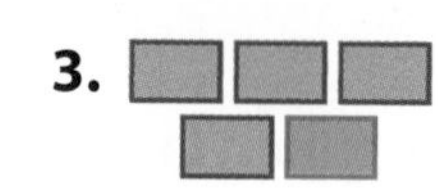

4.

Grupo B, páginas 220 y 221

Cuatro amigos recortaron 3 trozos de cartulina. Si se repartieron la cartulina en partes iguales, ¿qué fracción usó cada amigo?

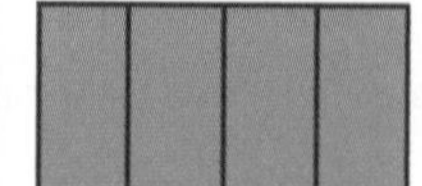 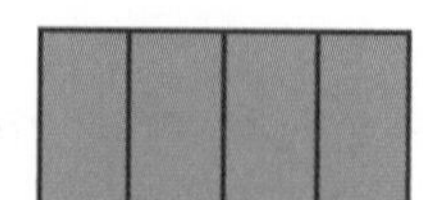 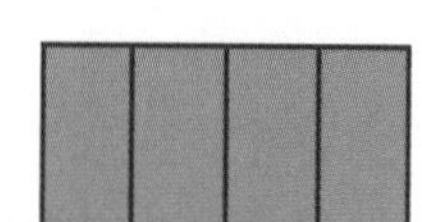

Cada parte es $1 \div 4$ ó $\frac{1}{4}$.

Cada persona usó 3 partes. Cada parte es $\frac{1}{4}$; por tanto, cada persona usó $\frac{3}{4}$ de un trozo de cartulina.

Recuerda que puedes dibujar un modelo para mostrar cada cantidad fraccionaria.

Di qué fracción obtiene cada persona.

1. Cinco estudiantes se reparten 1 hora para dar sus informes.
2. Cuatro personas comparten dos sándwiches.
3. Cuatro amigos comparten 3 tazas de chocolate caliente.

Grupo C, páginas 222 y 223

Estima la parte fraccionaria del rectángulo que es azul.

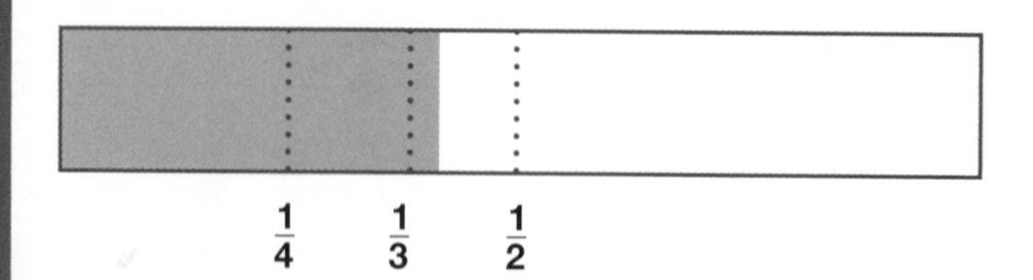

Compara la parte que es azul. La parte azul es más de $\frac{1}{3}$ pero menos de $\frac{1}{2}$ del rectángulo entero. Aproximadamente $\frac{1}{3}$ del rectángulo es azul.

Recuerda que las fracciones de referencia son fracciones básicas, tales como $\frac{1}{4}$, $\frac{1}{3}$, $\frac{1}{2}$, $\frac{2}{3}$ y $\frac{3}{4}$.

Estima la parte fraccionaria de cada uno que es verde.

1. 

2. 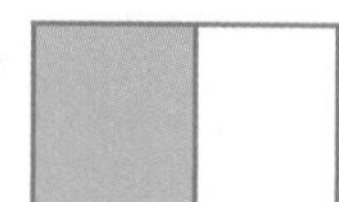

Refuerzo

Grupo D, páginas 224 a 226

Halla fracciones equivalentes para $\frac{2}{6}$ usando la multiplicación y la división.

Multiplica el numerador y el denominador por el mismo número para hallar una fracción equivalente.

$$\frac{2}{6} \overset{\times 2}{=} \frac{4}{12}$$

$\frac{1}{2}$ es equivalente a $\frac{4}{12}$.

Divide el numerador y el denominador por 2.

$$\frac{2}{6} \overset{\div 2}{=} \frac{1}{3}$$

$\frac{1}{3} = \frac{2}{6} = \frac{4}{12}$

Recuerda que debes hallar una fracción equivalente dividiendo o multiplicando el numerador y el denominador por el mismo número.

Multiplica o divide para hallar una fracción equivalente.

1. $\frac{8}{16} = \frac{\square}{8}$
2. $\frac{6}{36} = \frac{54}{\square}$
3. $\frac{8}{96} = \frac{\square}{12}$
4. $\frac{2}{11} = \frac{\square}{121}$

Halla dos formas equivalentes para cada fracción usando la multiplicación y la división.

5. $\frac{8}{12}$
6. $\frac{30}{40}$
7. $\frac{8}{72}$
8. $\frac{14}{22}$

Grupo E, páginas 228 y 229

Escribe $\frac{4}{10}$ en su mínima expresión.

El numerador, 4, y el denominador, 10, tienen el 2 como factor común.

$$\frac{4}{10} \overset{\div 2}{=} \frac{2}{5}$$

El único factor común para 2 y 5 es 1.
En su mínima expresión, $\frac{4}{10} = \frac{2}{5}$.

Escribe $\frac{12}{16}$ en su mínima expresión.

$\frac{12}{16} \overset{\div 2}{=} \frac{6}{8}$ entonces

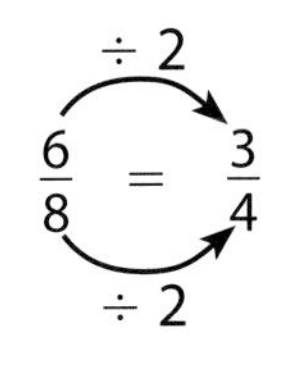

$\frac{6}{8} \overset{\div 2}{=} \frac{3}{4}$

En su mínima expresión, $\frac{12}{16} = \frac{3}{4}$.

Recuerda que una fracción está en su mínima expresión si el numerador y el denominador no tienen ningún factor común más que 1.

Escribe cada fracción en su mínima expresión.

1. $\frac{3}{6}$
2. $\frac{2}{10}$
3. $\frac{20}{30}$
4. $\frac{10}{12}$
5. $\frac{9}{12}$
6. $\frac{4}{6}$
7. $\frac{4}{10}$
8. $\frac{8}{12}$
9. $\frac{8}{16}$
10. $\frac{28}{32}$

Grupo F, páginas 230 a 232

Escribe $\frac{7}{4}$ en forma de número mixto.

Usa tiras de fracciones.

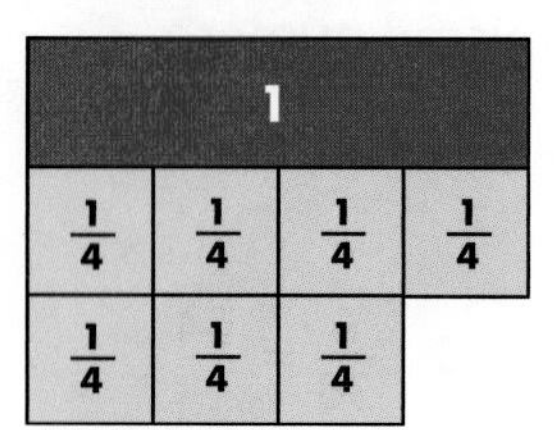

4 cuartos en un entero

3 cuartos

Por tanto, $\frac{7}{4} = 1\frac{3}{4}$.

Usa un modelo.

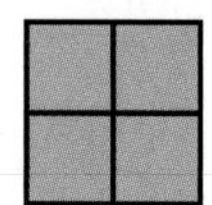
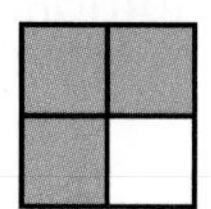

Hay 1 entero coloreado y $\frac{3}{4}$ de otro entero coloreados.

Por tanto, $\frac{7}{4} = 1\frac{3}{4}$.

Recuerda que puedes usar tiras de fracciones para escribir un número mixto en forma de fracción impropia.

Escribe cada número en forma de número mixto o de fracción impropia.

1. $2\frac{2}{5}$

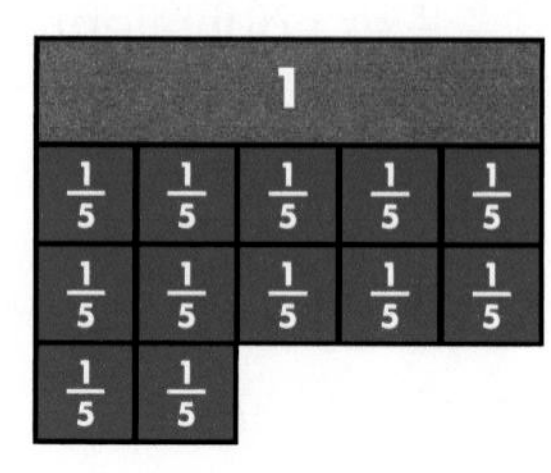

2. $\frac{9}{4}$

1

$\frac{1}{4}$ $\frac{1}{4}$ $\frac{1}{4}$ $\frac{1}{4}$

$\frac{1}{4}$ $\frac{1}{4}$ $\frac{1}{4}$ $\frac{1}{4}$

$\frac{1}{4}$

Grupo G, páginas 234 y 235

Compara $\frac{1}{6}$ y $\frac{3}{6}$.

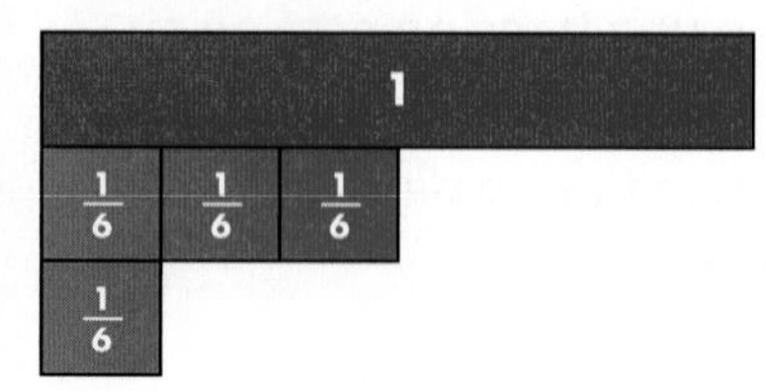

$1 < 3$

Por tanto, $\frac{1}{6} < \frac{3}{6}$.

Compara $\frac{4}{6}$ y $\frac{3}{4}$.

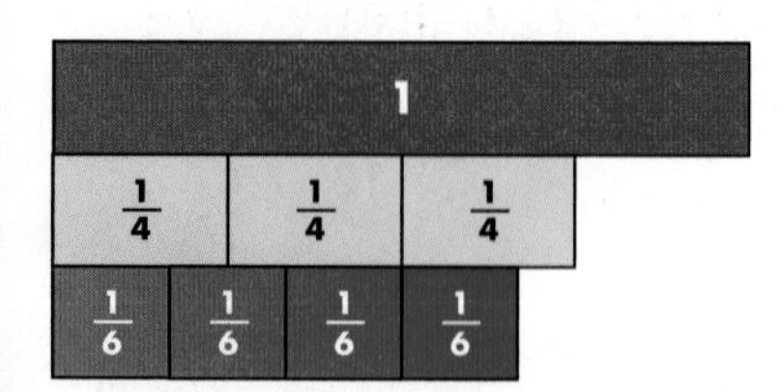

$\frac{4}{6}$ es menor que $\frac{3}{4}$.

Por tanto, $\frac{4}{6} < \frac{3}{4}$.

Recuerda que al comparar fracciones con diferentes denominadores, puedes usar fracciones de referencia tales como $\frac{1}{4}$, $\frac{1}{3}$, $\frac{1}{2}$, $\frac{2}{3}$ y $\frac{3}{4}$.

Compara. Escribe <, >, o = en cada ◯.

1. $\frac{5}{6}$ ◯ $\frac{2}{3}$

2. $\frac{1}{3}$ ◯ $\frac{3}{10}$

3. $\frac{5}{10}$ ◯ $\frac{1}{2}$

4. $\frac{3}{4}$ ◯ $\frac{5}{12}$

5. $\frac{3}{8}$ ◯ $\frac{1}{3}$

6. $\frac{4}{10}$ ◯ $\frac{3}{12}$

7. $\frac{7}{8}$ ◯ $\frac{5}{8}$

8. $\frac{1}{5}$ ◯ $\frac{2}{10}$

9. $\frac{2}{5}$ ◯ $\frac{1}{4}$

10. $\frac{3}{6}$ ◯ $\frac{3}{4}$

11. $\frac{2}{12}$ ◯ $\frac{1}{6}$

12. $\frac{1}{7}$ ◯ $\frac{7}{7}$

13. $\frac{9}{10}$ ◯ $\frac{4}{5}$

14. $\frac{2}{6}$ ◯ $\frac{2}{3}$

Grupo H, páginas 236 y 237

Ordena $\frac{5}{6}$, $\frac{2}{3}$ y $\frac{1}{2}$ de menor a mayor.

Halla fracciones equivalentes con un denominador común.

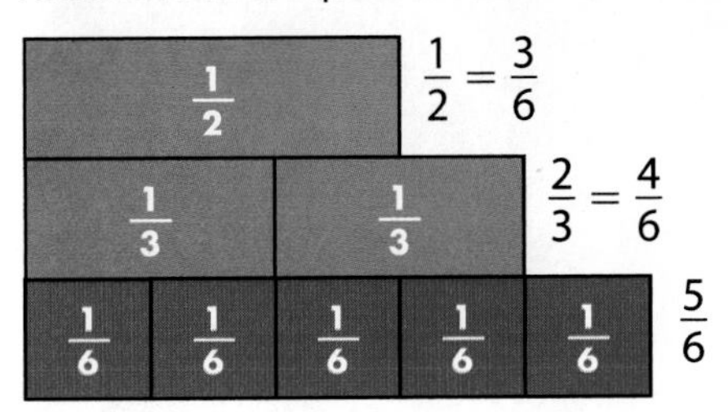

$\frac{3}{6} < \frac{4}{6} < \frac{5}{6}$. Por tanto, $\frac{1}{2}$, $\frac{2}{3}$, $\frac{5}{6}$.

Ordena $\frac{4}{6}$, $\frac{3}{4}$ y $\frac{1}{2}$ de menor a mayor.

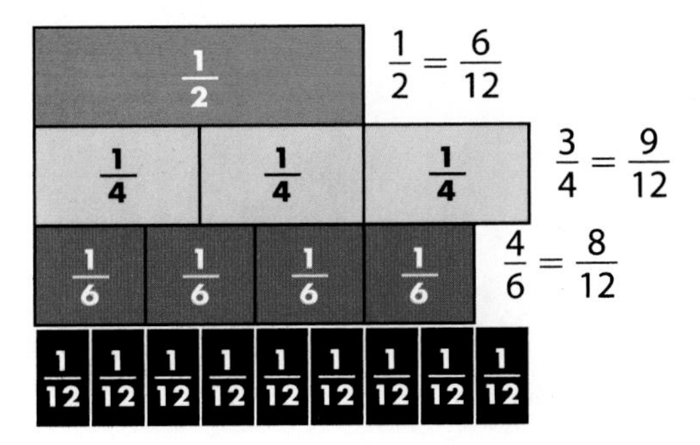

$\frac{6}{12} < \frac{8}{12} < \frac{9}{12}$. Por tanto, $\frac{1}{2}$, $\frac{4}{6}$, $\frac{3}{4}$.

Recuerda que puedes usar tiras de fracciones para hallar fracciones equivalentes con denominadores comunes.

Ordena de menor a mayor.

1. $\frac{1}{2}$, $\frac{2}{3}$, $\frac{5}{12}$

2. $\frac{7}{8}$, $\frac{3}{8}$, $\frac{3}{4}$

3. $\frac{1}{3}$, $\frac{1}{6}$, $\frac{3}{6}$

4. $\frac{2}{5}$, $\frac{5}{6}$, $\frac{11}{12}$

5. $\frac{6}{8}$, $\frac{5}{8}$, $\frac{1}{2}$

6. $\frac{2}{5}$, $\frac{3}{10}$, $\frac{6}{10}$

Ordena de mayor a menor.

7. $\frac{1}{3}$, $\frac{2}{3}$, $\frac{5}{6}$

8. $\frac{7}{8}$, $\frac{3}{4}$, $\frac{1}{1}$

9. $\frac{7}{10}$, $\frac{3}{12}$, $\frac{1}{3}$

10. $\frac{1}{4}$, $\frac{3}{8}$, $\frac{2}{6}$

11. $\frac{2}{8}$, $\frac{1}{3}$, $\frac{2}{4}$

12. $\frac{4}{5}$, $\frac{5}{6}$, $\frac{9}{12}$

Grupo J, páginas 238 a 240

Si un cuadrado se corta como se muestra, ¿es cada sección $\frac{1}{4}$ del cuadrado?

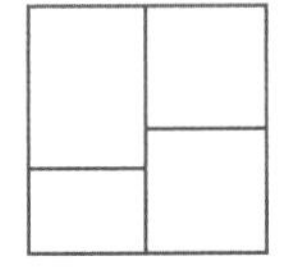

¿Qué sé? El cuadrado se corta en 4 partes.

¿Qué me piden que halle? ¿Todas las secciones representan $\frac{1}{4}$ del cuadrado?

Si cada parte es $\frac{1}{4}$, entonces el entero está dividido en 4 partes iguales.

Las partes no tienen el mismo tamaño. Cada una no es $\frac{1}{4}$ del cuadrado.

Recuerda que debes explicar tu respuesta.

1. Peter dice que $\frac{3}{4}$ de una pizza siempre es lo mismo que $\frac{6}{8}$ de una pizza. Nadia dice que aunque son fracciones equivalentes, $\frac{3}{4}$ y $\frac{6}{8}$ de una pizza podrían representar cantidades diferentes. ¿Quién tiene razón?

2. David dice que puede haber un número ilimitado de fracciones equivalentes para cualquier fracción dada. ¿Tiene razón?

Tema 11

Sumar y restar fracciones

1 El Metrodomo de Minnesota tiene un techo sostenido por aire. ¿Qué fracción de los estadios de beisbol de Grandes Ligas tiene un techo? Lo averiguarás en la Lección 11-3.

2

El mancala es uno de los juegos más antiguos del mundo. Recibe muchos nombres y se juega en diferentes países. ¿Cuántas piedras se usan en un juego de mancala? Lo averiguarás en la Lección 11-1.

3

¿Cuántos elementos químicos llevan el nombre de mujeres científicas? Lo averiguarás en la Lección 11-2.

Repasa lo que sabes

Vocabulario

Elige el mejor término del recuadro.

- factor común
- denominador
- numerador
- mínima expresión

1. El factor que tienen en común dos o más números se llama _?_.

2. Un _?_ representa el número total de partes iguales.

3. En una fracción, el número que está arriba de la barra de la fracción se conoce como el _?_.

Partes de una región o de un conjunto

4. ¿Qué fracción del conjunto siguiente es roja?

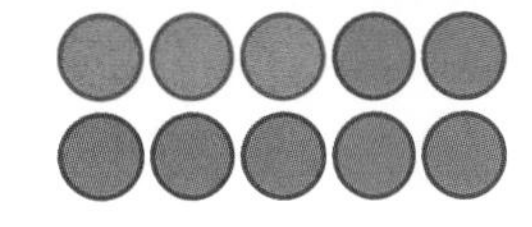

5. ¿Qué fracción del rectángulo siguiente no es verde?

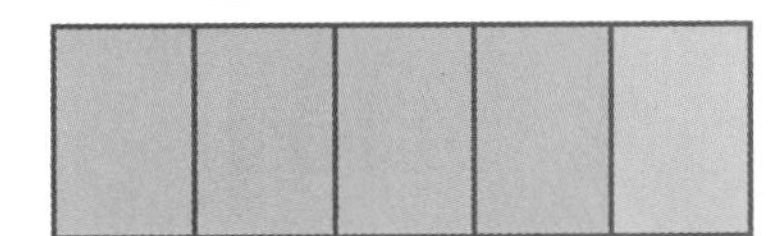

Conceptos de fracciones

Dibuja un modelo para mostrar cada fracción.

6. $\frac{5}{6}$ **7.** $\frac{1}{4}$ **8.** $\frac{2}{3}$

9. $\frac{1}{3}$ **10.** $\frac{6}{8}$ **11.** $\frac{3}{5}$

12. $\frac{6}{10}$ **13.** $\frac{11}{12}$ **14.** $\frac{5}{5}$

15. Escribir para explicar ¿Por qué $\frac{3}{4}$ y $\frac{4}{8}$ no son fracciones equivalentes?

Lección

11-1

¡Lo entenderás!
Cuando dos fracciones tienen el mismo denominador, la suma o diferencia de las fracciones tiene el mismo denominador.

Sumar y restar fracciones con el mismo denominador

Manos a la obra
tiras de fracciones

¿Cómo puedes sumar fracciones con el mismo denominador?

Jimmy pintó $\frac{1}{8}$ de una valla por la mañana y $\frac{4}{8}$ de una valla por la tarde. ¿Cuánto pintó en total?

$\frac{1}{8}$ de la valla

Otro ejemplo

¿Cómo puedes restar fracciones con el mismo denominador?

Mandy compró $\frac{1}{6}$ de libra de palomitas de maíz y Jane compró $\frac{5}{6}$ de palomitas de maíz. ¿Cuánto más de palomitas de maíz compró Jane que Mandy?

Una manera

Resta $\frac{5}{6} - \frac{1}{6}$ usando tiras de fracciones.

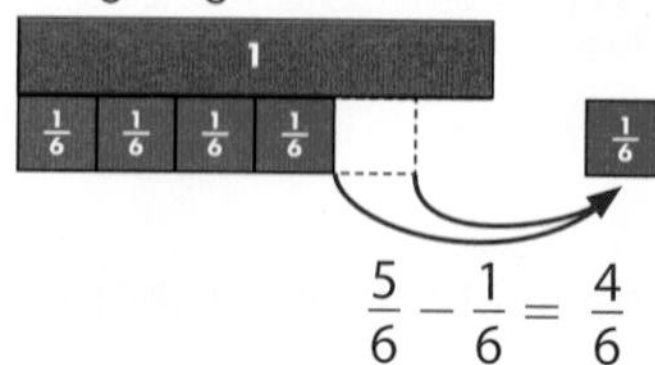

$$\frac{5}{6} - \frac{1}{6} = \frac{4}{6}$$

Simplifica.

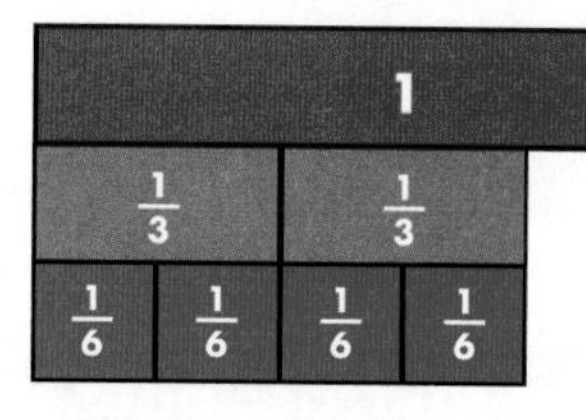

$$\frac{4}{6} = \frac{2}{3}$$

Mandy compró $\frac{2}{3}$ de libra más de palomitas de maíz que Mandy.

Otra manera

Resta $\frac{5}{6} - \frac{1}{6}$.

$$\frac{5}{6} - \frac{1}{6} = \frac{5-1}{6} = \frac{4}{6}$$

Simplifica.

$$\frac{4}{6} \overset{\div 2}{=} \frac{2}{3}$$

Jane compró $\frac{2}{3}$ de libra más de palomitas de maíz que Mandy.

Explícalo

1. ¿Cómo sabes que $\frac{4}{6}$ se puede simplificar a $\frac{2}{3}$?

Una manera

Suma $\frac{1}{8} + \frac{4}{8}$ usando tiras de fracciones.

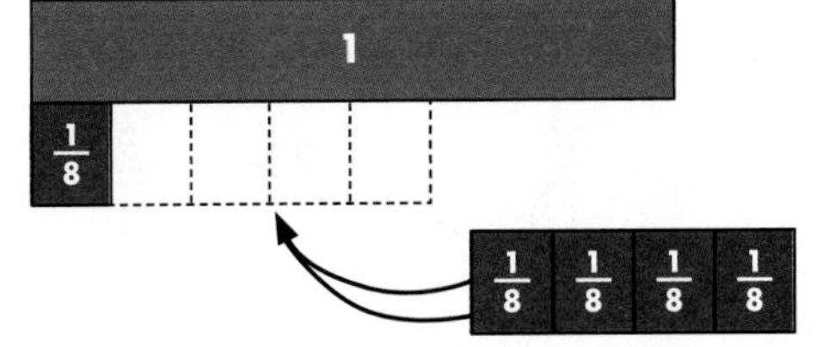

Hay 5 octavos en total.
Jimmy pintó $\frac{5}{8}$ de la valla.

Otra manera

Suma $\frac{1}{8} + \frac{4}{8}$.

Los denominadores son los mismos; por tanto, suma los numeradores.

$$\frac{1}{8} + \frac{4}{8} = \frac{1+4}{8} = \frac{5}{8}$$

Jimmy pintó $\frac{5}{8}$ de la valla.

Práctica guiada*

¿CÓMO hacerlo?

Suma o resta las fracciones. Escribe las respuestas en su mínima expresión. Puedes usar tiras de fracciones como ayuda.

1. $\frac{1}{5} + \frac{2}{5}$

2. $\frac{3}{12} + \frac{5}{12}$

3. $\frac{3}{6} - \frac{1}{6}$

4. $\frac{4}{10} - \frac{2}{10}$

¿Lo ENTIENDES?

5. En el ejemplo anterior, ¿cómo sabes que $\frac{5}{8}$ está en su mínima expresión?

6. Después de pintar $\frac{5}{8}$ de la valla, Jimmy pintó $\frac{2}{8}$ más de la valla. ¿Cuánto había pintado en total?

Práctica independiente

En los Ejercicios **7** a **16,** suma. Escribe la respuesta en su mínima expresión. Puedes usar tiras de fracciones como ayuda.

7. $\frac{1}{9} + \frac{3}{9}$

8. $\frac{2}{6} + \frac{1}{6}$

9. $\frac{4}{12} + \frac{4}{12}$

10. $\frac{1}{12} + \frac{9}{12}$

11. $\frac{3}{8} + \frac{3}{8}$

12. $\frac{1}{3} + \frac{1}{3}$

13. $\frac{2}{5} + \frac{1}{5}$

14. $\frac{1}{6} + \frac{3}{6}$

15. $\frac{1}{8} + \frac{3}{8}$

16. $\frac{1}{7} + \frac{4}{7}$

Puedes encontrar otro ejemplo en el Grupo A, página 264.

Práctica independiente

En los Ejercicios **17** a **26,** resta. Escribe la respuesta en su mínima expresión. Puedes usar tiras de fracciones como ayuda.

17. $\frac{11}{12} - \frac{2}{12}$

18. $\frac{5}{8} - \frac{3}{8}$

19. $\frac{5}{9} - \frac{2}{9}$

20. $\frac{10}{11} - \frac{9}{11}$

21. $\frac{9}{12} - \frac{3}{12}$

22. $\frac{3}{4} - \frac{1}{4}$

23. $\frac{4}{5} - \frac{2}{5}$

24. $\frac{5}{6} - \frac{1}{6}$

25. $\frac{10}{12} - \frac{6}{12}$

26. $\frac{6}{7} - \frac{1}{7}$

En los Ejercicios **27** a **36,** suma o resta. Escribe la respuesta en su mínima expresión. Puedes usar tiras de fracciones como ayuda.

27. $\frac{1}{8} + \frac{2}{8}$

28. $\frac{5}{7} - \frac{2}{7}$

29. $\frac{1}{12} + \frac{3}{12}$

30. $\frac{7}{10} - \frac{3}{10}$

31. $\frac{1}{5} + \frac{3}{5}$

32. $\frac{2}{6} - \frac{1}{6}$

33. $\frac{2}{4} + \frac{1}{4}$

34. $\frac{8}{10} - \frac{3}{10}$

35. $\frac{7}{10} + \frac{1}{10}$

36. $\frac{3}{4} - \frac{2}{4}$

Resolución de problemas

37. **Álgebra** Los 4 lados de un rectángulo tienen la misma longitud. Si el perímetro es 16 pulgadas, ¿cuál es la longitud de cada lado?

38. Stan hace un batido de fruta con $\frac{2}{8}$ de taza de agua y $\frac{3}{8}$ de taza de leche. ¿Cuánta agua y leche usa en total?

En los Ejercicios **39** y **40,** usa el diagrama de la derecha.

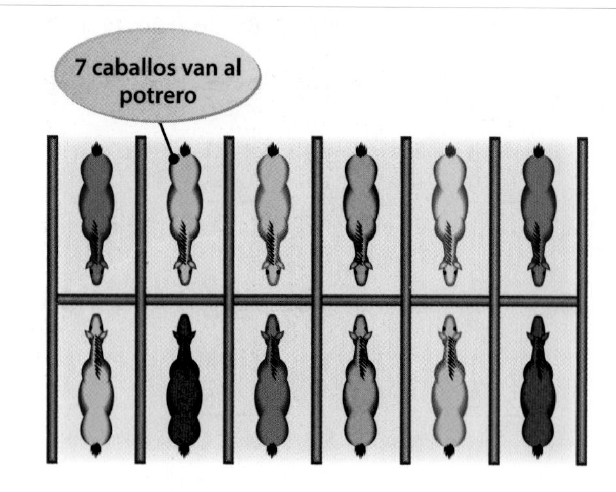

39. Harriet llevó 7 caballos del establo al potrero cuando les limpió el pesebre. Si en cada pesebre había un caballo, ¿qué fracción de los caballos había en el potrero?

40. Si Harriet llevara 3 caballos más del establo al potrero, ¿qué fracción de los caballos habría entonces en el potrero? Escribe tu respuesta en su mínima expresión.

En los Ejercicios **41** y **42,** usa la ilustración de la derecha.

41. ¿Qué fracción del vitral de la derecha es verde o morada?

42. ¿Qué fracción del vitral de la derecha es roja o azul?

43. Un CD nuevo tiene 16 canciones. Cuatro de las canciones duran más de cinco minutos, 7 de las canciones duran entre tres y cinco minutos, y el resto de las canciones dura menos de tres minutos. ¿Qué fracción de las canciones en el CD dura menos de tres minutos?

44. Sandy, Josh y Jeremy están decorando un estandarte. Sandy decora $\frac{4}{8}$ del estandarte, Josh decora $\frac{3}{8}$ del estandarte y Jeremy decora $\frac{1}{8}$ del estandarte. ¿Cuánto más del estandarte les queda por decorar?

45. Terri dice que, dado que 80 tiene el 8 como uno de sus factores, tendrá también el 4 y el 2 como factores, porque 4 y 2 son factores de 8. ¿Tiene razón?

Ojo *¿Cuáles son los factores de 80?*

46. Austin caminó $\frac{1}{6}$ de milla hasta la escuela. Luego, caminó $\frac{2}{6}$ de milla hasta el parque. ¿Qué distancia ha caminado Austin?

A $\frac{1}{2}$ milla

B $\frac{5}{8}$ de milla

C $\frac{3}{4}$ de milla

D $\frac{8}{6}$ de milla

En el juego *Mancala* hay 36 piedras. Cuando se captura una piedra, ésta permanece en la *cala* o recipiente de un jugador por el resto del partido. Gana la persona que, al final del partido, ha capturado la mayor cantidad de piedras.

47. Razonamiento Si el Jugador 2 ha capturado $\frac{3}{36}$ de las piedras y el Jugador 1 tiene $\frac{7}{36}$ de las piedras, ¿qué fracción de las piedras no se ha capturado aún? Escribe tu respuesta en su mínima expresión.

Lección

11-2

¡Lo entenderás!
Para sumar fracciones con denominadores distintos, es necesario convertir las fracciones al mismo denominador.

Sumar fracciones con denominadores distintos

Manos a la obra
tiras de fracciones

¿Cómo puedes sumar fracciones con denominadores distintos?

Para hacer morado, Terry mezcló $\frac{1}{4}$ de lata de pintura roja y $\frac{1}{3}$ de lata de pintura azul. ¿Qué fracción de una lata de pintura morada tiene Terry ahora?

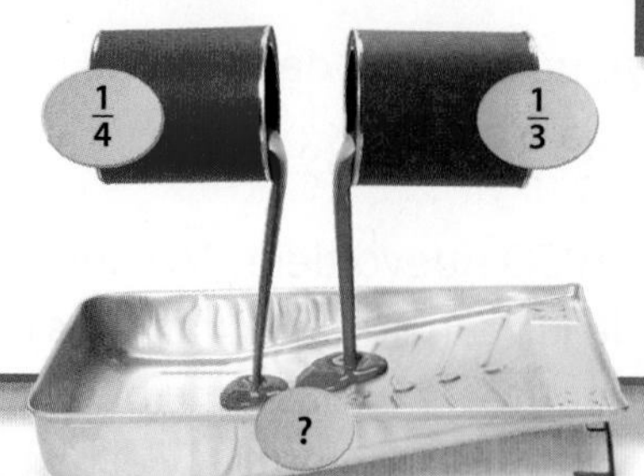

Práctica guiada*

¿CÓMO hacerlo?

En los Ejercicios **1** a **4,** suma. Escribe la respuesta en su mínima expresión. Puedes usar tiras de fracciones o dibujos como ayuda.

1. $\frac{1}{3} + \frac{1}{6}$

2. $\frac{3}{8} + \frac{1}{4}$

3. $\frac{1}{6} + \frac{2}{4}$

4. $\frac{1}{5} + \frac{4}{10}$

¿Lo ENTIENDES?

5. Si Terry mezclara $\frac{1}{4}$ de lata de pintura roja y $\frac{2}{12}$ de lata de pintura amarilla, ¿cuánta pintura anaranjada tendría?

6. ¿Qué denominador usarías para sumar $\frac{1}{3}$ y $\frac{3}{5}$?

Práctica independiente

En los Ejercicios **7** a **21,** escribe la respuesta en su mínima expresión. Puedes usar tiras de fracciones o dibujos como ayuda.

7. $\frac{3}{4} + \frac{1}{8}$

8. $\frac{7}{10} + \frac{1}{5}$

9. $\frac{3}{6} + \frac{1}{3}$

10. $\frac{1}{5} + \frac{1}{10}$

11. $\frac{7}{12} + \frac{1}{3}$

12. $\frac{3}{10} + \frac{2}{5}$

13. $\frac{1}{6} + \frac{3}{4}$

14. $\frac{1}{5} + \frac{1}{2}$

15. $\frac{1}{6} + \frac{5}{12}$

16. $\frac{1}{4} + \frac{1}{6}$

17. $\frac{1}{8} + \frac{1}{4}$

18. $\frac{1}{12} + \frac{3}{4}$

19. $\frac{1}{10} + \frac{2}{5}$

20. $\frac{2}{4} + \frac{2}{8}$

21. $\frac{1}{5} + \frac{2}{10}$

DIGITAL
eTools
www.pearsonsuccessnet.com

* *Puedes encontrar otro ejemplo en el Grupo B, página 264.*

Una manera

Suma $\frac{1}{4}$ y $\frac{1}{3}$ usando tiras de fracciones.

Tanto $\frac{1}{4}$ como $\frac{1}{3}$ se pueden representar con doceavos.

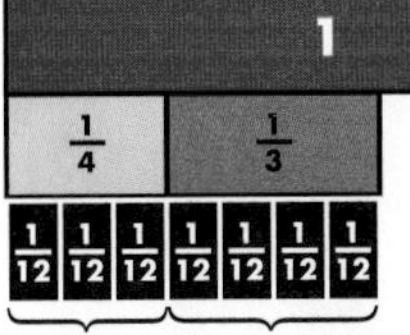

$$\frac{3}{12} + \frac{4}{12} = \frac{7}{12}$$

Terry tiene $\frac{7}{12}$ de lata de pintura morada.

Otra manera

Halla $\frac{1}{4} + \frac{1}{3}$.

Cuando sumes fracciones con denominadores distintos, convierte las fracciones a fracciones equivalentes con un común denominador. Luego, suma los numeradores.

$$\frac{1}{4} = \frac{1 \times 3}{4 \times 3} = \frac{3}{12}$$

$$+\ \frac{1}{3} = \frac{1 \times 4}{3 \times 4} = \frac{4}{12}$$

$$\frac{7}{12}$$

Piénsalo ¿Qué número tiene el 4 y el 3 como factores?

Suma las nuevas fracciones. Escribe la suma en su mínima expresión.

Terry tiene $\frac{7}{12}$ de lata de pintura morada.

Resolución de problemas

22. **Razonamiento** Para decorar un disfraz de un niño, Nora necesita $\frac{1}{2}$ de yarda de encaje para el cuello y $\frac{1}{5}$ de yarda para cada muñeca. ¿Cuánto encaje necesita?

23. Francis leyó $\frac{1}{3}$ de su libro ayer y $\frac{1}{2}$ hoy. ¿Cuánto ha leído Francis del libro?

24. Suma las dos fracciones representadas por cada círculo. ¿Cuál es el total en su mínima expresión?

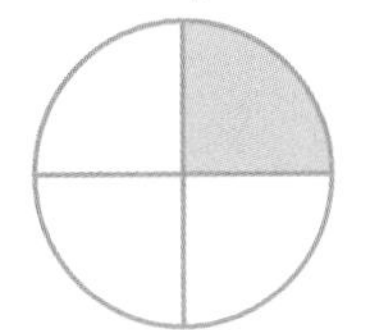

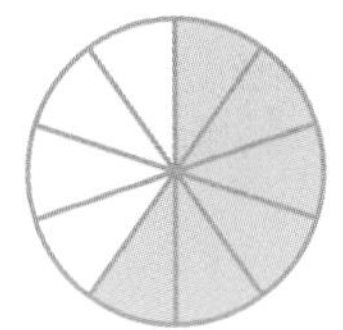

25. **Sentido numérico** Mary mide cuentas para hacer una pulsera. Tres cuentas de arcilla miden $\frac{1}{8}$ de pulgada de longitud cada una. Dos cuentas de vidrio miden $\frac{1}{4}$ de pulgada de longitud cada una. ¿Cuál es la longitud de las cinco cuentas cuando se enhebran juntas?

26. En total, 36 elementos químicos llevan el nombre de personas o de lugares. De éstos, dos tienen el nombre de mujeres científicas y 25 tienen el nombre de lugares. ¿Qué fracción de estos 36 elementos llevan el nombre de mujeres y de lugares? Escribe tu respuesta en su mínima expresión.

27. En la primera parada, un tranvía recoge $\frac{1}{6}$ del número de pasajeros que puede llevar. En la segunda parada, recoge $\frac{2}{3}$ del número de pasajeros que puede llevar. ¿Qué suma **NO** es la fracción correcta de pasajeros que están en el tranvía después de 2 paradas?

A $\frac{5}{6}$ **B** $\frac{9}{12}$ **C** $\frac{15}{18}$ **D** $\frac{20}{24}$

Lección

11-3

¡Lo entenderás!
Para restar fracciones con denominadores distintos, es necesario convertir las fracciones al mismo denominador.

Restar fracciones con denominadores distintos

Manos a la obra
tiras de fracciones

¿Cómo puedes restar fracciones con denominadores distintos?

Zoe y Frank están haciendo macarrones con queso.
Compraron $\frac{2}{3}$ de libra de queso.
¿Cuánto queso les quedará si usan $\frac{1}{2}$ libra?

$\frac{2}{3}$ de libra
$\frac{1}{2}$ libra

Práctica guiada*

¿CÓMO hacerlo?

En los Ejercicios **1** a **4,** resta. Escribe la respuesta en su mínima expresión. Puedes usar tiras de fracciones o dibujos como ayuda.

1. $\frac{2}{5} - \frac{2}{10}$

2. $\frac{4}{6} - \frac{4}{8}$

3. $\frac{5}{6} - \frac{2}{12}$

4. $\frac{7}{10} - \frac{2}{5}$

¿Lo ENTIENDES?

5. ¿Cuánto queso les quedaría a Zoe y a Frank si usaran $\frac{1}{4}$ de libra de queso?

6. ¿Qué denominador usarías para restar $\frac{5}{6} - \frac{1}{5}$?

Práctica independiente

En los Ejercicios **7** a **21,** resta. Escribe la respuesta en su mínima expresión. Puedes usar tiras de fracciones o dibujos como ayuda.

7. $\frac{3}{4} - \frac{3}{8}$

8. $\frac{7}{10} - \frac{1}{5}$

9. $\frac{7}{9} - \frac{2}{3}$

10. $\frac{5}{6} - \frac{4}{12}$

11. $\frac{2}{3} - \frac{2}{6}$

12. $\frac{5}{10} - \frac{1}{5}$

13. $\frac{3}{4} - \frac{4}{8}$

14. $\frac{7}{12} - \frac{1}{3}$

15. $\frac{2}{5} - \frac{3}{10}$

16. $\frac{5}{6} - \frac{3}{4}$

17. $\frac{4}{5} - \frac{1}{10}$

18. $\frac{1}{4} - \frac{1}{6}$

19. $\frac{11}{12} - \frac{2}{3}$

20. $\frac{5}{8} - \frac{1}{4}$

21. $\frac{1}{4} - \frac{1}{8}$

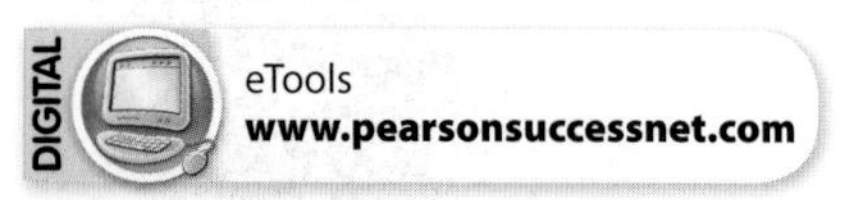

* *Puedes encontrar otro ejemplo en el Grupo C, página 265.*

Una manera

Usa tiras de fracciones para restar $\frac{2}{3} - \frac{1}{2}$.

Tanto $\frac{2}{3}$ como $\frac{1}{2}$ se pueden representar con sextos.

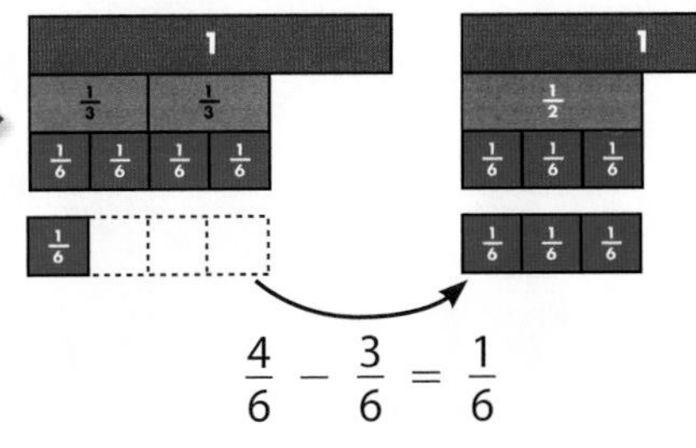

$$\frac{4}{6} - \frac{3}{6} = \frac{1}{6}$$

Les quedará $\frac{1}{6}$ de libra de queso.

Otra manera

Halla $\frac{2}{3} - \frac{1}{2}$.

Vuelve a escribir las fracciones usando el mismo denominador.

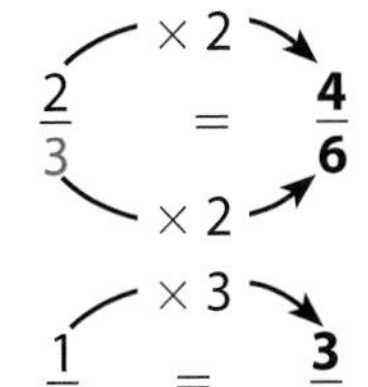

Piénsalo ¿Qué número tiene el 3 y el 2 como factores?

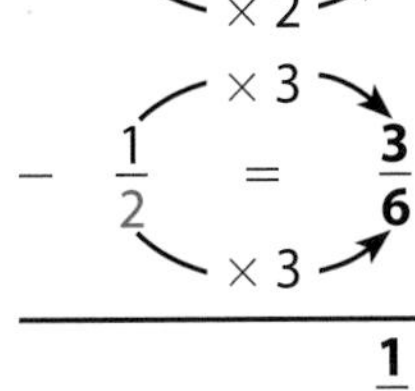

Resta las nuevas fracciones. Escribe la diferencia en su mínima expresión.

$$\frac{2}{3} = \frac{4}{6}$$

$$-\ \frac{1}{2} = \frac{3}{6}$$

$$\frac{1}{6}$$

Les quedará $\frac{1}{6}$ de libra de queso.

Resolución de problemas

22. Álgebra Escribe una expresión para representar el costo de una pizza por *d* dólares con un cupón de descuento de $2.

23. La suma de dos fracciones es $\frac{8}{9}$. La diferencia es $\frac{2}{9}$. ¿Cuáles son las dos fracciones?

24. Geometría Tim usó 28 pajillas para formar cuadrados y hexágonos. Si formara 4 cuadrados, ¿cuántos hexágonos podría hacer?

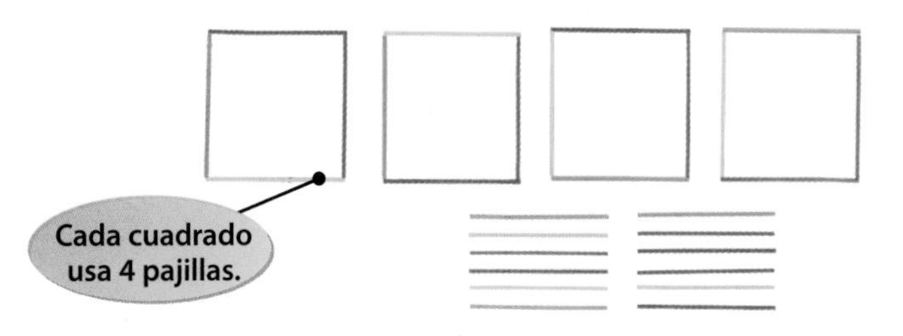

25. Una receta de pan de plátano requiere $\frac{1}{4}$ de taza de aceite. Una receta de pastelitos requiere $\frac{1}{2}$ taza de aceite. ¿Cuánto aceite más se necesita para hacer los pastelitos?

26. Luke y Lidia corrieron durante $\frac{3}{4}$ de hora sin parar. Esto es $\frac{3}{16}$ de hora más de lo que corrieron Kevin y Sara. ¿Cuánto tiempo corrieron Kevin y Sara?

27. De los 30 equipos de beisbol de Grandes Ligas, $\frac{7}{30}$ de los equipos tienen estadio cubierto. Si $\frac{1}{10}$ de los 30 estadios de la Liga Nacional están cubiertos, ¿qué fracción de los estadios de la Liga Americana están cubiertos?

$\frac{7}{30}$ **de los estadios cubiertos**

$\frac{1}{10}$	?

28. La pizza de Renée tenía 8 porciones iguales. Ella comió $\frac{3}{8}$ de su pizza. La pizza de George tenía 12 porciones iguales. Él comió $\frac{1}{4}$ de su pizza. Si las dos pizzas eran del mismo tamaño, ¿cuánta pizza más comió Renée?

A $\frac{1}{8}$ más

B $\frac{1}{4}$ más

C $\frac{1}{3}$ más

D $\frac{5}{8}$ más

Lección

11-4

¡Lo entenderás!
Aprender cómo y cuándo hacer un dibujo y escribir una ecuación puede ayudar a resolver un problema.

Resolución de problemas

Hacer un dibujo y escribir una ecuación

Brad y su padre recorrieron tres caminos. El camino Gadsen tiene $\frac{9}{10}$ de milla, el camino Rosebriar tiene $\frac{1}{2}$ milla y el camino Eureka tiene $\frac{3}{5}$ de milla. ¿Qué distancia caminaron en total?

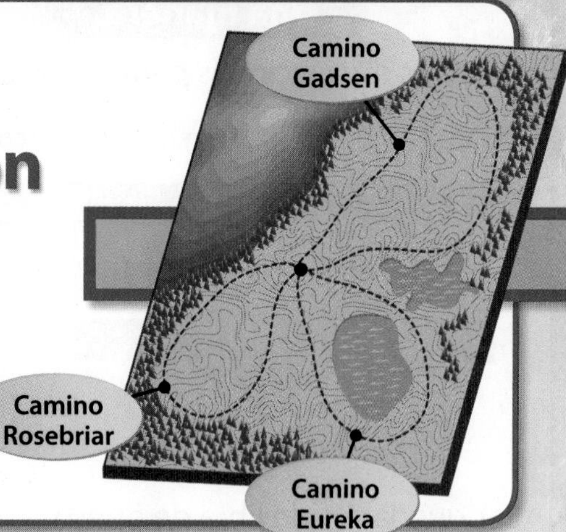

Otro ejemplo

Sandra y Ron están recorriendo un camino. Ya han caminado $\frac{1}{10}$ de milla. ¿Qué distancia les falta por recorrer para llegar a la marca de $\frac{3}{4}$ de milla?

$\frac{3}{4}$ de milla en total

$\frac{1}{10}$	?

Una manera

$\frac{3}{4} - \frac{1}{10} = \square$

Halla denominadores comunes y resta.

$\frac{3}{4} = \frac{15}{20}$ $\qquad$ $\frac{1}{10} = \frac{2}{20}$

$\frac{15}{20} - \frac{2}{20} = \frac{13}{20}$

Sandra y Ron necesitan caminar $\frac{13}{20}$ de milla más para llegar a la marca de los $\frac{3}{4}$ de milla.

Otra manera

$\frac{1}{10} + \square = \frac{3}{4}$

Halla denominadores comunes y suma.

$\frac{1}{10} = \frac{2}{20}$ $\qquad$ $\frac{3}{4} = \frac{15}{20}$

$\frac{2}{20} + \frac{13}{20} = \frac{15}{20}$

Explícalo

1. ¿Cómo podrías hallar qué distancia les falta por caminar a Sandra y Ron para llegar a una milla?

2. **Razonamiento** Si Sandra y Ron se regresan y caminan $\frac{1}{10}$ de milla de regreso, ¿cómo puedes hallar la diferencia entre la distancia que recorrieron y $\frac{3}{4}$ de milla?

Lee y comprende

¿Qué sé? Brad y su padre recorrieron 3 caminos.

Camino Gadsen $= \frac{9}{10}$ de m

Camino Rosebriar $= \frac{1}{2}$ m

Camino Eureka $= \frac{3}{5}$ de m

¿Qué me piden que halle? ¿Qué distancia caminaron Brad y su padre en total?

Planea y resuelve

Halla un denominador común.

$\frac{9}{10} = \frac{9}{10}$

$\frac{1}{2} = \frac{5}{10}$

$\frac{3}{5} = \frac{6}{10}$

? millas en total

$\frac{9}{10}$	$\frac{5}{10}$	$\frac{6}{10}$

Luego, suma las fracciones y simplifica.

$\frac{9}{10} + \frac{5}{10} + \frac{6}{10} = \frac{20}{10}$ ó $\frac{10}{5}$ ó 2 millas

Brad y su padre caminaron 2 millas en total.

Práctica guiada*

¿CÓMO hacerlo?

Haz un dibujo y escribe una ecuación para resolver el problema.

1. Hannah corrió $\frac{1}{3}$ de milla. David corrió $\frac{1}{6}$ de milla. ¿Cuántas millas más que David corrió Hannah?

¿Lo ENTIENDES?

2. Escribir para explicar Si te pidieran que hallaras qué distancia caminaron Brad y su padre solamente en los caminos Rosebriar y Eureka, ¿sería diferente el común denominador?

3. Escribe un problema Escribe un problema que puedas resolver haciendo un dibujo y escribiendo una ecuación.

Práctica independiente

Haz un dibujo y escribe una ecuación para resolver los problemas.

4. Steve conectó un cable de extensión que mide $\frac{3}{8}$ de pie de longitud a otro cable que mide $\frac{1}{2}$ pie de longitud. ¿Qué longitud tiene el cable con la extensión?

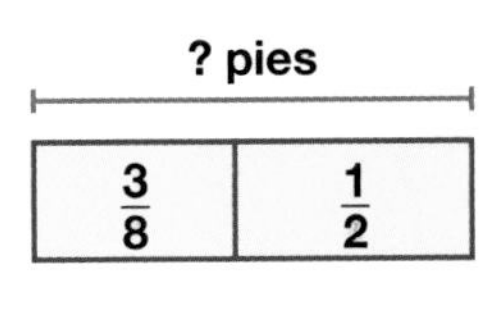

5. La araña hembra más pequeña mide aproximadamente $\frac{1}{2}$ mm de largo. La araña macho más pequeña mide $\frac{2}{5}$ mm de largo. ¿Qué tanto más larga es la longitud de la araña hembra que la de la araña macho?

$\frac{1}{2}$ mm de longitud

$\frac{2}{5}$	?

¿En aprietos? Intenta esto:

- ¿Qué sé?
- ¿Qué diagrama puede ayudarme a entender el problema?
- ¿Puedo usar suma, resta, multiplicación o división?
- ¿Es correcto todo mi trabajo?
- ¿Respondí a la pregunta que correspondía?
- ¿Es razonable mi respuesta?

** Puedes encontrar otro ejemplo en el Grupo D, página 265.*

Práctica independiente

6. Una receta requiere 3 veces más zanahorias que arvejas. Si Carmen usara 2 tazas de arvejas, ¿cuántas tazas de zanahorias usaría?

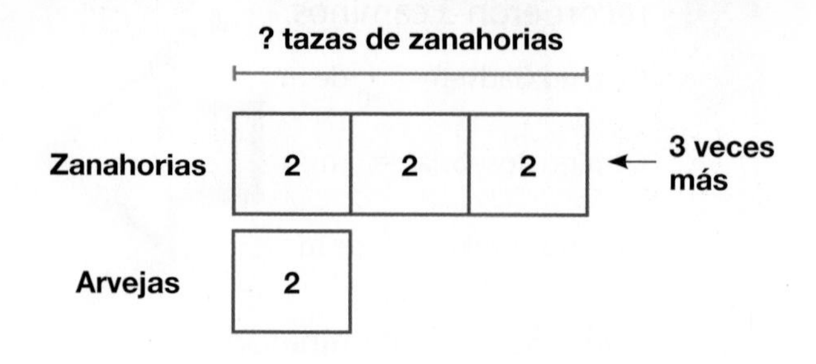

7. Félix compró $\frac{5}{6}$ de libra de maníes. Se comió $\frac{3}{4}$ de libra de los maníes con sus amigos. ¿Cuánto le quedó a Félix?

$\frac{5}{6}$ **de libra de maníes**

$\frac{3}{4}$	?

8. **Geometría** El perro de Jack tiene una caseta rectangular. Mide dos pies más de longitud que de ancho. De ancho mide 6 pies. ¿Cuál es el perímetro de la caseta?

9. **Escribir para explicar** Terrence tiene 8 revistas de historietas y 4 novelas policíacas. Su hermana dice que $\frac{2}{3}$ de sus libros son revistas de historietas. Terrence dice que $\frac{8}{12}$ de sus libros son revistas de historietas. ¿Quién tiene razón?

10. **Escribir para explicar** Si el perímetro del siguiente paralelogramo es 56 pulgadas y sabes que un lado es 8 pulgadas, ¿podrás hallar la longitud de los otros 3 lados? ¿Por qué o por qué no?

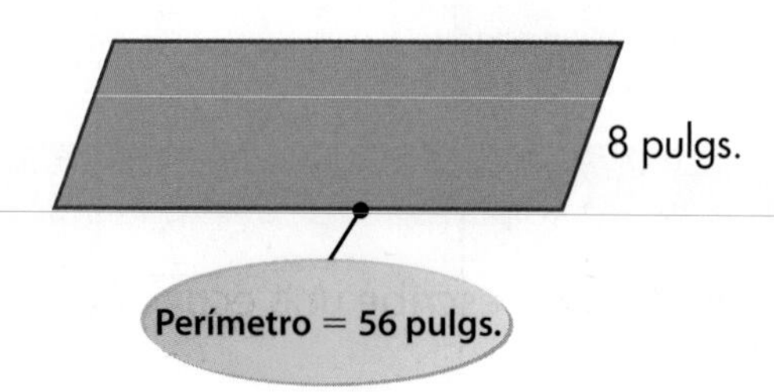

Piensa en el proceso

11. Cuatro miembros de un equipo de relevos corren partes iguales de una carrera de 8 millas. ¿Qué oración numérica muestra la distancia que corre cada miembro?

A $4 + 2 = 6$ **C** $2 + 2 + 2 = 6$

B $8 \div 4 = 2$ **D** $2 \times 4 = 8$

12. En una concesionaria de automóviles hay 3 carros verdes, 4 carros azules y 4 carros plateados. ¿Qué oración numérica dice cuántos carros no son plateados?

A $7 + 4 = 11$ **C** $3 + 4 + 4 = 11$

B $11 - 4 = 7$ **D** $7 \times 4 = 28$

Sumar y restar números mixtos

Sumar y restar números mixtos es parecido a sumar y restar fracciones. Puedes usar tiras de fracciones como ayuda.

Ejemplos:

Para sumar números mixtos, suma las fracciones, suma los números enteros y luego simplifica si es necesario.

$$\begin{array}{r} 1\frac{3}{8} \\ +\ 1\frac{4}{8} \\ \hline 2\frac{7}{8} \end{array}$$

Para restar números mixtos, resta las fracciones, resta los números enteros y luego simplifica si es necesario.

$$\begin{array}{r} 2\frac{3}{4} \\ -\ 1\frac{1}{4} \\ \hline 1\frac{2}{4} = 1\frac{1}{2} \end{array}$$

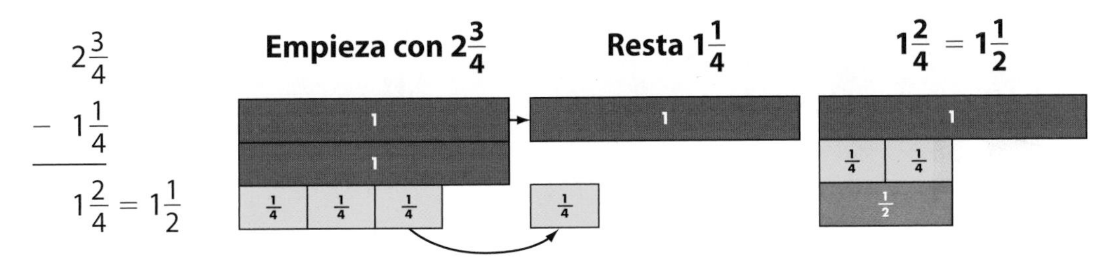

Práctica

Suma o resta. Escribe cada respuesta en su mínima expresión.

1. $3\frac{7}{8} - 2\frac{3}{8}$

2. $2\frac{3}{5} + 2\frac{1}{5}$

3. $7\frac{8}{9} - 2\frac{4}{9}$

4. $6\frac{3}{8} + 2\frac{1}{8}$

5. $6\frac{3}{4} - 1\frac{3}{4}$

6. $7\frac{1}{3} + 4\frac{2}{3}$

7. $5\frac{5}{6} - 3\frac{1}{6}$

8. $4\frac{3}{12} + 1\frac{2}{12}$

9. Una tienda de artesanías vendió $7\frac{2}{9}$ de yardas de fieltro verde. La tienda vendió $3\frac{1}{9}$ más de yardas de fieltro morado que de verde. ¿Cuántas yardas de fieltro morado vendió la tienda?

10. Josh corrió $2\frac{2}{5}$ millas el martes y $1\frac{1}{5}$ millas el jueves. ¿Cuántas millas más corrió Josh el martes que el jueves?

Examen

1. Mickie caminó $\frac{1}{5}$ de milla hasta la casa de su amiga. Luego caminó $\frac{3}{5}$ de milla hasta la parada del autobús. ¿Qué distancia caminó Mickie? (11-1)

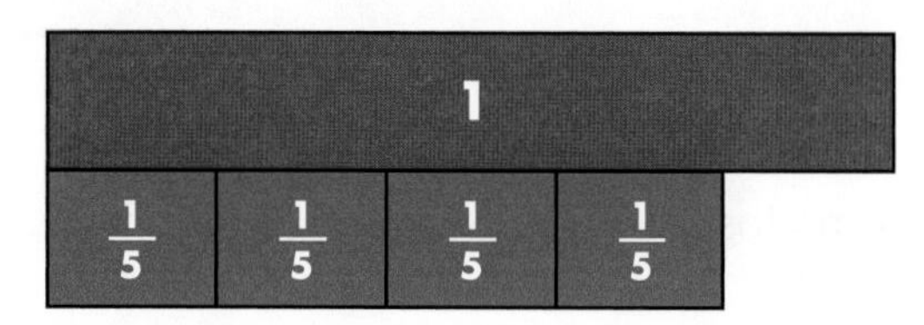

A $\frac{5}{4}$ de milla

B $\frac{4}{5}$ de milla

C $\frac{2}{5}$ de milla

D $\frac{4}{10}$ de milla

2. La Sra. Garrison compró $\frac{7}{8}$ de yarda de tela. Usó $\frac{5}{8}$ de yarda para hacer una falda. ¿Cuánta tela le queda? Escribe tu respuesta en su mínima expresión. (11-1)

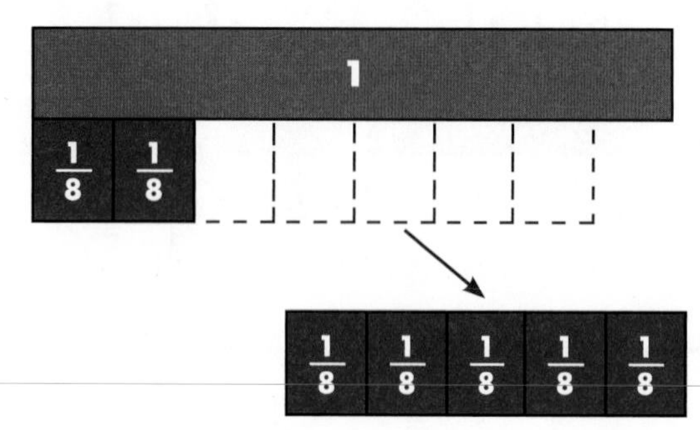

A $\frac{1}{4}$ de yarda

B $\frac{1}{3}$ de yarda

C $\frac{3}{4}$ de yarda

D $\frac{4}{3}$ de yarda

3. ¿Cuánto es $\frac{3}{10} + \frac{1}{5}$ en su mínima expresión? (11-2)

A $\frac{4}{15}$

B $\frac{2}{5}$

C $\frac{4}{10}$

D $\frac{1}{2}$

4. Darrel compró $\frac{1}{4}$ de libra de queso americano y $\frac{1}{8}$ de libra de queso suizo en la salchichonería. ¿Qué dibujo muestra cuánto queso compró Darrel? (11-4)

A $\frac{1}{4}$ — | $\frac{1}{8}$ | ? |

B $\frac{1}{4}$ — | $\frac{1}{8}$ | $\frac{1}{8}$ | ? |

C $\frac{1}{8}$ — | $\frac{1}{4}$ | ? |

D ? — | $\frac{1}{4}$ | $\frac{1}{8}$ |

5. ¿Cuánto es $\frac{5}{12} + \frac{1}{4}$ en su mínima expresión? (11-2)

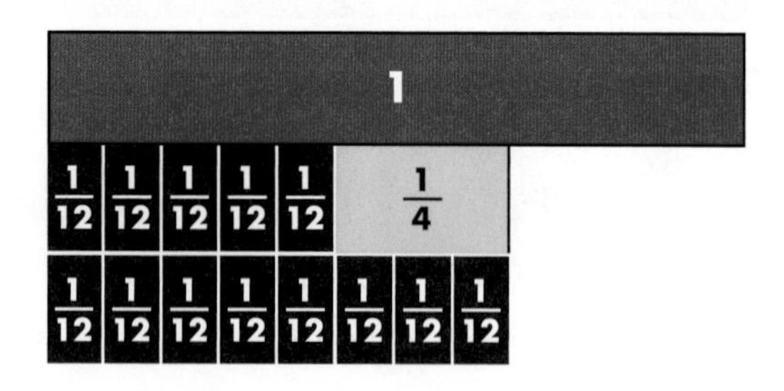

A $\frac{3}{4}$

B $\frac{9}{12}$

C $\frac{2}{3}$

D $\frac{3}{8}$

Examen

6. Joy compró $\frac{3}{4}$ de un cuarto de galón de ensalada de frutas y $\frac{1}{3}$ de un cuarto de galón de ensalada de tres frijoles. ¿Cuánta más ensalada de frutas compró Joy? (11-3)

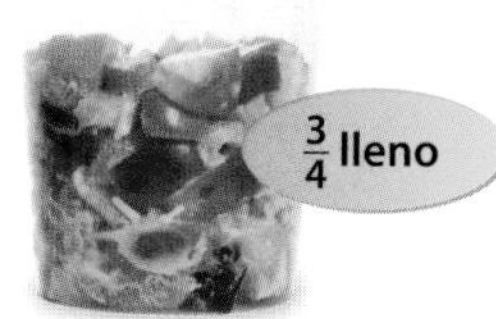

A $\frac{1}{3}$ de cuarto de galón

B $\frac{5}{12}$ de cuarto de galón

C $\frac{1}{2}$ cuarto de galón

D $\frac{7}{12}$ de cuarto de galón

7. Bella usó $\frac{1}{4}$ de taza de harina blanca y $\frac{5}{8}$ de taza de harina de trigo en la receta de pan. ¿Cuánta más harina de trigo usó? (11-3)

A $\frac{1}{4}$

B $\frac{2}{4}$

C $\frac{3}{8}$

D $\frac{2}{8}$

8. La madre de Chen compró $\frac{7}{8}$ de libra de salmón. Esa noche la familia comió $\frac{1}{4}$ de libra. ¿Cuánto salmón quedó? (11-3)

A $\frac{6}{4}$ de libra

B $\frac{5}{8}$ de libra

C $\frac{1}{3}$ de libra

D $\frac{1}{4}$ de libra

9. Walt comió $\frac{4}{10}$ de una pizza. Lakota también comió $\frac{3}{10}$ de la misma pizza. ¿Cuánta pizza comieron en total? (11-1)

A $\frac{1}{10}$

B $\frac{1}{2}$

C $\frac{3}{5}$

D $\frac{7}{10}$

10. Trent caminó $\frac{3}{8}$ de milla y trotó $\frac{1}{2}$ milla. ¿Qué distancia recorrió Trent? (11-2)

A $\frac{7}{8}$ de milla

B $\frac{3}{4}$ de milla

C $\frac{2}{3}$ de milla

D $\frac{2}{5}$ de milla

11. Una jarra tenía $\frac{9}{10}$ de galón de jugo. Manuela bebió $\frac{2}{5}$ de galón de jugo. ¿Qué oración numérica puede usarse para hallar cuánto jugo quedó? (11-3)

A $\frac{9}{10} + \frac{2}{5} = \square$

B $\frac{9}{10} + \square = \frac{2}{5}$

C $\frac{9}{10} - \frac{2}{5} = \square$

D $\frac{2}{5} - \frac{9}{10} = \square$

12. ¿Cuánto es $\frac{7}{12} - \frac{1}{3}$ en su mínima expresión? (11-3)

A $\frac{1}{4}$

B $\frac{1}{3}$

C $\frac{5}{12}$

D $\frac{11}{12}$

Tema 11

Refuerzo

Grupo A, páginas 250 a 253

Calcula $\frac{1}{9} + \frac{5}{9}$.

Suma los numeradores. Escribe la suma encima del mismo denominador.

$$\frac{1}{9} + \frac{5}{9} = \frac{1+5}{9} = \frac{6}{9}$$

Simplifica si es necesario.

$$\frac{6}{9} \overset{\div 3}{=} \frac{2}{3}$$

Por tanto, $\frac{1}{9} + \frac{5}{9} = \frac{2}{3}$.

Halla $\frac{7}{9} - \frac{5}{9}$.

Resta los numeradores. Escribe la diferencia encima del mismo denominador.

$$\frac{7}{9} - \frac{5}{9} = \frac{7-5}{9} = \frac{2}{9}$$

Recuerda que puedes usar tiras de fracciones para sumar o restar fracciones con el mismo denominador.

Suma o resta. Escribe cada respuesta en su mínima expresión.

1. $\frac{1}{7} + \frac{2}{7}$
2. $\frac{4}{15} + \frac{2}{15}$
3. $\frac{7}{8} - \frac{1}{8}$
4. $\frac{8}{10} - \frac{5}{10}$
5. $\frac{1}{4} + \frac{1}{4}$
6. $\frac{8}{9} - \frac{5}{9}$
7. $\frac{5}{12} + \frac{7}{12}$
8. $\frac{4}{13} - \frac{2}{13}$
9. $\frac{8}{15} - \frac{3}{15}$
10. $\frac{2}{6} + \frac{3}{6}$

Grupo B, páginas 254 y 255

Suma $\frac{1}{6} + \frac{1}{2}$ usando tiras de fracciones.

Halla fracciones equivalentes con el mismo denominador.

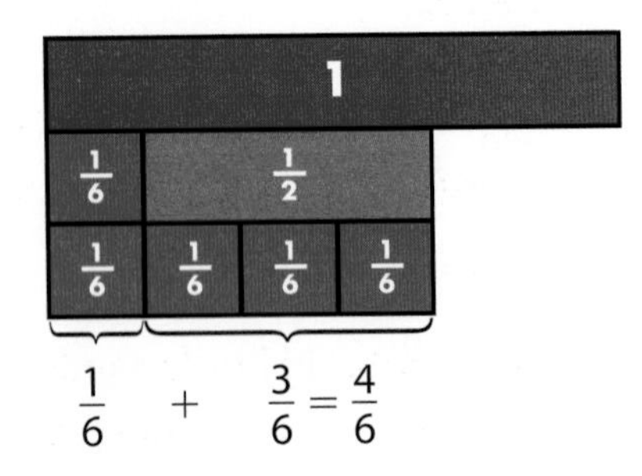

$$\frac{1}{6} + \frac{3}{6} = \frac{4}{6}$$

Simplifica si es necesario.

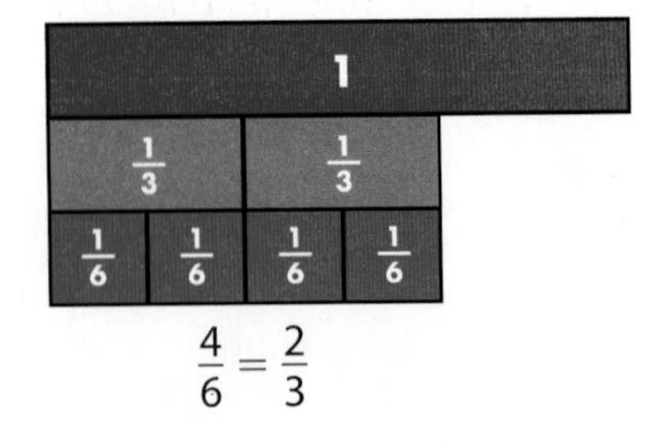

$$\frac{4}{6} = \frac{2}{3}$$

Recuerda que, para sumar fracciones con denominadores distintos, primero debes hallar fracciones equivalentes.

Suma las fracciones. Escribe cada respuesta en su mínima expresión.

1. $\frac{2}{3} + \frac{1}{4}$
2. $\frac{3}{5} + \frac{1}{3}$
3. $\frac{1}{3} + \frac{1}{9}$
4. $\frac{1}{4} + \frac{1}{6}$
5. $\frac{3}{8} + \frac{1}{2}$
6. $\frac{2}{3} + \frac{1}{9}$
7. $\frac{2}{6} + \frac{2}{3}$
8. $\frac{1}{4} + \frac{4}{8}$
9. $\frac{1}{5} + \frac{3}{10}$
10. $\frac{1}{3} + \frac{1}{4}$
11. $\frac{2}{6} + \frac{1}{4}$
12. $\frac{3}{6} + \frac{1}{3}$

Tema 11

Refuerzo

Grupo C, páginas 256 y 257

Resta $\frac{2}{3} - \frac{1}{4}$ usando tiras de fracciones.

Tanto $\frac{2}{3}$ como $\frac{1}{4}$ pueden representarse usando doceavos.

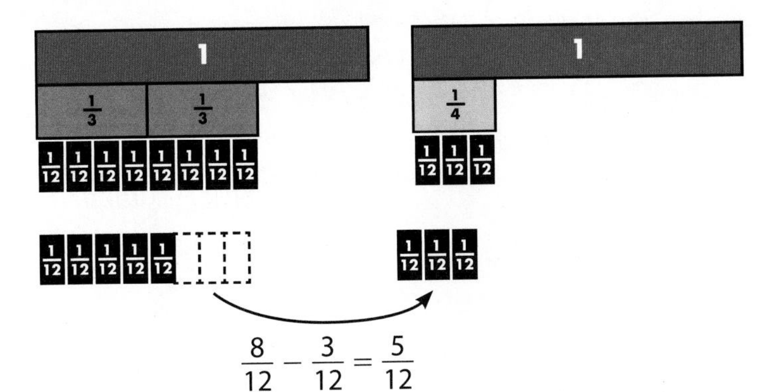

$$\frac{8}{12} - \frac{3}{12} = \frac{5}{12}$$

Recuerda que debes hallar fracciones equivalentes antes de restar fracciones con denominadores distintos.

Resta las fracciones. Escribe cada respuesta en su mínima expresión.

1. $\frac{3}{4} - \frac{3}{8}$
2. $\frac{5}{12} - \frac{1}{6}$
3. $\frac{1}{2} - \frac{1}{3}$
4. $\frac{7}{10} - \frac{1}{2}$
5. $\frac{4}{5} - \frac{1}{2}$
6. $\frac{8}{9} - \frac{2}{9}$
7. $\frac{5}{6} - \frac{1}{12}$
8. $\frac{7}{9} - \frac{1}{3}$
9. $\frac{4}{10} - \frac{1}{5}$
10. $\frac{5}{6} - \frac{2}{3}$

Grupo D, páginas 258 a 260

Tina y Andy están construyendo juntos un aeromodelo. Tina construyó $\frac{1}{3}$ del modelo y Andy construyó $\frac{1}{5}$ del modelo. ¿Cuánto más ha construido Tina que Andy?

$\frac{1}{3}$ **del modelo**

$\frac{1}{5}$	?

Halla un común denominador y resta.

$$\begin{array}{rcl} \frac{1}{3} & = & \frac{5}{15} \\ -\ \frac{1}{5} & = & \frac{3}{15} \\ \hline & & \frac{2}{15} \end{array}$$

Tina construyó $\frac{2}{15}$ más del modelo que Andy.

Recuerda que puedes hacer un dibujo como ayuda para escribir una ecuación numérica.

Resuelve.

1. Bonnie corrió $\frac{1}{4}$ de milla. Olga corrió $\frac{1}{8}$ de milla. ¿Cuánto más lejos corrió Bonnie que Olga?
2. La planta de Linda medía $\frac{9}{12}$ de pie de altura. La planta de Macy medía $\frac{2}{3}$ de pie de altura. ¿Cuánto más alta es la planta de Linda que la de Macy?

Tema 12

Números decimales

1

El Coliseo romano es uno de los mejores ejemplos de la arquitectura romana. ¿Qué parte fraccionaria del Coliseo representa la arena? Lo averiguarás en la Lección 12-3.

2

De acuerdo con Zenón, un matemático griego que vivió en el siglo IV A.C., esta pelota no dejará de rebotar nunca. Averiguarás por qué en la Lección 12-4.

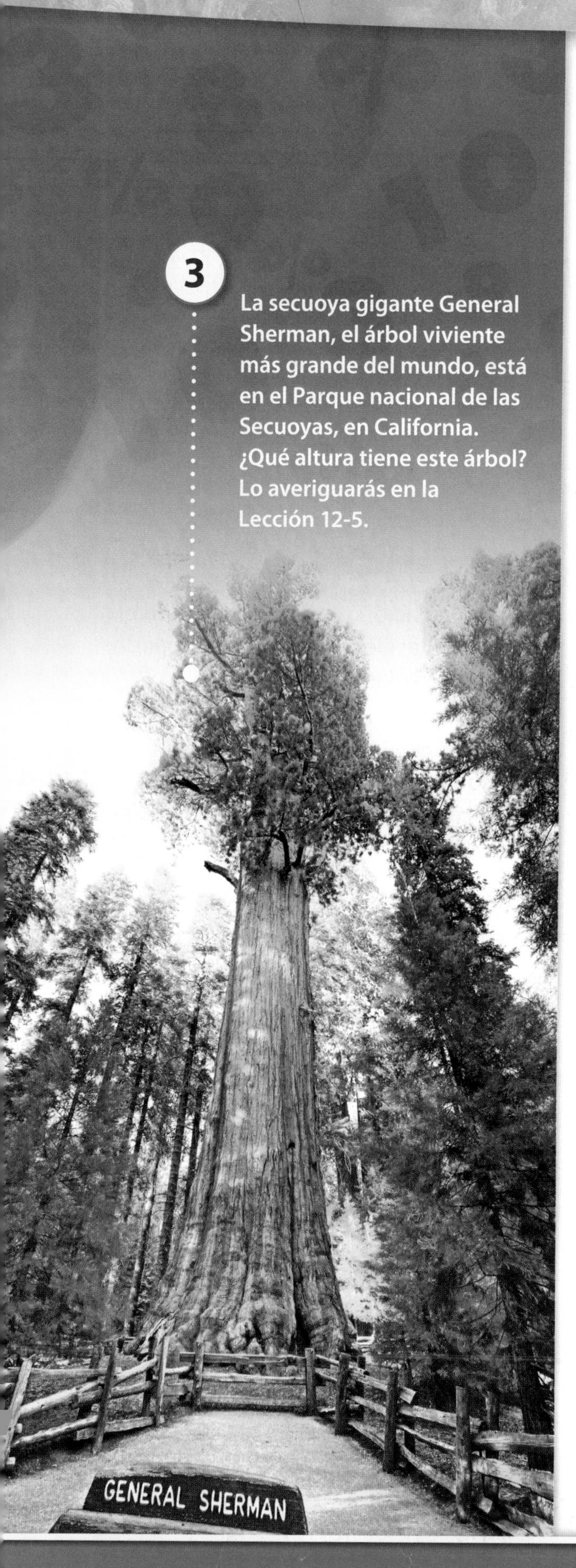

La secuoya gigante General Sherman, el árbol viviente más grande del mundo, está en el Parque nacional de las Secuoyas, en California. ¿Qué altura tiene este árbol? Lo averiguarás en la Lección 12-5.

Repasa lo que sabes

Vocabulario

Elige el mejor término del recuadro.

- mayor
- décima
- centésima
- punto decimal

1. Una de las diez partes iguales de un entero es una _?_.
2. Un punto que se usa para separar los dólares de los centavos o las unidades de las décimas en un número es un _?_.
3. Una de las 100 partes iguales de un entero es una _?_.
4. El número 3,704 es _?_ que el número 3,407.

Comparar números

Compara. Escribe >, < o = en cada ◯.

5. 1,909 ◯ 1,990
6. 43,627 ◯ 43,167
7. 629,348 ◯ 629,348
8. 455,311 ◯ 455,331
9. 101,101 ◯ 101,011
10. 95,559 ◯ 95,555

Ordenar números

Ordena los números de mayor a menor.

11. 3,687 3,867 3,678 3,768
12. 41,101 41,011 41,110 41,001
13. 4,593 4,395 4,595 4,359
14. **Escribir para explicar** ¿Cómo ordenarías los números siguientes de menor a mayor? Explícalo.

15,420 154,200 1,542

¡Lo entenderás!
Existen muchas maneras de representar números decimales.

Valor de posición decimal

¿Cuáles son algunas maneras de representar los decimales?

Una ardilla puede pesar 1.64 libras. Hay maneras diferentes de representar 1.64.

Práctica guiada*

¿CÓMO hacerlo?

En los Ejercicios **1** y **2,** escribe la forma desarrollada de cada número.

1. 3.91 **2.** 6.87

En los Ejercicios **3** y **4,** dibuja y sombrea una cuadrícula para cada número. Luego, escribe cada número en palabras.

3. 1.06 **4.** 2.36

¿Lo ENTIENDES?

5. En el Ejercicio 1, ¿qué dígito está en el lugar de las décimas? ¿Y en el lugar de las centésimas?

6. Hacia el final de un partido de básquetbol, quedan 3.29 segundos en el reloj. ¿Cómo diría este número el árbitro?

Cuando leas un número o lo escribas en palabras, reemplaza el punto decimal por la palabra "y".

Práctica independiente

En los Ejercicios **7** a **9,** escribe el decimal para cada parte coloreada.

7. 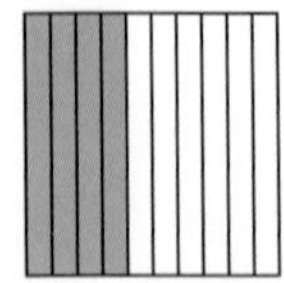

8. 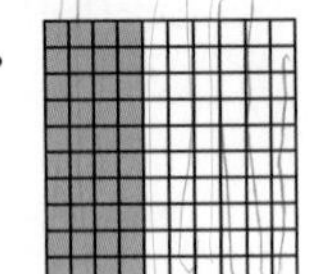

9. 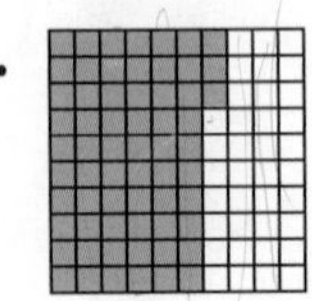

En los Ejercicios **10** a **12,** escribe el número en forma estándar.

10. Cuatro y treinta y seis centésimas **11.** $5 + 0.2 + 0.08$ **12.** $2 + 0.01$

** Puedes encontrar otro ejemplo en el Grupo A, página 286.*

Una manera

Usa un modelo decimal.

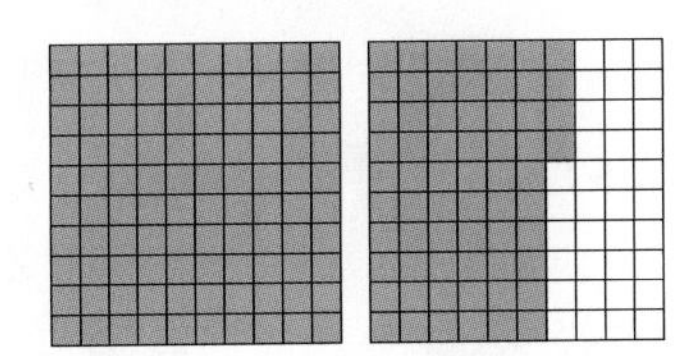

Forma desarrollada: 1 + 0.6 + 0.04
Forma estándar: 1.64
En palabras: uno y sesenta y cuatro centésimas

Otra manera

Usa un modelo de valor de posición.

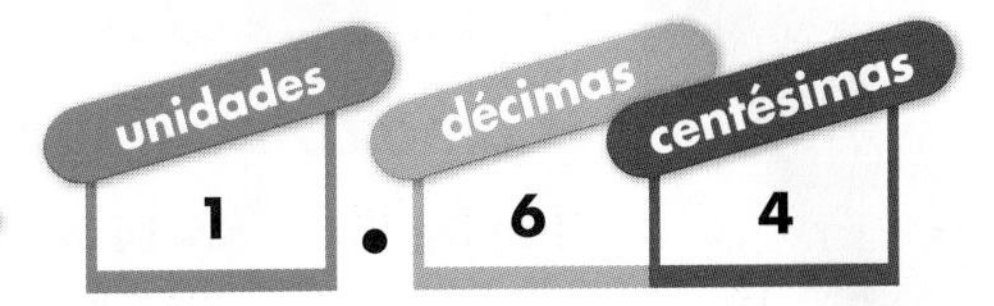

Forma desarrollada: 1 + 0.6 + 0.04
Forma estándar: 1.64
En palabras: uno y sesenta y cuatro centésimas

En los Ejercicios **13** a **17,** escribe los números en palabras y da el valor del dígito en rojo de cada uno.

13. 2.47 **14.** 23.79 **15.** 1.85 **16.** 14.12 **17.** 9.05

En los Ejercicios **18** a **22,** escribe cada número en forma desarrollada.

18. 3.19 **19.** 13.62 **20.** 0.78 **21.** 8.07 **22.** 17.2

Resolución de problemas

23. Razonamiento Escribe un número que tenga un 4 en el lugar de las decenas y un 6 en el lugar de las centésimas.

24. El señor Cooper tiene 6 galones de combustible en su carro. El tanque de combustible de su carro tiene capacidad para 15 galones. Para llenar el tanque, ¿necesitará el señor Cooper más o menos de 10 galones?

25. Tisha escribió esta cantidad: Cinco dólares y nueve centavos.

a ¿Cuál es la forma decimal en palabras de esta cantidad?

b ¿Cuál es el número decimal?

26. Sentido numérico Escribe tres números entre 4.1 y 4.2.

Ojo *Usa las cuadrículas de centésimas o dinero como ayuda.*

27. Escribir para explicar Con el siguiente modelo decimal, explica por qué 0.08 es menor que 0.1.

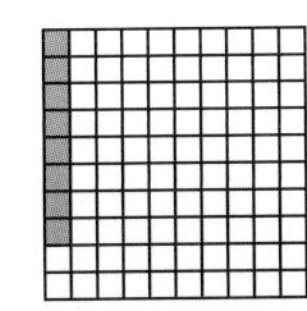

28. ¿Cuál es el valor del 5 en 43.51?

A Cinco centésimas

B Cinco décimas

C Cincuenta y una centésimas

D Cinco

Lección
12-2

¡Lo entenderás!
Se puede usar el valor de posición para comparar y ordenar decimales.

Comparar y ordenar números decimales

¿Cómo comparas números decimales?

Una moneda de 1¢ hecha en 1982 pesa aproximadamente 0.11 onza. Una moneda de 1¢ hecha en 2006 pesa aproximadamente 0.09 onza. ¿Qué moneda de 1¢ pesa más, una de 1982 o una de 2006?

Otro ejemplo ¿Cómo ordenas números decimales?

Patrick tiene en el bolsillo una moneda de 1¢ de 1982, una moneda de 1¢ de 2006 y una moneda de 10¢. Ordena las monedas por su peso de menor a mayor.

Primero, compara el lugar de las décimas.

0.<u>1</u>1

0.<u>0</u>9

0.<u>1</u>0

El número menor es 0.09 porque tiene un 0 en el lugar de las décimas.

Compara los números restantes. Primero compara las décimas. Ambos números decimales tienen un 1 en el lugar de las décimas.

0.<u>1</u>0

0.<u>1</u>1

Compara el lugar de las centésimas.

0.1<u>0</u>

0.1<u>1</u>

$1 > 0$; por tanto, el decimal mayor es 0.11.

El orden de menor a mayor es 0.09, 0.10, 0.11.

Explícalo

1. Ordena los números anteriores de mayor a menor.

2. ¿Qué lugar utilizaste para comparar 0.10 y 0.11?

Una manera

Usa cuadrículas de centésimas.

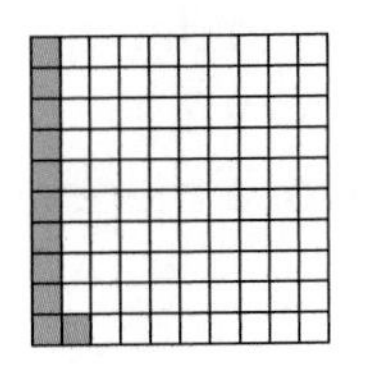
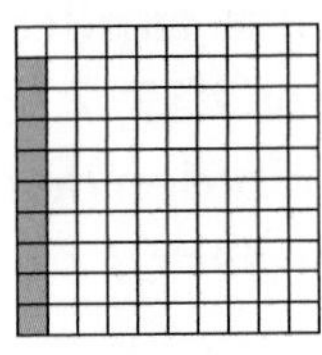

11 centésimas > **9 centésimas**

0.11 > 0.09

Otra manera

Usa el valor de posición.

Empieza por la izquierda. Busca la primera posición donde los dígitos son diferentes.

0.11 0.09

1 décima > **0 décimas**

0.11 > 0.09

Una moneda de 1¢ hecha en 1982 pesa más que una moneda de 1¢ hecha en 2006.

Práctica guiada*

¿CÓMO hacerlo?

En los Ejercicios **1** a **4,** escribe >, < o = en cada ◯. Usa bloques de valor de posición o cuadrículas como ayuda.

1. 0.7 ◯ 0.57 **2.** 0.23 ◯ 0.32

3. 1.01 ◯ 0.98 **4.** 0.2 ◯ 0.20

En los Ejercicios **5** y **6,** ordena los números de menor a mayor.

5. 0.65 0.6 0.71 **6.** 1.21 1.01 1.2

¿Lo ENTIENDES?

7. Sentido numérico ¿Cuál es mayor, 2.02 ó 0.22? Explícalo.

8. María le dijo a Patrick que su moneda de 25¢ pesa menos que una moneda de 5¢ porque 0.2 tiene menos dígitos que 0.18. ¿Cómo puede Patrick mostrarle a María que 0.2 es mayor que 0.18?

Práctica independiente

En los Ejercicios **9** a **16,** compara. Escribe >, < o = en cada ◯. Usa cuadrículas como ayuda.

9. 0.01 ◯ 0.1 **10.** 7.31 ◯ 7.29 **11.** 6.56 ◯ 5.98 **12.** 1.1 ◯ 1.10

13. 3.22 ◯ 4.44 **14.** 9.01 ◯ 9.1 **15.** 2.01 ◯ 1.7 **16.** 0.01 ◯ 1.02

En los Ejercicios **17** a **22,** ordena los números de menor a mayor.

17. 1.2, 1.23, 1.1 **18.** 0.56, 4.56, 0.65 **19.** 0.21, 0.12, 0.22

20. 3.8, 0.38, 3.08 **21.** 0.71, 0.07, 1.7 **22.** 0.5, 0.25, 1.05

** Puedes encontrar otro ejemplo en el Grupo B, página 286.*

23. Sentido numérico Una bolsa de 500 monedas de 5¢ pesa 5.5 libras. Una bolsa de 200 monedas de 50¢ pesa 5 libras. ¿Qué bolsa pesa más?

24. Escribir para explicar Evan dijo que los números 7.37, 7.36, 2.59 y 2.95 estaban en orden de mayor a menor. ¿Está en lo cierto?

25. Sentido numérico Di qué moneda vale más.

a ¿1 moneda de 25¢ ó 1 moneda de 50¢?

b ¿1 moneda de 10¢ ó 1 moneda de 1¢?

c ¿1 dólar ó 1 moneda de 1¢?

26. ¿Qué número **NO** es mayor que 0.64?

A 6.4

B 4.6

C 0.46

D 0.66

En los Ejercicios **27** y **28,** usa los relojes de la derecha.

27. ¿La hora de qué reloj muestra que es más temprano?

28. Ordena las horas de los relojes de más tarde a más temprano.

29. ¿Qué números **NO** están en orden de menor a mayor?

A 0.3, 0.7, 0.9

B 0.04, 0.09, 0.12

C 0.15, 0.19, 0.23

D 0.24, 0.09, 0.18

30. La señora Álvarez tiene $0.83 en su monedero. Tiene 7 monedas. Tiene el mismo número de monedas de 1¢ que de monedas de 25¢. ¿Qué monedas tiene?

31. ¿Qué número tiene un 3 en el lugar de las decenas de millar?

A 23,604

B 32,671

C 593,100

D 694,392

32. ¿Qué número está entre 6.7 y 7.3?

A 6.07

B 6.26

C 6.83

D 7.4

33. Los señuelos para pesca se venden por peso. Un señuelo amarillo pesa 0.63 onzas y un señuelo verde pesa 0.5 onzas. ¿Qué señuelo pesa más?

34. Tom tiene un billete de $10, un billete de $5, 4 billetes de $1, 3 monedas de 25¢ y 2 monedas de 10¢. Janet tiene tres billetes de $5, tres billetes de $1 y 8 monedas de 25¢. ¿Quién tiene más dinero?

Enlaces con el Álgebra

Patrones numéricos

Los patrones numéricos te ayudan a predecir el número o los números que siguen.

Ejemplo: 10, 20, 30, 40, ▢

Piénsalo *¿Cómo se relacionan los números del patrón numérico?*

Compara el 10 y el 20.

10 + 10 = 20

Ahora compara el 20 y el 30.

20 + 10 = 30

El patrón que describe mejor la lista de números es: sumar 10.

El número que falta en el patrón numérico se representa mediante un recuadro sombreado. Usa el patrón numérico para hallar el número que falta.

40 + 10 = 50

El número que falta es el 50.

Llena cada recuadro sombreado con el número que completa mejor el patrón numérico. Luego, di cómo completaste el patrón.

1. 2, 4, 6, 8, ▢

2. 5, 10, 15, 20, ▢

3. 5, 8, 11, 14, ▢

4. 1, 3, 5, ▢, 9

5. 5, 15, ▢, 35, 45

6. 30, 23, ▢, 9, 2

7. 28, ▢, 18, 13, 8

8. 32, 36, ▢, 44, 48, ▢

9. 47, 56, ▢, 74, ▢, 92

10. 98, 91, ▢, 77, ▢

11. 75, 59, 43, ▢, ▢

12. 3, 5, 4, 6, 5, 7, 6, ▢

13. ¿Cuáles son los números que faltan en el patrón numérico? Describe el patrón numérico.

48, ▢, ▢, 33, 28, 23

14. Completa la tabla. Describe el patrón.

A	B	C
4	6	10
5	8	13
6		16
	11	19
15		30
20	14	

15. Escribe un problema Escribe un problema con uno de los patrones numéricos de los Ejercicios 1 a 12.

Lección

12-3

¡Lo entenderás!
Se puede usar fracciones y números decimales para nombrar las mismas cantidades.

Fracciones y números decimales

Manos a la obra
papel cuadriculado

¿Cómo escribes una fracción en forma de decimal y un decimal en forma de fracción?

En la calle Kelsey, 6 de cada 10 hogares tienen columpios en sus patios traseros.
Escribe $\frac{6}{10}$ en forma decimal.

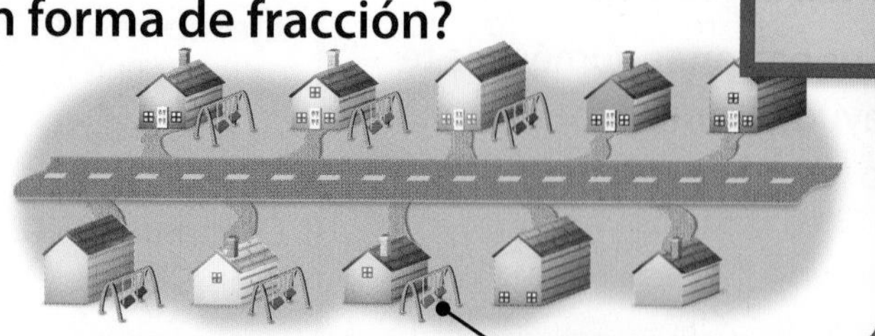

6 de 10 casas tienen columpios.

Otros ejemplos

Escribe 2.1 en forma de número mixto.

 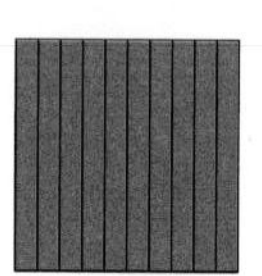 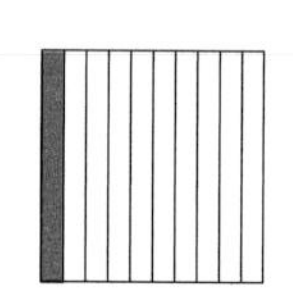

Dado que $0.1 = \frac{1}{10}$, $2.1 = 2\frac{1}{10}$.

Escribe $2\frac{14}{100}$ en forma decimal.

  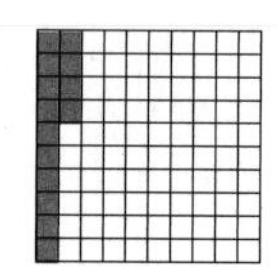

Dado que $\frac{14}{100} = 0.14$, $2\frac{14}{100} = 2.14$.

Práctica guiada*

¿CÓMO hacerlo?

En los Ejercicios **1** y **2,** escribe un decimal y una fracción en su mínima expresión para la parte coloreada de cada cuadrícula.

1. 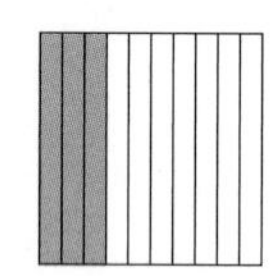

2. 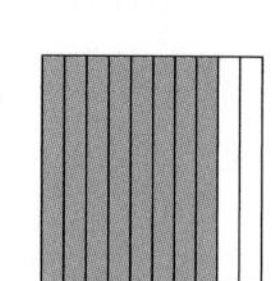

¿Lo ENTIENDES?

3. **Escribir para explicar** ¿Por qué la fracción $\frac{6}{10}$ no se escribe 0.06?

4. En la calle Kelsey, ¿qué fracción de las casas **NO** tiene columpios? Escribe tu respuesta en forma de fracción y en forma decimal.

Práctica independiente

En los Ejercicios **5** a **9,** escribe un decimal y una fracción en su mínima expresión para la parte coloreada de cada cuadrícula.

5. 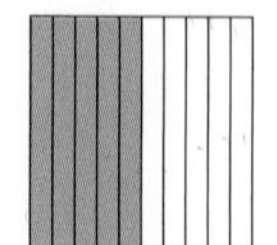

6. 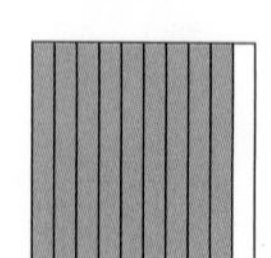

7. 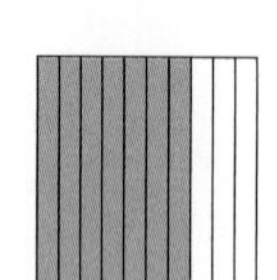

8. 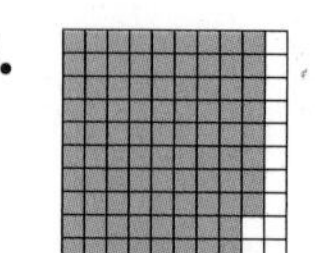

9. 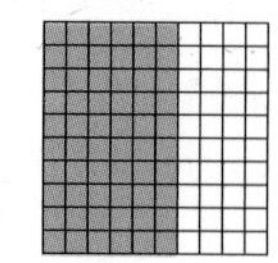

** Puedes encontrar otro ejemplo en el Grupo C, página 286.*

Escribe $\frac{6}{10}$ en forma decimal.

$\frac{6}{10}$ es seis décimos o 0.6.

$\frac{6}{10} = 0.6$ 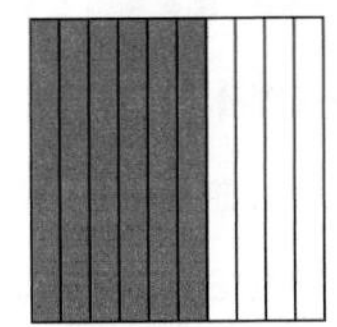

Por tanto, 0.6 de las casas tienen columpios.

En Rolling Hills, 0.75 de las casas tiene dos pisos.

Escribe 0.75 en forma de fracción.

0.75 es setenta y cinco centésimas o $\frac{75}{100}$.

$0.75 = \frac{75}{100}$ 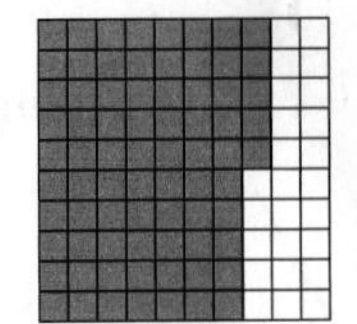

Por tanto, $\frac{75}{100}$ ó $\frac{3}{4}$, de las casas tiene dos pisos.

En los Ejercicios **10** a **19,** escribe un número decimal, una fracción o un número mixto equivalentes en su mínima expresión.

10. $9\frac{4}{10}$ **11.** $\frac{21}{100}$ **12.** 11.6 **13.** $1\frac{81}{100}$ **14.** 0.65

15. $\frac{50}{100}$ **16.** 0.48 **17.** $4\frac{7}{10}$ **18.** $\frac{20}{200}$ **19.** 1.45

Resolución de problemas

20. Estimación ¿Aproximadamente qué fracción del rectángulo a la derecha está coloreada de verde?

21. La arena del Coliseo de Roma era aproximadamente $\frac{3}{20}$ de todo el Coliseo. Escribe esta cantidad en forma decimal.

Ojo $\frac{1}{20} = \frac{5}{100}$

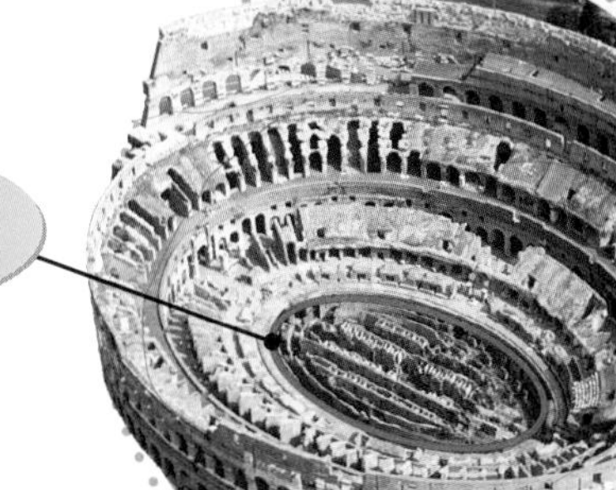

22. ¿Qué fracción es igual a 0.85?

A $\frac{85}{1{,}000}$ **C** $\frac{85}{1}$

B $\frac{85}{100}$ **D** $\frac{85}{10}$

23. Razonamiento James, Vicki, Jaime y Jill hacen fila para comprar entradas para el partido de básquetbol. Jaime está primero. Vicki está detrás de Jill. Jill no es la última. James está delante de Jill. ¿Cómo están ordenados?

24. Álgebra Halla los números que faltan en el siguiente patrón.

___, 18, 27, ___, ___, 54, ___

Lección

12-4

¡Lo entenderás!
Las fracciones y los números decimales pueden identificar una distancia en una recta numérica.

Ubicar fracciones y números decimales en una recta numérica

¿Cómo puedes ubicar puntos en una recta numérica?

En el patinaje de velocidad en pista corta, cada vuelta tiene $\frac{1}{9}$ de kilómetro. En el patinaje de velocidad en pista larga, cada vuelta tiene 0.4 kilómetros. ¿Cómo puedes usar una recta numérica para mostrar estas distancias?

Una vuelta = 0.4 km

Una vuelta = $\frac{1}{9}$ km

Otro ejemplo ¿Cómo puedes ubicar puntos en una recta numérica?

Ubicar fracciones en una recta numérica

¿Qué fracción está en el punto *P*?

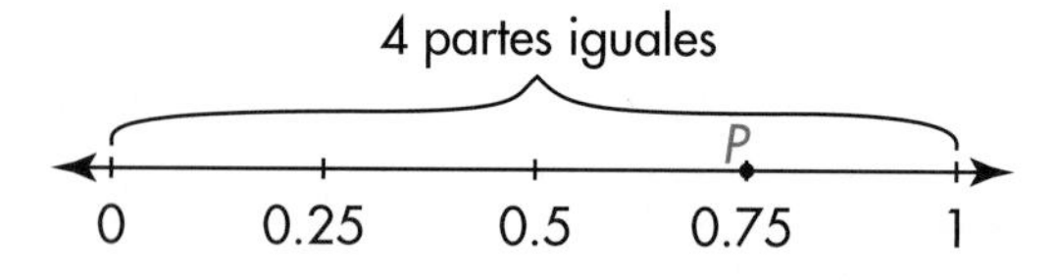

Hay 4 partes iguales entre 0 y 1. Hay 3 partes iguales entre 0 y el punto *P*. Por tanto, el punto *P* está en $\frac{3}{4}$.

Ubicar números decimales en una recta numérica

¿Qué número está en el punto *Q*?

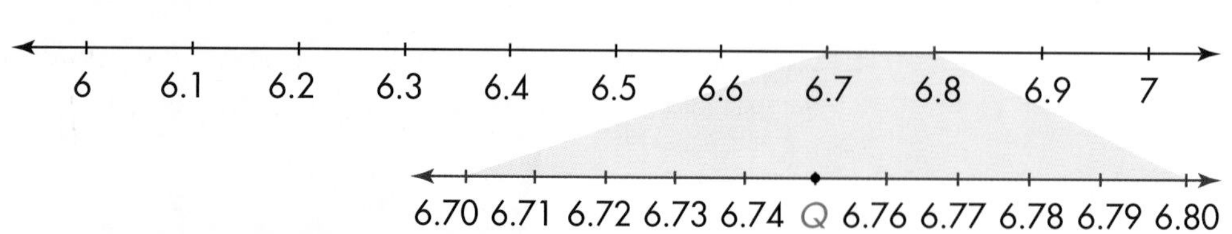

Hay 5 partes iguales entre 6.70 y el punto *Q*. Cada una de estas partes es 0.01; por tanto, el punto *Q* está en 6.75.

Explícalo

1. Describe dónde colocarías el punto *Q* en una recta numérica que muestra sólo décimas.

2. ¿Qué número está en el punto *R*?

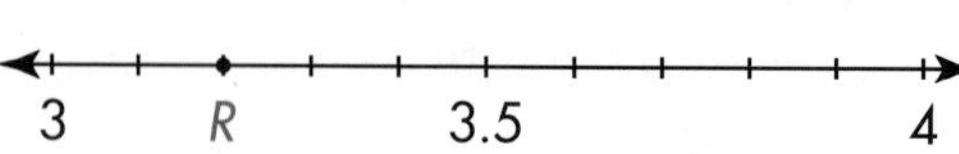

Ubica $\frac{1}{9}$ en una recta numérica.

Dibuja una recta numérica y rotula 0 y 1. Divide la distancia de 0 a 1 en 9 partes iguales.

Dibuja un punto en $\frac{1}{9}$.

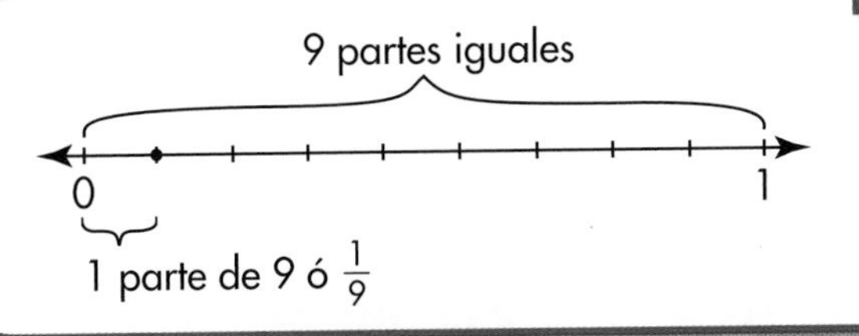

Ubica 0.4 en una recta numérica.

Dibuja una recta numérica y divide la distancia de 0 a 1 en 10 partes iguales para mostrar décimas.

Dibuja un punto en 0.4.

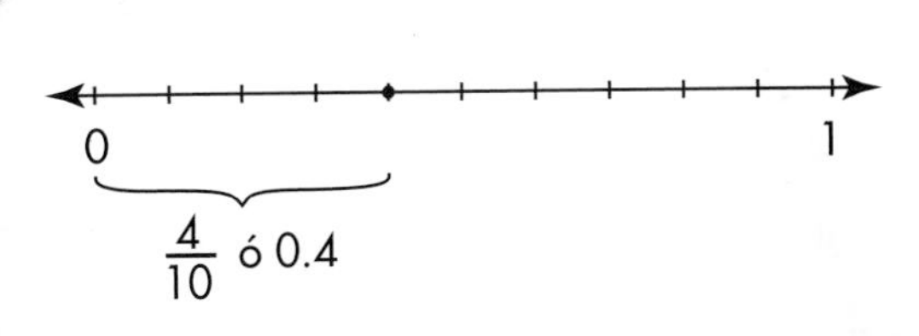

Práctica guiada*

¿CÓMO hacerlo?

En los Ejercicios **1** y **2,** usa la recta numérica de abajo para ubicar la fracción.

1. *A*

2. *B*

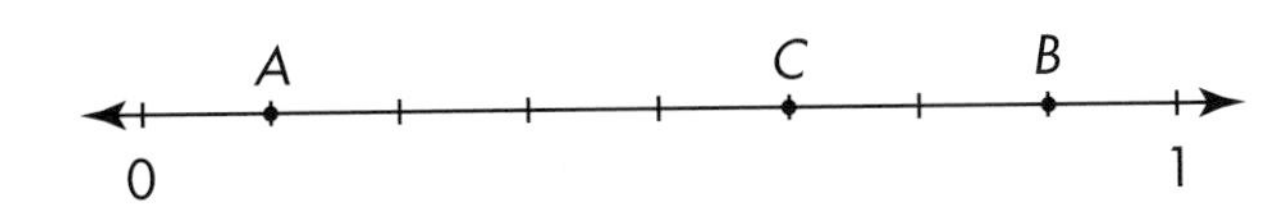

En los Ejercicios **3** y **4,** ubica el punto en la recta numérica para cada decimal.

3. 1.33

4. 1.39

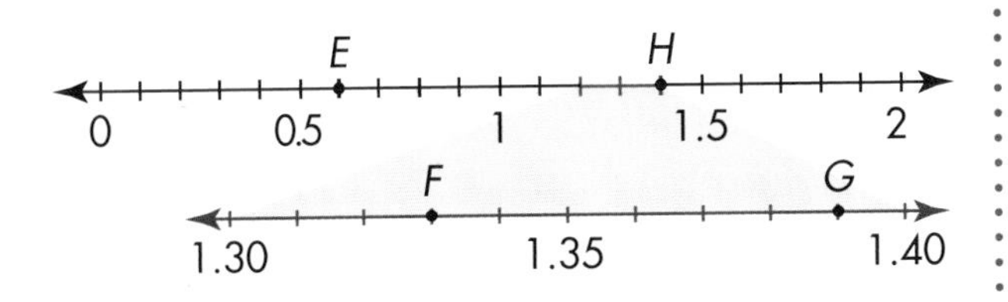

¿Lo ENTIENDES?

5. ¿Dónde ubicarías 0.46 en la recta numérica de arriba?

6. Usa la recta numérica de los Ejercicios 1 y 2. ¿Qué fracción se ubica en el punto *C*?

7. Una carrera de patinaje de velocidad de 1,500 metros da 13.5 vueltas alrededor de una pista corta. Muestra 13.5 en una recta numérica.

8. Usa la recta numérica de los Ejercicios 3 y 4. ¿Qué punto está en $\frac{6}{10}$?

Práctica independiente

En los Ejercicios **9** a **13,** usa la recta numérica de abajo para identificar el decimal.

9. *J*

10. *K*

11. *L*

12. *M*

13. *N*

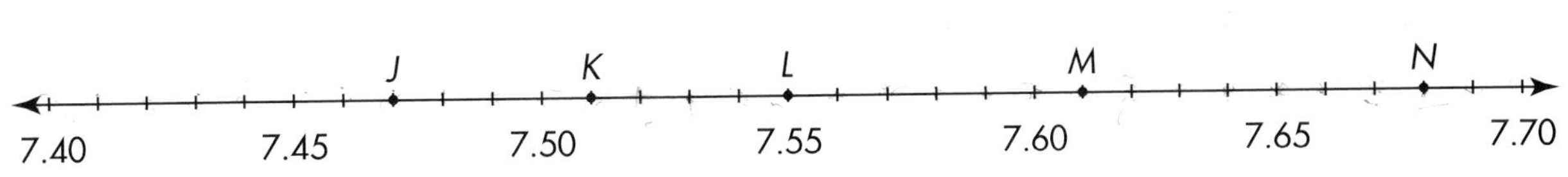

** Puedes encontrar otro ejemplo en el Grupo D, página 287.*

Práctica independiente

En los Ejercicios **14** a **18,** identifica la fracción que debe escribirse en cada punto.

14. *V* **15.** *Z* **16.** *X* **17.** *W* **18.** *Y*

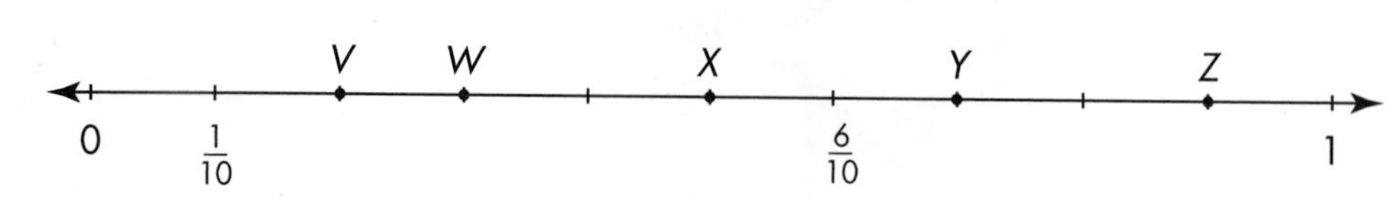

En los Ejercicios **19** a **23,** identifica el punto de la recta numérica para cada decimal o fracción.

19. 10.1 **20.** 10.28 **21.** 10.25 **22.** 9.6 **23.** 10.0

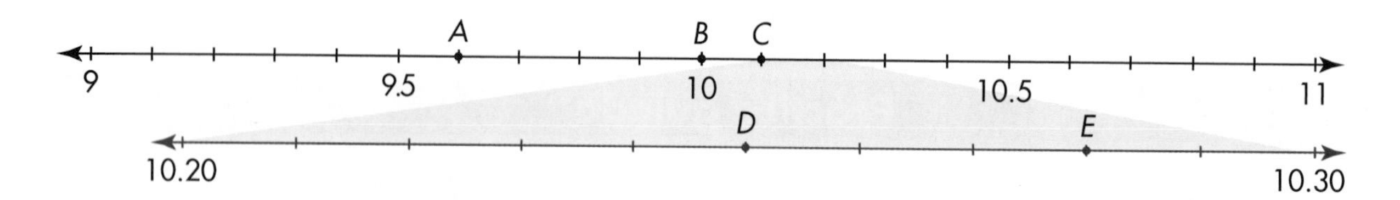

Resolución de problemas

24. Escribir para explicar ¿Cuáles son los dos puntos de la recta numérica de la derecha que representan el mismo punto?

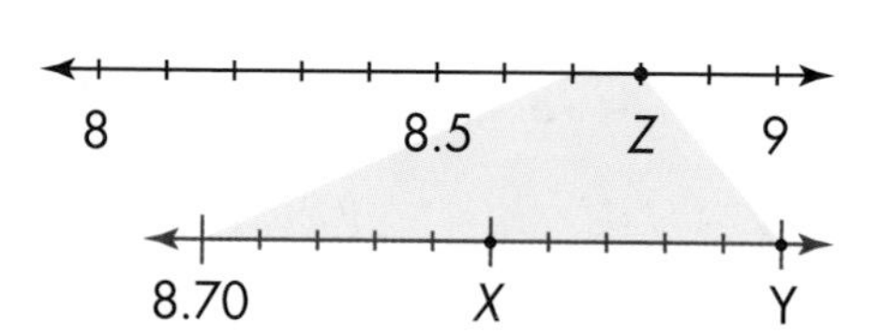

25. Jack caminó $\frac{4}{5}$ de milla a la biblioteca. ¿Cuál es esta distancia en forma decimal?

26. Escribe una expresión que indique cómo hallar el perímetro de un triángulo cuyos lados miden 2 pulgadas.

Usa el diagrama de abajo para resolver los Ejercicios **27** y **28.**

De acuerdo con el matemático griego Zenón, una pelota nunca dejará de rebotar, porque cada rebote tiene la mitad de la altura que el rebote anterior.

27. Identifica las fracciones que deben escribirse como los puntos *D* y *E*.

28. Escribir para explicar ¿Crees que sería posible que la pelota alcance el cero moviéndose la mitad de la distancia en cada paso? ¿Por qué o por qué no?

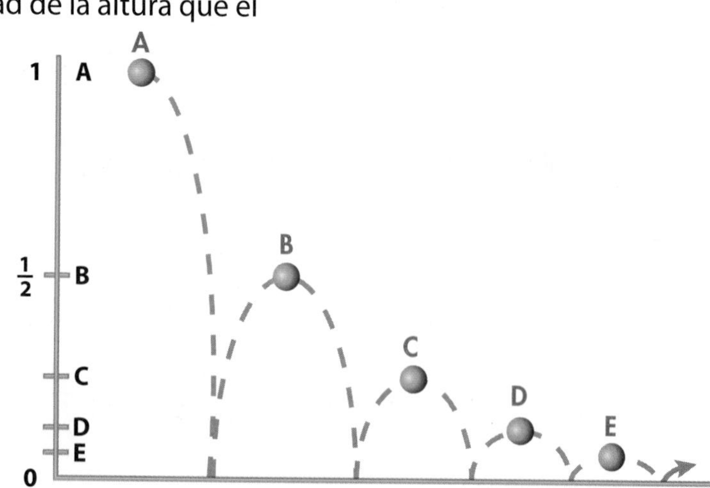

Haz un alto y practica

Halla el cociente. Haz una estimación para comprobar si la respuesta es razonable.

1. $480 \div 8$ **2.** $29 \div 3$ **3.** $749 \div 8$ **4.** $304 \div 3$

5. $4\overline{)608}$ **6.** $5\overline{)528}$ **7.** $515 \div 3$ **8.** $6\overline{)87}$

9. $95 \div 5$ **10.** $888 \div 9$ **11.** $54 \div 4$ **12.** $210 \div 3$

13. $8\overline{)807}$ **14.** $465 \div 2$ **15.** $5\overline{)64}$ **16.** $964 \div 4$

Halla la suma. Haz una estimación para comprobar si la respuesta es razonable.

17. $46{,}037 + 12{,}750$ **18.** $9{,}979 + 2{,}956$ **19.** $73{,}678 + 26{,}321$ **20.** $2{,}873 + 49$ **21.** $21{,}165 + 15{,}375$

22. $54{,}893 + 3{,}746$ **23.** $23{,}963 + 12 + 3{,}987$ **24.** $48 + 40{,}287 + 834$

Identifica los errores Halla cada cociente que no sea correcto. Escríbelo correctamente y explica el error.

25. $19 \div 2 = 9$ R1 **26.** $808 \div 4 = 22$ **27.** $354 \div 5 = 70$ R4

28. $74 \div 6 = 12$ R2 **29.** $377 \div 3 = 125$ **30.** $940 \div 7 = 140$

Sentido numérico

Haz una estimación y razona Escribe si cada enunciado es verdadero o falso. Explica tu respuesta.

31. El cociente de $398 \div 4$ está más cerca de 100 que de 90.

32. El producto de 9 y 32 es mayor que el producto de 3 y 92.

33. El cociente de $154 \div 5$ es menor que 30.

34. El cociente de $1{,}500 \div 30$ es 30.

35. La diferencia de $4{,}321 - 2{,}028$ es menor que 1,000.

36. La suma de 2,243 y 5,809 es mayor que 7,000, pero menor que 9,000.

Lección

12-5

¡Lo entenderás!
Los números mixtos y los números decimales pueden identificar una distancia en una recta numérica.

Números mixtos y decimales en la recta numérica

¿Cómo puedes ubicar números mixtos y decimales en una recta numérica?

Laurie y Aaron fueron a patinar. Laurie patinó 1.6 millas y Aaron patinó $1\frac{3}{5}$ millas.

¿Quién patinó la mayor distancia?

Otros ejemplos

¿Qué fracción se debe escribir en el punto *A*?

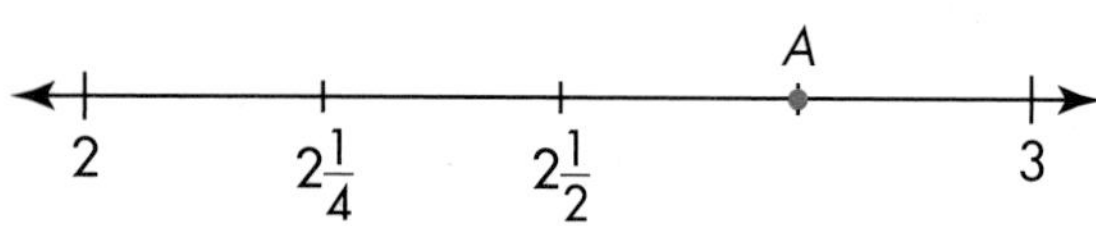

Hay 4 partes iguales entre 2 y 3. Cada parte es $\frac{1}{4}$.
Por tanto, en el punto *A* se debe escribir $2\frac{3}{4}$.

¿Qué número decimal se debe escribir en el punto *B*?

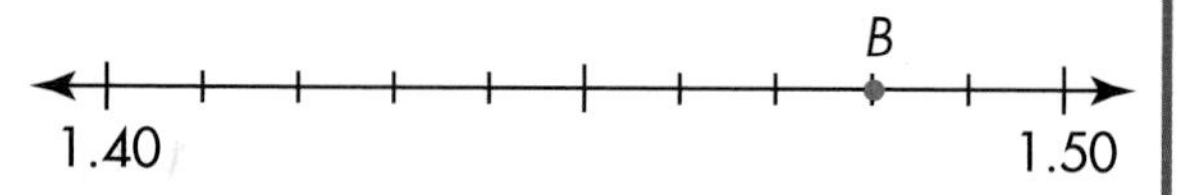

Hay 10 partes iguales entre 1.40 y 1.50.
Hay 8 partes iguales entre 1.40 y el punto *B*.
Por tanto, en el punto *B* se debe escribir 1.48.

Práctica guiada*

¿CÓMO hacerlo?

En los Ejercicios **1** a **6,** ¿qué número decimal, fracción o número mixto se debe escribir en cada punto?

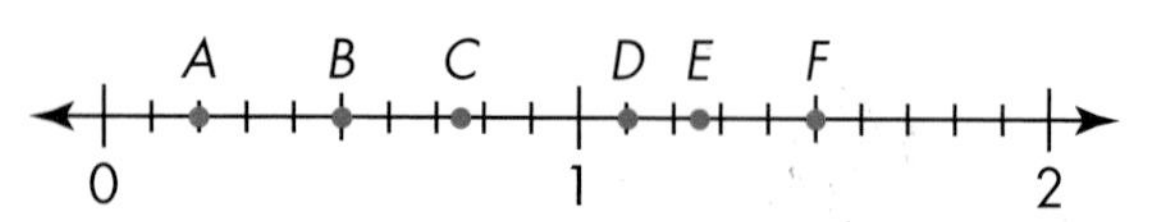

1. Punto *A*

2. Punto *B*

3. Punto *C*

4. Punto *D*

5. Punto *E*

6. Punto *F*

¿Lo ENTIENDES?

7. Al día siguiente, Aaron patinó 0.8 millas más que las $1\frac{3}{5}$ millas que había patinado el día anterior. Usa una recta numérica para mostrar esta distancia en forma de número decimal y en forma de número mixto.

Ojo *Convierte 0.8 en una fracción.*

8. Si Laurie patinara entre 3.5 y 4.0 millas, ¿qué distancias podría haber patinado?

** Puedes encontrar otro ejemplo en el Grupo D, página 287.*

Muestra $1\frac{3}{5}$ y 1.6 en la misma recta numérica.

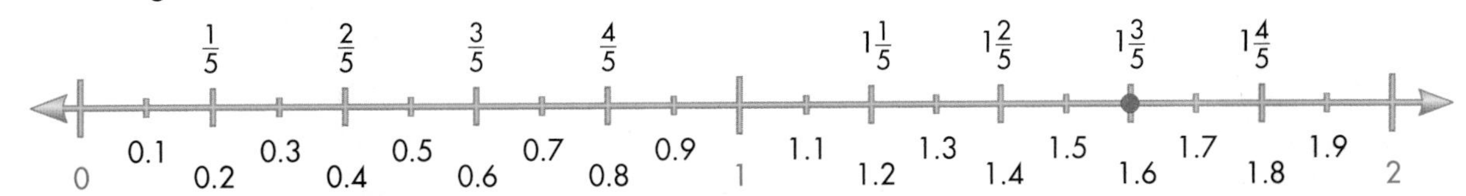

Dibuja una recta numérica y rotula 0, 1 y 2.

Divide la distancia entre cada número entero en 5 partes iguales. Rotula los puntos $\frac{1}{5}$, $\frac{2}{5}$ y así sucesivamente.

Luego, divide la distancia entre cada número entero en 10 partes iguales. Rotula 0.1, 0.2 y así sucesivamente.

Traza un punto en $1\frac{3}{5}$ y 1.6.

Laurie y Aaron patinaron la misma distancia.

Práctica independiente

En los Ejercicios **9** a **13,** identifica el número decimal para cada punto.

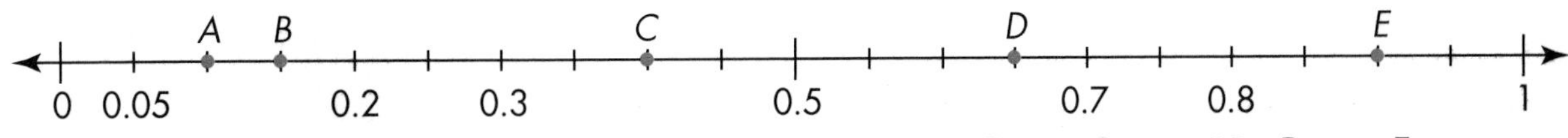

9. Punto *A* **10.** Punto *B* **11.** Punto *C* **12.** Punto *D* **13.** Punto *E*

En los Ejercicios **14** a **18,** identifica el número mixto que se debe escribir en cada punto.

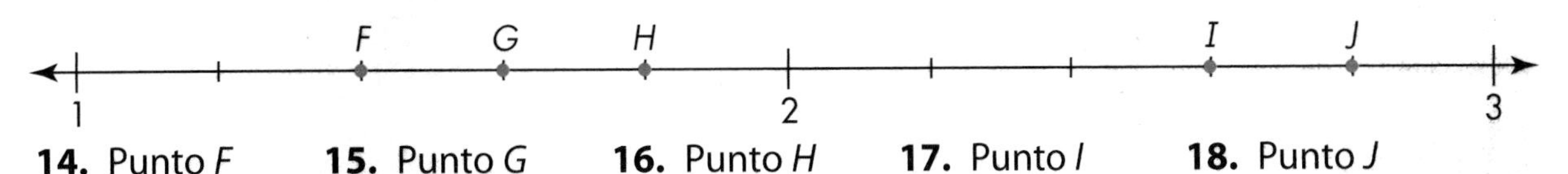

14. Punto *F* **15.** Punto *G* **16.** Punto *H* **17.** Punto *I* **18.** Punto *J*

Resolución de problemas

19. La secuoya gigante General Sherman, del Parque Nacional de las Secuoyas, es el árbol vivo más grande del mundo. Tiene 83.8 metros de altura por encima de su base. Escribe la altura del árbol en forma de número mixto.

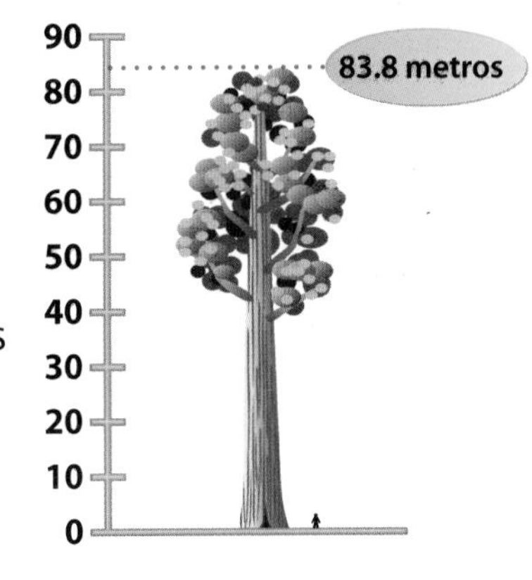

20. Jennifer vive a $2\frac{1}{2}$ millas de la escuela. Dorothy vive a 2.4 millas de la escuela. ¿Quién vive más cerca de la escuela, Dorothy o Jennifer? Usa una recta numérica para comparar las dos distancias.

21. Renée y George están comiendo un pastel que acaban de hornear. George cortó una rebanada que era 0.2 del pastel. Renée cortó una rebanada que era $\frac{2}{10}$ del pastel. ¿Cuánto del pastel comieron en total?

A $\frac{4}{15}$ **B** $\frac{1}{3}$ **C** $\frac{2}{5}$ **D** $\frac{1}{2}$

Lección
12-6

¡Lo entenderás!
Aprender cómo y cuándo hacer un dibujo puede ayudar a resolver problemas.

Resolución de problemas

Hacer un dibujo

Se está planeando construir un sendero para excursiones en el parque local. El urbanista comenzó a marcar el dibujo del sendero con las distancias, pero no continuó. ¿Dónde debe colocarse la marca de la milla 1?

Práctica guiada*

¿CÓMO hacerlo?

Resuelve.

1. Mira el siguiente sendero para excursiones. Carla empieza en el punto de partida y camina 0.8 millas. ¿En qué lugar del dibujo terminará Carla su caminata?

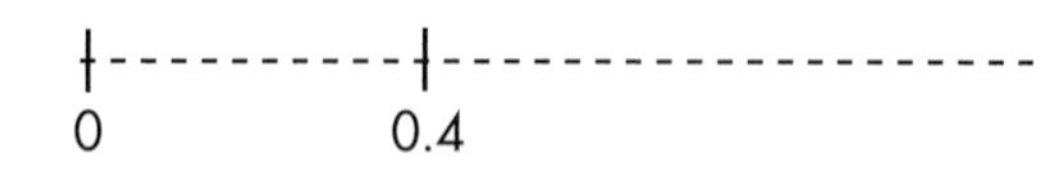

¿Lo ENTIENDES?

2. ¿Cómo se relacionan los números 0.4 y 0.8? ¿Cómo te ayuda esto a hallar dónde está ubicado el 0.8 en el dibujo?

3. Escribe un problema Escribe un problema en el que se use el siguiente dibujo para resolverlo.

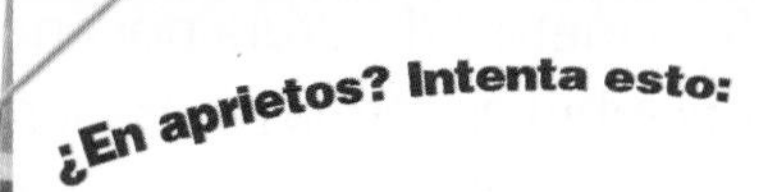

Práctica independiente

Resuelve.

4. Mira la siguiente recta. ¿Cómo puedes usar la marca en la recta para hallar dónde debe ubicarse 1.0?

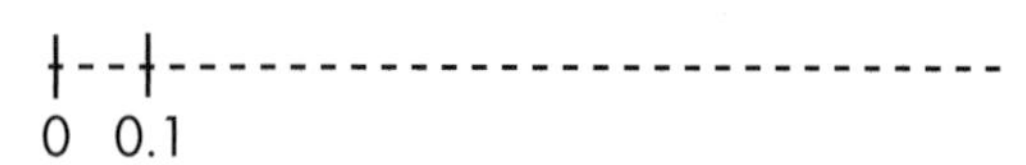

5. Copia el segmento de recta del Ejercicio 4. Halla 1.0.

¿En aprietos? Intenta esto:

- ¿Qué sé?
- ¿Qué diagrama puede ayudarme a entender el problema?
- ¿Puedo usar suma, resta, multiplicación o división?
- ¿Está correcto todo mi trabajo?
- ¿Respondí a la pregunta que correspondía?
- ¿Es razonable mi respuesta?

* *Puedes encontrar otro ejemplo en el Grupo E, página 287.*

Lee y comprende

¿Qué sé? El sendero para excursiones debe tener 1 milla de longitud. La marca de la milla 0.4 está ubicada en el dibujo.

¿Qué me piden que halle? Dónde debe colocarse la marca de la milla 1 en el dibujo.

Planea

Duplica la distancia de 0 a 0.4 para obtener 0.8.

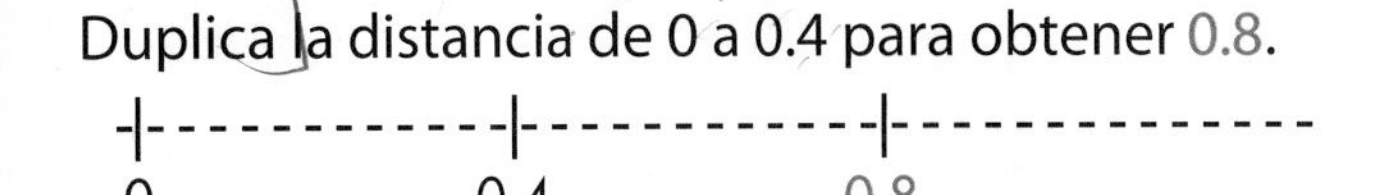

0.2 es el punto medio entre 0 y 0.4.

Avanza 0.2 a la derecha de 0.8 para llegar a 1.

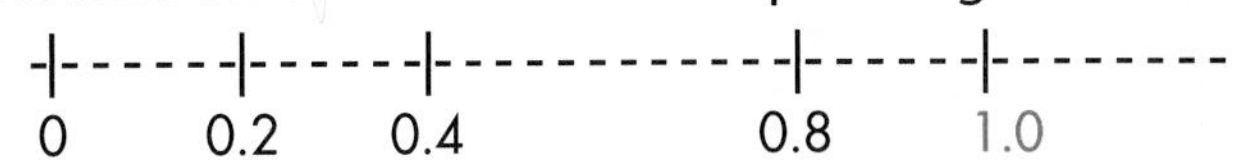

6. Allie necesitaba diseñar un estandarte para el día de campo. Ella quería que su estandarte tuviera 2 pies de largo. Allie marcó 0.5 pies en su dibujo. ¿Cómo puede usar esta distancia para hallar 2 pies?

Dibujo de Allie
0 0.5

7. Dawn tiene 45 clientes en su ruta de periódicos. Ella reparte periódicos todos los días. ¿Cuántos periódicos reparte en cinco días?

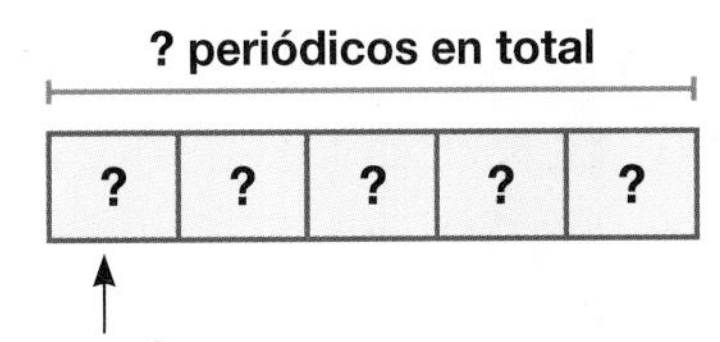

8. **Escribir para explicar** Blake corrió 1.7 millas una mañana. Su hermana corrió $1\frac{3}{4}$ millas ese mismo día. ¿Quién corrió más lejos? Explica tu respuesta.

9. ¿Cuál sería una buena estimación del punto *G* en el siguiente dibujo?

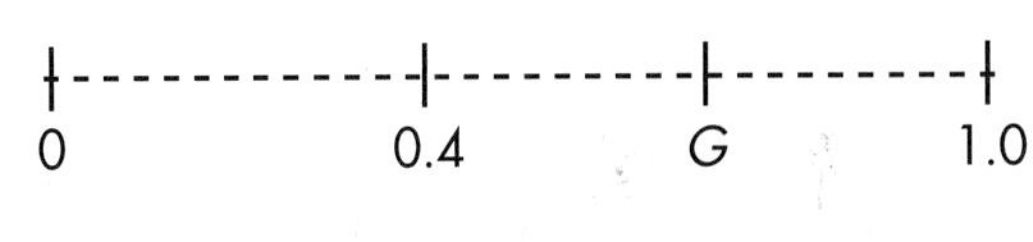

A 0.3 **B** 0.5 **C** 0.7 **D** 0.8

10. Shawn marcó 0.8 pies en su pizarrón. ¿Cómo puede Shawn usar esta distancia para hallar 2 pies?

Dibujo de Shawn
0 0.8

11. **Álgebra** John tiene dos veces más hermanos que Bob. Si Bob tiene *b* hermanos, ¿cuántos tiene John?

12. Nick escribió un número de cuatro dígitos. Usó los dígitos 2, 4, 6 y 8. ¿Cuántos números de cuatro dígitos podría haber escrito Nick?

13. Mary tiene 3 monederos con 58 monedas en cada uno. ¿Cuántas monedas tiene Mary?

Tema 12

Examen

1. La rana de Quinton alcanzó $2\frac{3}{4}$ pies en su primer salto. ¿Qué punto de la recta numérica representa mejor el punto donde cayó la rana? (12-5)

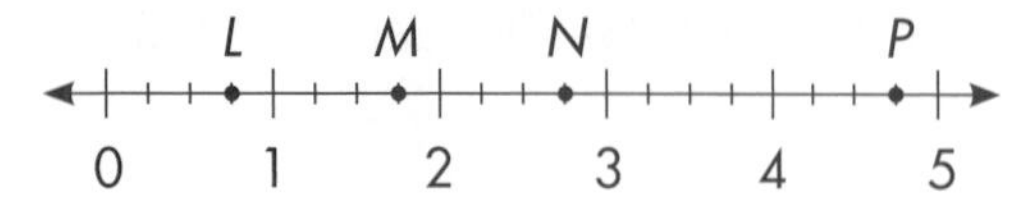

A *L*

B *M*

C *N*

D *P*

2. ¿Qué decimal se muestra en la cuadrícula siguiente? (12-1)

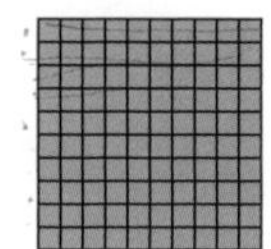
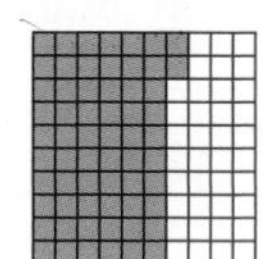

A 6.12

B 2.61

C 1.62

D 1.26

3. ¿Cuál de las siguientes opciones muestra los puntajes de gimnasia ordenados de menor a mayor? (12-2)

A 9.72, 9.8, 9.78, 9.87

B 9.78, 9.72, 9.87, 9.8

C 9.78, 9.8, 9.72, 9.87

D 9.72, 9.78, 9.8, 9.87

4. ¿Qué enunciado es verdadero? (12-2)

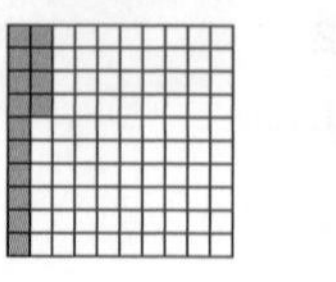
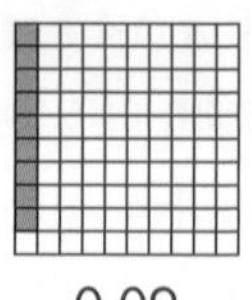

0.14 0.09

A $0.14 > 0.09$

B $0.14 < 0.09$

C $0.09 = 0.14$

D $0.09 > 0.14$

5. ¿Cuánto es 1.47 escrito en forma de fracción o de número mixto? (12-3)

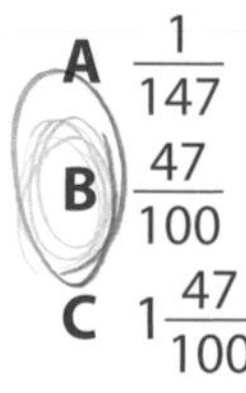

A $\frac{1}{147}$

B $\frac{47}{100}$

C $1\frac{47}{100}$

D $1\frac{47}{10}$

6. ¿Qué número se representa mejor por el punto *R* en la recta numérica? (12-4)

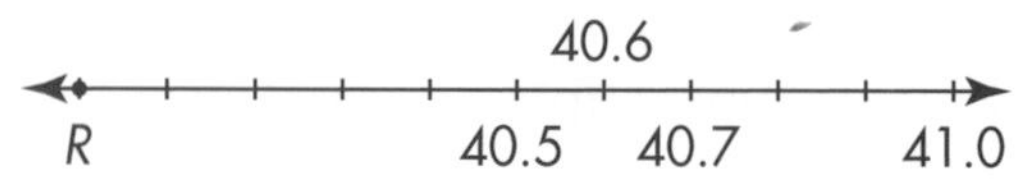

A 40.1

B 40.0

C 39.9

D 39.0

7. ¿Cuál de las siguientes opciones es igual a $20 + 7 + 0.9 + 0.03$? (12-1)

A 20.79

B 20.93

C 27.39

D 27.93

8. ¿Qué fracción y qué decimal representan la parte coloreada que es verde? (12-3)

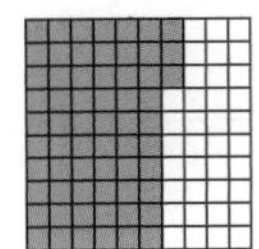

A $\frac{63}{100}$ y 0.63

B $\frac{63}{100}$ y 0.063

C $\frac{63}{100}$ y 6.3

D $\frac{63}{10}$ y 0.63

9. ¿Qué fracción y decimal se representan mejor por el punto *B* en la recta numérica? (12-5)

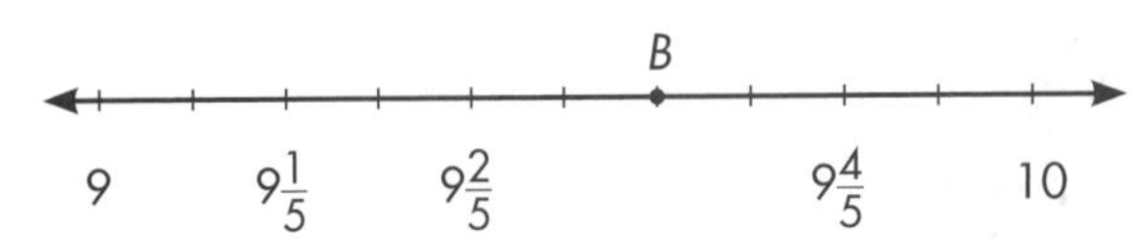

A $9\frac{3}{5}$ y 9.3

B $9\frac{3}{5}$ y 9.6

C $9\frac{3}{10}$ y 9.3

D $9\frac{3}{10}$ y 9.6

10. ¿Qué fracción se representa mejor por el punto *D* en la recta numérica? (12-4)

A $\frac{2}{5}$

B $\frac{3}{5}$

C $\frac{1}{2}$

D $\frac{3}{10}$

11. Louise está haciendo una tira cómica de 1 pie de largo. Si marcó 0.5 en su papel, ¿qué debería hacer para hallar 1 pie? (12-6)

A Restar 0.5

B Sumar 0.2

C Multiplicar 0.5

D Sumar 0.5

12. ¿Cuál de las siguientes opciones tiene el menor valor? (12-2)

A 5.45

B 8.02

C 4.99

D 13.2

13. ¿Cuál de las siguientes opciones tiene un 9 en el lugar de las centésimas? (12-1)

A 28.79

B 65.91

C 79.88

D 926.7

14. Angie dibujó una recta numérica y rotuló 0 y 1. Para mostrar $\frac{5}{12}$, ¿en cuántas partes debería dividir la distancia del 0 al 1? (12-6)

A 5

B 10

C 11

D 12

Tema 12

Refuerzo

Grupo A, páginas 268 y 269

Escribe el decimal siguiente en forma desarrollada, en forma estándar y en palabras.

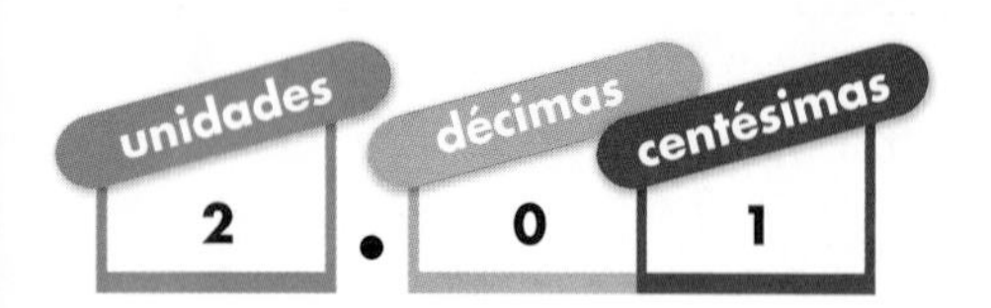

Forma desarrollada: 2 + 0.01

Forma estándar: 2.01

En palabras: Dos y una centésima

Recuerda que debes usar la palabra *y* para el punto decimal cuando escribas un número decimal en palabras.

Escribe los siguientes números en palabras y en forma desarrollada.

1. 12.13
2. 1.09
3. 11.1
4. 88.08

Grupo B, páginas 270 a 272

Compara 1.35 y 1.26 usando el valor de posición.

Escribe los números, alineando los puntos decimales. Luego compara los dígitos por el valor de posición.

1.35

1.26

3 décimas > 2 décimas

Por tanto, 1.35 > 1.26.

Recuerda que los ceros al final del número decimal no modifican su valor.

Compara. Escribe <, > o = en cada ◯.

1. 1.82 ◯ 1.91
2. 1.1 ◯ 1.10

Ordena los números de mayor a menor.

3. 22,981 14,762 21,046

Grupo C, páginas 274 y 275

Escribe $\frac{37}{100}$ en forma de decimal.

$\frac{37}{100}$ es treinta y siete centésimas o 0.37.

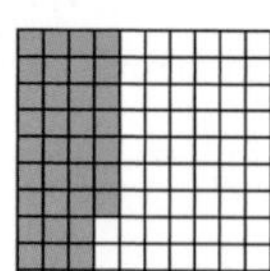

Escribe 1.7 en forma de número mixto.

Dado que $0.7 = \frac{7}{10}$, $1.7 = 1\frac{7}{10}$.

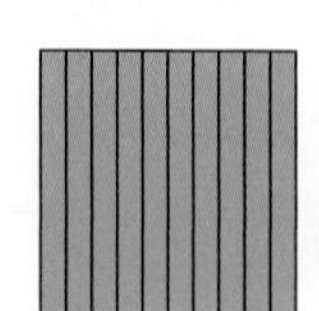
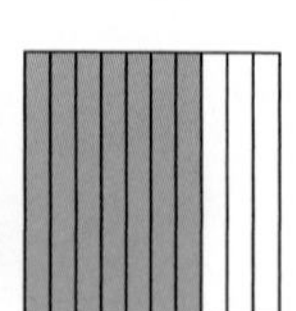

Recuerda que puedes escribir un número decimal y una fracción para la parte coloreada de cada cuadrícula.

1. 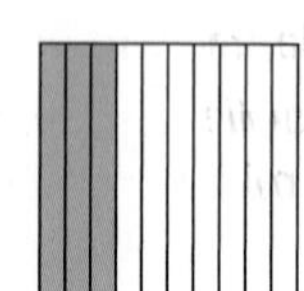
2. 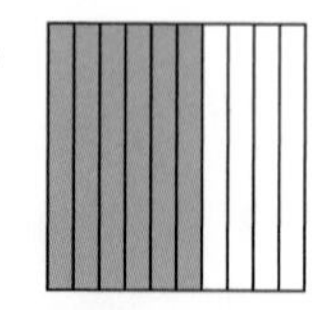
3. 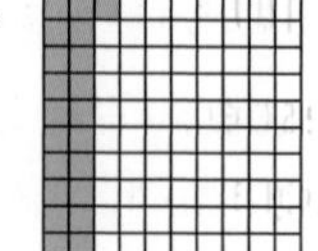
4. 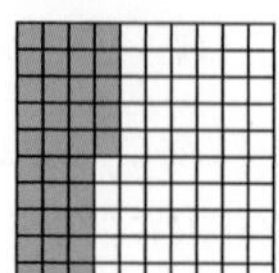

Tema 12

Refuerzo

Grupo D, páginas 276 a 278, 280 y 281

Muestra $6\frac{1}{4}$ en una recta numérica.

Divide la distancia de 6 a 7 en 4 longitudes iguales. Rotula las marcas y dibuja un punto en $6\frac{1}{4}$.

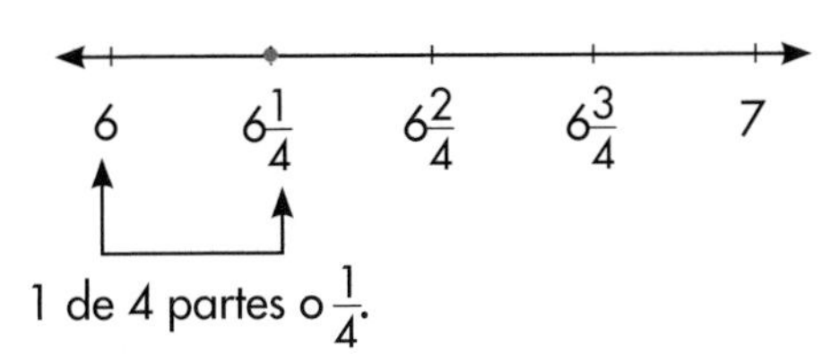

Muestra 7.7 en una recta numérica.
Divide la distancia de 7 a 8 en 10 longitudes iguales.

Rotula las marcas y dibuja un punto en 7.7.

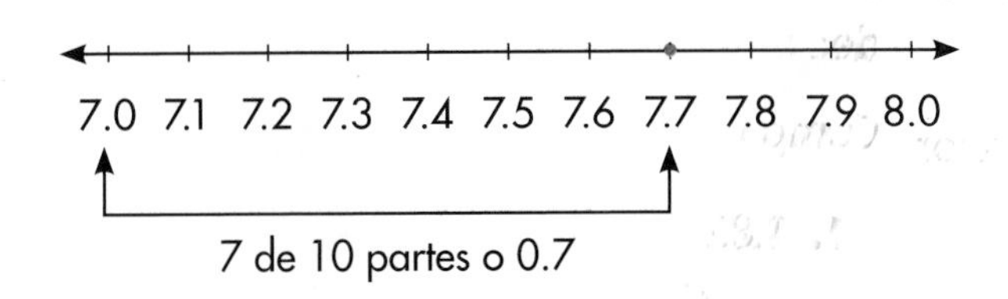

Recuerda que la distancia entre cada marca es exactamente igual.

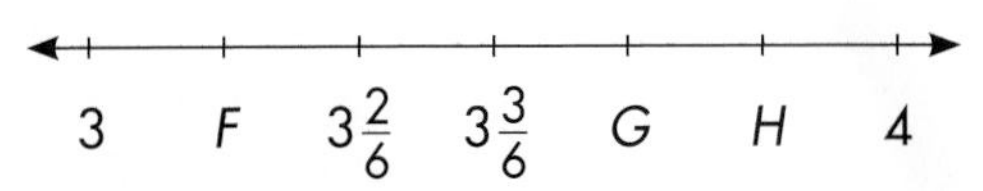

Identifica la fracción en cada punto.

1. *G* **2.** *F* **3.** *H*

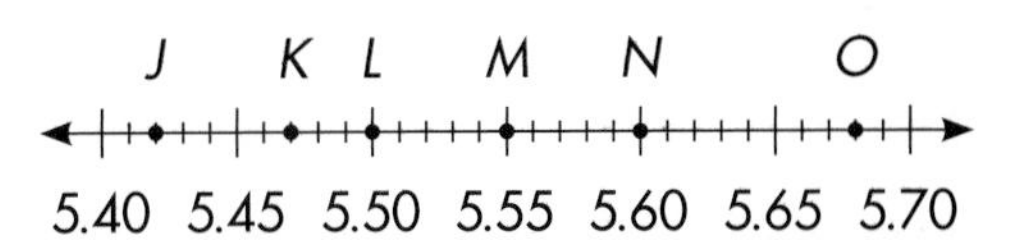

Identifica el decimal en cada punto.

4. *K* **5.** *M* **6.** *O*

Identifica el punto en la recta numérica para cada número.

7. $5\frac{3}{5}$ **8.** $5\frac{1}{2}$ **9.** 5.42

Grupo E, páginas 282 y 283

Se está planeando un sendero para bicicletas para una ciudad. ¿Dónde debería estar la marca de las 2 millas?

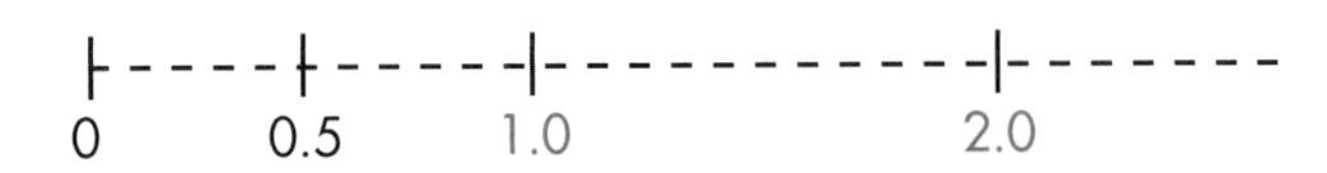

¿Qué sé? El sendero para bicicletas debe tener al menos 2 millas de longitud. La marca de 0.5 millas está ubicada en el dibujo.

¿Qué me piden que halle? ¿Dónde debería estar ubicada la marca de 2 millas en el dibujo?

Piénsalo 1.0 es el doble de 0.5, y 1.0 es la mitad de 2.0.

Mide la distancia que hay desde 0 a 0.5. Duplica esta distancia. Marca 1.0. Ahora duplica esta distancia y marca 2.0.

Recuerda que puedes usar una regla para medir la distancia entre cada marca.

1. Mira el siguiente sendero para caminar. Will empieza en el punto de partida y camina 0.6 millas. ¿En qué parte del sendero terminará Will su caminata?

0 0.3

Tema 13

Operaciones con números decimales

1

¿Qué es un día sideral? Lo averiguarás en la Lección 13-5.

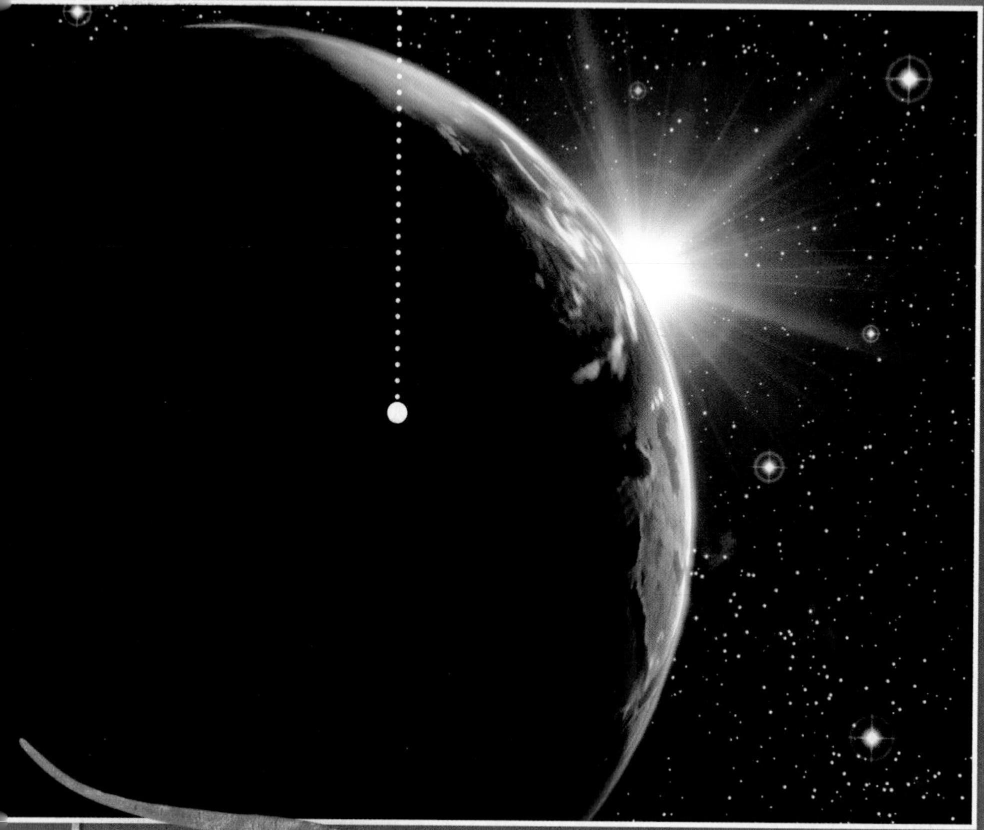

2

El *Compsognathus* era uno de los dinosaurios más pequeños. ¿Qué longitud tenía este dinosaurio? Lo averiguarás en la Lección 13-4.

3

¿Cuántos días terrestres tarda Mercurio en girar alrededor del Sol? Lo averiguarás en la Lección 13-6.

JAPÓN

HAWÁI

4

¿Sabías que Hawái se está acercando a Japón año tras año? Averigua cuánto se acerca en la Lección 13-2.

Repasa lo que sabes

Vocabulario

Elige el mejor término del recuadro.

- fracción
- decimal
- número mixto
- número entero

1. Un(a) _?_ identifica parte de un todo.

2. Un número que tiene un número entero y una fracción es un _?_.

3. El _?_ equivalente de $\frac{1}{4}$ es 0.25.

Ordenar decimales

Ordena los números de menor a mayor.

4. 0.4, 0.32, 0.25
5. 18.75, 18.7, 19.5
6. 2.4, 4.1, 1.5, 0.9
7. 3.5, 2.9, 4.6

Decimales y fracciones

Escribe las fracciones en forma decimal. Escribe los decimales en forma de fracción.

8. $\frac{2}{10}$
9. 0.4
10. $\frac{41}{100}$
11. $\frac{6}{100}$
12. 0.7
13. 0.75

Fracciones equivalentes

Escribe las fracciones en su mínima expresión.

14. $\frac{2}{4}$

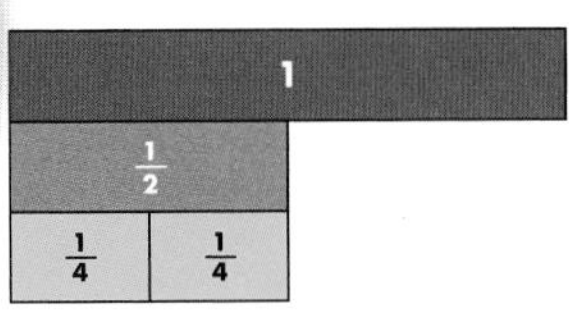

15. $\frac{4}{10}$

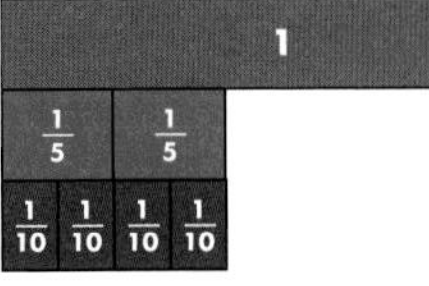

16. **Escribir para explicar** ¿Cómo sabes que $\frac{3}{8}$ está en su mínima expresión?

Lección

13-1

¡Lo entenderás!
Se puede usar el valor de posición para redondear números decimales.

Redondear números decimales

¿Cómo puedes redondear números decimales?

Un tren de pasajeros viaja desde Emeryville hasta Sparks. Sacramento es una de las paradas de la ruta.

Redondeada al número entero más cercano, ¿cuál es la distancia desde Emeryville hasta Sparks?

De Emeryville a Sacramento: 77.86 millas | De Sacramento a Sparks: 134.12 millas

211.98 millas

Otro ejemplo ¿Cómo redondeas a la décima más cercana?

Has aprendido a redondear números enteros. Ahora aprenderás a redondear números decimales.

¿Cuánto es 211.98 redondeado a la décima más cercana?

A 211.0

B 211.9

C 211.99

D 212.0

Paso 1

Observa el lugar de las décimas.

211.9̲8

Paso 2

Observa el dígito que está a la derecha.

211.9̲8

Si el dígito que está a la derecha es menor que 5, redondea a 211.9. Si el dígito es 5 o mayor que 5, redondea a 212.0.

Paso 3

211.98 se redondea a **212.0.**

Dado que este dígito es 8, el dígito que está en el lugar de las décimas aumenta en 1.

Por tanto, 211.98 redondeado a la décima más cercana es 212.0. La opción correcta es la **D.**

Explícalo

1. **¿Es razonable?** ¿Por qué cambia el lugar de las unidades cuando redondeas 211.98 a la décima más cercana?

Observa el lugar de las unidades.

211.98

Observa el dígito que está a la derecha.

211.98

Dado que 9 > 5, redondea al número entero siguiente.

La distancia entre Emeryville y Sparks es de aproximadamente 212 millas.

Una recta numérica muestra que la respuesta redondeada es razonable.

211.98 está más cerca de 212; por tanto, 211.98 redondea a 212.

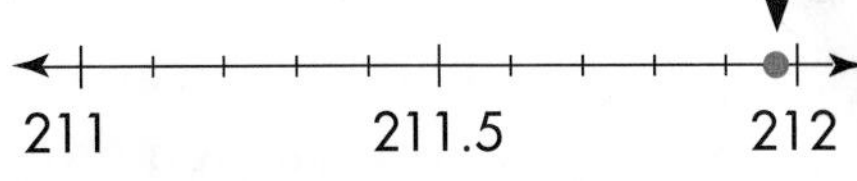

Práctica guiada*

¿CÓMO hacerlo?

En los Ejercicios **1** a **6,** redondea cada número decimal al número entero más cercano y a la décima más cercana.

1. 17.23 **2.** 19.80

3. 49.56 **4.** 67.59

5. 5.74 **6.** 82.19

¿Lo ENTIENDES?

7. **Escribir para explicar** En el ejemplo de arriba, explica por qué la recta numérica muestra que 212 es una respuesta razonable.

8. Redondea 77.86 al número entero más cercano.

9. Redondea 134.12 a la décima más cercana.

Práctica independiente

En los Ejercicios **10** a **24,** redondea cada número decimal al número entero más cercano.

10. 60.82 **11.** 88.3 **12.** 2.28 **13.** 0.69 **14.** 72.56

15. 41.48 **16.** 0.81 **17.** 7.61 **18.** 57.95 **19.** 63.66

20. 78.61 **21.** 4.10 **22.** 12.12 **23.** 91.95 **24.** 7.45

En los Ejercicios **25** a **34,** redondea cada número decimal a la décima más cercana.

25. 3.78 **26.** 9.04 **27.** 23.97 **28.** 73.23 **29.** 99.94

30. 6.44 **31.** 0.32 **32.** 2.48 **33.** 44.54 **34.** 50.05

** Puedes encontrar otro ejemplo en el Grupo A, página 312.*

35. Sentido numérico Identifica 3 números decimales que, cuando se redondean a la décima más cercana, redondean a 7.8.

36. Aaron llenó su carro con 8.53 galones de gasolina. A la décima más cercana de un galón, ¿cuánta gasolina compró Aaron?

37. ¿Cuál de estos números decimales, cuando se redondean al número entero más cercano, **NO** redondea a 6?

A 5.71 **C** 6.2

B 5.91 **D** 6.82

38. ¿Cuánto es 17.63 redondeado a la décima más cercana?

A 17 **C** 17.63

B 17.6 **D** 18

39. Usa una recta numérica para explicar por qué 0.28 redondeado al número entero más cercano es 0.

40. El perro de Bárbara pesa 35.5 libras. Redondeado al número entero más cercano, ¿cuánto pesa el perro de Bárbara?

41. ¿Es razonable? Danny ha pesado dos pedazos de piedra volcánica. El primer pedazo pesó 4.99 gramos y el segundo pesó 2.85 gramos. Danny necesita anotar el peso combinado de los dos pedazos de piedra volcánica al gramo más cercano. ¿Es 4.0 + 2.9 una estimación razonable de los pesos al gramo más cercano?

42. Dawn corre 12 millas por semana. ¿Cuántas millas corre Dawn en 1 año?

Ojo *1 año = 52 semanas*

43. Razonamiento Redondea 4.97 a la décima más cercana. ¿Cambió el lugar de las unidades? Explícalo.

44. Escribir para explicar ¿Qué tienen en común los siguientes números decimales?

3.6, 4.2, 4.1

45. Sentido numérico A Marisa le pidieron que redondeara 89.36 a la décima más cercana. Respondió 89.3. ¿Tiene razón? Explícalo.

46. Geometría Si un círculo tiene un diámetro de 86 centímetros, ¿cuál es el radio del círculo?

Ojo *El diámetro tiene el doble de la longitud que el radio.*

47. Según el pluviómetro de Mario, había llovido 2.28 pulgadas en 24 horas. ¿Cuánto es 2.28 redondeado a la décima más cercana? ¿Y al número entero más cercano?

48. La distancia entre el valle Happy y el prado Rolling es de 53.19 millas. ¿Cuánto es esta distancia redondeada a la milla más cercana?

La densidad de un material te dice cuántos gramos hay en un centímetro cúbico de ese material. Por ejemplo, la densidad del agua es 1.0 gramo por centímetro cúbico. Por lo tanto, 1.0 centímetro cúbico de agua tiene una masa de 1.0 gramo.

Para los Ejercicios **1** a **4,** usa la tabla de la derecha.

Datos

Material	Densidad $(\frac{g}{cm^3})$
Agua	1.0
Hielo	0.9
Aluminio	2.7
Hierro	7.9
Madera balsa	0.13
Madera de roble	0.79

1. Ordena las densidades en la tabla de menor a mayor.

2. Los materiales con una densidad mayor que la del agua se hunden en el agua. ¿Qué materiales de la tabla se hundirían en el agua?

3. ¿Qué material de la tabla tiene la mayor densidad?

4. Escribe una desigualdad que muestre, entre el agua y el hielo, cuál tiene una densidad mayor.

Cuando observas de cerca una roca puedes ver diferentes minerales. Un mineral tiene propiedades que puedes medir, como la dureza o la densidad.

En los Ejercicios **5** y **6,** usa la tabla de la derecha.

Muestra mineral	*Masa (gramos)*	*Volumen (centímetros cúbicos)*	*Densidad (gramos por centímetro cúbico)*
#1	6	2	
#2	26	13	
#3	16	4	

5. La densidad de un material es igual a su masa dividida por su volumen. ¿Cuál es la densidad de cada mineral que muestra la tabla?

6. El granito tiene una densidad de aproximadamente 2.75 gramos por centímetro cúbico. Si lo redondeamos al número entero más cercano, ¿Cuál de las muestras podría ser granito?

7. El hierro tiene una densidad de aproximadamente 7.86 gramos por centímetro cúbico. ¿Cuál es este número redondeado a la décima más cercana?

8. Si un mineral tiene una masa de 33 gramos y su densidad es de 3 gramos por centímetro cúbico, ¿cuál es su volumen?

Lección
13-2

¡Lo entenderás!
Para estimar, se redondea los números decimales a números enteros que sean fáciles de sumar y restar.

Estimar sumas y diferencias de números decimales

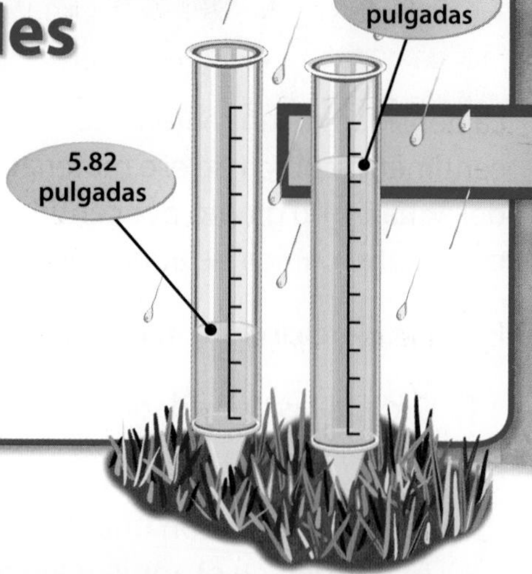

¿Cómo estimas cuando sumas y restas números decimales?

En Beijing, China, durante la primera mitad del año, cayeron 5.82 pulgadas de lluvia. Durante la segunda mitad del año, cayeron 18.63 pulgadas de lluvia. Estima la precipitación para todo el año.

Práctica guiada*

¿CÓMO hacerlo?

En los Ejercicios **1** a **4,** estima cada suma o diferencia.

1. 0.72 + 0.56

2. 18.54 − 1.99

3. 13.94 + 4.72

4. 47.31 − 11.25

¿Lo ENTIENDES?

5. Explica por qué tanto 1.4 como 0.75 se redondean a 1.

6. **¿Es razonable?** En el ejemplo de arriba, explica por qué 2.5 pulgadas de lluvia no es una estimación razonable de la precipitación para todo el año.

Práctica independiente

En los Ejercicios **7** a **22,** redondea al número entero más cercano para estimar cada suma o diferencia.

Antes de sumar o restar, puedes escribir los números redondeados en formato vertical.

7. 9.6 + 3.27

8. 9.51 + 8.61

9. 7.11 + 0.15

10. 1.45 + 6.85

11. 18.85 − 6.8

12. 4.31 − 1.28

13. 31.12 − 4.86

14. 0.66 − 0.34

15. 82.43 − 3.90

16. 5.78 − 3.86

17. 63.93 + 3.31

18. 3.73 + 0.81

19. 2.1 + 7.5

20. 3.45 − 2.44

21. 19.06 + 1.99

22. 4.84 + 0.73

Puedes encontrar otro ejemplo en el Grupo B, página 312.

Estima cuánto es 5.82 + 18.63.

Redondea cada número decimal al número entero más cercano. Luego, suma.

$$\begin{array}{r} 5.82 \\ +\ 18.63 \\ \hline \end{array} \longrightarrow \begin{array}{r} 6 \\ +\ 19 \\ \hline 25 \end{array}$$

En Beijing cayeron aproximadamente 25 pulgadas de lluvia.

En agosto, cayeron en Beijing 6.7 pulgadas de lluvia. En septiembre, cayeron 2.3 pulgadas de lluvia. ¿Aproximadamente cuánto más llovió en agosto que en septiembre?

$$\begin{array}{r} 6.7 \\ -\ 2.3 \\ \hline \end{array} \longrightarrow \begin{array}{r} 7 \\ -\ 2 \\ \hline 5 \end{array}$$

Redondea cada decimal al número entero más cercano. Luego, resta los números redondeados.

En agosto cayeron aproximadamente 5 pulgadas más de lluvia.

Resolución de problemas

En los Ejercicios **23** y **24,** usa la tabla de la derecha.

Verdura	Peso (en libras)
	2.0
	2.6
	1.2
	3.5

23. La tabla muestra el peso de cada tipo de verdura que compró Vanessa para hacer una ensalada grande para el picnic de su familia. ¿Aproximadamente cuánto más pesaron los pepinos que la lechuga?

24. ¿Aproximadamente cuánto pesaron las verduras en total?

25. Hawái está desplazándose hacia Japón a una velocidad de aproximadamente 2.8 pulgadas por año. ¿Qué tanto más cerca estará Hawái de Japón en 3 años?

26. Sunny tiene $50 para comprar útiles de pintura. Ella quiere comprar brochas por $7.33, papel por $14.97 y un caballete por $38.19. ¿Necesitas hallar el total exacto o una estimación?

27. Neil está instalando 38 yardas cuadradas de alfombra en su casa. Usa 12.2 yardas cuadradas en una habitación y 10.5 yardas cuadradas en otra habitación. ¿Aproximadamente cuánta alfombra le sobra?

Recuerda que debes redondear todos los números.

A Aproximadamente 13 yardas cuadradas

B Aproximadamente 15 yardas cuadradas

C Aproximadamente 17 yardas cuadradas

D Aproximadamente 20 yardas cuadradas

Lección
13-3

¡Lo entenderás!
Sumar y restar números decimales es como sumar y restar números enteros.

Manos a la obra
papel cuadriculado

Demostrar la suma y resta de números decimales

¿Cómo sumas decimales usando cuadrículas?

Utiliza la tabla de la derecha para hallar el costo total de usar el lavaplatos y el reproductor de DVD durante un mes.

Datos

Aparato	Costo/mes
Reproductor de DVD	$0.40
Horno de microondas	$3.57
Luz del cielo raso	$0.89
Lavaplatos	$0.85

Otro ejemplo ¿Cómo restas números decimales con cuadrículas?

Halla la diferencia entre el costo del funcionamiento mensual del horno de microondas y el de la luz del cielo raso.

Usa cuadrículas de centésimas para restar 3.57 − 0.89.

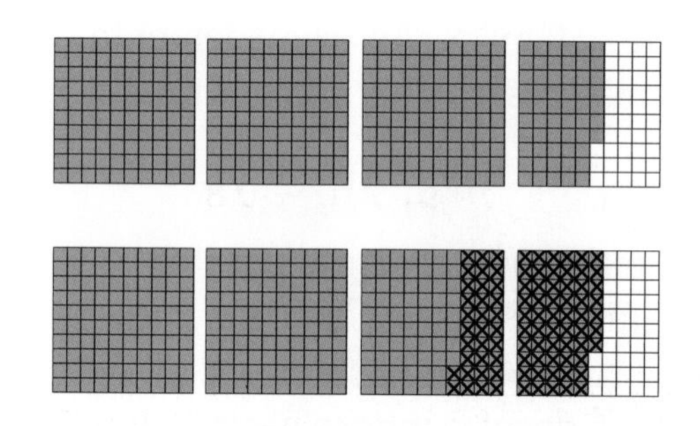

Colorea tres cuadrículas y 57 cuadrados para mostrar 3.57.

Tacha 8 columnas y 9 cuadrados de la cuadrícula coloreada para mostrar que se restan 0.89 de 3.57.

Cuenta los cuadrados que están coloreados pero no tachados para hallar la diferencia.
$3.57 − $0.89 = $2.68

Explícalo

1. **¿Es razonable?** ¿Cómo utilizarías las cuadrículas para comprobar tu respuesta anterior?

2. ¿Cómo se modificaría la cuadrícula de arriba si el costo del funcionamiento mensual del horno de microondas fuera de $2.57?

Paso 1

Usa las cuadrículas de centésimas para sumar $0.85 + $0.40.

El uso del lavaplatos cuesta $0.85 por mes.

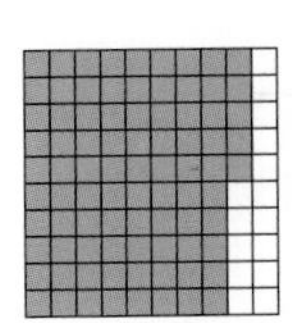

Colorea 85 cuadrados para mostrar $0.85.

Paso 2

El uso del reproductor de DVD cuesta $0.40 por mes.

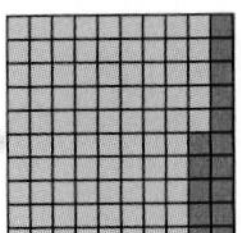
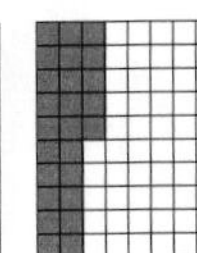

Usa un color diferente y colorea 40 cuadrados más para mostrar $0.40. Cuenta todos los cuadrados coloreados para hallar la suma.

$0.85 + $0.40 = $1.25

El costo mensual de usar el lavaplatos y el reproductor de DVD es de $1.25.

Práctica guiada*

¿CÓMO hacerlo?

En los Ejercicios **1** a **6,** usa cuadrículas de centésimas para sumar o restar.

1. 1.22 + 0.34

2. 0.63 + 0.41

3. 2.73 − 0.94

4. 1.38 − 0.73

5. 0.47 − 0.21

6. 2.02 + 0.8

¿Lo ENTIENDES?

7. Si primero colorearas 40 cuadrados y después colorearas 85 más, ¿obtendrías la misma respuesta que si colorearas 85 cuadrados y después otros 40?

8. Muestra la diferencia entre el costo mensual del uso del reproductor de DVD y del lavaplatos.

Práctica independiente

En los Ejercicios **9** a **18,** suma o resta. Usa las cuadrículas de centésimas como ayuda.

9. 0.1 + 0.73

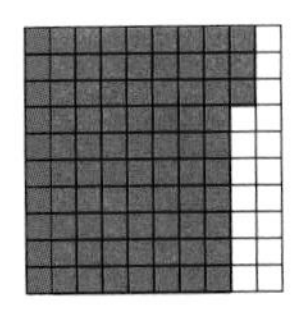

10. 0.37 + 0.47

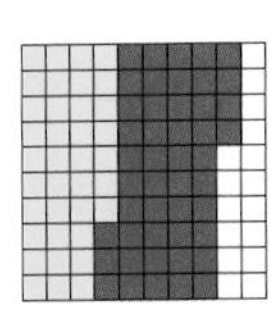

11. 1.2 + 0.56

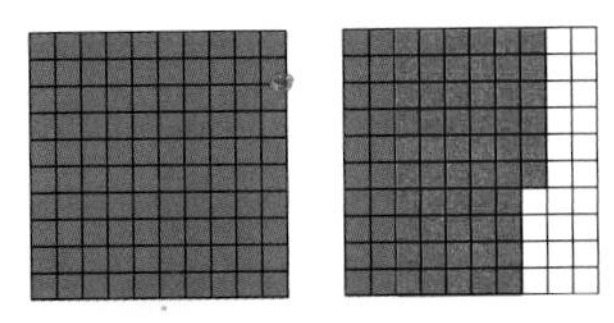

12. 1.33 − 0.35

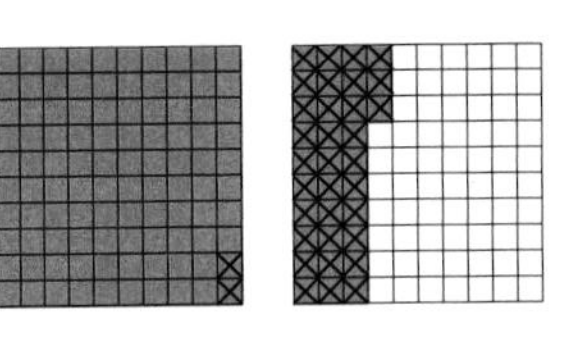

13. 3.0 − 1.47

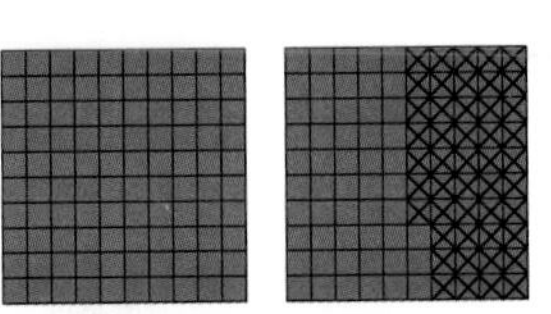

14. 1.11 + 0.89

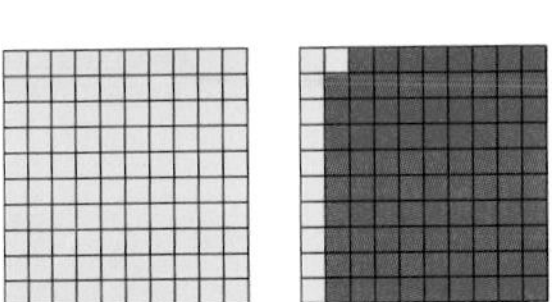

** Puedes encontrar otro ejemplo en el Grupo C, página 312 .*

Práctica independiente

15. 2.23 − 1.8

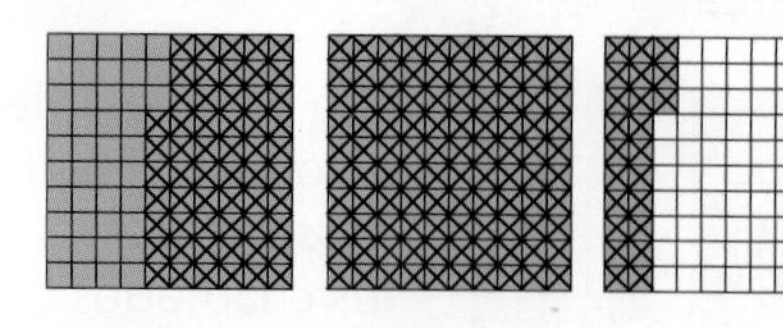

16. 0.4 − 0. 21

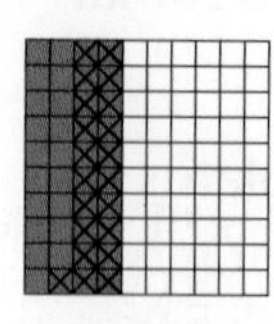

17. 0.58 + 2.4

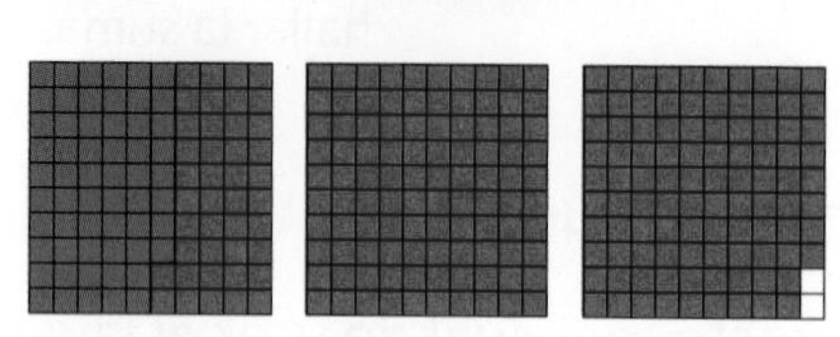

18. 1.31 − 0.55

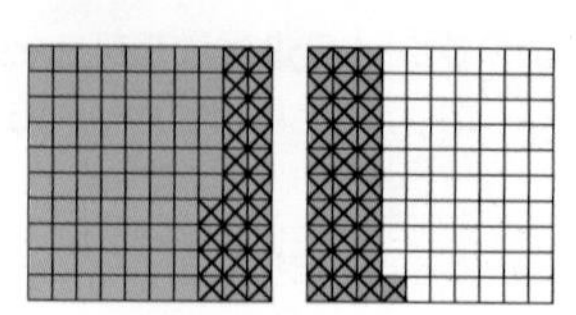

Resolución de problemas

19. **Escribir para explicar** ¿En qué se parece la suma de 4.56 + 2.31 a la suma de $2.31 + $4.56?

20. **Sentido numérico** ¿Crees que la diferencia de 1.4 − 0.95 es mayor o menor que uno? Explícalo.

21. **Sentido numérico** ¿Es menor o mayor que uno la suma de 0.46 + 0.25? Explícalo.

22. **Estimación** Estima para decidir si la suma de 314 + 175 es mayor o menor que 600.

23. ¿Cuál opción representa el problema de abajo?

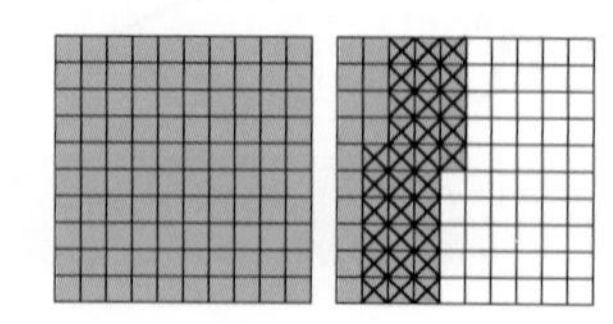

A 2.00 + 0.31 **C** 1.76 − 1.45

B 1.76 − 0.31 **D** 1.45 − 0.31

24. **Geometría** ¿Qué clase de ángulo se forma cuando dos rectas son perpendiculares?

A Ángulo agudo **C** Ángulo obtuso

B Ángulo recto **D** Vértice

25. Piensa en el proceso ¿Qué expresión se puede usar para hallar el perímetro de la piscina que se muestra a la derecha?

A 50 + 25 **C** 50 + 50 + 25 + 25

B 25 + 25 + 25 + 25 **D** 50 + 50 + 50 + 50

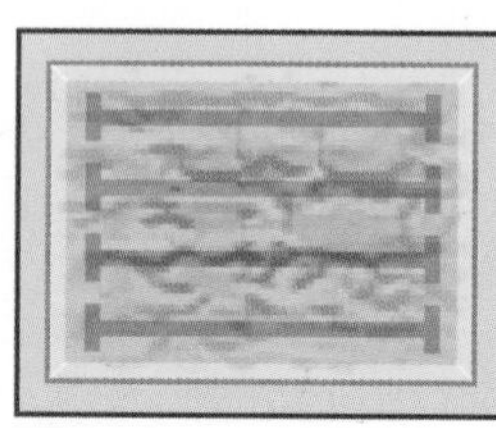

26. Escribe la oración numérica que muestra la cuadrícula de centésimas de la derecha.

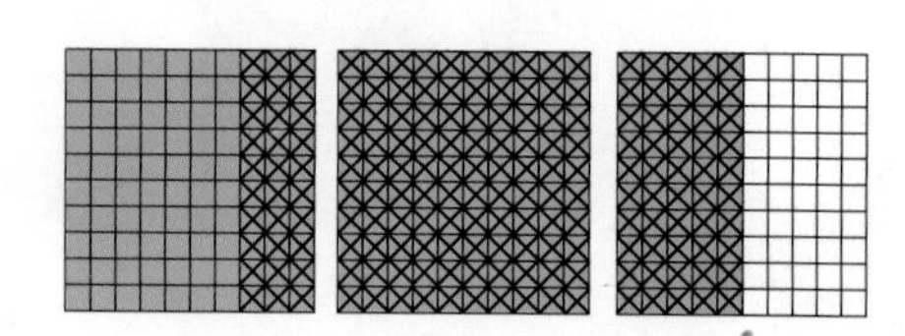

¿Son razonables las sumas?

Estima cuánto es 2,968 + 983 + 5,442. Usa una calculadora para hallar la suma. Luego explica por qué la suma que hallaste es o no es razonable.

Paso 1 Estima cuánto es 2,968 + 983 + 5,442.

$3{,}000 + 1{,}000 + 5{,}000 = 9{,}000$

Paso 2 Usa una calculadora para sumar.

Presiona: 2,968 [+] 983 [+] 5,442 

Pantalla:

9393

Paso 3 Explica por qué la suma es o no es razonable.

Dado que 9,393 es cercano a la estimación de 9,000; la suma es razonable.

Práctica

Estima cuánto es cada suma. Halla la suma en una calculadora. Recuerda que debes comprobar si la suma es razonable o no.

1. 956 + 1,495

2. 1,872 + 3,216

3. 4,857 + 5,679 + 3,298

4. 8,542 + 875 + 6,425

5. 1,978 + 7,435 + 2,986

6. 9,650 + 2,348 + 5,822

7. 2,726 + 1,247 + 3,476

8. 3,214 + 7,981 + 2,148 + 6,542

9. 872 + 2,729 + 221

10. 6,742+ 7,231

11. 8,792 + 3,864 + 298

12. 8,898 + 6,281

13. 1,372 + 6,261 + 204

14. 7,671 + 3,341

15. 3,634 + 8,916 + 192

16. 3,456 + 7,654 + 211

17. 101 + 3,561 + 41

18. 99 + 3,795 + 4,319

Lección
13-4

¡Lo entenderás!
Sumar y restar números decimales es como sumar y restar números enteros.

Sumar y restar números decimales

¿Cómo sumas o restas números decimales?

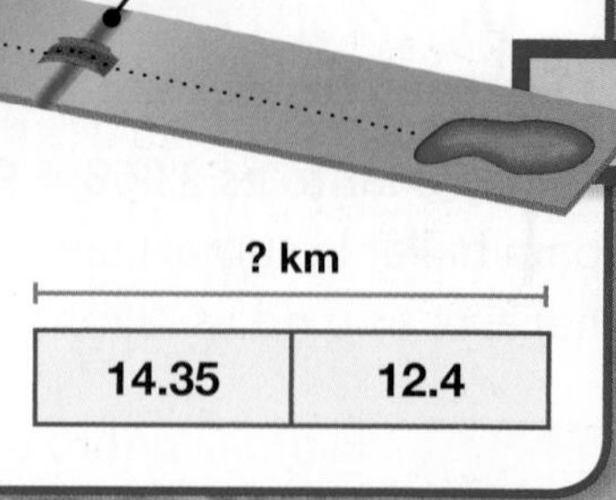

La familia Patel caminó 14.35 kilómetros desde su cabaña hasta el río Crystal. Más tarde, caminaron 12.4 kilómetros desde el río Crystal hasta el lago Dorrance. ¿Qué distancia caminaron en total?

? km	
14.35	12.4

Otro ejemplo ¿Cómo puedes restar números decimales?

Ya sabes restar números enteros. En esta lección aprenderás a restar decimales.

23.23 kilogramos	
11.6	?

La mochila de Roger tiene una masa de 23.23 kilogramos. La de Marta tiene una masa de 11.6 kilogramos. ¿Cuál es la diferencia de masas entre las dos mochilas?

Haz una estimación 23.23 redondea a 23 y 11.6 redondea a 12. $23 - 12 = 11$

Paso 1

Alinea los puntos decimales. Escribe ceros como marcadores de posición si es necesario.

```
  23.23
- 11.60
```

Paso 2

Reagrupa si es necesario. Resta las centésimas.

```
  23.23
- 11.60
      3
```

Paso 3

Reagrupa si es necesario. Resta las décimas.

```
   2 12
  23.23
- 11.60
    .63
```

Paso 4

Resta las unidades y las decenas, reagrupando cuando sea necesario. Sitúa el punto decimal.

```
   2 12
  23.23
- 11.60
  11.63
```

La mochila de Roger tiene una masa que es 11.63 kilogramos más que la mochila de Marta.
La respuesta es razonable porque 11.63 está cerca de 11.

Explícalo

1. **¿Es razonable?** ¿Es razonable decir que la masa de la mochila de Roger es dos veces más que la mochila de Marta?

Paso 1

Alinea los puntos decimales. Escribe ceros como marcadores de posición si es necesario.

$$\begin{array}{r} 14.35 \\ +\ 12.40 \\ \hline \end{array}$$

Paso 2

Suma las centésimas. Reagrupa si es necesario.

$$\begin{array}{r} 14.35 \\ +\ 12.40 \\ \hline 5 \end{array}$$

Paso 3

Suma las décimas. Reagrupa si es necesario.

$$\begin{array}{r} 14.35 \\ +\ 12.40 \\ \hline 75 \end{array}$$

Paso 4

Suma las unidades, luego las decenas. Sitúa el punto decimal.

$$\begin{array}{r} 14.35 \\ +\ 12.40 \\ \hline 26.75 \end{array}$$

La familia Patel caminó 26.75 km en total.

Práctica guiada*

¿CÓMO hacerlo?

En los Ejercicios **1** a **6,** suma o resta.

1. $\begin{array}{r} 8.24 \\ +\ 19.16 \\ \hline \end{array}$

2. $\begin{array}{r} 37.68 \\ -\ 14.53 \\ \hline \end{array}$

3. $\begin{array}{r} 5.93 \\ +\ 87.82 \\ \hline \end{array}$

4. $\begin{array}{r} 62.53 \\ -\ 43.75 \\ \hline \end{array}$

5. 7.7 + 0.85

6. 0.6 − 0.42

¿Lo ENTIENDES?

7. ¿Cuántas millas más es la distancia desde la cabaña hasta el río Crystal que la distancia desde el río Crystal hasta el lago Dorrance?

8. ¿Es razonable la respuesta del ejemplo anterior?

Práctica independiente

En los Ejercicios **9** a **24,** suma o resta. Haz una estimación para comprobar si tu respuesta es razonable.

9. $\begin{array}{r} 2.73 \\ +\ 0.44 \\ \hline \end{array}$

10. $\begin{array}{r} 46.81 \\ -\ 12.43 \\ \hline \end{array}$

11. $\begin{array}{r} 35.78 \\ +\ 70.71 \\ \hline \end{array}$

12. $\begin{array}{r} 17.15 \\ -\ 2.38 \\ \hline \end{array}$

13. $\begin{array}{r} 4.83 \\ -\ 0.56 \\ \hline \end{array}$

14. $\begin{array}{r} 12.55 \\ +\ 53.59 \\ \hline \end{array}$

15. $\begin{array}{r} 88.25 \\ -\ 7.52 \\ \hline \end{array}$

16. $\begin{array}{r} 59.32 \\ +\ 4.31 \\ \hline \end{array}$

17. 70.1 − 65.81

18. 55.7 + 0.52

19. 89.82 − 46.3

20. 92.78 − 37.97

21. 9.12 + 82.4

22. 69.63 + 0.99

23. 39.65 − 17.69

24. 91.5 − 66.13

** Puedes encontrar otro ejemplo en el Grupo D, página 313.*

Resolución de problemas

25. **Sentido numérico** ¿Es 8.7 – 0.26 mayor o menor que 8? Explícalo.

26. **Geometría** Heather dice que un triángulo obtusángulo nunca tiene lados iguales. ¿Tiene razón?

27. En la calle Oak, en una semana se recogieron 66.32 kilogramos de basura y 3.21 kilogramos de materiales reciclables. ¿Cuántos kilogramos se recogieron en total?

? kilogramos

66.32	31.21

28. **Razonamiento** Cuando Matt salió de su casa, en Red Grove, su odómetro marcaba 47,283.5 kilómetros. Para cuando había llegado a Grand City, su odómetro marcaba 48,163.7 kilómetros. ¿Cuántos kilómetros recorrió Matt?

48,163.7 kilómetros

47,283.5	?

29. Uno de los dinosaurios más grandes que se han encontrado hasta ahora, el *Puertasaurus*, medía 39.92 metros de longitud. Uno de los más pequeños, el *Compsognathus*, medía 1.43 metros de longitud. ¿Cuál es la diferencia de longitud de estos dinosaurios?

30. **Piensa en el proceso** En todo el mundo, nacen aproximadamente 270 bebés cada minuto. ¿Qué expresión usarías para hallar aproximadamente cuántos bebés nacen en una hora?

A $270 + 60$ **C** 270×6

B 270×60 **D** 270×30

31. **Piensa en el proceso** La distancia desde la casa de Don hasta su escuela es dos veces la distancia desde la casa de Don hasta el correo. El correo queda en la calle de Don, entre su casa y su escuela. El correo está a 2.4 kilómetros de la escuela. ¿Cómo hallarías la distancia desde la casa de Don hasta la escuela?

A $2.4 + 2.4$ **C** $2.4 + 1.2$

B $2.4 - 1.2$ **D** $2.4 - 0.2$

32. En una semana, Jessica pasa 2.35 horas caminando desde su casa hasta el trabajo. Juntas, Jessica y su amiga Constance pasarán 4.21 horas de la semana caminando desde sus casas hasta el trabajo. ¿Cuántas horas a la semana camina Constance desde su casa hasta el trabajo?

4.21 horas

2.35	?

33. En un jardín de mariposas, hay 36 mariposas. Nueve de ellas son mariposas Macaón amarillas. ¿Qué fracción de las mariposas son Macaón amarillas?

Enlaces con el Álgebra

Resolver ecuaciones

Recuerda que una ecuación es una oración numérica que usa un signo igual para mostrar que dos expresiones tienen el mismo valor. Puedes usar operaciones básicas y el cálculo mental como ayuda para hallar los valores faltantes en una ecuación.

Ejemplo:

$18 \div \square = 3$

Piénsalo *¿Qué número multiplicado por 3 es 18?*

Dado que $6 \times 3 = 18$, el valor de $\square$ debe ser 6.

Copia y completa. Comprueba tus respuestas.

1. $20 + \square = 34$ **2.** $64 \div \square = 8$ **3.** $5 \times \square = 45$ **4.** $54 - \square = 14$

5. $\square \times 6 = 42$ **6.** $36 \div \square = 4$ **7.** $\square + 15 = 31$ **8.** $\square - 8 = 6$

9. $26 - \square = 18$ **10.** $9 + \square = 20$ **11.** $12 \div \square = 6$ **12.** $4 \times \square = 28$

13. $72 \div \square = 8$ **14.** $\square \times 9 = 54$ **15.** $\square - 5 = 7$ **16.** $\square + 7 = 29$

17. $\square + 32 = 46$ **18.** $28 - \square = 9$ **19.** $\square \div 4 = 12$ **20.** $\square \times 3 = 30$

En los Ejercicios **21** a **24,** copia la ecuación y complétala con la información del problema. Luego, halla la respuesta.

21. Jaina tiene $4. Necesita $12 para comprar un libro. ¿Cuánto dinero más necesita Jaina?

$4 + \square = 12$

22. La mesada de Harrison es de $5 a la semana. ¿Cuánto dinero tendrá si ahorra su mesada completa durante 4 semanas?

$\square \times 5 = \square$

23. Hay 49 estudiantes de cuarto grado. La maestra de gimnasia necesita separarlos en grupos de 7. ¿Cuántos grupos se pueden formar?

$49 \div \square = \square$

24. **Escribe un problema** Escribe un problema en el que se reste 4 de 28 para hallar una diferencia. Escribe la oración numérica y luego resuelve.

Lección
13-5

¡Lo entenderás!
Multiplicar un número entero por un número decimal es como multiplicar números enteros.

Multiplicar un número entero y un número decimal

¿Cómo multiplicas números enteros y números decimales?

El pez vela puede nadar a una velocidad aproximadamente 3.09 veces más rápida que la de una tortuga laúd del Pacífico. ¿A qué velocidad puede nadar el pez vela?

Práctica guiada*

¿CÓMO hacerlo?

En los Ejercicios **1** a **6,** halla los productos.

1. 7.2×3

2. 6.18×5

3. 6.21×8

4. 9.47×76

5. 43.2×23

6. 3.74×9

¿Lo ENTIENDES?

7. Si escribes 6,798 en lugar de 67.98 como el producto en el ejemplo anterior, ¿cómo te ayuda la estimación a saber que tu respuesta es incorrecta?

8. Escribir para explicar Si multiplicaras 22 por 6.8, ¿cuántos lugares decimales habría en el producto?

Práctica independiente

En los Ejercicios **9** a **20,** halla los productos.

9. 3.63×4

10. 27.4×7

11. 58.8×65

12. 8.19×18

13. 9.4×34

14. 7.62×44

15. 5.39×93

16. 17.46×35

17. 61×2.2

18. 72×4.8

19. 8.31×55

20. 49×7.3

** Puedes encontrar otro ejemplo en el Grupo E, página 313.*

Paso 1

Halla 22×3.09.

Estima: $22 \times 3 = 66$

Multiplica como lo harías con números enteros.

$$\begin{array}{r} \scriptstyle 1 \\ \scriptstyle 1 \\ 3.09 \\ \times \quad 22 \\ \hline 618 \\ +\ 6180 \\ \hline 6798 \end{array}$$

Paso 2

Escribe el punto decimal en el producto.

$$\begin{array}{r} 3.09 \\ \times \quad 22 \\ \hline 618 \\ +\ 6180 \\ \hline 67.98 \end{array}$$

3.09: **2** lugares decimales

22: **0** lugares decimales

67.98: **2** lugares decimales

Cuenta los lugares decimales en ambos factores. El total es el número de lugares decimales en el producto.

Mira tu estimación para ver si tu respuesta es razonable. 67.98 está cerca de 66.

Un pez vela puede nadar a 67.98 millas por hora.

Resolución de problemas

21. Karen está acomodando sillas en dos habitaciones para un banquete. La primera habitación tiene 5 filas de sillas con 12 sillas en cada fila. La primera habitación tiene 8 filas de sillas con 9 sillas en cada fila. ¿Qué habitación tiene más sillas? ¿Cuántas más?

22. Dana es 3 veces mayor que Liz. Sus edades combinadas suman 32. ¿Cuántos años tienen?

A Dana: 27
Liz: 9

B Dana: 24
Liz: 8

C Dana: 18
Liz: 6

D Dana: 9
Liz: 3

23. Sentido numérico Escribe dos fracciones que representen la parte coloreada de la figura de la derecha. Explica por qué las fracciones son equivalentes.

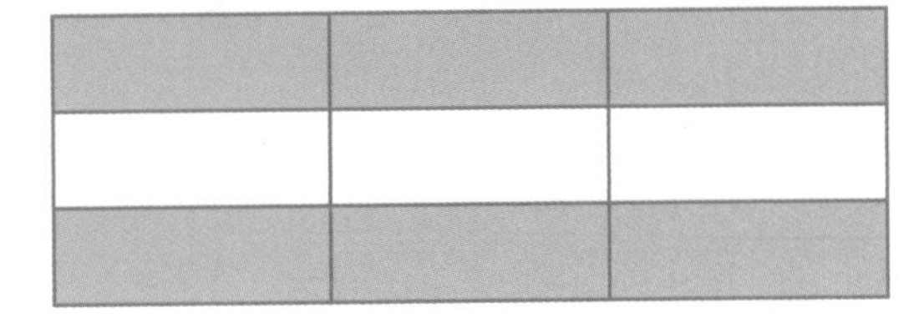

24. La cantidad de tiempo que tarda la Tierra en hacer una rotación completa se llama "día sideral". Un día sideral dura aproximadamente 23.9 horas. ¿Cuánto duran siete días siderales?

25. Si usas 40×5 para estimar 36×5, ¿es 800 mayor o menor que la respuesta exacta? ¿Es 800 una estimación por exceso o una estimación por defecto? Explícalo.

26. Una receta de pan de canela requiere 1.5 tazas de harina. ¿Cuántas tazas de harina son necesarias si la receta se triplica?

27. Álgebra Usa las oraciones numéricas siguientes. ¿Qué números reemplazan a $\bigcirc$ y $\triangle$?

$\bigcirc + \triangle = 14$

$\bigcirc + \bigcirc = 16$

Lección

13-6

¡Lo entenderás!
Dividir un número decimal por un número entero es como dividir números enteros.

Dividir un número decimal por un número entero

1.8 metros

¿Cómo divides números decimales por números enteros?

La longitud promedio del cuello de una jirafa adulta es de 1.8 metros. Esto es aproximadamente tres veces la longitud de su corazón. ¿Cuál es la longitud promedio del corazón de una jirafa adulta?

Práctica guiada*

¿CÓMO hacerlo?

En los Ejercicios **1** a **6,** halla los cocientes. Multiplica para comprobar tu respuesta.

1. $9\overline{)7.2}$ **2.** $4\overline{)24.4}$

3. $8\overline{)8.24}$ **4.** $4\overline{)42.8}$

5. $3\overline{)20.7}$ **6.** $2\overline{)0.6}$

¿Lo ENTIENDES?

7. Las patas de una jirafa adulta son tan largas como su cuello. Aproximadamente, ¿cuánto miden de largo las patas de una jirafa adulta?

8. **Escribir para explicar** ¿En qué se diferencian dividir un número decimal por un número entero y dividir un número entero por otro número entero?

Práctica independiente

En los Ejercicios **9** a **28,** halla los cocientes. Multiplica para comprobar tu respuesta.

9. $4.64 \div 4$ **10.** $42.7 \div 7$ **11.** $57.6 \div 6$ **12.** $8.95 \div 5$

13. $9.89 \div 1$ **14.** $7.32 \div 4$ **15.** $51.9 \div 3$ **16.** $14.4 \div 4$

17. $36.4 \div 4$ **18.** $31.2 \div 8$ **19.** $5.13 \div 9$ **20.** $91.8 \div 6$

21. $2.4 \div 8$ **22.** $93.8 \div 7$ **23.** $5.32 \div 2$ **24.** $4.32 \div 3$

25. $24.65 \div 5$ **26.** $43.68 \div 7$ **27.** $24.9 \div 3$ **28.** $16.8 \div 4$

** Puedes encontrar otro ejemplo en el Grupo E, página 313.*

Halla $1.8 \div 3$.
Puedes usar el mismo proceso que usaste para dividir números enteros.

1.8 metros

Cuello				3 veces más largo
Corazón	?			

La longitud promedio del corazón de una jirafa adulta es de 0.6 metros.

Ubica el punto decimal en el cociente y divide.

$$\begin{array}{r} 0.6 \\ 3\overline{)1.8} \\ -\ 1.8 \\ \hline 0 \end{array}$$

Multiplica para comprobar tu respuesta.
$0.6 \times 3 = 1.8$

Resolución de problemas

29. Un ciclista recorre 25.5 millas en 3 horas. ¿Cuál es el promedio de velocidad del ciclista en millas por hora?

30. La semana pasada, Isabella hizo 7 llamadas que duraron un total de 68.6 minutos. Si cada llamada duró la misma cantidad de tiempo, ¿cuántos minutos duró cada llamada?

31. Paul dibujó tres líneas. La primera línea medía 7.6 centímetros de largo. La segunda línea medía la mitad de largo que la primera. La tercera línea medía la mitad de largo que la segunda línea. ¿Cuánto medía la tercera línea?

32. Un día, la temperatura máxima en la ciudad de Kansas, Missouri, era de 77.4 °F. Era 3 veces más alta que la temperatura en Nome, Alaska, el mismo día. ¿Cuál era la temperatura máxima en Nome?

33. **¿Es razonable?** ¿Es 91 una respuesta razonable para $27.3 \div 3$? ¿Por qué o por qué no?

34. **Escribir para explicar** ¿Es 7,777,777 un número primo? ¿Por qué o por qué no?

35. **Piensa en el proceso** Un día en Mercurio es igual a 59 días en la Tierra. ¿Cómo averiguarías cuántos días terrestres son iguales a tres días en Mercurio?

A $59 \div 3$

B $59 \div 1$

C 59×3

D 365×3

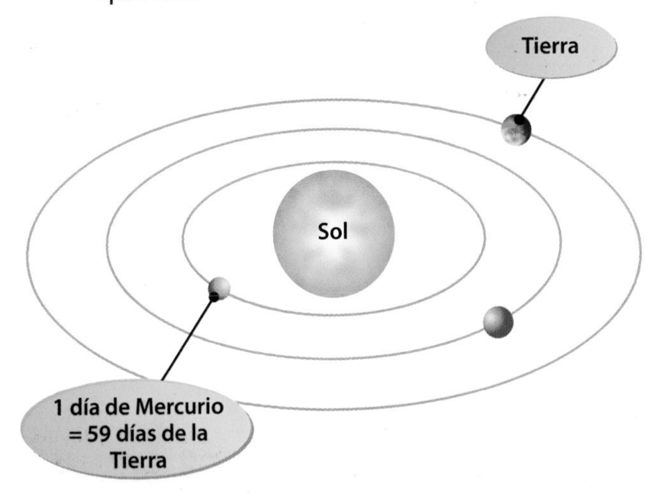

Lección
13-7

¡Lo entenderás!
Se debe usar la estrategia de Intentar, revisar y corregir como ayuda para resolver problemas.

Resolución de problemas

Intentar, revisar y corregir

Wilma compró artículos para su perro en la tienda de mascotas. Gastó un total de $26.18, sin incluir impuestos. Compró dos de un artículo que está en la tabla y otro artículo. ¿Qué compró?

Juguete para perros: $7.98

Datos

Artículos para perros	
Correa	$11.50
Collar	$5.59
Tazones	$7.48
Camas medianas	$15.00
Juguetes	$7.98

Práctica guiada*

¿CÓMO hacerlo?

Usa la estrategia Intentar, revisar y corregir para resolver este problema. Escribe la respuesta en una oración completa.

1. Annie y Matt gastaron un total de $29 en un regalo. Annie gastó $7 más que Matt. ¿Cuánto gastó cada uno?

¿Lo ENTIENDES?

2. ¿Cómo sabes que dos camas son demasiado?

3. **Escribe un problema** Escribe un problema que use la estrategia Intentar, revisar y corregir.

Práctica independiente

Usa la estrategia Intentar, revisar y corregir para resolver cada problema. Escribe la respuesta en una oración completa.

4. La mamá de Lana llevó 27 envases de jugo de naranja y de jugo de uva al parque. Había dos veces más envases de jugo de naranja que de jugo de uva. ¿Cuántos de cada tipo llevó?

5. En futbol americano, un equipo puede anotar 2, 3, 6, 7 u 8 puntos. Los Terriers anotaron 3 veces y obtuvieron 19 puntos. ¿Cómo anotaron sus puntos?

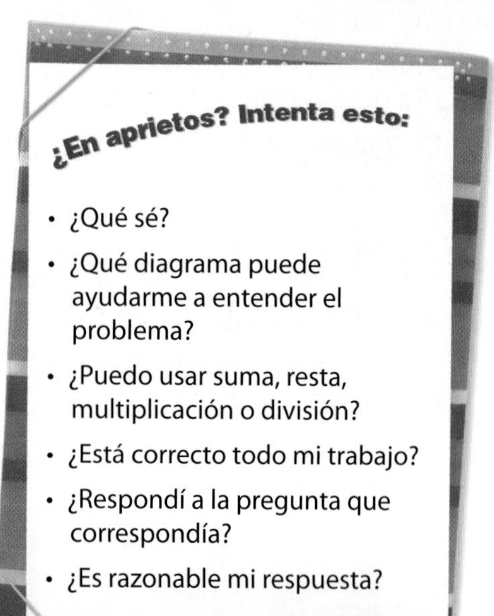

* *Puedes encontrar otro ejemplo en el Grupo F, página 313.*

Haz un primer intento razonable.

Dos camas son demasiado.

Intenta con una cama. Luego, pueba dos artículos de menor precio, como las correas.

Revísalo usando la información dada en el problema.

$7.98 + **$7.98** + **$15** = **$30.96**

Esto es demasiado alto, pero está cerca.

Corrige. Usa tu primer intento para hacer un segundo intento razonable.

El primer intento de $4.78 fue demasiado alto. Si mantienes la cama, necesitas bajar $4.78 en total o $2.39 por cada artículo.

Prueba dos collares.

$5.59 + **$5.59** + **$15** = **$26.18**

Wilma compró dos collares y una cama mediana.

En los Ejercicios **6** a **8,** usa la información que está a la derecha.

Datos

Fun Town	
Cuerda de saltar	$2.35
Patineta	$26.95
Pelota de básquetbol	$8.75
Pelota de futbol americano	$6.00
Pelota de beisbol	$5.24
Bate	$9.40

6. En Fun Town, Trent gastó $16.34, sin impuestos. Compró 3 artículos diferentes. ¿Qué compró?

7. En Fun Town, Alicia gastó $14.10, sin impuestos, en 3 artículos. Dos de sus tres artículos eran los mismos. ¿Qué compró ella?

8. En Fun Town, Rich gastó $30.80, sin impuestos. Compró dos de un artículo y dos de otro artículo. ¿Qué compró Rich?

9. El Sr. Mill sacó todas las llantas de las bicicletas y triciclos viejos que había en su garage. Sacó 12 llantas en total. ¿Cuántas bicicletas y triciclos tenía?

10. Linda ganó $8 por hora y Susan ganó $10 por hora. Linda y Susan trabajaron el mismo número de horas. Linda ganó $72. ¿Cuánto ganó Susan?

11. Si la tienda de deportes de Chuck vendiera 12 cañas de pescar cada semana, ¿cuántas cañas de pescar se venderían en un mes?

? cañas de pescar

12	12	12	12

Cañas de pescar vendidas cada semana

12. Lizzy compró seis cuadernos al comienzo del año escolar. Costaban $2.19 cada uno. ¿Cuánto costaron los seis cuadernos?

A $4.38

B $6.57

C $10.95

D $13.14

Examen

1. La distancia de la parte más ancha de una moneda de 25¢ es 24.26 milímetros. ¿Cuánto es 24.26 redondeado a la décima más cercana? (13-1)

   A 24

   B 24.2

   C 24.3

   D 25

2. La tortuga de Lee tiene un caparazón que mide 14.42 centímetros de largo. La tortuga de Ty tiene un caparazón que mide 12.14 centímetros de largo. ¿Cuál es la mejor estimación de la diferencia? (13-2)

   A 1 centímetro

   B 2 centímetros

   C 4 centímetros

   D 6 centímetros

3. Larry gastó $1.89 en una botella de pintura y $0.45 en una brocha esponja. ¿Cuál es la cantidad total que gastó? (13-3)

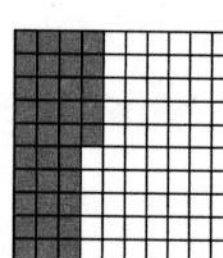

   A $2.34

   B $1.34

   C $1.32

   D $1.24

4. Tatum pesa 47.39 kilogramos. ¿Cuál es su masa redondeada al número entero más cercano? (13-1)

   A 50 kilogramos

   B 48 kilogramos

   C 47.4 kilogramos

   D 47 kilogramos

5. Una moneda de 1¢ tiene una masa de 2.5 gramos. Una moneda de 25¢ tiene una masa de 5.67 gramos. ¿Cuál es la diferencia en sus masas? (13-4)

   A 2.17 gramos

   B 3.17 gramos

   C 5.42 gramos

   D 8.17 gramos

6. ¿Cuánto es $39.2 \div 8$? (13-6)

   A 0.49

   B 3.9

   C 4.9

   D 5.8

7. El señor Treveses compró 2.72 kilogramos de carne de hamburguesa y 1.48 kilogramos de carne de pavo. ¿Cuántos kilogramos de carne compró? (13-4)

   A 1.24 kilogramos

   B 3.10 kilogramos

   C 4.10 kilogramos

   D 4.20 kilogramos

8. ¿Cuánto es 6×19.37? (13-5)

A 116.22

B 114.22

C 64.82

D 56.22

9. ¿Qué símbolo hace verdadera la comparación? (13-4)

$12.63 - 5.94 \bigcirc 3.8 + 2.88$

A $<$

B $=$

C $+$

D $>$

10. Jason gastó $8.76, sin incluir los impuestos, en comida para el desayuno. Compró 4 artículos. Dos de los artículos eran iguales. ¿Qué compró? (13-7)

Datos

Comida para el desayuno	
Rosca	$0.89
Caja de cereales	$2.79
Barra de pan	$1.59
Galón de jugo	$3.19
Galón de leche	$3.79

A 2 roscas, un galón de jugo y un galón de leche

B 2 roscas, una caja de cereales y un galón de leche

C 2 barras de pan, una caja de cereales y un galón de jugo

D 2 cajas de cereales, una rosca y un galón de leche

11. Samantha recorrió en su bicicleta 6.79 millas el sábado y 8.21 millas el domingo. ¿Cuál es la mejor estimación de las millas totales que recorrió durante el fin de semana? (13-2)

A 20 millas

B 15 millas

C 12 millas

D 1 milla

12. La señora Smith compró 6.25 yardas de material para hacer 5 disfraces. Si en cada disfraz se usa la misma cantidad de material, ¿cuántas yardas se usa en un disfraz? (13-6)

A 31.25 yardas

B 12.5 yardas

C 1.25 yardas

D 0.125 yardas

13. El señor Kwan cargó 8 cajas en su camión. Si cada caja pesaba 26.4 libras, ¿cuántas libras cargó en su camión? (13-5)

A 3.3 libras

B 210.4 libras

C 211.2 libras

D 2,112 libras

14. ¿Cuánto es 15.52 redondeado al número entero más cercano? (13-1)

A 16

B 15.6

C 15.5

D 15

Grupo A, páginas 290 a 292

Redondea 306.87 al número entero más cercano.

Mira el lugar de las unidades: 306.87.

Ahora mira el dígito que está a la derecha: 306.87.

Si el dígito a la derecha es menor que 5, redondea a 306. Si el dígito es 5 o mayor, redondea a 307.

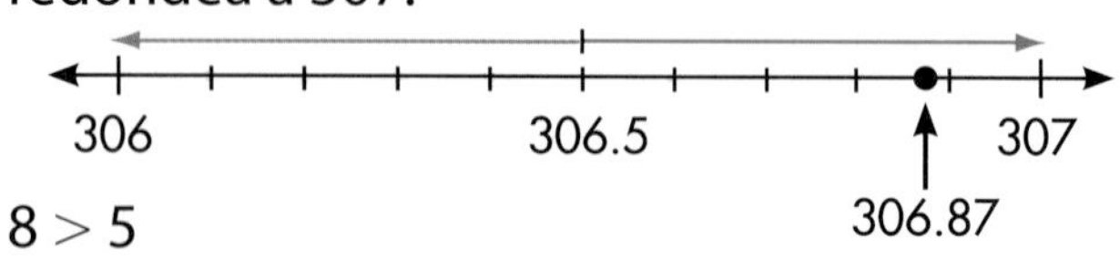

$8 > 5$
Por tanto, 306.87 se redondea a 307.

Recuerda que debes mirar el dígito que está a la derecha del dígito que estás redondeando.

Redondea cada número decimal al número entero más cercano y luego a la décima más cercana.

1. 18.34 **2.** 17.60

3. 68.58 **4.** 2.78

5. 6.83 **6.** 80.12

Grupo B, páginas 294 y 295

Estima $23.64 + 7.36$.

Redondea cada número decimal al número entero más cercano. Luego suma.

23.64 se redondea a 24.
7.36 se redondea a 7.

$24 + 7 = 31$

Recuerda que debes comparar el dígito en el lugar de las décimas con 5 cuando redondeas al número entero más cercano.

1. $19.35 + 8.74$ **2.** $12.3 - 9.7$

3. $\begin{array}{r} 14.04 \\ +\ 9.33 \\ \hline \end{array}$ **4.** $\begin{array}{r} 7.48 \\ -\ 3.92 \\ \hline \end{array}$

Grupo C, páginas 296 a 298

Usa cuadrículas de centésimas para restar $1.86 - 0.95$.

Colorea una cuadrícula entera y 86 cuadrados para mostrar 1.86.

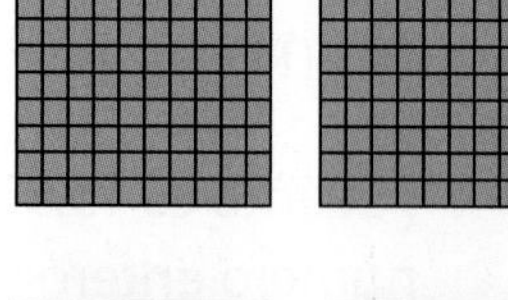

Para restar 0.95, tacha 95 cuadrados coloreados en las cuadrículas.

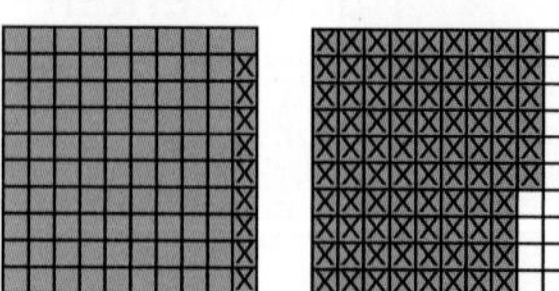

Cuenta los cuadrados que están coloreados pero no tachados.

$1.86 - 0.95 = 0.91$

Recuerda, al sumar números decimales, colorea el primer número de un color y luego colorea el segundo número con otro color.

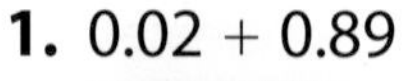

1. $0.02 + 0.89$

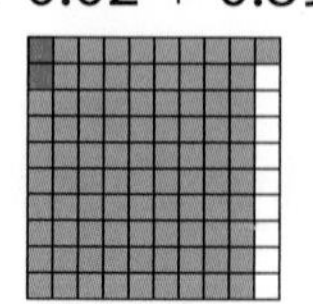

2. $0.67 - 0.31$

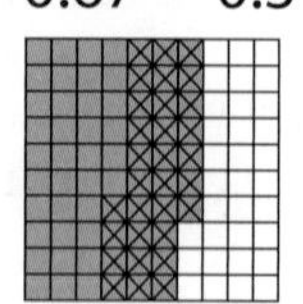

3. $0.34 + 0.34$

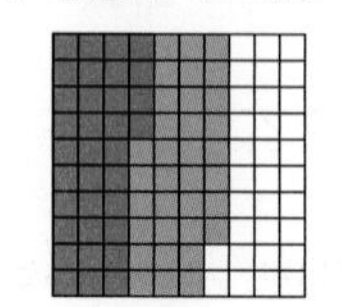

4. $0.81 - 0.78$

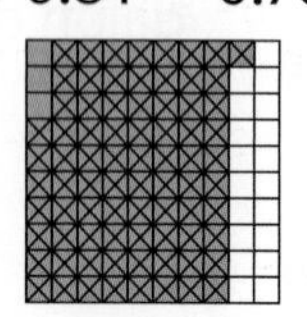

Grupo D, páginas 300 a 302

Suma 15.85 + 23.3.

Alinea los puntos decimales.

Suma las centésimas.	Suma las décimas.	Suma las unidades. Sitúa el punto decimal en la respuesta.
$\begin{array}{r} 15.85 \\ +\ 23.30 \\ \hline 5 \end{array}$	$\begin{array}{r} {}^{1} \\ 15.85 \\ +\ 23.30 \\ \hline 15 \end{array}$	$\begin{array}{r} {}^{1} \\ 15.85 \\ +\ 23.30 \\ \hline 39.15 \end{array}$

Recuerda que debes situar el punto decimal en la respuesta. Suma o resta.

1. $\begin{array}{r} 6.32 \\ +\ 15.12 \\ \hline \end{array}$

2. $\begin{array}{r} 43.42 \\ -\ 15.28 \\ \hline \end{array}$

3. $\begin{array}{r} 8.34 \\ +\ 97.25 \\ \hline \end{array}$

4. $\begin{array}{r} 71.35 \\ -\ 67.82 \\ \hline \end{array}$

5. 5.2 + 0.74

6. 0.8 + 0.56

Grupo E, páginas 304 a 307

Halla 2.78 × 5.

Haz una estimación.
2.78 se redondea a 3.

5 × 3 = 15

$\begin{array}{r} {}^{3\ 4} \\ 2.78 \\ \times\ \ \ 5 \\ \hline 13.90 \end{array}$

Multiplica de la misma manera que con números enteros. Cuenta dos lugares decimales en los factores. Sitúa el punto decimal en la respuesta.

Recuerda que debes dividir con un número decimal de la misma manera que con números enteros.

Multiplica o divide.

1. $\begin{array}{r} 2.37 \\ \times\ \ \ 3 \\ \hline \end{array}$

2. $\begin{array}{r} 65.88 \\ \times\ \ \ 6 \\ \hline \end{array}$

3. $4\overline{)5.12}$

4. $9\overline{)4.68}$

Grupo F, páginas 308 y 309

Dan gastó $72.82 en 4 artículos en la tienda. Dos de sus artículos eran iguales.

Datos

Kids Mart	
Videojuegos	$15.86
Zapatos	$32.96
Gorro deportivo	$12

¿Qué compró?

Intenta con dos videojuegos, un par de zapatos y un gorro.

$31.72 + $32.96 + $12.00 = $76.68

Es demasiado alto, pero se acerca.

Corrige. Intenta con dos gorros deportivos, un videojuego y un par de zapatos.

$24.00 + $15.86 + $32.96 = $72.82

Dan compró 1 videojuego, 1 par de zapatos y 2 gorros deportivos.

Recuerda que debes escribir la respuesta en una oración completa.

Usa Intentar, revisar y corregir para resolver el problema.

1. Terry, Corey y Chris encestaron en total 20 veces en un partido de básquetbol. Terry encestó 5 más que Corey. Chris encestó 3 veces más que Corey. ¿Cuántas veces encestó cada uno?

Área y perímetro

1

Puedes usar diferentes polígonos para estimar el perímetro de los Estados Unidos. Lo averiguarás en la Lección 14-6.

2

Central Park es uno de los parques más visitados del mundo. ¿Cuántos kilómetros cuadrados ocupa? Lo averiguarás en la Lección 14-2.

Repasa lo que sabes

Vocabulario

Elige el mejor término del recuadro.

- suma
- área
- multiplicación
- perímetro

1. El _?_ es la distancia del contorno de una figura.

2. El número de unidades cuadradas necesarias para cubrir una región es el _?_ .

3. La _?_ es la operación que usas para hallar el área de una región.

Multiplicaciones

Halla cada producto.

4. 6×5	**5.** 7×9	**6.** 8×8
7. 7×4	**8.** 3×6	**9.** 5×4
10. 4×9	**11.** 8×5	**12.** 9×6
13. 8×4	**14.** 3×9	**15.** 8×7

Figuras

Identifica cada figura.

16. **17.** **18.**

19. **20.** **21.** 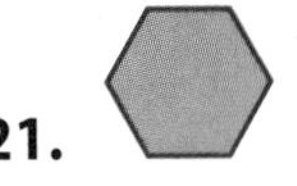

22. **23.** **24.**

25. **Escribir para explicar** Explica en qué se parecen y en qué se diferencian las figuras de los Ejercicios 16 a 18.

3

El triángulo de Sierpinski es un famoso fractal, o figura geométrica, en la que la figura en sí misma es recurrente. ¿Cómo puedes hallar el área del triángulo del medio? Lo averiguarás en la Lección 14-5.

Lección
14-1

¡Lo entenderás!
Se puede hallar el área de figuras contando el número de unidades cuadradas que cubren una región.

Área

¿Cómo mides el área?

Emily hizo un collage en la clase de arte. Cortó figuras para hacer el diseño. ¿Cuál es el área de una de las figuras?
El área es el número de unidades cuadradas necesarias para cubrir una región.

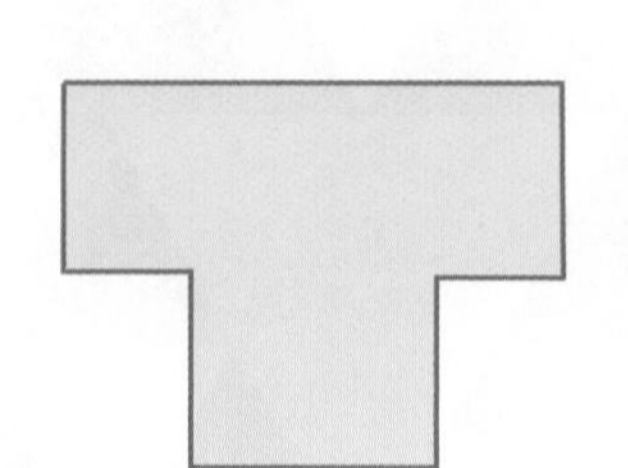

Práctica guiada*

¿CÓMO hacerlo?

Para las figuras **1** y **2,** cuenta para hallar el área. Di si el área es exacta o una estimación.

1. 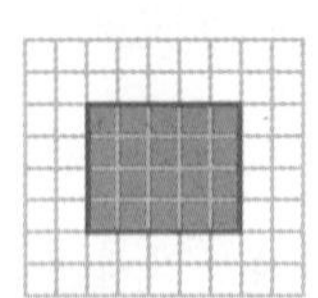

2. 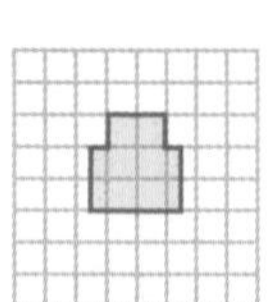

¿Lo ENTIENDES?

3. De las anteriores, si la primera figura tuviera dos filas más de 4 cuadrados, ¿cuál sería la nueva área?

4. Dibuja dos figuras diferentes que tengan un área de 16 unidades cuadradas cada una.

Práctica independiente

Para las figuras **5** a **12,** cuenta para hallar el área. Di si el área es exacta o una estimación.

5. 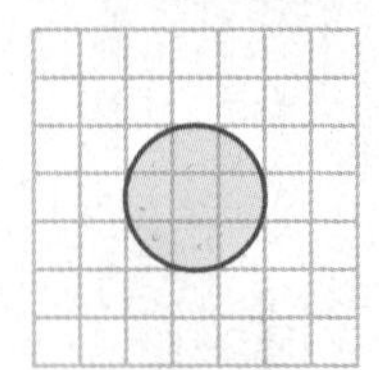

6. 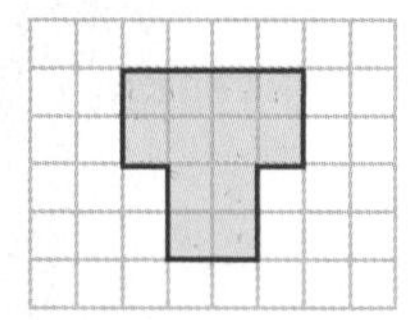

7. 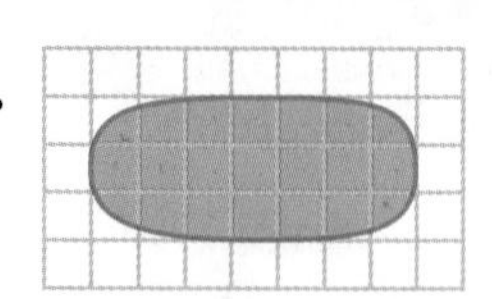

8. 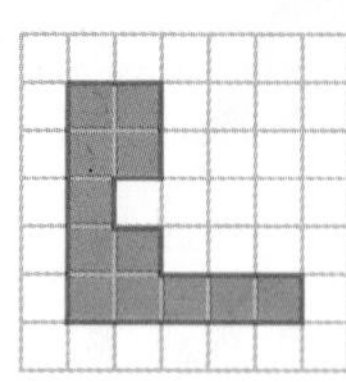

9. 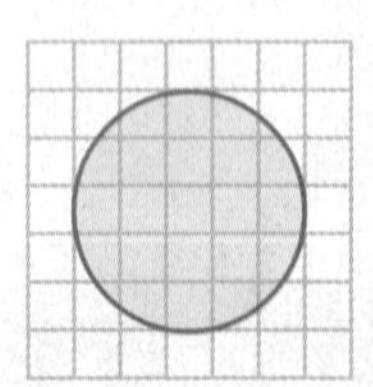

10. 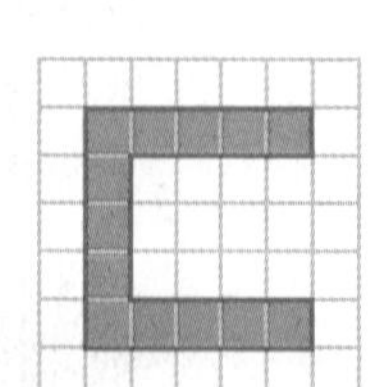

11. 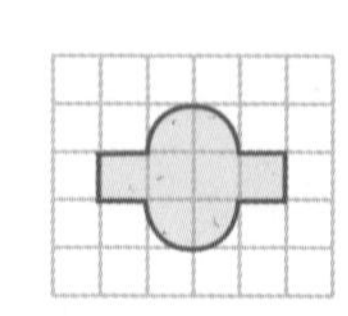

12. 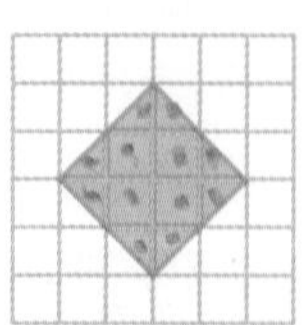

** Puedes encontrar otro ejemplo en el Grupo A, página 342.*

Cuenta las unidades cuadradas dentro de la figura. La cuenta exacta es el área de la figura.

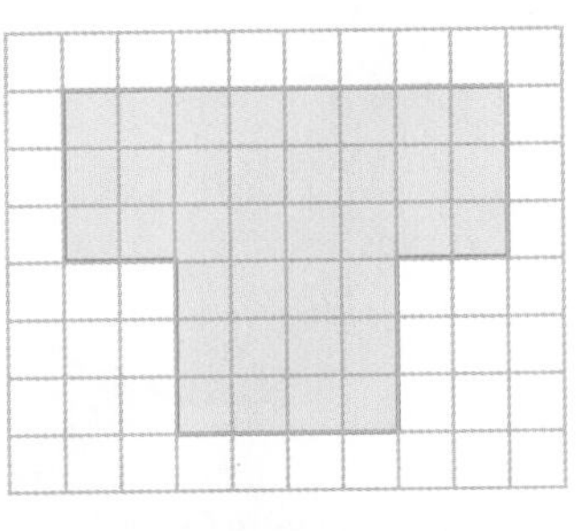

Hay 36 cuadrados dentro de la figura. El área de la figura es 36 unidades cuadradas.

A veces puedes estimar el área. Cuenta los cuadrados dentro de la figura.

Hay aproximadamente 27 cuadrados dentro de la figura.

El área de la figura es aproximadamente 27 unidades cuadradas.

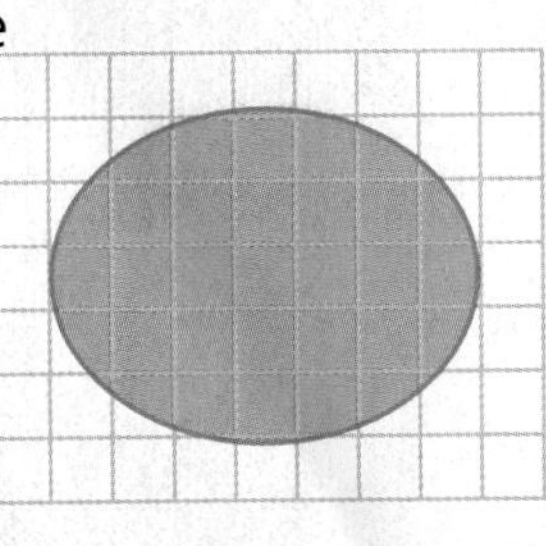

Resolución de problemas

En los Ejercicios **13** a **15,** usa el dibujo de la derecha.

El huerto del señor Sánchez

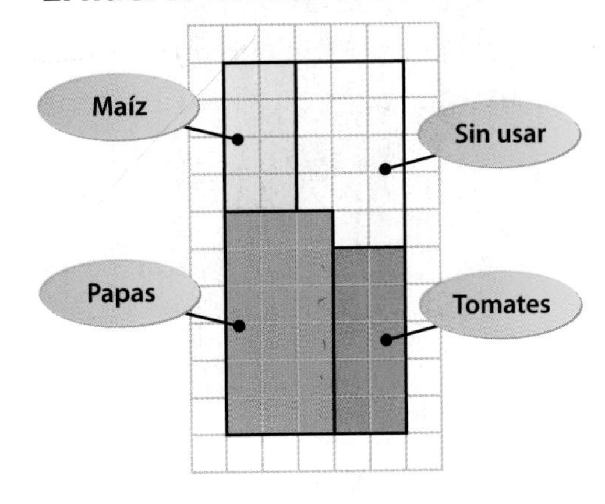

13. El señor Sánchez cultiva tres tipos de verduras en su huerto. ¿Cuál es el área de la sección que usa para cultivar papas?

14. El señor Sánchez deja una sección sin usar en cada temporada de cultivo. ¿Cuál es el área del huerto que se deja sin usar en esta temporada?

15. ¿Cuál es el área del huerto que se usa para los cultivos?

16. Maggie compró 4 blocs de dibujo y 2 cajas de lápices de arte. Si cada bloc de dibujo cuesta \$3.59 y cada caja de lápices de arte cuesta \$4.12, ¿cuánto dinero gastó Maggie en los útiles?

$3.59 cada uno

$4.12 por caja

17. ¿Cuál sería una buena estimación (en unidades) del área coloreada de verde que se muestra a continuación?

A Aproximadamente 13

B Aproximadamente 10

C Aproximadamente 4

D Aproximadamente 2

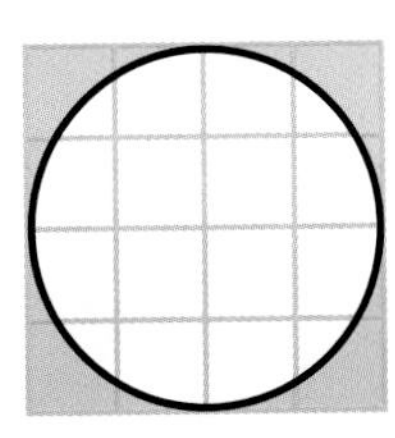

18. Una librería tiene una venta especial. Cuando los clientes compran 2 libros, obtienen uno gratis. Si Pat compra 8 libros, ¿cuántos libros gratis obtiene?

Lección
14-2

¡Lo entenderás!
Existen diferentes maneras de hallar las unidades cuadradas necesarias para cubrir una figura.

Área de cuadrados y de rectángulos

Manos a la obra
regla métrica

¿Cómo puedes hallar el área de una figura?

Una lata pequeña de pintura para pizarrones cubre 40 pies cuadrados. ¿Necesita Mike más de una lata pequeña para pintar una pared de su salón?

Práctica guiada*

¿CÓMO hacerlo?

En los Ejercicios **1** a **4**, halla el área de las figuras.

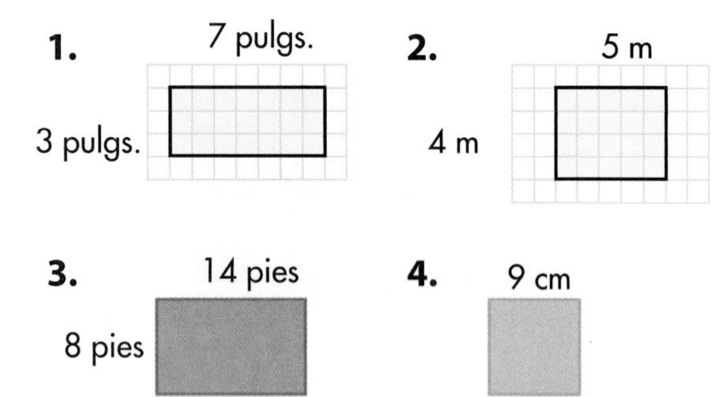

¿Lo ENTIENDES?

5. ¿Cuál es la fórmula para el área de un cuadrado? Explica cómo lo sabes.

6. Mike planea pintar de color azul otra pared de su salón. La pared mide 12 pies por 8 pies. ¿Qué área tiene que pintar Mike?

Práctica independiente

Práctica al nivel En los Ejercicios **7** y **8,** mide los lados y halla el perímetro de las figuras.

7. ☐ cm, ☐ cm

8. ☐ cm, ☐ cm

En los Ejercicios **9** a **12,** halla el área de las figuras.

9. 4 pies, 9 pies

10. 13 mm, 9 mm

11. 5 pulgs., 7 pulgs.

12. 4 yd

** Puedes encontrar otro ejemplo en el Grupo B, página 342.*

Una manera

Puedes contar las unidades cuadradas para hallar el área.

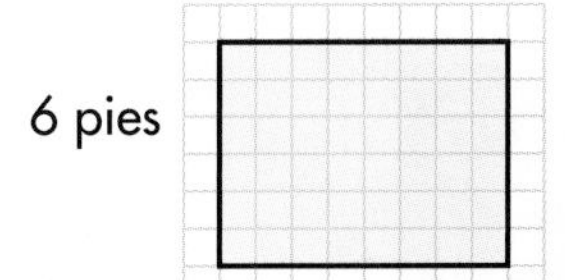

Hay 48 unidades cuadradas. El área de la pared de Mike tiene 48 pies cuadrados.

Otra manera

Para hallar el área, puedes medir para hallar la longitud de cada lado y usar una fórmula.

Área = longitud × ancho

$A = \ell \times a$

$A = 8 \times 6$

$A = 48$

longitud

ancho

El área de la pared de Mike tiene 48 pies cuadrados. Necesitará más de una lata pequeña de pintura.

Resolución de problemas

13. Razonamiento El jardín de Jen tiene 4 pies de ancho y un área de 28 pies cuadrados. ¿Cuál es la longitud del jardín?

14. Diane dibujó un polígono de 4 lados que tiene 1 par de lados paralelos. ¿Qué tipo de polígono dibujó Diane?

15. El señor Chen está colocando baldosas en su cocina. La cocina tiene 16 pies de longitud y 8 pies de ancho. Las baldosas cuestan $5 por pie cuadrado. ¿Cuánto le costará al señor Chen poner baldosas en su cocina?

En los Ejercicios **16** y **17,** usa el mapa de la derecha.

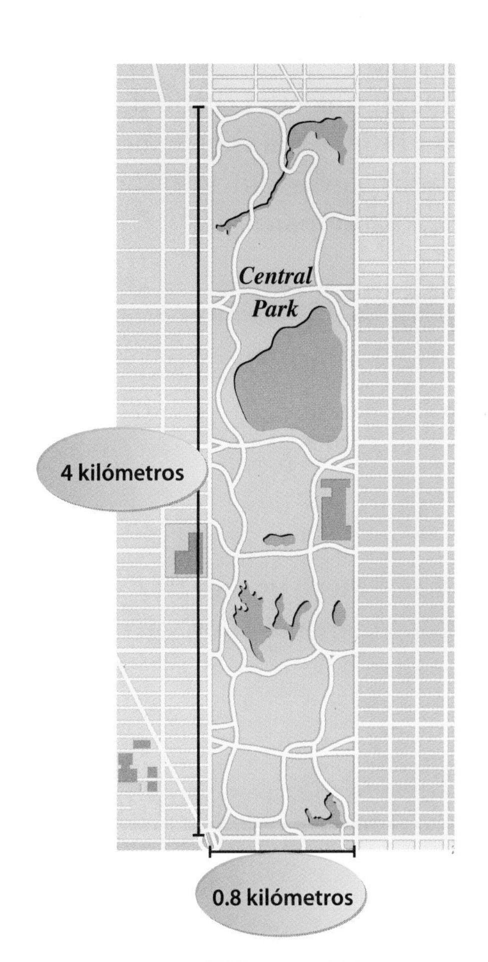

16. Central Park está en la ciudad de Nueva York. ¿Cuál es su área?

A 1.2 kilómetros cuadrados

B 3.2 kilómetros cuadrados

C 4.8 kilómetros cuadrados

D 32 kilómetros cuadrados

17. ¿Cuál polígono describe mejor la forma de Central Park?

A Triángulo

B Pentágono

C Cuadrilátero

D Hexágono

Lección
14-3

¡Lo entenderás!
Se puede usar una fórmula para hallar las unidades cuadradas necesarias para cubrir una figura irregular.

Área de figuras irregulares

¿Cómo puedes hallar el área de una figura irregular?

El señor Fox está cubriendo el hoyo de un campo de minigolf con césped artificial. ¿Cuántos cuadrados de 1 pie de alfombra necesitará el señor Fox para cubrir el campo de minigolf?

Otro ejemplo

¿Cómo puedes hacer una estimación del área?

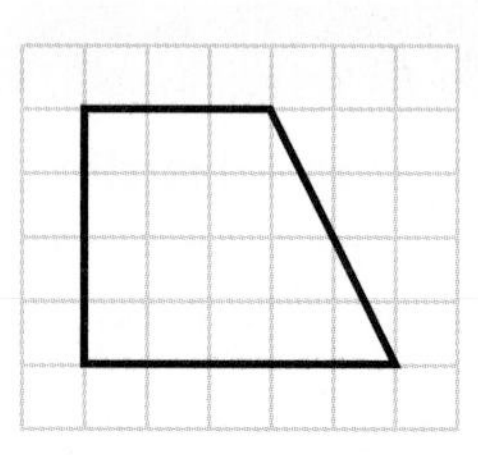

Algunas figuras contienen unidades cuadradas parciales.

Estima cuál es el área del trapecio de la derecha.

Una manera

Cuenta las unidades cuadradas enteras. Luego, estima cuál es el número de unidades que se forman al combinar los cuadrados parciales.

Hay 14 unidades cuadradas enteras. Las unidades cuadradas parciales forman aproximadamente 2 unidades cuadradas más.

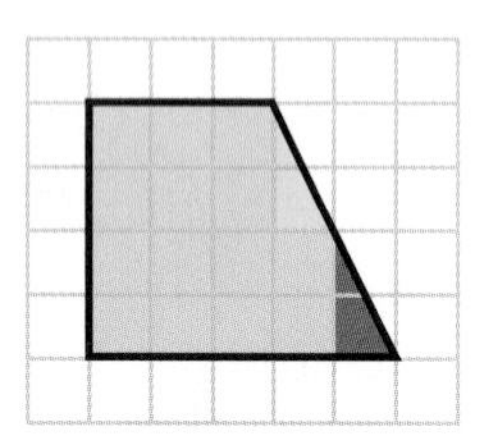

$14 + 2 = 16$

El trapecio tiene un área de aproximadamente 16 unidades cuadradas.

Otra manera

Traza un rectángulo alrededor del trapecio y halla el área del rectángulo.
$A = 4 \times 5 = 20$

Halla el área que está fuera del trapecio pero dentro del rectángulo.

Hay aproximadamente 4 unidades cuadradas que no están en el trapecio.

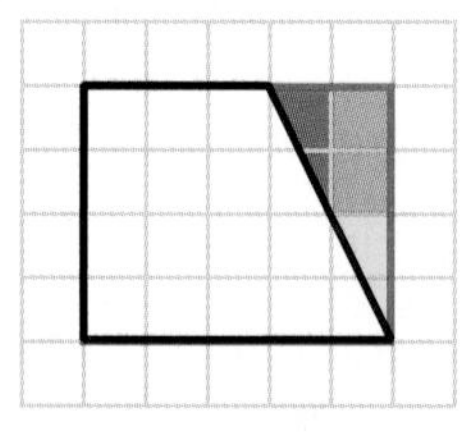

Resta para hallar la diferencia entre las dos áreas.

$20 - 4 = 16$

El trapecio tiene un área de aproximadamente 16 unidades cuadradas.

Explícalo

1. ¿Por qué se considera que la respuesta de 16 unidades cuadradas es una estimación?
2. ¿Se puede dividir el trapecio en rectángulos para hallar el área?

Una manera

Cuenta las unidades cuadradas para hallar el área.

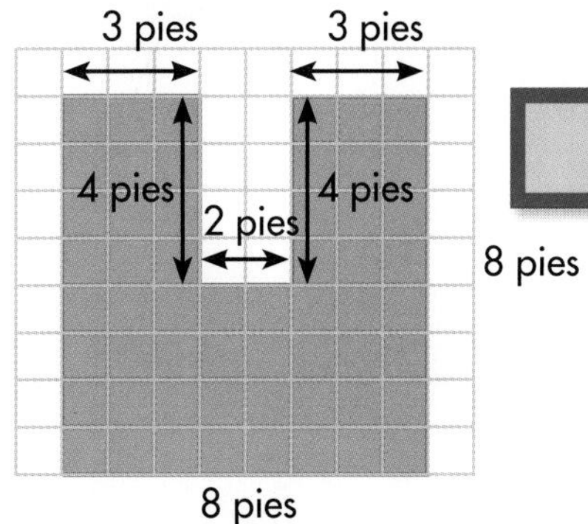

El área del hoyo del campo de golf mide 56 pies cuadrados.

Otra manera

Divide el campo en rectángulos. Halla el área de cada rectángulo y suma.

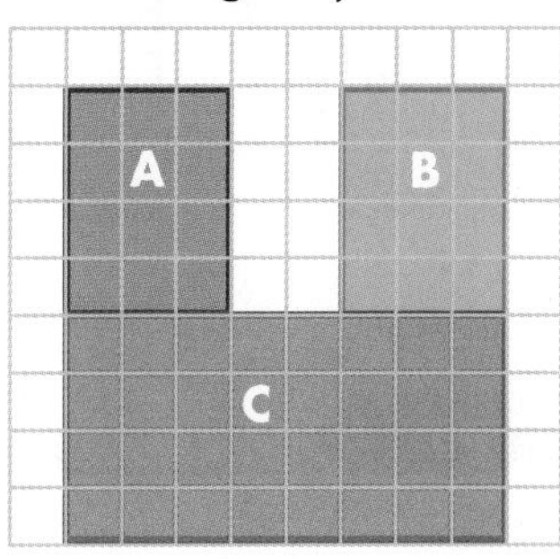

Rectángulo A
$A = 4 \times 3 = 12$

Rectángulo B
$A = 4 \times 3 = 12$

Rectángulo C
$A = 4 \times 8 = 32$

Suma las áreas: $12 + 12 + 32 = 56$
El área del hoyo del campo de golf mide 56 pies cuadrados.

Práctica guiada*

¿CÓMO hacerlo?

En los Ejercicios **1** y **2**, halla el área de las figuras.

1. 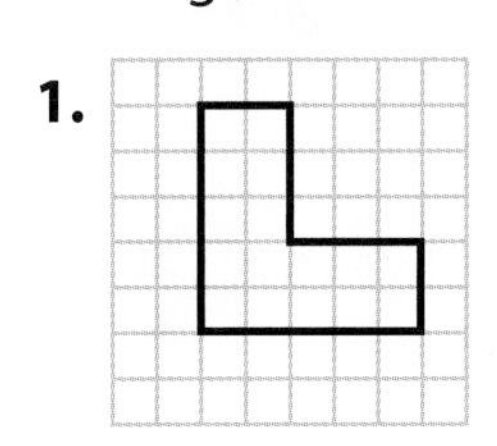

2. 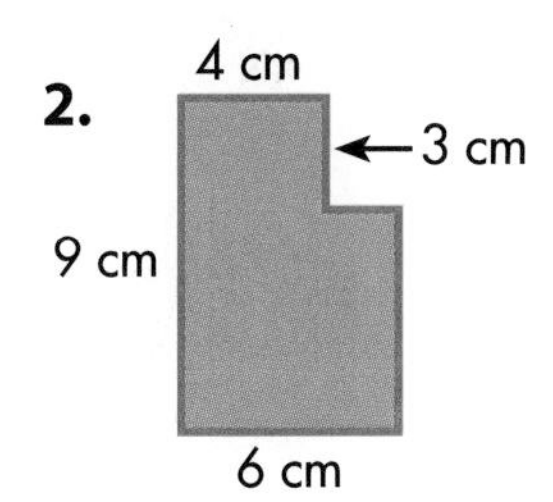

En los Ejercicios **3** y **4**, estima cuál es el área de las figuras.

3.  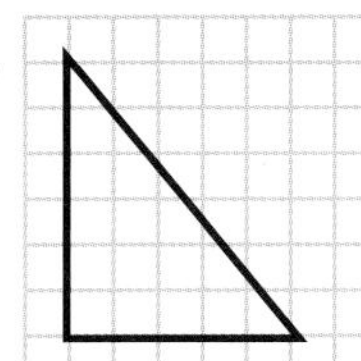

4. 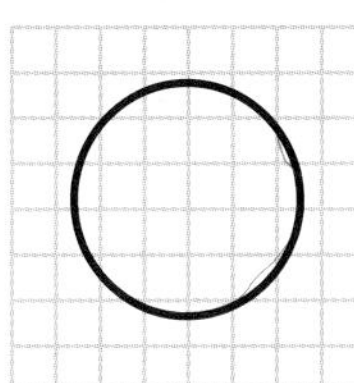

¿Lo ENTIENDES?

5. **Escribir para explicar** ¿Se podría dividir el área del hoyo del campo de golf en cualquier otro conjunto de rectángulos?

6. Supón que el señor Fox compró 75 pies cuadrados de césped artificial. ¿Cuánto césped artificial le sobrará?

7. El señor Fox decidió que el área del hoyo era muy grande. ¿Cuál sería la nueva área del campo si solamente usara los rectángulos *A* y *C* del ejemplo de arriba?

Práctica independiente

En los Ejercicios **8** y **9**, mide y halla el área de las figuras.

8. 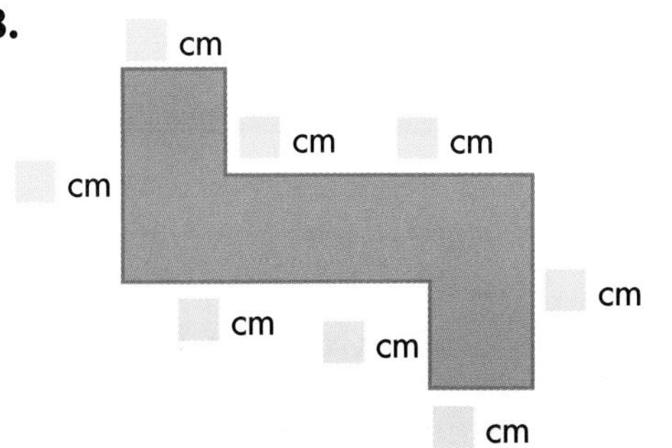

9. 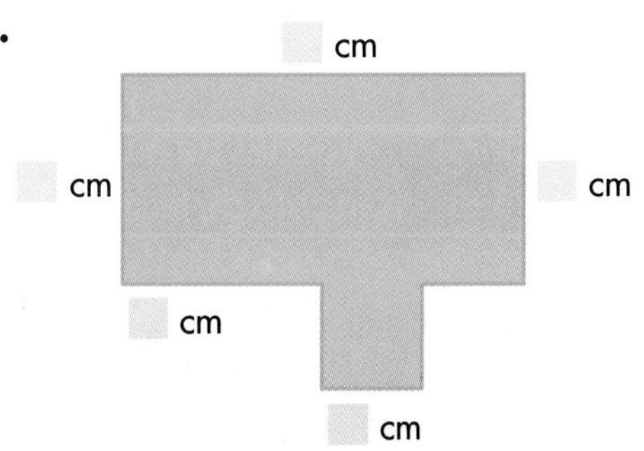

** Puedes encontrar otro ejemplo en el Grupo B, página 342.*

En los Ejercicios **10** a **13,** estima cuál es el área de las figuras.

10. 

11. 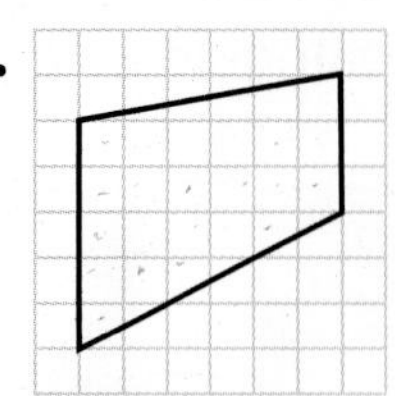

12. 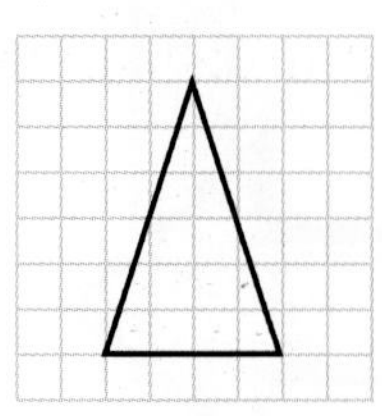

13. 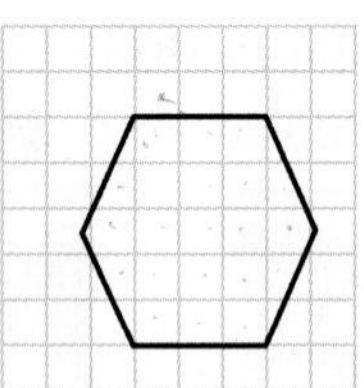

Resolución de problemas

14. Piensa en el proceso Jared trazó la figura de la derecha en papel cuadriculado. ¿Cuál **NO** es una manera en que se puede dividir la figura para hallar el área total?

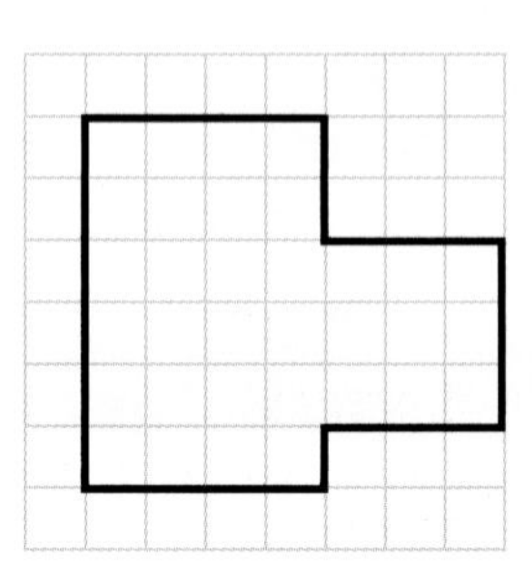

A $(4 \times 6) + (3 \times 3)$

B $(3 \times 7) + (4 \times 2) + (4 \times 1)$

C $(4 \times 6) + (3 \times 7)$

D $(2 \times 4) + (3 \times 3) + (4 \times 1) + (4 \times 3)$

15. **Escribir para explicar** La familia de Laurie está construyendo una casa nueva. El diseño de la casa aparece a la derecha. ¿Cuál es el área de la casa nueva? ¿Qué tamaño tendrá el patio?

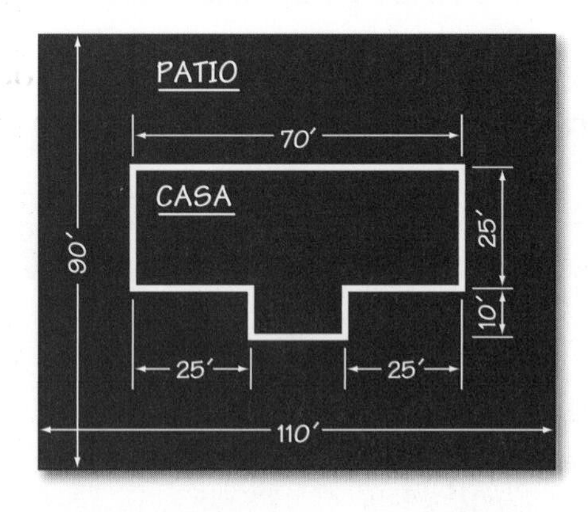

 *90′ significa 90 pies.*

16. **Álgebra** Escribe una expresión algebraica que represente la frase "seis veces un número es 24". Resuelve la expresión.

17. **Escribir para explicar** En una excursión, cada estudiante almorzó un sándwich, una ensalada y un jugo. Si sabes que había 10 estudiantes en la excursión, ¿puedes decir cuánto pagaron en total por el almuerzo? ¿Por qué o por qué no?

18. La señora Washington trazó un triángulo en papel cuadriculado. La base del triángulo tiene 6 unidades de largo. El triángulo tiene 8 unidades de alto. Haz un dibujo del triángulo de la señora Washington en papel cuadriculado. Estima cuál es el área.

19. Mandy hizo un diseño de retazos para agregarlo a su colcha. ¿Qué fracción de la colcha es de color azul?

A $\frac{2}{8}$

B $\frac{4}{8}$

C $\frac{8}{8}$

D $\frac{8}{4}$

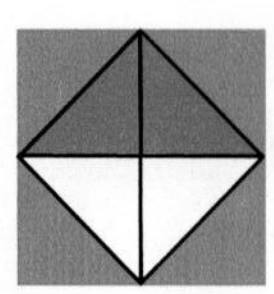

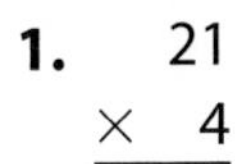

Halla cada producto. Haz una estimación para comprobar si la respuesta es razonable.

1. $\begin{array}{r} 21 \\ \times\ 4 \\ \hline \end{array}$ **2.** $\begin{array}{r} 843 \\ \times\ 6 \\ \hline \end{array}$ **3.** $\begin{array}{r} 6{,}318 \\ \times\ 5 \\ \hline \end{array}$ **4.** $\begin{array}{r} 5{,}008 \\ \times\ 9 \\ \hline \end{array}$

5. $\begin{array}{r} 40 \\ \times\ 3 \\ \hline \end{array}$ **6.** $\begin{array}{r} 17 \\ \times\ 8 \\ \hline \end{array}$ **7.** $\begin{array}{r} 92{,}075 \\ \times\ 2 \\ \hline \end{array}$ **8.** $\begin{array}{r} 796 \\ \times\ 7 \\ \hline \end{array}$

9. $\begin{array}{r} 24{,}927 \\ \times\ 6 \\ \hline \end{array}$ **10.** $\begin{array}{r} 1{,}234 \\ \times\ 9 \\ \hline \end{array}$ **11.** $\begin{array}{r} 700 \\ \times\ 5 \\ \hline \end{array}$ **12.** $\begin{array}{r} 99 \\ \times\ 9 \\ \hline \end{array}$ **13.** $\begin{array}{r} 50{,}000 \\ \times\ 4 \\ \hline \end{array}$

Halla cada diferencia. Haz una estimación para comprobar si la respuesta es razonable.

14. $3{,}427 - 648$ **15.** $7{,}005 - 6{,}496$ **16.** $502 - 89$

Identifica los errores Halla cada producto que no sea correcto. Escríbelo correctamente y explica el error.

17. $\begin{array}{r} 56{,}829 \\ \times\ 5 \\ \hline 284{,}145 \end{array}$ **18.** $\begin{array}{r} 408 \\ \times\ 9 \\ \hline 3{,}602 \end{array}$ **19.** $\begin{array}{r} 2{,}365 \\ \times\ 3 \\ \hline 7{,}098 \end{array}$ **20.** $\begin{array}{r} 45 \\ \times\ 4 \\ \hline 49 \end{array}$ **21.** $\begin{array}{r} 777 \\ \times\ 7 \\ \hline 5{,}439 \end{array}$

Sentido numérico

Haz una estimación y razona Escribe si cada enunciado es verdadero o falso. Explica tu respuesta.

22. El producto de 6 y 39 es menor que 240.

23. La suma de 3,721 y 1,273 es mayor que 4,000 pero menor que 6,000.

24. El producto de 5 y 286 es mayor que 1,500.

25. El producto de 4 y 3,103 está más cerca de 12,000 que de 16,000.

26. La diferencia de 4,637 – 2,878 es mayor que 2,000.

27. El cociente de 4 dividido por 1 es 1.

Lección

14-4

¡Lo entenderás!
Se debe usar la fórmula del área de un rectángulo para hallar una fórmula del área de un paralelogramo.

Área de paralelogramos

¿Cómo puedes hallar el área de un paralelogramo?

Una figura en una colcha de retazos tiene la forma de un paralelogramo. Tiene una base de 9 pulgadas y una altura de 4 pulgadas. ¿Cuál es el área del paralelogramo?

Práctica guiada*

¿CÓMO hacerlo?

En los Ejercicios **1** a **4,** halla el área de cada paralelogramo.

1.

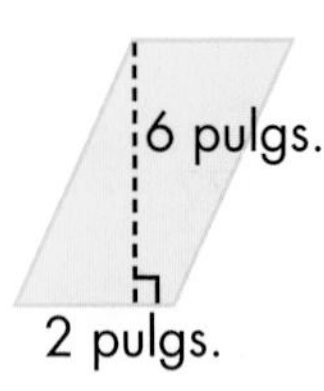

2.

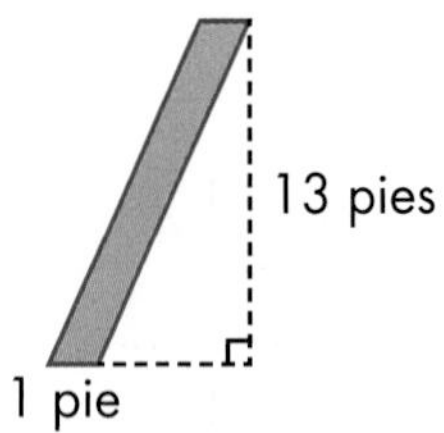

3.

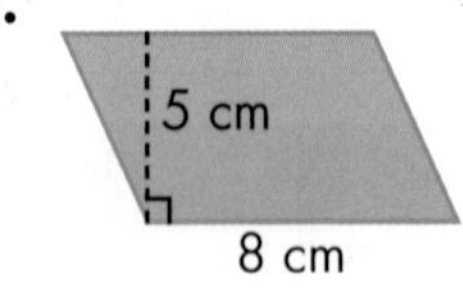

4.

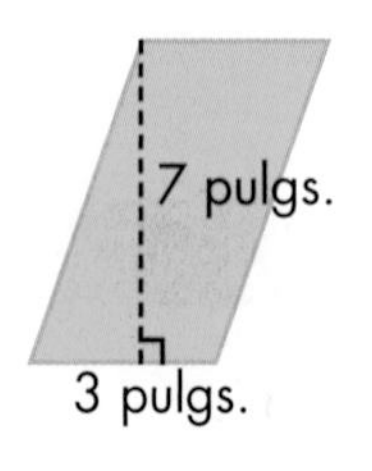

¿Lo ENTIENDES?

5. En el ejemplo anterior, ¿qué partes del paralelogramo y del rectángulo son congruentes?

6. ¿Por qué la fórmula para hallar el área de un paralelogramo sería igual a la fórmula para hallar el área de un rectángulo?

7. Escribir para explicar Un paralelogramo tiene un área de 16 pies cuadrados y una altura de 8 pies. ¿Cuál es la longitud del paralelogramo? Explícalo.

Práctica independiente

En los Ejercicios **8** a **15,** halla el área de cada paralelogramo.

8.

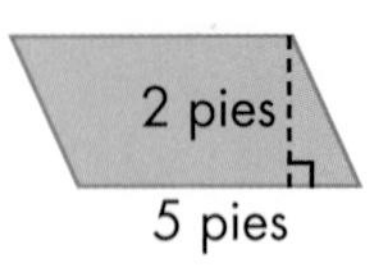

9.

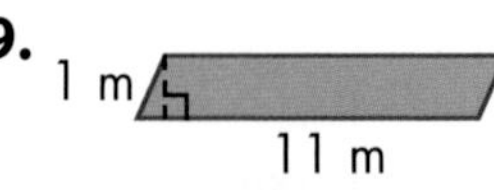

10.

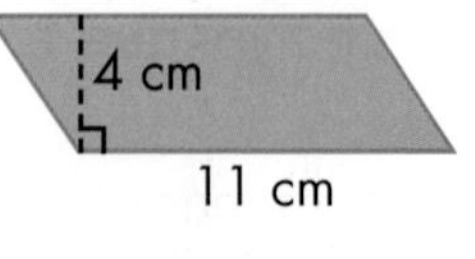

11.

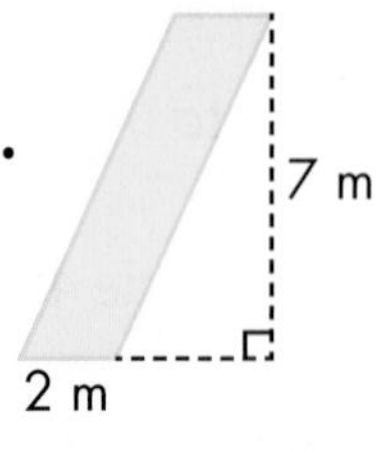

12.

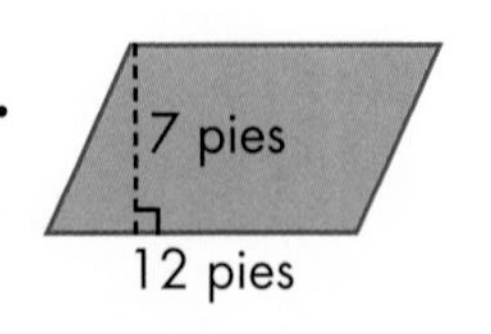

13.

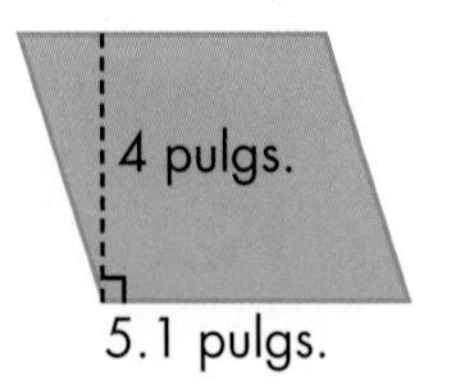

14.

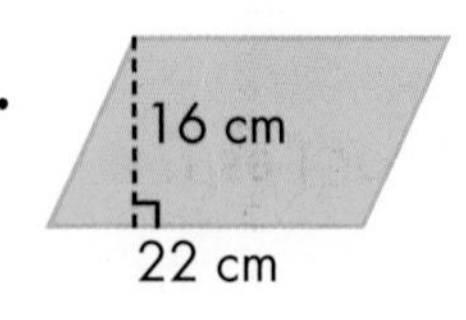

15.

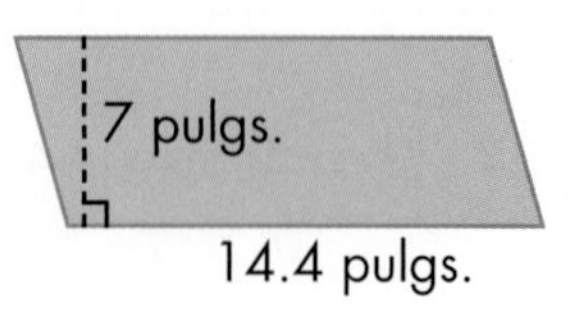

Puedes encontrar otro ejemplo en el Grupo C, página 342.

Si deslizas el triángulo hasta el otro lado, tienes un rectángulo.

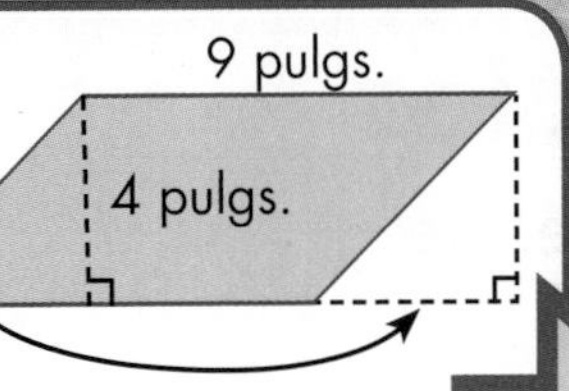

Multiplica la longitud y el ancho del rectángulo para hallar el área.

$A = \ell \times a$

$A = 9 \times 4$

$A = 36$ pulgadas cuadradas

El área del paralelogramo es 36 pulgadas cuadradas.

La base (b) y la altura (h) corresponden a las dimensiones del rectángulo.

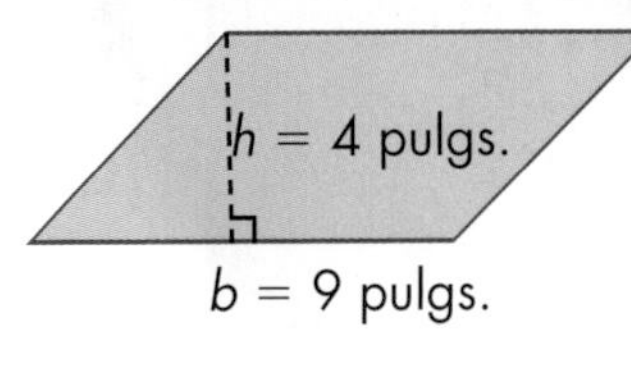

$A = b \times h$

$A = 9 \times 4$

$A = 36$ pulgadas cuadradas

El área del paralelogramo es 36 pulgadas cuadradas.

Resolución de problemas

16. Escribir para explicar Quinn dice que el paralelogramo de la derecha tiene un área de 50 centímetros cuadrados. ¿Tiene razón Quinn? Explícalo.

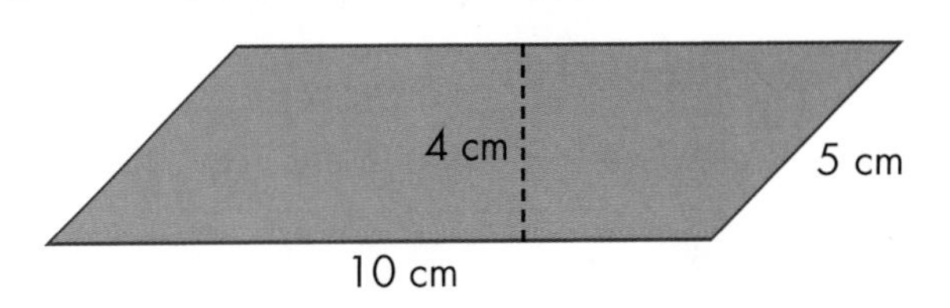

17. Un paralelogramo tiene un área de 32 pulgadas cuadradas. Si el paralelogramo tiene 16 pulgadas de longitud, ¿cuál es su altura?

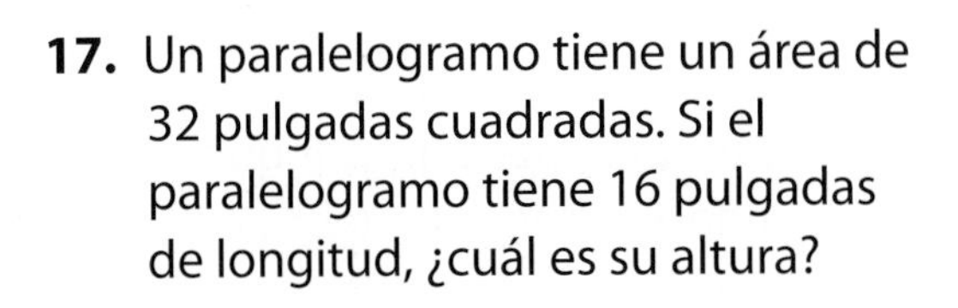

18. Geometría ¿Cuál es el nombre de un cuadrilátero que tiene un grupo de lados paralelos?

19. Escribir para explicar Nita dijo que para obtener $\frac{8}{12}$ en su mínima expresión, necesita dividir tanto 8 como 12 por otro número. ¿Por qué número debe dividir Nita tanto 8 como 12?

20. Geometría La recta *AB* es paralela a la recta *CD*. La recta *AC* es perpendicular a la recta *CD*. La recta *AC* es paralela a la recta *BD*. ¿Qué figura crean los puntos *ABCD*?

Ojo *Hacer un dibujo.*

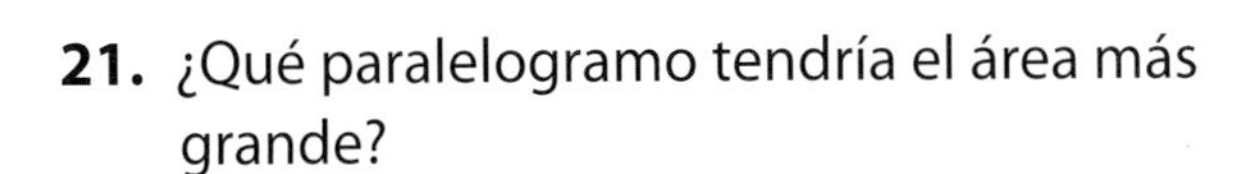

21. ¿Qué paralelogramo tendría el área más grande?

A Base: 11 pulgs. Altura: 2 pulgs.

B Base: 5 pulgs. Altura: 5 pulgs.

C Base: 7 pulgs. Altura: 3 pulgs.

D Base: 6 pulgs. Altura: 4 pulgs.

22. ¿Cuál de las siguientes unidades podría usarse para medir el área de una figura?

A Millas

B Metros

C Pies cuadrados

D Kilómetros

Lección

14-5

¡Lo entenderás!
Se debe usar la relación entre los triángulos y los paralelogramos para hallar el área de un triángulo.

Área de triángulos

¿Cómo puedes hallar el área de un triángulo?

El velero a escala de Kendra tiene una vela triangular con una base que mide 6 pulgadas de longitud y una altura de 7 pulgadas. ¿Cuál es el área de la vela?

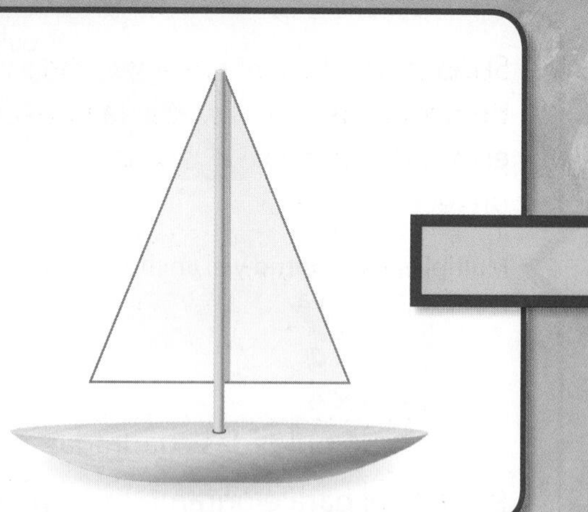

Práctica guiada*

¿CÓMO hacerlo?

En los Ejercicios **1** a **4,** halla el área de cada triángulo.

1. 2 m; 9 m

2. 3 yd; 12 yd

3. 8 pies; 6 pies

4.

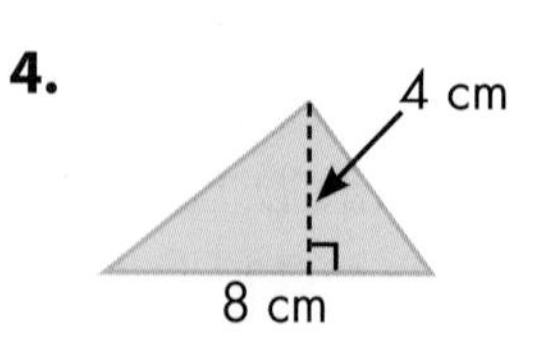

¿Lo ENTIENDES?

5. En el ejemplo anterior, ¿cómo sabes que el área del triángulo es exactamente la mitad del área del paralelogramo?

6. En el ejemplo anterior, ¿por qué el segundo rectángulo debe ser congruente con el primero?

7. Sentido numérico ¿Será diferente el área del triángulo si divides por dos en lugar de multiplicar por $\frac{1}{2}$?

Práctica independiente

En los Ejercicios **8** a **15,** halla el área de cada triángulo.

8. 3 pies; 6 pies

9. 5 yd; 4 yd

10. 1 cm; 22 cm

11. 7 pulgs.; 9 pulgs.

12.

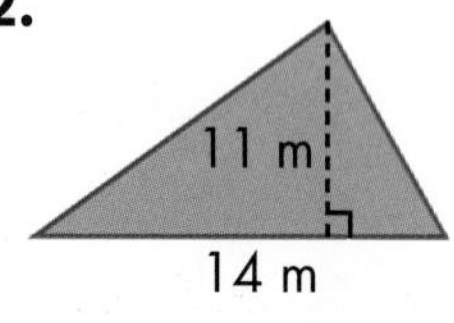

13.

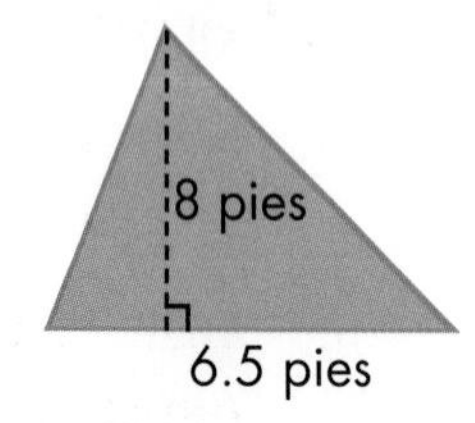

14.

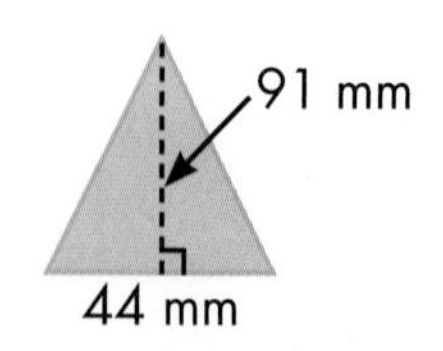

15.

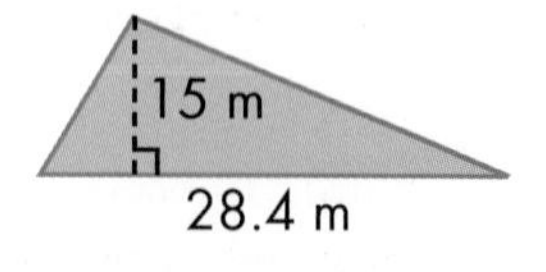

* *Puedes encontrar otro ejemplo en el Grupo C, página 342.*

Puedes usar lo que has aprendido acerca de cómo hallar el área de un paralelogramo para hallar el área de la vela.

Si ubicas un triángulo congruente tal como se muestra, tienes un paralelogramo.

$h = 7$ pulgs.

$A = b \times h$

$A = 6 \times 7$

$b = 6$ pulgs.

$A = 42$ pulgadas cuadradas

El área del paralelogramo es 42 pulgadas cuadradas.

El área de cada triángulo es la mitad del área de un paralelogramo.

$A = \frac{1}{2} \times \text{base} \times \text{altura}$

$A = \frac{1}{2} \times b \times h$ $\quad h = 7$ pulgs.

$A = \frac{1}{2} \times 6 \times 7$

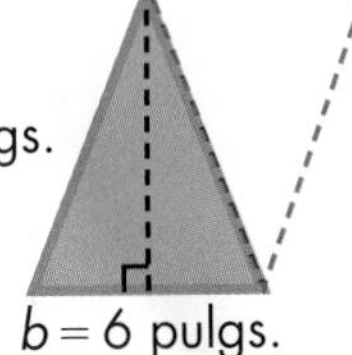

$A = 21$ pulgadas cuadradas

El área de la vela es 21 pulgadas cuadradas.

Resolución de problemas

16. Escribir para explicar Patricia dice que el triángulo de la derecha tiene un área de 300 pulgadas cuadradas. ¿Tiene razón? Explícalo.

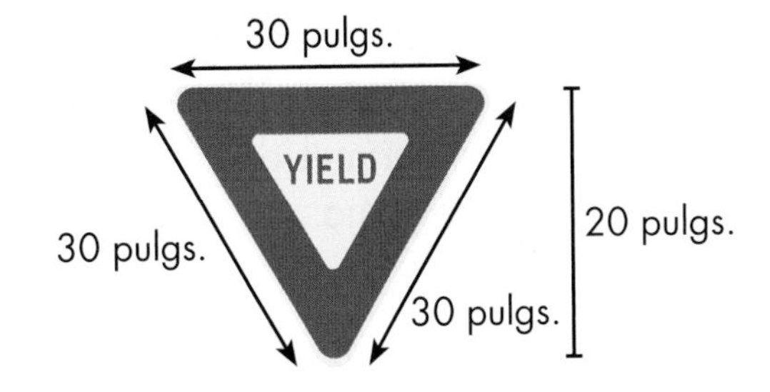

17. ¿Cuál es el área del triángulo siguiente?

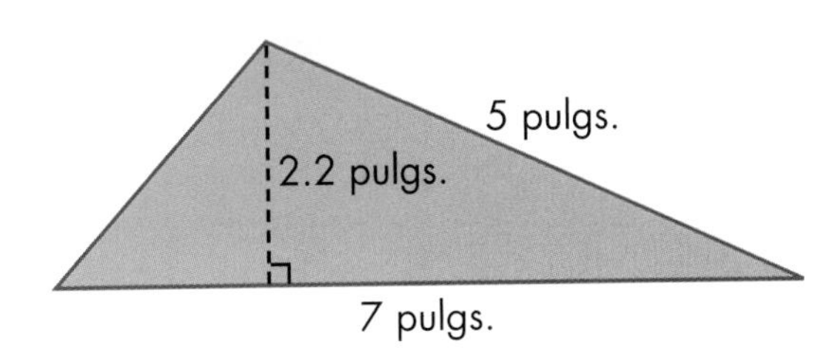

18. Álgebra Un triángulo tiene un área de 32 pulgadas cuadradas. Si el triángulo tiene una base de 16 pulgadas, ¿cuál es su altura?

19. El triángulo de Sierpinski es un patrón geométrico que se forma uniendo los puntos medios de los lados de un triángulo, creando 4 triángulos más pequeños de igual tamaño. Usa el dibujo de la derecha para hallar el área del triángulo del medio.

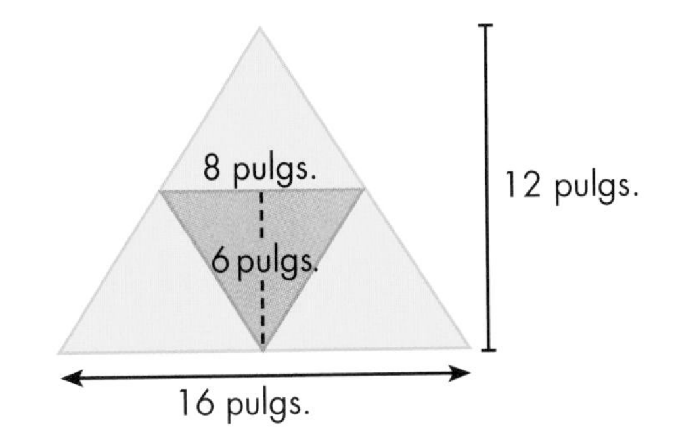

20. Escribir para explicar Tim está haciendo pasteles de manzana. La receta de cada pastel requiere seis manzanas. Tim tiene 20 manzanas y puede hacer tres pasteles. Tim divide 20 por 6 y obtiene 3 R2. ¿Qué significa el residuo?

21. ¿Qué medidas para un triángulo tienen el área más grande?

A Base: 9 pulgs. Altura: 6 pulgs.

B Base: 10 pulgs. Altura: 5 pulgs.

C Base: 18 pulgs. Altura: 2 pulgs.

D Base: 52 pulgs. Altura: 1 pulg.

Lección
14-6 Perímetro

¡Lo entenderás!
Existen diferentes maneras de hallar la distancia que hay alrededor de una figura.

¿Cómo hallas la distancia del contorno de un objeto?

Manos a la obra
regla métrica

Fred quiere poner un marco alrededor del tablero de avisos de su salón. ¿Cuánto marco necesitará?

El perímetro es la distancia del contorno de una figura.

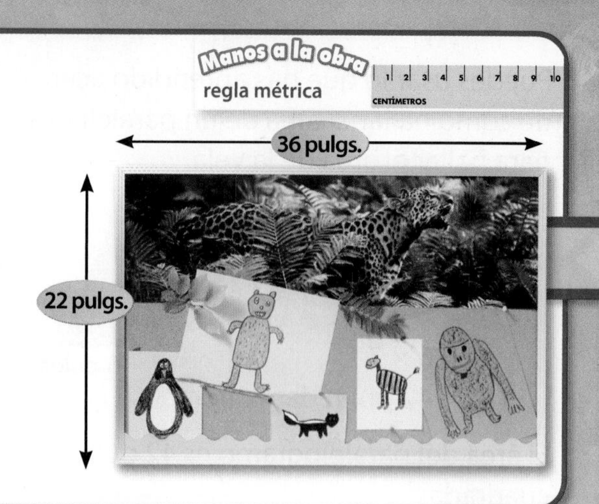

Otro ejemplo ¿Cómo estimas y hallas el perímetro de diferentes figuras?

Estima y halla el perímetro del hexágono de abajo.

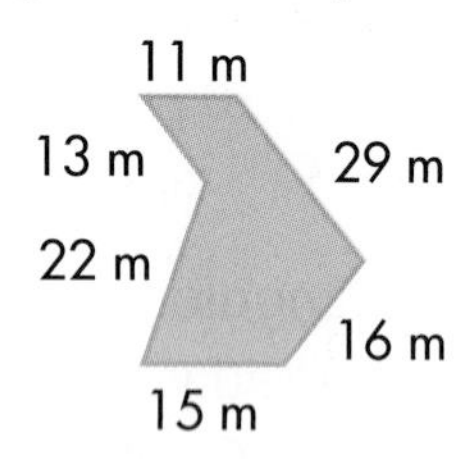

Usa redondeo para estimar:
$30 + 20 + 20 + 20 + 10 + 10 = 110$

Suma los números reales:
$29 + 16 + 15 + 22 + 13 + 11 = 106$

El perímetro del hexágono es 106 m.

Halla el perímetro del cuadrado de abajo. Los 4 lados de un cuadrado tienen la misma longitud. Por tanto, la fórmula es:
$P = l + l + l + l$
o $P = 4 \times l$

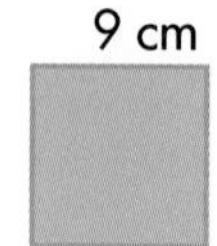

$l = 9$
$P = 4 \times 9$
$P = 36$

El perímetro del cuadrado es 36 cm.

Explícalo

1. ¿Cómo puedes usar la suma para hallar el perímetro de un cuadrado? ¿Cómo puedes usar la multiplicación?

2. ¿Por qué no podrías usar una fórmula para hallar el perímetro del hexágono? ¿Podrías usar alguna vez una fórmula para hallar el perímetro de un hexágono? Explícalo.

Una manera

Mide para hallar la longitud de cada lado. Luego suma para hallar el perímetro.

$36 + 22 + 36 + 22 = 116$

El perímetro del tablero de avisos es 116 pulgadas.

Otra manera

Usa una fórmula.

Perímetro = (2 × longitud) + (2 × ancho)

$P = (2 \times \ell) + (2 \times a)$

$P = (2 \times 36) + (2 \times 22)$

$P = 72 + 44 = 116$

longitud

ancho

El perímetro del tablero de avisos es 116 pulgadas.

Práctica guiada*

¿CÓMO hacerlo?

En los Ejercicios **1** a **4,** estima. Luego halla el perímetro de cada figura.

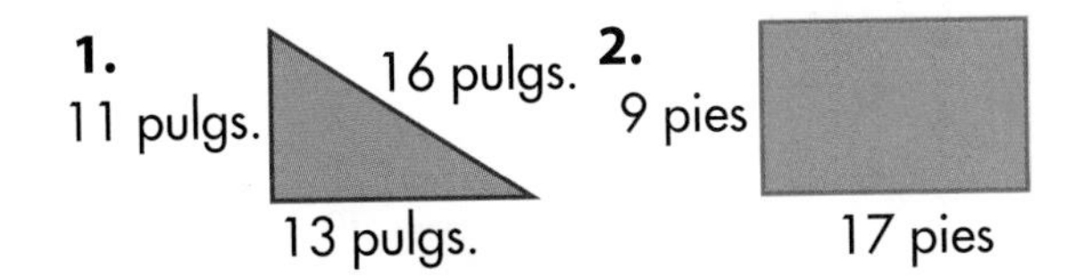

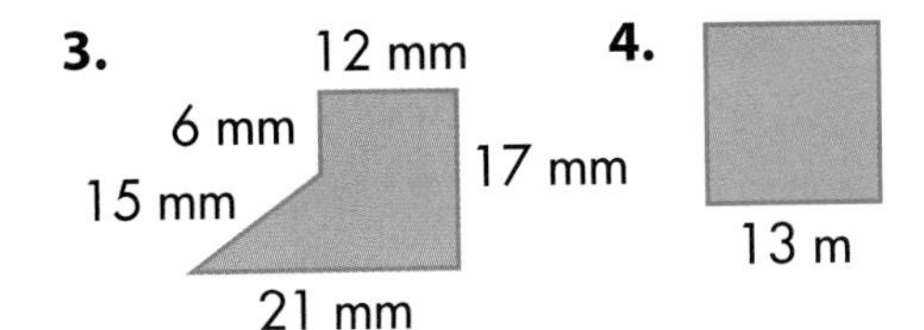

¿Lo ENTIENDES?

5. ¿Cómo puedes usar una fórmula para hallar el perímetro de un polígono que tiene los lados de igual longitud?

6. ¿Cómo haces una estimación para ver si el valor que hallaste del perímetro del tablero de avisos de Fred es razonable?

7. Fred está haciendo un marco para una foto autografiada. Si la foto mide 8 pulgadas por 10 pulgadas, ¿cuánta madera necesitará Fred para el marco?

Práctica independiente

En los Ejercicios **8** a **10,** mide los lados y halla el perímetro de cada figura.

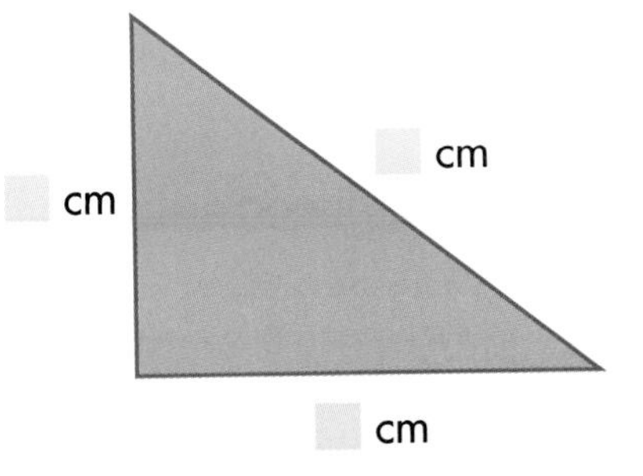

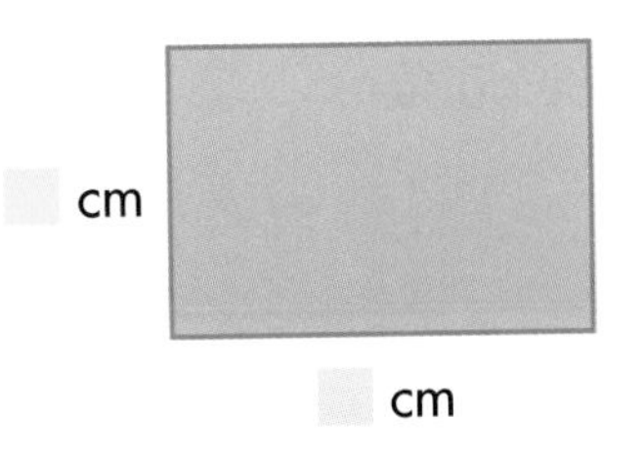

** Puedes encontrar otro ejemplo en el Grupo D, página 343.*

Práctica independiente

En los Ejercicios **11** a **18,** estima cuál es el perímetro de las figuras y luego hállalo.

11. 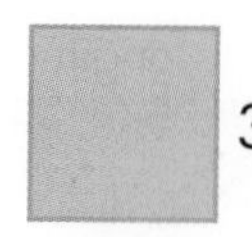
39 pulgs.

12. 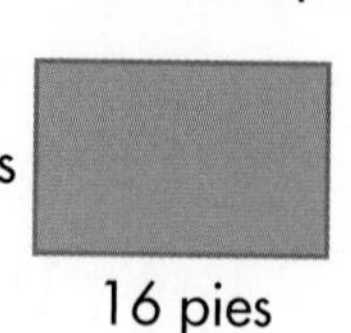
12 pies
16 pies

13. 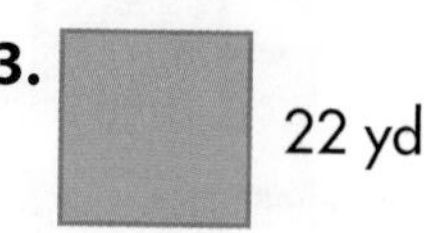
22 yd

14.
30 cm
25 cm
19 cm
22 cm
22 cm
27 cm

15. 
14 m

16. 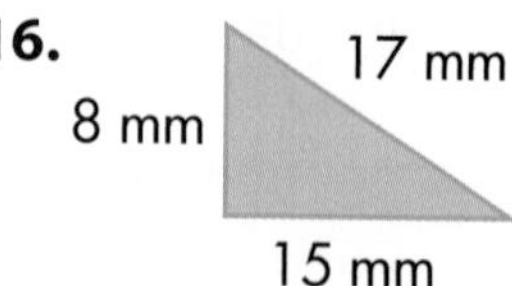
8 mm
17 mm
15 mm

17. 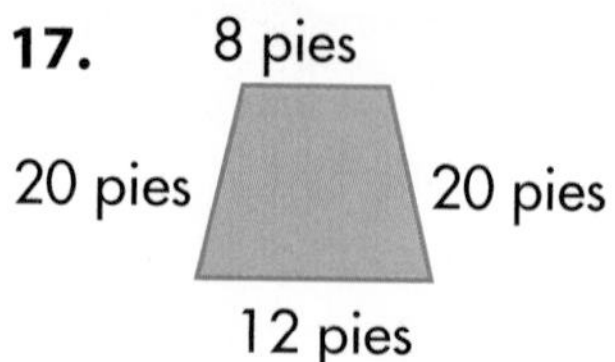
8 pies
20 pies
20 pies
12 pies

18. 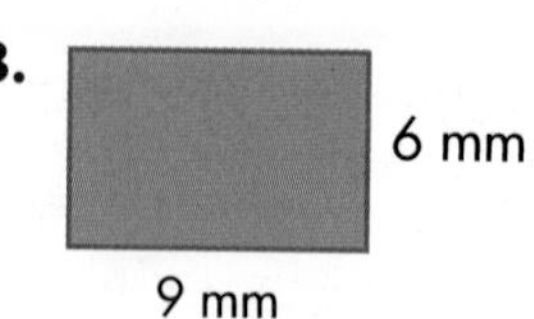
6 mm
9 mm

Resolución de problemas

19. Tom dibujó los 2 rectángulos de la derecha. ¿Cuál es la diferencia entre el perímetro del Rectángulo *A* y el perímetro del Rectángulo *B*?

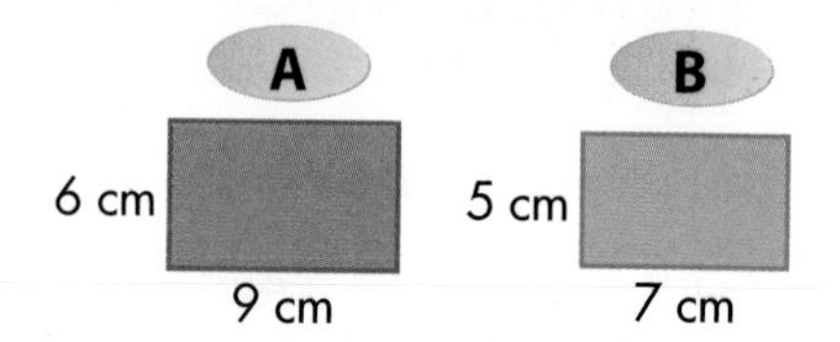

A 3 cm **B** 6 cm **C** 12 cm **D** 54 cm

20. **Razonamiento** ¿Cuál tiene el perímetro mayor, un cuadrado de 28 pulgadas o un rectángulo de 21 pulgadas por 31 pulgadas? Explícalo.

21. Charles quería estimar cuál era el perímetro de los Estados Unidos en millas; por tanto, dibujó varios polígonos y los ubicó encima de un mapa del país. Estima cuál es el perímetro de los Estados Unidos a la centena más cercana.

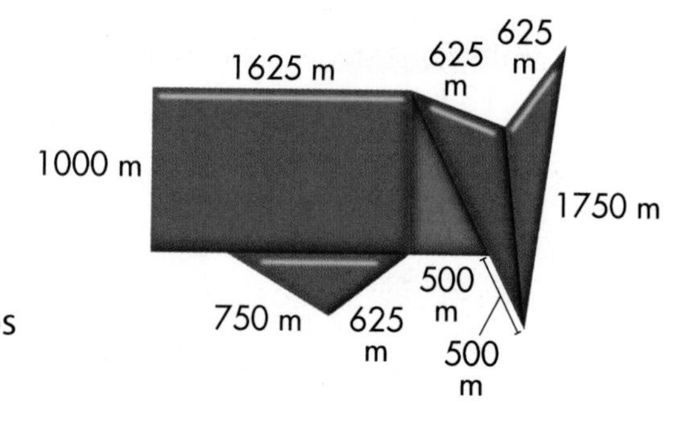

22. Paula construyó para su perro un área de juegos que tiene forma de pentágono regular. Si el perímetro es 35 pies, ¿cuál es la longitud de cada lado del área de juegos?

23. Para poder jugar en la computadora, Myles debe leer primero 120 páginas. Si lee 10 páginas por noche, ¿cuántas noches deberá leer antes de poder jugar en la computadora?

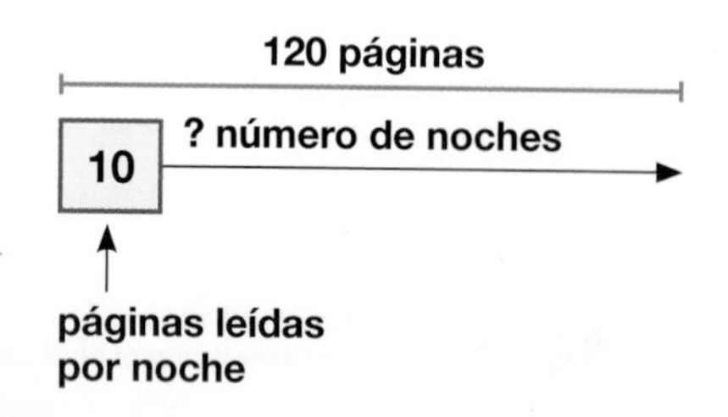

24. Piensa en el proceso James quiere dibujar un rectángulo que tenga un perímetro de 42 unidades y una longitud de 13 unidades. ¿Cómo puede determinar el ancho?

A Resta 13 de 42, luego divide por 2.

B Multiplica 13 por 2.

C Suma 13 a 42, luego divide por 2.

D Multiplica 13 por 2. Resta el producto de 42. Divide la diferencia por 2.

Circunferencia

La **circunferencia** es la distancia alrededor de un círculo. En cualquier círculo, la circunferencia dividida por el diámetro es igual a pi(π).

El **centro** es un punto dentro del círculo que está a la misma distancia de todos los puntos de un círculo.

Una **cuerda** es un segmento de recta que conecta dos puntos cualesquiera en un círculo.

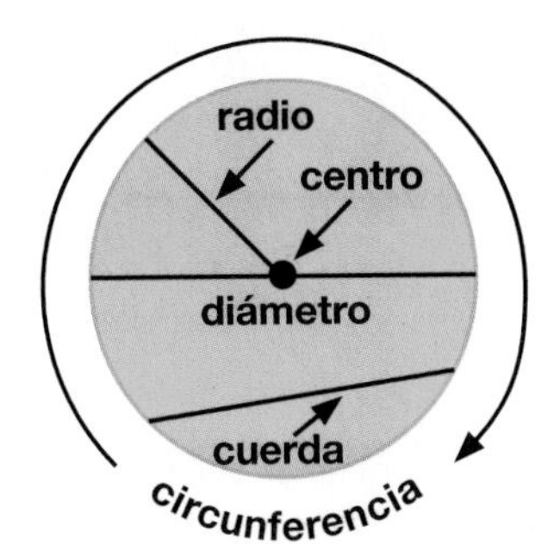

Un **radio** es cualquier segmento de recta que conecta el centro a un punto del círculo.

Un **diámetro** es cualquier segmento de recta que conecta dos puntos del círculo y que pasa por el centro. La longitud del diámetro es dos veces el radio.

Ejemplos: Dado que la relación entre la circunferencia y el diámetro de todos los círculos es siempre la misma, puedes usar una fórmula para describirla.

Fórmula para la circunferencia

Circunferencia = $\pi \times$ diámetro
$C = \pi \times d$

Halla la circunferencia.

$C = \pi \times d$
$C = 3.14 \times 6$
$C = 18.84$ cm

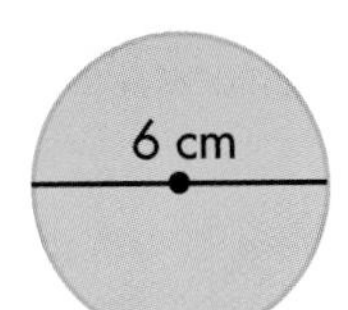

Halla la circunferencia.

Circunferencia = $\pi \times 2 \times$ radio
$C = \pi \times 2 \times r$ ó
$C = 2 \times \pi \times r$

Halla la circunferencia.

$C = 2 \times \pi \times r$
$C = 2 \times \pi \times 4$
$C = 3.14 \times 8$
$C = 25.12$ m

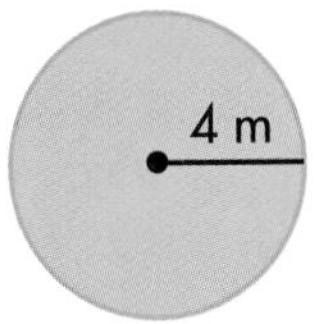

Práctica

En los Ejercicios **1** a **6,** halla la circunferencia. Usa 3.14 ó π.

1. 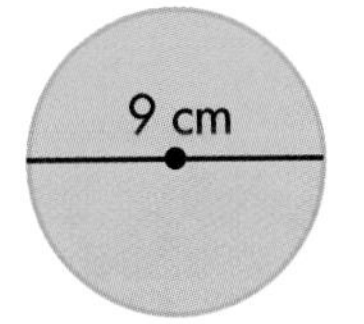

2. 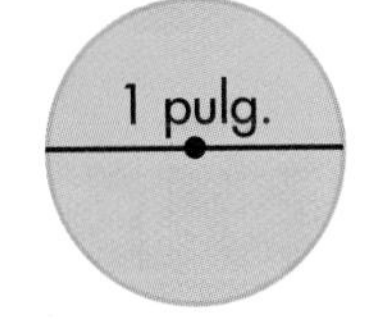

3. 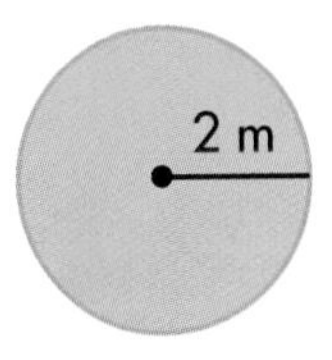

4. $d = 7$ cm

5. $r = 5$ m

6. $r = 2.5$ mm

Lección

14-7

¡Lo entenderás!
Los rectángulos que tienen el mismo perímetro pueden tener áreas diferentes.

Perímetro igual, área diferente

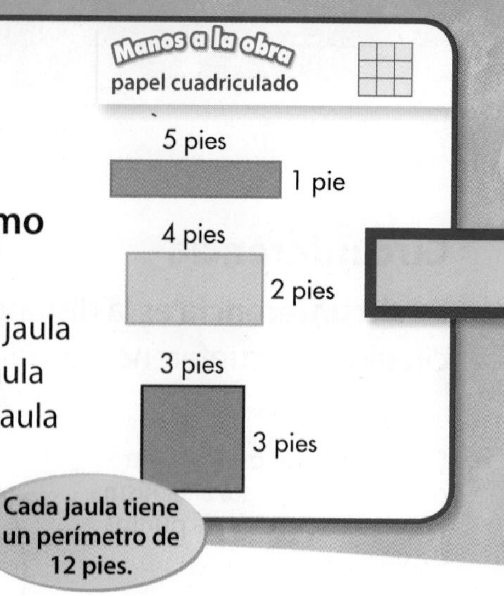

¿Pueden los rectángulos tener el mismo perímetro pero áreas diferentes?

Beth tiene 12 pies de valla para construir una jaula rectangular para sus conejos. Quiere que la jaula tenga tanto espacio como sea posible. ¿Qué jaula rectangular tiene el área mayor?

Cada jaula tiene un perímetro de 12 pies.

Práctica guiada*

¿CÓMO hacerlo?

En los Ejercicios **1** a **4,** usa papel cuadriculado para dibujar dos rectángulos diferentes con el perímetro dado. Di las dimensiones y el área de cada rectángulo. Encierra en un círculo el que tenga el área mayor.

1. 16 pies

2. 20 centímetros

3. 24 pulgadas

4. 40 metros

¿Lo ENTIENDES?

5. En el ejemplo de arriba, ¿qué observas acerca del área de los rectángulos a medida que la figura se parece más a un cuadrado?

6. Alex está construyendo una jaula para conejos con 25 pies de valla. ¿Qué rectángulo puede construir que tenga la mayor área posible?

Práctica independiente

En los Ejercicios **7** a **10,** usa papel cuadriculado para dibujar dos rectángulos diferentes con el perímetro dado. Di las dimensiones y el área de los rectángulos. Encierra en un círculo el que tenga el área mayor.

7. 10 pulgadas

8. 22 centímetros

9. 26 yardas

10. 32 pies

En los Ejercicios **11** a **14,** describe un rectángulo diferente que tenga el mismo perímetro que el que se muestra. Luego, di qué rectángulo tiene el área mayor.

11.

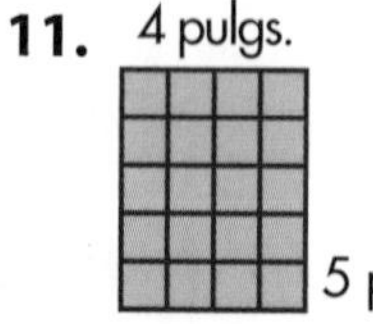

12.

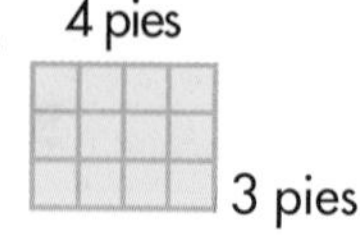

13.

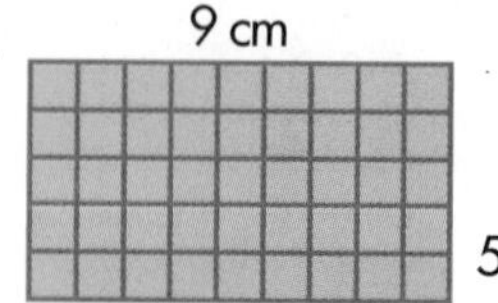

14.

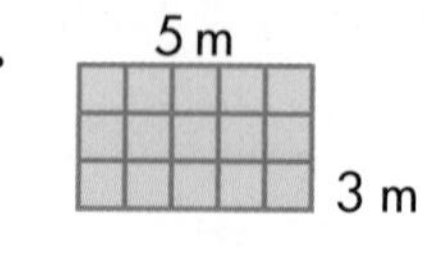

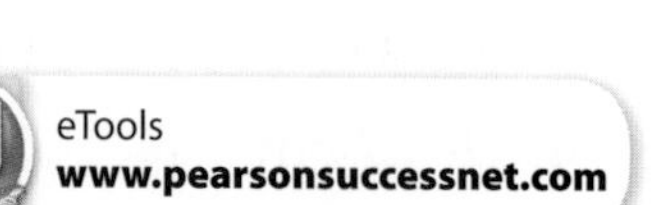

*Puedes encontrar otro ejemplo en el Grupo E, página 343.

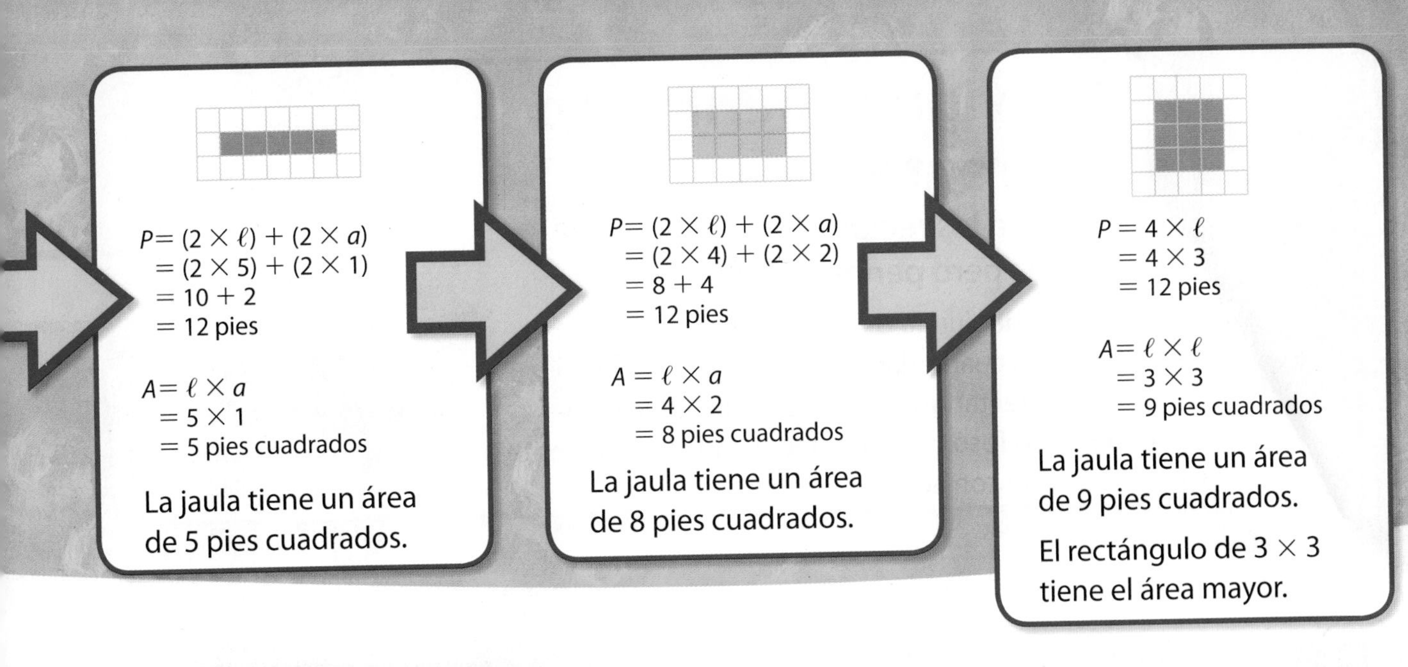

Resolución de problemas

15. Razonamiento Los rectángulos de la derecha tienen el mismo perímetro. Sin medir ni multiplicar, ¿cómo sabes cuál tiene el área mayor, el rectángulo X o el rectángulo Y?

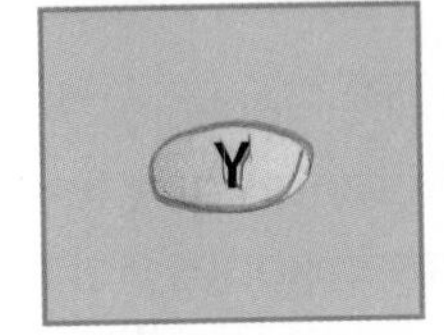

16. Supón que ordenas 48 fichas en grupos. El primer grupo tiene 3 fichas. Cada grupo de los que siguen tiene 2 fichas más que el grupo anterior. ¿Cuántos grupos tienes que hacer para usar todas las 48 fichas?

17. Escribir para explicar Karen dibujó un rectángulo con un perímetro de 20 pulgadas. El lado más corto del rectángulo medía 3 pulgadas y el lado más largo del rectángulo medía 7 pulgadas. ¿Tiene razón?

18. El Sr. Gardner está construyendo una valla alrededor de su jardín. Tiene un total de 42 pies de valla para hacer el perímetro. ¿Cuánta valla debe usar en el ancho y en la longitud para crear una jaula con la mayor área posible?

19. Estimación Tres pueblos se reparten el costo de las reparaciones de la biblioteca de una escuela secundaria regional. El costo total será $7,200. Si se reparte el costo en partes iguales, ¿pagará cada pueblo más o menos de $3,000?

En el Ejercicio **20,** usa el diagrama de la derecha.

20. Cuál de los siguientes enunciados acerca de los rectángulos es verdadero?

A Los dos tienen el mismo ancho.

B Los dos tienen la misma longitud.

C Los dos tienen el mismo perímetro.

D Los dos tienen la misma área.

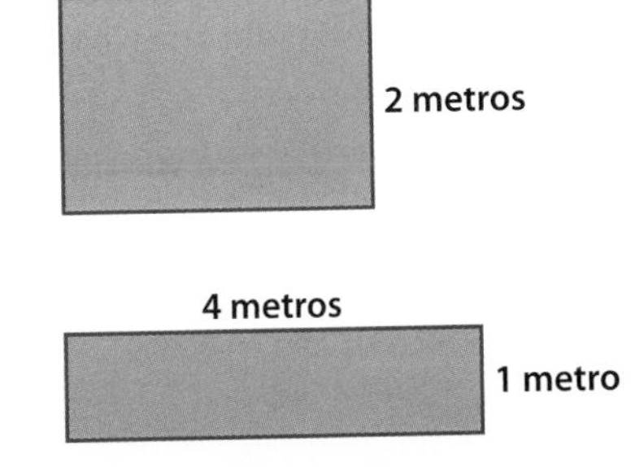

Lección
14-8

¡Lo entenderás!
Los rectángulos que tienen la misma área pueden tener perímetros diferentes.

Área igual, perímetro diferente

Manos a la obra
papel cuadriculado

¿Pueden los rectángulos tener áreas iguales pero perímetros diferentes?

En un videojuego de rompecabezas, tienes 16 fichas cuadradas de castillo para hacer un castillo rectangular y 16 fichas de agua para hacer un foso. ¿Cómo puedes rodear totalmente el castillo con agua?

Práctica guiada*

¿CÓMO hacerlo?

En los Ejercicios **1** a **4,** halla dos rectángulos diferentes que tengan el área dada. Da las dimensiones y el perímetro de cada rectángulo y di cuál tiene el perímetro menor.

1. 6 pies cuadrados
2. 36 yardas cuadradas
3. 64 metros cuadrados
4. 80 pulgadas cuadradas

¿Lo ENTIENDES?

5. En el ejemplo anterior, ¿qué observas acerca del perímetro de los tres rectángulos a medida que la figura se parece más a un cuadrado?

6. En la ronda 2 del videojuego de rompecabezas, tienes 24 fichas cuadradas de castillo. ¿Cuál es el menor número de fichas de agua que necesitarás para rodear tu castillo?

Práctica independiente

En los Ejercicios **7** a **10,** usa papel cuadriculado para dibujar dos rectángulos diferentes con el área dada. Determina las dimensiones y el perímetro de cada rectángulo. Encierra en un círculo el que tenga el perímetro menor.

7. 9 pulgadas cuadradas
8. 18 pies cuadrados
9. 30 metros cuadrados
10. 32 centímetros cuadrados

En los Ejercicios **11** a **14,** describe un rectángulo diferente que tenga la misma área que el que se muestra. Luego, di qué rectángulo tiene el perímetro menor.

11.

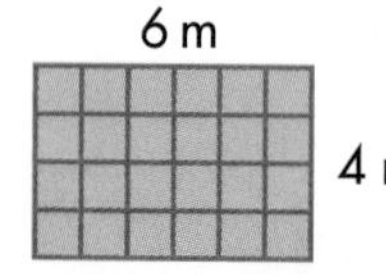

12.

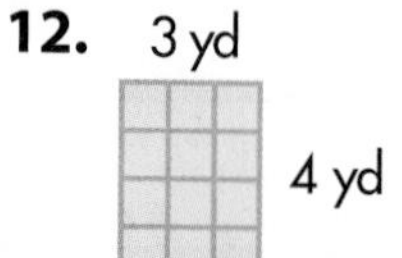

13.

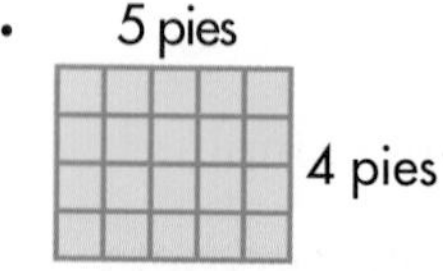

14.

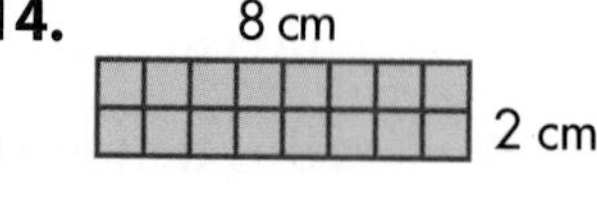

* *Puedes encontrar otro ejemplo en el Grupo E, página 343.*

Haz rectángulos que tengan un área de 16 unidades cuadradas. Halla el perímetro de cada rectángulo.

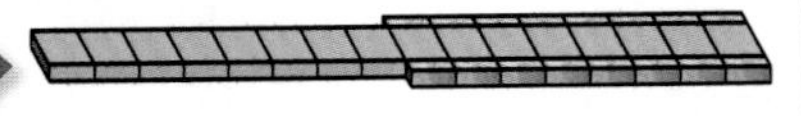

$A = \ell \times a$
$= 16 \times 1$
$= 16$ unidades cuadradas

$P = (2 \times \ell) + (2 \times a)$
$= (2 \times 16) + (2 \times 1)$
$= 32 + 2$
$= 34$ unidades

$A = \ell \times a$
$= 8 \times 2$
$= 16$ unidades cuadradas

$P = (2 \times \ell) + (2 \times a)$
$= (2 \times 8) + (2 \times 2)$
$= 16 + 4$
$= 20$ unidades

$A = \ell \times a$
$= 4 \times 4$
$= 16$ unidades cuadradas

$P = (2 \times \ell) + (2 \times a)$
$= 4 \times 4$
$= 16$ unidades

El castillo de 4×4 sólo se puede rodear con 16 fichas de agua.

Resolución de problemas

15. Escribir para explicar La Escuela Park y la Escuela North cubren la misma área. En las clases de educación física, cada estudiante corre una vuelta alrededor de la escuela. ¿En qué escuela tienen que correr más distancia los estudiantes?

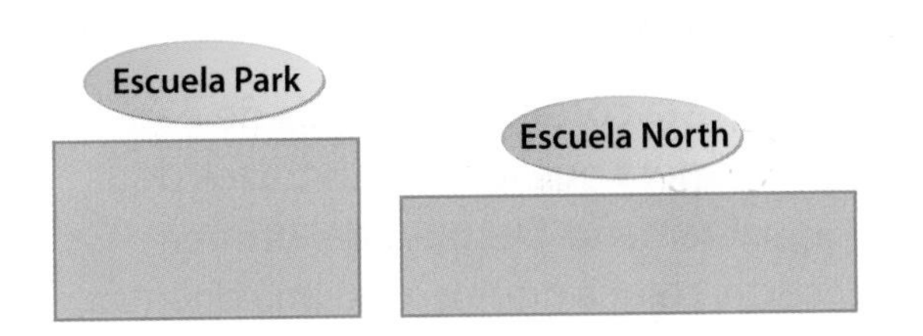

16. Estimación Sue compró 2 suéteres por \$18.75 cada uno y mitones por \$11.45. ¿Aproximadamente cuánto dinero recibirá de cambio si paga con 3 billetes de veinte dólares?

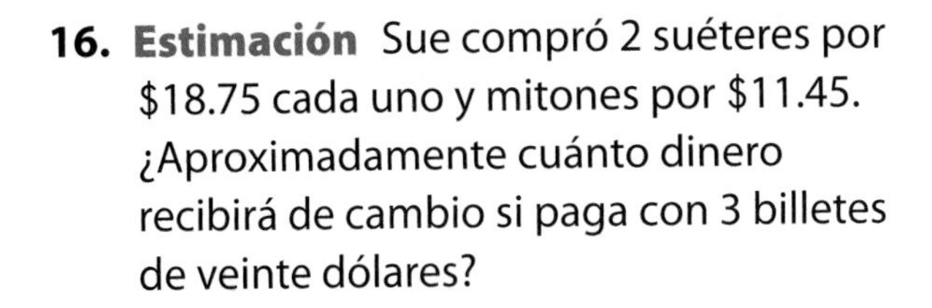

17. Geometría ¿Cuál de las siguientes figuras **NO** puede ser congruente con un rectángulo: un cuadrado, un rombo, un cuadrilátero o un círculo?

18. Sentido numérico El perímetro del rectángulo *P* es 12 pies. El perímetro del rectángulo *Q* es 18 pies. Ambos rectángulos tienen la misma área. Halla el área y las dimensiones de cada rectángulo.

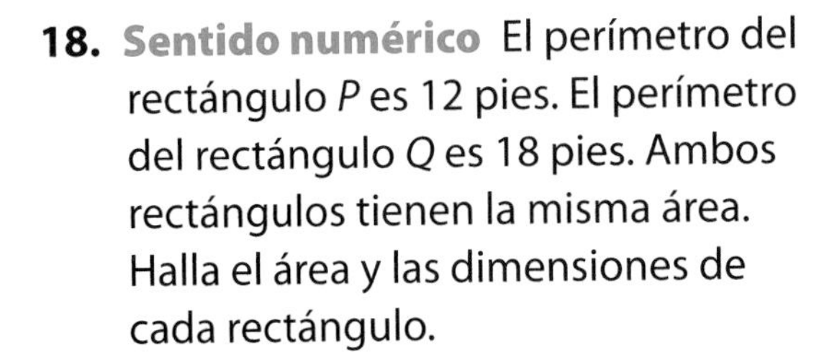

19. La señora Fisher está usando 64 baldosas de alfombra para hacer un área de lectura en su clase. Cada baldosa es un cuadrado que mide 1 pie por 1 pie. ¿Cuáles son la longitud y el ancho del área rectangular que puede hacer con el menor perímetro posible?

20. Cuál de los siguientes enunciados acerca de los rectángulos que están a la derecha es verdadero?

A Los dos tienen el mismo ancho.

B Los dos tienen la misma longitud.

C Los dos tienen el mismo perímetro.

D Los dos tienen la misma área.

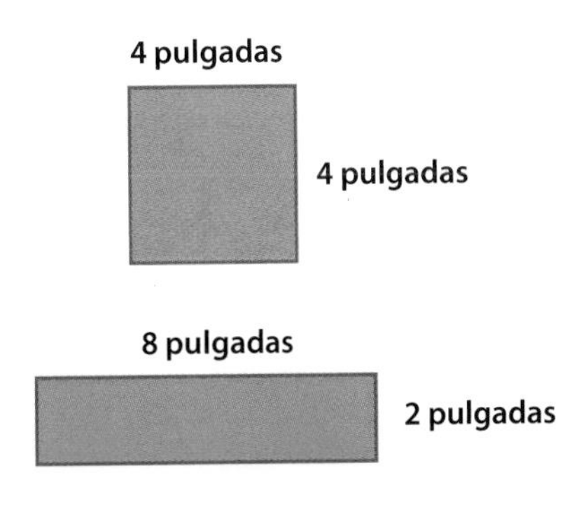

Lección
14-9

¡Lo entenderás!
Aprender cómo y cuándo resolver un problema más sencillo puede ayudar a resolver problemas.

Resolución de problemas

Resolver un problema más sencillo y hacer una tabla

Cada lado de esta galleta salada triangular mide una pulgada de largo. Si hay 12 galletas saladas triangulares seguidas, ¿cuál es el perímetro de la figura?

Práctica guiada*

¿CÓMO hacerlo?

1. Cora está cortando una hoja de papel de manera que le queden trozos de igual tamaño. Después del primer corte, coloca un trozo encima del otro y hace otro corte. Después de hacer el segundo corte, vuelve a agrupar los trozos. Si Cora continúa con este patrón, ¿cuántos trozos tendrá después del cuarto corte?

¿Lo ENTIENDES?

2. ¿Cómo se dividió el problema anterior en problemas más sencillos?

3. **Escribe un problema** Escribe un problema que puedas resolver haciendo una tabla.

Práctica independiente

Resuelve.

4. Troy está ayudando a su padre a construir una valla. Cada sección de la valla tiene un poste en cada extremo. Haz una tabla que muestre cuántos postes se necesitarán si en la valla hay 1, 3, 5, 10, 15 ó 20 secciones. Busca un patrón.

5. ¿Cuántos postes se necesitarán si la valla tiene 47 secciones?

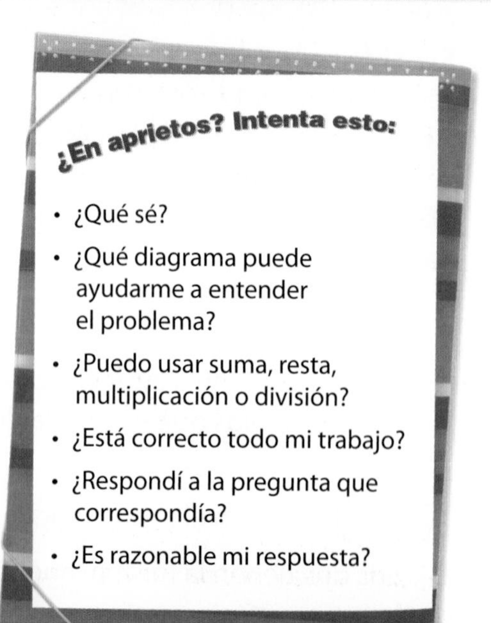

** Puedes encontrar otro ejemplo en el Grupo F, página 343.*

Planea

Convierte el problema en problemas que sean más fáciles de resolver.

Mira 1 triángulo, luego 2 triángulos, luego 3 triángulos.

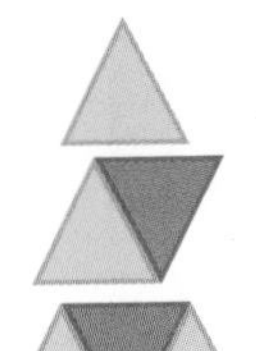

perímetro = 3 pulgadas

perímetro = 4 pulgadas

perímetro = 5 pulgadas

Resuelve

El perímetro es el número de triángulos más 2.

Número de triángulos	1	2	3
Perímetro (pulgadas)	3	4	5

Por tanto, para 12 triángulos, el perímetro es 14 pulgadas.

Resolución de problemas

6. Helen es parte de un torneo de básquetbol contra 32 jugadoras. En cuanto pierde una jugadora, queda fuera del torneo. Las ganadoras continuarán jugando hasta que quede una campeona. ¿Cuántos partidos hay en total en este torneo?

7. La siguiente figura es un cuadrado. Si los lados A y B se duplican, ¿seguirá la figura siendo un cuadrado?

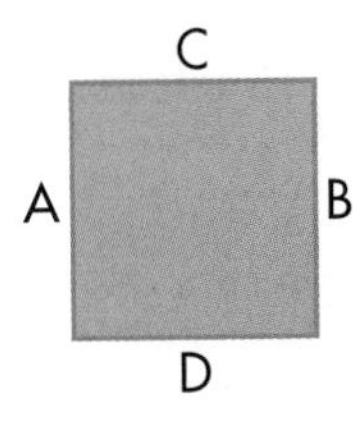

En los Ejercicios **8** a **10,** usa la tabla que está a la derecha.

8. Las materias que faltan en el horario de la derecha son Matemáticas, Ciencias, Lectura, Ortografía y Estudios sociales. Matemáticas está después del recreo de la mañana. Ortografía es a las 9:40. Lectura y Ciencias son las dos materias de la tarde. ¿A qué hora es la clase de Matemáticas?

9. ¿Qué materia es a las 8:45?

10. La clase de Ciencias es antes de la de Lectura. ¿A qué hora es la clase de Ciencias?

Datos

Horario de clases

Mañana	Tarde
8:30: Entrada	12:15:
8:45:	1:00: Recreo
9:30: Recreo	1:30:
9:40:	1:55: Receso
10:25: Receso	2:05: Arte, Música o E.F.
10:55:	2:40: Recogida de útiles
11:30: Almuerzo	2:45: Salida de la escuela

11. Seis amigos están jugando a las damas. Si todos juegan una vez con cada uno de los otros amigos, ¿cuántos partidos de damas jugarán en total?

12. La biblioteca de la clase del señor McNulthy tiene 286 libros. Si compra 12 libros por mes durante cinco meses, ¿cuántos libros tendrá en total?

13. Juana, Timmy, Nicholas, Paul y Kathryn están sembrando en una huerta comunitaria. Si el terreno de cada uno tiene 7 filas y 13 columnas, ¿cuántas plantas podrán cultivar entre todos?

14. Thomas está entrenando para un maratón. Corre 2 millas y luego camina media milla. Si se entrena corriendo y caminando 22 millas por día, ¿cuántas millas caminará?

15. Todos los días, James pasa $\frac{5}{10}$ de hora hablando por teléfono, $\frac{6}{12}$ de hora leyendo y $\frac{3}{6}$ de hora en la computadora. Usa las tiras de fracciones de la derecha para decir en qué actividad James pasa más tiempo.

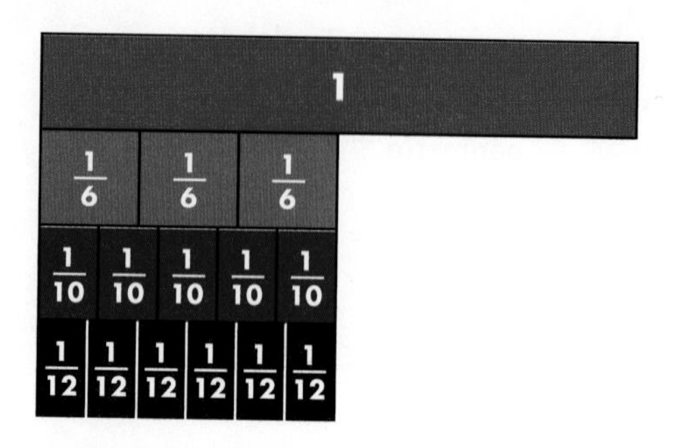

16. Maya está poniendo 3 cubos de hielo en cada vaso rojo y 4 cubos de hielo en cada vaso azul. Los colores de los vasos están alternados empezando con el rojo. ¿Cuántos cubos de hielo usará Maya si tiene 15 vasos?

17. Shaina tiene un collar que quiere cortar para dárselo a sus amigas. El joyero le cobra $3 por cada corte. ¿Cuánto tiene que pagar Shaina por 5 cortes?

18. Danielle puede escribir a máquina 15 palabras por minuto. ¿Cuántas palabras puede escribir en 7 minutos?

Minutos	1	2	3
Palabras escritas	15	30	45

Piensa en el proceso

19. Un plomero se tarda 4 minutos en cortar un tubo. ¿Cuál de las siguientes expresiones usarías para hallar cuánto tiempo le tomaría al plomero cortar 7 tubos?

A $4 + 7$

B 4×4

C 4×7

D 7×7

20. En todos los vagones de tren hay dos conectores, uno en la parte de adelante y uno en la de atrás. Estos conectores unen los vagones. Si un tren tiene 30 vagones, ¿cómo averiguarías el número de conectores usados?

A El número de vagones menos 1

B El número de conectores de todos los vagones menos 1

C Igual que el número de vagones

D El número de vagones más 1

Hallar el área con una calculadora

Una manera Halla el área de la figura que se muestra a la derecha:

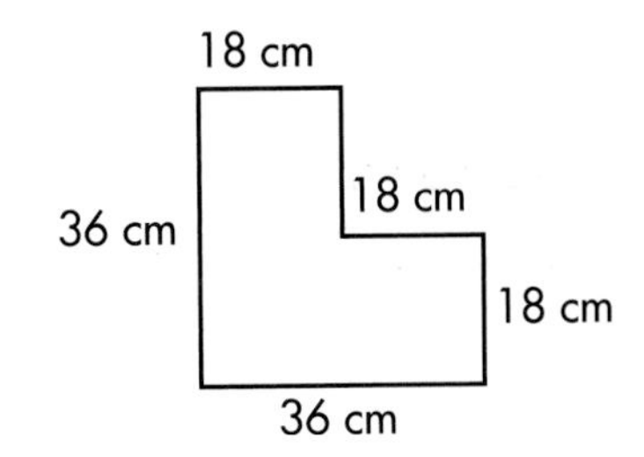

Divide la figura en dos rectángulos.
El rectángulo A mide 18 cm por 18 cm.
El rectángulo B mide 18 cm por 36 cm.

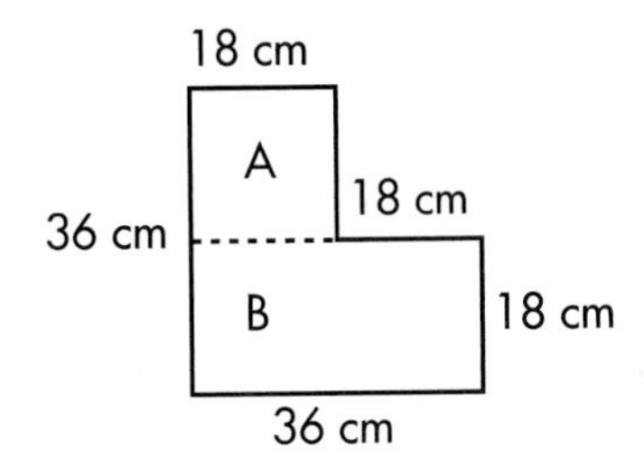

Halla el área de cada rectángulo y suma.

Presionar: 18 × 18 ENTER = | 18 × 36 ENTER = | 324 + 648 ENTER =

Pantalla: 324 | 648 | 972

Otra manera Halla toda el área de una sola vez.

Presionar: 18 × 18 + 18 × 36 

Pantalla: 972

El área de la figura es de 972 centímetros cuadrados.

Práctica

Usa una calculadora para hallar el área de cada figura.

1.

72 pies
24 pies
24 pies
60 pies
36 pies
48 pies

2.

54 m
30 m
30 m
24 m
15 m 15 m
15 m
15 m

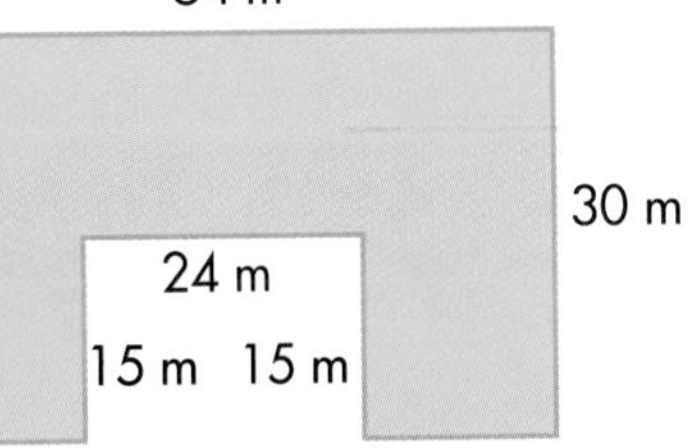

1. Se muestra un dibujo del piso del fuerte de Curt. ¿Cuál es el área del piso del fuerte? (14-1)

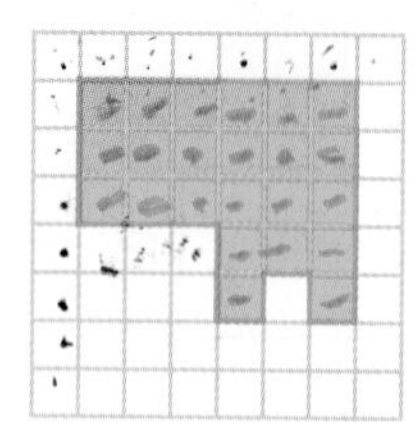

A 23 unidades cuadradas

B 22 unidades cuadradas

C 21 unidades cuadradas

D 20 unidades cuadradas

2. Cada cubo tiene 6 caras. Si Tandra apila 2 cubos uno encima del otro, puede ver 10 caras. Si Tandra apila 7 cubos uno encima del otro, ¿cuántas caras de los cubos podrá ver? (14-9)

Cubos	2	3	4	5	6	7
Caras	10	14	18			

A 42

B 32

C 30

D 28

3. La Sra. Gee tiene 24 alfombras cuadradas. ¿Cómo debe ordenarlas para tener el perímetro más pequeño? (14-8)

A un rectángulo de 12 por 2

B un rectángulo de 1 por 24

C un rectángulo de 8 por 3

D un rectángulo de 4 por 6

4. ¿Cuál es el perímetro de la bandera? (14-6)

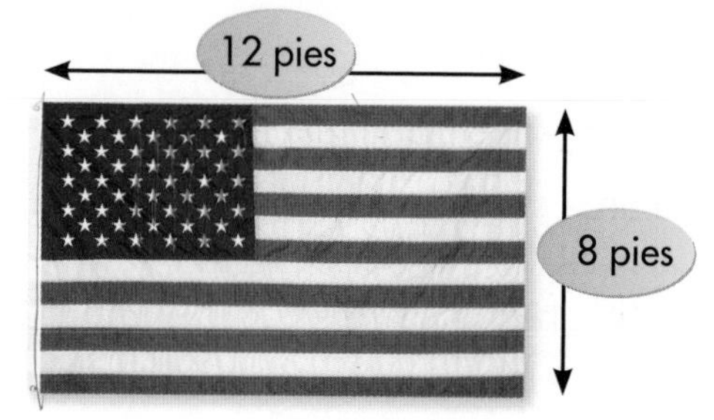

A 96 pies

B 40 pies

C 28 pies

D 20 pies

5. A continuación se muestra un diagrama del dormitorio de Izzi. ¿Cuál es el área de su habitación? (14-3)

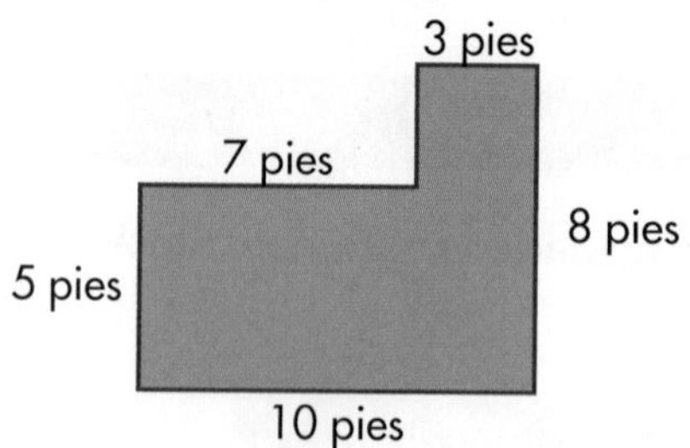

A 44 pies cuadrados

B 59 pies cuadrados

C 74 pies cuadrados

D 80 pies cuadrados

6. ¿Cuál es la mejor estimación del área de la siguiente figura? (14-1)

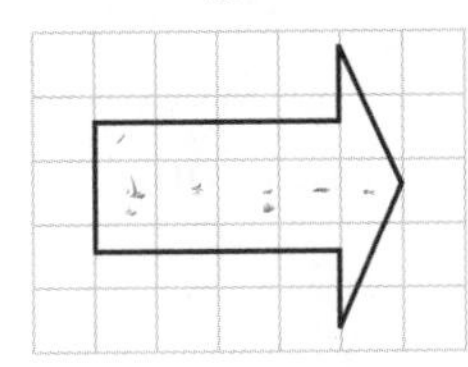

A 19 unidades cuadradas

B 17 unidades cuadradas

C 11 unidades cuadradas

D 5 unidades cuadradas

7. ¿Cuál es el área del paralelogramo? (14-4)

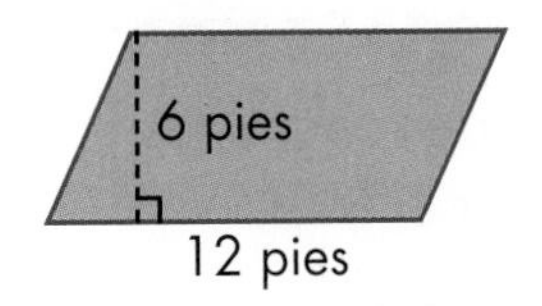

A 72 pies cuadrados

B 68 pies cuadrados

C 62 pies cuadrados

D 36 pies cuadrados

8. ¿Cuál es el área del triángulo? (14-5)

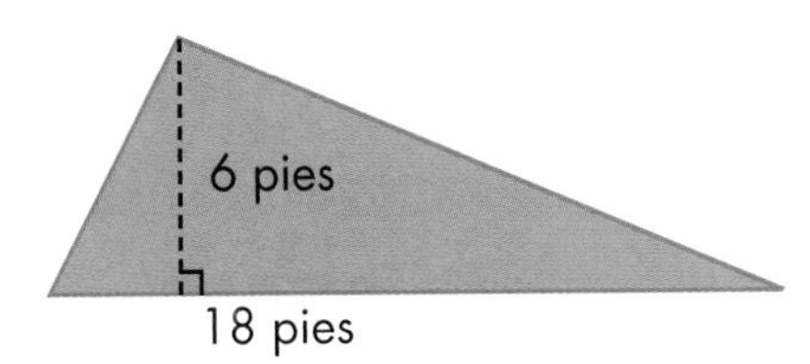

A 54 pies cuadrados

B 68 pies cuadrados

C 108 pies cuadrados

D 216 pies cuadrados

9. Howie usó 20 pies de borde para diseñar cuatro jardines diferentes. Quiere el jardín con el área más grande. ¿Qué debe usar Howie? (14-7)

A 6 pies

4 pies

B

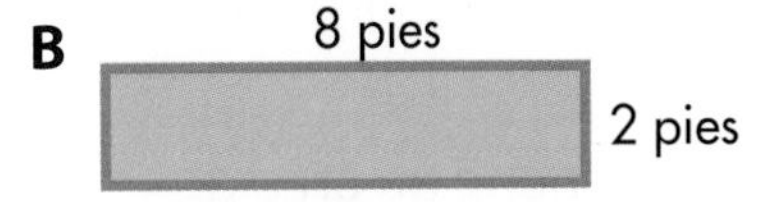

C 7 pies

3 pies

D

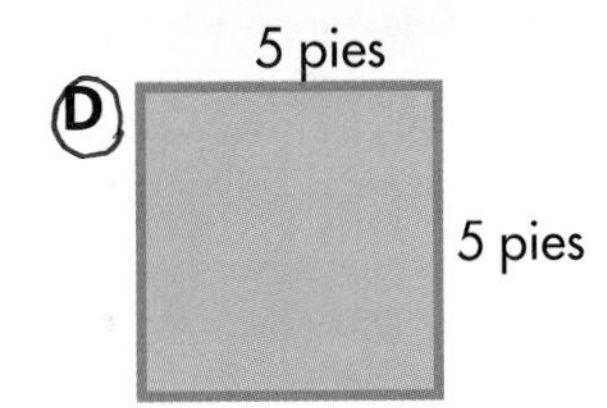

10. Una mesa de picnic tiene 9 pies de largo y 3 pies de ancho. ¿Cuál es el área de la superficie rectangular de la mesa? (14-2)

A 27 pies cuadrados

B 36 pies cuadrados

C 45 pies cuadrados

D 54 pies cuadrados

11. La jaula del perro de Pepper mide 4 metros de ancho por 5 metros de largo. ¿Cuál es el perímetro de la jaula? (14-6)

A 20 metros

B 18 metros

C 14 metros

D 11 metros

Refuerzo

Grupo A, páginas 316 y 317

Puedes contar unidades cuadradas para hallar el área.

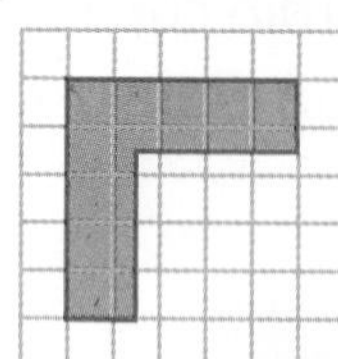

La figura cubre 9 cuadrados por completo y 7 cuadrados en forma parcial. Cada cobertura parcial es aproximadamente la mitad de un cuadrado.

Por tanto la figura tiene un área de aproximadamente 13 unidades cuadradas.

Recuerda que puedes contar cuadrados parciales para obtener la estimación de un área. Halla cada área. Di si cada área es exacta o si es una estimación.

1.

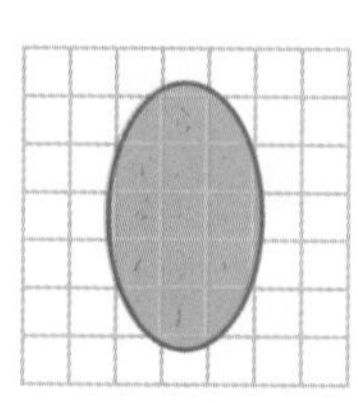

2.

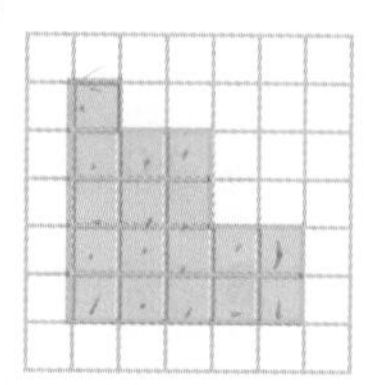

Grupo B, páginas 318 a 322

Puedes dividir una figura en rectángulos para hallar el área. Halla el área de cada rectángulo.

9 pies

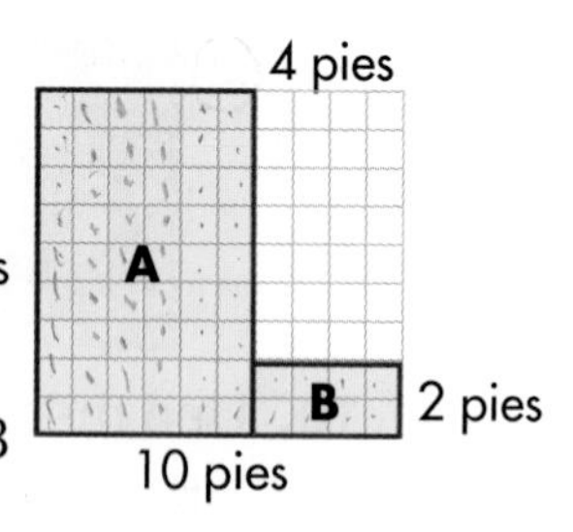

Rectángulo A
$A = 9 \times 6$
$= 54$

Rectángulo B
$A = 2 \times 4$
$= 8$

Suma las áreas parciales:
54 pies + 8 pies = 62 pies cuadrados

Recuerda que puedes contar las unidades para hallar el área.

Halla el área de cada figura.

1.

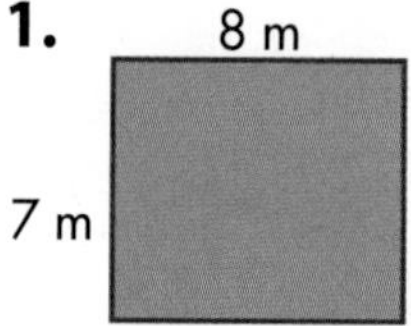

2.

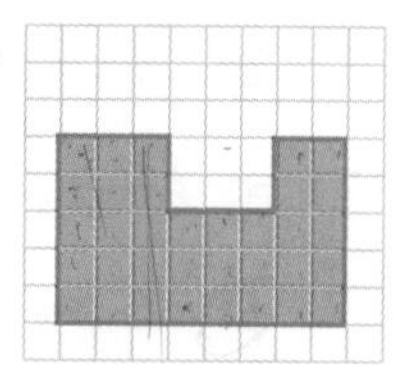

Grupo C, páginas 324 a 327

Halla el área del paralelogramo. Usa una fórmula para calcular el área.

Paralelogramo
$A = b \times h$
$A = 10 \times 4$
$A = 40$ pulgadas cuadradas

4 pulgs.

10 pulgs.

El área del paralelogramo es 40 pulgadas cuadradas.

Recuerda que la fórmula para hallar el área de un triángulo es $\frac{1}{2} b \times h$.

1. 6 pulgs.

2. 4 pies

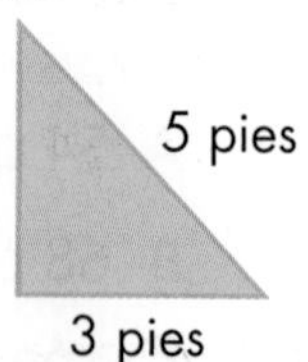

3.

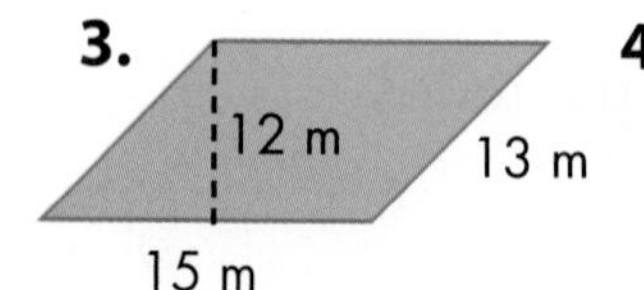

4. 10 cm

8 cm

Refuerzo

Grupo D, páginas 328 a 330

Usa una fórmula para hallar el perímetro.

$P = (2 \times \ell) + (2 \times a)$
$P = (2 \times 14) + (2 \times 6)$
$P = 28 + 12$
$P = 40$

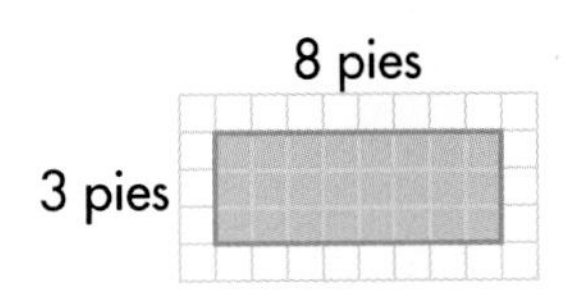

El perímetro del rectángulo es 40 metros.

Recuerda que puedes sumar las longitudes de cada lado para hallar el perímetro.

1.

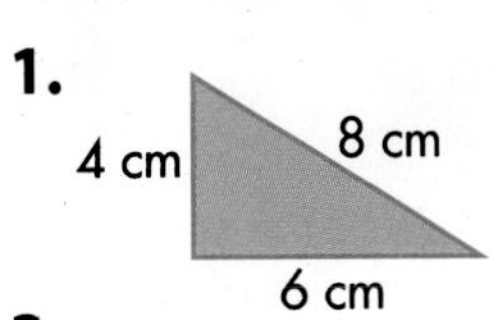

2.

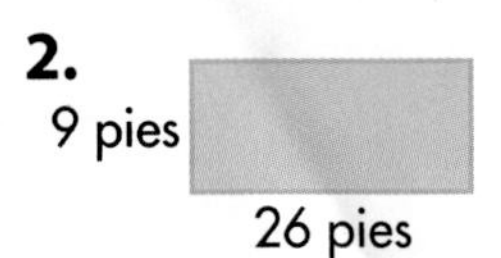

3.

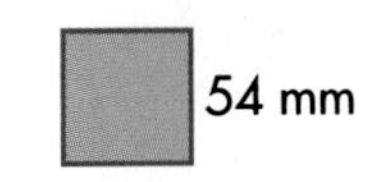

4.

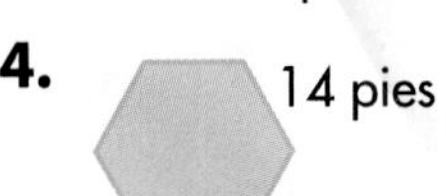

Grupo E, páginas 332 a 335

Dibuja un rectángulo diferente con perímetro igual al que se muestra y halla el área.

8 pies

3 pies

$P = (2 \times \ell) + (2 \times a)$
$= (2 \times 8) + (2 \times 3)$
$= 16 + 6$
$= 22$ pies

$A = \ell \times a$
$= 8 \times 3$
$= 24$ pies cuadrados

Un rectángulo de 4 pies por 7 pies tiene el mismo perímetro.

$P = (2 \times 7) + (2 \times 4) = 22$ pies
$A = 7 \times 4$
$A = 28$ pies cuadrados

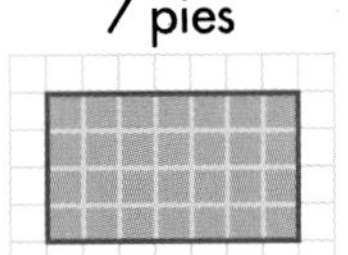

Recuerda que dos rectángulos pueden tener igual área y perímetros diferentes.

Dibuja dos rectángulos diferentes con el perímetro dado. Halla el área de cada rectángulo.

1. $P = 24$ pies

2. $P = 40$ centímetros

Dibuja dos rectángulos diferentes con el área dada. Halla el perímetro de cada rectángulo.

3. $A = 64$ pies cuadrados

4. $A = 80$ yardas cuadradas

Grupo F, páginas 336 a 338

Los lados de cada triángulo miden dos pulgadas cada uno. ¿Cuál es el perímetro de la figura con 5 triángulos?

El perímetro aumenta en 2.

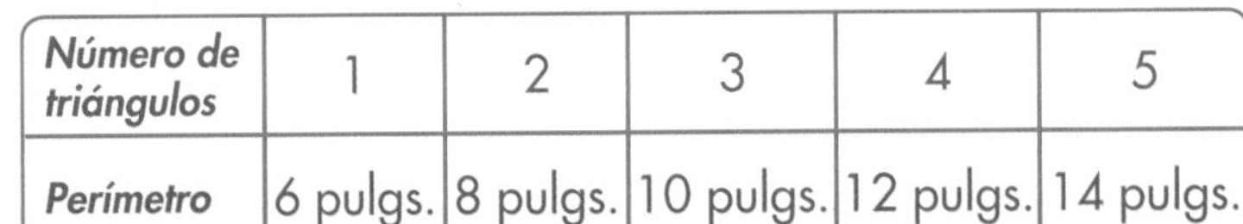

Número de triángulos	1	2	3	4	5
Perímetro	6 pulgs.	8 pulgs.	10 pulgs.	12 pulgs.	14 pulgs.

El perímetro de los 5 triángulos es 14 pulgadas.

Recuerda que puedes descomponer el problema y resolver.

1. Cada lado de un cuadrado en la figura mide una pulgada. Si hay 14 cuadrados en una fila, ¿cuál es el perímetro de la figura?

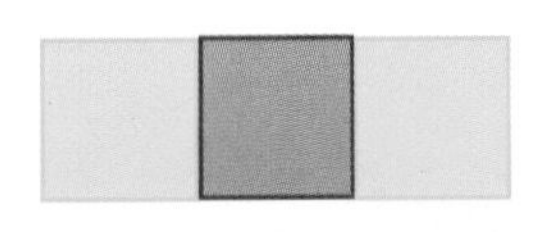

Tema 15

Sólidos

1 Eartha es el modelo giratorio de la tierra a escala más grande del mundo. ¿Dónde está ubicado este modelo? Lo averiguarás en la Lección 15-1.

2 Los egipcios construyeron las pirámides en Giza. ¿Cuál es la longitud de uno de los lados de la Gran Pirámide de Khufu? Lo averiguarás en la Lección 15-3.

En diciembre de 2005, una sala de cine rompió un récord mundial llenando la caja de palomitas de maíz más grande con más de 2,200 libras de palomitas de maíz. ¿Cuántos pies cúbicos tenía la caja? Lo averiguarás en la Lección 15-4.

Repasa lo que sabes

Vocabulario

Elige el mejor término del recuadro.

- recta
- segmento de recta
- semirrecta
- rombo
- cuadrilátero
- triángulo

1. Un polígono con tres lados es un ?.
2. Una parte de una recta que tiene un extremo es una ?.
3. Un polígono de cuatro lados con lados opuestos paralelos y con todos los lados de la misma longitud es un ?.
4. Una ? es un camino recto de puntos que se extiende al infinito en dos direcciones.

Cuerpos geométricos

Identifica el cuerpo geométrico para cada objeto.

5. 

6. 

7. 

Perímetro

Halla el perímetro de los polígonos.

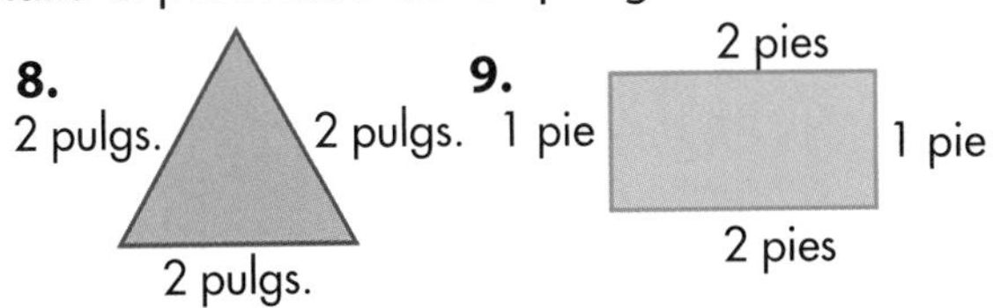

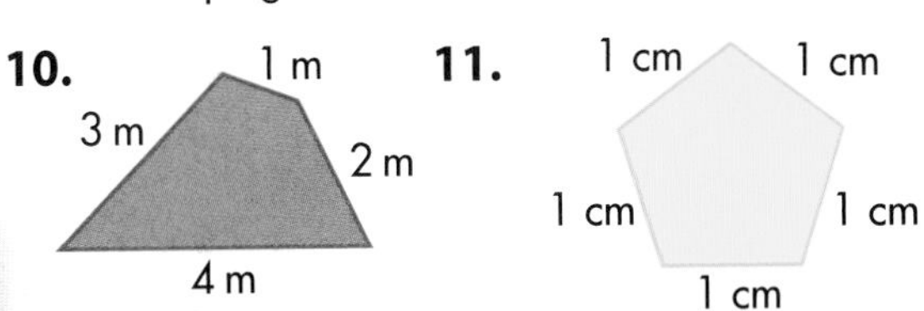

12. **Escribir para explicar** Describe cuándo necesitarías conocer el perímetro de algo en tu casa.

Lección
15-1

¡Lo entenderás!
Un cuerpo geométrico se puede describir por las superficies curvas o planas que tiene.

Sólidos

¿Cómo puedes describir y clasificar los sólidos?

Un cuerpo geométrico tiene tres dimensiones: longitud, ancho y altura.

Los sólidos pueden tener superficies curvas.

Esfera

Cilindro

Cono

Otro ejemplo ¿Cómo puedes construir un cuerpo geométrico?

Un modelo plano es un patrón que se puede usar para hacer un sólido.

Éste es un modelo plano de un cubo. Cada cara está unida a, por lo menos, una cara más.

Éste es un modelo plano de un prisma triangular.

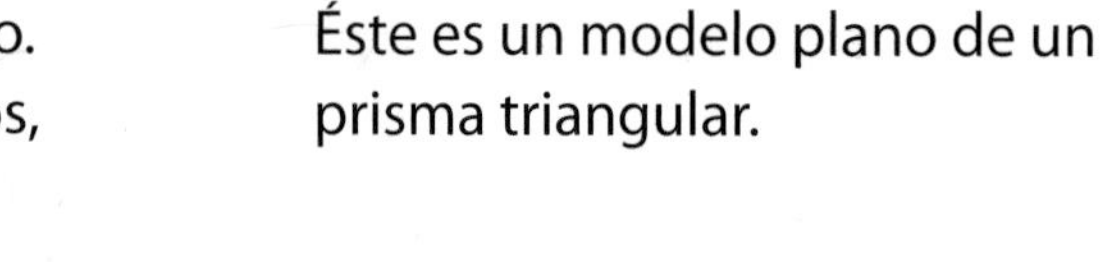

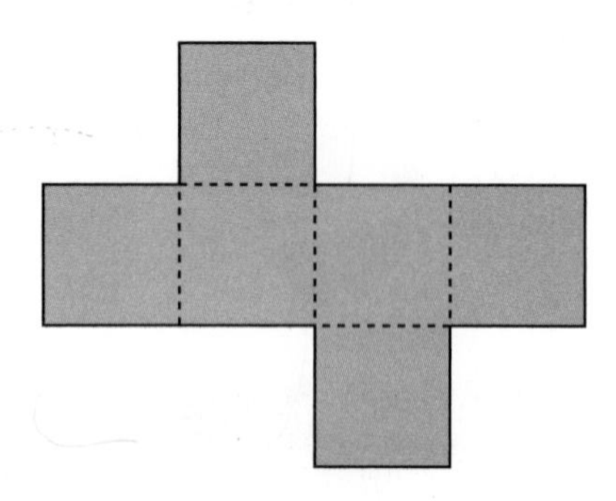

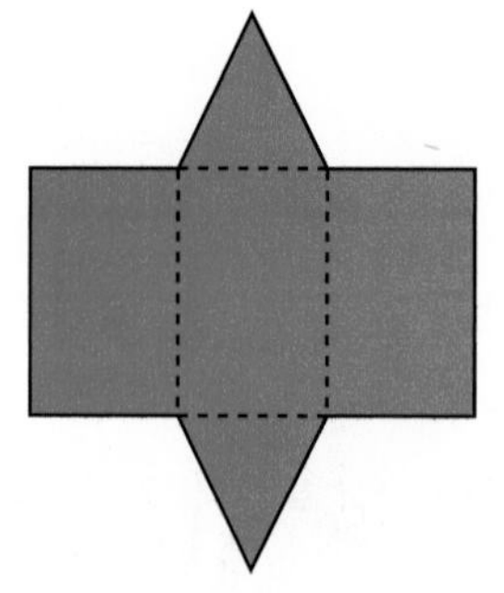

Explícalo

1. Explica por qué el modelo plano de un cubo tiene seis cuadrados.

2. ¿Por qué el modelo plano de un prisma triangular tiene dos triángulos y tres rectángulos?

Algunos sólidos tienen todas las superficies planas. Reciben su nombre de acuerdo con sus caras.

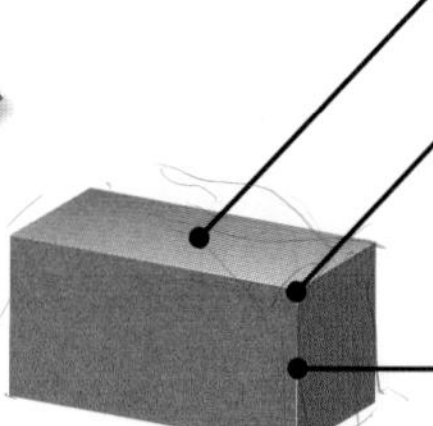

prisma rectangular
6 caras rectangulares

cubo
6 caras cuadradas

prisma triangular
2 caras triangulares
3 caras rectangulares

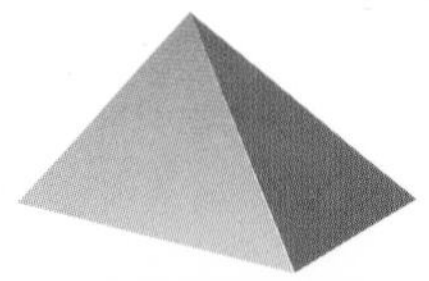

pirámide rectangular
1 cara rectangular
4 caras triangulares

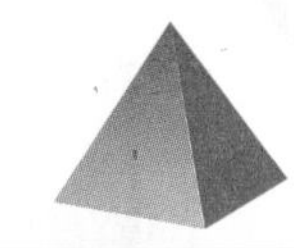

pirámide cuadrangular
1 cara cuadrada
4 caras triangulares

Práctica guiada*

¿CÓMO hacerlo?

En los Ejercicios **1** a **4,** identifica cada sólido.

1. 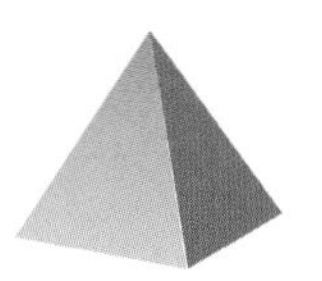

2. 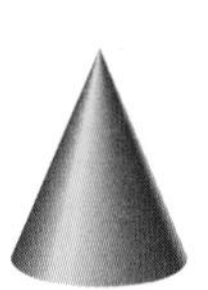

3. 

4. 

¿Lo ENTIENDES?

5. ¿Qué cuerpo geométrico tiene cuatro caras triangulares y una cara cuadrada?

6. ¿Por qué un cubo es una clase especial de prisma rectangular?

7. ¿Tiene una esfera alguna arista o algún vértice? Explícalo.

Práctica independiente

Práctica al nivel En los Ejercicios **8** a **10,** copia la tabla y complétala.

	Cuerpo geométrico	Caras	Aristas	Vértices	Figura(s) de las caras
8.	Prisma rectangular				6 rectángulos
9.	Cubo	6			
10.	Pirámide rectangular		8		

* Puedes encontrar otro ejemplo en el Grupo A, página 360.

Práctica independiente

En los Ejercicios **11** a **14,** calca los modelos planos y recórtalos. Dóblalos y pégalos para formar un sólido. Las líneas punteadas indican dónde debes doblar las caras.

11.

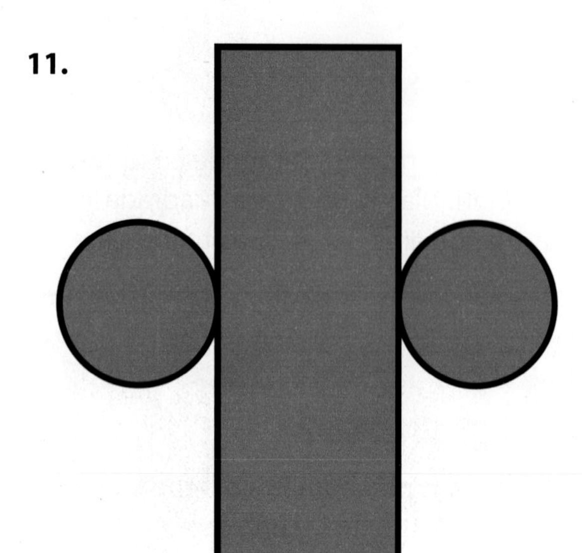

12.

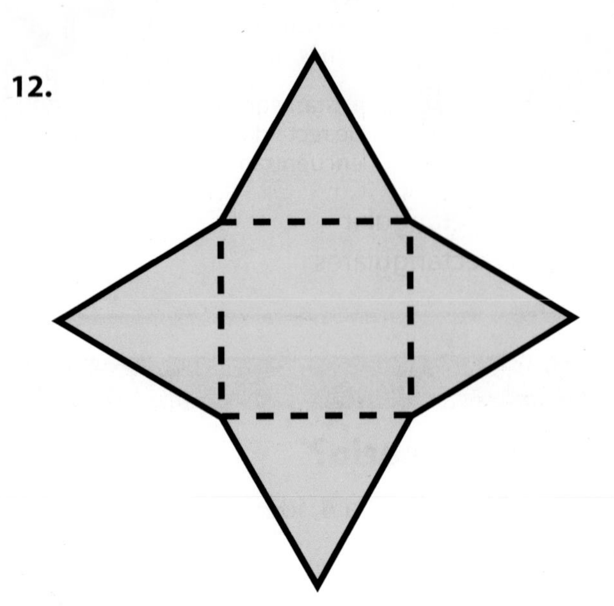

13.

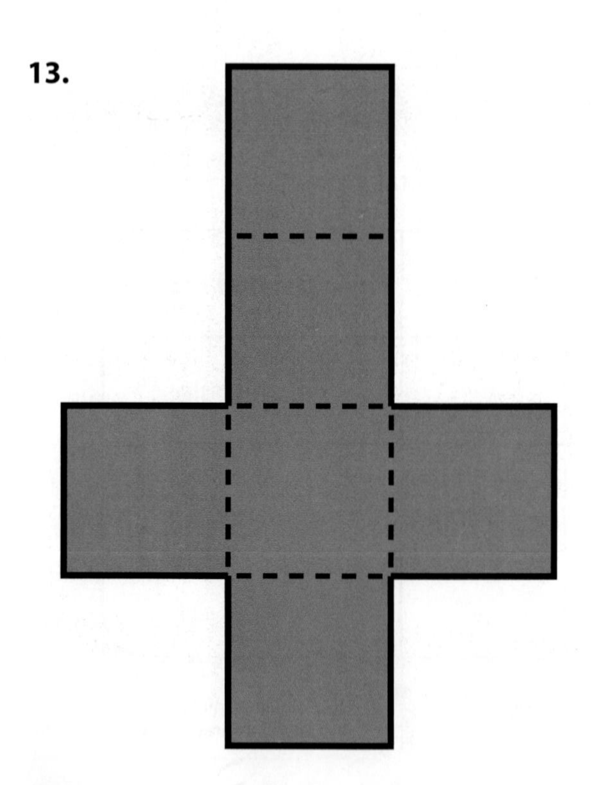

14.

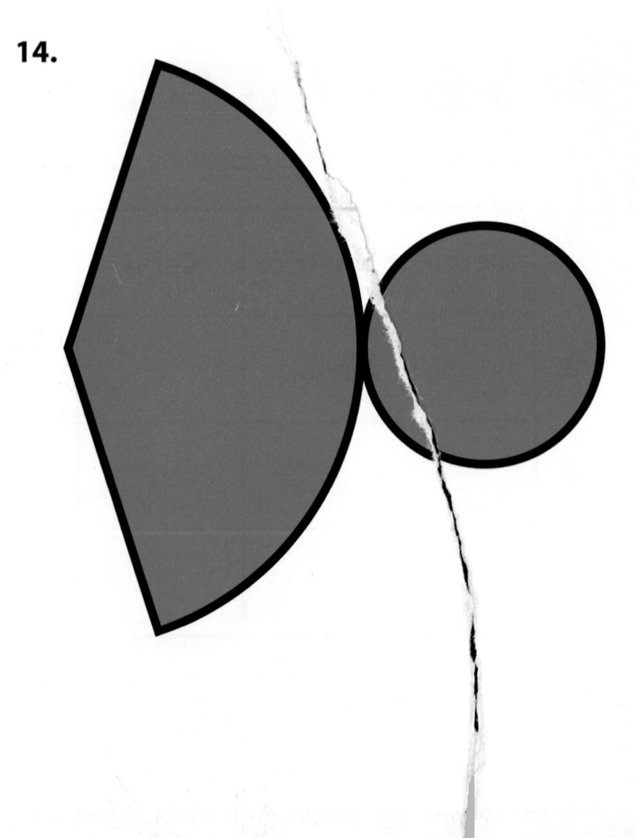

Resolución de problemas

En los Ejercicios **15** a **18,** di qué cuerpo geométrico representa mejor a cada objeto.

15. 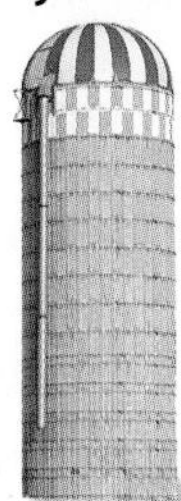

16. 

17. 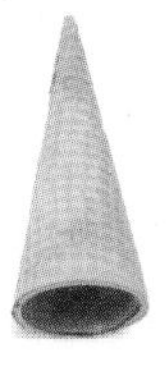

18. 

19. El padre de Todd se ofreció a llevar a un partido a algunos de los miembros del equipo de futbol. En su carro caben 4 jugadores. Él lleva a 10 jugadores de su casa al partido. ¿Cuántos viajes debe hacer si se queda a mirar el partido?

Ojo *Haz un dibujo para mostrar cada viaje.*

20. ¿Cuántas aristas tiene este cubo?

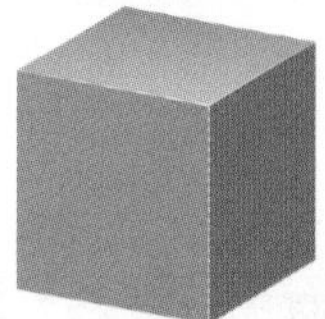

A 6 aristas **C** 10 aristas

B 8 aristas **D** 12 aristas

En los Ejercicios **21** y **22,** usa la pirámide rectangular de la derecha.

21. ¿Cuántas aristas tiene la pirámide rectangular?

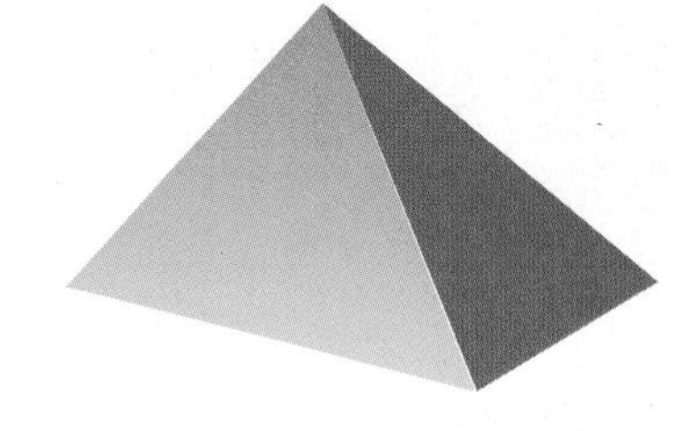

22. ¿Cuántas vértices tiene la pirámide rectangular?

23. Una pirámide cuadrangular es una clase especial de pirámide rectangular. Tiene 1 cara cuadrada y 5 vértices. ¿Cuántas caras triangulares tiene una pirámide cuadrangular?

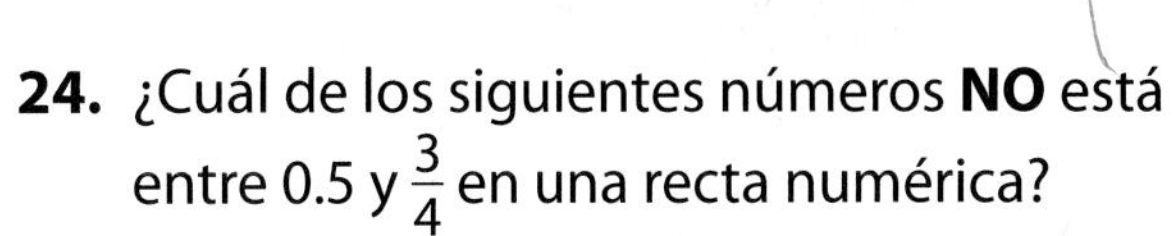

24. ¿Cuál de los siguientes números **NO** está entre 0.5 y $\frac{3}{4}$ en una recta numérica?

A $\frac{5}{8}$ **C** $\frac{13}{16}$

B 0.6 **D** 0.7

25. Eartha está ubicada en Yarmouth, Maine. Identifica el sólido que describe mejor a Eartha.

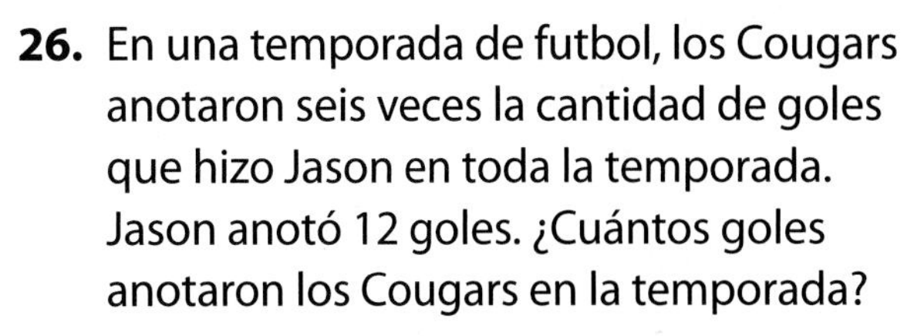

26. En una temporada de futbol, los Cougars anotaron seis veces la cantidad de goles que hizo Jason en toda la temporada. Jason anotó 12 goles. ¿Cuántos goles anotaron los Cougars en la temporada?

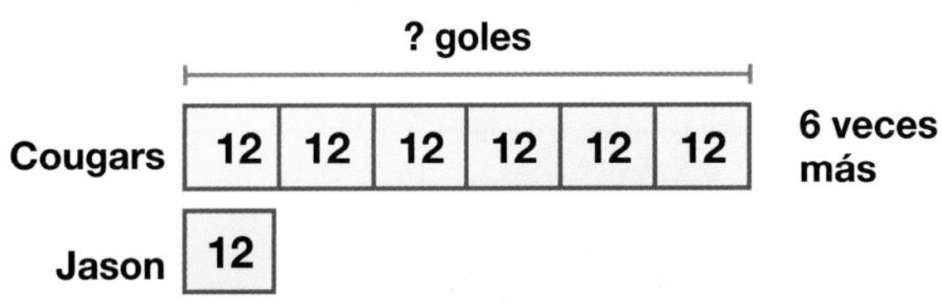

Lección
15-2

¡Lo entenderás!
Hay una conexión única entre los cuerpos geométricos y las figuras planas.

Vistas de los sólidos: Modelos planos

¿Cómo puedes usar una figura bidimensional para representar un sólido tridimensional?

Puedes abrir un sólido tridimensional para mostrar un patrón. Este patrón se llama un modelo plano. El modelo plano muestra las caras o superficies planas de un cuerpo geométrico.

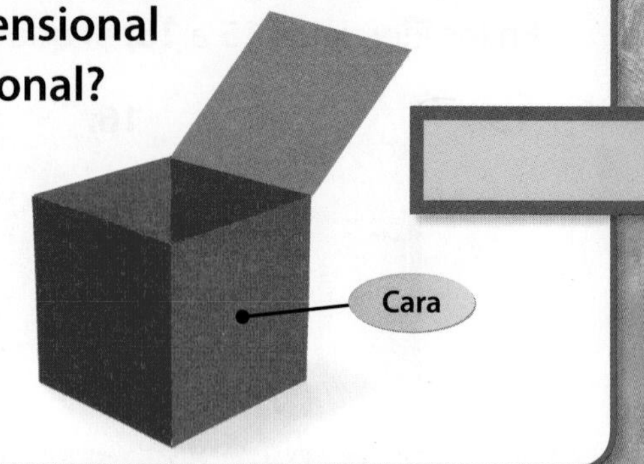

Práctica guiada*

¿CÓMO hacerlo?

En los Ejercicios **1** a **4**, identifica cuántas caras tiene cada sólido.

1. 

2. 

3. 

4. 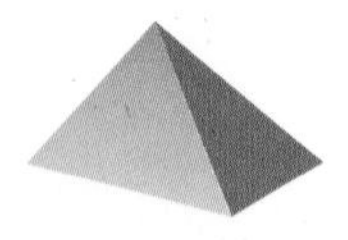

¿Lo ENTIENDES?

5. ¿En qué se parece un cubo a un prisma rectangular?

6. Nombra un sólido que tenga exactamente 3 caras rectangulares.

7. Dibuja un modelo plano diferente para el cubo del ejemplo anterior.

Práctica independiente

En los Ejercicios **8** a **11,** nombra el cuerpo geométrico que se puede formar.

8. 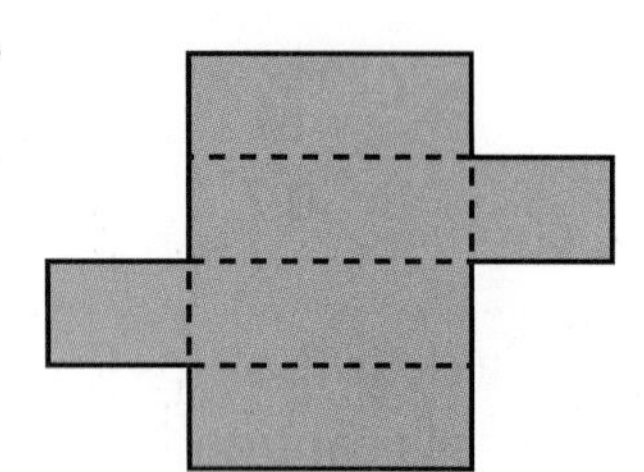

9. 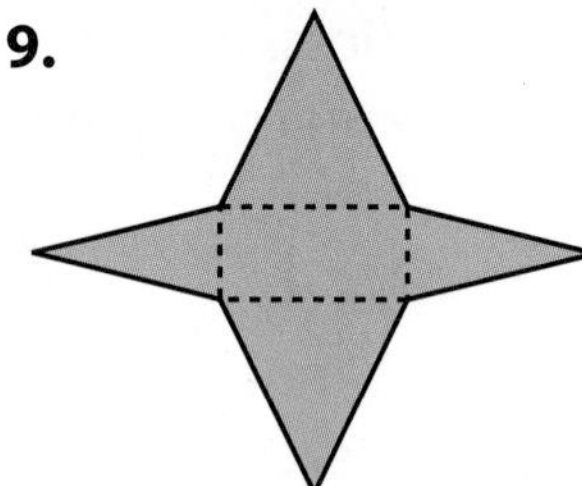

10. 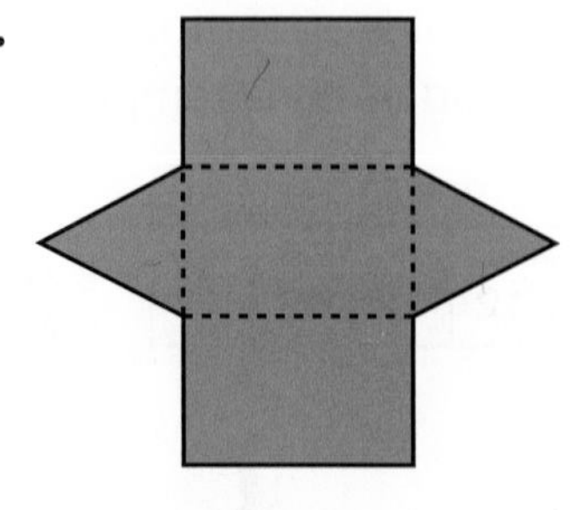

11. 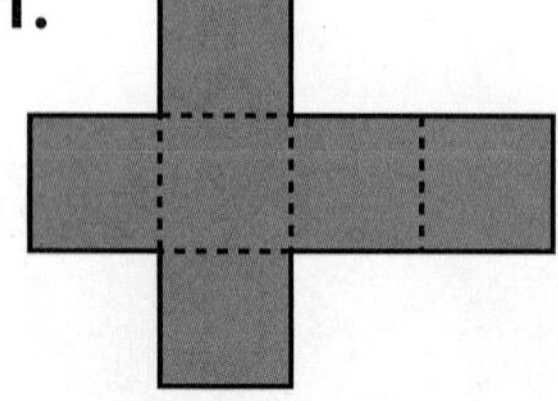

* *Puedes encontrar otro ejemplo en el Grupo B, página 360.*

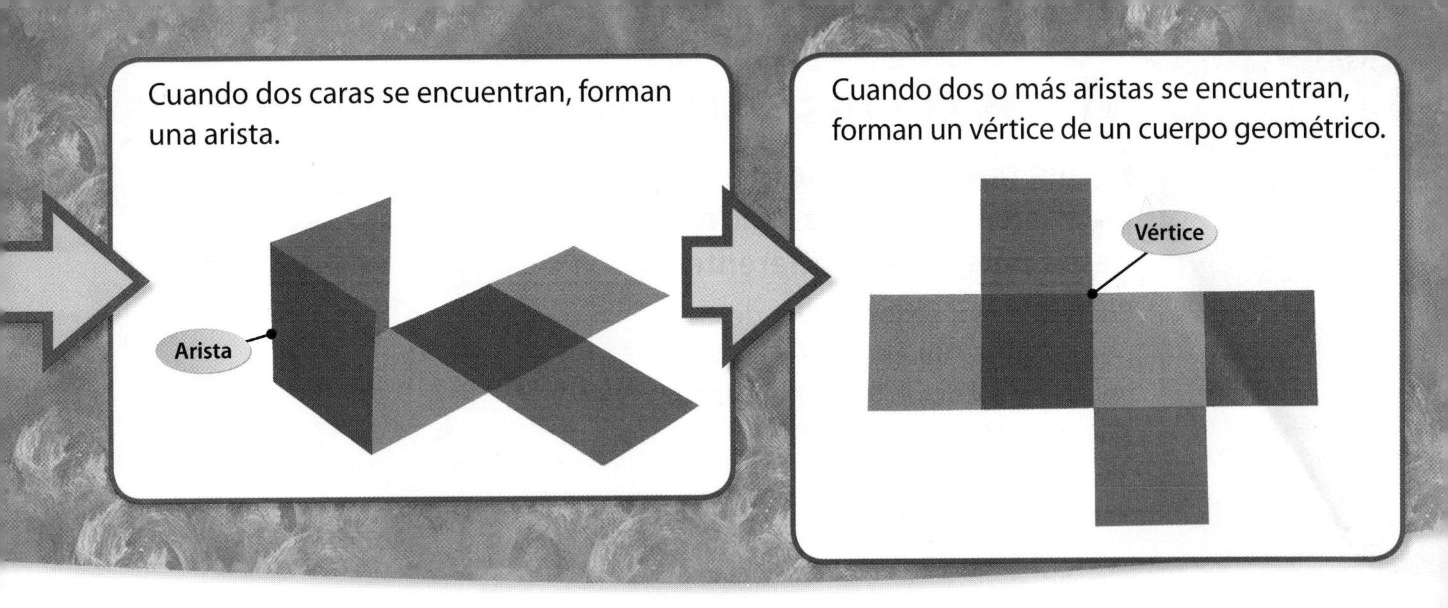

En los Ejercicios **12** a **14,** nombra el cuerpo geométrico que se puede formar.

12. **13.** **14.**

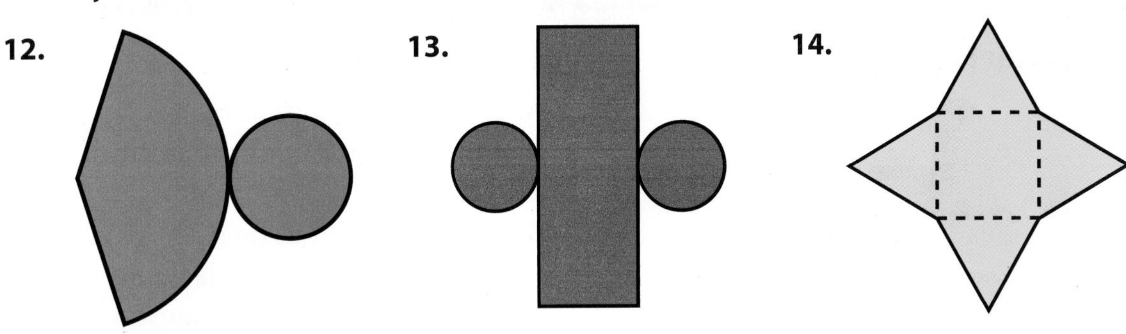

Resolución de problemas

15. Helga tiene banderines de beisbol colgados en las 4 paredes de su habitación. En cada pared hay 7 banderines. ¿Cuántos banderines hay en total?

16. ¿El modelo plano de qué figura se ve a continuación?

17. Dibuja un modelo plano para la siguiente figura.

18. Un avión de reacción viaja a 450 millas por hora. Tarda 4 horas en volar de San Francisco a Wichita. ¿Cuál es la distancia aproximada entre las dos ciudades?

19. ¿Cómo se llama el cuadrilátero que se muestra a la derecha?

A Paralelogramo **C** Rombo

B Rectángulo **D** Todos los anteriores

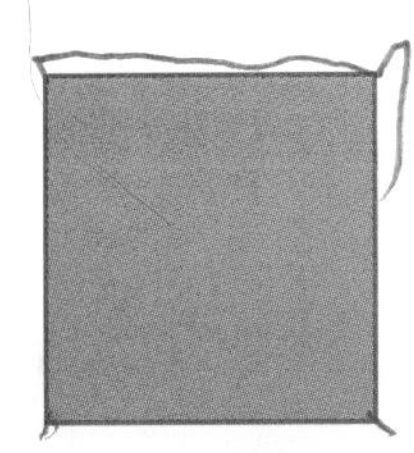

Lección
15-3

¡Lo entenderás!
Se puede usar los polígonos para describir diferentes perspectivas de sólidos.

Vistas de los sólidos: Perspectiva

¿Cómo puedes obtener información sobre un sólido desde perspectivas diferentes?

Puedes pensar en los sólidos desde perspectivas diferentes. ¿Cómo se vería este sólido de frente? ¿De lado? ¿Desde arriba?

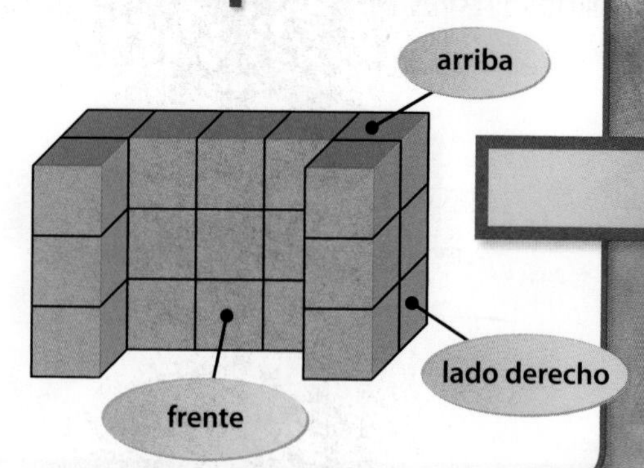

Práctica guiada*

¿CÓMO hacerlo?

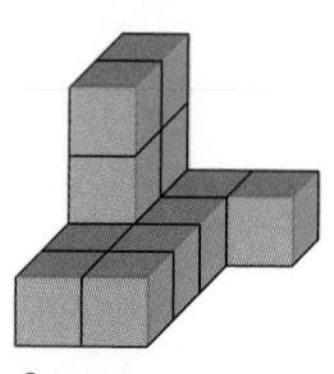

1. Dibuja la vista superior (desde arriba) del cuerpo geométrico.
2. Dibuja una vista lateral (de lado) del cuerpo geométrico.
3. Dibuja una vista frontal (de frente) del cuerpo geométrico.

¿Lo ENTIENDES?

4. ¿Cuántos bloques forman la figura tridimensional que se muestra arriba?
5. ¿Cuántos bloques no están visibles en la vista superior de la figura tridimensional que se muestra arriba?
6. En el Ejercicio 1, ¿cuántos bloques **NO** están visibles en la vista frontal de la figura tridimensional?

Práctica independiente

En los Ejercicios **7** a **12,** dibuja la vista frontal, lateral derecha y superior de cada pila de bloques de unidades.

7.

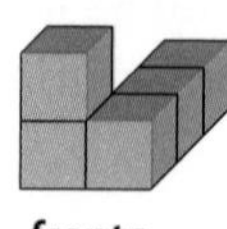

8.

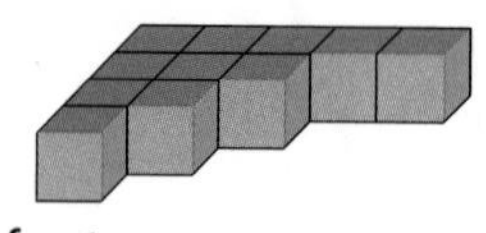

9.

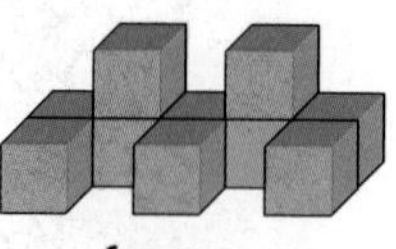

10.

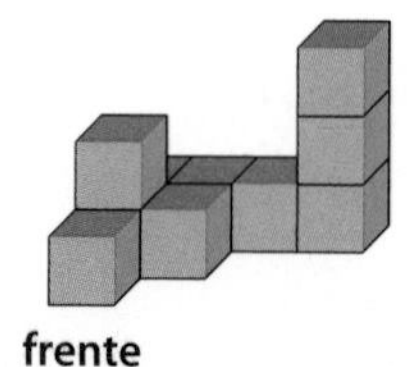

11.

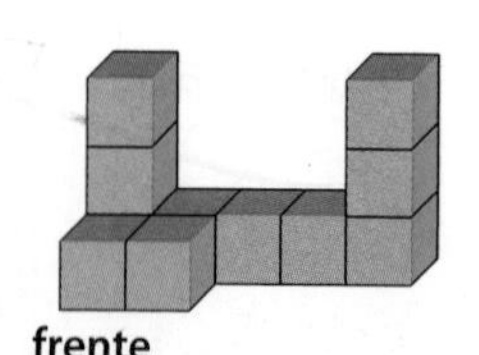

12.

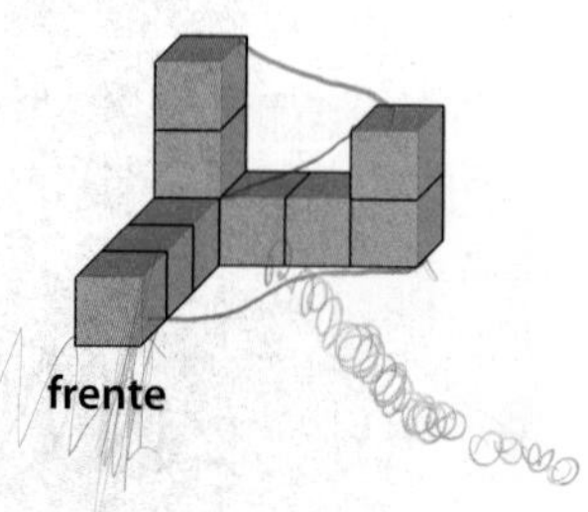

* *Puedes encontrar otro ejemplo en el Grupo C, página 361.*

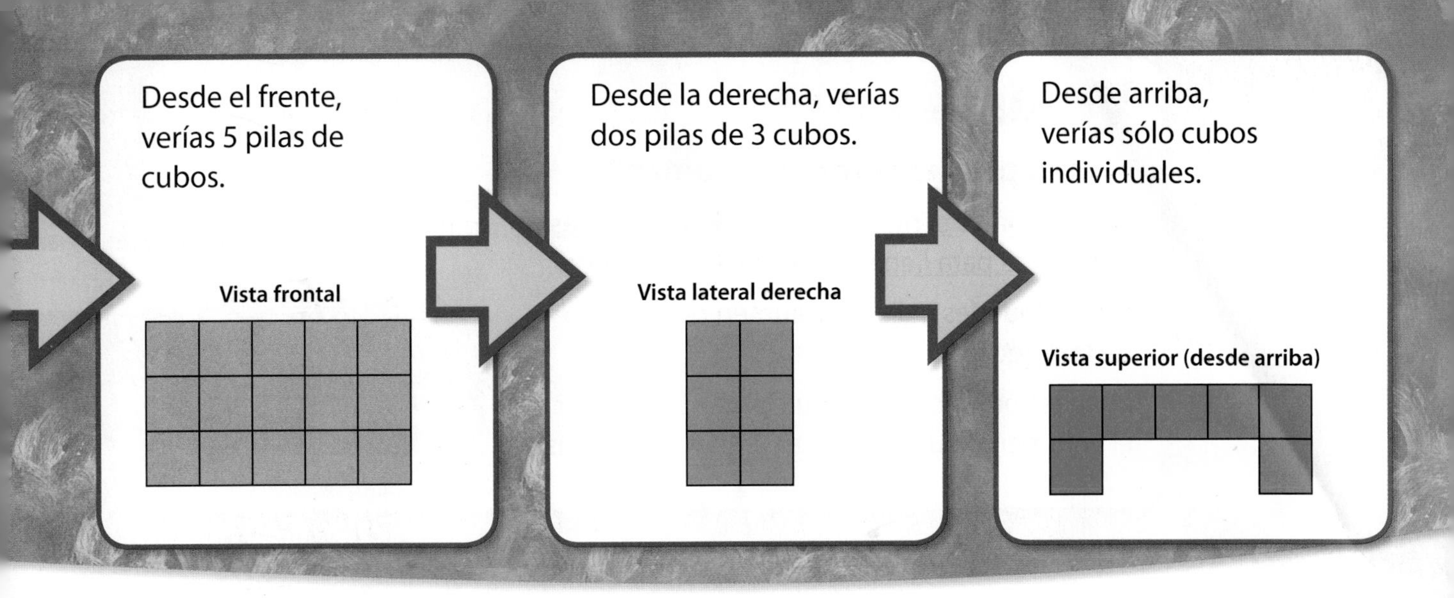

Resolución de problemas

13. ¿Cuántas aristas tiene este prisma rectangular?

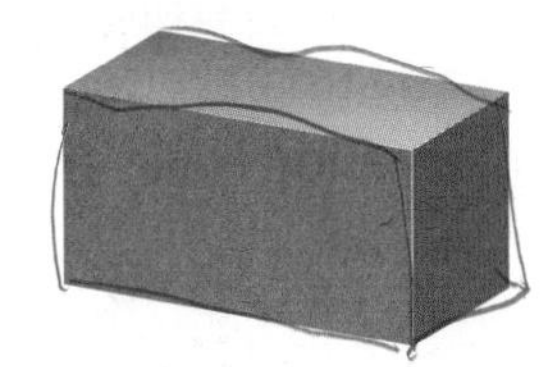

A 4 aristas **C** 8 aristas

B 6 aristas **D** 12 aristas

14. ¿El modelo plano de qué figura se ve a continuación?

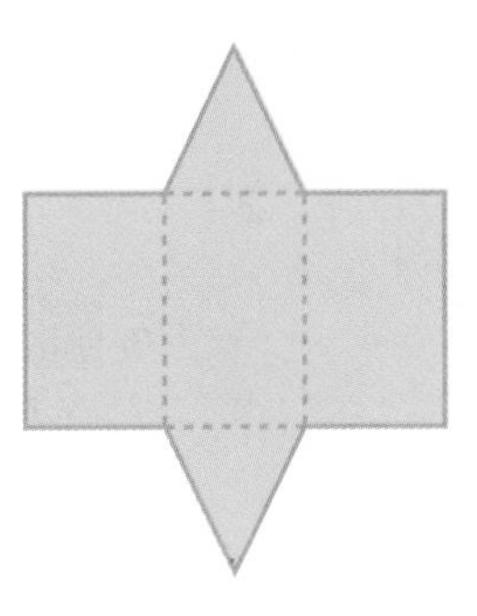

15. Explica por qué el modelo plano de un cubo tiene seis cuadrados.

16. ¿Cómo se vería la vista superior de un cilindro?

17. ¿Cuál de las siguientes opciones representa el número de caras, de aristas y de vértices de un cubo?

A 6, 12, 8 **C** 4, 5, 6

B 6, 8, 12 **D** Ninguna de las anteriores

18. **Sentido numérico** Sin dividir, determina si $320 \div 4$ tiene un cociente de dos dígitos o de tres dígitos. Explica cómo lo sabes.

19. **Escribir para explicar** La longitud de la base de cada lado de la Gran Pirámide de Khufu es aproximadamente 756 pies. Si la Gran Pirámide de Khufu es una pirámide cuadrangular, ¿cuál es la distancia del contorno de la base de la pirámide?

Lección
15-4

¡Lo entenderás!
Se puede contar las unidades cúbicas o usar una fórmula para medir el volumen de un cuerpo geométrico.

Volumen

¿Cómo puedes medir el volumen?

El volumen es el número de unidades cúbicas necesarias para llenar un cuerpo geométrico.

¿Cómo puedes hallar el volumen de la figura de la derecha?

Puedes contar cubos o multiplicar para hallar el volumen de una figura en unidades cúbicas.

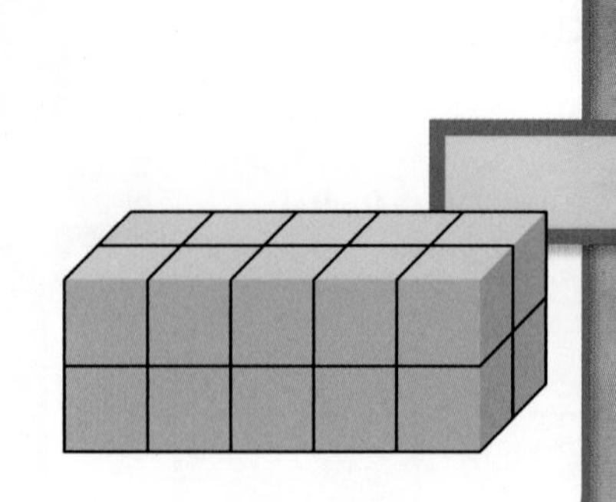

Práctica guiada*

¿CÓMO hacerlo?

En los Ejercicios **1** a **4,** halla el volumen de cada figura.

1.

2.

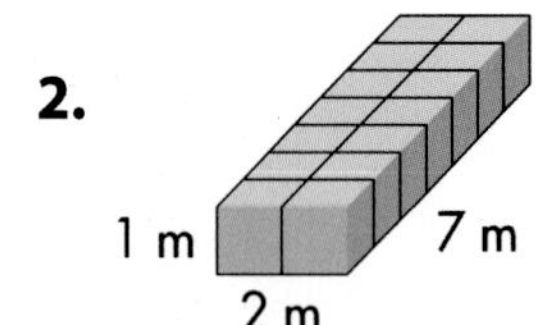

3.

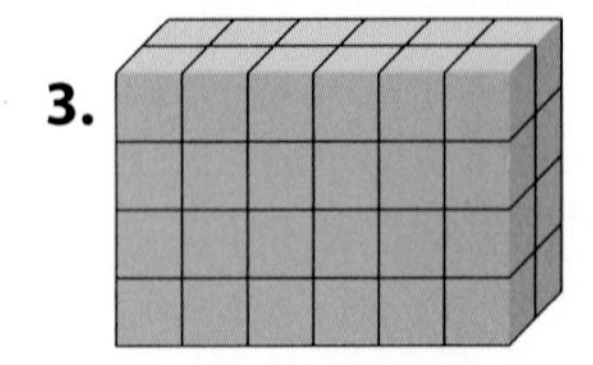

4.

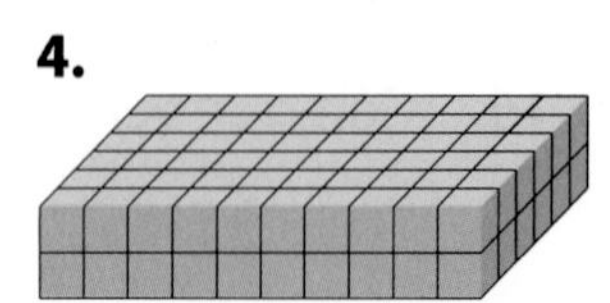

¿Lo ENTIENDES?

5. Se sumaron dos capas más de 10 bloques cada una al cuerpo geométrico anterior. Halla el volumen usando la fórmula.

6. **Escribir para explicar** Una caja tiene una longitud de 4 yardas y un ancho de 3 yardas. Su volumen es 96 yardas cúbicas. ¿Cuál es su altura? Explícalo.

Práctica independiente

En los Ejercicios **7** a **12,** halla el volumen de cada figura.

7.

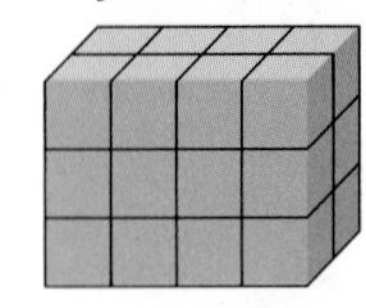

8.

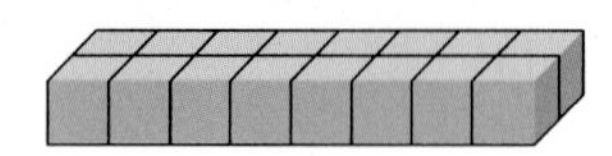

9.

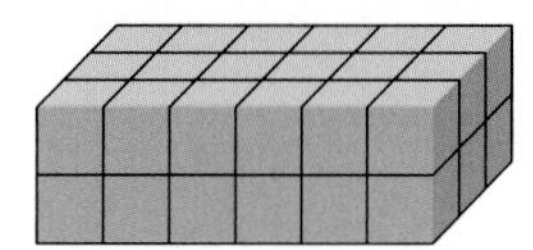

10.

11.

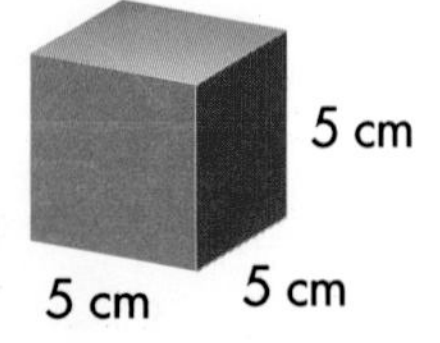

12.

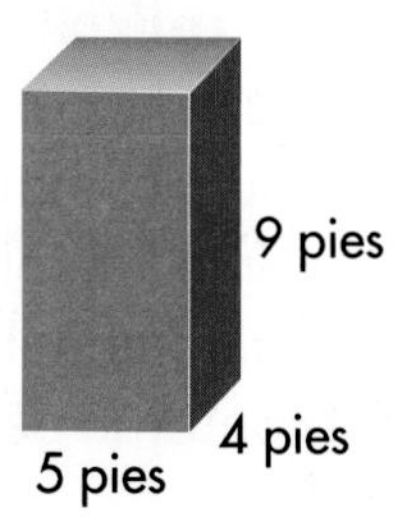

** Puedes encontrar otro ejemplo en el Grupo D, página 361.*

Una manera

Cuenta los cubos.

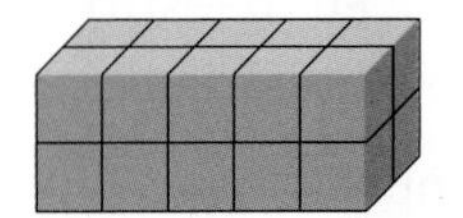

Cada cubo es una unidad cúbica. Hay 20 cubos en total.

El volumen es 20 unidades cúbicas.

Otra manera

Usa una fórmula.

Volumen = longitud × ancho × altura

$V = \ell \times a \times h$

$V = 5 \times 2 \times 2$

$V = 20$

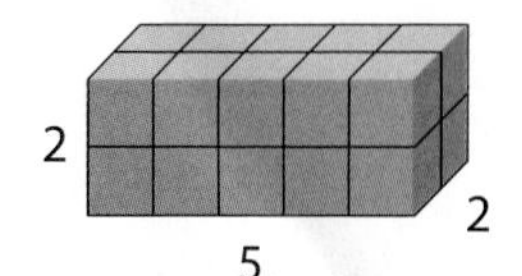

El volumen es 20 unidades cúbicas.

Resolución de problemas

13. Escribir para explicar Jack midió la caja de la derecha y dijo que el volumen era 18 unidades cúbicas. ¿Tiene razón? ¿Por qué o por qué no?

14. Escribir para explicar Una caja tiene un volumen de 40 pulgadas cúbicas. ¿Cabrá en la caja un objeto que tiene un volumen menor que 40 pulgadas cúbicas?

15. Álgebra Una caja mide 4 pulgadas de largo y 2 pulgadas de ancho. Si la caja tiene un volumen de 96 pulgadas cúbicas, ¿cuál es la altura de la caja?

16. La caja de palomitas de maíz más grande del mundo mide 18 pies de altura. La caja tiene una base cuadrada. Un lado mide 10 pies. ¿Cuál es el volumen de la caja?

17. ¿Cuál es el volumen del prisma rectangular siguiente?

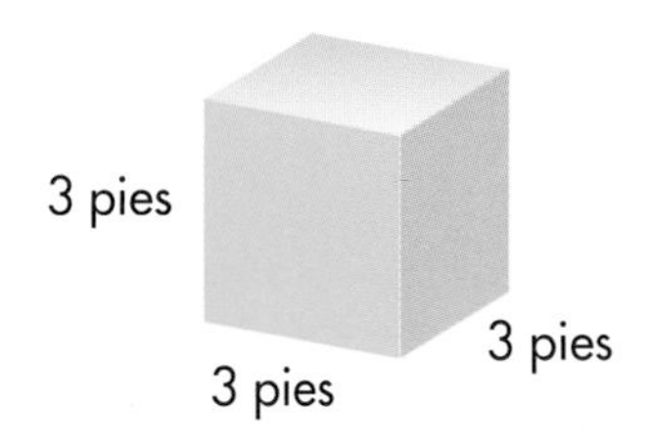

A 3 pies cúbicos **C** 18 pies cúbicos

B 9 pies cúbicos **D** 27 pies cúbicos

18. Un triángulo tiene una base de 12 pulgadas de largo y una altura de 6 pulgadas. ¿Cuál es el área del triángulo?

19. ¿Cuál es el volumen de un joyero que mide 12 centímetros por 5 centímetros por 20 centímetros?

Lección
15-5

¡Lo entenderás! Aprender cómo y cuándo buscar un patrón puede ayudar a resolver problemas.

Resolución de problemas

Buscar un patrón

Elena está aprendiendo a tocar un vals en el piano. Su maestro le da un ejercicio para principiantes para la mano izquierda.

La música tiene 4 compases. Si este patrón continúa, ¿cuántas notas tocará en 8 compases?

3, 6, 9, 12, ▢, ▢, ▢, ▢

Práctica guiada*

¿CÓMO hacerlo?

Resuelve. Halla un patrón.

1. Julia está imprimiendo archivos. El primer archivo tiene 2 páginas; el segundo, 4 páginas; el tercero, 6 páginas, y el cuarto, 8 páginas. Si este patrón continúa, ¿cuántas páginas tendrá el octavo archivo?

¿Lo ENTIENDES?

2. ¿Qué operaciones de multiplicación puedes usar como ayuda para hallar la respuesta al Ejercicio 1? ¿Por qué?

3. Escribe un problema Escribe un problema que use un patrón para múltiplos de 5. Luego, responde la pregunta.

Práctica independiente

Busca un patrón. Usa el patrón para hallar los números que faltan.

4. 5, 10, 15, 20, ▢, ▢, ▢, ▢

5. 9, 18, 27, ▢, ▢, ▢, ▢

Busca un patrón. Dibuja las dos figuras siguientes.

6.

7.

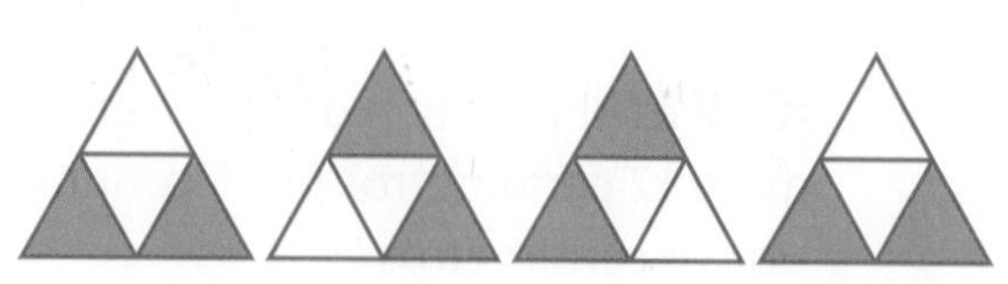

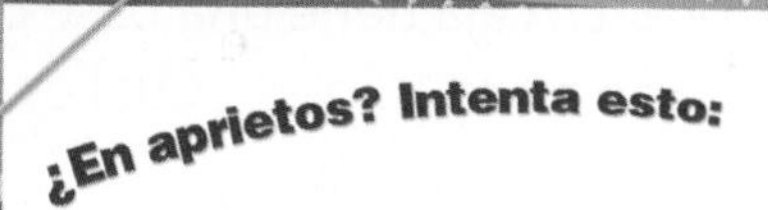

- ¿Qué sé?
- ¿Qué diagrama puede ayudarme a entender el problema?
- ¿Puedo usar suma, resta, multiplicación o división?
- ¿Está correcto todo mi trabajo?
- ¿Respondí a la pregunta que corespondía?
- ¿Es razonable mi respuesta?

*Puedes encontrar otro ejemplo en el Grupo E, página 361.

Lee y comprende

¿Qué sé? El patrón de los 4 primeros compases es: 3, 6, 9 y 12.

¿Qué me piden que halle? El número de notas que tocará en 8 compases.

Planea y resuelve

Halla un patrón. Cuenta salteado de 3 en 3.

3, 6, 9, 12,...

¿Cuáles son los cuatro números siguientes?

3, 6, 9, 12, 15, 18, 21, 24

Elena toca 24 notas en 8 compases.

Vuelve atrás y comprueba

¿Es razonable la respuesta?

Hay 12 notas en 4 compases.

El número de notas en 8 compases es el doble que el número de notas en 4 compases.

La respuesta es razonable.

Busca un patrón. Copia y completa las oraciones numéricas.

8. 30 + 5 = 35
300 + 5 = 305
3,000 + 5 = ▢
30,000 + 5 = ▢

9. 50 + 5 = 55
505 + 50 = 555
5,005 + 550 = ▢
50,505 + 5,050 = ▢

10. 60 + 8 = 68
608 + 60 = 668
6,008 + 660 = ▢
60,008 + 6,660 = ▢

11. Kaylee reparte invitaciones a todos los que viven en el piso donde está su apartamento. En su piso, hay 10 apartamentos. Los números de los cuatro primeros apartamentos son 2, 4, 6 y 8. Si el patrón continúa, ¿cuáles son los demás números de los apartamentos?

12. Busca un patrón en la siguiente tabla para hallar los números que faltan.

300	320	340	▢	380
400	▢	440	460	▢
500	520	▢	560	580

13. Kerry tiene una ruta de distribución de periódicos. Las cuatro primeras casas donde los reparte tienen los números 322, 326, 330 y 334. Si este patrón continúa, ¿cuáles serán los cuatro números siguientes?

14. Marvin está buscando una emisora de radio en el dial de AM. Intenta con estas tres emisoras: 1040, 1080 y 1120. Si este patrón continúa, ¿cuáles serán las tres estaciones siguientes?

15. Jonas ahorra monedas en su alcancía. Guarda estos grupos de monedas: 1 moneda de 1¢, 2 monedas de 5¢, 3 monedas de 10¢, 4 monedas de 25¢, 5 monedas de 1¢, 6 monedas de 5¢, 7 monedas de 10¢ y 8 monedas de 25¢. Si este patrón continúa, ¿cuáles serán los cuatro grupos siguientes de monedas?

16. **Escribir para explicar** Supón que hay 18 tazones ordenados con este patrón: tazón grande, tazón pequeño, tazón grande, tazón pequeño y así sucesivamente. ¿El último tazón es grande o pequeño? Explícalo.

Examen

1. ¿Qué vista de este sólido se muestra? (15-3)

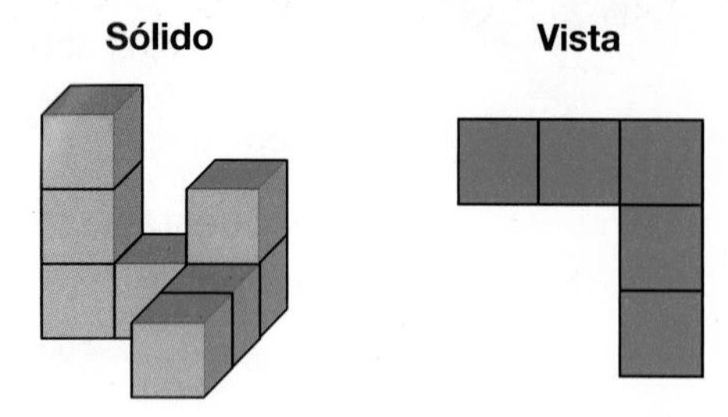

A Vista frontal

B Vista superior

C Vista lateral

D La vista no pertenece a este sólido.

2. Se muestra un modelo de la caja donde se envió el arenero de Ben. ¿Cuál es el volumen de la caja? (15-4)

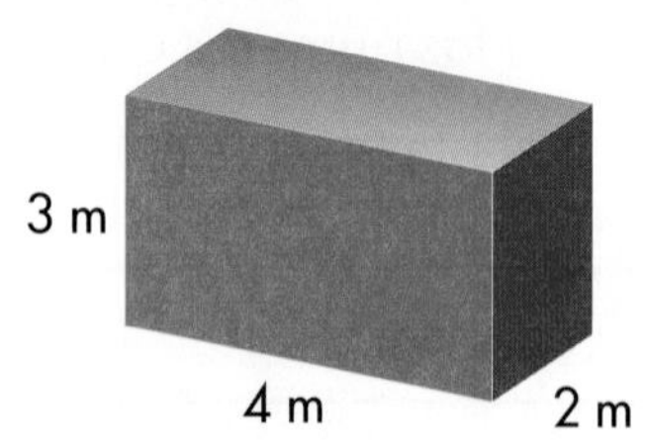

A 6 metros cúbicos

B 8 metros cúbicos

C 12 metros cúbicos

D 24 metros cúbicos

3. ¿Qué modelo plano de un sólido se hace con 6 cuadrados? (15-2)

A Pirámide rectangular

B Prisma triangular

C Pirámide cuadrangular

D Cubo

4. ¿Qué opción describe mejor la caja de pañuelos de papel? (15-1)

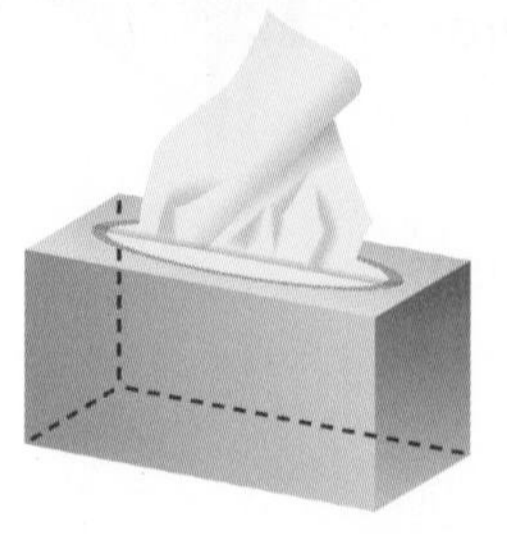

A 5 caras y 12 aristas

B 6 caras y 8 aristas

C 6 caras y 12 aristas

D 12 caras y 6 aristas

5. Tad coloca números en la espalda de unas camisetas de futbol americano. A continuación están los primeros cinco números que colocó. Si el patrón continúa, ¿cuáles son los siguientes tres números que colocará? (15-5)

9, 18, 27, 36, 45, ▢, ▢, ▢

A 54, 63, 72

B 54, 63, 71

C 63, 64, 72

D 63, 72, 81

6. Fionna usó cubos para construir un modelo de la figura siguiente. ¿Cuál es el volumen de la figura? (15-4)

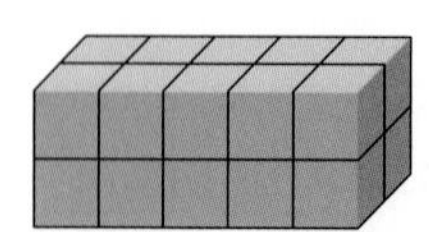

A 10 unidades cúbicas

B 15 unidades cúbicas

C 20 unidades cúbicas

D 24 unidades cúbicas

7. ¿Qué cuerpo geométrico se puede hacer a partir del modelo plano que está a continuación? (15-2)

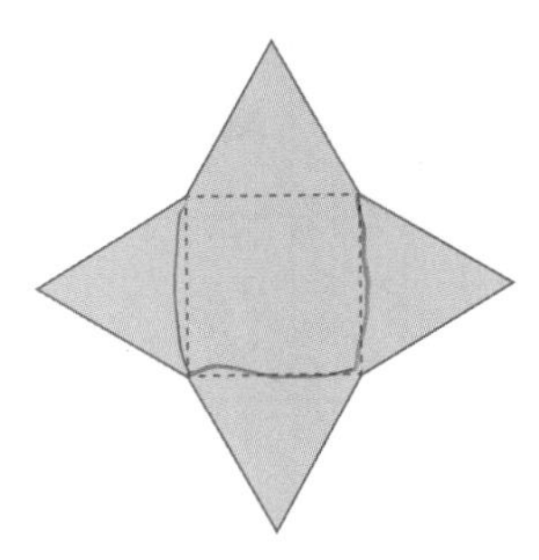

A Pirámide triangular

B Pirámide cuadrangular

C Pirámide rectangular

D Prisma rectangular

8. ¿Cuál es el volumen de esta figura? (15-4)

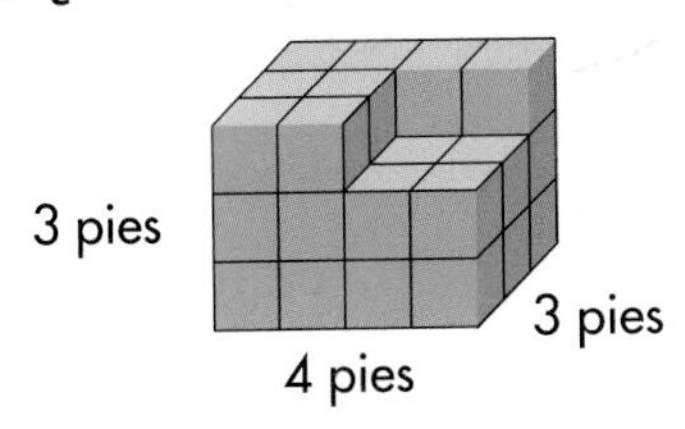

A 24 unidades cúbicas

B 28 unidades cúbicas

C 32 unidades cúbicas

D 36 unidades cúbicas

9. ¿Qué sólido describe mejor el rollo de toallas de papel? (15-1)

A Cilindro

B Esfera

C Cubo

D Cono

10. La siguiente es la caja en la que se envió la muñeca de porcelana de la señora Lawry. ¿Cuál es el volumen de la caja? (15-4)

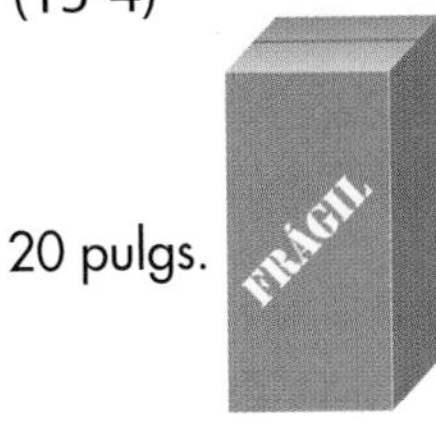

A 200 pulgadas cúbicas

B 800 pulgadas cúbicas

C 1,200 pulgadas cúbicas

D 1,600 pulgadas cúbicas

11. ¿Qué vista de este sólido se muestra? (15-3)

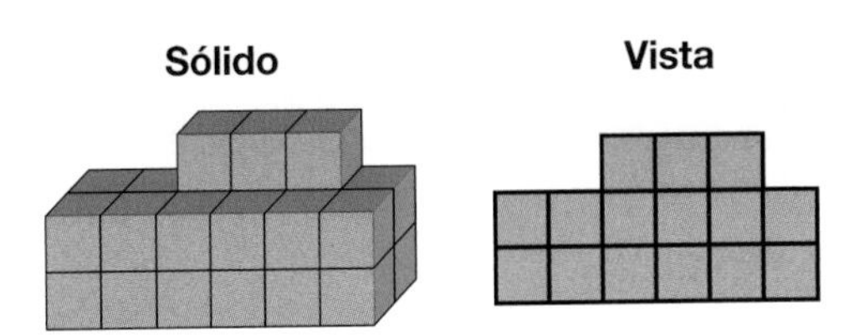

A Vista frontal

B Vista superior

C Vista lateral

D La vista no pertenece a este sólido.

12. ¿Cuántas aristas tiene este prisma triangular? (15-1)

A 5

B 6

C 8

D 9

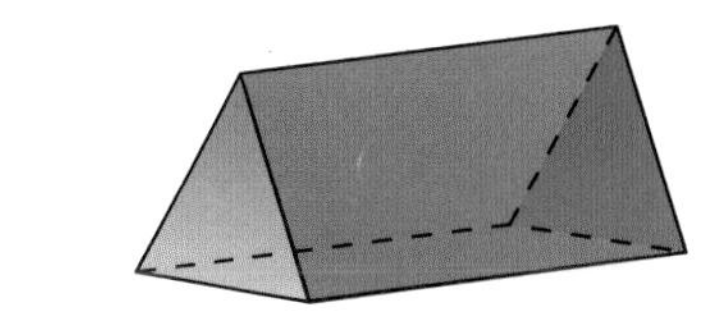

Grupo A, páginas 346 a 349

Nombra el cuerpo geométrico.

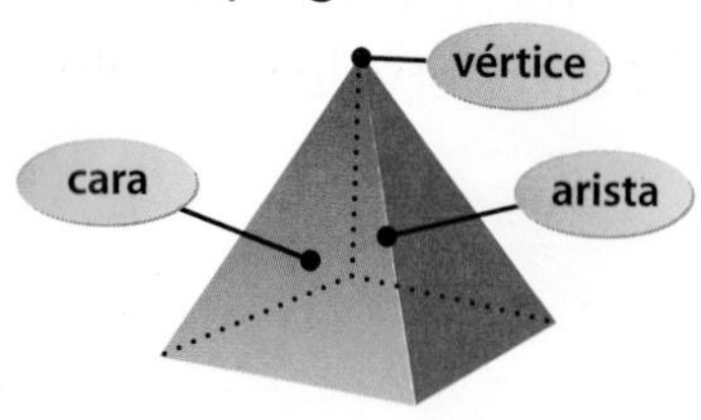

El cuerpo geométrico tiene cuatro caras que son triángulos y una cara que es un cuadrado.

¿Cuántas caras, aristas y vértices tiene esta figura?

La figura tiene 5 caras, 8 aristas y 5 vértices.

Recuerda que la superficie plana de un sólido es la cara.

		Caras	Aristas	Vértices
1.	Prisma triangular	5		
2.	Pirámide cuadrangular			5
3.	Cubo		12	
4.	Prisma rectangular	6		
5.	Pirámide triangular			4

Grupo B, páginas 350 y 351

Di qué cuerpo geométrico se puede hacer a partir de los modelos planos que están a continuación.

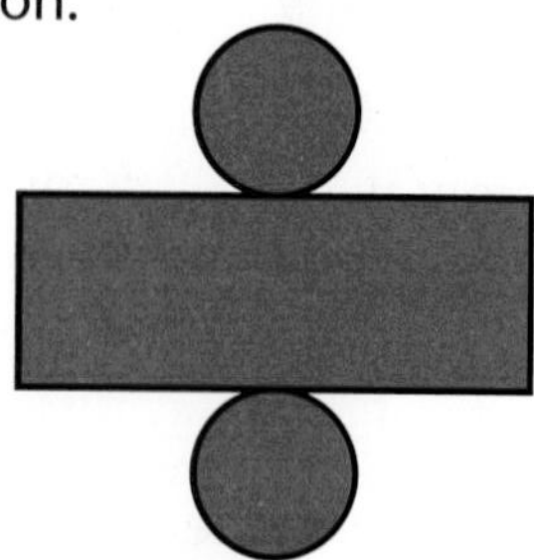

Cuando se dobla y se pega, el modelo plano forma un cilindro.

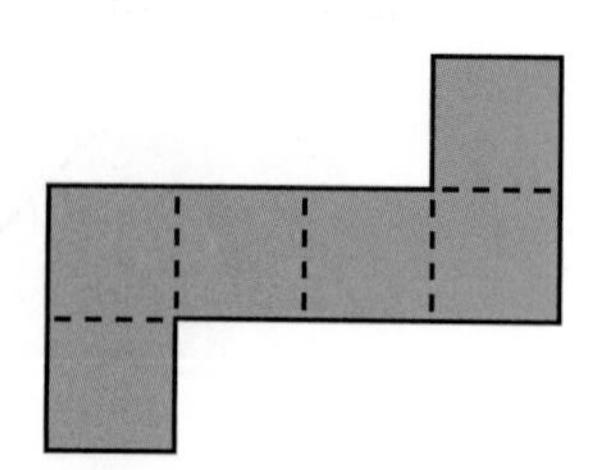

Cuando se dobla y se pega, el modelo plano forma un cubo.

Nombra el cuerpo geométrico que se puede hacer a partir de cada modelo plano.

1.

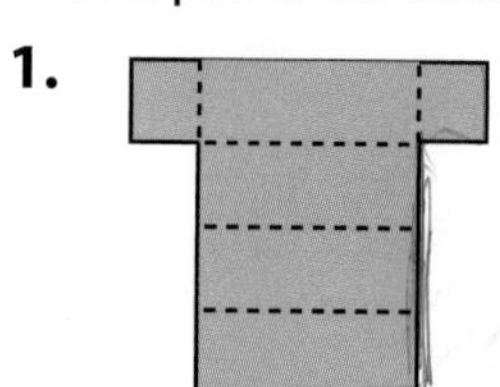

2.

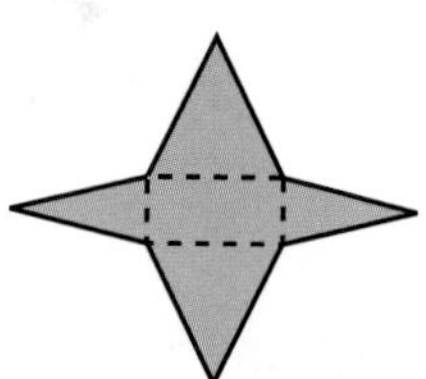

3.

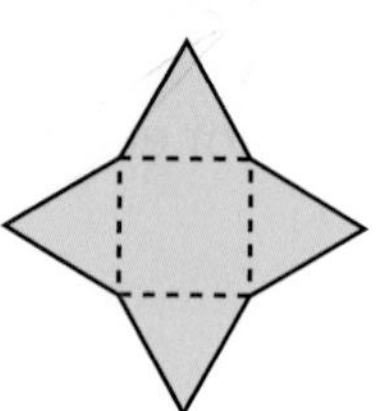

4.

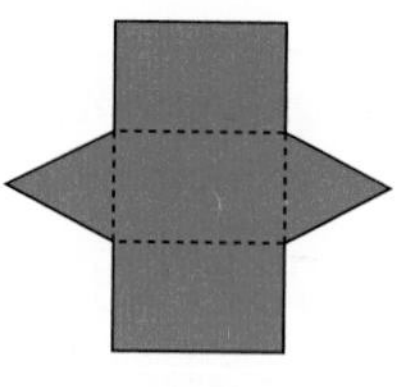

Dibuja modelos planos para cada cuerpo geométrico.

5. Dibuja dos modelos planos diferentes para un prisma triangular.

6. Dibuja dos modelos planos diferentes para un cono.

Grupo C, páginas 352 y 353

Dibuja la vista frontal, la lateral derecha y la superior de este sólido.

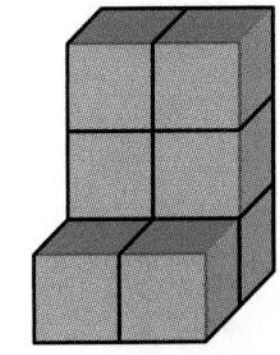

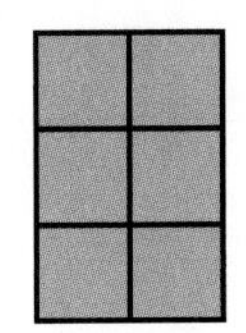

Esta es la vista frontal del sólido.

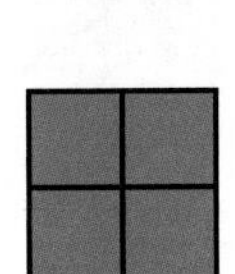

Esta es la vista lateral derecha del sólido.

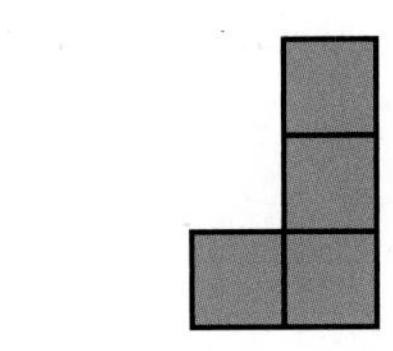

Esta es la vista superior del sólido.

Recuerda que debes tener en cuenta los bloques que podrían quedar ocultos a la vista en los dibujos.

Dibuja la vista superior, la lateral derecha y la frontal de cada cuerpo geométrico.

1.

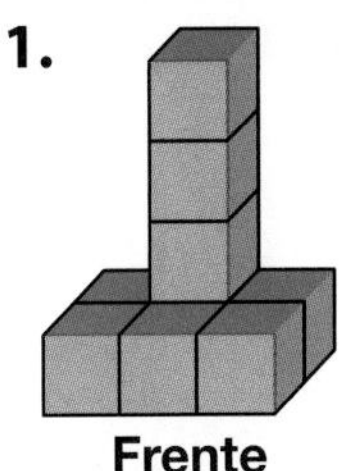

2.

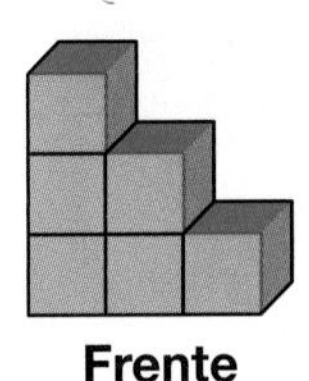

Grupo D, páginas 354 y 355

Halla el volumen.

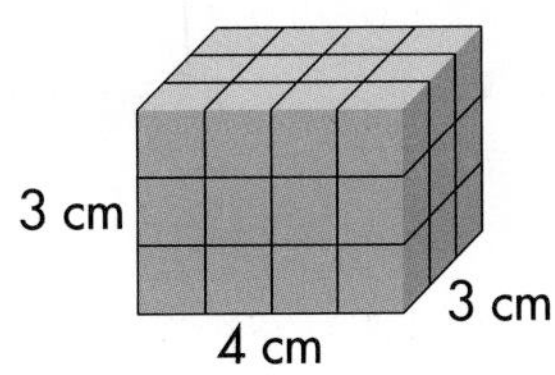

$V = \ell \times a \times h$

$V = 4 \times 3 \times 3$

$V = 36$

El prisma rectangular tiene un volumen de 36 centímetros cúbicos.

Recuerda que el volumen se mide en unidades cúbicas.

Halla el volumen.

1.

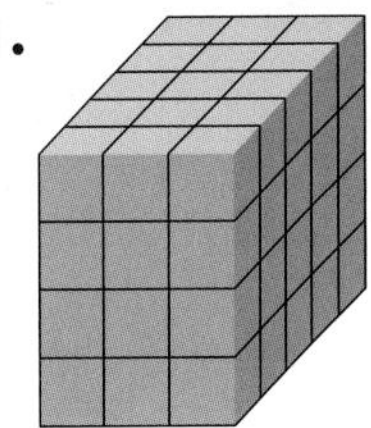

2.

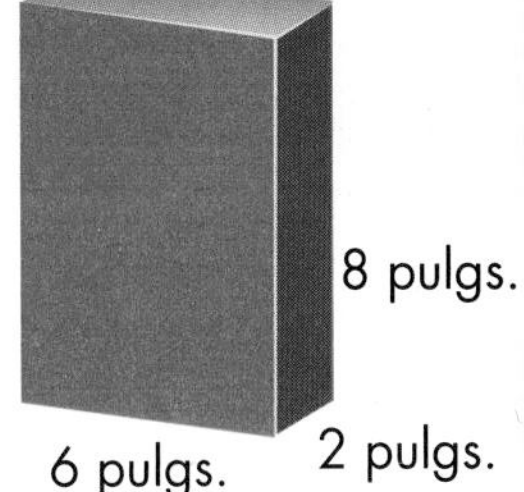

Grupo E, páginas 356 y 357

Busca un patrón. Di los números que faltan.

1, 5, 9, 13, ▢, ▢

Halla el patrón.

1 + **4** = **5**
5 + **4** = **9**
9 + **4** = **13**

Completa el patrón.

13 + **4** = **17**
17 + **4** = **21**

Los números que faltan son 17 y 21.

Recuerda que, en algunos patrones, no se suma el mismo número cada vez.

1. 2, 10, 18, 26, ▢, ▢, ▢

2. 1, 2, 4, 7, 11, 16, 22, ▢, ▢, ▢

3. 3, 6, 9, 12, ▢, ▢, ▢

4. 5, 11, 17, 23, ▢, ▢, ▢

5. 14, 21, 28, 35, ▢, ▢, ▢

Tema 16

Medición, hora y temperatura

1 La ENIAC se construyó en 1946 y es conocida como la primera computadora. Pesaba 30 toneladas. ¿Qué unidades de peso se usan en la actualidad para pesar la mayoría de las computadoras? Lo averiguarás en la Lección 16-3.

2 ¿Que longitud tiene este dragón? Lo averiguarás en la Lección 16-5.

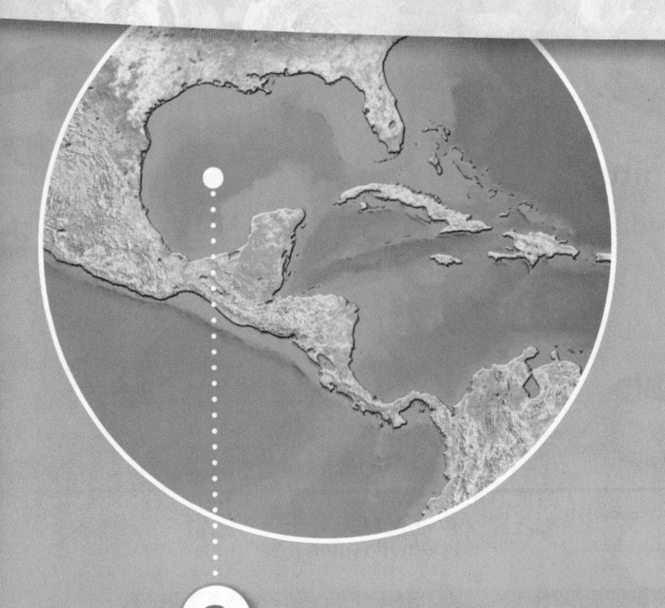

3

El Golfo de México es un enorme cuerpo de agua. ¿Cuánta agua se deposita en el Golfo de México por segundo? Lo averiguarás en la Lección 16-2.

4

¿Cómo pudo una antigua pirámide maya ser un tipo de calendario? Lo averiguarás en la Lección 16-9.

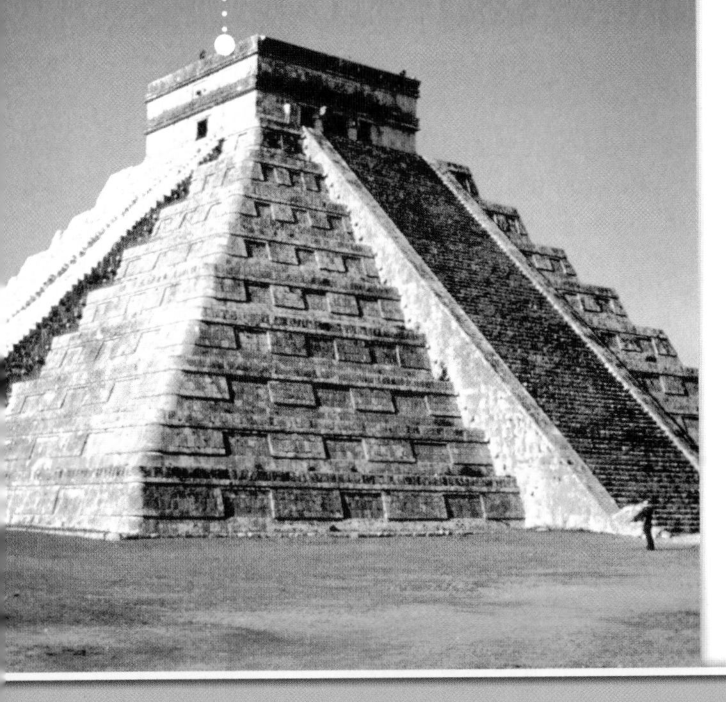

Repasa lo que sabes

Vocabulario

Elige el mejor término del recuadro.

- capacidad
- pie
- longitud
- volumen

1. Un _?_ es una unidad de longitud igual a 12 pulgadas.
2. La _?_ representa la cantidad que puede contener un recipiente en unidades líquidas.
3. El _?_ de un cuerpo geométrico es el número de unidades cúbicas necesarias para llenarlo.

Capacidad

Elige la mejor unidad para medir la capacidad de cada objeto. Escribe tazas o galones.

4. Bañera
5. Pecera
6. Tazón de sopa
7. Taza de café
8. Tanque de gasolina
9. Azúcar en una receta

Peso

Elige la mejor unidad para medir el peso de cada objeto. Escribe onzas o libras.

10. Bicicleta
11. Rebanada de pan
12. Lápiz
13. Bolsa de astillas de madera
14. Bola de bolos
15. Plátano

Área y volumen

16. ¿Cuál es el ancho de un rectángulo si su área es 16 pies cuadrados y su longitud es 8 pies?
17. **Escribir para explicar** La longitud de la arista de un cubo es 4 pies. Halla el volumen.

Lección

16-1

¡Lo entenderás!
Las medidas usuales se usan para estimar y medir la longitud.

Usar unidades usuales de longitud

Manos a la obra
regla de pulgadas

¿Cómo estimas y mides la longitud?

En los Estados Unidos se usan las unidades de medida del sistema usual. ¿Aproximadamente qué longitud tiene el carro de juguete de Greg?

Aproximadamente 1 pulgada (pulg.)

Otros ejemplos

Un cuaderno tiene aproximadamente 1 pie.

Casi 1 pie

1 pie = 12 pulgs.

Un bate de beisbol tiene aproximadamente 1 yarda (yd).

1 yd = 36 pulgs.   1 yd = 3 pies

1 milla (m) tiene aproximadamente dos veces la distancia del contorno de la pista.

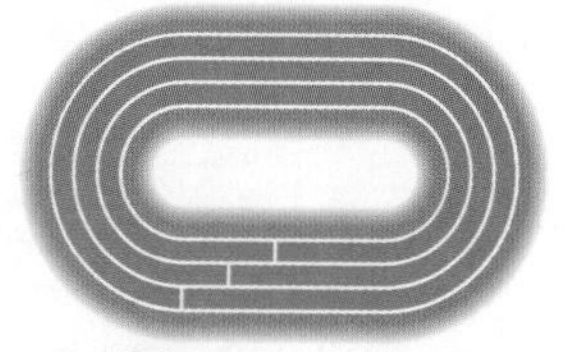

1 m = 5,280 pies   1 m = 1,760 yd

Práctica guiada*

¿CÓMO hacerlo?

En los Ejercicios **1** a **4,** elige la unidad más apropiada para medir las longitudes. Escribe pulg., yd o m.

1. Autopista

2. Caja de CD

3. Campo de futbol americano

4. Habitación

¿Lo ENTIENDES?

5. ¿Qué longitud tiene tu libro a la pulgada más cercana? Explica cómo lo mediste.

6. Greg quiere medir la altura de su hermana de 2 años. ¿Qué dos unidades podría usar? Explícalo.

Práctica independiente

En los Ejercicios **7** a **10,** elige la unidad más apropiada para medir las longitudes. Escribe pies, yd o m.

7. Lápiz

8. Edificio

9. Montaña

10. Carrete de cinta

** Puedes encontrar otro ejemplo en el Grupo A, página 396.*

El carro de juguete es más corto que un pie. Por tanto, la mejor unidad para medirlo serían las pulgadas.

El carro tiene aproximadamente 3 pulgadas de longitud.

Paso 2

Mide a la pulgada más cercana.

Alinea un extremo del carro de juguete con la marca del cero de la regla. Luego halla la marca más cercana al otro extremo del carro.

0 1 2 3

PULGADAS

El carro de Greg tiene aproximadamente 3 pulgadas de longitud a la pulgada más cercana.

En los Ejercicios **11** a **13,** estima cuáles son las longitudes y luego mídelas a la pulgada más cercana.

11.

12. 

13.

Resolución de problemas

14. Geometría Si el perímetro del triángulo de la derecha es 14 yardas, ¿cuál es la longitud del tercer lado?

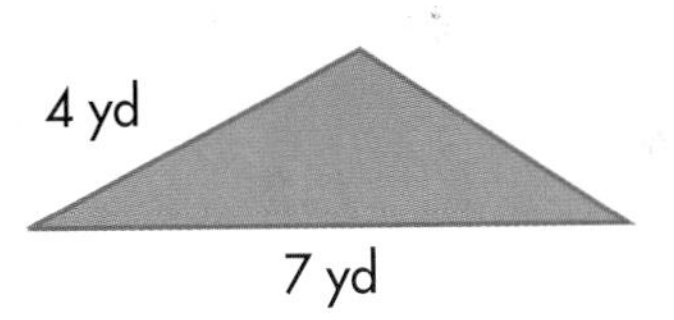

15. Escribir para explicar Lionel está construyendo una casa en el árbol. La lista de materiales indica la longitud que deben tener las tablas del piso. ¿Cuál sería la mejor unidad de medida para describir la longitud de las tablas del piso?

16. Razonamiento Trini tomó algunas fotos. El número de fotos que tomó es de dos dígitos. La suma de los dígitos es 11. El dígito de las decenas es 3 más que el de las unidades. ¿Cuántas fotos tomó Trini?

17. En Olivia, Minnesota, hay una mazorca de maíz gigante encima de un mirador que está al borde de la carretera. Usando la imagen de la derecha, ¿cuál crees que es la verdadera altura de la mazorca?

A 25 millas **C** 25 pulgadas

B 25 pies **D** 25 centímetros

Lección
16-2

¡Lo entenderás!
Las medidas usuales se usan para estimar y medir la capacidad.

Unidades usuales de capacidad

¿Cómo mides la capacidad en unidades del sistema usual?

La capacidad es el volumen de un recipiente medido en unidades líquidas. Éstas son algunas unidades del sistema usual para medir capacidad.

¿Cuánta agua puede contener un fregadero?

1 taza (t) | 1 pinta (pt) | 1 cuarto de galón (cto.) | 1 galón (gal.)

Práctica guiada*

¿CÓMO hacerlo?

¿Cuál es la mejor estimación de la capacidad de los objetos?

1.

¿3 galones o 30 galones?

2.

¿2 tazas o 2 cuartos de galón?

3.

¿1 pinta o 4 galones?

4.

¿1 galón o 1 cuarto de galón?

¿Lo ENTIENDES?

5. Mira los recipientes de un cuarto de galón y de un galón de arriba. Estima cuántos cuartos hay en 1 galón.

6. Estima cuántos cuartos de galón se necesitarían para llenar el fregadero.

7. ¿Cuál es mayor, una taza o un cuarto de galón?

8. ¿Cuál es mayor, una taza o una pinta?

Práctica independiente

En los Ejercicios **9** a **20,** elige la unidad más apropiada para medir la capacidad de los objetos. Escribe t, pt, cto. o gal.

9. Envase de jugo

10. Cubeta

11. Tanque de gasolina

12. Vaso desechable

13. Pecera

14. Bañera

15. Bola de nieve

16. Plato de agua para gatos

17. Botella con atomizador

18. Acuario

19. Sopera

20. Estanque

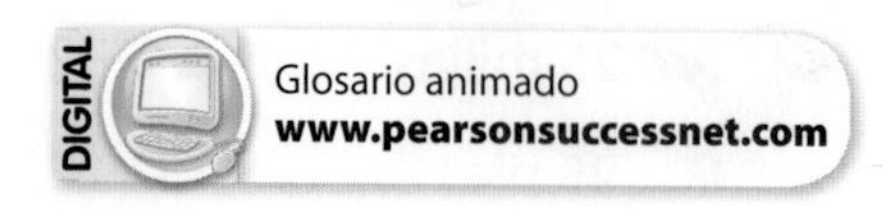

Puedes encontrar otro ejemplo en el Grupo B, página 396.

Paso 1

Elige la unidad más apropiada para medir:

Tardaría demasiado llenar el fregadero con la taza, la pinta o el cuarto de galón.

La mejor unidad sería el galón.

Paso 2

Haz una estimación:

Visualiza cuántos galones de agua se necesitarían para llenar el fregadero.

El fregadero tiene una capacidad de aproximadamente 4 galones.

Paso 3

Mide:

Llena la jarra de un galón con agua y viértela en el fregadero. Sigue haciendo esto hasta que el fregadero esté lleno y cuenta cuántas jarras de un galón usaste para llenarlo.

El fregadero tiene una capacidad de aproximadamente 5 galones.

En los Ejercicios **21** a **24,** elige la mejor estimación de la capacidad de los objetos.

21. 

¿1 galón o 10 galones?

22. 

¿1 galón o 1 cuarto de galón?

23. 

¿20 cuartos de galón o 200 cuartos de galón?

24. 

¿2 cuartos de galón o 2 pintas?

Resolución de problemas

25. En un segundo, entran en el golfo de México 3,300,000 galones de agua provenientes del río Mississippi. En un día, el acueducto de Houston transporta 900,000 galones. ¿Cuál es mayor, 3,300,000 galones o 900,000 galones?

26. Sentido numérico Una receta de limonada lleva 1 taza de azúcar y 1 cuarto de galón de agua. Esta receta rinde 4 porciones. Si quieres hacer 12 porciones, ¿cuántas tazas de azúcar necesitarás?

27. Necesitas 1 cucharadita de baño de espuma por cada 25 galones de agua. ¿Cuánto baño de espuma se necesita para una bañera de 50 galones?

28 Las marcas de la siguiente taza de medir muestran onzas líquidas (oz líq.) y tazas (t). ¿Cuál es mayor, una onza líquida o una taza?

29. Razonamiento ¿Cuál sería la mejor unidad para medir el agua de una piscina de natación; el número en vasos de jugo o el número en bañeras?

Lección
16-3

¡Lo entenderás!
Las medidas usuales se usan para estimar y medir el peso.

Unidades de peso

¿Cómo mides el peso?

El peso es una medida de lo pesado que es un objeto. Abajo hay algunas unidades del sistema usual para medir el peso. ¿Cuánto pesa un durazno?

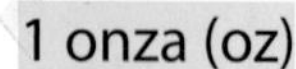
1 onza (oz)

Una llave pesa aproximadamente 1 onza.

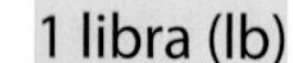
1 libra (lb)

Un gatito pesa aproximadamente 1 libra.

1 tonelada (t)

Una jirafa pesa aproximadamente 1 tonelada.

Práctica guiada*

¿CÓMO hacerlo?

En los Ejercicios **1** a **4,** da la mejor unidad para medir el peso de los objetos.

1. 
Una rebanada de pan

2. 
Una oveja

3. 
Un helicóptero

4. 
Una bicibleta

¿Lo ENTIENDES?

5. Escribir para explicar ¿Cómo sabes que el peso del durazno **NO** es 8 onzas?

6. Si colocaste 3 llaves en el mismo platillo que el durazno, ¿cuántas onzas se necesitarán para equilibrar las llaves y el durazno?

Práctica independiente

En los Ejercicios **7** a **18,** elige la unidad más apropiada para medir el peso de los objetos.

Piensa en un objeto conocido que pese una libra, una onza o una tonelada. Úsalo para estimar cuál es el peso de otros objetos medidos con la misma unidad.

7. León marino **8.** Naranja **9.** Esmalte de uñas **10.** Tarjeta de felicitación

11. Clip **12.** Canoa **13.** Transatlántico **14.** Jugador de futbol americano

15. Teléfono **16.** Carro **17.** Tenedor **18.** Bolsa de papas

* *Puedes encontrar otro ejemplo en el Grupo C, página 396.*

Paso 1

Elige la unidad más apropiada para medir:

Un durazno pesa menos de una libra.

Por tanto, la mejor unidad sería la onza.

Paso 2

Haz una estimación:

Una llave pesa aproximadamente una onza. ¿Cuántas llaves pesarían lo mismo que un durazno?

Aproximadamente 8 llaves pesarían lo mismo.

Un durazno pesa aproximadamente 8 onzas.

Paso 3

Mide:

Coloca el durazno en un platillo de la balanza. Coloca una pesa de una onza en el otro platillo. Agrega pesas de onza hasta que la balanza se equilibre y cuéntalas.

El durazno pesa 7 onzas.

Resolución de problemas

19. Una de las primeras computadoras que se construyeron pesaba 30 toneladas. ¿Cuál sería una unidad apropiada para medir hoy el peso de la mayoría de las computadoras de mesa?

20. Razonamiento Nombra 3 cosas de la caja que está abajo que puedas medir. Haz una estimación razonable de las medidas.

21. ¿Qué número es mayor, el número de libras que pesa un gallo o el número de onzas que pesa el mismo gallo?

En los Ejercicios **22** a **25,** usa el cuadro de la derecha.

22. ¿Aproximadamente cuántas onzas pesan dos docenas de manzanas medianas?

23. Estima cuál es el peso de una manzana.

24. Cinco docenas de sandías grandes, ¿pesan más o menos de 1,000 libras?

25. ¿Aproximadamente cuántas libras pesan tres docenas de bananas?

Fruta	Peso de una docena
(manzana)	72 onzas
(banana)	3 libras
(sandía)	264 libras

26. ¿Cuál es una buena estimación del peso de una bicicleta?

A 30 onzas

B 3 libras

C 30 libras

D 3,000 onzas

Lesson

16-4

¡Lo entenderás!
Se debe comparar medidas mediante la conversión de unidades del sistema usual.

Convertir unidades usuales

¿Cómo conviertes unidades usuales?

La tabla de la derecha se puede usar para convertir una unidad de medida usual a otra.

Datos

Unidades usuales

Longitud	Capacidad	Peso
1 pie = 12 pulgs.	1 cda. = 3 cdtas.	1 lb = 16 oz
1 yd = 36 pulgs.	1 oz líq. = 2 cdas.	1 T = 2,000 lb
1 yd = 3 pies	1 t = 8 oz líq.	
1 m = 5,280 pies	1 pt = 2 t	
1 m = 1,760 yd	1 cto. = 2 pt	
	1 gal. = 4 cto.	

Otro ejemplo

¿Cómo comparas medidas usuales?

Kylie llevó 2 galones de ponche al picnic de la escuela. Cada persona recibe 1 taza de ponche.

¿Llevó Kylie suficiente ponche para 24 personas?

2 gals. ◯ 24 t

Paso 1

Convierte galones a tazas.

Piénsalo 1 gal. = 4 cto.
Por tanto, 2 gals. × 4 cto. = 8 cuartos.

Piénsalo 1 cto. = 2 pt
Por tanto, 8 cto. × 2 pt = 16 pintas.

Piénsalo 1 pt = 2 t
Por tanto, 16 pt × 2 t = 32 tazas.

Kylie llevó suficiente ponche para 24 personas.

Paso 2

Compara.

32 t > 24 t

Por tanto, 2 gals. > 24 t.

Explícalo

1. ¿Cómo conviertes cuartos de galón a galones?
2. ¿Cómo conviertes libras a onzas?
3. **¿Es razonable?** ¿Cuáles son dos maneras de hallar cuántas pulgadas hay en una milla?

¿Cuántas pintas hay en cinco cuartos de galón?

Para convertir unidades más grandes a unidades más pequeñas, multiplica.

5 cto. = ▢ pt

Piénsalo **1 cto. = 2 pt**

$5 \times 2 = 10$

5 cto. = 10 pt

Hay 10 pintas en cinco cuartos.

¿A cuántos pies equivalen 84 pulgadas?

Para convertir unidades más pequeñas a unidades más grandes, divide.

84 pulgs. = ▢ pies

Piénsalo **12 pulgs. = 1 pie**

$84 \div 12 = 7$

84 pulgs. = 7 pies

Hay 7 pies en 84 pulgadas.

Práctica guiada*

¿CÓMO hacerlo?

En los Ejercicios **1** a **4,** halla los números que faltan.

1. 6 T = ▢ lb **2.** 12 cto. = ▢ gal.

3. 7 lb = ▢ oz **4.** 3 yd = ▢ pulg.

En los Ejercicios **5** a **8,** compara. Escribe > o < en cada ◯.

5. 5 pies ◯ 57 pulgs. **6.** 16 oz líq. ◯ 3 t

7. 2 cda. ◯ 4 cdta. **8.** 3 gal ◯ 8 ct

¿Lo ENTIENDES?

9. En el primer ejemplo, ¿por qué multiplicas 5×2?

10. ¿Multiplicas o divides para convertir pulgadas a yardas?

11. **Escribir para explicar** Un palo de 4 pies es más largo que una yarda. Un palo de 32 pulgadas es más corto que una yarda. ¿Un palo de 4 pies es más largo o más corto que un palo de 32 pulgadas?

Práctica independiente

Práctica nivelada En los Ejercicios **12** a **19,** halla los números que faltan.

12. 4 pt = ▢ cto.
$4 \div 2 =$ ▢ cto.

13. 18 cdtas. = ▢ cdas.
$18 \div 3 =$ ▢ cdas.

14. 2 t = ▢ oz líq.
$2 \times 8 =$ ▢ oz líq.

15. 4 cdas. = ▢ cdtas.
$4 \times 3 =$ ▢ cdtas.

16. 8 yd = ▢ pies **17.** 60 pulgs. = ▢ pies **18.** 3 lb = ▢ oz **19.** 7 pies = ▢ pulg.

En los Ejercicios **20** a **27,** compara. Escribe > o < en cada ◯.

20. 1 pt ◯ 1 cto. **21.** 16 cdas. ◯ 2 t **22.** 14 pulgs. ◯ 1 yd **23.** 5 t ◯ 2 pt

24. 9 pies ◯ 2 yd **25.** 2 T ◯ 2,500 lb **26.** 2 m ◯ 2,000 yd **27.** 24 oz ◯ 2 lb

Puedes encontrar otro ejemplo en el Grupo D, página 397.

Resolución de problemas

28. Las plumas más largas que existen de la cola de un ave son las del faisán argos real. Las plumas miden 5 pies con 7 pulgadas de longitud. ¿Cuántas pulgadas de largo miden estas plumas?

5 pies 7 pulgadas

29. Una limusina mide 240 pulgadas de largo. Una camioneta mide 19 pies de largo. ¿Cuál es más larga?

30. Geometría Si un lado de un cuadrado mide 5 pulgadas, ¿cuál es el área del cuadrado?

Usa la tabla de la derecha para resolver los Ejercicios **31** a **33.**

El peso de los objetos en otros planetas y en la Luna es diferente que en la Tierra.

31. ¿Cuál es el peso aproximado en onzas de un estudiante de cuarto grado en Venus?

32. ¿Cuál es el peso aproximado en onzas de un estudiante de cuarto grado en la Luna?

33. Escribir para explicar ¿Pesaría más un adulto en la Tierra o en Venus? Explica tu razonamiento.

Peso aproximado de un estudiante de 4.° grado

Tierra	Júpiter	Venus	Luna
85 lb	215 lb	77 lb	14 lb

34. ¿Es razonable? Una revista informa que la altura de una jirafa es 180 pulgadas o 15 yardas. ¿Qué error se cometió?

35. Escribir para explicar ¿Qué unidad de medida usarías para medir la longitud de tu zapato?

36. El señor Kunkle usa una bola de bolos que pesa 13 libras. ¿Cuántas onzas pesa la bola de bolos?

A 116 oz
B 140 oz
C 180 oz
D 208 oz

37. Jeremiah compró 2 libras de lechuga y 3 libras de tomates para una ensalada. ¿Cuántas onzas de cada verdura compró?

38. A diario fluyen más de 17,000,000 galones de agua por la Fontana de Trevi. ¿Cuántos cuartos de agua es esto?

A 68 cto.
B 6,800 cto.
C 68,000 cto.
D 68,000,000 cto.

Halla la diferencia. Haz una estimación para comprobar si la respuesta es razonable.

1. 54.3 − 0.28 **2.** 14.8 − 3.76 **3.** 15.23 − 3.17

4. 25.78 − 9.8 **5.** 18.1 − 3.45 **6.** 12.7 − 3.81

Halla el producto. Haz una estimación para comprobar si la respuesta es razonable.

7. $23{,}418 \times 5$ **8.** $6{,}223 \times 2$ **9.** $33{,}478 \times 5$ **10.** 406×36 **11.** $4{,}000 \times 12$

Halla la suma. Haz una estimación para comprobar si la respuesta es razonable.

12. $12{,}345 + 87{,}654$ **13.** $4{,}402 + 3{,}912$ **14.** $403 + 737$ **15.** $5{,}474 + 723$ **16.** $13{,}985 + 7{,}539$

Identifica los errores Halla las respuestas que no son correctas. Escríbelas correctamente y explica el error.

17. $33.90 + 25.76 = 58.66$

18. $34{,}890 \times 8 = 279{,}120$

19. $2\overline{)\$2.10}$ = $1.05

20. $\frac{5}{6} - \frac{1}{4} = \frac{4}{2}$

21. $5{,}007 \times 35 = 175{,}215$

Sentido numérico

Haz una estimación y razona Escribe si cada enunciado es verdadero o falso. Explica tu respuesta.

22. El producto de 3 y $5.87 es mayor que $18.

23. La suma de 59,703 y 24,032 es mayor que 70,000, pero menor que 90,000.

24. La diferencia de 466 − 103 es 3 menos que 366.

25. El producto de 21 y 4,076 es mayor que 80,000.

26. El cociente de 534 ÷ 6 es mayor que 90.

27. La suma de 11.35 y 5.2 es menor que 16.

Lección
16-5

¡Lo entenderás!
Las unidades del sistema métrico se usan para estimar y medir la longitud.

Usar unidades métricas de longitud

Manos a la obra
regla métrica

¿Cómo estimas y mides la longitud?

El metro es la unidad métrica básica de longitud.

¿Qué longitud tiene el escarabajo de la derecha?

Aproximadamente 1 cm

Unidades métricas de longitud
1 centímetro (cm) = 10 milímetros (mm)
1 decímetro (dm) = 10 centímetros (cm)
1 metro (m) = 100 centímetros (cm)
1 kilómetro (km) = 1,000 metros (m)

Otros ejemplos

1 milímetro (mm) es aprox. el espesor de una moneda de 10¢.

1 metro (m) es aprox. la longitud de una serpiente.

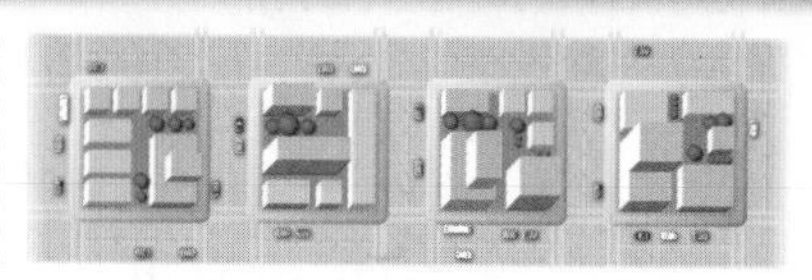

1 kilómetro (km) es aprox. la longitud de 4 cuadras de una ciudad.

Práctica guiada*

¿CÓMO hacerlo?

En los Ejercicios **1** a **4,** elige la unidad más apropiada para medir. Escribe mm, cm, dm, m o km.

1. Altura de una casa

2. Longitud de un gato

3. Ancho de una semilla de girasol

4. Distancia recorrida por un avión

¿Lo ENTIENDES?

5. ¿Qué ancho tiene tu libro de texto al centímetro más cercano? Explica cómo lo mediste.

6. Joni quiere medir el ancho de una cinta angosta con la que rodea una piña. ¿Qué unidad métrica debería usar? Explícalo.

Práctica independiente

En los Ejercicios **7** a **9,** elige la unidad más apropiada para medir las longitudes. Escribe mm, cm, dm, m o km.

7. Longitud de un zapato

8. Altura de un árbol

9. Ancho de una hebra de hilo

Puedes encontrar otro ejemplo en el Grupo E, página 397.

Paso 1

El escarabajo es más corto que un decímetro, pero más largo que un milímetro. Por tanto, la mejor unidad serían los centímetros.

La longitud del escarabajo es de aproximadamente 4 centímetros.

Mide al centímetro más cercano.

Alinea un extremo del escarabajo con la marca del cero de la regla. Luego halla la marca del centímetro más cercano al otro extremo del escarabajo.

1 2 3 4 5 6 7 8

CENTÍMETROS

El escarabajo tiene una longitud de aproximadamente 4 centímetros, al centímetro más cercano.

En los Ejercicios **10** a **12,** estima. Luego mide cada longitud al centímetro más cercano.

10.

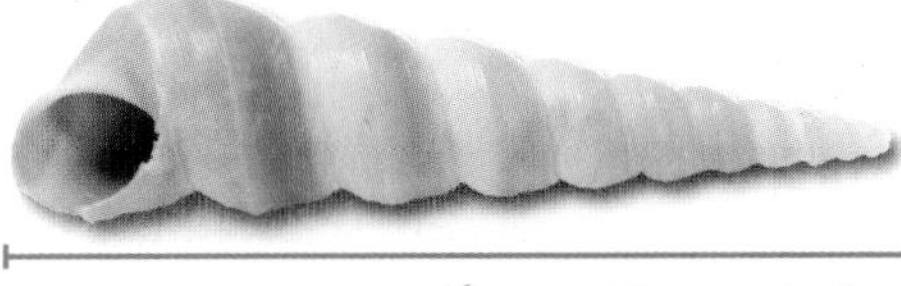

11.

12.

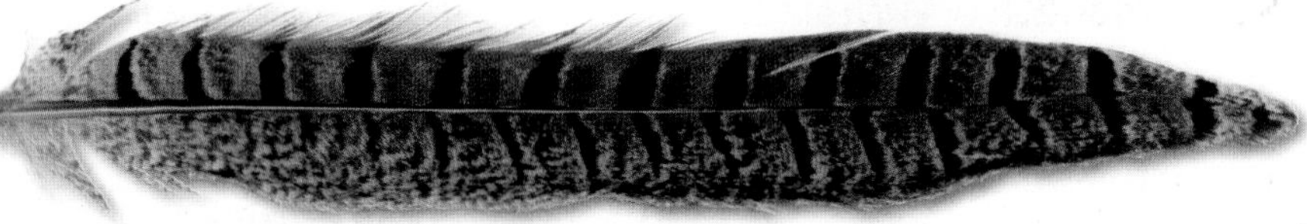

Resolución de problemas

13. Los maestros de cuarto grado están planeando una fiesta con pizza. Cada pizza tiene 8 porciones. Los maestros quieren que haya suficiente pizza para que cada estudiante reciba 2 porciones. Si hay 22 estudiantes en cada una de las 3 clases de cuarto grado, ¿cuántas pizzas deben encargar?

14. **Escribir para explicar** June midió la altura desde el extremo superior de la ventana hasta el piso y escribió 3. Olvidó escribir la unidad. ¿Qué unidad métrica de medida es más probable que use June?

15. En el año 2000, en una celebración en la Gran Muralla china, participó el dragón danzante más grande del mundo. Para moverlo, trabajaron 3,200 personas dentro de él. ¿Cuál es la mejor estimación de la longitud del dragón?

A 3,048 mm **C** 3,048 cm

B 3,048 dm **D** 3,048 m

16. Mide para hallar la longitud de la cuenta de abajo. ¿Cuál es la longitud de 32 de estas cuentas en un collar?

A 30 cm **C** 64 cm

B 32 cm **D** 100 cm

Lección
16-6

¡Lo entenderás!
Las unidades del sistema métrico se usan para estimar y medir la capacidad.

Unidades métricas de capacidad

¿Cómo mides la capacidad en unidades del sistema métrico?

Abajo hay dos unidades métricas para medir la capacidad. ¿Cuánto líquido puede contener la botella de la derecha?

1 mililitro (mL)

1 litro (L)

Se puede usar un cuentagotas para medir 1 mililitro.

Algunas botellas de agua contienen 1 litro.

Práctica guiada*

¿CÓMO hacerlo?

¿Cuál es la mejor estimación de la capacidad de los objetos?

1. 

¿5 litros o 500 litros?

2. 

¿10 litros o 100 litros?

3. 

¿100 mililitros o 10 litros?

4. 

¿10 mililitros o 1 litro?

¿Lo ENTIENDES?

5. ¿Qué unidad de medida es mayor, un litro o un mililitro?

6. ¿Cuál sería la mejor unidad de medida para medir la cantidad de gasolina del tanque de un carro, un mililitro o un litro?

7. ¿Cuál sería la mejor unidad de medida para llenar un envase grande de leche?

Práctica independiente

En los Ejercicios **8** a **15,** elige la unidad más apropiada para medir la capacidad de los objetos. Escribe L o mL.

8. Cubeta

9. Pluma fuente

10. Vaso de jugo

11. Lavarropas

12. Olla de sopa

13. Taza de café

14. Vasito para remedios

15. Jarra

Puedes encontrar otro ejemplo en el Grupo F, página 397.

Paso 1

Elige la unidad más apropiada para medir:

El mililitro es una cantidad muy pequeña. Para medir sería más apropiada una unidad más grande.

La mejor unidad sería el litro.

Paso 2

Haz una estimación:

Visualiza cuántas botellas de litro se necesitarían para llenar la botella.

La botella tiene una capacidad de aproximadamente 2 litros.

Paso 3

Mide:

Llena con agua la botella de litro y viértela en el botellón. Continúa haciendo esto hasta que la botella esté llena y cuenta cuántas botellas de litro usaste.

La botella tiene una capacidad de aproximadamente 2 litros.

En los Ejercicios **16** a **19,** elige la mejor estimación de la capacidad de los objetos.

16. 

¿200 mililitros o 200 litros?

17. 

¿4 litros o 14 litros?

18. 

¿20 mililitros o 200 mililitros?

19. 

¿3 litros o 300 litros?

Resolución de problemas

20. Sentido numérico ¿Qué número sería mayor, el número de litros de jugo de una jarra o el número de mililitros de jugo de la misma jarra?

21. ¿Es razonable? Zack dijo que vertió limonada de una jarra de 300 litros en un vaso de 20 mililitros. ¿Son razonables estos números? ¿Por qué o por qué no?

22. ¿Qué capacidades están ordenadas de mayor a menor?

A 5 mililitros, 2 litros, 1 litro

B 2 litros, 5 mililitros, 1 litro

C 1 litro, 2 litros, 5 mililitros

D 2 litros, 1 litro, 5 mililitros

23. Marcus llenó una botella con 1,000 mililitros de agua antes de ir a trotar. Después de trotar, le quedaban aproximadamente 450 mililitros en la botella. ¿Cuánta agua bebió mientras trotaba?

1,000 mL de agua

450	?

24. Geometría ¿Cuál es el perímetro del siguiente triángulo?

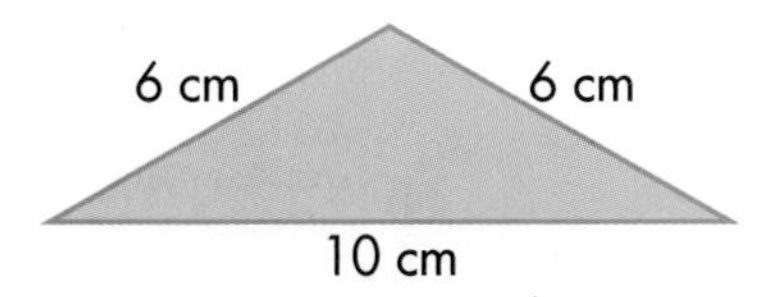

25. ¿Cuánta más agua contiene una botella plástica de 0.75 litros que una de 0.6 litros?

Lección

16-7

¡Lo entenderás!
Las unidades del sistema métrico se usan para estimar y medir la masa.

Unidades de masa

¿Cuáles son las unidades de masa del sistema métrico?

La masa es la cantidad de materia que tiene un objeto.

¿Cuál es la masa de un ladrillo rojo?

1 gramo (g)

Un billete de un dólar tiene una masa de aproximadamente 1 gramo (g).

1 kilogramo (kg)

Un melón tiene una masa de aproximadamente 1 kilogramo (kg).

¿La masa de un ladrillo rojo es de?

Otros ejemplos

Peso y masa son diferentes.

El **peso** de un objeto cambia de acuerdo con la ubicación.

El peso de un ladrillo rojo en la Luna no es igual a su peso en la Tierra.

La **masa** de un objeto permanece siempre igual.

La masa de un ladrillo rojo en la Luna es igual a su masa en la Tierra.

Práctica guiada*

¿CÓMO hacerlo?

En los Ejercicios **1** y **2,** elige la unidad más apropiada para medir la masa de los objetos.

1.

Hámster

2.

Gorila

¿Lo ENTIENDES?

3. ¿Qué número sería menor, el peso de una uva en gramos o el peso de la misma uva en kilogramos?

4. ¿Cuántos melones harían falta para tener la misma masa que la de un ladrillo rojo?

Práctica independiente

En los Ejercicios **5** a **12,** elige la unidad más apropiada para medir la masa de los objetos.

5. Lápiz **6.** Beisbolista **7.** Pelota de beisbol **8.** Melón dulce

* *Puedes encontrar otro ejemplo en el Grupo G, página 398.*

Paso 1

Elige la unidad apropiada para medir:

Un ladrillo tiene una masa mayor que la de un melón.

Por tanto, la mejor unidad será el kilogramo.

Paso 2

Haz una estimación:

Un melón tiene una masa de aproximadamente un kilogramo. ¿Cuántos melones tendrían la misma masa que un ladrillo rojo?

Aproximadamente 3 melones tendrían la misma masa.

El ladrillo tiene una masa de aproximadamente 3 kilogramos.

Paso 3

Mide:

Coloca el ladrillo en uno de los platillos de la balanza. Agrega kilogramos al otro platillo hasta que la balanza se nivele. Cuenta los kilogramos.

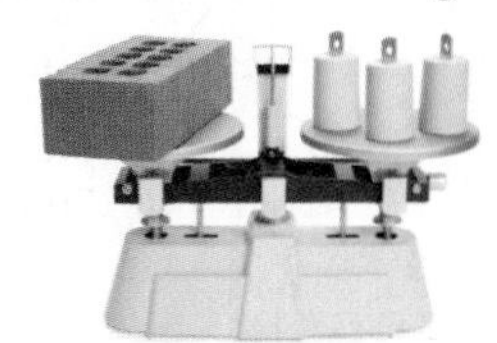

Un ladrillo tiene una masa de 3 kilogramos.

9. Fresa

10. Pingüino

11. Velero

12. Libélula

Resolución de problemas

En los Ejercicios **13** a **15,** usa la tabla que está a la derecha.

Moneda	Masa
	2.500 gramos
	5.000 gramos
	2.268 gramos
	5.670 gramos

13. Ordena las monedas por su masa de menor a mayor.

14. Un billete de un dólar tiene una masa de aproximadamente 1 gramo. ¿Aproximadamente cuántos billetes de un dólar tienen la misma masa que una moneda de 5¢?

15. En un rollo de monedas de 5¢ hay 40 monedas. ¿Cuál es la masa total de un rollo de monedas de 5¢?

Ojo *Halla la masa de 4 monedas de 5¢ y multiplica por 10.*

16. **Escribir para explicar** Mandy dice que en la Tierra ella tiene una masa de 32 kg. ¿Cuál es su masa en la Luna?

17. ¿Qué número es mayor, la masa de una zanahoria en gramos o la masa de la misma zanahoria en kilogramos?

18. Usa el siguiente diagrama de barras. José necesita $78 para un regalo. Ya ha ahorrado $33. ¿Cuánto más necesita ahorrar?

$78 en total

?	$33

19. ¿Cuál es una buena estimación de la masa de un caballo de silla americano?

A 5 kg

B 50 kg

C 500 kg

D 5,000 kg

Lección
16-8

¡Lo entenderás!
Se debe comparar medidas mediante la conversión de unidades del sistema métrico.

Convertir unidades métricas

¿Cómo conviertes unidades métricas?

La tabla de la derecha se puede usar para convertir una unidad de medida métrica en otra.

Datos

Unidades métricas

Longitud	Capacidad	Peso
1 m = 1,000 mm	1 L = 1,000 mL	1 g = 1,000 mg
1 cm = 10 mm		1 kg = 1,000 g
1 dm = 10 cm		
1 m = 100 cm		
1 km = 1,000 m		

Otro ejemplo

¿Cómo comparas medidas métricas?

Sheila fue al mercado a comprar fruta. Compró una bolsa de naranjas que tenía una masa de 1 kg 125 g y una bolsa de manzanas que tenía una masa de 1,380 g.

¿Qué bolsa tenía una masa mayor?

1 kg 125 g ◯ 1,380 g

Paso 1

Convierte kilogramos en gramos.

Piénsalo 1 kg = 1,000 g

1,000 + 125 = 1,125

1 kg 125 g = 1,125 g

La bolsa de manzanas tiene una masa mayor.

Paso 2

Compara.

1,125 kg < 1,380 kg

Por tanto, 1 kg 125 g < 1,380 g.

Explícalo

1. ¿Cómo conviertes centímetros a metros?
2. ¿Cómo conviertes litros a mililitros?
3. **¿Es razonable?** ¿Por qué tienes que convertir kilogramos a gramos al comparar estas dos unidades de masa?

La envergadura de una mariposa monarca grande es aproximadamente 10 centímetros. ¿Cuánto es esto en milímetros?

Para convertir unidades más grandes a unidades más pequeñas, multiplica.

10 cm = ☐ mm

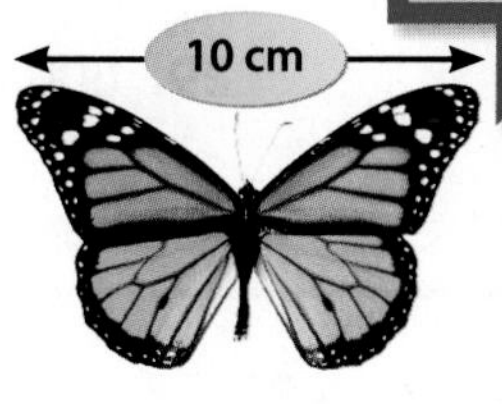

Piénsalo **1 cm = 10 mm**

10 × 10 = 100

10 cm = 100 mm

La envergadura de una mariposa monarca grande es aproximadamente 100 mm.

La envergadura de una mariposa monarca pequeña es de aproximadamente 60 milímetros. ¿Cuánto es esto en centímetros?

Para convertir unidades más pequeñas a unidades más grandes, divide.

60 mm = ☐ cm

60 mm

Piénsalo **10 mm = 1 cm**

60 ÷ 10 = 6

60 mm = 6 cm

La envergadura de una mariposa monarca pequeña es de aproximadamente 6 cm.

Práctica guiada*

¿CÓMO hacerlo?

En los Ejercicios **1** a **4,** halla los números que faltan.

1. 1 kg = ☐ g

2. 3 cm = ☐ mm

3. 600 cm = ☐ m

4. 4 dm = ☐ cm

En los Ejercicios **5** a **8,** compara. Escribe $>$ o $<$ en cada ◯.

5. 3 m ◯ 200 cm

6. 4 L ◯ 7,000 mL

7. 1 kg ◯ 100 g

8. 1 km ◯ 3,000 m

¿Lo ENTIENDES?

9. En el segundo ejemplo, ¿por qué divides 60 por 10?

10. ¿Multiplicas o divides para convertir metros a centímetros?

11. Escribir para explicar Explica cómo convertir 600 mm a centímetros.

Práctica independiente

Práctica nivelada En los Ejercicios **12** a **23,** halla los números que faltan.

12. 8 km = ☐ m
8 × 1,000 = ☐ m

13. 6L = ☐ mL
6 × 1,000 = ☐ mL

14. 32 kg = ☐ g
32 × 1,000 = ☐ g

15. 5 m = ☐ cm

16. 11 kg = ☐ g

17. 57 dm = ☐ cm

18. 8,632 m = ☐ cm

19. 552 km = ☐ m

20. 13,000 g = ☐ kg

21. 680 cm = ☐ dm

22. 61 km = ☐ m

23. 16 L = ☐ mL

** Puedes encontrar otro ejemplo en el Grupo H, página 398.*

Práctica independiente

En los Ejercicios **24** a **29,** compara. Escribe > o < en cada ◯.

24. 100 mL ◯ 1 L

25. 10 cm ◯ 100 dm

26. 2 kg ◯ 200 g

27. 30 cm ◯ 30 mm

28. 2 km ◯ 200 m

29. 600 kg ◯ 6 g

Resolución de problemas

Usa los datos de la derecha para resolver los Ejercicios **30** a **32.**

30. ¿Cuántos metros recorre un león en 1 minuto?

31. Ordena los animales del más rápido al más lento.

32. **Escribir para explicar** Edgar dice que una tortuga gigante es más rápida que una araña porque 450 es mayor que 31. ¿Tiene razón?

Datos

Distancias que pueden recorrer los animales en un minuto	
Elefante	670 m
Tortuga gigante	450 cm
Araña	31 m
León	1 km 340 m

33. **Álgebra** Halla el valor de $n \div 6$ cuando n es 4,200.

34. **Estimación** La masa de 5 tomates es aproximadamente 1 kilogramo. Estima la masa de 1 tomate en gramos.

35. Usa el diagrama siguiente para escribir una resta.

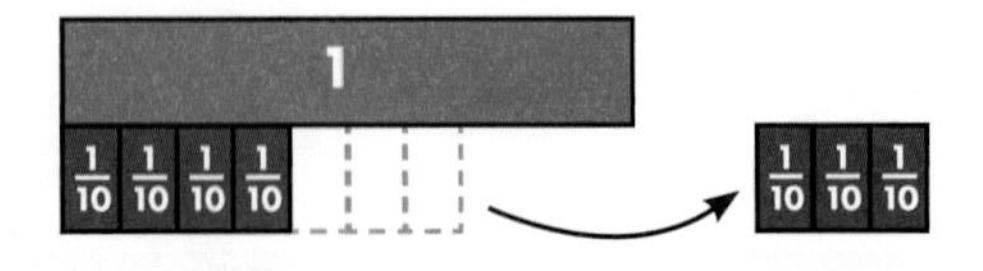

36. ¿Qué medida **NO** es igual a 6 metros?

A 60 kilómetros

B 60 decímetros

C 600 centímetros

D 6,000 milímetros

37. **Geometría** Dos lados de un triángulo equilátero miden ambos 3 pulgadas. ¿Cuánto mide el tercer lado? Explícalo.

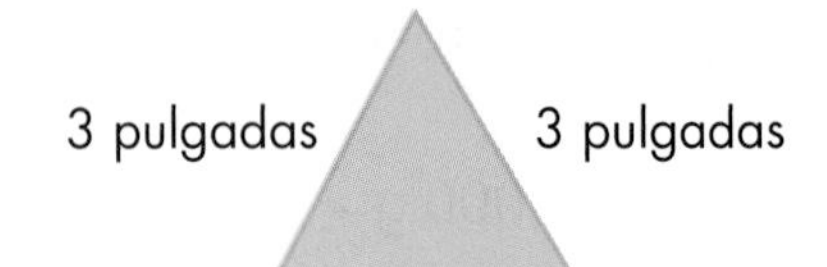

38. **Razonamiento** En una cucharadita hay aproximadamente 5 mililitros. En una cucharada hay 3 cucharaditas. ¿Cuántos mililitros hay en 10 cucharadas?

Comparar medidas métricas y usuales

El símbolo $\approx$ se lee como "es aproximadamente igual a". La tabla de la derecha tiene una lista de las medidas comparables.

Unidades métricas y usuales equivalentes

Longitud:
1 pulg. = 2.54 cm
1 pie = 30.48 cm
1 m $\approx$ 3.28 pies
1 m $\approx$ 1.09 yd
1 km $\approx$ 0.62 millas
1 milla $\approx$ 1.61 km

Capacidad:
1 L $\approx$ 1.06 cto.
1 gal. $\approx$ 3.79 L

Peso y masa:
1 oz $\approx$ 28.35 g
1 kg $\approx$ 2.2 lb

Ejemplos:

¿Aproximadamente cuántas libras equivalen a 5 kilogramos?

1 kilogramo es aproximadamente igual a 2.2 libras.

Multiplica para convertir.

$5 \times 2.2 = 11$

5 kilogramos son aproximadamente 11 libras.

¿Aproximadamente cuántas millas equivalen a 5 kilómetros?

1 kilómetro es aproximadamente igual a 0.62 millas.

Multiplica para convertir.

$5 \times 0.62 = 3.1$

5 kilómetros son aproximadamente 3.1 millas.

Práctica

En los Ejercicios **1** a **8,** copia y completa escribiendo $<$ o $>$ en cada ◯.

1. 1 m ◯ 1 yd **2.** 1 milla ◯ 1 km **3.** 1 cm ◯ 1 pulg. **4.** 1 gal. ◯ 1 L

5. 1 cm ◯ 1 pie **6.** 1 L ◯ 1 cto. **7.** 1 lb ◯ 1 kg **8.** 1m ◯ 1 pie

En los Ejercicios **9** a **16,** copia y completa.

9. 2 oz $\approx$ ___ g **10.** 12 pulgs. = ___ cm **11.** 5 m $\approx$ ___ pies **12.** 7 millas $\approx$ ___ km

13. 4 gals. $\approx$ ___ L **14.** 3 kg $\approx$ ___ lb **15.** 10 L $\approx$ ___ cto. **16.** 9 pies = ___ cm

Lección
16-9

¡Lo entenderás!
Se puede medir el tiempo en unidades diferentes.

Unidades de tiempo

¿Cómo comparas unidades de tiempo?

En su cumpleaños, Kara calculó que tenía 108 meses. Su amigo Jorge cumple años el mismo día. Si Jorge cumplió 8 años, ¿quién es mayor, Kara o Jorge?

Convierte las diferentes unidades de tiempo para compararlas.

Datos

Unidades de tiempo		
1 minuto	=	60 segundos
1 hora	=	60 minutos
1 día	=	24 horas
1 semana	=	7 días
1 mes	=	aproximadamente 4 semanas
1 año	=	52 semanas
1 año	=	12 meses
1 año	=	365 días
1 año bisiesto	=	366 días
1 década	=	10 años
1 siglo	=	100 años
1 milenio	=	1,000 años

Práctica guiada*

¿CÓMO hacerlo?

En los Ejercicios **1** a **4,** escribe >, < o = en cada ◯. Usa el cuadro de arriba como ayuda.

1. 9 meses ◯ 27 semanas

2. 17 años ◯ 2 décadas

3. 5 minutos ◯ 300 segundos

4. 44 meses ◯ 3 años

¿Lo ENTIENDES?

5. **Escribir para explicar** ¿Cómo sabes cuál es mayor, 63 horas o 3 días?

6. Si quieres convertir meses en años, ¿multiplicas o divides?

7. ¿Cuántos años tiene Kara?

Práctica independiente

En los Ejercicios **8** a **13,** escribe >, < o = en cada ◯.

8. 35 semanas ◯ 340 días **9.** 7 días ◯ 120 horas **10.** 2 años ◯ 730 días

11. 40 horas ◯ 2 días **12.** 8 semanas ◯ 56 días **13.** 12 meses ◯ 40 semanas

En los Ejercicios **14** a **22,** completa las oraciones numéricas.

14. 6 días = ▢ horas **15.** 2 años = ▢ meses **16.** 6 minutos = ▢ segundos

17. 3 décadas = ▢ años **18.** 4 horas = ▢ minutos **19.** 4 siglos = ▢ años

20. 36 meses = ▢ años **21.** 104 semanas = ▢ años **22.** 5,000 años = ▢ milenios

** Puedes encontrar otro ejemplo en el Grupo J, página 398.*

Paso 1

Convierte 8 años en meses.

1 año = 12 meses

Para hallar el número de meses en 8 años, multiplica.

$8 \times 12 = 96$

Por tanto, 8 años = 96 meses.

Paso 2

Compara las cantidades.

Edad de Kara		Edad de Jorge
108 meses	◯	**8 años** ↓
108 meses	(>)	**96 meses**

Por tanto, Kara es mayor que Jorge.

Resolución de problemas

23. Estimación ¿Aproximadamente cuántos minutos demoras en hacer tu tarea? ¿A cuántos segundos equivalen?

24. Trish va de campamento por 2 meses. ¿Cuál es mayor que 2 meses?

A 35 días **C** 6 semanas

B 40 días **D** 10 semanas

25. Razonamiento Gina tiene 3 yardas de tela. Necesita cortar 8 pedazos, cada uno de 1 pie de largo. ¿Tiene suficiente tela? Explica.

26. Una niña de Inglaterra estableció un récord mundial al estornudar 978 días seguidos. ¿Aproximadamente cuántas semanas seguidas estornudó?

27. Estimación Si cepillas tus dientes 10 minutos por día, ¿aproximadamente cuántas horas te cepillas en un año?

28. Un teatro tiene 358 butacas en el nivel principal y 122 butacas en el balcón. ¿Cuántas personas pueden ver 6 funciones en un día?

29. Se cree que la pirámide maya de Kukulkán, en México, se usaba como calendario. Tiene 4 escaleras que llevan a la plataforma superior. Incluyendo el escalón adicional en la parte superior, la pirámide tiene un total de 365 escalones. ¿Cuántos escalones hay en cada escalera?

Ojo *Antes de dividir, resta 1 al número total de escalones.*

Lección
16-10

¡Lo entenderás!
Se puede usar el tiempo para decir cuánto dura un evento.

Tiempo transcurrido

reloj

¿Cómo puedes calcular y usar el tiempo transcurrido?

El ensayo general para la obra escolar empezó a las 8:15 A.M. Terminó a las 10:25 A.M. ¿Cuánto duró el ensayo?

El tiempo transcurrido es la cantidad de tiempo que pasa entre el comienzo y el final de un evento.

Otro ejemplo

¿Cómo puedes usar el tiempo transcurrido para hallar cuándo empezó o terminó un evento?

A las 11:50 A.M., el papá de Kerry la dejó en el ensayo del sábado para la obra escolar. Le dijeron que el ensayo duraría 1 hora y 30 minutos. ¿A qué hora debe ir a buscarla?

El ensayo empieza a las 11:50 A.M.

Una manera

El ensayo empezó a las 11:50 A.M.

Cuenta 1 hora hasta las 12:50 P.M.

Cuenta 10 minutos hasta la 1:00 P.M.

Cuenta otros 20 minutos hasta la 1:20 P.M.

El papá de Kerry debería buscarla a la 1:20 P.M.

Otra manera

Desde las 11:50 A.M. hasta las 12:00 P.M. hay 10 minutos.

Desde las 12:00 P.M. hasta las 12:20 P.M. hay 20 minutos.

Desde las 12:20 P.M. hasta la 1:20 P.M. hay 1 hora.

El papá de Kerry debería buscarla a la 1:20 P.M.

Explícalo

1. El domingo, el ensayo empieza a las 10:30 A.M. ¿Cuándo terminará el ensayo si dura 1 hora y 30 minutos?

2. **¿Es razonable?** El tiempo transcurrido desde las 5:35 P.M. hasta las 8:52 P.M., ¿es más o menos que tres horas?

Una manera

Desde las 8:15 A.M.
hasta las 10:15 A.M.
hay 2 horas.

Desde las 10:15 A.M.
hasta las 10:25 A.M.
hay 10 minutos.

Por tanto, el ensayo general duró 2 horas y 10 minutos.

Otra manera

Desde las 8:15 A.M. hasta las 9:00 A.M. hay 45 minutos.

Desde las 9:00 A.M. hasta las 10:00 A.M. hay 1 hora.

Desde las 10:00 A.M. hasta las 10:25 A.M.
hay 25 minutos.

45 minutos + 1 hora + 25 minutos
es 1 hora y 70 minutos
o 2 horas y 10 minutos.

El ensayo general duró 2 horas y 10 minutos.

Práctica guiada*

¿CÓMO hacerlo?

Halla el tiempo transcurrido.

1. Inicio: 9:00 P.M.
Final: 11:10 P.M.

2. Inicio: 6:10 A.M.
Final: 10:25 A.M.

3. Inicio: 1:11 A.M.
Final: 3:26 A.M.

4. Inicio: 2:37 P.M.
Final: 4:05 P.M.

¿Lo ENTIENDES?

5. El tiempo transcurrido entre las 4:00 P.M. y las 6:20 P.M., ¿es más o menos que 2 horas? Explícalo.

6. Según el tiempo de ensayo, si la obra escolar empieza a las 7:15 P.M., ¿a qué hora terminará?

Práctica independiente

En los Ejercicios **7** a **12,** halla el tiempo transcurrido. Usa un reloj o un cronómetro como ayuda.

7. Inicio: 5:00 A.M.
Final: 9:20 A.M.

8. Inicio: 7:15 P.M.
Final: 11:00 P.M.

9. Inicio: 4:55 A.M.
Final: 5:37 A.M.

10. Inicio: 4:25 P.M.
Final: 6:41 P.M.

11. Inicio: 3:07 P.M.
Final: 10:12 P.M.

12. Inicio: 11:44 A.M.
Final: 1:05 P.M.

En los Ejercicios **13** a **16,** escribe la hora que mostrará cada reloj en 2 horas y 15 minutos.

13.

14.

15.

16.

** Puedes encontrar otro ejemplo en el Grupo K, página 399.*

Práctica independiente

En los Ejercicios **17** a **22,** halla la hora del inicio o del final. Usa un reloj o un cronómetro como ayuda.

17. Inicio: 9:00 A.M.
Tiempo transcurrido:
2 horas y 35 minutos
Final: ▢

18. Inicio: 5:25 P.M.
Tiempo transcurrido:
3 horas y 23 minutos
Final: ▢

19. Inicio: ▢
Tiempo transcurrido:
2 horas y 20 minutos
Final: 3:40 A.M.

20. Inicio: ▢
Tiempo transcurrido:
6 horas y 13 minutos
Final: 8:27 P.M.

21. Inicio: 3:16 P.M.
Tiempo transcurrido:
2 horas y 51 minutos
Final: ▢

22. Inicio: ▢
Tiempo transcurrido:
5 horas y 9 minutos
Final: 11:21 A.M.

Resolución de problemas

En los Ejercicios **23** y **24,** usa la tabla que está a la derecha.

Datos

Horario de reunión de la familia Suárez	
Viaje al Parque Scenic Lake	10:15 A.M. a 2:30 P.M.
Proyección de diapositivas	4:15 P.M. a 5:10 P.M.
Cena	5:30 P.M. a 7:00 P.M.
Fogata	7:55 P.M. a 9:30 P.M.

23. ¿Qué actividades están programadas para durar más de 1 hora y 30 minutos?

24. La familia de Paulo llegó a la reunión a las 8:30 A.M. ¿Cuánto tiempo tienen antes de empezar el viaje al Parque Scenic Lake?

25. **Álgebra** Thomas ahorró $256. Usó el dinero para comprar 4 trenes a escala. Cada tren cuesta la misma cantidad. Para hallar el costo de cada tren, escribe y resuelve una ecuación.

26. El sendero para bicicletas "Trek Across Maine" mide aproximadamente 180 millas de largo. Si el ciclista promedio recorre 50 millas por día, ¿cuántos días tardará en completar el recorrido?

27. ¿Cuál es mayor, 13,400 segundos o 2,000 minutos?

28. ¿Cuál es mayor, 104 semanas o 3 años?

29. En 1999, se derribó una cadena de 2,751,518 fichas de dominó en Pekín, China. Las fichas tardaron en caer un total de 32 minutos y 22 segundos. Si la primera ficha cayó a las 11:22 P.M., ¿a qué hora cayó la última ficha? Redondea tu respuesta al minuto más cercano.

30. En abril, el cachorro de Julia pesaba 14 onzas. En julio, el cachorro pesaba 4 veces más. ¿Cuánto pesaba el cachorro en julio?

A 2 libras 10 onzas

B 3 libras 8 onzas

C 4 libras 8 onzas

D 7 libras

Tiempo transcurrido

Usa la Hora de eTools.

Jessica juega videojuegos desde las 7:35 P.M. hasta las 8:15 P.M. cada noche. Duerme desde las 9:40 P.M. hasta las 6:25 A.M. ¿Cuánto tiempo juega videojuegos? ¿Cuánto tiempo duerme?

Paso 1 Selecciona la Hora de eTools. Selecciona Tiempo transcurrido en el menú desplegable de la parte superior de la página. Mueve el minutero del reloj hasta que indique las 7:35. El reloj digital debe cambiar para que coincida. Haz clic en el botón + que está debajo de la hora de inicio para cambiar la hora a las 7:35. Mantén presionado el botón para cambiar más rápido la hora.

Paso 2 Cambia la hora final a las 8:15. Presiona IR para iniciar la animación del tiempo transcurrido.

Jessica juega videojuegos durante 40 minutos.

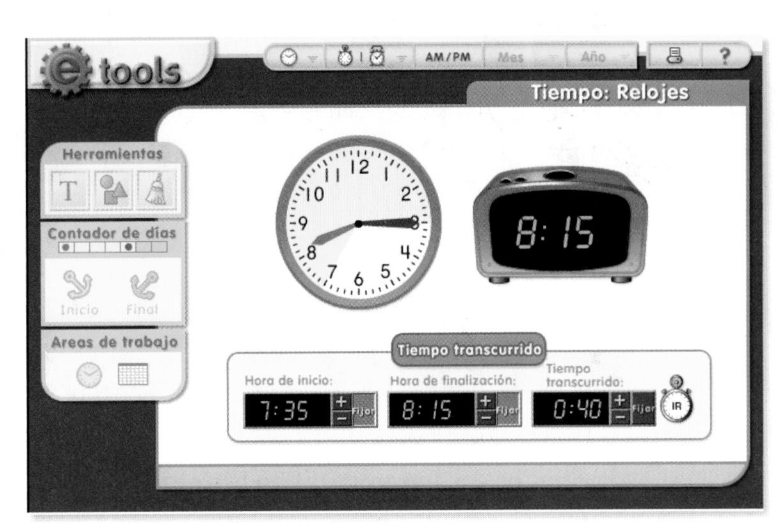

Paso 3 Mueve las agujas del reloj tradicional para que muestre las 9:40. Cambia la hora de inicio a las 9:40 manteniendo presionado el botón + en el reloj digital. Cambia la hora final a las 6:25 manteniendo presionado el botón −. Presiona IR para ver la animación.

Jessica duerme 8 horas y 45 minutos.

Práctica

Usa la Hora de eTools para hallar cada tiempo transcurrido.

1. 1:25 P.M. a 3:15 P.M.

2. 5:45 A.M. a 8:05 A.M.

3. 12:45 P.M. a 7:20 P.M.

4. 11:52 A.M. a 2:19 P.M.

5. 3:31 P.M. a 6:46 P.M.

6. 11:43 A.M. a 4:39 P.M.

7. 2:12 P.M. a 3:09 P.M.

8. 7:28 A.M. a 5:30 P.M.

9. 7:30 A.M. a 11:45 A.M.

Lección
16-11

¡Lo entenderás!
Se puede leer la temperatura en grados Fahrenheit o en grados Celsius.

Temperatura

Manos a la obra
termómetro

¿Cómo puedes resolver problemas que contienen cambios de temperatura?

El sábado, ¿cuántos grados Fahrenheit aumentó la temperatura entre las 6:00 A.M. y las 12:00 P.M.? ¿Cuántos grados Fahrenheit disminuyó la temperatura entre las 3:00 P.M. y las 9:00 P.M.?

Datos

Sábado		
°F	Hora	°C
50°	6:00 A.M.	10°
68°	12:00 P.M.	20°
59°	3:00 P.M.	15°
48°	9:00 P.M.	9°

Práctica guiada*

¿CÓMO hacerlo?

En los Ejercicios **1** y **2,** halla los cambios de temperatura. Di si el cambio es un aumento o una disminución.

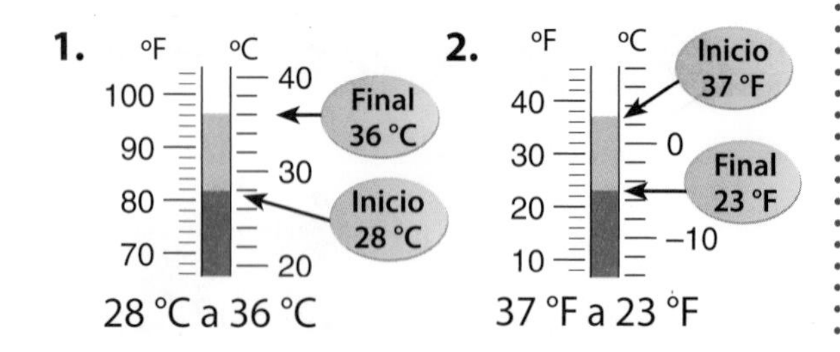

28 °C a 36 °C
37 °F a 23 °F

¿Lo ENTIENDES?

3. En el lado Celsius del termómetro anterior, hay 4 marcas entre los 10 °C y los 20 °C. ¿Qué representan las marcas?

4. Escribir para explicar Si una temperatura aumenta en grados Fahrenheit, ¿aumentará o disminuirá en grados Celsius?

Práctica independiente

En los Ejercicios **5** a **8,** halla los cambios de temperatura. Di si el cambio es un aumento o una disminución.

5. 24 °C a 58 °C **6.** 40 °F a 15 °F **7.** 44 °F a 61 °F **8.** 42 °C a 14 °C

En los Ejercicios **9** a **12,** lee las temperaturas. Luego di cuál sería la temperatura después del cambio descrito.

9.

Disminución de 14 °C

10.

Aumento de 17 °F

11. °F °C 20 10 0 −10 −20

Aumento de 35 °F

12. °F °C 90 80 70 30 20

Disminución de 27 °C

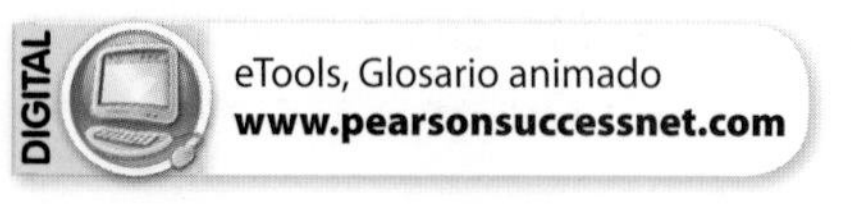

*Puedes encontrar otro ejemplo en el Grupo L, página 399.

Los grados Fahrenheit (°F) son unidades usuales de temperatura.

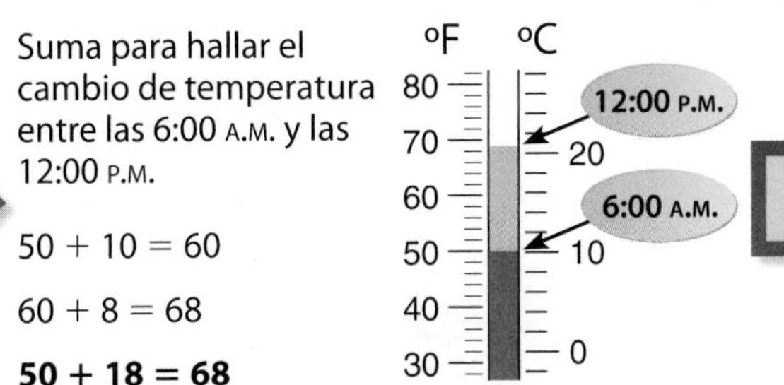

Suma para hallar el cambio de temperatura entre las 6:00 A.M. y las 12:00 P.M.

$50 + 10 = 60$

$60 + 8 = 68$

$\mathbf{50 + 18 = 68}$

Entre las 6:00 A.M. y las 12:00 P.M., la temperatura aumentó 18 °F.

Los grados Celsius (°C) son unidades métricas de temperatura.

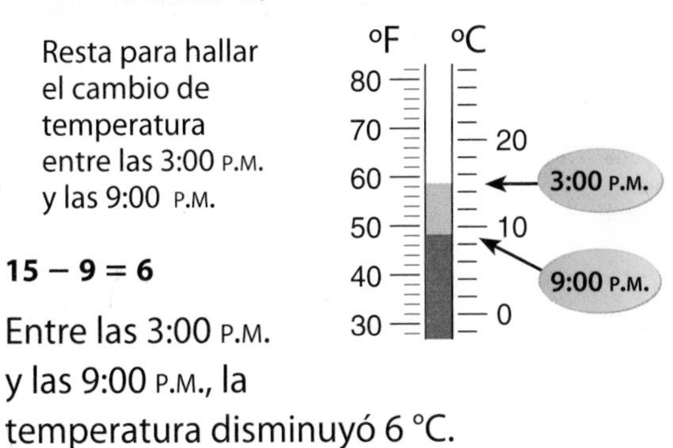

Resta para hallar el cambio de temperatura entre las 3:00 P.M. y las 9:00 P.M.

$\mathbf{15 - 9 = 6}$

Entre las 3:00 P.M. y las 9:00 P.M., la temperatura disminuyó 6 °C.

Resolución de problemas

13. Los cocodrilos son animales de sangre fría que tienen una temperatura corporal de entre 86 °F y 89 °F. Los cocodrilos controlan su temperatura corporal moviéndose hacia ambientes más cálidos o más frescos. ¿Cuál es la diferencia entre la temperatura corporal normal más alta y más baja?

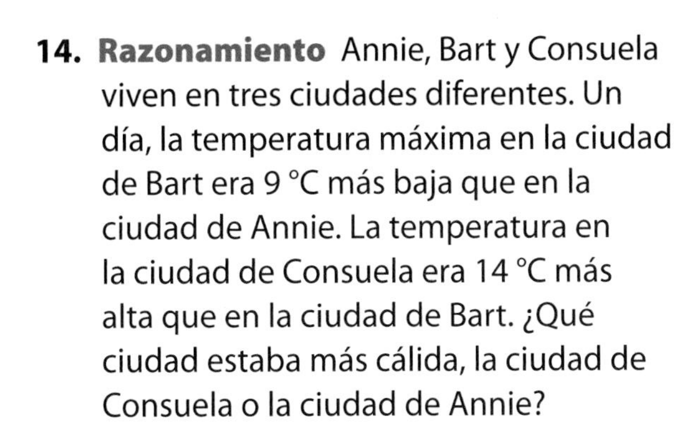

14. **Razonamiento** Annie, Bart y Consuela viven en tres ciudades diferentes. Un día, la temperatura máxima en la ciudad de Bart era 9 °C más baja que en la ciudad de Annie. La temperatura en la ciudad de Consuela era 14 °C más alta que en la ciudad de Bart. ¿Qué ciudad estaba más cálida, la ciudad de Consuela o la ciudad de Annie?

15. La temperatura máxima de un día de junio fue 68 °F. La temperatura mínima ese día fue 29 °F más baja. ¿Cuál fue la temperatura mínima?

A 39 °F **C** 39 °C

B 97 °F **D** 97 °C

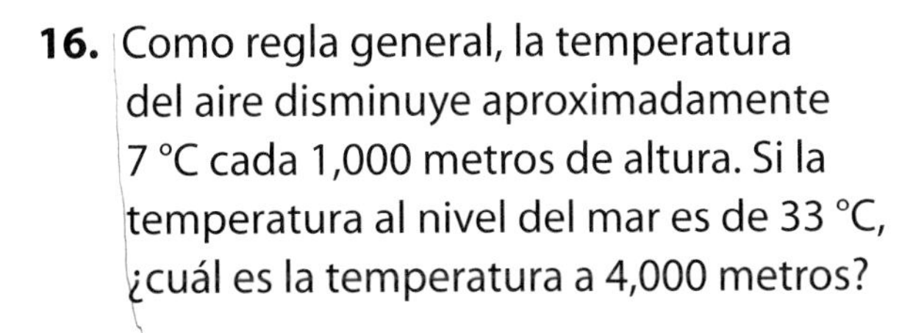

16. Como regla general, la temperatura del aire disminuye aproximadamente 7 °C cada 1,000 metros de altura. Si la temperatura al nivel del mar es de 33 °C, ¿cuál es la temperatura a 4,000 metros?

17. Heather e Irene están leyendo el mismo libro de 439 páginas. Heather leyó 393 páginas. Irene leyó 121 páginas menos que Heather. ¿Cuántas páginas le quedan por leer a Irene?

18. En la escala Celsius, el agua hierve a los 100 °C y se congela a los 0 °C. ¿Cuál es la diferencia de temperatura entre la ebullición y el congelamiento?

19. En la escala Fahrenheit, el agua hierve a los 212 °F y se congela a los 32 °F. ¿Cuál es la diferencia de temperatura entre la ebullición y el congelamiento?

Lección
16-12

¡Lo entenderás!
Aprender cómo y cuándo empezar por el final puede ayudar a resolver problemas.

Resolución de problemas

Empezar por el final

Entre las 6:00 A.M. y las 7:00 A.M., la temperatura subió 2 grados. A partir de entonces, cada hora la temperatura subió 4 grados. A la 1:00 P.M., la temperatura era 62 °F. ¿Cuál era la temperatura a las 6:00 A.M.?

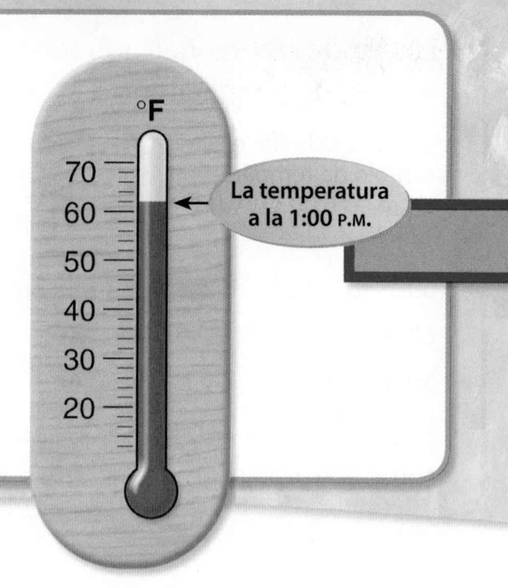

Práctica guiada*

¿CÓMO hacerlo?

Resuelve.

1. Las clases empiezan a las 7:45 A.M. Fran tarda 30 minutos para caminar hasta la escuela, 15 minutos para comer y 20 minutos para prepararse. ¿A qué hora debe levantarse Fran?

¿Lo ENTIENDES?

2. ¿Es razonable? ¿Es razonable la respuesta para el problema de arriba? Explícalo.

3. Escribe un problema Escribe un problema en el que empieces por el final. Luego resuélvelo.

Práctica independiente

Resuelve. Escribe la respuesta en una oración completa.

4. Wanda caminó 25 minutos desde el centro comercial hasta la estación del tren. Esperó el tren 20 minutos y luego hizo un recorrido de 20 minutos. Su tren llegó a las 12:20 P.M. ¿A qué hora salió Wanda del centro comercial?

5. Art fue en bicicleta desde su casa hasta la casa de Jay. Los niños recorrieron 3 millas en bicicleta hasta el parque y, luego, 4 millas hasta el centro comercial. Art recorrió 9 millas en total. ¿A cuántas millas de la casa de Jay está la casa de Art?

¿En aprietos? Intenta esto:

- ¿Qué sé?
- ¿Qué diagrama puede ayudarme a entender el problema?
- ¿Puedo usar suma, resta, multiplicación o división?
- ¿Está correcto todo mi trabajo?
- ¿Respondí a la pregunta que correspondía?
- ¿Es razonable mi respuesta?

* *Puedes encontrar otro ejemplo en el Grupo M, página 399.*

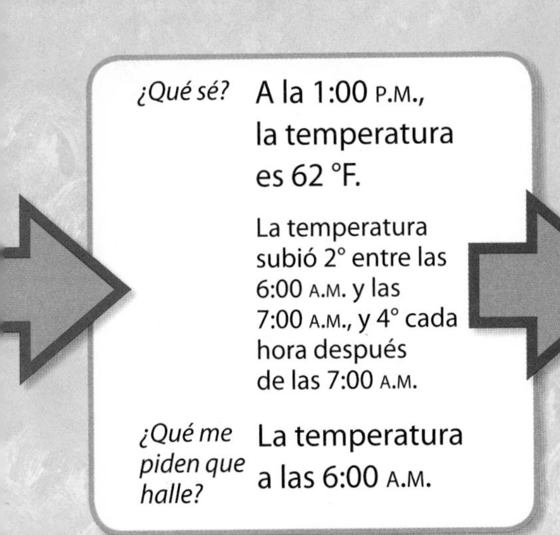

Empezar por el final:

Haz un dibujo para mostrar cada cambio.
Empezar por el final a partir de la 1:00 P.M.

62° −4° **58°** −4° **54°** −4° **50°** −4° **46°** −4° **42°** −4° **38°** −2° **36°**

1:00 P.M.	→	12:00 P.M.	→	11:00 A.M.	→	10:00 A.M.	→	9:00 A.M.	→	8:00 A.M.	→	7:00 A.M.	→	6:00 A.M.

A las 6:00 A.M., la temperatura era 36 °F.

6. El lunes, Nina caminó 1 milla. El martes, caminó dos veces esa distancia. El miércoles, caminó tres millas más que el lunes. El jueves, caminó una milla menos que el miércoles. ¿Cuántas millas caminó Nina el jueves? Explícalo.

7. Georgette compró algunos artículos para artesanías. Las flores de seda costaron tres veces más que la cinta. La cinta costó el doble de lo que costó la espuma. El florero costó $12, que era tres veces más que la espuma. ¿Cuánto costaron las flores de seda?

8. Sylvia tenía $43 dólares después de ir de compras. Gastó $9 en alimento para mascotas, $6 en artículos para ensaladas, $12 en sopa y $24 en verduras. ¿Con cuánto dinero empezó Sylvia?

? dinero con el que Sylvia empezó

$6	$9	$12	$24	$43

9. La señora Harris planea llevar en auto a los gemelos a un partido de futbol que se juega a las 6:00 P.M. Necesitan llegar 20 minutos antes para entrar en calor para el partido. Se tardan 25 minutos para llegar al campo de futbol. ¿A qué hora tienen que salir de su casa la señora Harris y los gemelos?

10. Leslie tiene 3 cajas de té en la alacena. Cada caja contiene 11 bolsas de té. Cada bolsa se debe usar con 3 tazas de agua caliente para preparar una jarra de té. ¿Cuántas tazas de té puede preparar Leslie?

11. La Declaración de Independencia se firmó en 1776. Tres años antes, ocurrió el Motín del Té de Boston. Boston se estableció 143 años antes del Motín del Té. ¿En qué año se estableció Boston?

12. Sentido numérico Usa los dígitos 7, 1, 5, 9 y 3 para escribir el número más grande posible. Usa cada dígito sólo una vez.

13. Sentido numérico Usa los dígitos 6, 2, 5 y 4 para escribir 2 números menores que 6000 pero mayores que 5,500. Usa cada dígito sólo una vez.

Examen

1. ¿Cuál es la mejor estimación de la longitud de una lombriz de tierra? (16-1)

A Aproximadamente 3 pies

B Aproximadamente 3 yardas

C Aproximadamente 3 millas

D Aproximadamente 3 pulgadas

2. ¿Cuál es la mejor estimación de la capacidad de un lavamanos? (16-2)

A 3 galones

B 3 tazas

C 300 tazas

D 300 pintas

3. ¿Cuál es la mejor estimación de la masa de una pelota de futbol? (16-7)

A 400 gramos

B 400 kilogramos

C 4,000 gramos

D 4,000 kilogramos

4. Un vuelo sale a las 9:56 A.M. Llega 2 horas y 15 minutos después. ¿A qué hora llega el vuelo? (16-10)

A 12:11 P.M.

B 12:11 A.M.

C 11:11 P.M.

D 11:11 A.M.

5. ¿Con qué unidad se mediría mejor el peso de un par de tijeras? (16-3)

A Libras

B Onzas

C Toneladas

D Kilogramos

6. Un conejillo de indias tarda aproximadamente 68 días en desarrollarse completamente antes de nacer. ¿Cuál de estas opciones es mayor que 68 días? (16-9)

A 1 mes

B 1,200 horas

C 9 semanas

D 10 semanas

7. La familia Hutson llegó al Festival de globos a las 7:15 P.M. Se fueron del festival a las 9:30 P.M. ¿Cuánto tiempo se quedó la familia en el Festival de globos? (16-10)

A 2 horas y 30 minutos

B 2 horas y 15 minutos

C 1 hora y 30 minutos

D 1 hora y 15 minutos

Tema 16

Examen

8. ¿Cuál es la unidad apropiada para medir la longitud del pasillo de una escuela? (16-5)

A Metros

B Milímetros

C Centímetros

D Kilómetros

9. ¿Cuál de las siguientes opciones contiene aproximadamente 2 litros de agua? (16-6)

A Bañera

B Vaso

C Jarra

D Gotero

10. ¿Qué símbolo hace verdadera la comparación? (16-4)

4 yd ◯ 124 pulgs.

A ×

B =

C $<$

D $>$

11. El próximo eclipse solar total que se podrá ver en los Estados Unidos será el 21 de agosto de 2017. Durará 160 segundos. ¿Qué símbolo hace verdadera la comparación? (16-9)

160 segundos ◯ 3 minutos

A ×

B =

C $<$

D $>$

12. ¿Cuál sería la temperatura si ésta disminuyera en 8 °F? (16-11)

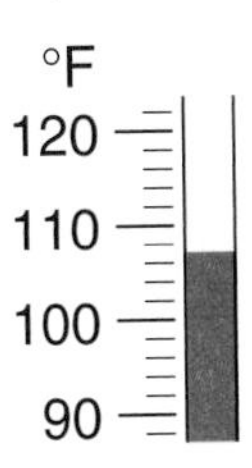

A 97 °F

B 99 °F

C 101 °F

D 113 °F

13. ¿Qué símbolo hace verdadera la comparación? (16-8)

200 mL ◯ 2 L

A ×

B =

C $<$

D $>$

14. A las 4:30 P.M., el termómetro que está afuera de la ventana de Yasmín marca 40 °C. Había subido 8° entre el mediodía y las 4:30 P.M. y 5° entre las 7:00 A.M. y el mediodía. ¿Cuál era la temperatura a las 7:00 A.M.? (16-12)

A 27 °C

B 32 °C

C 35 °C

D 53 °C

Refuerzo

Grupo A, páginas 364 y 365

Estima y mide la longitud del trozo de cinta.

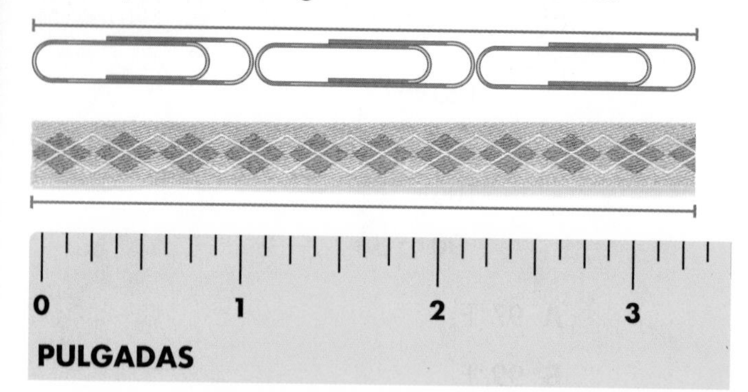

La longitud de la cinta es de aproximadamente 3 clips pequeños. Mide 3 pulgadas de largo a la pulgada más cercana.

Recuerda que debes sumar al combinar mediciones.

Elige la unidad más apropiada para medir la longitud de cada uno.

1. Pista de aeropuerto
2. Puente

Estima y mide la longitud del borrador siguiente a la pulgada más cercana.

3.

Grupo B, páginas 366 y 367

¿Cuál es la mejor estimación de la capacidad de la cubeta?

¿2 pintas o 2 galones?

La pinta es una unidad demasiado pequeña. La mejor unidad para usar es el galón.

La mejor estimación es 2 galones.

Recuerda que una taza es una medida más pequeña que una pinta.

¿Cuál es la mejor estimación de la capacidad de cada objeto?

1. 

¿2 tazas o 20 tazas?

2. 

¿1 galón u 8 galones?

Grupo C, páginas 368 y 369

¿Cuál es la mejor unidad para medir el peso de una pera?

La mayoría de las peras pesan menos de una libra.

Por tanto, la mejor unidad para usar sería la onza.

Recuerda que debes usar pesos de referencia para comparar.

Da la mejor unidad para medir el peso de cada objeto. Escribe oz, lb o T.

1. Una ballena
2. Una manzana
3. Un cachorro
4. Una pelota de beisbol
5. Una caja de libros
6. Un caballo

Refuerzo

Grupo D, páginas 370 a 372

Convierte 3 galones a tazas.

En 1 galón hay 4 cuartos de galón.
3 galones × 4 cuartos = 12 cuartos

En 1 cuarto de galón hay 2 pintas.
12 cuartos de galón × 2 pintas = 24 pintas

En 1 pinta hay 2 tazas.
24 pintas × 2 tazas = 48 tazas

En 3 galones hay 48 tazas.

Recuerda que, al convertir de una unidad más grande a una más pequeña, multiplicas.

1. 5 T = ▢ lb
2. 10 m = ▢ pies
3. 36 t = ▢ cto.
4. 8 oz líq. = ▢ cda.
5. 4 yd = ▢ pulg.
6. 16 pt = ▢ gal.

Grupo E, páginas 374 y 375

Estima y mide la longitud del crayón.

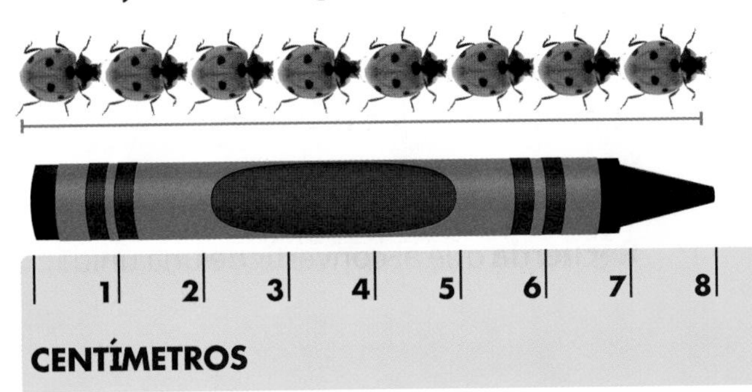

La longitud del crayón es de aproximadamente 8 mariquitas. Mide 8 centímetros de largo al centímetro más cercano.

Recuerda que puedes usar objetos como ayuda para estimar la longitud.

Da la mejor unidad para medir la longitud de cada uno. Escribe cm o m.

1. Bate de beisbol
2. Moneda de 1¢

Estima y mide la longitud del siguiente imán al centímetro más cercano.

3. 

Grupo F, páginas 376 y 377

¿Cuánto líquido contendrá la cubeta?

¿8 mL u 8 L?

El mililitro es una unidad demasiado pequeña.

La mejor unidad para usar es el litro. La mejor estimación es 8 litros.

Recuerda que un litro es una medida más grande que un mililitro.

¿Cuál es la mejor estimación de la capacidad de los objetos?

1. 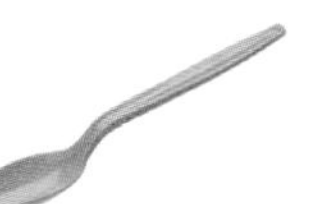

¿3 mL o 30 mL?

2. 

¿10 litros o 100 mililitros?

Grupo G, páginas 378 y 379

¿Cuál es la masa de un teléfono celular?

1 kilogramo es una unidad demasiado grande. Por tanto, un gramo sería una mejor unidad para usar.

Un billete de un dólar tiene una masa de aproximadamente 1 gramo.

Estima cuántos billetes de un dólar tienen la misma masa que un teléfono celular. Aproximadamente 20 billetes. Por tanto, la masa de un teléfono celular es de aproximadamente 20 gramos.

Mide la masa de un teléfono celular en una balanza.

Coloca el teléfono celular en un platillo de la balanza. Agrega masas de 1 gramo en el otro lado y cuenta el número de gramos.

Un teléfono celular tiene una masa de aproximadamente 17 gramos.

Recuerda que el peso depende de la ubicación. La masa es siempre igual.

Elige la unidad más apropiada, un gramo o un kilogramo, para medir la masa de los objetos.

1. Crayón **2.** Sandía

3. Zanahoria **4.** Billetera

5. Bicicleta **6.** Mesa

7. Moneda de 1¢ **8.** Clip

9. Si tuvieras una masa de 25 kg en la Tierra, ¿cuál sería tu masa en el planeta Marte? Explícalo.

Grupo H, páginas 380 a 382

Convierte 3 kilogramos a gramos.

1 kg = 1,000 g
3 kg = 3 x 1,000 g
3 kg = 3,000 g

En 3 kilogramos hay 3,000 gramos.

Recuerda que al convertir de una unidad más pequeña a una más grande, divides.

1. 50 dm = ____ m

2. 200 mm = ____ cm

3. 8,000 g = ____ kg

4. 90 L = ____ ml

Grupo J, páginas 384 y 385

¿Qué dura más, 12 años o 120 meses?

Convierte 12 años a meses.

Dado que 1 año = 12 meses, multiplica el número de años por 12.

12 años × 12 = 144 meses

144 meses > 120 meses

Por tanto, 12 meses > 120 meses.

Recuerda que primero debes convertir las medidas a la misma unidad. Luego compara las medidas.

1. 36 meses ◯ 104 semanas

2. 33 años ◯ 3 décadas

3. 90 minutos ◯ 540 segundos

4. 96 meses ◯ 8 años

5. 5 siglos ◯ 5,000 años

Grupo K, páginas 386 a 388

Halla el tiempo que transcurrió entre las 8:45 A.M. y la 1:25 P.M.

De las 8:45 A.M. a las 9:00 A.M. hay 15 minutos.
De las 9:00 A.M. a la 1:00 A.M. hay 4 horas.
De la 1:00 P.M. a la 1:25 A.M. hay 25 minutos.
15 minutos + 4 horas + 25 minutos =
4 horas con 40 minutos

Recuerda que debes comprobar dos veces si tus respuestas son razonables.

Halla los tiempos transcurridos.

1. Inicio: 8:00 A.M.
   Final: 10:50 A.M.
2. Inicio: 3:20 P.M.
   Final: 9:35 P.M.
3. Inicio: 2:39 P.M.
   Final: 4:06 P.M.
4. Inicio: 3:45 P.M.
   Final: 5:15 P.M.

Grupo L, páginas 390 y 391

Halla el cambio de temperatura.

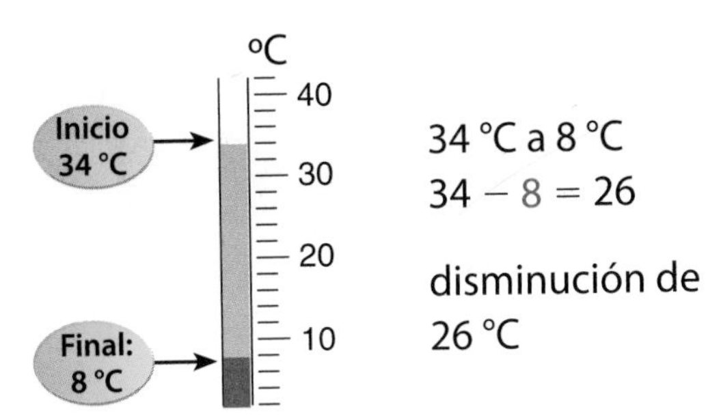

34 °C a 8 °C
34 − 8 = 26

disminución de 26 °C

Recuerda que debes comprobar si se te pide hallar una respuesta en grados Fahrenheit o Celsius.

Halla el cambio de temperatura. Di si el cambio es un aumento o una disminución.

1. 85 °F to 29 °F
2. 28 °C to15 °C
3. 38 °F to 62 °F
4. 3 °C to 22 °C

Grupo M, páginas 390 a 392

Resuelve empezando por el final.

Jerrold mira el termómetro cada hora entre las 12:00 P.M. y las 7:00 P.M. Observó que la temperatura disminuía 3° por hora desde las 12:00 P.M. hasta las 4:00 P.M. Luego, de las 4:00 P.M. a las 7:00 P.M., la temperatura disminuía 4° por hora. A las 7:00 P.M., la temperatura era de 57 °F. ¿Cuál era la temperatura a las 12:00 P.M.?

57° +4° **61°** +4° **65°** +4° **69°** +3° **72°** +3° **75°** +3° **78°** +3° **81°**

7:00 P.M. → 6:00 P.M. → 5:00 P.M. → 4:00 P.M. → 3:00 P.M. → 2:00 P.M. → 1:00 P.M. → 12:00 P.M.

La temperatura a las 12:00 P.M. era de 81 °F.

Recuerda que un dibujo te puede ayudar a empezar por el final.

1. Brad tiene práctica de trompeta a las 10:45 A.M. Tarda 15 minutos en llegar de su casa a la práctica y 5 minutos para entrar en calor. ¿A qué hora debe salir de su casa para llegar a la práctica a la hora?

Tema 17

Datos y gráficas

1

¿Cuántas especies de mamíferos en peligro de extinción había en el año 2000? Lo averiguarás en la Lección 17-5.

2

Este escarabajo de cuernos largos puede crecer hasta 7 pulgadas de longitud. ¿Cuántas clases de escarabajos hay? Lo averiguarás en la Lección 17-2.

3

Los pingüinos emperador no pueden volar, pero son excelentes nadadores. ¿Hasta qué profundidad se puede sumergir un pingüino emperador? Lo averiguarás en la Lección 17-6.

4 El puente Akashi Kaikyo de Japón, que aparece arriba, es el puente colgante más largo del mundo. ¿En qué se parecen y en qué se diferencian las longitudes de los puentes Akashi Kaikyo y el Sunshine Skyway de Florida, que aparece abajo? Lo averiguarás en la Lección 17-2.

Repasa lo que sabes

Vocabulario

Elige el mejor término del recuadro.

- minutos
- segundos
- negativas
- termómetro

1. Un _?_ se usa para medir la temperatura.
2. Las temperaturas bajo cero son temperaturas _?_ .
3. Hay 60 _?_ en un minuto.

Decir la hora

Halla la hora.

4.  

5. 

6. 

7. 

Leer un termómetro

Halla la temperatura en Fahrenheit y Celsius.

8. 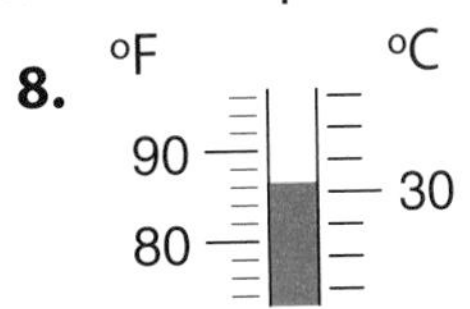

9. 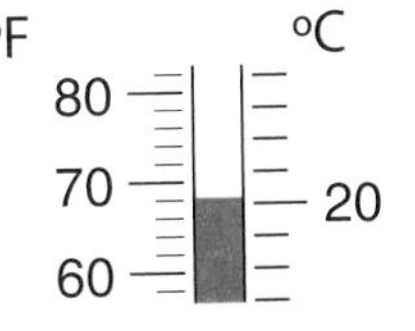

10. **Escribir para explicar** Yolanda practica piano 2 horas por semana. Pete practica piano 120 minutos por semana. Ambos piensan que pasan más tiempo practicando. ¿Quién tiene razón?

Lección
17-1

¡Lo entenderás!
Hacer una encuesta puede ayudar a resolver un problema o a responder una pregunta.

Datos de encuestas

¿Cómo haces una encuesta y anotas los resultados?

Pizza Plus realizó una encuesta para decidir a qué equipo de escuela secundaria debía patrocinar.

En una encuesta, la información se reúne haciendo la misma pregunta a personas diferentes y anotando sus respuestas.

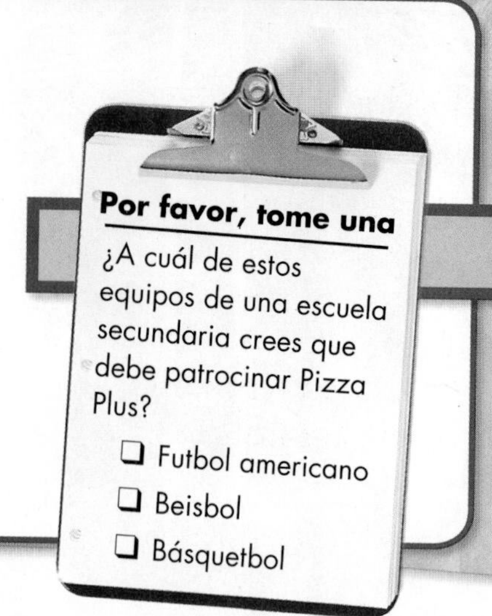

Práctica guiada*

¿CÓMO hacerlo?

En los Ejercicios **1** a **3,** usa la tabla de conteo de abajo.

Datos

Sitios Web preferidos	
Mente elástica	𝍸 II
Poder matemático	IIII
Recreo cerebral	𝍸 𝍸 I

1. ¿A cuántas personas se encuestó?

2. ¿A cuántas personas encuestadas les gustó más el sitio web Poder matemático?

3. ¿Qué sitio web fue preferido sobre cualquier otro?

¿Lo ENTIENDES?

4. En la encuesta de arriba, ¿sabes si las personas pensaron que Pizza Plus debía patrocinar al equipo de futbol? ¿Por qué o por qué no?

5. ¿Qué pregunta crees que se hizo para la encuesta de abajo?

Datos

Partidos de la secundaria vistos al año	
Futbol americano	𝍸 𝍸 II
Básquetbol	𝍸
Futbol	𝍸 𝍸 IIII
Beisbol	𝍸 III

Práctica independiente

En los Ejercicios **6** a **8,** usa la tabla de conteo que está a la derecha.

6. ¿A cuántas personas les gustó más usar un lápiz?

7. ¿A cuántas personas se encuestó?

8. ¿Qué tipo de proyecto fue el que más personas prefirieron?

Antes de responder las preguntas, suma todos los conteos.

Datos

Tipo preferido de proyecto de dibujo	
Lápiz	𝍸 II
Tinta	𝍸 II
Pintura	𝍸 IIII
Carboncillo	IIII

** Puedes encontrar otro ejemplo en el Grupo A, página 426.*

Paso 1

Escribe una pregunta de encuesta.

"¿A cuál de estos equipos de la escuela secundaria crees que debe patrocinar Pizza Plus: futbol americano, beisbol o básquetbol?"

Paso 2

Haz una tabla de conteo y anota los datos.

Cuenta las marcas y anota los resultados.

Datos

Patrocinador del equipo		
Futbol americano	卌 卌 III	13
Básquetbol	卌 III	8
Beisbol	卌 卌 I	11

Paso 3

Explica los resultados de la encuesta.

La mayoría de las personas eligió el futbol americano. Por tanto, Pizza Plus debe patrocinar al equipo de futbol americano.

Resolución de problemas

En los Ejercicios **9** a **12,** usa la tabla de conteo de la derecha.

Datos

Mascotas	
Perro	卌 卌
Gato	卌 IIII
Peces	卌 III
Hámster	III
Serpiente	III

9. ¿Cuántas personas encuestadas tienen peces como mascotas?

10. ¿Qué tipo de mascota tiene la mayoría de las personas?

11. **Razonamiento** ¿Sabes a cuántas personas se encuestó? ¿Por qué o por qué no?

12. **Razonamiento** ¿Sabes cuántas personas encuestadas no tienen mascotas? ¿Por qué o por qué no?

13. Elisa compró una cámara por $29.50 y 2 rollos de película por $3.50 cada uno. ¿Cuánto gastó Elisa en total?

En los Ejercicios **14** a **15,** usa la tabla de conteo que está a la derecha.

Datos

Tipo preferido de programa de TV	
Acción	IIII
Dibujos animados	III
Comedia	卌 III
Deportes	卌

14. ¿Cuál fue la cuenta total para cada tipo de progama?

15. ¿A cuántas personas se encuestó?

16. Piensa en el proceso En una barbacoa, 8 personas de un total de 10 comieron perros calientes y 4 personas de un total de 5 comieron hamburguesas. ¿Qué oración numérica muestra la misma fracción de personas que comieron perros calientes y hamburguesas?

A $10 - 8 = (5 - 4) + 1$

B $10 + 8 = 2 \times (5 + 4)$

C $\frac{10}{8} = \frac{5}{4}$

D $\frac{8}{10} = \frac{4}{5}$

Lección

17-2 Interpretar gráficas

¡Lo entenderás!
Se puede organizar e interpretar los datos en una gráfica de barras.

¿Cómo lees una gráfica de barras?

Una gráfica de barras usa barras para mostrar los datos.

La escala consiste en números que muestran las unidades usadas en una gráfica.

¿Aproximadamente cuántas especies más de animales hay en el Zoológico de Minnesota que en el de Phoenix?

El intervalo es la cantidad de espacio que hay entre las marcas de la escala.

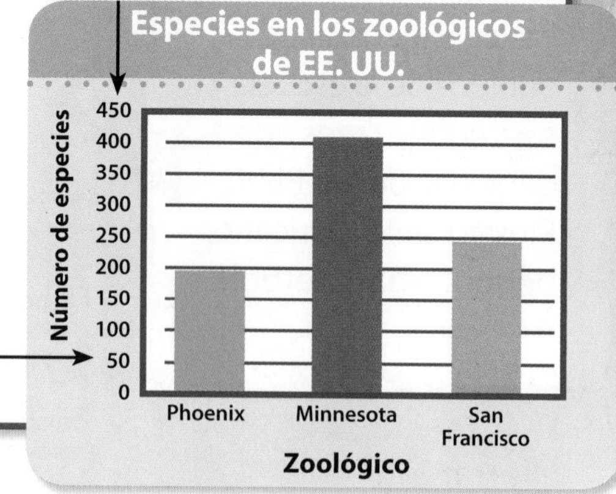

Práctica guiada*

¿CÓMO hacerlo?

En los Ejercicios **1** y **2,** usa la siguiente gráfica de barras.

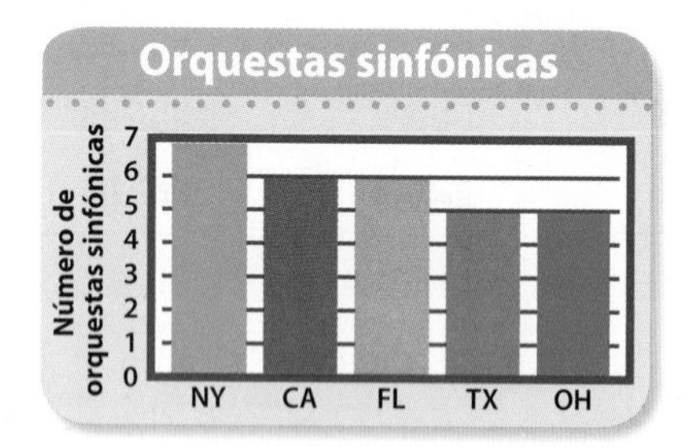

1. ¿Qué estado de la gráfica tiene la mayor cantidad de orquestas sinfónicas?

2. ¿Qué estado tiene el mismo número de orquestas sinfónicas que Texas?

¿Lo ENTIENDES?

3. ¿Cuál es el intervalo de la escala para la gráfica de barras de arriba?

4. El Zoológico Metropolitano de Miami tiene 300 especies de animales. ¿Qué zoológicos tienen menor número de especies que el Zoológico Metropolitano de Miami?

5. **Escribir para explicar** Explica cómo hallas la diferencia entre el número de especies del Zoológico de San Francisco y el Zoológico de Phoenix.

Práctica independiente

En los Ejercicios **6** a **8,** usa la gráfica de barras que está a la derecha.

6. ¿Cuánto tiempo más vive un león que una jirafa?

7. ¿Qué animales tienen el mismo promedio de vida?

8. El promedio de vida de un gorila es de 20 años. ¿Cómo cambiarías la gráfica para agregar una barra para los gorilas?

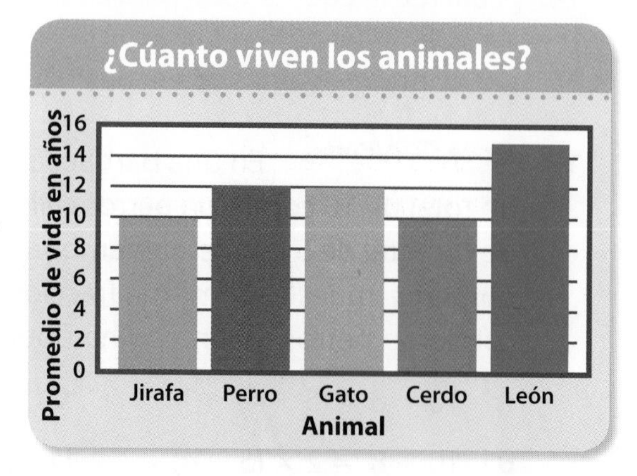

Puedes encontrar otro ejemplo en el Grupo B, página 426.

La barra morada está justo por encima del número 400. El Zoológico de Minnesota tiene aproximadamente 400 especies de animales.

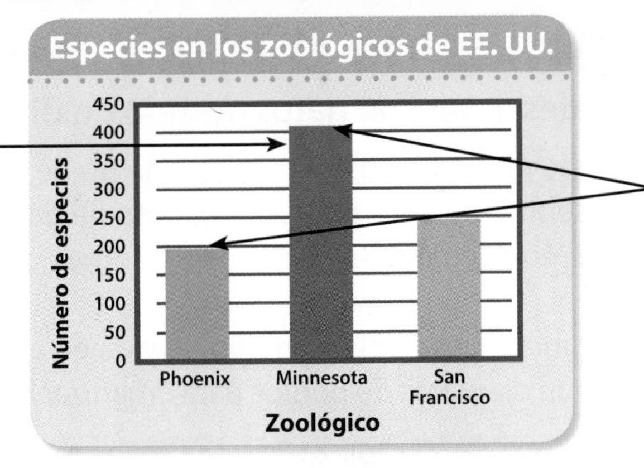

Cuenta de 50 en 50 desde la parte superior de la barra verde (Zoológico de Phoenix) hasta que quedes al nivel de la parte superior de la barra morada (Zoológico de Minnesota). Cuenta: 50, 100, 150, 200.

El Zoológico de Minnesota tiene aproximadamente 200 especies más que el Zoológico de Phoenix.

Resolución de problemas

En los Ejercicios **9** a **11,** usa la gráfica de la derecha.

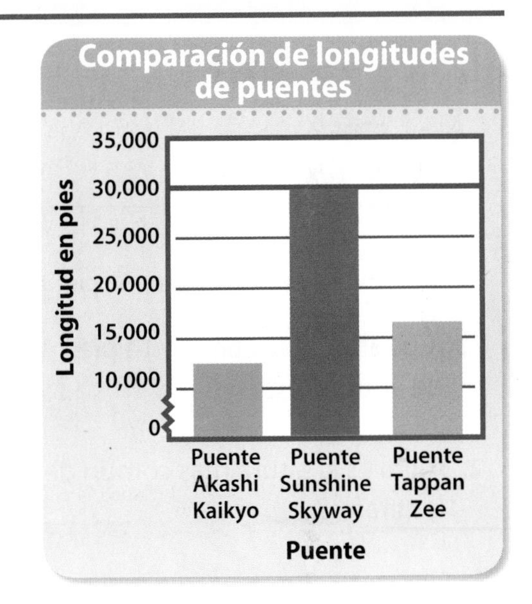

9. Describe la escala de la gráfica.

10. El puente Akashi Kaikyo tiene aproximadamente 12,828 pies de largo. El puente Sunshine Skyway tiene aproximadamente 29,040 pies de largo. ¿Cuántos pies menos tiene el puente Akashi Kaikyo que el puente Sunshine Skyway?

11. **Estimación** ¿Aproximadamente cuántos pies más largo es el puente Sunshine Skyway que el puente Tappan Zee?

En los Ejercicios **12** y **13,** usa la gráfica de la derecha.

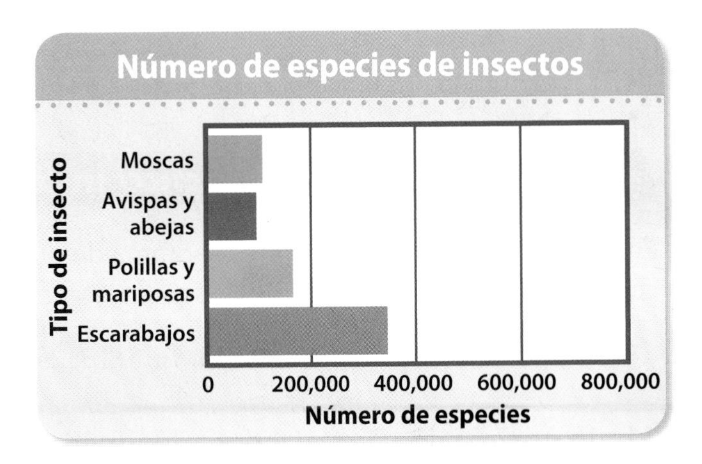

12. Hay más de 350,000 especies de escarabajos. ¿Cómo se compara esto con el número de especies de polillas y mariposas que se muestra?

13. ¿Cuáles dos insectos tienen aproximadamente el mismo número de especies?

DIGITAL Glosario animado **www.pearsonsuccessnet.com**

Lección
17-3

¡Lo entenderás!
Se puede organizar y mostrar los datos en un diagrama de puntos.

Diagramas de puntos

¿Cómo puedes organizar datos usando un diagrama de puntos?

Un diagrama de puntos muestra datos a lo largo de una recta numérica. Cada X representa un número de un conjunto de datos.
Un valor extremo es cualquier número que es muy diferente de los demás números.
La siguiente tabla muestra el promedio de vida en años de ciertos animales. Haz un diagrama de puntos para organizar los datos.

Promedio de vida de los animales (años)

Canguro	Pollo	Zorro	Vaca	Lobo	Venado	Oso negro
7	8	9	10	10	10	18

Promedio de vida: 18 años

Práctica guiada*

¿CÓMO hacerlo?

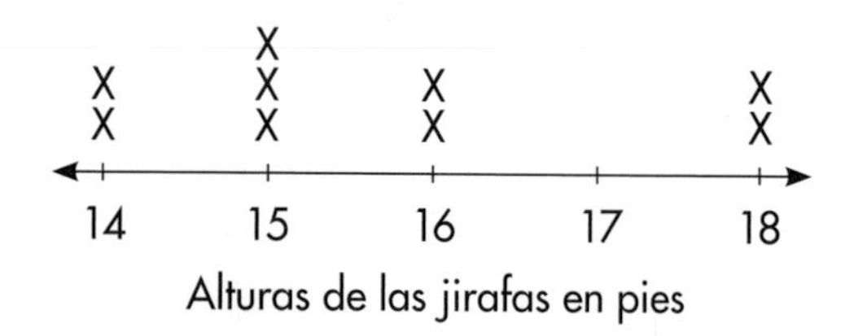

1. ¿Cuántas jirafas tienen 14 pies de altura?

2. ¿Cuál es la altura más común de las jirafas?

3. ¿Cuánto mide la jirafa más alta en el diagrama de puntos?

4. ¿Es el número 18 un valor extremo?

¿Lo ENTIENDES?

5. ¿Qué animales enumerados anteriormente tienen una vida de 10 años?

6. **Escribir para explicar** ¿Cómo sabes, al observar el diagrama de puntos, que el tiempo de vida del oso es un valor extremo?

7. Un ratón tiene un promedio de vida de 2 años. Si incluyeras esta información en el diagrama de puntos anterior, ¿cómo afectaría al diagrama de puntos?

Práctica independiente

En los Ejercicios **8** a **13,** dibuja un diagrama de puntos para cada conjunto de datos e identifica cualesquiera valores extremos.

8. 6, 9, 3, 11, 26

9. 13, 16, 18, 3, 25

10. 18, 17, 11, 15, 29, 14, 16

11. 15, 16, 2, 31, 12

12. 17, 17, 16, 18, 21

13. 25, 28, 22, 24, 27, 28, 21

Puedes encontrar otro ejemplo en el Grupo C, página 426.

Lee el diagrama de puntos.

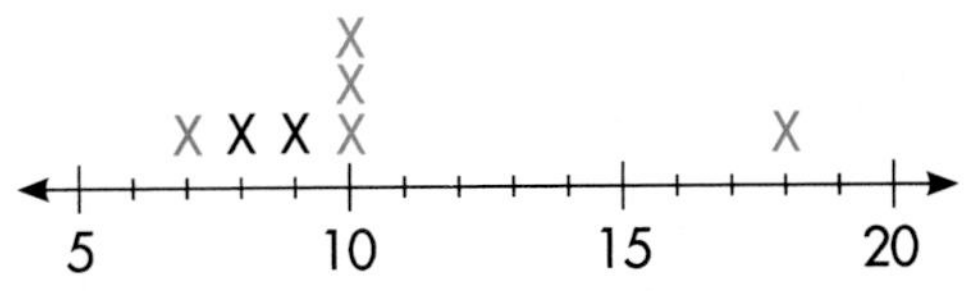

La mayoría de las X están arriba de 10, por tanto, el tiempo de vida más común de los animales de la tabla es 10 años.

El mayor tiempo de vida mostrado es de 18 años y el menor tiempo de vida es de 7 años.

Identifica cualesquiera valores extremos.

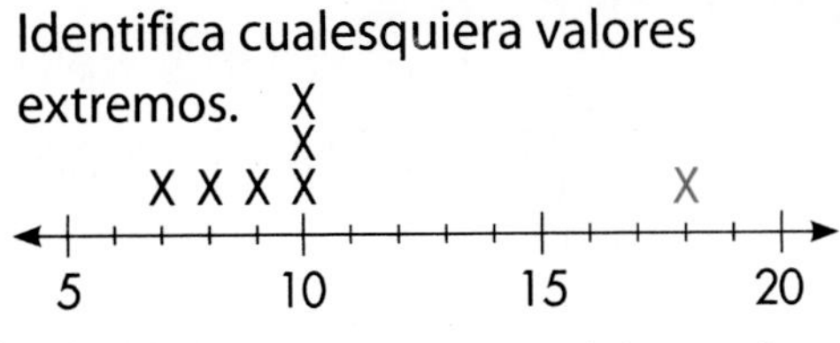

El número 18 está muy lejos del resto de los números del diagrama de puntos.

El tiempo de vida del oso negro, 18 años, es un valor extremo.

Resolución de problemas

En los Ejercicios **14** a **16,** usa la tabla de la derecha.

14. El entrenador de natación de Trisha anotó los tiempos que ella tardó en hacer una vuelta cada día de la semana pasada. Haz un diagrama de puntos de los tiempos por cada vuelta de Trisha.

Datos

Día	Tiempo
Lunes	55 segundos
Martes	57 segundos
Miércoles	51 segundos
Jueves	72 segundos
Viernes	51 segundos

15. ¿Qué día es un valor extremo en los datos?

16. Si hicieras un diagrama de puntos de los tiempos de Trisha usando como límites 0 y 5 minutos, ¿sería el valor extremo más o menos obvio que si los límites de tu diagrama de puntos fueran 50 y 75 segundos? Explícalo.

17. **Álgebra** Una hoja de cupones está ordenada en filas. Cada fila tiene 6 cupones en 12 filas por hoja. ¿Cuántos cupones hay en 100 hojas?

18. **Escribir para explicar** Bob anotó el peso de sus amigos (en libras). Eran 87, 93, 89, 61 y 93. Bob dijo que no había valores extremos. ¿Tiene razón Bob?

19. Seis amigos se repartieron algunos CD. Cada amigo recibió 3 CD. ¿Cuántos CD había en total?

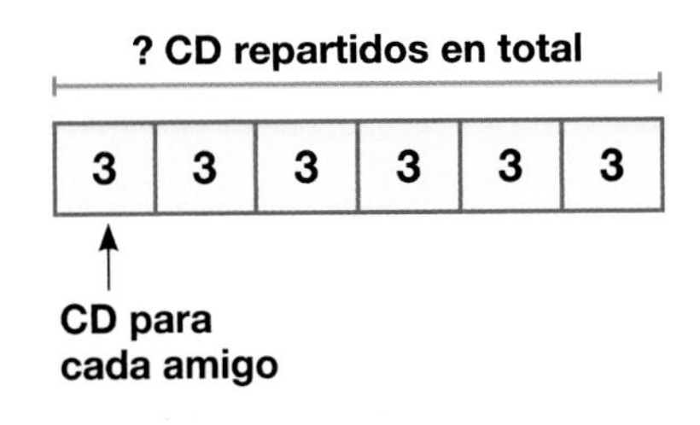

20. Henry y algunos amigos fueron a jugar al minigolf. Abajo se muestran sus puntajes. Haz un diagrama de puntos con sus puntajes.

51, 70, 52, 51, 48, 54, 55, 52, 52

Lección
17-4

¡Lo entenderás!
Las gráficas de coordenadas se usan para identificar la ubicación de puntos o de pares ordenados.

Pares ordenados

¿Cómo identificas un punto ubicado en una gráfica de coordenadas?

Una gráfica de coordenadas se usa para mostrar un par ordenado. Un par ordenado es un par de números que identifican un punto en un plano de coordenadas. ¿Dónde se ubica el punto *D* en las coordenadas?

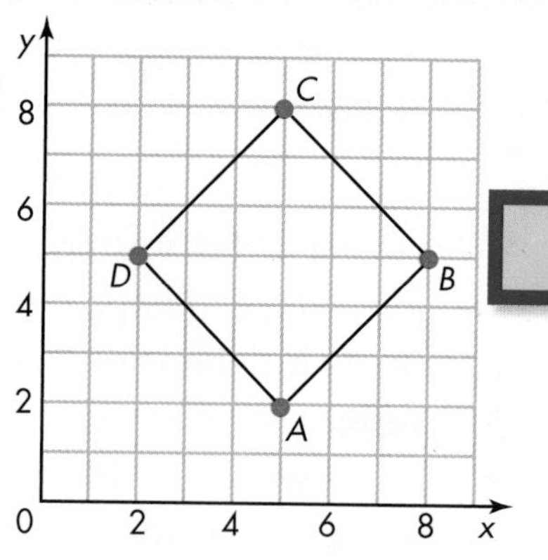

Práctica guiada*

¿CÓMO hacerlo?

En los Ejercicios **1** a **6,** escribe el par ordenado o identifica el punto.

1. *C* **2.** *E*

3. *D* **4.** (4, 1)

5. (3, 4) **6.** (0, 3)

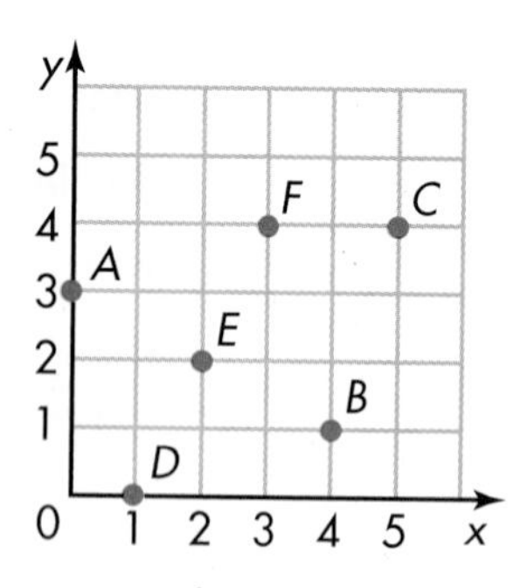

¿Lo ENTIENDES?

7. Escribir para explicar Sin marcar los puntos, ¿cómo sabes que un punto en (12, 6) está a la derecha de un punto en (10, 6)?

8. En el ejemplo anterior, ¿qué punto está en (5, 8)?

9. Las coordenadas para el punto *M* son (8, 3). ¿Queda el punto *M* dentro o fuera del rombo anterior?

Práctica independiente

En los Ejercicios **10** a **18,** escribe el par ordenado para cada punto.

10. *I* **11.** *J* **12.** *K*

13. *L* **14.** *M* **15.** *N*

16. *O* **17.** *P* **18.** *Q*

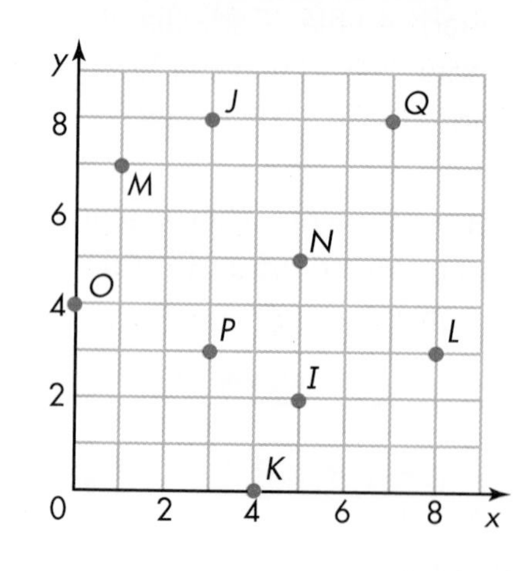

* Puedes encontrar otro ejemplo en el Grupo D, página 427.

Una ubicación en una gráfica de coordenadas se identifica mediante un par ordenado (x, y) de números.

La coordenada x, o el primer número, indica cuántas unidades moverse hacia la derecha.

La coordenada y, o el segundo número, indica cuántas unidades moverse hacia arriba.

El punto D se ubica en $(2, 5)$.

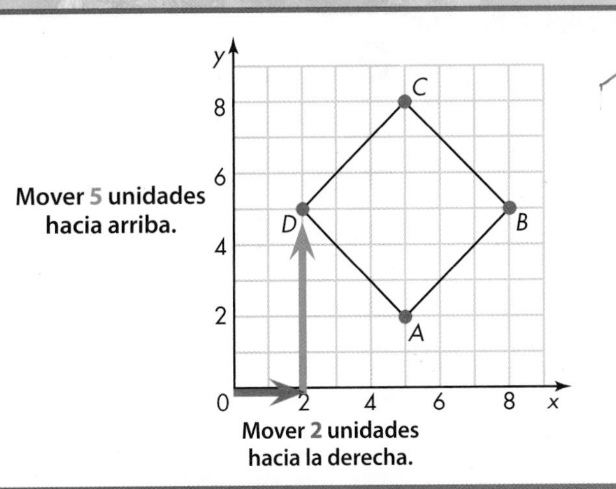

En los Ejercicios **19** a **26,** identifica el punto para cada par ordenado.

19. (4, 4) **20.** (1, 3) **21.** (4, 1) **22.** (3, 6)

23. (2, 7) **24.** (6, 2) **25.** (6, 7) **26.** (0, 5)

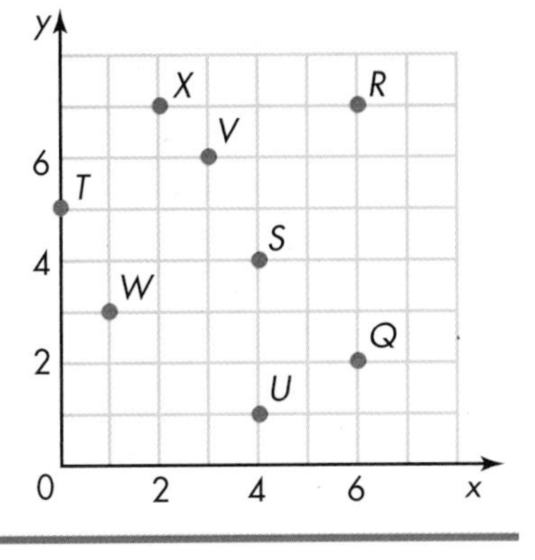

Resolución de problemas

27. Joanne, Terry y Shira bebieron, en total, 2 litros de limonada. ¿Cuántos litros bebió Terry si los tres bebieron cantidades iguales de limonada?

28. Ubica estos puntos ordenados en una gráfica: (2, 4), (2, 6) y (2, 8). ¿Qué observas acerca de estos puntos?

29. Bernice corrió un maratón de 26 millas en 4 horas. En las dos primeras horas, corrió 7 millas cada hora. Si también corrió distancias iguales en la tercera y la cuarta hora, ¿cuántas millas corrió en la cuarta hora?

30. **Geometría** Un cuadrado mide 8 pulgadas por 8 pulgadas. Un rectángulo mide 4 pulgadas por 16 pulgadas. Ambas figuras tienen la misma área, 64 pulgadas cuadradas. ¿Qué figura tiene un perímetro mayor?

31. **Escribir para explicar** En la cuadrícula de coordenadas de la derecha, ¿por qué el punto (2, 5) es diferente del punto (5, 2)?

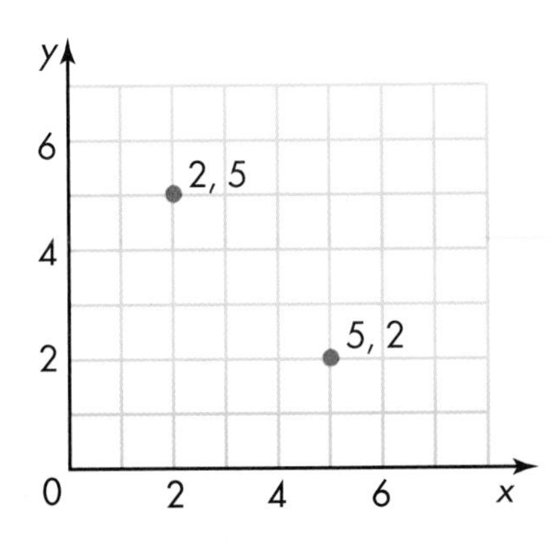

Lección
17-5

¡Lo entenderás!
Se debe usar gráficas lineales para observar cambios en los datos a través del tiempo.

Gráficas lineales

¿Cómo lees e interpretas gráficas lineales?

Una gráfica lineal conecta puntos para mostrar cómo los datos cambian en el tiempo.

¿Cuál era la población de Iowa en 1965?

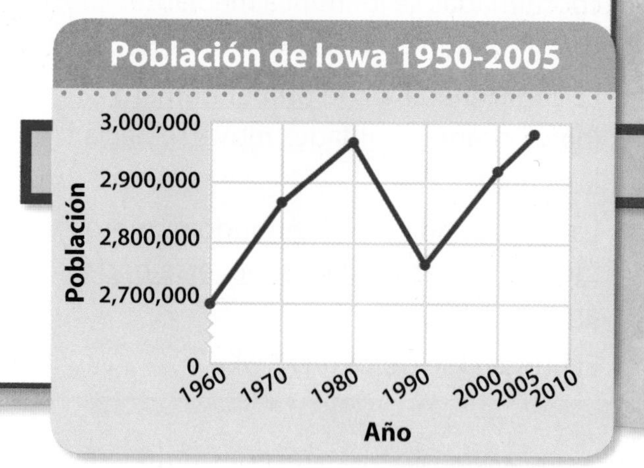

Práctica guiada*

¿CÓMO hacerlo?

1. Usa la siguiente gráfica lineal. Aproximadamente, ¿cuánto tardó el ciclista en recorrer 4 millas?

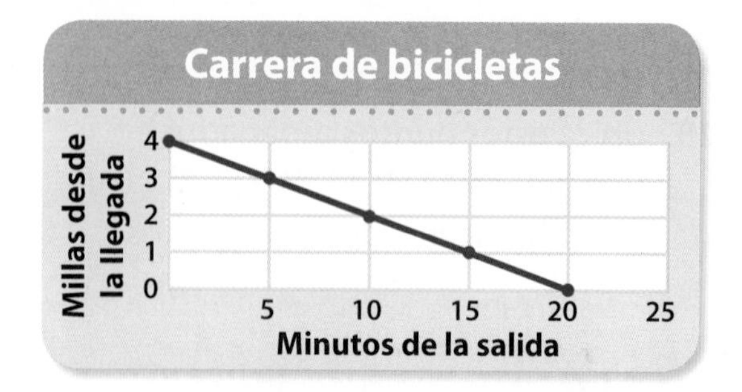

¿Lo ENTIENDES?

2. ¿Aumentó más la población de Iowa entre 1970 y 1980 o entre 1990 y el 2000?

3. ¿Esperarías que en el 2010 la población de Iowa fuera mayor o menor que 3 millones? Explica tu respuesta.

4. ¿Cómo puedes saber cuándo hay un aumento de los datos en una gráfica?

Práctica independiente

En los Ejercicios **5** a **8,** usa la gráfica de la derecha.

5. Aproximadamente, ¿qué distancia recorrió el carro en las primeras 8 horas?

6. Aproximadamente, ¿cuánto tardó el carro en recorrer 250 millas?

7. ¿Aproximadamente qué distancia recorrió el carro entre la 6.ª y la 10.ª horas?

8. **Razonamiento** ¿Cuál es la tendencia en los datos?

* *Puedes encontrar otro ejemplo en el Grupo E, página 427.*

La recta de la cuadrícula para 2,800,000 cruza la gráfica entre 1960 y 1970.

La población era de aproximadamente 2,800,000 en 1965.

¿Cuál era la tendencia general en la población?
El patrón en los datos que muestra un aumento o una disminución es la tendencia.

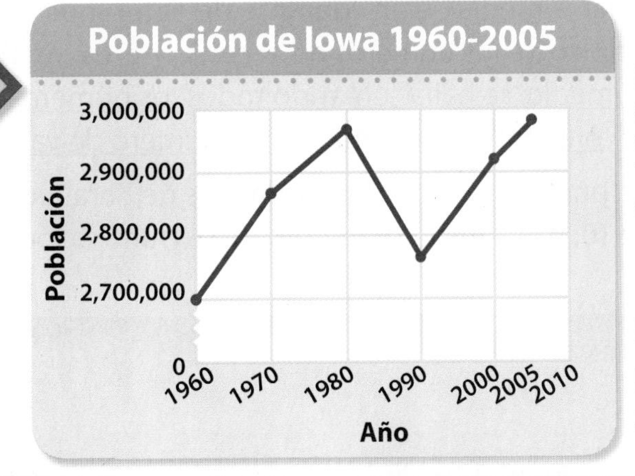

La recta va hacia arriba de 1960 a 1980, disminuye de 1980 a 1990, y luego aumenta de 1990 al 2005.

La tendencia en la población fue un aumento.

Resolución de problemas

En los Ejercicios **9** a **11,** usa la gráfica de la derecha.

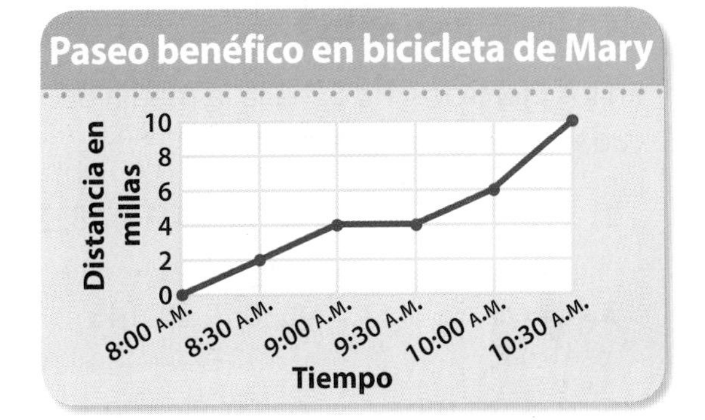

9. ¿Entre qué horas anduvo Mary más rápido?

10. ¿Qué piensas que pasó entre las 9:00 y las 9:30?

11. ¿Qué distancia recorrió Mary en dos horas y treinta minutos?

En los Ejercicios **12** a **16,** usa la gráfica de la derecha.

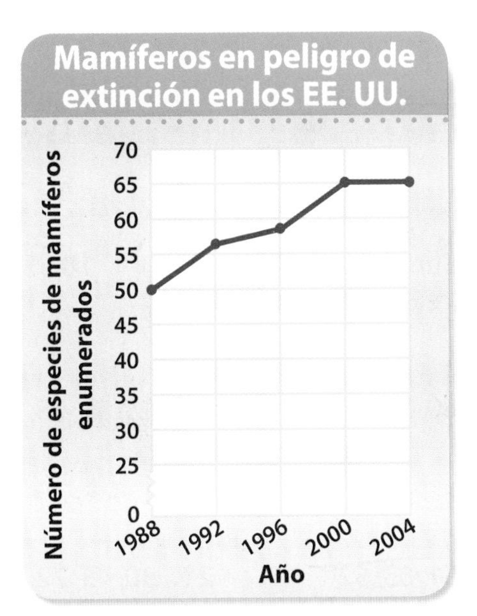

12. Aproximadamente, ¿cuántas especies de mamíferos estaban en peligro de extinción en 1996?

13. ¿Durante qué cuatro años fue menor el aumento en el número de mamíferos en peligro de extinción?

14. Estimación Aproximadamente, ¿cuántas especies más de mamíferos estaban en peligro de extinción en 2004 que en 1992?

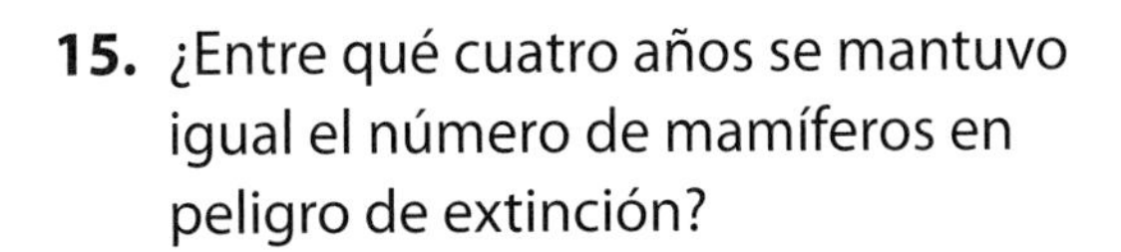

15. ¿Entre qué cuatro años se mantuvo igual el número de mamíferos en peligro de extinción?

A 1988–1992 **C** 1996–2000

B 1992–1996 **D** 2000–2004

16. Razonamiento ¿Qué te dice esta gráfica acerca del número de especies de reptiles en peligro de extinción?

Lección
17-6

¡Lo entenderás!
La media describe el promedio de los números de un conjunto de datos.

Media

¿Cómo puedes hallar la media?

Hallar la media de un conjunto de datos indica qué es lo típico de los números en el conjunto. La media, o promedio, se halla sumando todos los números de un conjunto y dividiendo por el número de valores.

Las puntuaciones de los exámenes de Kara fueron 7, 7 y 10. ¿Cuál fue el promedio de su puntuación?

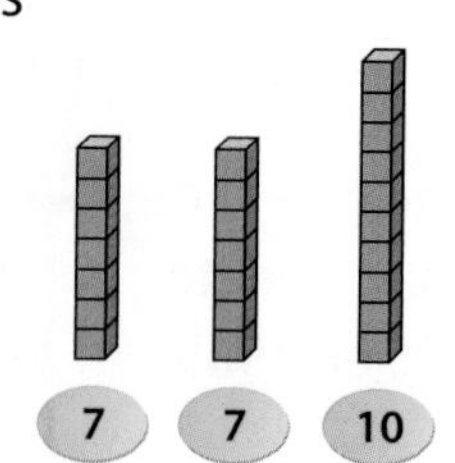

Práctica guiada*

¿CÓMO hacerlo?

En los Ejercicios **1** a **6,** halla la media de cada grupo de números.

1. 2, 6, 19

2. 13, 24, 15, 28, 25

3. 64, 72, 56

4. 8, 7, 20, 145

5. 3, 5, 30, 38

6. 20, 58, 190, 84

¿Lo ENTIENDES?

7. Escribir para explicar ¿Por qué necesitas dividir por 4 para hallar la puntuación promedio de los exámenes de Kara?

8. Los puntajes de Juan en los bolos fueron 88, 96 y 113. ¿Cuál es su puntaje promedio?

Práctica independiente

Práctica al nivel En los Ejercicios **9** a **27,** halla la media.

9. Suma: 3 + 2 + 16 = ☐
Divide: ☐ ÷ 3 = ☐

10. Suma: 1 + 5 + 2 + 4 = ☐
Divide: ☐ ÷ 4 = ☐

11. Suma: 56 + 32 + 62 = ☐
Divide: ☐ ÷ 3 = ☐

12. 80, 248, 68

13. 15, 38, 25, 22

14. 35, 45, 75, 85

15. 16, 25, 86, 45

16. 2, 2, 16, 16

17. 1, 3, 5, 2, 4

18. 56, 72, 84, 68

19. 18, 19, 20

20. 51, 83, 52

21. 30, 43, 72, 15

22. 87, 33, 123

23. 52, 19, 71, 26

24. 12, 112, 221

25. 8, 21, 28

26. 1, 1, 106

27. 102, 123, 9, 358

DIGITAL Glosario animado
www.pearsonsuccessnet.com

** Puedes encontrar otro ejemplo en el Grupo F, página 428.*

Para hallar el promedio, los elementos se combinan y luego se dividen en partes iguales.

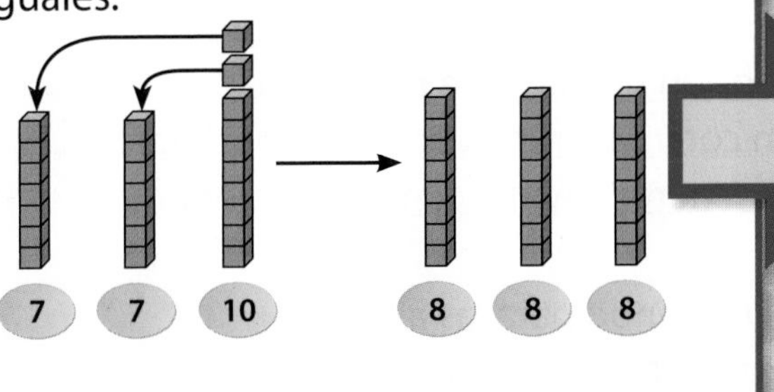

La puntuación promedio de Kara es 8.

Las puntuaciones de los exámenes de Kara fueron 82, 76, 94 y 88.

Suma las puntuaciones.

$$\begin{array}{r} \scriptstyle 2 \\ 82 \\ 76 \\ 94 \\ +\ 88 \\ \hline 340 \end{array}$$

Divide la suma por el número de sumandos.

$$\begin{array}{r} 85 \\ 4\overline{)340} \\ -\ 32 \\ \hline 20 \\ -\ 20 \\ \hline 0 \end{array}$$

La puntuación promedio de Kara es 85.

Resolución de problemas

28. **Sentido numérico** La media de 16, 16 y 16 es 16. La media de 15, 16 y 17 también es 16. Halla otros 3 conjuntos de números que tengan una media de 16.

29. **Álgebra** ¿Qué número va en el recuadro para hacer que esta oración numérica sea verdadera?
(8 − 2) × 4 = 6 × ▢

30. **Geometría** Usa términos geométricos para describir una característica común de las figuras en cada grupo.

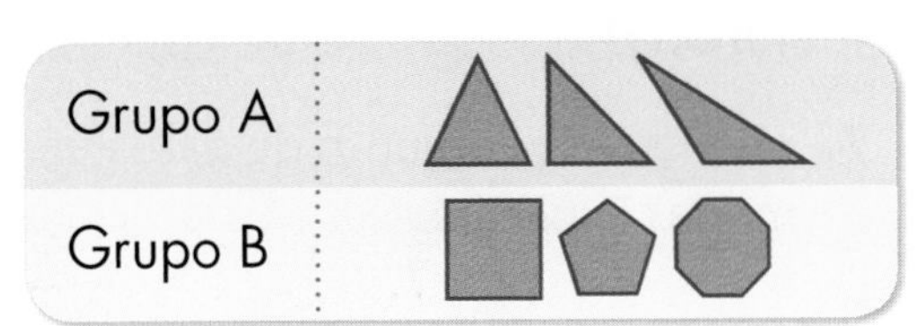

31. **Razonamiento** Jacob trabajó 5 horas el jueves, 4 horas el viernes y 6 horas el sábado. El número de horas que trabajó el domingo no cambió la media. ¿Cuántas horas trabajó Jacob el domingo?

Usa la tabla a la derecha para resolver los Ejercicios **32** a **34.**

32. Estima a qué profundidad en yardas bucea un pingüino emperador.

Ojo *Recuerda que 1 yarda = 3 pies.*

33. ¿A cuántos pies menos bucea un potoyunco peruano que un arao de pico ancho?

34. Halla la media de las inmersiones enumerados en la tabla.

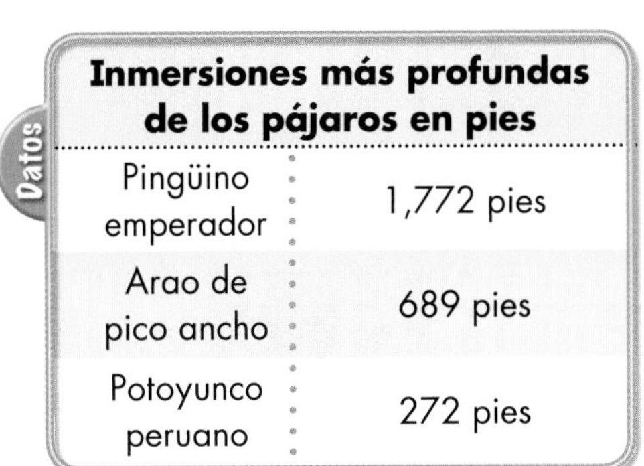

Datos

Inmersiones más profundas de los pájaros en pies	
Pingüino emperador	1,772 pies
Arao de pico ancho	689 pies
Potoyunco peruano	272 pies

35. ¿Cuál de las siguientes opciones es el número seis millones dieciséis mil ciento seis?

A 6,160,106 **B** 6,106,106 **C** 6,016,106 **D** 6,016,160

Lección

17-7

¡Lo entenderás!
Se puede describir los números en un conjunto de datos al hallar la mediana, la moda y el rango.

Mediana, moda y rango

¿Cómo hallas y usas la mediana, la moda y el rango?

La **mediana** es el número del medio cuando los números de un conjunto de datos están ordenados en una lista. La **moda** es el número o números que aparecen con mayor frecuencia en los datos. El **rango** es la diferencia entre el número mayor y el número menor de un conjunto de datos.

¿Cuáles son la mediana, la moda y el rango para las alturas en pulgadas del grupo de estudiantes de cuarto grado de la siguiente lista?

Datos

Altura (en pulgadas)
57, 55, 50, 52, 51, 56, 55

Práctica guiada*

¿CÓMO hacerlo?

En los Ejercicios **1** a **4,** halla la mediana, la moda y el rango de cada conjunto de datos.

1. 41, 15, 51, 51, 41

2. 36, 54, 43, 43, 67, 43, 39, 66

3. 11, 67, 34, 14, 42, 12, 34, 62, 33, 57

4. 42, 62, 54, 50, 62, 60, 48

¿Lo ENTIENDES?

5. En el ejemplo anterior, ¿cuántos números son menores que la mediana? ¿Cuántos números son mayores que la mediana?

6. **Escribir para explicar** ¿Puede un grupo de números tener más de 1 moda?

7. ¿Tiene cada conjunto de datos una moda? Explícalo.

Práctica independiente

En los Ejercicios **8** a **16,** halla la mediana, la moda y el rango de cada conjunto de datos.

8. 58, 54, 62, 58, 60

9. 8, 9, 8, 10, 13, 3, 15, 15, 8, 13, 14

10. 23, 46, 52, 41, 41, 52, 66

11. 42, 13, 41, 41, 57, 52, 36

12. 6, 4, 12, 12, 5, 7, 8

13. 31, 63, 24, 15, 15, 26, 53

14. 56, 76, 66, 86, 59

15. 43, 64, 24, 14, 32, 47, 63, 63, 79

16. 49, 19, 45, 45, 48, 21, 19

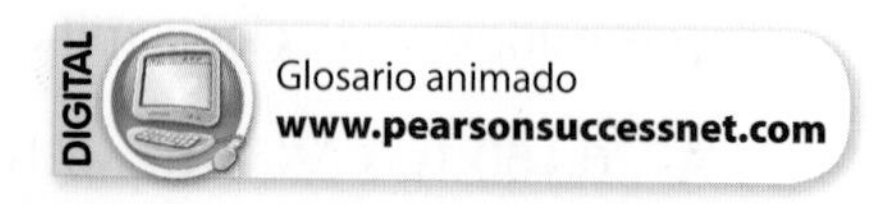

* Puedes encontrar otro ejemplo en el Grupo G, página 428.

Halla la mediana.

Haz una lista de los datos en orden de menor a mayor y halla el número del medio.

50, 51, 52, 55, 55, 56, 57

La mediana es 55.

Halla la moda.

Halla el número o los números que aparecen con mayor frecuencia.

50, 51, 52, 55, 55, 56, 57

La moda es 55.

Halla el rango.

Resta el valor menor del valor mayor.

50, 51, 52, 55, 55, 56, 57

57 − 50 = 7

El rango es 7.

Resolución de problemas

17. Geometría El perímetro de un triángulo es de $\frac{5}{6}$ de pulgada. Dos lados tienen $\frac{1}{8}$ de pulgada cada uno. ¿Cuál es la longitud del tercer lado?

18. Razonamiento Liz dijo que la moda del siguiente conjunto de datos es 6. ¿Tiene razón Liz? Explica.

2, 4, 6, 4, 4, 6, 6

19. Geometría Si el lado A de un rectángulo tiene 12.87 cm y el lado B tiene 4.89 cm, ¿cuál es el perímetro del rectángulo?

20. Escribir para explicar ¿Podría 23 ser la mediana de 6, 8, 23, 4 y 5? Explícalo.

En los Ejercicios **21** a **23,** usa la gráfica de la derecha. Cada X representa cuánto compró una persona en la venta de repostería.

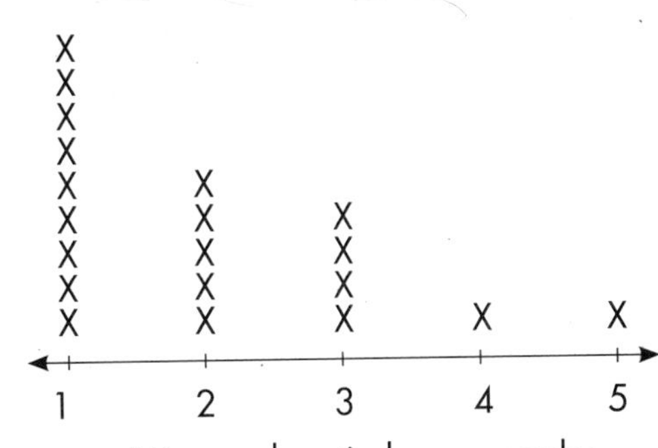

21. ¿Cuántas personas compraron 2 artículos?

22. ¿Cuál es la moda de los datos?

23. ¿Cuántas personas compraron 3 artículos o más?

24. ¿Qué operación de división representan las cuentas de la derecha?

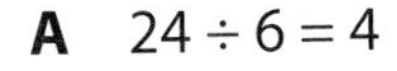

A 24 ÷ 6 = 4

B 24 ÷ 8 = 3

C 29 ÷ 5 = 5 R 4

D 28 ÷ 4 = 4 R5

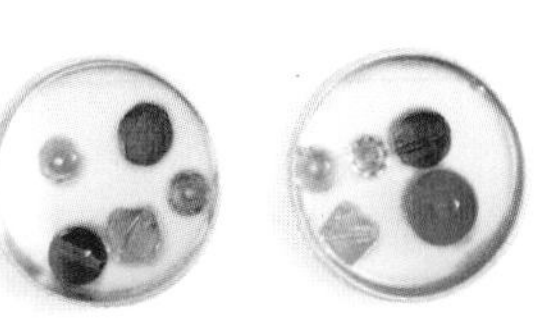

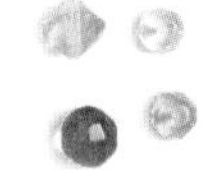

Lección
17-8

¡Lo entenderás!
Los diagramas de tallo y hojas organizan los datos a través del valor de posición.

Diagramas de tallo y hojas

¿Cómo lees los diagramas de tallo y hojas?

Los puntajes de Shelby en un juego de herradura están enumerados a la derecha.

¿Cuáles son la mediana, la moda y el rango de los puntajes de Shelby?

Un modelo que muestra los datos en orden de valor de posición es un diagrama de tallo y hojas.

Datos

Puntajes de lanzamiento de herradura de Shelby

4, 6, 12, 16, 20, 18, 14, 12, 10, 4, 8, 12, 20

Práctica guiada*

¿CÓMO hacerlo?

En los Ejercicios **1** y **2,** usa la gráfica de tallo y hojas siguiente.

Tallo	*Hoja*
2	0 1
3	0 0 2 8
4	0 1 4 7

1. ¿Cuántos números hay en el diagrama de tallo y hojas?

2. Halla la moda de los datos.

¿Lo ENTIENDES?

3. Para el número 18, ¿qué dígito es el tallo? ¿Qué dígito es la hoja?

4. Escribir para explicar ¿Cuál es el puntaje más bajo de Shelby? ¿Cómo te ayuda el diagrama de tallo y hojas a hallar el número menor?

Práctica independiente

En los Ejercicios **5** a **10,** usa la gráfica de tallo y hojas de la derecha.

Puntajes de básquetbol de la escuela Park County

Tallo	*Hoja*
3	2 3 9
4	7 8 8 8
5	2 2
6	1
7	

5. ¿Cuántos puntajes son mayores que 48 puntos?

6. ¿Qué tallo **NO** es necesario para el diagrama de tallo y hojas? ¿Por qué?

7. Halla el puntaje menor.

8. Halla la mediana.

9. Halla la moda.

10. Halla el rango.

* *Puedes encontrar otro ejemplo en el Grupo H, página 428.*

Los números se pueden organizar usando un diagrama de tallo y hojas.

El dígito de las decenas en cada número es un **tallo**.

El dígito de las unidades en cada número es una **hoja**.

Tallo	*Hoja*
0	4 4 6 8
1	0 2 2 2 4 6 8
2	0 0

Los tallos y las hojas están ordenados de menor a mayor.

Usa el diagrama de tallo y hojas para hallar la mediana, la moda y el rango.

mediana El séptimo número en el diagrama de tallo y hojas es la mediana. La mediana es 12.

moda El número que aparece con mayor frecuencia tiene un tallo de 1 y una hoja de 2. La moda es 12.

rango El número menor es 4. El número mayor es 20. $20 - 4 = 16$. El rango es 16.

Resolución de problemas

En los Ejercicios **11** a **13,** usa el diagrama de tallo y hojas de la derecha.

Puntajes del examen de matemáticas de Gary

Tallo	*Hoja*
7	2 7 7
8	5 8
9	2 2 2 9

11. ¿Qué número se representa con el 8 en la segunda fila?

12. ¿Cuántos puntajes de los exámenes de Gary fueron mayores que 85?

13. Halla la mediana, la moda y el rango de los puntajes de los exámenes de Gary.

14. Escribir para explicar ¿Cómo te ayuda mirar los datos en un diagrama de tallo y hojas para hallar la mediana y la moda de los datos?

15. Escribir para explicar La información en los diagramas de tallo y hojas se puede usar para hacer gráficas de barras. Explica cómo convertirías un diagrama de tallo y hojas en una gráfica de barras.

En los Ejercicios **16** y **17,** usa el modelo plano de la derecha.

Modelo plano de un sólido

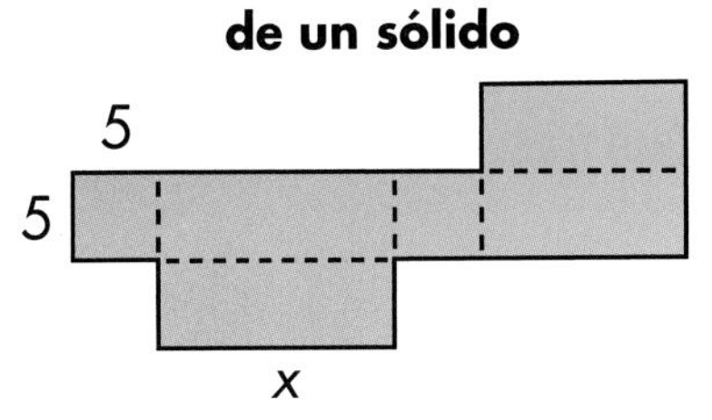

16. ¿Qué sólido crea el modelo plano?

17. Álgebra Si el volumen del sólido es 250 unidades cúbicas, ¿cuál es la longitud de x?

18. Razonamiento ¿Qué hoja en un diagrama de tallo y hojas pertenece al número mayor?

19. ¿Cuál es la moda de los siguientes datos?

A 3

B 4

C 13

D 24

Tallo	*Hoja*
0	4 6
1	3 3 3 4 7
2	1 4 4

Lección
17-9

¡Lo entenderás!
Las gráficas circulares muestran datos y cómo se relacionan partes de esos datos con el total.

Leer gráficas circulares

¿Cómo lees e interpretas gráficas circulares?

Kelli encuestó a sus compañeros sobre sus tipos de música preferidos. Sus resultados se muestran en la gráfica circular de la derecha.

Una gráfica en forma de círculo que muestra cómo se descompone un entero en partes es una gráfica circular.

¿A qué fracción de los estudiantes le gustaba la música country?

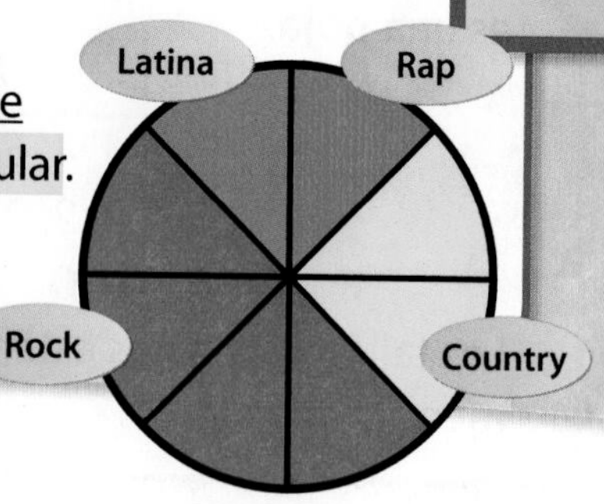

Práctica guiada*

¿CÓMO hacerlo?

En los Ejercicios **1** y **2**, usa la gráfica circular de la derecha.

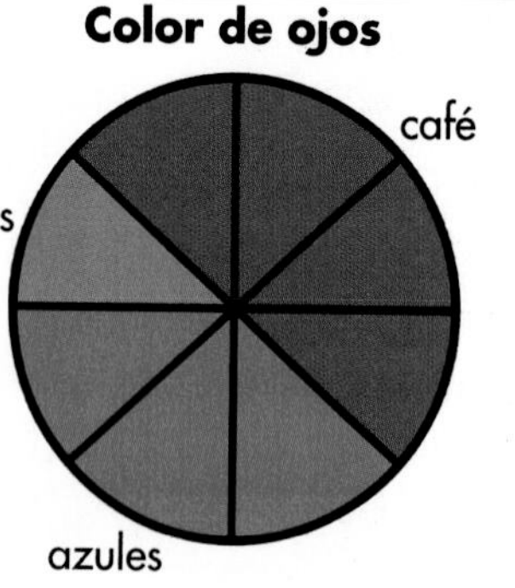

1. ¿Qué fracción de las personas encuestadas tiene ojos azules?
2. ¿Qué color de ojos tiene la mitad de las personas encuestadas?

¿Lo ENTIENDES?

3. ¿Qué tipo de música les gustaba a la mitad de los estudiantes encuestados en el ejemplo anterior ?
4. ¿Qué fracción de los estudiantes encuestados preferían la música latina a la música rock?
5. **Escribir para explicar** ¿Qué información puedes ver más fácilmente en una gráfica circular que en una tabla? Explícalo.

Práctica independiente

En los Ejercicios **6** a **10**, usa la gráfica circular de la derecha.

6. ¿Qué fracción de los planetas tiene más de 2 lunas?
7. ¿Qué fracción de los planetas tiene 20 lunas o más?
8. ¿Qué fracción de los planetas tiene entre 3 y 19 lunas?
9. ¿Qué fracción de los planetas tiene menos de 20 lunas?

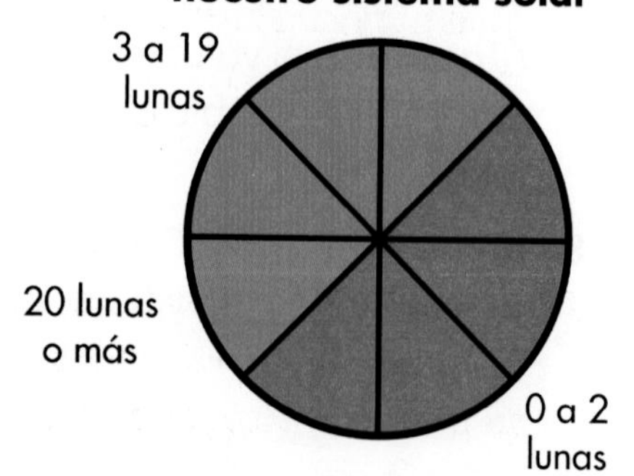

Puedes encontrar otro ejemplo en el Grupo J, página 429.

La gráfica circular se divide en ocho secciones iguales. Dos de las ocho secciones son amarillas.

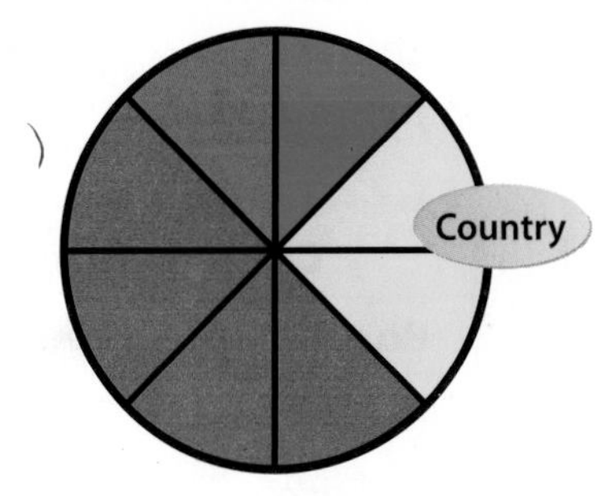

$\frac{2}{8} = \frac{1}{4}$

A un cuarto de los estudiantes encuestados les gusta la música country.

¿A qué fracción de los estudiantes le gusta la música latina y rap combinados?

Mira la gráfica. Piensa sobre las fracciones de referencia.

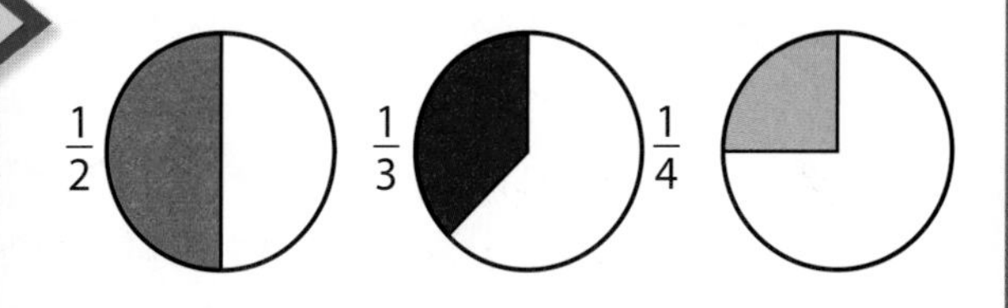

A un cuarto de las personas le gusta la música latina y rap combinados.

Resolución de problemas

En los Ejercicios **10** a **12,** usa la gráfica circular de la derecha.

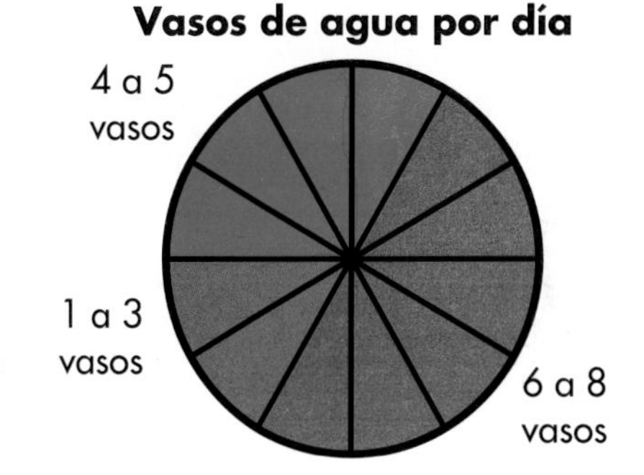

10. ¿Qué fracción de las personas bebió entre 6 y 8 vasos de agua al día?

11. ¿Qué fracción de las personas dijo beber entre 4 y 5 vasos de agua?

12. **Escribir para explicar** Podrías usar la gráfica circular para hallar cuántas personas bebieron exactamente 7 vasos por día?

13. **Geometría** Una caja mide 4.7 pies de largo, 3 pies de ancho y 4 pies de alto. ¿Cuál es el volumen de la caja?

14. Los cinco tiempos de carreras de práctica de Tom fueron, en minutos, 12, 14, 15, 12 y 12. ¿Cuál fue su tiempo medio?

15. Don está haciendo una encuesta para ver cuántas horas duermen los estudiantes de 4.º grado cada noche. Si quiere mostrar todos sus datos, ¿sería mejor que usara una gráfica circular o un diagrama de tallo y hojas? Explícalo.

16. Gabriella mezcló $\frac{2}{3}$ de una lata de pintura roja con $\frac{1}{4}$ de una lata de pintura amarilla para formar un anaranjado oscuro. ¿Qué fracción de una lata de pintura anaranjada tiene?

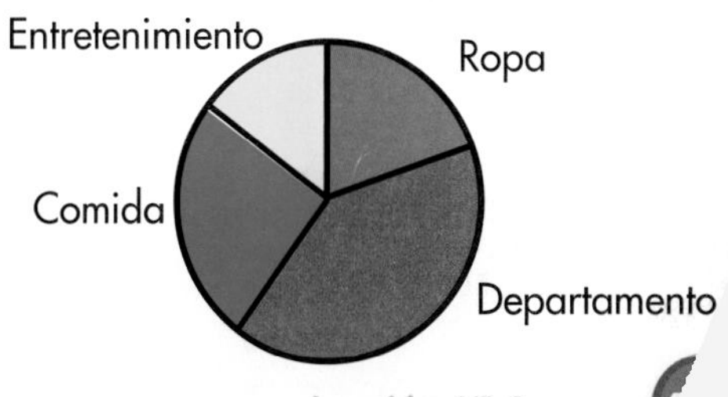

17. La gráfica circular de la derecha muestra el presupuesto de Nick para el mes. ¿Qué fracción de su presupuesto gasta en comida?

A $\frac{1}{20}$ **B** $\frac{1}{4}$ **C** $\frac{1}{2}$ **D** $\frac{3}{4}$

Lección
17-10

¡Lo entenderás!
Aprender cómo y cuándo hacer una gráfica puede ayudar a resolver problemas.

Resolución de problemas

Hacer una gráfica

Los estudiantes de dos clases de cuarto grado completaron una encuesta sobre sus pasatiempos preferidos. ¿En qué se parecían las dos clases? ¿En qué se diferenciaban?

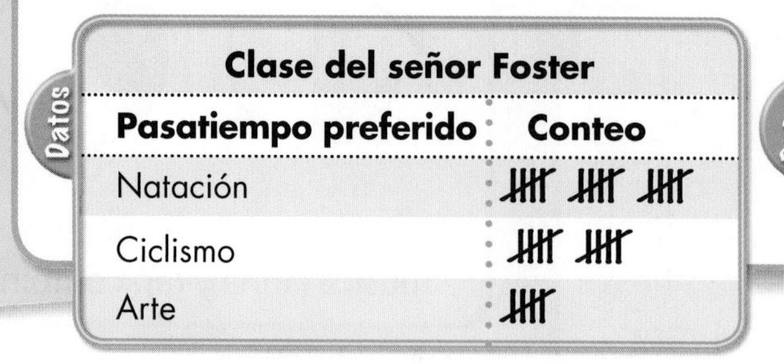

Clase del señor Foster

Pasatiempo preferido	Conteo
Natación	𝍸 𝍸 𝍸
Ciclismo	𝍸 𝍸
Arte	𝍸

Clase de la señora López

Pasatiempo preferido	Conteo
Natación	𝍸 𝍸 I
Ciclismo	𝍸 𝍸 III
Arte	𝍸

Práctica guiada*

¿CÓMO hacerlo?

Resuelve. Haz una gráfica.

1. José anotó durante tres meses en una tabla de conteo el número de días de nieve. Haz una gráfica de barras usando estos datos. ¿Qué mes tuvo más días de nieve?

Mes	Conteo de días de nieve	Número
Diciembre	𝍸	5
Enero	𝍸 𝍸 I	11
Febrero	𝍸 III	8

¿Lo ENTIENDES?

2. ¿Cómo podrías hacer gráficas de barras diferentes para mostrar los mismos datos de las tablas de conteo de arriba?

3. Supón que sumaste los números de ambas clases para hacer una sola tabla de datos. ¿Qué pasatiempo era el más popular en la clasificación general?

4. Escribe un problema Escribe un problema que use los datos de las tablas de arriba. Luego responde la pregunta.

Práctica independiente

En los Ejercicios **5** y **6,** usa la siguiente tabla.

	Mañana	Tarde	Noche
Carros	142	263	120
Camiones	42	181	64

5. Haz dos gráficas de estos datos, una para los carros y una para los camiones.

?or qué es útil usar la misma escala para ›s gráficas?

¿En aprietos? Intenta esto:

- ¿Qué sé?
- ¿Qué diagrama puede ayudarme a entender el problema?
- ¿Puedo usar suma, resta, multiplicación o división?
- ¿Está correcto todo mi trabajo?
- ¿Respondí a la pregunta que correspondía?
- ¿Es razonable mi respuesta?

edes encontrar otro ejemplo en el Grupo K, página 429.

Lee y comprende

Haz una gráfica de barras para cada tabla de datos.

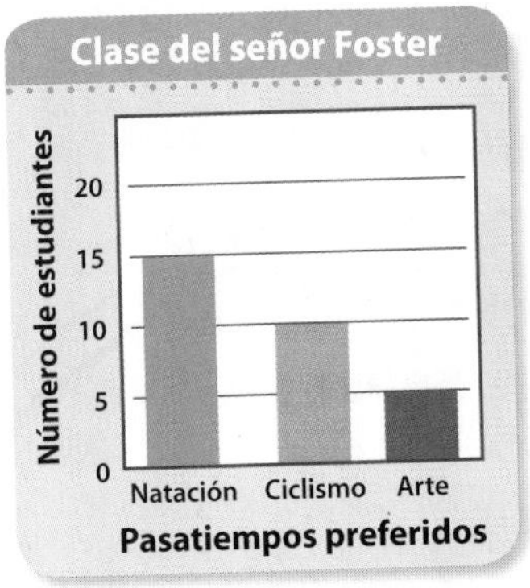

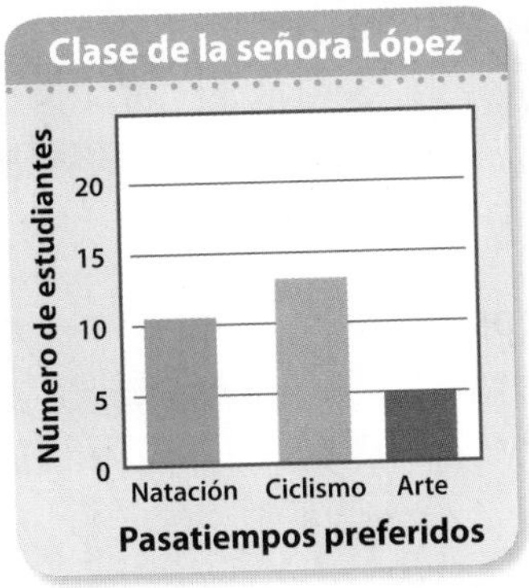

Clase del señor Foster

Número de estudiantes: 0, 5, 10, 15, 20

Natación Ciclismo Arte

Pasatiempos preferidos

Clase de la señora López

Número de estudiantes: 0, 5, 10, 15, 20

Natación Ciclismo Arte

Pasatiempos preferidos

Planea

Lee las gráficas.
Haz comparaciones.

En qué se parecen:

La clase de Arte fue el pasatiempo menos popular en ambas clases y la clase de Arte gustó al mismo número de estudiantes de cada clase.

En que se diferencian:

Natación fue el pasatiempo preferido de la clase del señor Foster, y ciclismo fue el pasatiempo preferido de la clase de la señora López.

En los Ejercicios **7** a **10,** usa la siguiente tabla de conteo.

Datos

Actividad	2008	2009
Periódico	𝍸 𝍸	𝍸 𝍸
Compañía de danza	𝍸	𝍸 |
Club del libro	𝍸	𝍸
Banda escolar	||||	𝍸 |

7. Los estudiantes de cuarto grado eligieron en cuál de las cuatro actividades querían participar. Haz una gráfica de barras para 2008 y otra gráfica de barras para 2009.

8. Si en 2009, 3 personas dejaran el club del libro para unirse a la compañía de danza, ¿qué club tendría más estudiantes?

9. Identifica dos clubes que, juntos, fueron elegidos por más de la mitad de los estudiantes de cuarto grado en 2009.

10. ¿Cuántos estudiantes más en 2009 que en 2008 se unieron a un club?

En los Ejercicios **11** a **13,** usa la tabla de la derecha.

11. ¿Quién recorrió en bicicleta 15 millas menos que Sherry en la Semana 1?

12. ¿Qué persona recorrió en bicicleta menos millas en la Semana 2 que en la Semana 1?

13. **Razonamiento** Usa la tabla para comparar el total de millas recorridas en la Semana 1 con el total de millas recorridas en la Semana 2. ¿Cuál fue mayor?

Datos

Distancias recorridas

Nombre	Semana 1	Semana 2
Peter	17 millas	26 millas
Sherry	25 millas	29 millas
Jorge	22 millas	20 millas
Carla	10 millas	20 millas

Práctica independiente

En los Ejercicios **14** a **15,** usa el diagrama de la derecha.

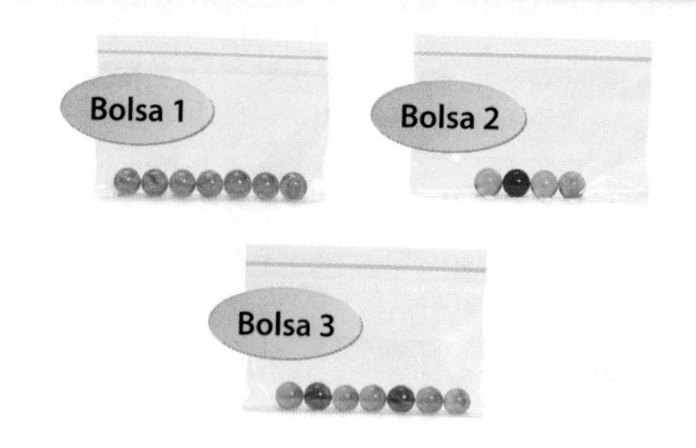

14. Stella saca una canica de la Bolsa 1. ¿Cuántos resultados posibles hay?

15. Escribir para explicar ¿Cuántas canicas tendrá que sacar Stella de la Bolsa 3 para garantizar que sacará una canica azul?

En los Ejercicios **16** a **17,** usa la tabla de la derecha.

16. Marcia anotó el número de abdominales y de flexiones de brazos que hizo la semana pasada. Haz dos gráficas con los datos de la tabla.

17. Compara el número de abdominales de cada día con el número de flexiones de brazos. ¿Qué patrón observas? ¿Qué conclusión sacas?

Datos

Abdominales y flexiones de brazos de Marcia

Día	Abdominales	Flexiones de brazos
Lunes	25	12
Martes	21	16
Jueves	55	24
Viernes	32	12
Domingo	68	28

En los Ejercicios **18** y **19,** usa el diagrama de la derecha.

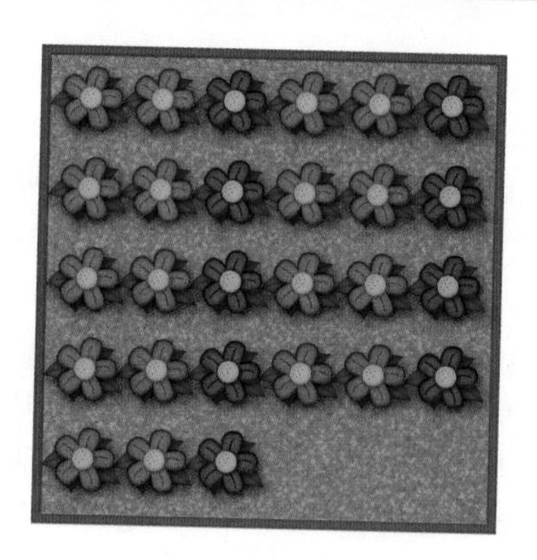

18. La señorita Michael plantó flores en su jardín formando una matriz. Después de completar la quinta fila, ¿cuántas flores tendrá su jardín?

19. Si la señorita Michael sigue plantando con el mismo patrón de colores, ¿cuáles serán los colores de las tres siguientes flores que plante?

Piensa en el proceso

20. En el parque, hay 14 bancos. En cada banco caben 4 personas. ¿Qué oración numérica muestra el mayor número de personas que se pueden sentar en los bancos del parque al mismo tiempo?

A $14 \times 4 = \square$

B $14 + 4 = \square$

C $14 \times 14 = \square$

D $4 \times 4 = \square$

21. Hanna caminó de ida y vuelta entre la escuela y su casa el lunes, el miércoles y el viernes. ¿Qué información se necesita para hallar la distancia que caminó?

A La distancia desde la casa hasta la escuela

B Con quién caminó

C El número de calles que cruzó

D La hora a la que empiezan las clases

Gráficas engañosas

Usa la Hoja de cálculo/datos/gráficas de eTools.
En los Estados Unidos, 26 estados no tienen costa oceánica, 15 estados tienen menos de 200 millas de costa y 9 estados tienen más de 200 millas.

Paso 1 Selecciona la Hoja de cálculo/Datos/Gráficas de eTools. Ingresa los datos que se muestran abajo.

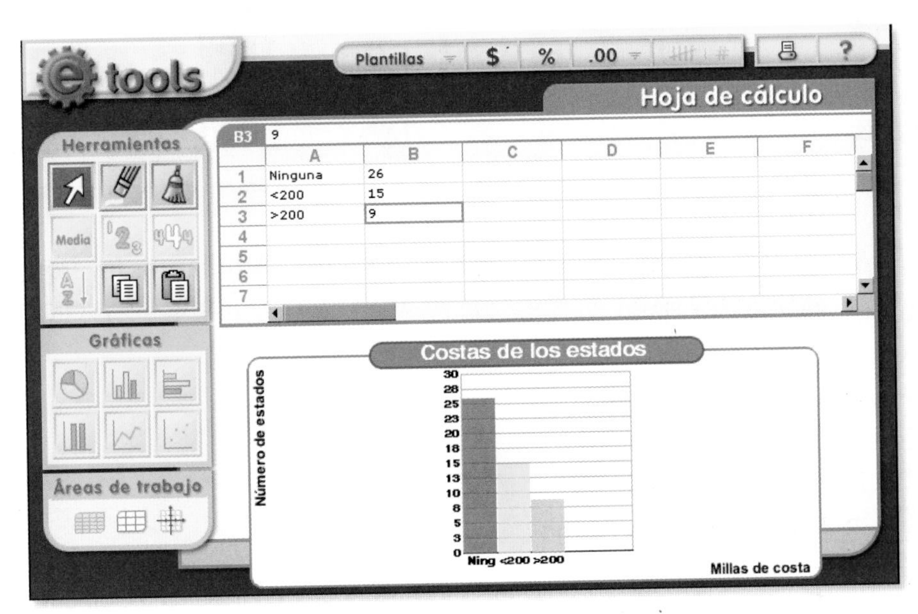

Paso 2 Usa la herramienta de flecha para seleccionar 2 columnas y 3 filas con información. Haz clic en el ícono gráfica de barras. Ingresa el título de la gráfica y rotula los ejes x- e y-. Elige un intervalo de 5, un mínimo de 0 y un máximo de 30. Haz clic en Aceptar.

Paso 3 Haz clic en el área de la gráfica. Cambia el mínimo a 5 y haz clic en Aceptar.

Compara las gráficas. La segunda gráfica es engañosa.

Práctica

1. Alaska tiene 19 picos de montaña de más de 14,000 pies de altura y Colorado tiene 54. Haz una gráfica con los datos. Primero, usa una escala de 0 a 60 y haz un intervalo de 10. Luego cambia el mínimo a 10. Describe las diferentes impresiones que dan las gráficas.

Examen

1. ¿Cuál fue la materia que más estudiantes prefirieron? (17-1)

Datos

Materia preferida	
Estudios sociales	𝍸 II
Matemáticas	𝍸 IIII
Artes del lenguaje	I
Ciencias	𝍸

A Estudios sociales

B Matemáticas

C Artes del lenguaje

D Ciencias

2. Las siguientes gráficas muestran el número de veces que se usó una opción de respuesta en dos exámenes diferentes. ¿A qué conclusión se puede llegar? (17-10)

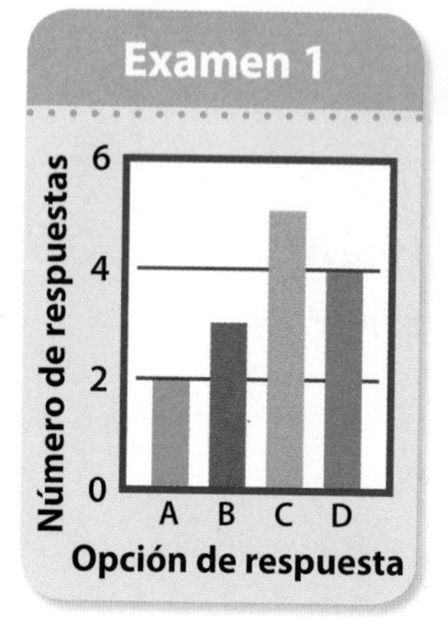

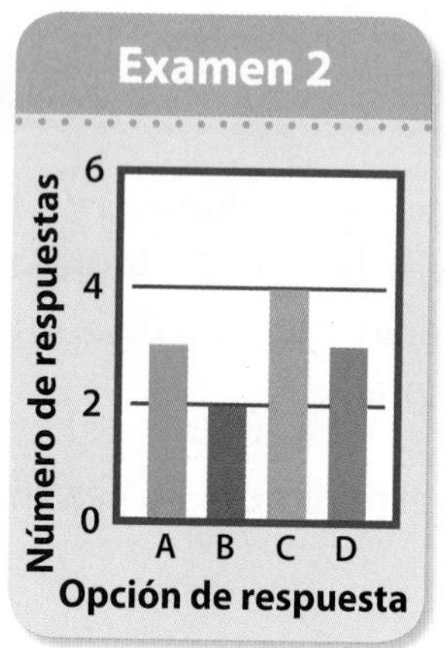

A La respuesta C se usó más veces en ambos exámenes.

B La respuesta B se usó menos veces en ambos exámenes.

C La respuesta D se usó el mismo número de veces en ambos exámenes.

D No pueden sacarse conclusiones.

3. La señora Chi hizo una gráfica de barras del número de libros que los estudiantes leyeron durante las vacaciones de verano.

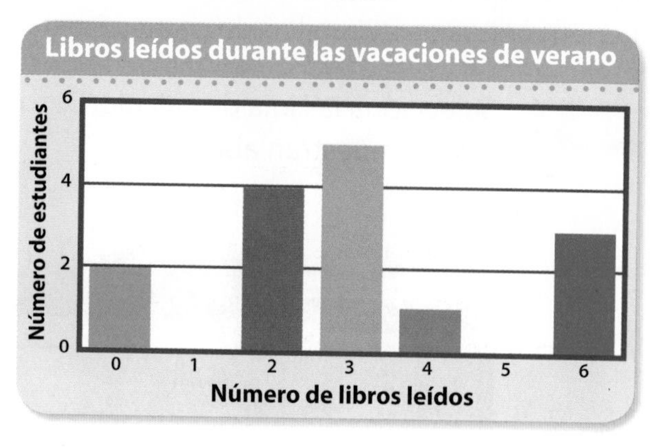

¿Cuántos estudiantes leyeron menos de 3 libros durante las vacaciones de verano? (17-2)

A 4

B 5

C 6

D 11

4. ¿Qué punto está en (6, 3)? (17-4)

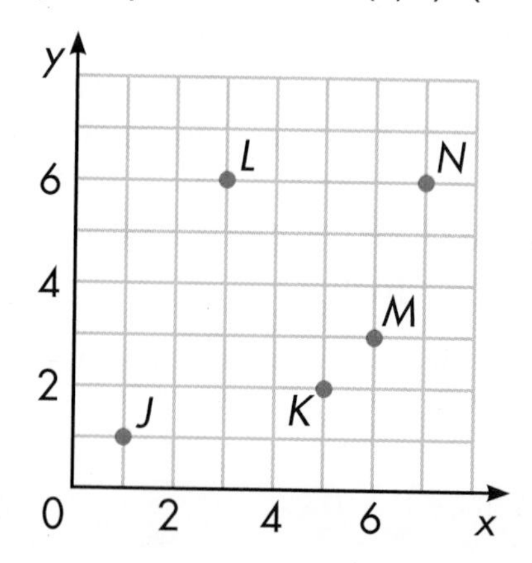

A Punto *J*

B Punto *K*

C Punto *L*

D Punto *M*

5. Como parte de la función para recaudar fondos de la clase, los estudiantes recibieron dinero por cada vuelta que corrían alrededor del estacionamiento de la escuela.

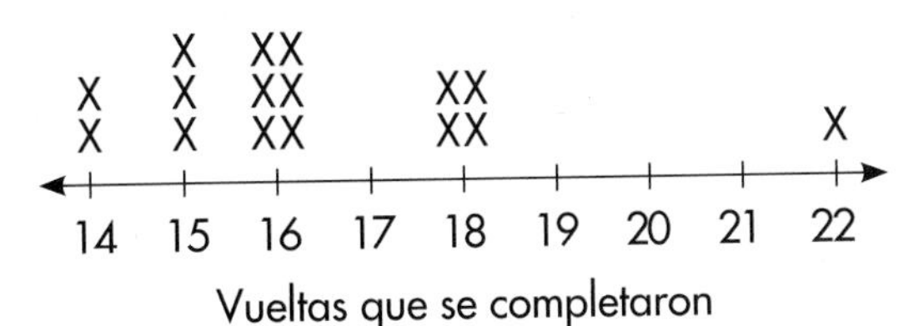

¿Cuál es el valor extremo en este conjunto de datos? (17-3)

A 8

B 16

C 22

D No hay valor extremo en este conjunto de datos.

6. El puntaje de Jared en sus últimos cuatro trabajos de matemáticas aparece en la siguiente lista. ¿Cuál fue la media de su puntaje? (17-6)

82, 76, 82 y 100

A 24

B 79

C 82

D 85

7. ¿Qué fracción de las personas encuestadas prefiere la comida mexicana? (17-9)

A $\frac{1}{3}$

B $\frac{1}{4}$

C $\frac{1}{8}$

D $\frac{2}{3}$

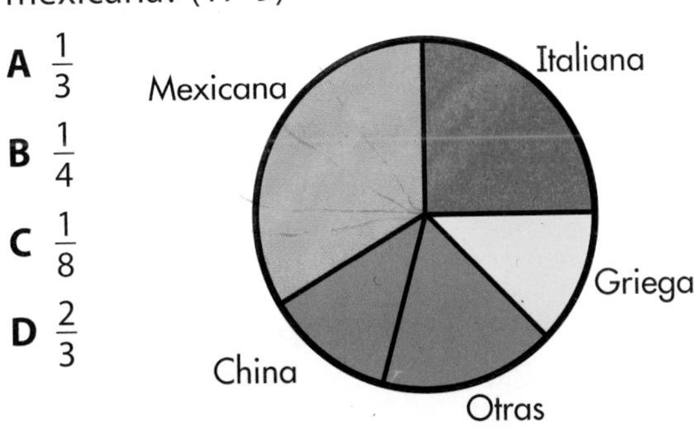

8. ¿Cuál es la mediana de los datos? (17-8)

Tallo	*Hoja*
2	2 4
3	5 5 8 8 9
4	1 1 1 4

A 22

B 38

C 39

D 41

9. ¿Entre qué horas aumentó 10 °F la temperatura? (17-5)

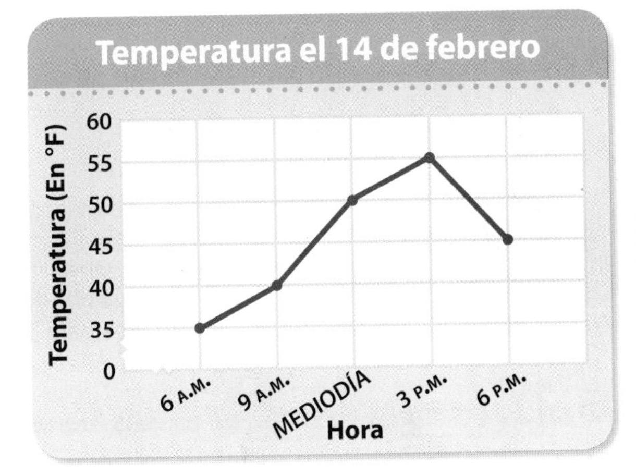

A Entre las 6 A.M. y las 9 A.M.

B Entre las 9 A.M. y el mediodía

C Entre el mediodía y las 3 P.M.

D Entre las 3 P.M. y las 6 P.M.

10. ¿Cuál es el rango de este conjunto de datos? (17-7)

12, 10, 48, 64, 36, 48, 12, 32, 48

A 10

B 36

C 48

D 54

Refuerzo

Grupo A, páginas 402 y 403

¿Cuántas personas en la encuesta prefirieron la prueba de las anillas?

Datos

Pruebas preferidas de gimnasia deportiva	
Potro	卌 III
Anillas	卌 卌 I
Barras fijas	卌 卌 卌
Ejercicios en el piso	卌

Once personas prefirieron ver la prueba de las anillas.

Recuerda que puedes responder una pregunta haciendo una encuesta.

1. ¿Cuántas personas en la encuesta prefirieron ver el potro?
2. ¿Cuál fue la prueba preferida por más personas?
3. De acuerdo con la encuesta, ¿puedes decir si a las personas les gustó ver la prueba de las barras asimétricas? Explícalo.

Grupo B, páginas 404 y 405

¿Qué animal tiene aproximadamente 34 dientes?

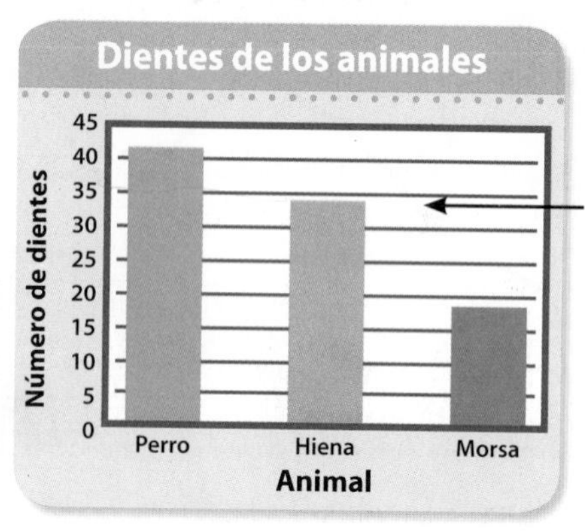

La barra para las hienas llega por debajo de la línea para 35.

Las hienas tienen aproximadamente 34 dientes.

Recuerda que mirar la escala te ayuda a interpretar los datos.

1. ¿De qué trata la gráfica?
2. ¿Cuál es la escala de la gráfica? ¿Cuál es el intervalo?
3. ¿Qué animal tiene 18 dientes?
4. ¿Aproximadamente cuántos dientes más tiene un perro que una hiena?

Grupo C, páginas 406 y 407

El conjunto de datos muestra el número de goles que anotaron 20 equipos en un torneo de futbol. ¿Cuál es la moda?

4, 8, 7, 0, 3, 3, 7, 4, 6, 1, 2, 7, 6, 4, 2, 7, 2, 6, 7, 4

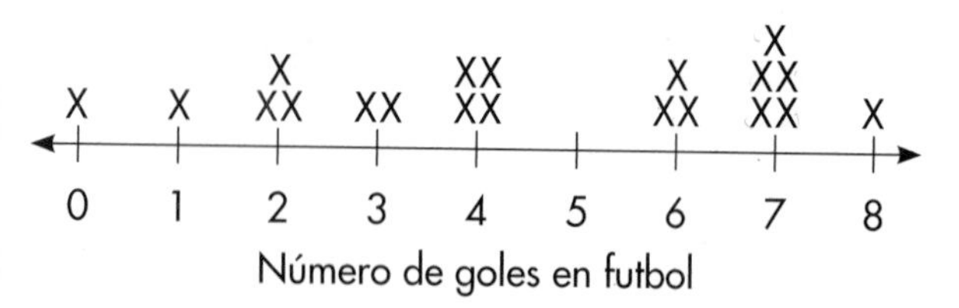

La moda es 7.

Recuerda que un valor extremo es un número muy diferente del resto de los números en un diagrama de puntos.

1. ¿Cuántos equipos de futbol anotaron 3 goles?
2. ¿Cuántos equipos de futbol anotaron más de 5 goles?
3. ¿Cuál fue el mayor número de goles anotados por un equipo?
4. ¿Cuántos equipos anotaron sólo 2 goles?

Grupo D, páginas 408 y 409

Escribe el par ordenado para el punto *M*.

Mueve **4** unidades a la derecha. El valor de *x* es 4.

Mueve **8** unidades hacia arriba. El valor de *y* es 8.

El par ordenado para *M* es (4, 8).

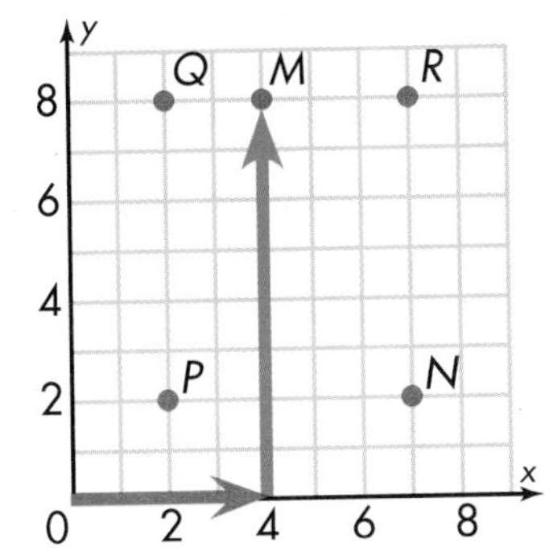

Recuerda que la primera coordenada es el valor de *x*, y la segunda coordenada es el valor de *y*.

Escribe el par ordenado o identifica el punto.

1. *A* **2.** *C* **3.** *D* **4.** *F*

5. (7, 4) **6.** (6, 2) **7.** (5, 2) **8.** (6, 9)

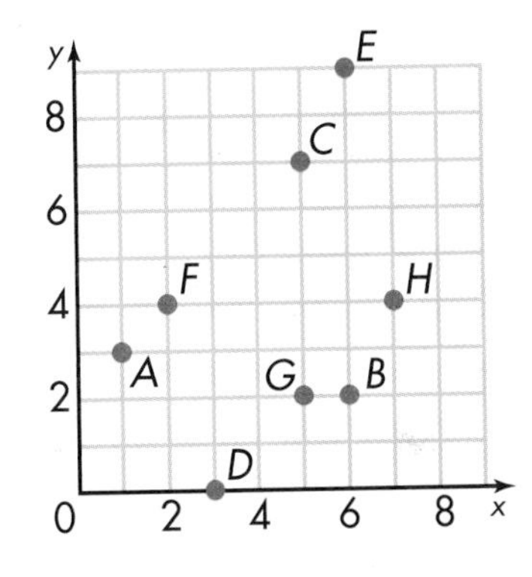

Grupo E, páginas 410 y 411

Mira la siguiente gráfica.

¿Cuánto dinero se recaudó en donaciones benéficas en el año 2000?

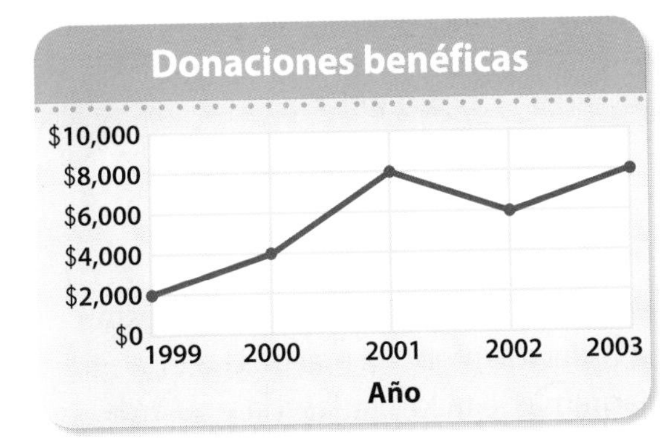

Cuando el año es el 2000, la cantidad de donaciones es $4,000.

¿Entre qué años disminuyó la cantidad en donaciones?

Cuando disminuye el valor de *y*, la gráfica va hacia abajo.

La cantidad en donaciones disminuyó entre el 2001 y el 2002.

Recuerda que la gráfica lineal muestra la tendencia de los puntos de los datos.

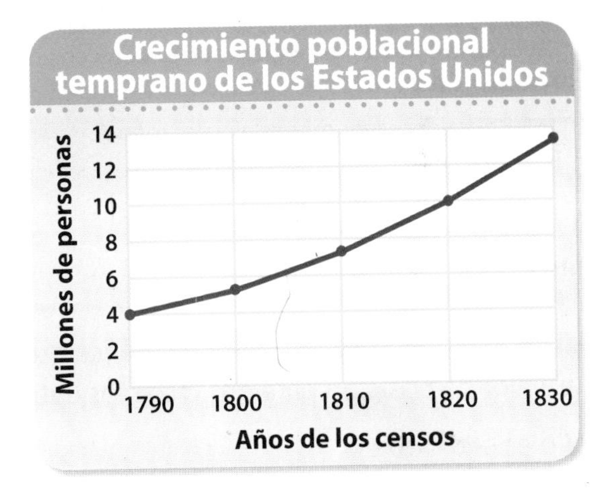

1. ¿En qué año la población era de aproximadamente 10 millones?
2. ¿Cuál es el cambio en la población de 1790 a 1820?
3. ¿Cuál es la tendencia general?

Grupo F, páginas 412 y 413

¿Cuál es la media de 77, 95, 78 y 86?

Suma los números en el conjunto.

$$\begin{array}{r} \scriptstyle 2 \\ 77 \\ 95 \\ 78 \\ +\ 86 \\ \hline 336 \end{array}$$

Divide la suma por el número de sumandos.

$$\begin{array}{r} 84 \\ 4\overline{)336} \\ -\ 32 \\ \hline 16 \\ -\ 16 \\ \hline 0 \end{array}$$

La media del conjunto es 84.

Recuerda que la media se halla sumando primero todos los números de un conjunto.

Halla la media de cada grupo de números.

1. 5, 8, 17

2. 18, 19, 14, 29, 35

3. 68, 73, 51

4. 6, 2, 22, 146

5. 10, 10, 30, 34

6. 28, 52, 195, 89

Grupo G, páginas 414 y 415

¿Cuál es la mediana, la moda y el rango de este conjunto de números?

12, 4, 8, 3, 26, 8, 17, 6, 12, 7, 5, 23

La mediana es el número del medio cuando los datos están ordenados.

3, 4, 5, 6, 7, 8, 8, 12, 12, 17, 23, 26

La mediana es 8.

La moda es el número o los números que aparecen con mayor frecuencia. La moda es 8 y 12.

El rango es el valor mayor menos el valor menor.
$26 - 3 = 23$. El rango es 23.

Recuerda que puede haber más de una moda.

Halla la mediana, la moda y el rango de cada conjunto de datos.

1. 1, 3, 10, 8, 7, 3, 11

2. 48, 50, 62, 50, 54

3. 92, 99, 100, 99, 106, 99, 97

4. 80, 85, 87, 80, 89

Grupo H, páginas 416 y 417

Un diagrama de tallo y hojas es una gráfica que usa el valor de posición para organizar los datos.

El tallo es el dígito en el lugar de las decenas, y las hojas son los dígitos en el lugar de las unidades.

Tallo	*Hoja*
1	2 8
2	
3	9
4	
5	1 1 2 2 2 9

¿Qué número se representa con el 9 en la tercera fila?

El tallo es 3 y la hoja es 9.

El número es 39.

Recuerda que los tallos y las hojas están en orden de menor a mayor. Usa el diagrama de tallo y hojas a la izquierda.

1. Halla la mediana.

2. Halla la moda.

3. Halla el rango.

Grupo J, páginas 418 y 419

¿A qué fracción de las personas encuestadas les gustan los programas de concursos?

Tipos de programas preferidos

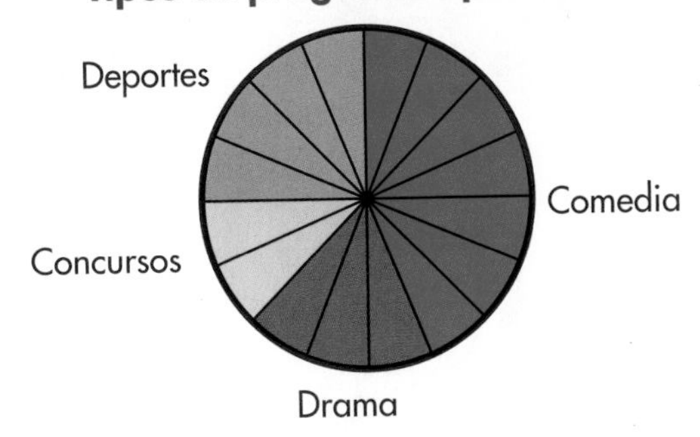

Dos de las 16 secciones son amarillas.

$\frac{2}{16} = \frac{1}{8}$

A $\frac{1}{8}$ de las personas les gustan los programas de concursos.

¿A qué fracción de las personas les gustan los programas de deportes?

$\frac{1}{4}$ de la gráfica circular está coloreada de verde para los programas de deportes.

Recuerda que la parte del círculo que se completó para un valor es la fracción de los datos representados por ese valor.

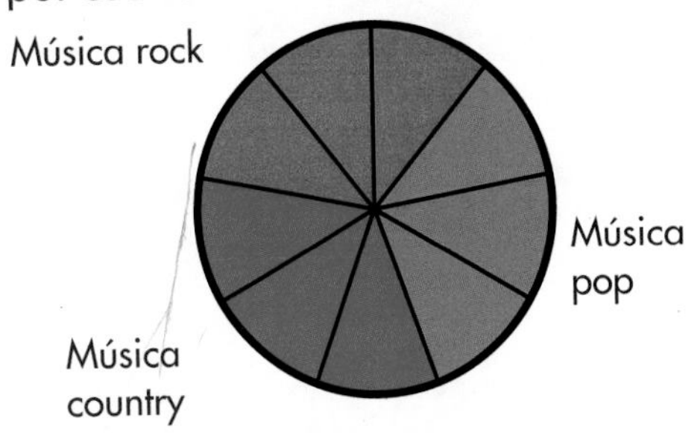

1. ¿A qué fracción de las personas le gustó la música rock?
2. ¿A qué fracción de las personas les gustó la música country?
3. ¿A más o menos de la mitad de las personas les gusta la música country o la música pop?

Grupo K, páginas 420 a 422

¿Cómo puedes usar una gráfica de barras para hallar qué equipo está en el segundo lugar en la tabla de posiciones?

Datos

Victorias en voleibol	
Aguiluchos	10
Leones	14
Halcones	12
Osos	7

Elige una escala. Elige un intervalo. Haz una barra para cada equipo. Rotula los ejes y ponle título a la gráfica.

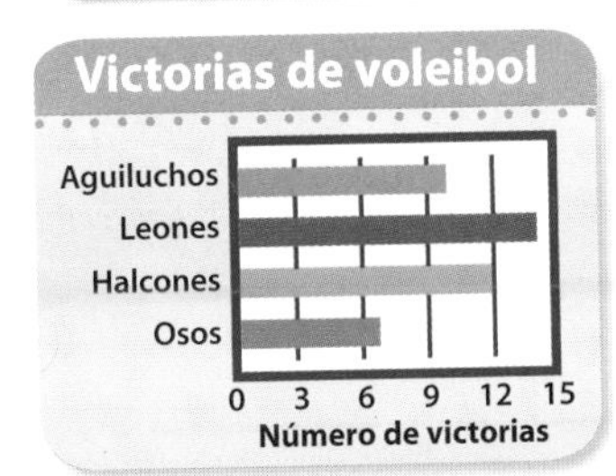

Los Halcones están en segundo lugar.

Recuerda que, cuando dibujas una gráfica de barras, debes usar una escala que empiece en el 0 y que exceda el número más alto de los datos.

1. ¿Cómo puedes comprobar si las barras de la gráfica están dibujadas correctamente?
2. ¿Cuál es el intervalo de la gráfica?
3. ¿Qué equipo estaba en el tercer lugar?

Tema 18

Ecuaciones

1

Los Estados Unidos producen aproximadamente 17.2 millones de pacas de algodón por año. En los campos, el algodón se comprime en módulos que pueden pesar más de 6 toneladas. ¿Cuántas pacas hay en un módulo? Lo averiguarás en la Lección 18-2.

2

¿Cuánto calor hace en el Valle de la Muerte? Lo averiguarás en la Lección 18-4.

3 En 1969, el *Apollo 11* se convirtió en la primera misión espacial que llevó personas a la Luna. ¿Cuánto tardó el viaje a la Luna? Lo averiguarás en la Lección 18-3.

Vocabulario

Elige el mejor término del recuadro.

- datos
- escala
- encuesta
- media

1. Una ? es una serie de números a lo largo del eje de una gráfica.
2. La información que se recopila se llama ? .
3. La ? se halla sumando todos los números de un conjunto y dividiéndolos por el número de valores.

Comparar unidades de tiempo

Copia y completa. Escribe >, < o = en el ○.

4. 3 años ○ 365 días
5. 4 semanas ○ 40 días
6. 48 horas ○ 2 días

Restar números enteros

Usa la gráfica de barras. ¿Cuánto más alto es

7. el Pico 1 que el Pico 3?
8. el Pico 3 que el Pico 4?
9. **Escribir para explicar** ¿Por qué es incorrecto este enunciado? La altura del Pico 2 y la del Pico 4 tienen la mayor diferencia.

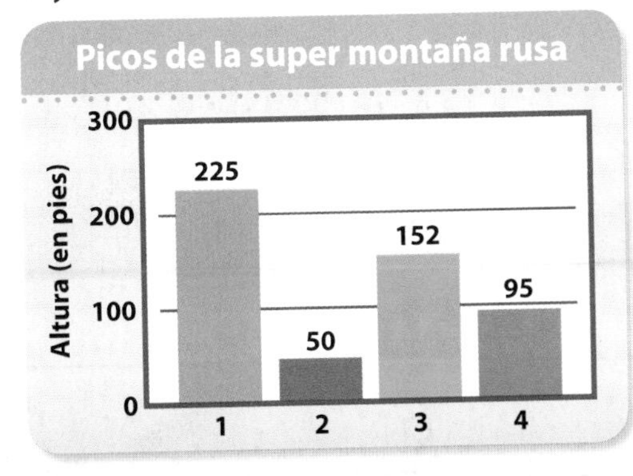

Lección

18-1

¡Lo entenderás!
Las expresiones que se encuentran a cada lado de una ecuación son iguales.

Igual o desigual

¿Cómo puedes convertir ambos lados de una ecuación para que permanezca verdadera?

Una ecuación es una oración numérica que afirma que dos expresiones son iguales.

Determina si estas ecuaciones son verdaderas. Usa la balanza de la derecha.

¿Es $5 + 3 - 3 = 8 - 3$?

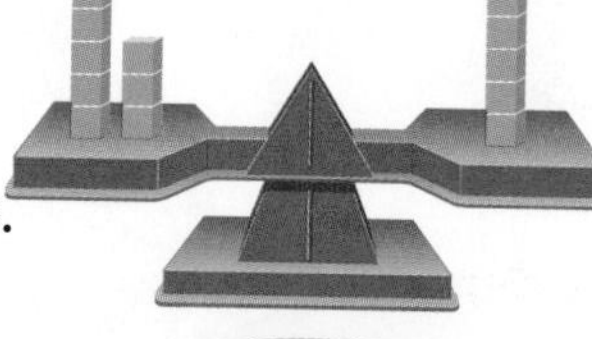

$5 + 3 = 8$

Práctica guiada*

¿CÓMO hacerlo?

En los Ejercicios **1** a **4**, di si la ecuación es verdadera o falsa.

1. $8 + 6 + 2 = 14 + 2$

2. $50 \div 5 \div 2 = 8 \div 2$

3. $12 \times 2 = 24 \times 2$

4. $15 - 5 = 10 - 5$

¿Lo ENTIENDES?

5. En el primer ejemplo, ¿cómo sabes que la ecuación es verdadera, usando una balanza de platillos?

6. **Escribir para explicar** Si se resta 5 de diferentes números en ambos lados de una ecuación, ¿es verdadera la ecuación?

Práctica independiente

En los Ejercicios **7** a **12**, di si la ecuación es verdadera o falsa.

7. $5 \times 3 - 8 = 12 - 8$

8. $8 \div 2 + 4 = 4 + 4$

9. $4 + 7 - 2 = 11 - 9$

10. $6 \times 3 + 10 = 18 + 10$

11. $2 \times 3 + 6 = 6 + 6$

12. $18 \div 3 - 2 = 6 - 2$

En los Ejercicios **13** a **18**, escribe el número que falta que hace verdadera cada ecuación.

13. $4 \times 6 = (2 \times 2) \times \square$

14. $(14 - 2) \div 2 = \square \div 2$

15. $6 + \square = (3 \times 2) + 9$

16. $(6 + 8) \div \square = 14 \div 2$

17. $(4 + 5) \div 3 = \square \div 3$

18. $\square + (9 - 5) = 8 + (9 - 5)$

DIGITAL Glosario animado
www.pearsonsuccessnet.com

** Puedes encontrar otro ejemplo en el Grupo A, página 444.*

¿Es esto verdadero?

$5 + 3 - 3 = 8 - 3$

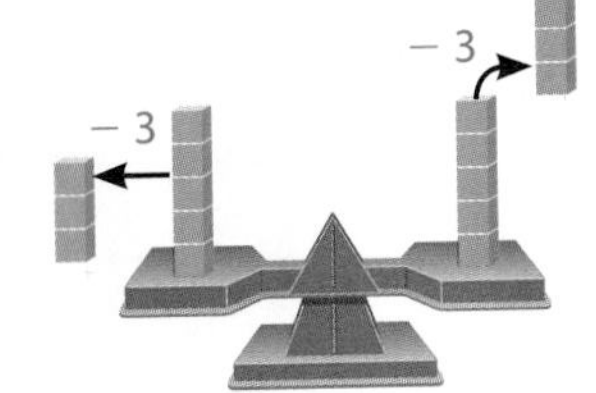

Puedes sumar o restar el mismo número de ambos lados de una ecuación y los lados permanecen iguales.

Halla el valor de cada lado para comprobar.

$5 + 3 - 3 = 8 - 3$

$8 - 3 = 5$

$5 = 5$

La ecuación es verdadera.

¿Es esto verdadero?

$10 \div 2 = 5 \times 2 \div 5$

Puedes multiplicar ambos lados de una ecuación por el mismo número o dividir ambos lados de una ecuación por el mismo número, excepto el 0, y los lados permanecen iguales.

Halla el valor de cada lado para comprobar.

$10 \div 2 = 5 \times 2 \div 5$

$5 = 10 \div 5$

$5 \neq 2$

La ecuación es falsa.

Resolución de problemas

19. La ecuación $8 + 4 = 7 + 5$ muestra que Hope y Cole tienen el mismo número de marcapáginas. ¿Qué ecuación mostraría cuántos marcapáginas tiene cada uno después de regalar 3?

20. Rich reparte periódicos en su barrio. Empezó con 27 clientes. Luego, 9 clientes cancelaron su pedido y después consiguió 9 clientes nuevos. ¿Cuántos clientes tiene Rich ahora?

21. Harry tiene 8 pelotas de beisbol autografiadas. Le dio 2 a su hermana y la mitad de las que le quedaban a su hermano. ¿Cuántas pelotas de beisbol autografiadas tiene ahora?

22. Becky dice que $16 - 2 \times 7$ es igual a 14×7. ¿Tiene razón Becky? ¿Por qué o por qué no?

En los Ejercicios **23** y **24,** usa la tabla de la derecha.

A una clase se le preguntó cuántos hermanos tenía cada estudiante. Los resultados se incluyen en la tabla.

Datos

Hermanos de los estudiantes

Número de hermanos	Fracción de la clase
Cero	$\frac{2}{3}$
Uno	$\frac{1}{30}$
Dos	$\frac{1}{5}$
Tres o más	$\frac{1}{10}$

23. ¿Qué fracción de los estudiantes tiene más de 1 hermano?

24. ¿Qué fracción de la clase tiene menos de 2 hermanos?

25. Si ★ + 25 = ▲ + 25, ¿qué enunciado es verdadero?

A ★ = ▲

B ★ = ▲ − 25

C ★ > ▲

D ★ > ▲ + 25

26. **Escribir para explicar** Explica por qué $4 \times 3 + 6$ tiene un valor diferente de $4 \times (3 + 6)$.

Lección
18-2

¡Lo entenderás!
Se debe usar una operación inversa para resolver ecuaciones de suma y de resta.

Resolver ecuaciones de suma y de resta

¿Cómo puedes usar la suma y la resta para resolver ecuaciones?

Dos operaciones que se cancelan entre sí se llaman operaciones inversas. ¿Cuántos cubos deberían quitarse de cada lado para que *c* quede solo? Luego, halla el valor de *c*.

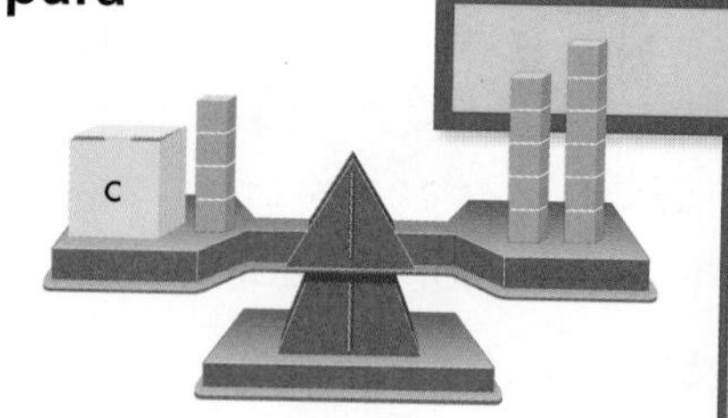

Práctica guiada*

¿CÓMO hacerlo?

1. $r + 3 = 12$
$r + 3 - \square = 12 - \square$
$r = \square$

2. $s - 5 = 9$
$s - 5 + \square = 9 + \square$
$s = \square$

3. $t + 23 = 61$
$t + 23 - \square = 61 - \square$
$t = \square$

¿Lo ENTIENDES?

4. En el segundo ejemplo de arriba, ¿por qué sumas 10 a ambos lados?

5. Henry equilibró la caja *n* y 12 cubos en un lado de la balanza de platillos con 16 cubos en el otro lado. ¿Cuántos cubos debería quitar de ambos lados para hallar el peso de *n*?

Práctica independiente

Práctica al nivel En los Ejercicios **6** a **11,** halla el valor de cada $\square$.

6. $c - 4 = 16$
$c - 4 + \square = 16 + \square$
$c = \square$

7. $e + 7 = 19$
$e + 7 - \square = 19 - \square$
$e = \square$

8. $z - 6 = 21$
$z - 6 + \square = 21 + \square$
$z = \square$

9. $p + 8 = 18$
$p + 8 - \square = 18 - \square$
$p = \square$

10. $q - 5 = 17$
$q - 5 + \square = 17 + \square$
$q = \square$

11. $m + 1 = 8$
$m + 1 - \square = 8 - \square$
$m = \square$

** Puedes encontrar otro ejemplo en el Grupo B, página 444.*

Una solución es el valor de la variable que hace verdadera la ecuación.

Resuelve $c + 4 = 11$.

Cancela el sumando 4 restando 4 de cada lado.

$c + 4 - 4 = 11 - 4$

Simplifica cada lado.

$c = 7$

La solución de $c + 4 = 11$ es 7.

Resuelve $n - 10 = 30$.

Cancela el sustraendo 10 sumando 10 a cada lado.

$n - 10 + 10 = 30 + 10$

Simplifica cada lado.

$n = 40$

La solución de $n - 10 = 30$ es 40.

En los Ejercicios **12** a **19,** resuelve cada ecuación.

12. $c - 4 = 23$

13. $e + 7 = 53$

14. $d - 6 = 3$

15. $4 + s = 17$

16. $x + 200 = 400$

17. $z - 8 = 3$

18. $y + 37 = 42$

19. $m - 51 = 29$

Resolución de problemas

20. Hay 3 huesos en cada dedo y 2 huesos en cada pulgar. ¿Cuántos huesos hay en dos manos?

21. ¿Es razonable? Debra resolvió la ecuación $f - 17 = 40$ y obtuvo 50. ¿Es razonable esta solución? Explícalo.

22. Estimación Grace tiene exactamente 9 años de edad. ¿Tiene ella más o menos de 500 semanas de edad hoy?

23. Una fábrica puede producir 30,000 pares de zapatos de tenis al día. ¿Aproximadamente cuántos días tardará en producir 600,000 pares?

24. Piensa en el proceso Una escuela vende suscripciones a revistas para recaudar dinero. La primera semana vendieron 435 suscripciones. Si su meta fuera vender 640 suscripciones en dos semanas, ¿qué ecuación usarías para hallar cuántas suscripciones necesitan vender en la segunda semana?

A $s - 435 = 640$

B $s - 640 = 435$

C $s + 435 = 640$

D $640 + 435 = s$

25. En la época de la cosecha, la mayoría del algodón en los campos se comprime en módulos. Un módulo grande pesa 7 toneladas. ¿Cuántas pacas de algodón hay en un módulo grande?

Toneladas de algodón	1	3	5	7
Pacas de algodón	4	12	20	

Lección
18-3

¡Lo entenderás!
Se debe usar una operación inversa para resolver ecuaciones de multiplicación y de división.

Resolver ecuaciones de multiplicación y de división

¿Cómo puedes usar la multiplicación y la división para resolver ecuaciones?

Juana organizó *n* libros en 7 grupos. Cada grupo tenía 6 libros. ¿Cuántos libros tenía Juana? Ella escribió la ecuación $n \div 7 = 6$ para mostrar el resultado. ¿Cuál es el valor de *n*?

Práctica guiada*

¿CÓMO hacerlo?

1. $m \div 6 = 6$
$m \div 6 \times \square = 6 \times \square$
$m = \square$

2. $t \times 9 = 63$
$t \times 9 \div \square = 63 \div \square$
$t = \square$

3. $n \div 7 = 4$
$n \div 7 \times \square = 4 \times \square$
$n = \square$

¿Lo ENTIENDES?

4. En el primer ejemplo de arriba, ¿cuál es otra manera de describir el problema?

5. En el segundo ejemplo de arriba, ¿por qué la solución de $w \times 4 = 32$ debe ser menor que 32?

6. Escribe una ecuación que muestre lo siguiente: Juana tenía *g* grupos de 16 libros. Cada grupo tenía 4 libros. Halla el valor de *g*.

Práctica independiente

Práctica al nivel En los Ejercicios **7** a **12,** halla el valor de cada $\square$.

7. $p \div 3 = 6$
$p \div 3 \times \square = 6 \times \square$
$p = \square$

8. $r \times 7 = 49$
$r \times 7 \div \square = 49 \div \square$
$r = \square$

9. $t \div 6 = 1$
$t \div 6 \times \square = 1 \times \square$
$t = \square$

10. $n \times 9 = 45$
$n \times 9 \div \square = 45 \div \square$
$n = \square$

11. $q \div 5 = 4$
$q \div 5 \times \square = 4 \times \square$
$q = \square$

12. $s \times 3 = 15$
$s \times 3 \div \square = 15 \div \square$
$s = \square$

* *Puedes encontrar otro ejemplo en el Grupo C, página 445.*

Resuelve $n \div 7 = 6$ para hallar el número de libros, n.

$\boldsymbol{n \div 7 = 6}$

Lo contrario de dividir por 7 es multiplicar por 7.

$\boldsymbol{n \div 7 \times 7 = 6 \times 7}$

Simplifica cada lado.

$\boldsymbol{n = 42}$

La solución de $n \div 7 = 6$ es 42.

Juana tenía 42 libros.

Resuelve $w \times 4 = 32$.

Lo contrario de multiplicar por 4 es dividir por 4.

$\boldsymbol{w \times 4 \div 4 = 32 \div 4}$

Simplifica cada lado.

$\boldsymbol{w = 8}$

La solución de $w \times 4 = 32$ es 8.

En los Ejercicios **13** a **22,** resuelve cada ecuación.

13. $t \div 5 = 7$ **14.** $3 \times e = 18$ **15.** $j \div 4 = 8$ **16.** $d \div 3 = 3$ **17.** $c \div 5 = 4$

18. $2 \times r = 32$ **19.** $s \div 7 = 3$ **20.** $m \times 7 = 63$ **21.** $p \div 3 = 2$ **22.** $7 \times a = 56$

Resolución de problemas

23. Howard hizo su tarea desde las 5:05 P.M. hasta las 6:23 P.M. Pasó la mitad de ese tiempo estudiando para un examen de ciencias. ¿Cuánto tiempo estudió Howard para el examen de ciencias?

24. Thomas pasó 140 minutos cada semana practicando la guitarra. Escribe y resuelve una ecuación usando la multiplicación para hallar cuántos minutos por día practicó Tomás.

25. **Álgebra** Si el siguiente patrón continúa, ¿cuáles serán los próximos tres números?

22, 23, 25, 28, 32, ■, ■, ■

26. **Escribir para explicar** ¿Por qué la solución de $6 \times k = 12$ debe ser menor que 12?

27. La *Apollo 11* fue la primera misión que llevó personas a la luna. Lanzado en 1969, el vuelo a la luna tardó aproximadamente 75 horas. El promedio de velocidad de la nave espacial era 5,200 kilómetros por hora. Usa la fórmula $d = v \times t$, distancia = velocidad × tiempo, para hallar la distancia de la Tierra a la luna.

Ojo *La velocidad es 5,200 kilómetros por hora.*

28. Un equipo de la liga juvenil está vendiendo camisetas. Si su meta fuera vender 90 camisetas en total, y vendieran un promedio de 15 camisetas por semana, ¿qué ecuación **NO** usarías para hallar en cuántas semanas venderán las camisetas?

A $15 \times s = 90$ **C** $90 \div s = 15$

B $s \times 15 = 90$ **D** $s \div 90 = 15$

Lección
18-4

¡Lo entenderás!
Para resolver una desigualdad, se halla los valores de la variable que hagan verdadera la desigualdad.

Desigualdades

¿Cómo puedes resolver una desigualdad?

Una desigualdad usa > y < para mostrar que dos expresiones no tienen el mismo valor.

Una solución de la desigualdad $x > 5$ es $x = 7$ porque $7 > 5$. Las desigualdades tienen más de una solución. Haz una gráfica de todas las soluciones de $x > 5$.

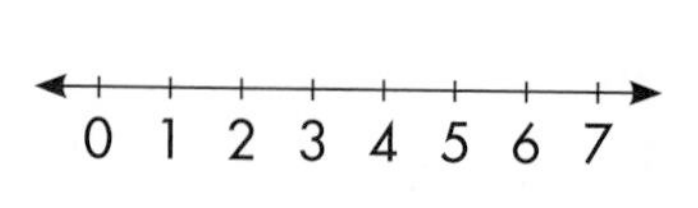

Práctica guiada*

¿Sabes CÓMO hacerlo?

En los Ejercicios **1** y **2,** escribe la desigualdad que representa cada gráfica.

1. z ◯ ▢

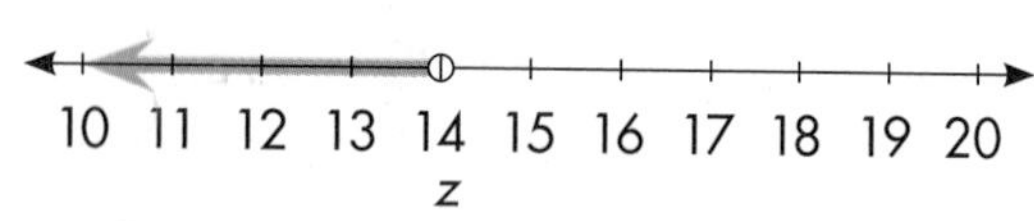

2. c ◯ ▢

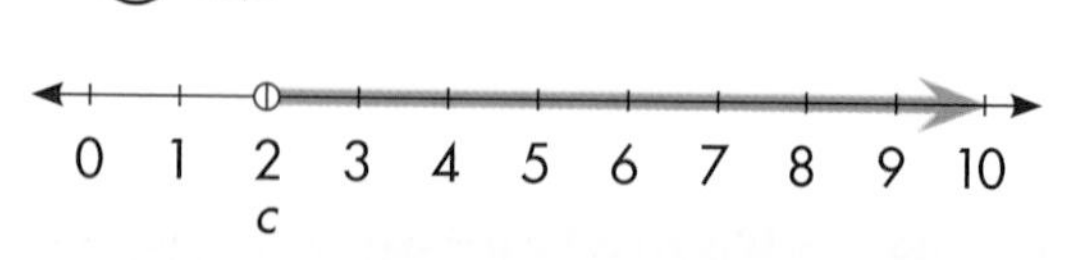

¿Lo ENTIENDES?

3. Explica por qué 7 es una solución de $x > 5$.

4. Explica por qué 2 **NO** es una solución de $x > 5$.

5. ¿Cómo implica la recta numérica anterior que 5.1 y 50 son soluciones de $x > 5$?

Práctica independiente

En los Ejercicios **6** y **11,** escribe la desigualdad que representa cada gráfica.

6. 5 6 7 8 9 10 11 12 13 14 15 (x)

7. 0 1 2 3 4 5 6 7 8 9 10 (f)

8.

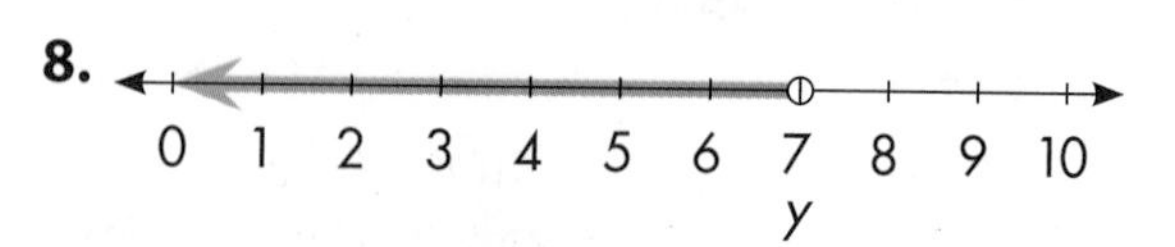

9.

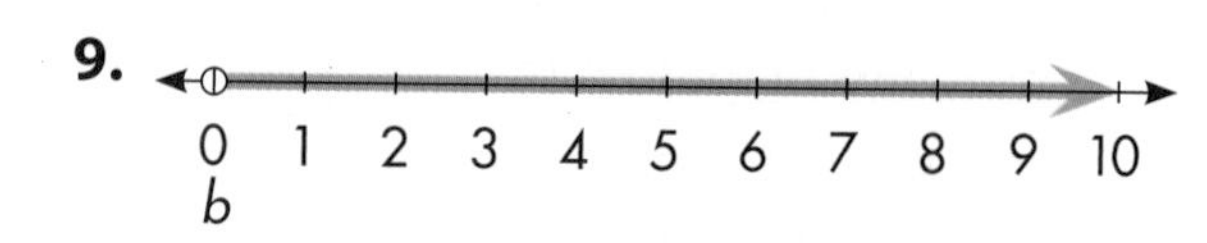

10.

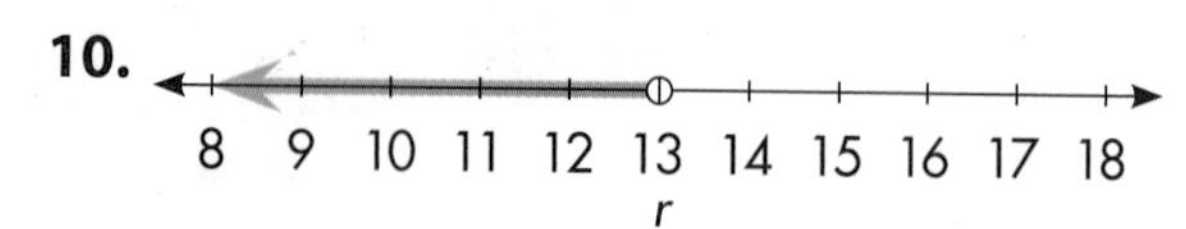

11. 3 4 5 6 7 8 9 10 11 12 13 (d)

* Puedes encontrar otro ejemplo en el Grupo D, página 445.

Paso 1

Para hacer una gráfica de $x > 5$, dibuja un círculo abierto en el 5 en una recta numérica.

0 1 2 3 4 5 6 7 8 9 10

El círculo abierto muestra que 5 no es una solución.

Paso 2

Halla varias soluciones y coloréalas en una recta numérica.

0 1 2 3 4 5 6 7 8 9 10

7 y 9 son soluciones porque $7 > 5$ y $9 > 5$.

Paso 3

Empieza en el círculo abierto y colorea las soluciones que hallaste. Dibuja una flecha para mostrar que las soluciones siguen al infinito.

0 1 2 3 4 5 6 7 8 9 10

En los Ejercicios **12** a **16,** menciona tres soluciones de cada desigualdad y haz una gráfica de todas las soluciones en una recta numérica.

12. $y < 3$ **13.** $c > 5$ **14.** $m > 22$ **15.** $z < 11$ **16.** $h > 8$

Resolución de problemas

17. Escribir para explicar Para la desigualdad $g > 6$, Patty dijo que 6 es una solución. ¿Tiene razón? ¿Por qué o por qué no?

18. Una aerolínea permite a los pasajeros llevar un bolso de mano. El bolso debe pesar menos de 20 libras. Usa la desigualdad $c < 20$ para hallar tres posibles pesos del bolso de mano.

19. Un cuadrado tiene 4 ángulos rectos y 4 lados congruentes. Si un lado mide 9 pulgadas, ¿cuál es su perímetro y su área?

20. En 5 partidos de básquetbol, Janelle anotó 10, 7, 8, 12 y 8 puntos. ¿Cuál es la media, mediana y moda de sus puntajes?

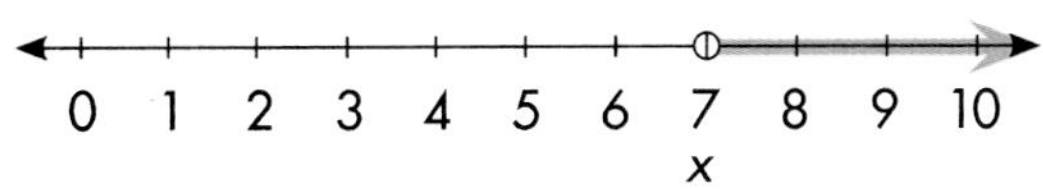

21. Sentido numérico La recta numérica de la derecha muestra la desigualdad $x > 7$. ¿Es 7.1 una solución? ¿Es 7.01 una solución? Explica cómo sabes.

22. El Valle de la Muerte es el lugar más caluroso de los Estados Unidos. La temperatura máxima registrada allí fue de 134 °F. La temperatura mínima registrada fue de 15 °F. Menciona tres posibles temperaturas registradas en el Valle de la Muerte.

23. ¿Cuál de los siguientes números **NO** sería una solución de la desigualdad $v > 12$?

A 12 **C** 12.1

B 15 **D** 13.11

¡Lo entenderás!
Aprender cómo y cuándo empezar por el final puede ayudar a resolver problemas.

Resolución de problemas

Empezar por el final

Podemos usar trenes de operaciones para construir números. Éste es un ejemplo:

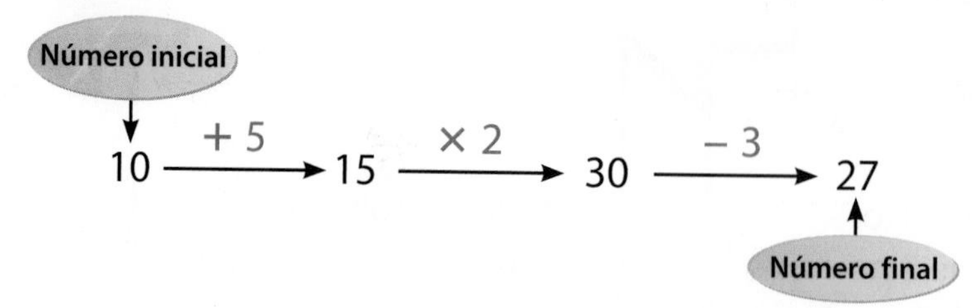

Práctica guiada*

¿CÓMO hacerlo?

Resuelve empezando por el final. Usa un tren de operaciones para hallar tu respuesta.

1. Charlie recogió algunos pimentones de su huerto. Le dio 14 a su hermano y 7 a su vecino. Le quedaron 24. ¿Cuántos pimentones recogió de su huerto?

¿Lo ENTIENDES?

2. En el ejemplo anterior, ¿cómo compruebas la respuesta?

3. **Escribe un problema** Escribe un problema que use un tren de operaciones. Luego, empieza por el final para responder a tu pregunta.

Práctica independiente

Empieza por el final para resolver cada problema. Escribe la respuesta en una oración completa.

4. Kenny quiere llegar a la piscina 25 minutos antes de que la piscina abra. Le toma 20 minutos manejar hasta allá y 15 minutos prepararse. ¿A qué hora debe comenzar a prepararse si la piscina abre a las 5:30 P.M.?

5. Drew manejó su auto hasta la casa de Karen. Él manejó 2 millas al oeste; luego, 4 millas al sur y 1 milla al este. ¿Cómo puede Drew manejar a su casa desde la casa de Karen usando la misma ruta?

¿En aprietos? Intenta esto:

- ¿Qué sé?
- ¿Qué diagrama puede ayudarme a entender el problema?
- ¿Puedo usar suma, resta, multiplicación o división?
- ¿Está correcto todo mi trabajo?
- ¿Respondí a la pregunta que correspondía?
- ¿Es razonable mi respuesta?

** Puedes encontrar otro ejemplo en el Grupo E, página 445.*

Usa el siguiente tren de operaciones. Halla el número inicial, x.

Si sabes el número final y cómo se construyó el número, puedes empezar por el final para hallar el número inicial.

Número inicial

$x \xrightarrow{\times 3} \square \xrightarrow{+8} \square \xrightarrow{-5} 48$

Número final

Haz lo contrario de las operaciones dadas y empieza por el final.

Número inicial

$15 \xleftarrow{\div 3} 45 \xleftarrow{-8} 53 \xleftarrow{+5} 48$

(45 ÷ 3) (53 − 8) (48 + 5)

Número final

$x = 15$

El número inicial es 15.

6. Alice ralló queso para agregar a 6 pizzas. Ella esparció 4 onzas de queso en 5 de las pizzas. En la sexta, agregó el doble de onzas. Le quedaron 2 onzas de queso rallado. ¿Cuántas onzas de queso ralló Alice?

7. Andy compró un rompecabezas de 78 piezas. Unió algunas de las piezas él mismo. Él y su hermano unieron 24 piezas más. Luego, la hermana de Andy unió 33 piezas más para terminar el rompecabezas. ¿Cuántas piezas unió Andy solo?

8. Tara es 6 años mayor que Karen. Karen es 5 años menor que Dave. Dave es 3 años mayor que Luz. Si Luz tiene 10 años, ¿cuántos años tiene Tara?

9. Jason está pensando en un número. Le suma 8, lo multiplica por 2, le resta 4 y lo divide por 2. El resultado es 24. ¿En qué número piensa Jason?

10. Wendy tomó el autobús para ir al centro comercial. En la primera parada, bajaron 8 personas y subieron 5. En la siguiente parada, bajaron 4 personas y subieron 3 más. Quedaron 26 personas en el autobús. ¿Cuántas personas había en el autobús cuando Wendy subió?

A 5 personas **C** 22 personas

B 20 personas **D** 30 personas

11. Kristy tiene ensayo de la banda a las 10:40 A.M. Le toma 15 minutos llegar de la casa al ensayo. Ella tarda 5 minutos para entrar en calor antes del ensayo. ¿A qué hora debe salir de su casa para llegar al ensayo a tiempo?

A 10:15 A.M. **C** 10:45 A.M.

B 10:20 A.M. **D** 11:00 A.M.

12. Joel llevó a su casa una lista de palabras para practicar para una competencia de ortografía. Ya sabía 12 de las palabras en la lista. Su mamá lo examinó con 23 palabras. Su papá le pidió que deletreara 18 palabras. A Joel le quedaron 22 palabras para practicar por su cuenta. ¿Cuántas palabras había en la lista de Joel?

? Palabras para deletrear en total

12	23	18	22

Examen

1. Halla el número que falta para hacer verdadera la ecuación. (18-1)

$(6 + 9) \div 3 = \square \div 3$

A 54

B 15

C 5

D 3

2. ¿Cuántas fichas equivalen al peso de la caja *s*? (18-2)

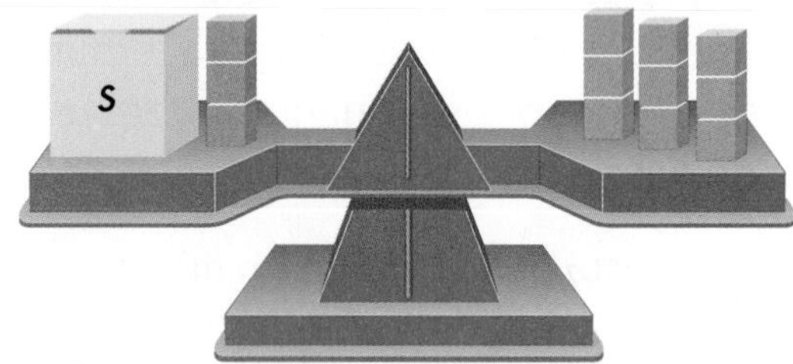

A 3

B 6

C 9

D 12

3. La señora Iverson compró 8 paquetes idénticos de lápices. Compró un total de 48 lápices. ¿Cuántos lápices contenía cada paquete? Sea *l* el número de lápices que hay en cada paquete. Usa la ecuación $8 \times l = 48$ para resolver el problema. (18-3)

A 384 lápices

B 40 lápices

C 6 lápices

D 4 lápices

4. Resuelve la siguiente ecuación. (18-2)

$w - 28 = 59$

A 89

B 87

C 32

D 31

5. ¿Qué número hace verdadera la ecuación? (18-1)

$12 \div \square = 6 + 6 \div 2$

A 2

B 3

C 4

D 6

6. ¿Cuál ecuación es verdadera? (18-1)

A $45 \div 9 \times 9 = 5 + 9$

B $45 \div 9 - 9 = 5 + 9$

C $45 \div 9 + 9 = 5 + 9$

D $45 \div 9 \div 5 = 5 \div 5$

7. ¿Qué gráfica representa la desigualdad $x < 14$? (18-4)

A

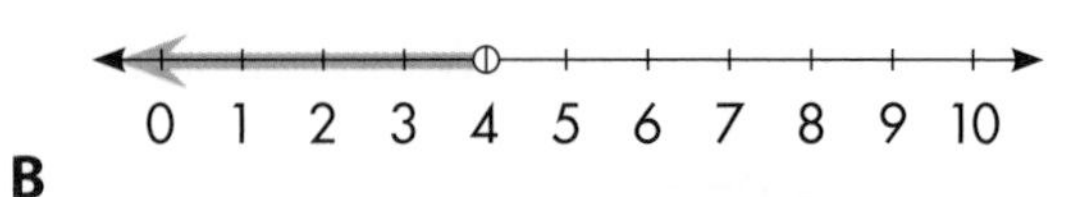

B

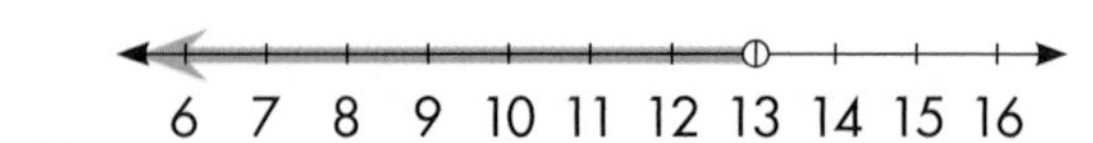

C

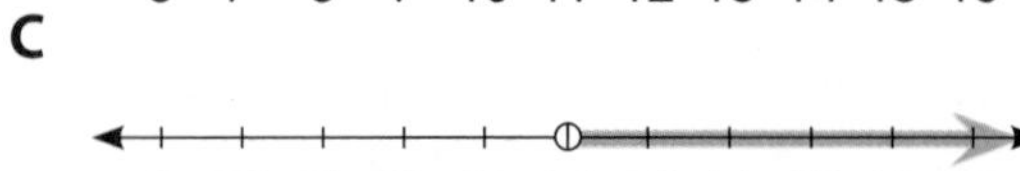

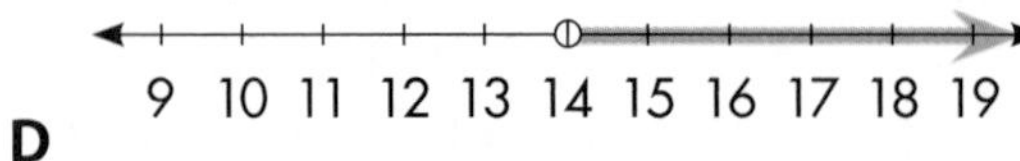

D

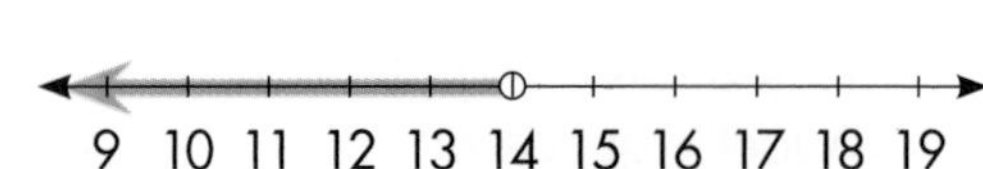

Examen

8. Gentry ganó un número de trofeos. Los puso en 4 estantes diferentes. Cada estante tenía 5 trofeos. Gentry usó la ecuación $t \div 4 = 5$ para hallar el número de trofeos que tenía. ¿Qué debería hacer Gentry para hallar el valor de t? (18-3)

A Dividir cada lado por 4.

B Dividir cada lado por 5.

C Multiplicar cada lado por 4.

D Multiplicar cada lado por 5.

9. La siguiente ecuación muestra que Joseph y Dillon tenían algo de dinero, gastaron algo y luego ganaron más.

Joseph Dillon

$$(17 - 8) + 5 = (12 - \square) + 5$$

¿Cuánto dinero gastó Dillon? (18-1)

A 8

B 5

C 4

D 3

10. ¿Cuál es el valor de n? (18-2)

$n - 15 = 8$

A 38

B 33

C 23

D 7

11. Verónica compró un ramo de 14 flores para su madre. El ramo tenía 8 margaritas y algunas rosas. ¿Qué ecuación usaría Verónica para hallar cuántas rosas, r, había en el ramo? (18-2)

A $8 + r = 14$

B $8 \times r = 14$

C $r - 8 = 14$

D $8 + 14 = r$

12. ¿Qué desigualdad se representa en la siguiente recta numérica? (18-4)

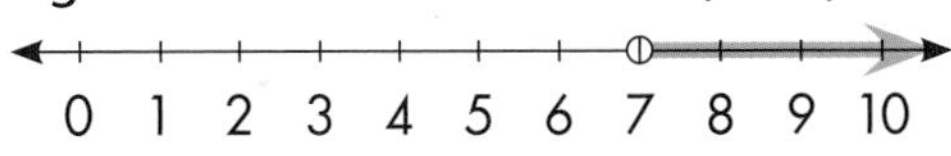

A $m > 0$

B $m < 7$

C $m > 7$

D $m < 10$

13. ¿Cuál es el valor de x en el siguiente diagrama? (18-5)

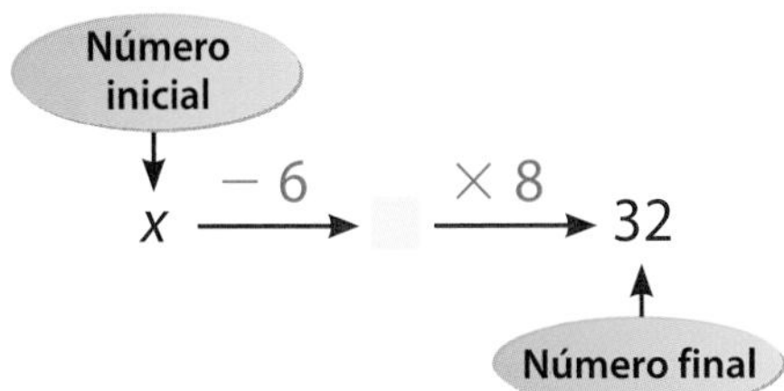

A 4

B 6

C 8

D 10

Refuerzo

Grupo A, páginas 432 y 433

¿Es verdadera esta ecuación?

$6 + 4 - 4 = 10 - 4$

Cuando realizas la misma operación en ambos lados de una ecuación, la ecuación es verdadera.

$6 + 4 - 4 = 10 - 4$ Resta 4 a ambos lados.

$10 - 4 = 6$ Halla el valor de cada lado.

$6 = 6$

La ecuación es verdadera.

¿Es verdadera esta ecuación?

$12 \div 2 = 6 \times 2 \div 4$

La ecuación es falsa porque no se dividieron ambos lados por el mismo número.

Recuerda que ambos lados de una ecuación deben tener el mismo valor para que la ecuación sea verdadera.

Di si cada ecuación es verdadera o falsa.

1. $7 + 7 - 4 = 14 - 4$

2. $3 + 5 \times 8 = 8 \times 4$

3. $3 + 9 - 2 = 12 - 2$

4. $6 \times 8 + 12 = 48 + 12$

Escribe el número que hace verdadera cada ecuación.

5. $11 + 4 = 5 + \square + 4$

6. $18 - 9 - 2 = 9 - \square$

7. $2 \times 2 \times 2 = \square \times 2$

Grupo B, páginas 434 y 435

Resuelve $x + 7 = 41$.

Usa la resta para cancelar la suma.

$x + 7 - 7 = 41 - 7$ Resta 7 de cada lado.

$x = 34$ Simplifica cada lado.

La solución de $x + 7 = 41$ es 34.

Resuelve $y - 14 = 50$.

Usa la suma para cancelar la resta.

$y - 14 + 14 = 50 + 14$ Suma 14 en cada lado.

$y = 64$ Simplifica cada lado.

La solución de $y - 14 = 50$ es 64.

Recuerda que debes sumar o restar la misma cantidad en ambos lados de la ecuación.

Resuelve las ecuaciones.

1. $y + 20 = 31$ **2.** $n - 10 = 36$

3. $r + 16 = 40$ **4.** $v - 25 = 25$

5. $l + 5 = 20$ **6.** $n - 8 = 17$

7. $x + 32 = 42$ **8.** $y - 18 = 13$

9. $p + 15 = 30$ **10.** $q - 11 = 19$

11. $s + 16 = 95$ **12.** $m - 15 = 0$

Grupo C, páginas 436 y 437

Resuelve $n \div 6 = 5$.

Usa la multiplicación para cancelar la división.

$n \div 6 \times 6 = 5 \times 6$ Multiplica cada lado por 6.

$n = 30$ Simplifica cada lado.

La solución de $n \div 6 = 5$ es 30.

Recuerda que debes usar la división para cancelar la multiplicación.

1. $n \times 2 = 18$
2. $y \div 10 = 36$
3. $m \times 12 = 36$
4. $y \div 6 = 5$
5. $z \times 5 = 125$
6. $t \div 7 = 4$

Grupo D, páginas 438 y 439

Nombra tres soluciones para $r < 15$ y representa gráficamente la desigualdad en una recta numérica.

Dibuja una recta numérica con un círculo abierto en 15.

10 11 12 13 14 15 16 17 18 19 20

En la recta numérica, *r* puede ser cualquier número menor que 15. Halla tres soluciones y márcalas en una recta numérica.

Empieza en el círculo abierto y colorea encima de las soluciones que hallaste. Dibuja una flecha para mostrar que todos los números menores de 15 son soluciones.

10 11 12 13 14 15 16 17 18 19 20

Recuerda que debes usar un círculo abierto para mostrar que el número sobre el que está el círculo no es una solución.

Escribe la desigualdad representada por cada gráfica.

1. 5 6 7 8 9 10 11 12 13 14 15
   s
2. 0 1 2 3 4 5 6 7 8 9 10
   m
3. 20 21 22 23 24 25 26 27 28 29 30
   j

Grupo E, páginas 440 y 441

¿Cuál es el valor de *x*?

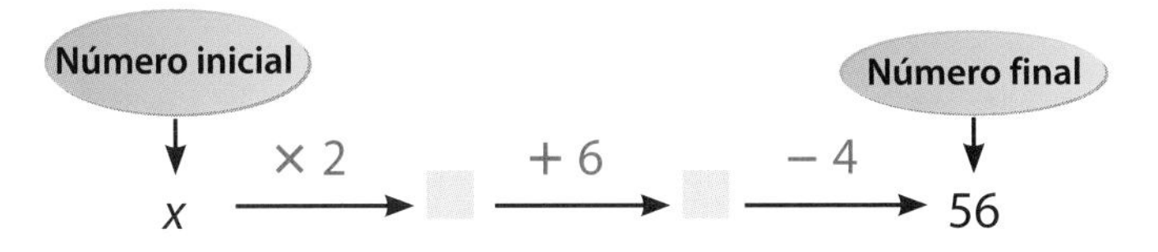

Empieza por el número final. Para hallar *x*, usa la operación inversa para empezar por el final.

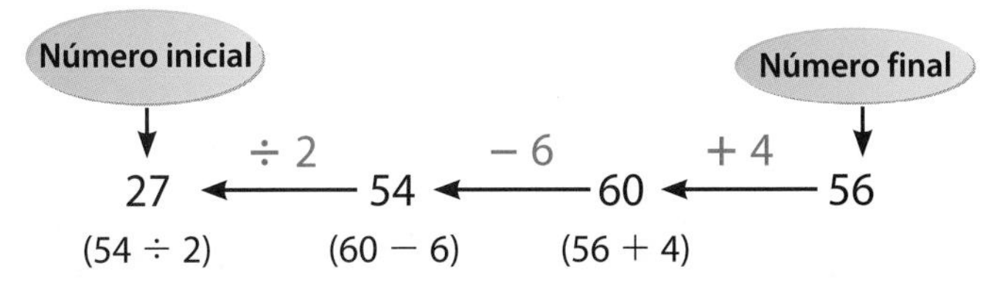

El valor de *x* es 27.

Recuerda que debes identificar todos los pasos del proceso antes de empezar por el final.

Empieza por el final para resolver.

1. Para una obra de teatro escolar, Juan vendió 18 entradas, Teri vendió 14 y Alan vendió 22. Si al final tenían 45 entradas sin vender, ¿cuántas entradas tenían al principio?

Tema 19

Transformaciones, congruencia y simetría

1 El Salón de los Espejos, en Versalles, Francia, contiene 357 espejos. ¿Qué longitud tiene la habitación? Lo averiguarás en la Lección 19-2.

2 ¿Cuántos ejes de simetría tiene el Monumento a Thomas Jefferson, en Washington, D.C.? Lo averiguarás en la Lección 19-5.

3 En esta pintura de M.C. Escher, ¿de qué maneras se han movido estos caballos? Lo averiguarás en la Lección 19-1.

Repasa lo que sabes

Vocabulario

Elige el mejor término del recuadro.

- desigualdad
- simétrica
- congruentes
- ecuación

1. Una figura es _?_ si se puede plegar sobre una recta para formar dos mitades congruentes.
2. Una oración numérica que usa el signo igual para mostrar que dos expresiones tienen el mismo valor es una _?_.
3. Las figuras que tienen el mismo tamaño y la misma forma son _?_.

Desigualdades

Escribe la desigualdad para las rectas numéricas.

4. 0 1 2 3 4 5 6 7 8 9 10
5. 5 6 7 8 9 10 11 12 13 14 15
6. 10 11 12 13 14 15 16 17 18 19 20
7. 35 36 37 38 39 40 41 42 43 44 45

Multiplicar tres factores

8. $3 \times 5 \times 5$ **9.** $6 \times 2 \times 4$ **10.** $1 \times 15 \times 2$

11. $8 \times 8 \times 6$ **12.** $4 \times 10 \times 9$ **13.** $20 \times 7 \times 3$

14. $2 \times 5 \times 4$ **15.** $3 \times 3 \times 3$ **16.** $4 \times 10 \times 2$

17. **Escribir para explicar** Leo puede hacer 3 docenas de roscas por hora. Si hace roscas durante 8 horas, ¿cuántas roscas hará?

Lección

19-1

¡Lo entenderás!
El tamaño y la forma de una figura no cambian cuando ésta es trasladada.

Traslaciones

Manos a la obra
modelos de polígonos
papel cuadriculado

¿Cuál es una manera de mover una figura?

En una traslación, una figura se mueve hacia arriba, hacia abajo, hacia la izquierda o hacia la derecha.

En este panal, el hexágono se traslada a la derecha.

Práctica guiada*

¿CÓMO hacerlo?

En los Ejercicios **1** a **4**, di si las figuras se relacionan por medio de una traslación.

1.

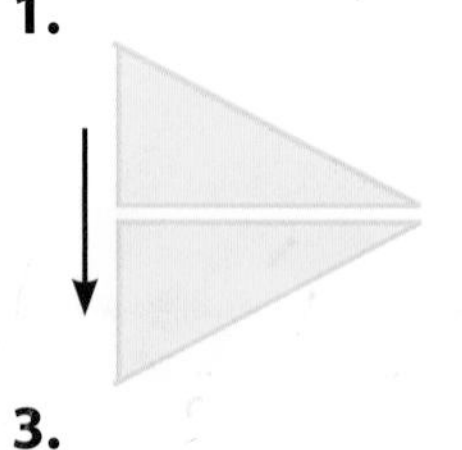

2.

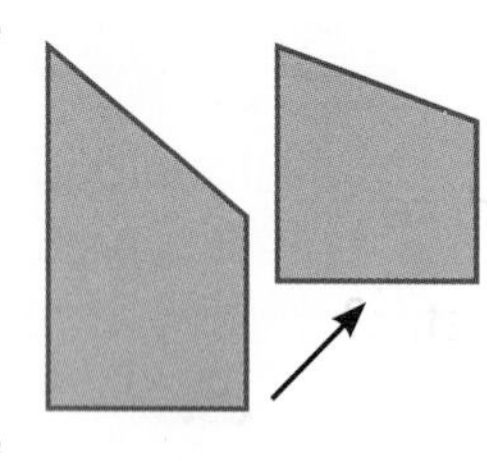

3.

4.

¿Lo ENTIENDES?

5. ¿La traslación cambia la forma o el tamaño de una figura?

6. Mover una figura en forma horizontal, ¿es una traslación?

7. Mover una regla a través de tu escritorio, ¿afecta su forma?

8. **Escribir para explicar** ¿La traslación de una figura puede hacerse en varias direcciones?

Práctica independiente

En los Ejercicios **9** a **17**, di si las figuras se relacionan por medio de una traslación. Puedes usar papel cuadriculado o bloques de patrón para decidir.

Ojo *Otro nombre de la traslación es deslizamiento.*

9.

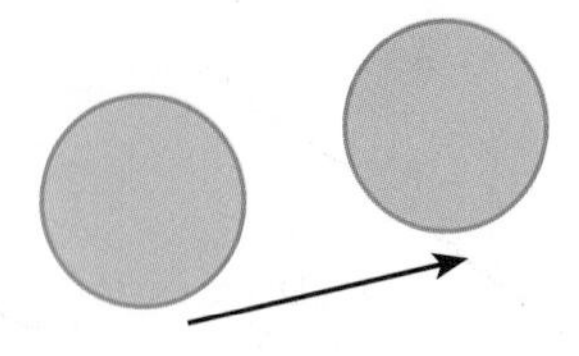

10.

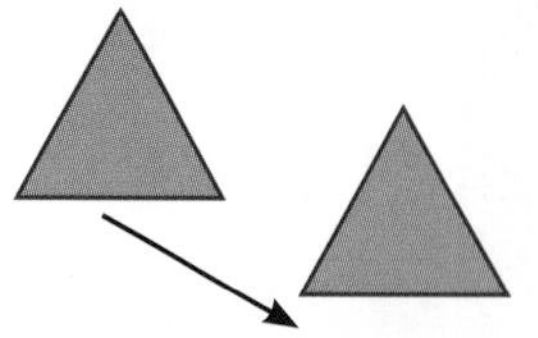

11.

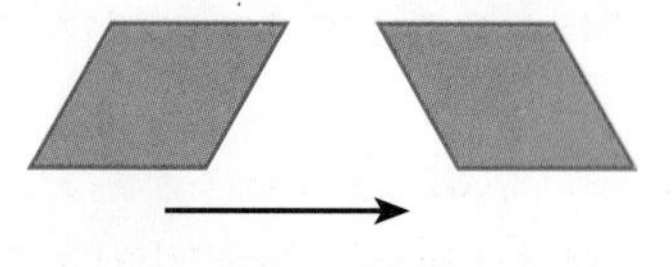

12.

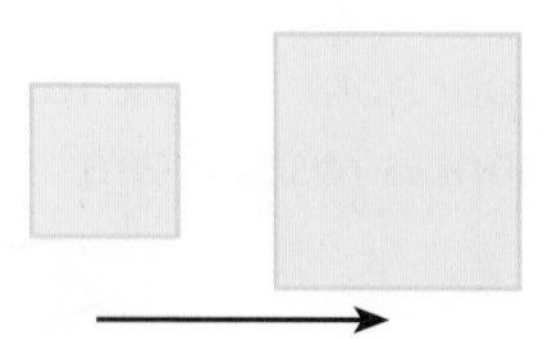

13.

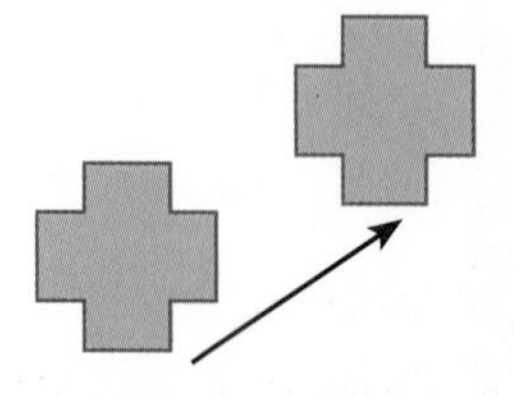

14.

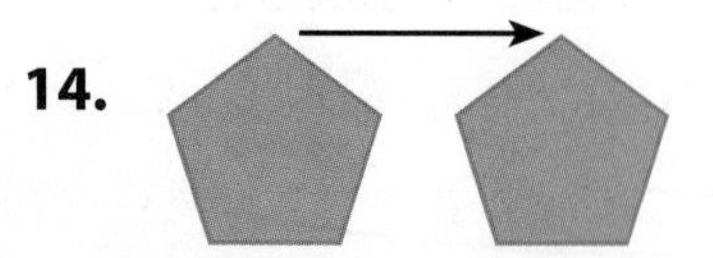

DIGITAL eTools, Glosario animado
www.pearsonsuccessnet.com

** Puedes encontrar otro ejemplo en el Grupo A, página 464.*

Cuando una figura se traslada, el tamaño y la forma de la figura no cambian.

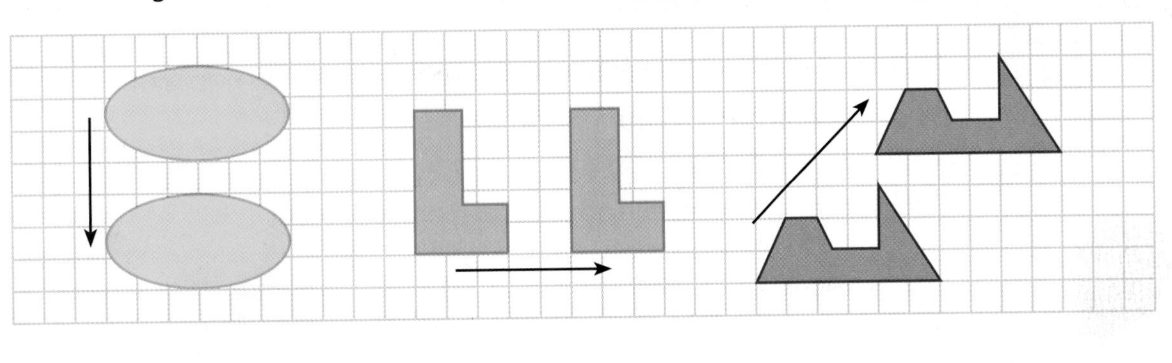

15.

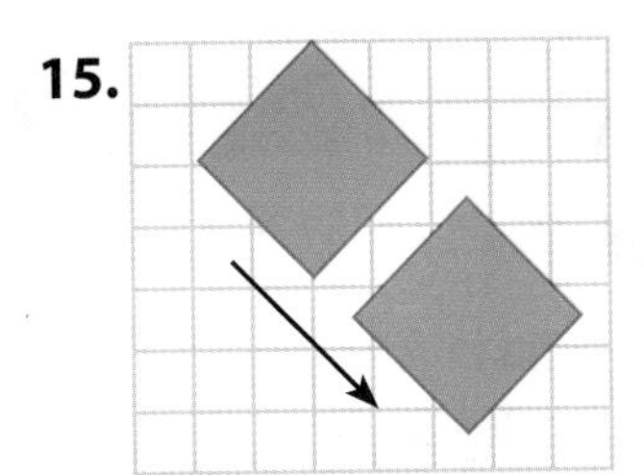

16.

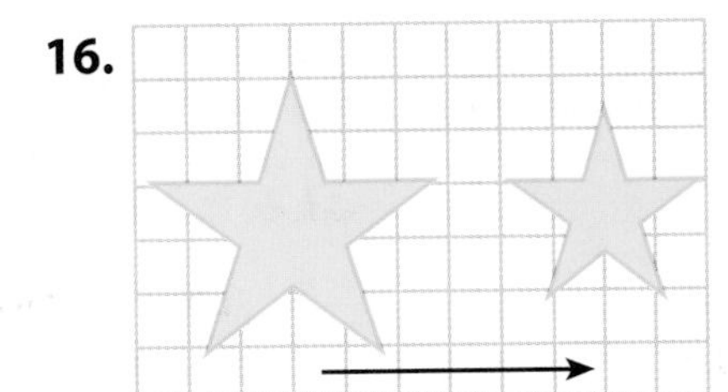

17.

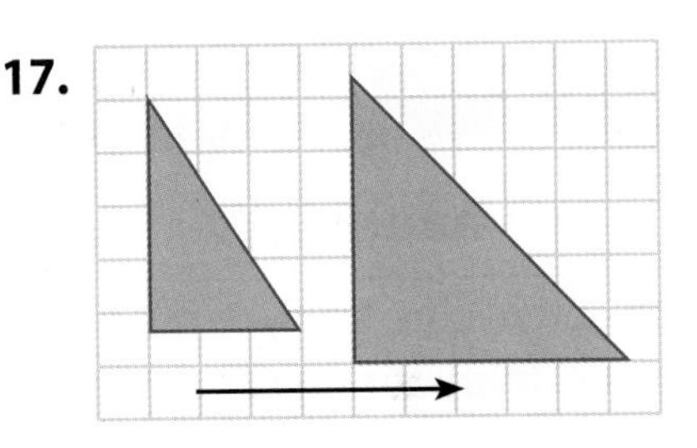

Resolución de problemas

En los Ejercicios **18** y **19,** usa la tabla que está a la derecha.

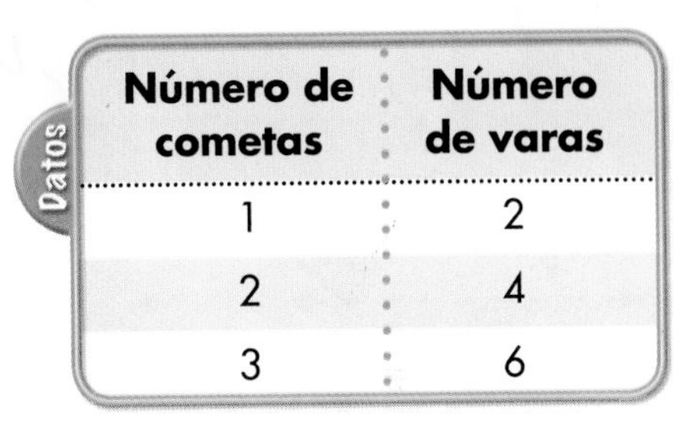

Número de cometas	Número de varas
1	2
2	4
3	6

18. ¿Cuántas varas necesitarías para hacer 10 cometas?

19. ¿Cuántas cometas podrías hacer con 60 varas?

20. Un triángulo tiene dos lados congruentes y un ángulo de 140°. ¿Qué tipo de triángulo es?

21. ¿Cuál de las siguientes opciones representa una traslación?

A Una pelota que rebota

B Una hoja que cae

C Una serpiente que se arrastra

D Un disco de hockey que se desliza

22. En el dibujo de M.C. Escher que está a la derecha, ¿qué caballo(s) representa(n) una traslación del caballo rotulado X?

A Caballo A

B Caballo B

C Caballo A y C

D Caballo A, B y C

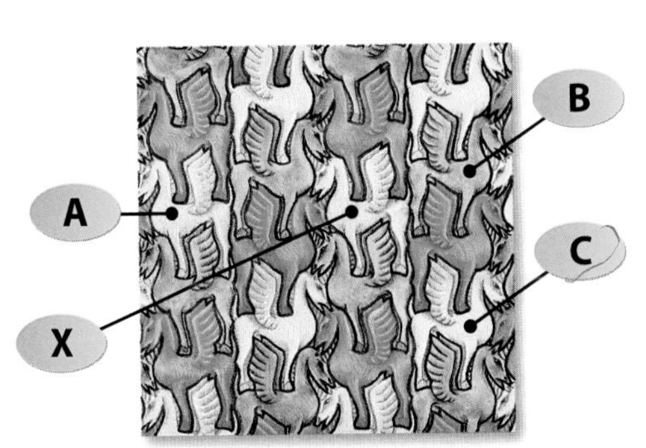

Symmetry Drawing 78 de M.C. Escher

23. Dibuja en papel cuadriculado un rectángulo que se mueva 3 unidades hacia la derecha y luego, 5 unidades hacia abajo. ¿Es esto una traslación? Explícalo.

Lección
19-2

¡Lo entenderás!
El tamaño y la forma de una figura no cambian cuando ésta es reflejada.

Reflexiones

Manos a la obra
modelos de polígonos
papel cuadriculado

¿Cómo podemos mover una figura?

En la reflexión de una figura se forma la imagen reflejada de ésta.

Esta guitarra aparece reflejada al otro lado de la recta.

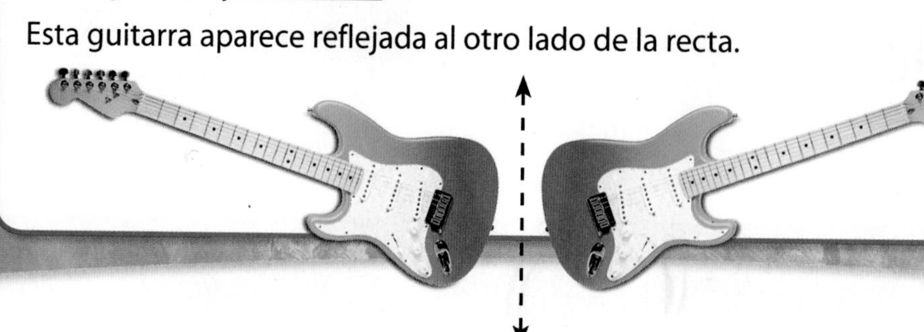

Práctica guiada*

¿CÓMO hacerlo?

En los Ejercicios **1** a **4,** di si las figuras se relacionan por medio de una reflexión.

1. 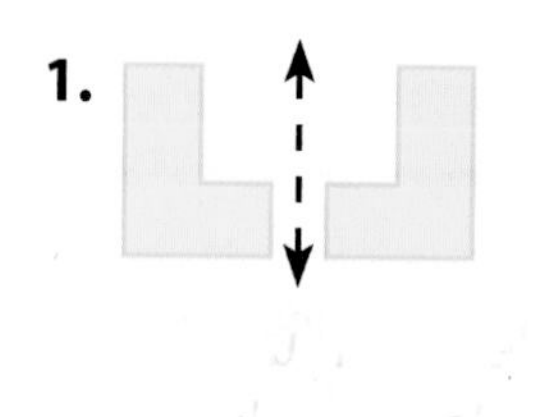

2. 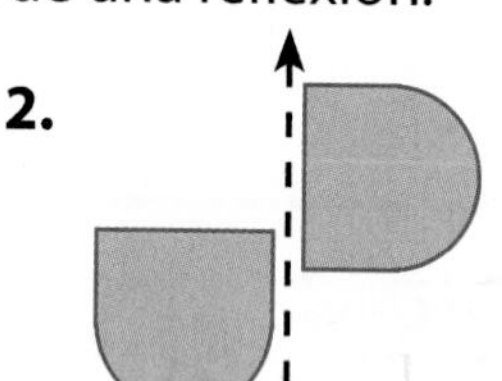

3. 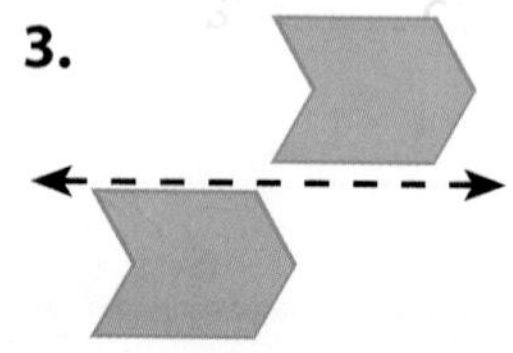

4. 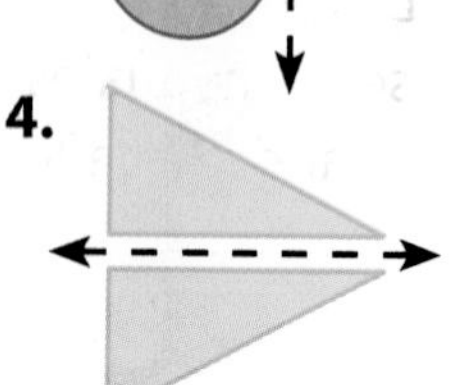

¿Lo ENTIENDES?

5. ¿La reflexión cambia la forma o el tamaño de una figura?

6. **Escribir para explicar** ¿Es el segundo triángulo una reflexión del primer triángulo?

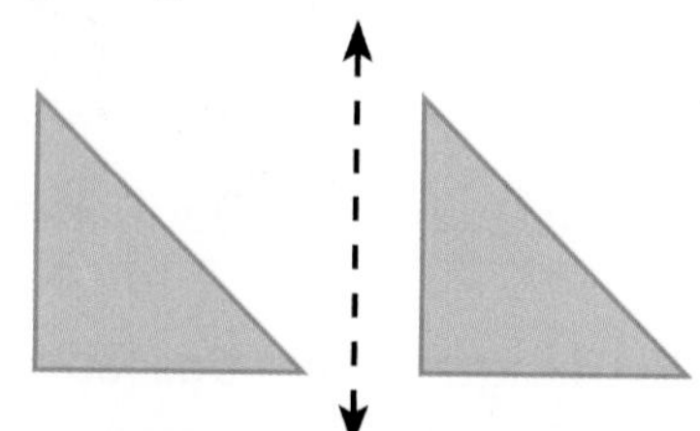

Práctica independiente

En los Ejercicios **7** a **12,** di si las figuras se relacionan por medio de una reflexión. Puedes usar papel cuadriculado o bloques de patrón para decidir.

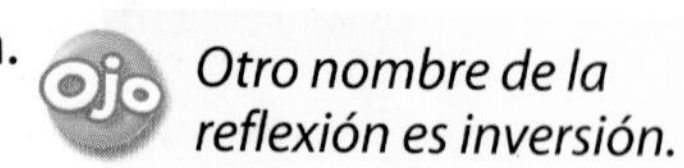

Otro nombre de la reflexión es inversión.

7. 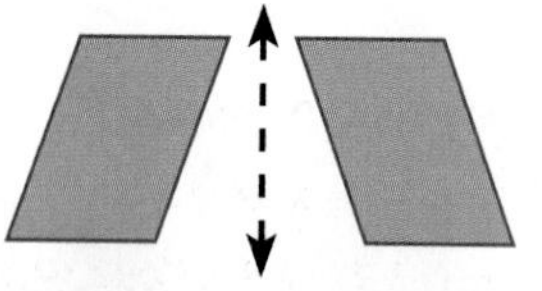

8. 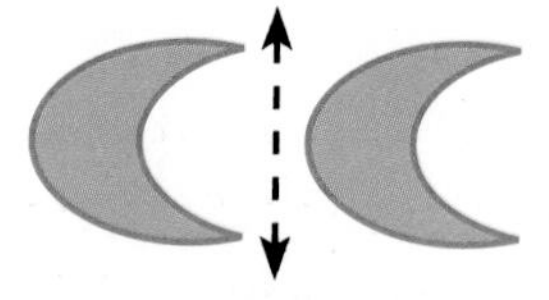

9. 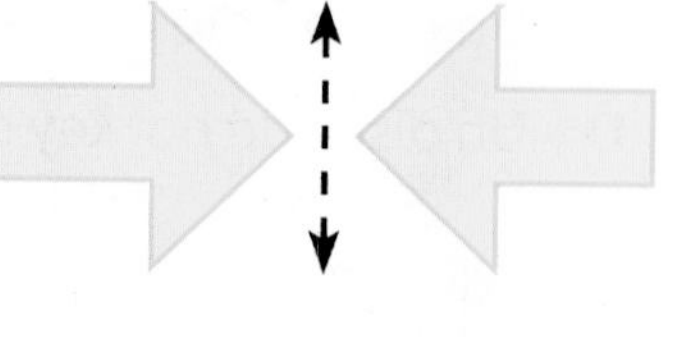

10. 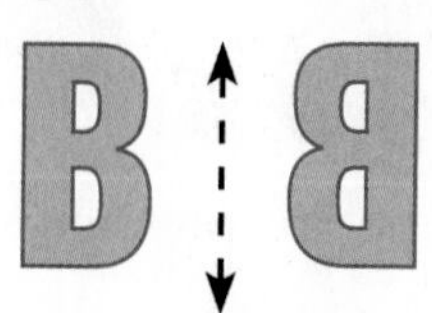

11. 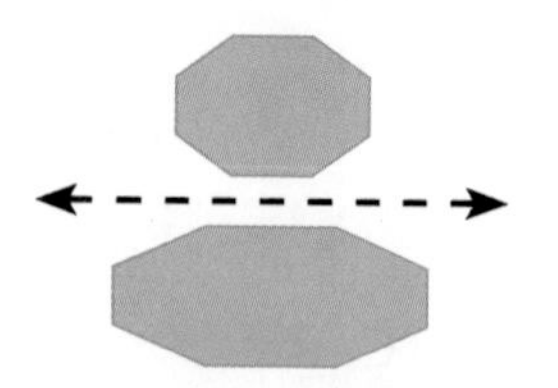

12. 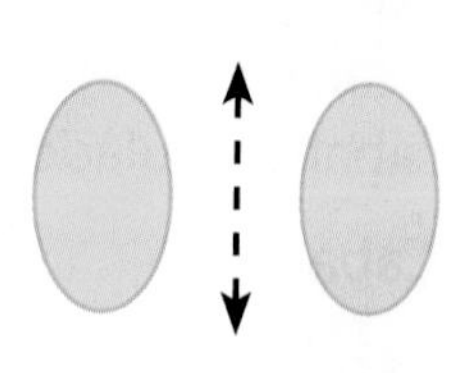

* *Puedes encontrar otro ejemplo en el Grupo A, página 464.*

Cuando una figura se refleja, el tamaño y la forma de la figura no cambian.

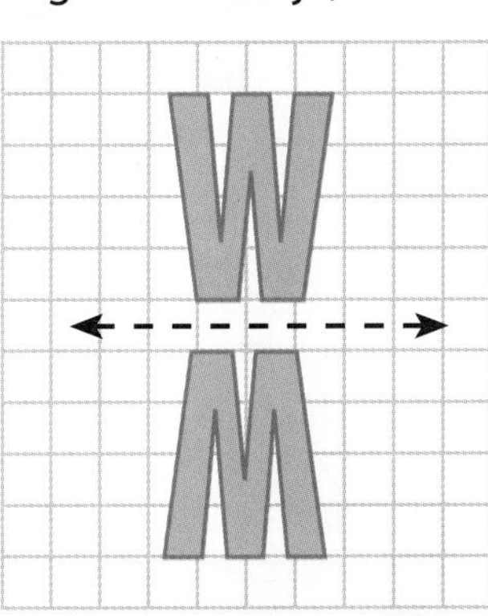

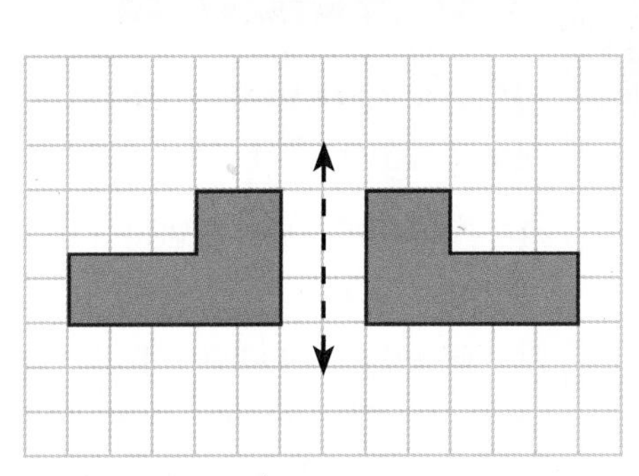

En los Ejercicios **13** a **15,** dibuja la reflexión (inversión) de la figura dada.

13.

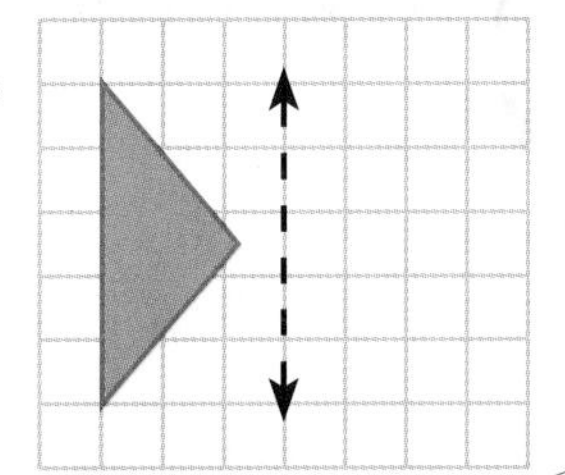

14.

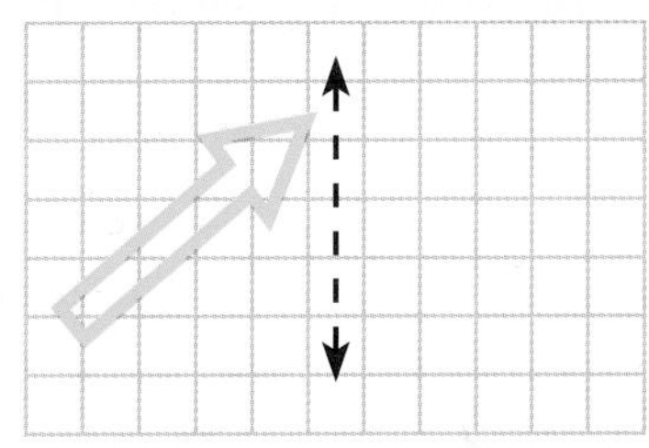

15.

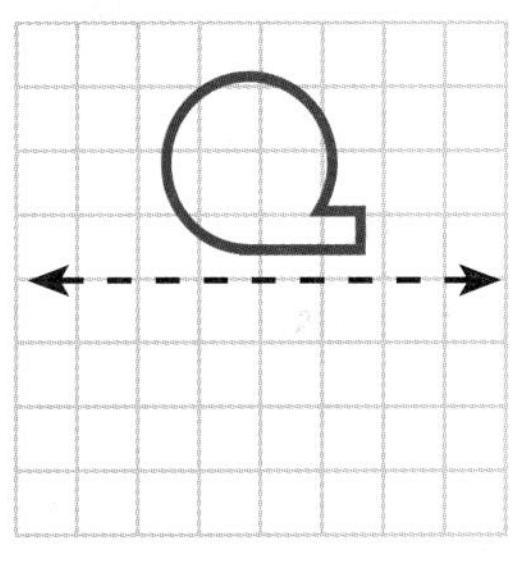

Resolución de problemas

16. En el siguiente dibujo, explica por qué la figura de la derecha no es una reflexión de la figura de la izquierda.

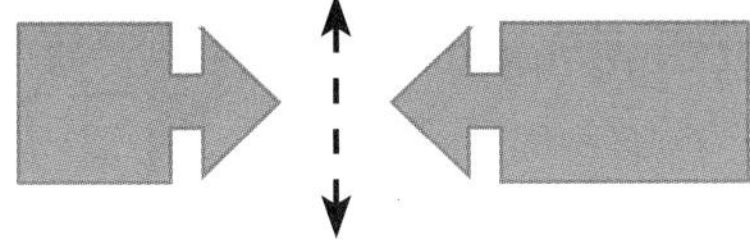

17. Dibuja un ejemplo de dos figuras que se vean iguales cuando se trasladan y cuando se reflejan.

18. Vanessa puede correr cinco millas en cincuenta minutos. Si mantiene este ritmo, ¿cuántas millas puede correr en sesenta minutos?

19. Sentido numérico ¿Cómo sabes que has cometido un error si hallas que $540 \div 5 = 18$?

20. ¿Cuál muestra un par de figuras relacionadas por reflexión (inversión)?

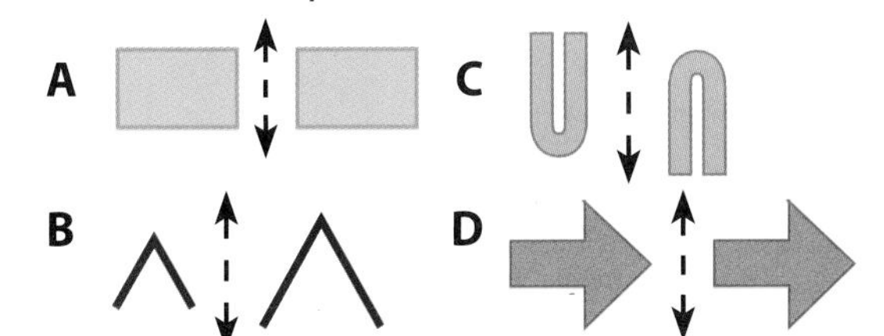

21. El Salón de los Espejos del Palacio de Versalles, en Francia, tiene 73 metros de longitud. Si te paras en un extremo y te miras en el espejo del otro extremo, ¿qué tan lejos parece estar tu reflejo?

? metros en total

73	73

22. Escribir para explicar ¿En qué se diferencia una reflexión de una traslación?

Lección

19-3

¡Lo entenderás!
El tamaño y la forma de una figura no cambian cuando ésta es rotada.

Rotaciones

Manos a la obra
modelos de polígonos
papel cuadriculado

¿Cuál es una manera de mover una figura?

La rotación mueve una figura alrededor de un punto.

En el juego de la computadora, rotas una nave espacial. Rota alrededor del punto *A* como se muestra.

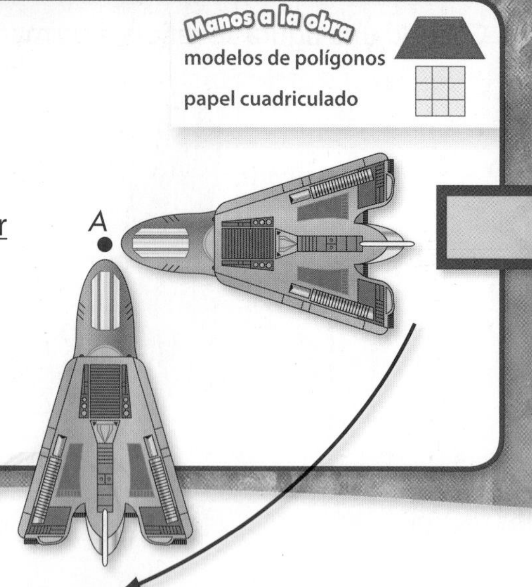

Práctica guiada*

¿CÓMO hacerlo?

En los Ejercicios **1** a **4,** di si las figuras se relacionan por medio de una rotación.

1. 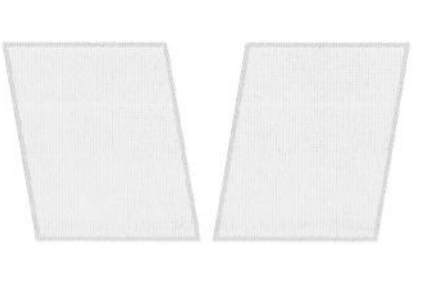

2. 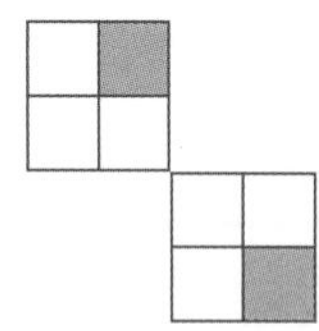

3. 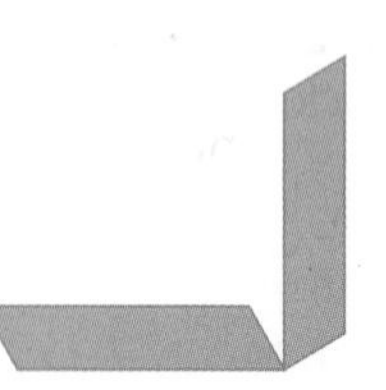

4. 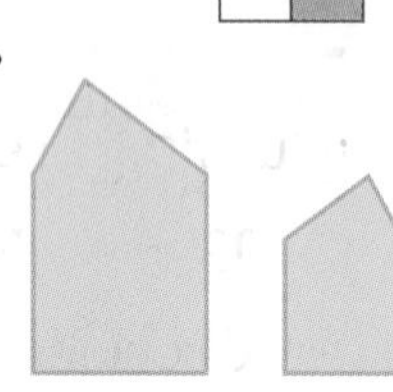

¿Lo ENTIENDES?

5. ¿La rotación cambia la forma o el tamaño de una figura?

6. ¿Pueden rotarse todas las figuras de modo que caigan sobre sí mismas?

7. Si rotas la flecha que está a continuación 180 grados alrededor del punto *X*, ¿en qué dirección quedará apuntando?

Práctica independiente

En los Ejercicios **8** a **13,** di si las figuras se relacionan por medio de una rotación. Puedes usar papel cuadriculado o bloques de patrón para decidir.

Ojo *Otro nombre de la rotación es giro.*

8. 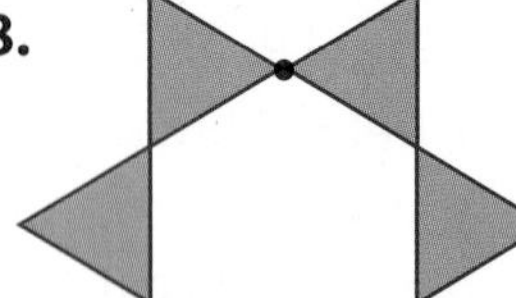

9. 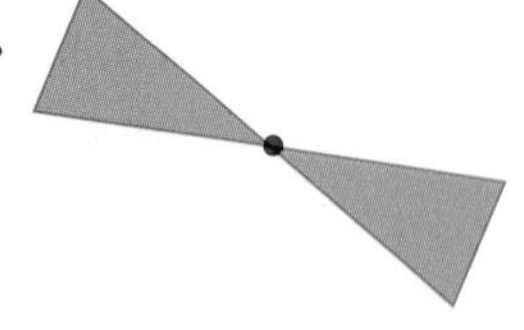

10. 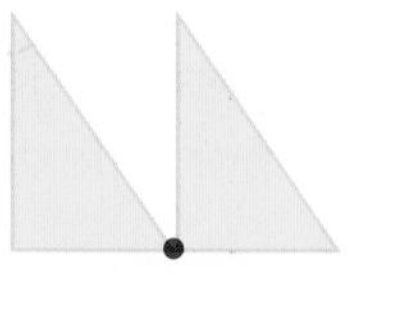

11. 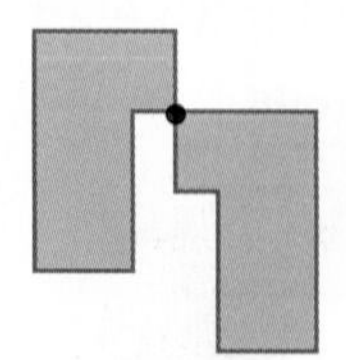

12. 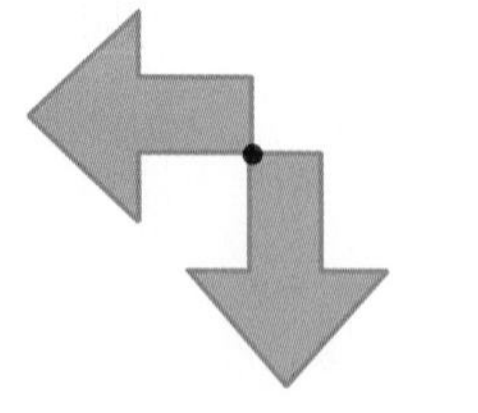

13. 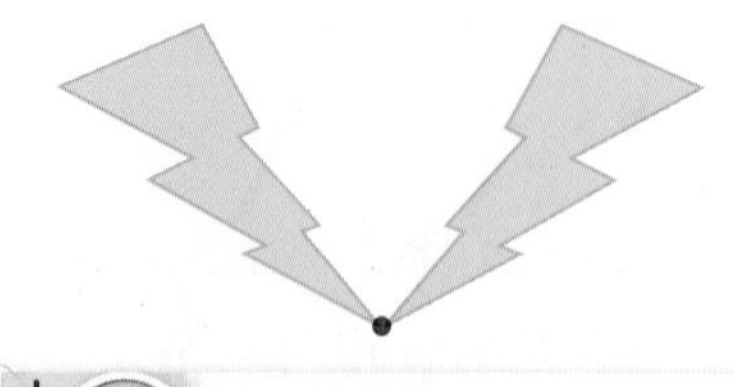

** Puedes encontrar otro ejemplo en el Grupo A, página 464.*

Cuando una figura se rota, el tamaño y la forma de la figura no cambian.

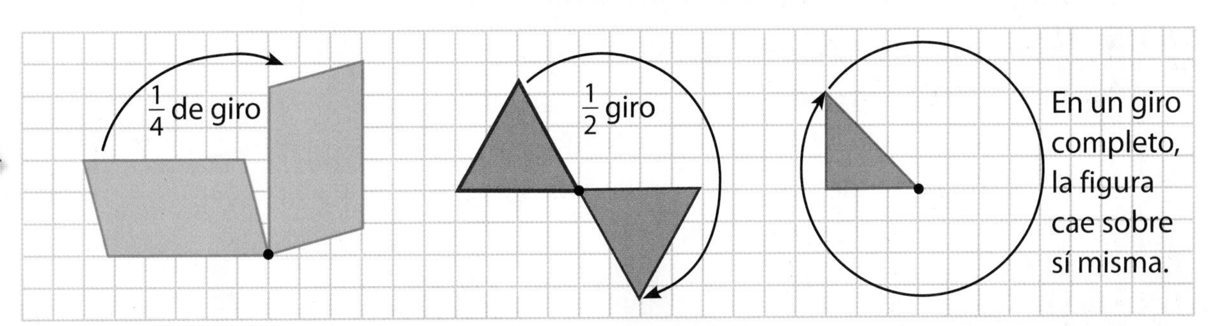

En los Ejercicios **14** a **16,** copia cada figura en papel cuadriculado. Luego traza una rotación de la figura $\frac{1}{4}$ de giro a la derecha.

14.

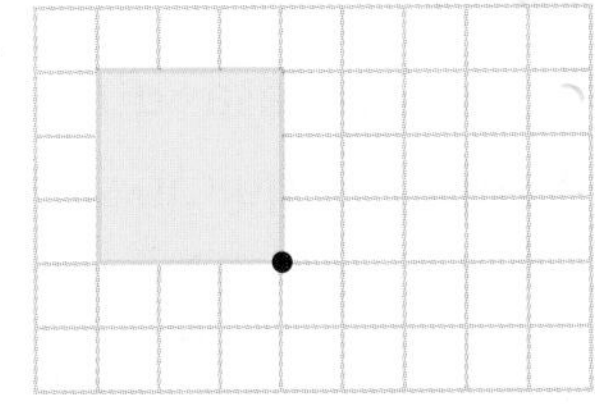

15.

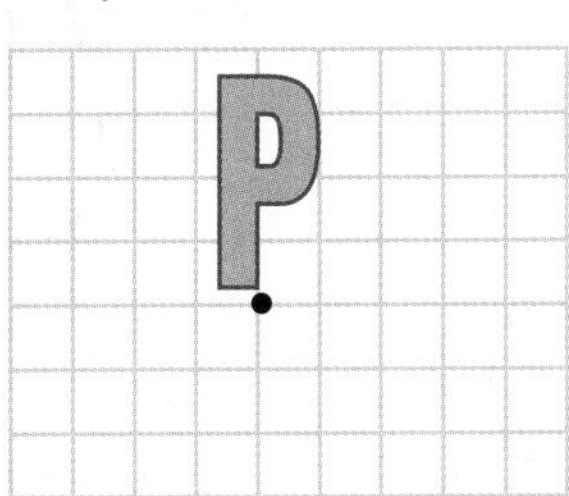

16.

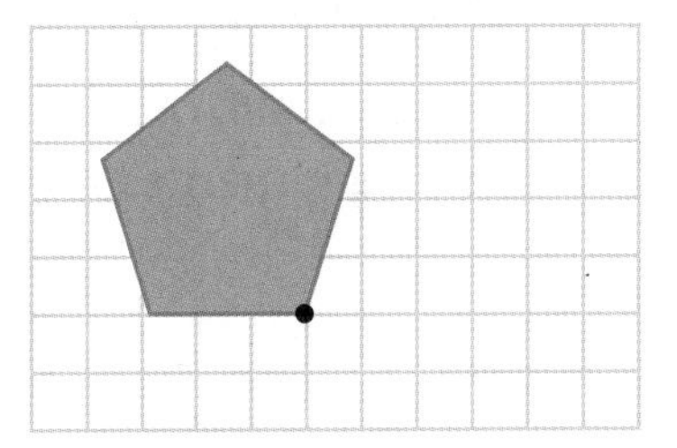

Resolución de problemas

17. La suma de los ángulos de un pentágono es 540°. Si cada ángulo del pentágono mide lo mismo, ¿cuánto mide cada uno de los ángulos?

18. ¿Qué figura se forma cuando un triángulo ha rotado $\frac{1}{4}$ de giro?

A Círculo
B Cuadrado
C Rectángulo
D Triángulo

19. La figura que está a la derecha muestra un modelo de traslaciones, reflexiones y rotaciones. Describe cada paso.

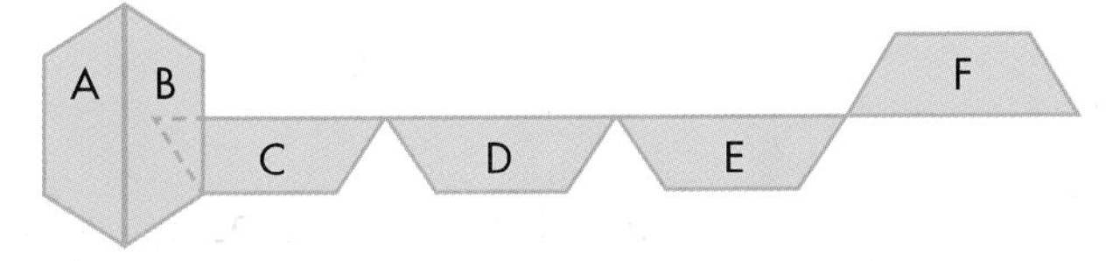

En los Ejercicios **20** y **22,** usa la tabla que está a la derecha.

20. ¿Cuánto cuesta un Tetra?

21. Cal compró dos gupis y 4 barbos tigre. ¿Cuánto pagó?

22. ¿Cuánto costaría comprar 1 pez de cada tipo?

Pez	Precio
Gupi	5 por $1.50
Tetra	3 por $6.00
Barbo tigre	4 por $4.00

Lección
19-4

¡Lo entenderás!
Se puede comparar las figuras según su tamaño y forma.

Figuras congruentes

¿Cuándo son congruentes las figuras?

Las figuras que tienen el mismo tamaño y la misma forma son congruentes.

Puedes usar traslaciones, reflexiones y rotaciones para probar si dos figuras son congruentes.

Congruente

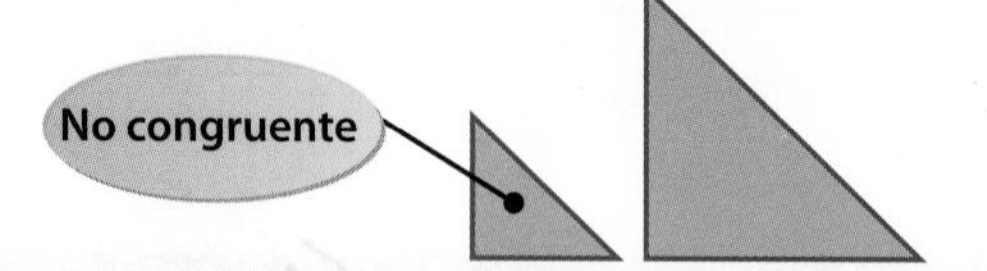

Práctica guiada*

¿CÓMO hacerlo?

En los Ejercicios **1** a **4,** di si las figuras de cada par son congruentes.

1.

2. 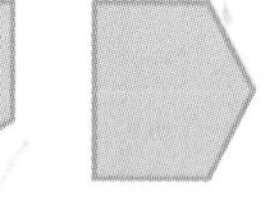

3.

4. 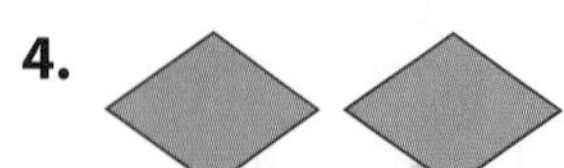

¿Lo ENTIENDES?

5. Si una de las figuras de casas que están arriba rota $\frac{1}{4}$ de giro, ¿seguirán siendo congruentes las dos figuras?

6. Escribir para explicar Un círculo y un cuadrado, ¿pueden alguna vez ser congruentes? ¿Por qué o por qué no?

Práctica independiente

En los Ejercicios **7** a **15,** di si las figuras de cada par son congruentes.

7. 

8. 

9. 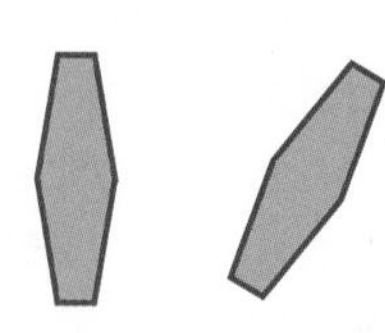

10. 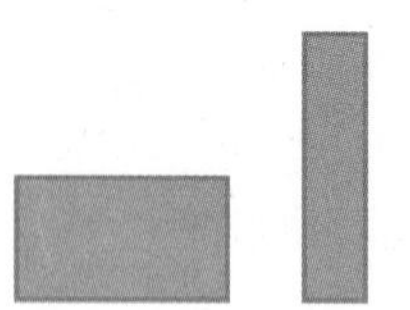

11. 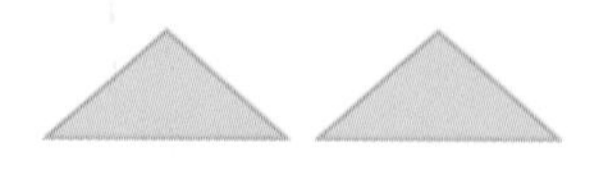

12. 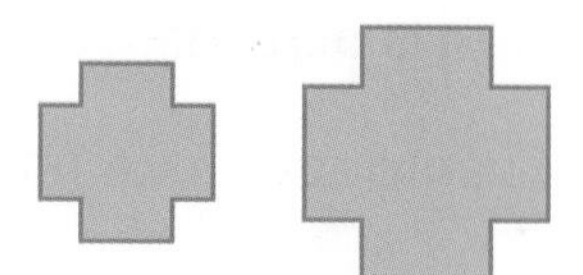

13. 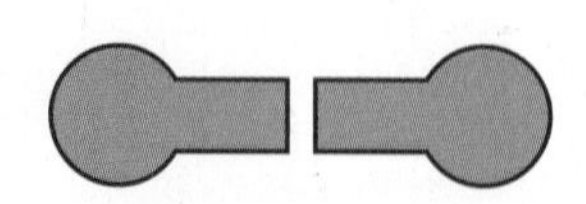

14. 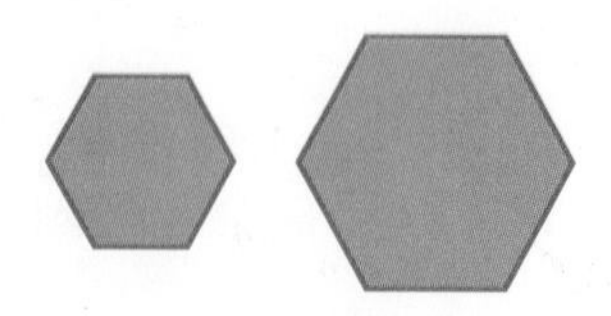

15. 

Puedes encontrar otro ejemplo en el Grupo B, página 464.

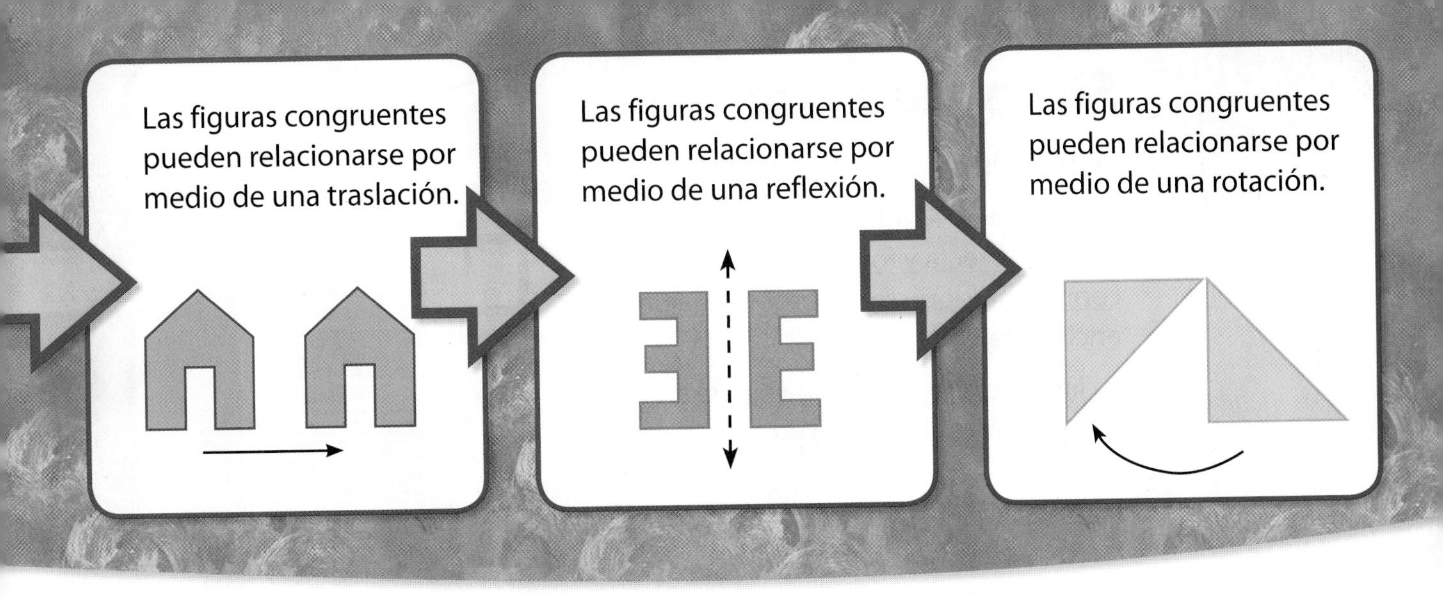

Resolución de problemas

En los Ejercicios **16** a **17,** describe todo lo que es igual y todo lo que es diferente de cada par de figuras. Luego di si las figuras son congruentes.

16.

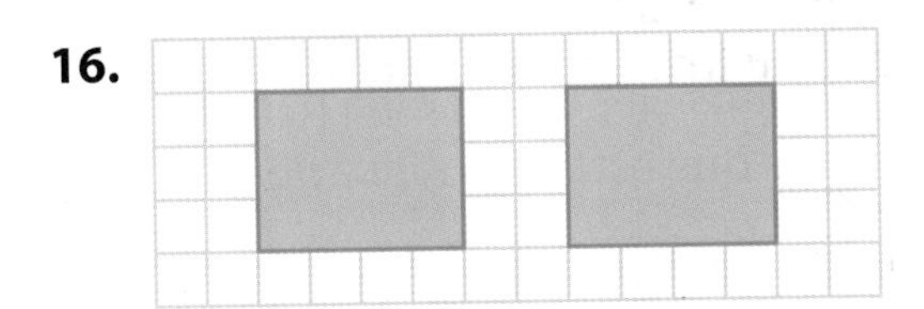

17.

18. Dibuja un segmento de recta para unir los vértices opuestos de un cuadrado. ¿Qué polígonos has creado? ¿Son congruentes estos polígonos?

19. En un paseo en autobús, Yasmín contó 24 taxis y 12 autobuses. ¿Cuántos autobuses y taxis contó en total?

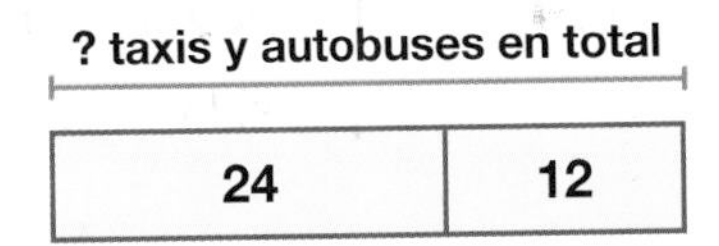

20. **Razonamiento** Usa el diagrama que está a continuación. Frida escribió un mensaje en papel y lo sostuvo frente al espejo. ¿Qué dice el mensaje?

ÉSTA ES UNA REFLEXIÓN

21. Ozzie y Sam viajan 30 minutos todos los días para llegar al trabajo. La semana pasada, Ozzie manejó durante tres horas y Sam manejó durante una hora y treinta minutos. ¿Cuántos días más que Sam trabajó Ozzie?

22. ¿Cuántos días hay en 52 semanas?

A 59 días

B 364 días

C 365 días

D 366 días

Lección

19-5

¡Lo entenderás!
Algunas figuras tienen dos mitades congruentes.

Simetría axial

Manos a la obra
papel cuadriculado

¿Qué es un eje de simetría?

Una figura es simétrica si puede doblarse sobre una recta y formar dos mitades congruentes que se superponen la una encima de la otra.

La línea de doblez se llama eje de simetría. Este camión tiene un eje de simetría.

Práctica guiada*

¿CÓMO hacerlo?

En los Ejercicios **1** y **2,** di si cada recta es un eje de simetría.

1. 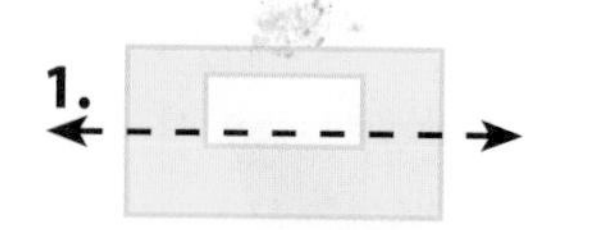

2. 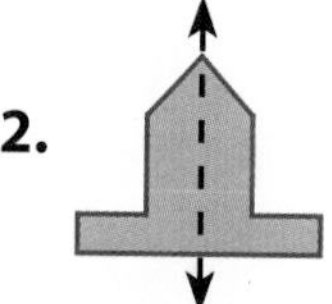

En los Ejercicios **3** y **4,** menciona cuántos ejes de simetría tiene cada figura.

3. 

4.

¿Lo ENTIENDES?

5. ¿Es posible que una figura **NO** tenga un eje de simetría?

6. ¿Cuántos ejes de simetría tiene la figura que está a continuación?

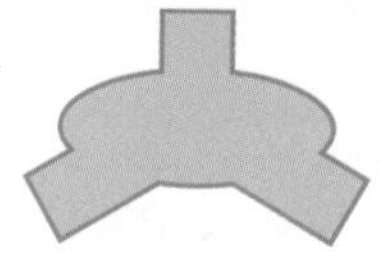

7. **Escribir para explicar** ¿Cuántos ejes de simetría tiene una rueda de bicicleta?

Práctica independiente

En los Ejercicios **8** a **11,** di si cada recta es un eje de simetría.

8. 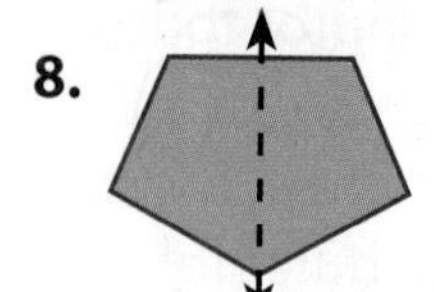

9. 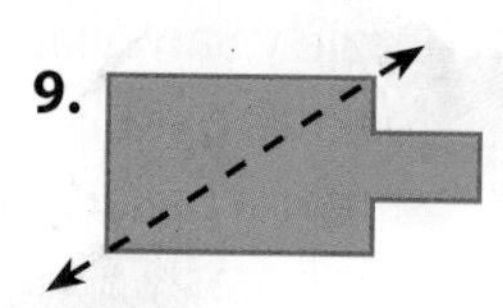

10. 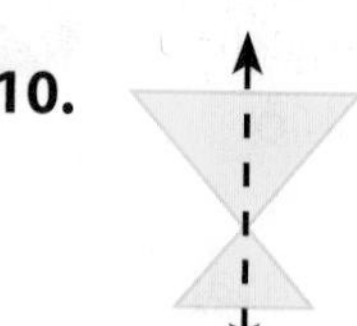

11. 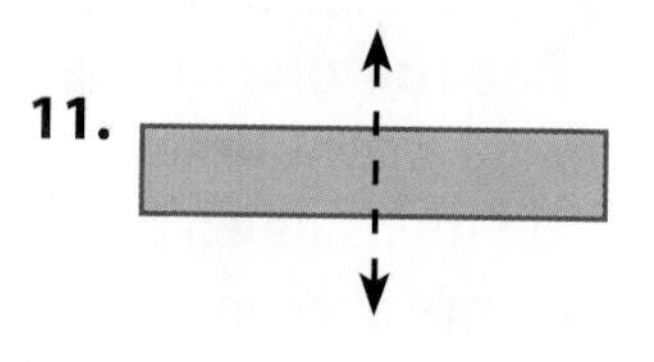

En los Ejercicios **12** a **15,** di cuántos ejes de simetría tiene cada figura.

12. 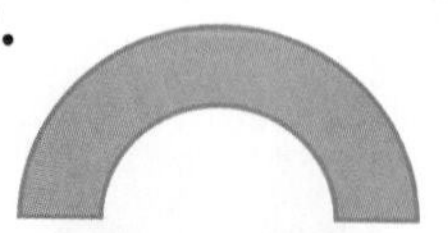

13. 

14. 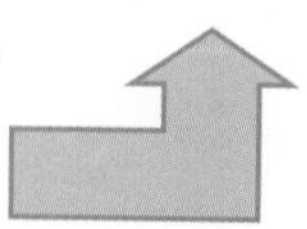

15. 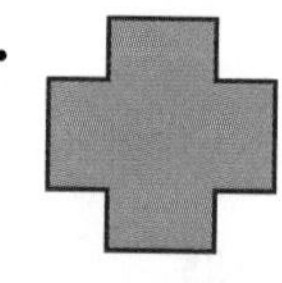

...es encontrar otro ejemplo en el Grupo C, página 464.

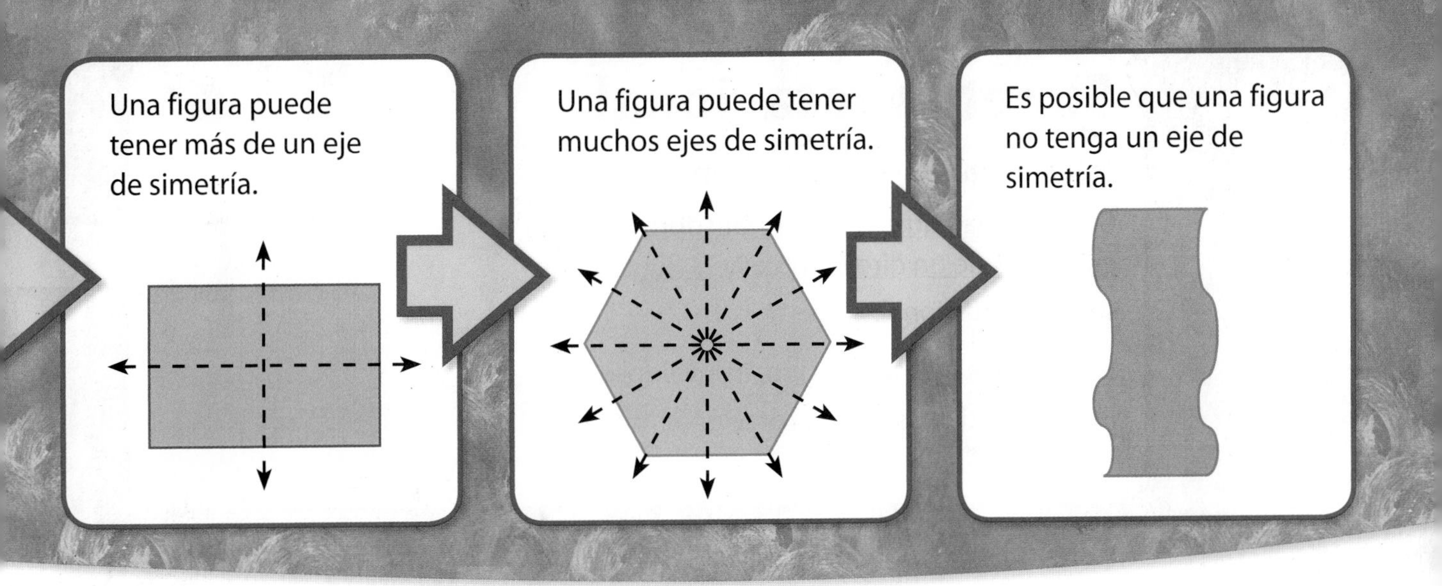

En los Ejercicios **16** a **23**, traza cada figura en papel cuadriculado y, si puedes, dibuja ejes de simetría.

16. 

17. 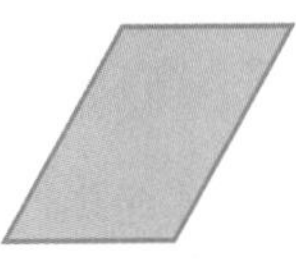

18. 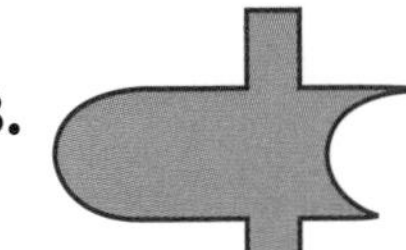

19. 

20. 

21. 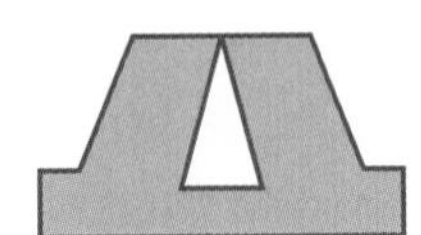

22. 

23. 

24. ¿Cuántos ejes de simetría tiene un triángulo escaleno?

25. ¿Cuántos ejes de simetría tiene un triángulo isósceles?

26. **Razonamiento** Vanessa dibujó una figura y dijo que tenía un número infinito de ejes de simetría. ¿Qué figura dibujó?

27. Dibuja un cuadrilátero que no tenga eje de simetría.

28. El Monumento a Thomas Jefferson en Washington, D.C., tiene un eje de simetría. Usa la ilustración de la derecha para describir dónde está el eje de simetría.

29. Escribe 5 letras mayúsculas que tengan, al menos, un eje de simetría.

30. ¿Cuántos ejes de simetría tiene un cuadrado?

A Ninguno
B 2 ejes
C 4 ejes
D 6 ejes

Lección

19-6

¡Lo entenderás!
Una figura puede rotar $\frac{1}{4}$ de giro, $\frac{1}{2}$ giro, $\frac{3}{4}$ de giro o un giro completo.

Simetría rotacional

¿Qué es la simetría rotacional?

Cuando una figura puede rotar sobre sí misma en menos de un giro completo, la figura tiene simetría rotacional.

Si rotas esta figura $\frac{1}{4}$ de giro, ha rotado 90°. Esta figura tiene simetría rotacional.

Práctica guiada*

¿CÓMO hacerlo?

¿Tiene la figura simetría rotacional? Escribe sí o no.

1.

2.

3.

4.

¿Lo ENTIENDES?

5. Una figura que rota $\frac{1}{4}$ de giro ha rotado ▢ grados.

6. Una figura que rota 180° ha rotado ▢ giro.

7. Una figura que rota $\frac{3}{4}$ de giro ha rotado ▢ grados.

Práctica independiente

En los Ejercicios **8** a **15,** ¿tiene la figura simetría rotacional? Escribe sí o no. Da la menor medida del ángulo y el menor giro que rotará la figura sobre sí misma. Puedes usar bloques de patrón como ayuda.

8. 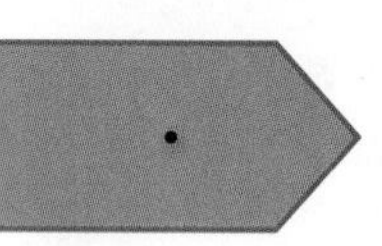

9. 

10. 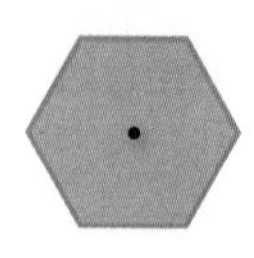

11. 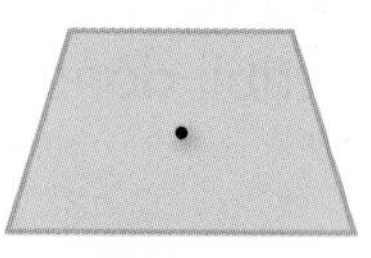

12. 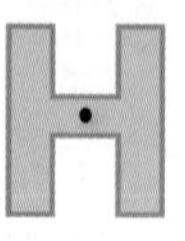

13. 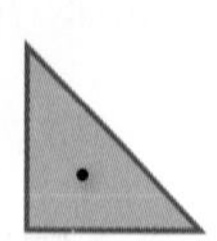

14. 

15. 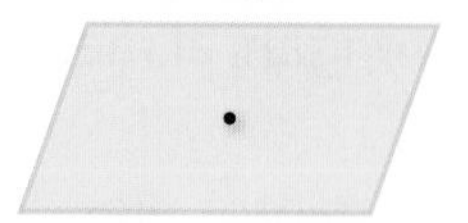

** Puedes encontrar otro ejemplo en el Grupo D, página 465.*

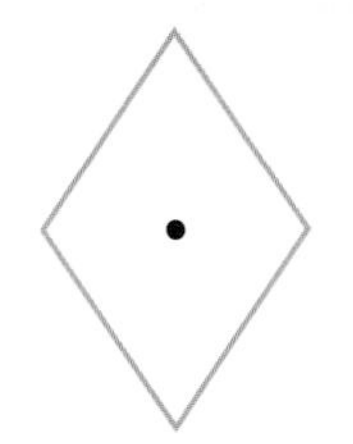

Esta figura tiene simetría rotacional. Debe rotar 180°, o $\frac{1}{2}$ giro, para caer sobre sí misma.

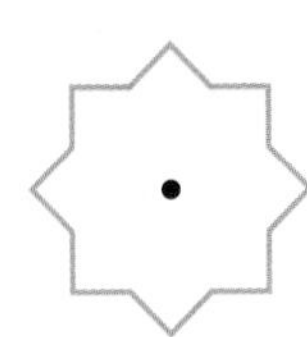

Esta figura tiene simetría rotacional. Para caer sobre sí misma, puede girar 90°, 180° ó 270° ó $\frac{1}{4}$ giro, $\frac{1}{2}$ giro o $\frac{3}{4}$ giro.

Esta figura no tiene simetría rotacional. Para caer sobre sí misma, debe girar 360º o un giro completo.

Resolución de problemas

En los Ejercicios **16** y **17,** completa y usa la tabla de la derecha.

16. Valerie tiene 16 yardas de valla para construir un corral para perros. Quiere poner la valla alrededor de un área rectangular. Completa la tabla de la derecha para calcular las posibilidades de la valla.

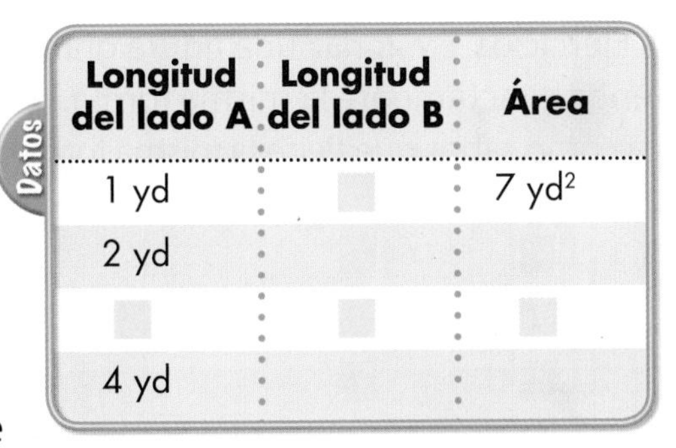

Datos

Longitud del lado A	Longitud del lado B	Área
1 yd		7 yd²
2 yd		
4 yd		

17. ¿Qué área es la más grande? ¿Qué otro nombre tiene esta figura?

18. Hay 48 cajas en un depósito. Si hay 22 paquetes de papel en cada caja, ¿cuántos paquetes de papel hay en el depósito?

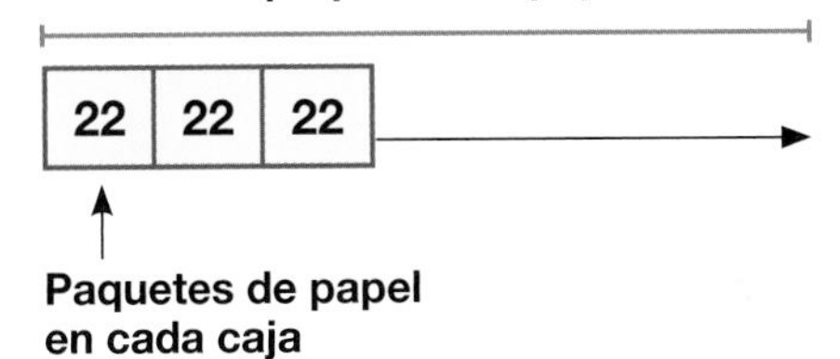

19. ¿Cuál de las siguientes letras mayúsculas tiene simetría rotacional?

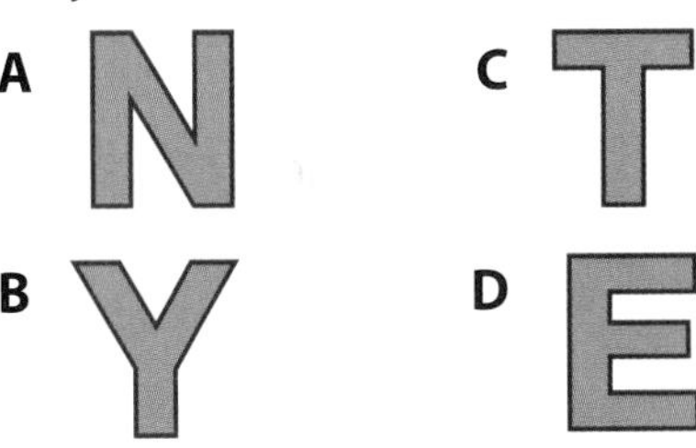

20. ¿Dónde tendrían que ir los paréntesis para hacer que esta ecuación sea verdadera?

$\mathbf{18 - 2 + 12 - 8 = 20}$

21. La cometa Megaray tiene una área de casi 1,500 metros cuadrados. Supón que de repente el viento cambia y que la cometa se mueve 25 metros al este. ¿Ha cambiado la forma o el tamaño de la cometa? Explícalo.

Lección
19-7

¡Lo entenderás!
Aprender cómo y cuándo hacer un dibujo puede ayudar a resolver problemas.

Resolución de problemas

Hacer un dibujo

Se le ha pedido a Lisa que dibuje una flecha grande que tenga exactamente la misma forma que la que se muestra en la cuadrícula de la derecha.

Haz una flecha grande que tenga exactamente la misma forma. Explica cómo sabes que tiene la misma forma.

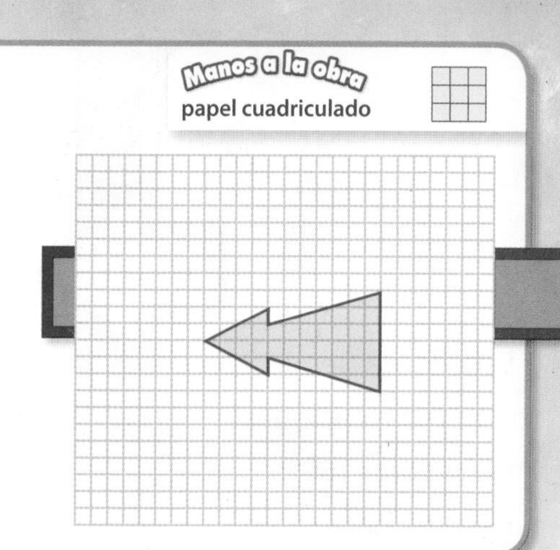

Práctica guiada*

¿CÓMO hacerlo?

En los Ejercicios **1** y **2,** haz una figura grande que tenga exactamente la misma forma. Explica cómo sabes que tiene la misma forma.

1. 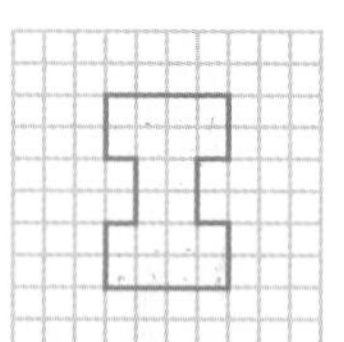

2. 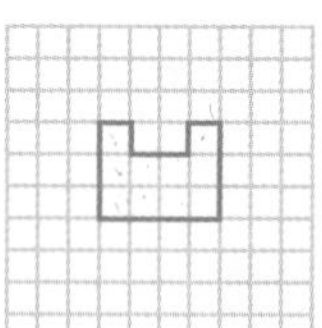

¿Lo ENTIENDES?

3. Supón que dibujas la flecha que está arriba de modo que apunte verticalmente. ¿Cambiaría la forma de la flecha?

4. Haz un dibujo de una figura. Luego triplica cada lado.

Práctica independiente

Resuelve.

5. Dibuja una figura grande. Luego dibuja una figura más pequeña que tenga exactamente la misma forma.

6. Si recortaras un hexágono para hacer una señal similar a la figura de abajo, ¿cómo lo dibujarías para que tuviera el doble del tamaño?

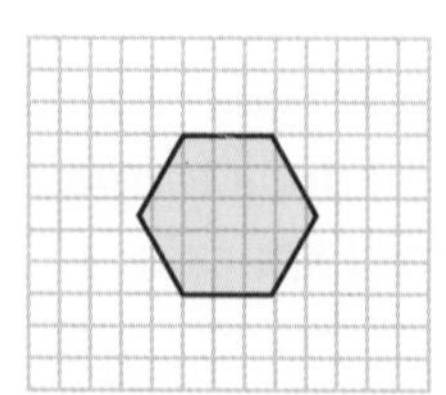

¿En aprietos? Intenta esto:

- ¿Qué sé?
- ¿Qué diagrama puede ayudarme a entender el problema?
- ¿Puedo usar suma, resta, multiplicación o división?
- ¿Está correcto todo mi trabajo?
- ¿Respondí a la pregunta que correspondía?
- ¿Es razonable mi respuesta?

Puedes encontrar otro ejemplo en el Grupo E, página 465.

Planea

¿Qué sé? Sé la longitud de cada lado de la flecha. La flecha tiene 11 unidades de longitud de izquierda a derecha.

¿Qué me piden que halle? Hacer una flecha que tenga exactamente la misma forma.

Resuelve

Duplica la longitud de cada lado.

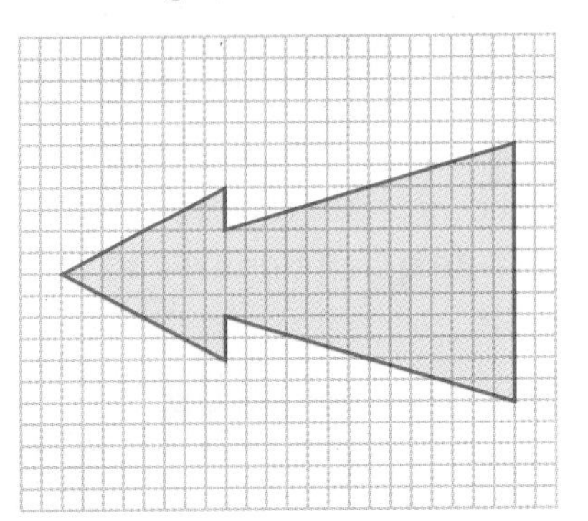

Las figuras son iguales porque la longitud de cada lado se duplicó.

7. Stephen está escuchando un libro en una cinta. El libro tiene 17 capítulos y cada capítulo dura alrededor de 22 minutos. ¿Cuántos minutos llevará escuchar el libro completo?

8. Seis personas están participando en una caminata de caridad. Dos personas caminaron 8 millas, tres personas caminaron 6 millas y una persona caminó 10 millas. ¿Cuántas millas caminaron en total?

9. ¿Cuál puede rotarse menos de un giro completo y verse exactamente igual?

A B

B Z

C H

D R

10. ¿Cuál de las siguientes figuras tiene exactamente cuatro ejes de simetría?

A 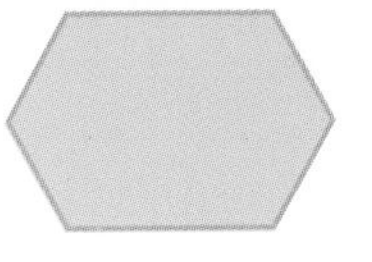

B 

C 

D

11. Jackson y Kendall son miembros del equipo de relevos de su escuela. Cada miembro del equipo tiene que correr un medio de milla en una carrera de 3 millas.

a Haz un dibujo como ayuda para hallar cuántos miembros tiene el equipo de relevos.

b ¿Cuántos otros miembros están en el equipo de relevos además de Jackie y Kendall?

12. El padre de Lawrence dijo que pondría 12 dólares en la cuenta de ahorros de su hijo por cada 20 dólares que Lawrence depositara. Si después de un año su padre hubiera puesto 96 dólares en la cuenta de Lawrence, ¿cuánto habría depositado Lawrence?

DIGITAL eTools **www.pearsonsuccessnet.com**

Tema 19

Examen

1. Cuatro de los estudiantes de la señora Li decoraron un tablero de avisos. ¿La figura de quién tiene 4 ejes de simetría? (19-5)

Ralph

Liza

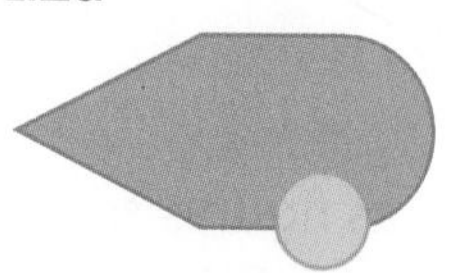

Patricia

Dan

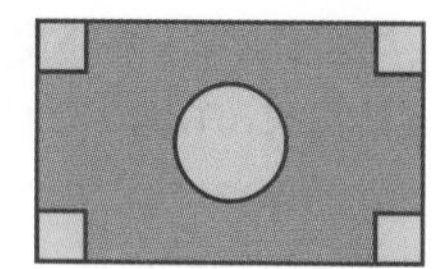

A Ralph

B Liza

C Patricia

D Dan

2. ¿Cuál de las siguientes figuras tiene simetría rotacional? (19-6)

A 

B 

C 

D 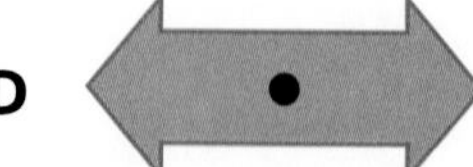

3. ¿Qué transformación se puede usar para mostrar que las figuras son congruentes? (19-4)

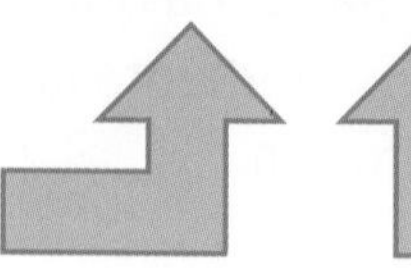

A Giro

B Traslación

C Rotación

D Reflexión

4. Corby hizo un patrón con fichas geométricas. ¿Qué opción muestra su patrón reflejado sobre la recta? (19-2)

A 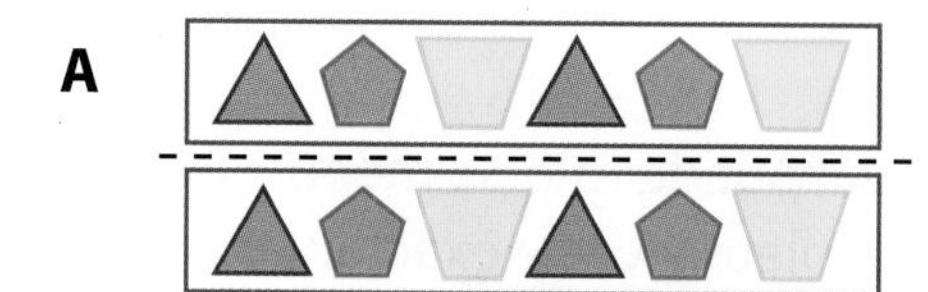

B 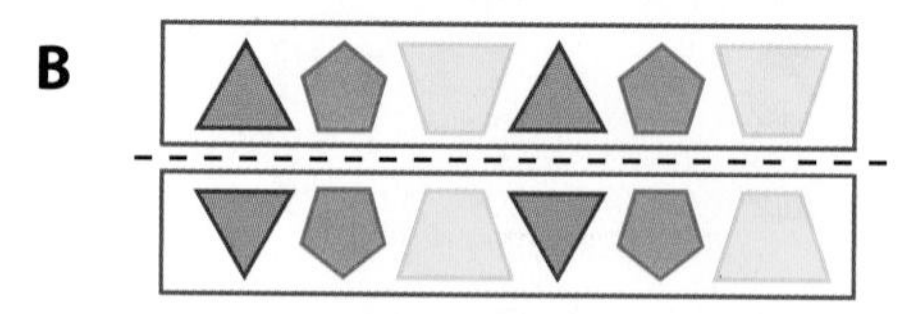

C 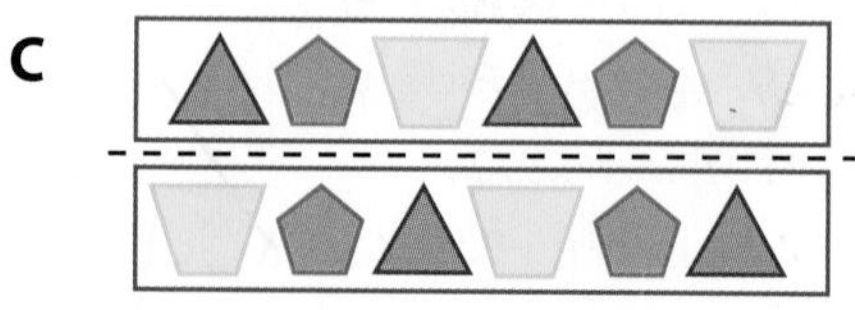

D 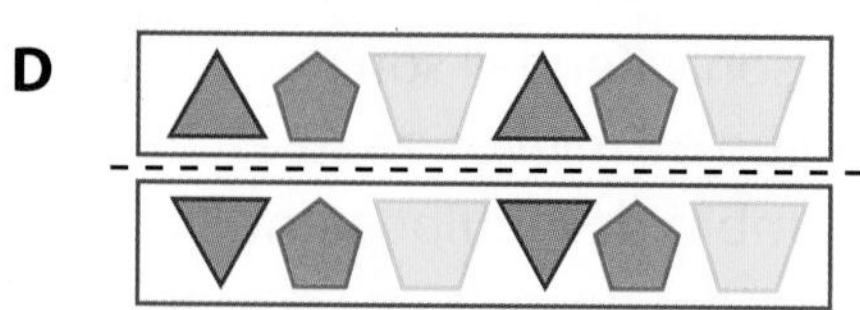

5. ¿Cuál de las siguientes opciones representa una traslación? (19-1)

A Dar vuelta a un panqueque

B Mirarte en un espejo

C Mover una ficha diagonalmente en un tablero de damas

D Un perro rodando sobre sí

6. ¿Qué letra del alfabeto es una reflexión de la letra b? (19-2)

A La letra d o la letra p

B La letra d o la letra q

C Sólo la letra p

D Sólo la letra d

7. ¿Qué figuras se relacionan por traslación? (19-1)

A 

B 

C 

D 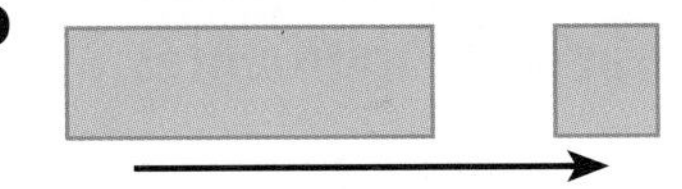

8. Cassidy hizo la figura de la derecha. ¿Cuál de las siguientes figuras tiene la misma forma? (19-7)

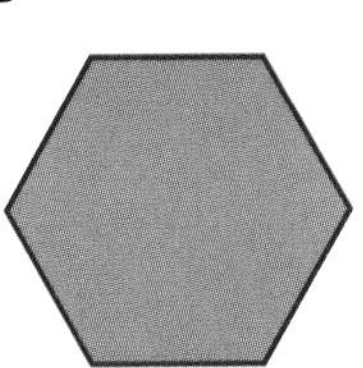

A 

B 

C 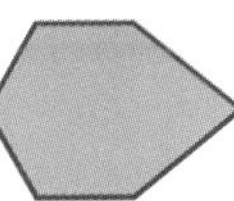

D 

9. ¿Cuál es la nueva posición de esta figura después de que hace una rotación de $\frac{1}{2}$ giro? (19-3)

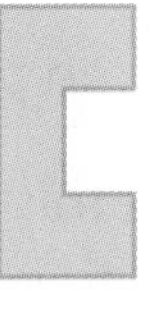

A 

B 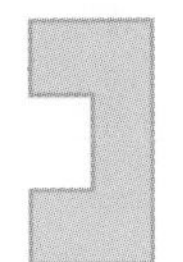

C 

D 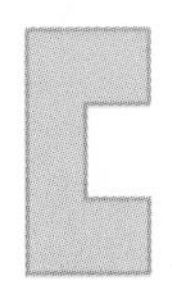

10. ¿Qué movimiento se puede usar para mostrar que las dos figuras son congruentes? (19-4)

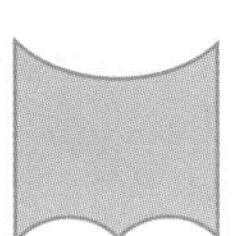

A Giro

B Rotación

C Reflexión

D Traslación

11. ¿Cuál de las siguientes opciones representa una rotación? (19-3)

A Deslizarse en trineo colina abajo

B Un aspa de un ventilador que gira

C La imagen de un árbol en un lago

D Saltar hacia arriba

Tema 19

Refuerzo

Grupo A, páginas 448 a 453

¿Cómo puedes mover una figura en un plano?

Una traslación mueve una figura en una dirección recta.

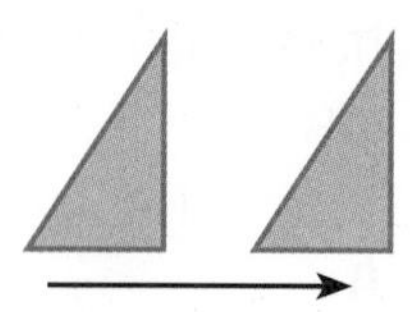

Una reflexión de una figura da su imagen reflejada.

Una rotación de una figura la mueve alrededor de un punto.

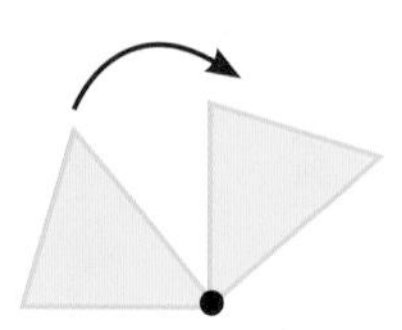

Una figura puede relacionarse con otra por más de una manipulación.

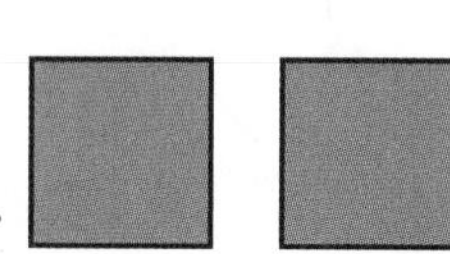

Recuerda que dos figuras se pueden relacionar por más de una manipulación.

Di cómo se relacionan las dos figuras entre sí.

1. 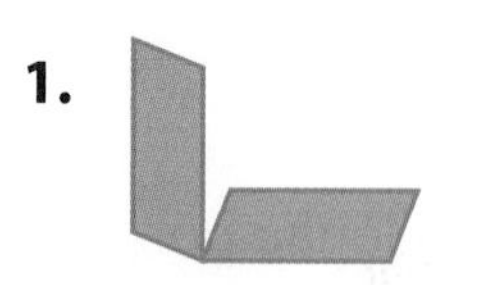

2. 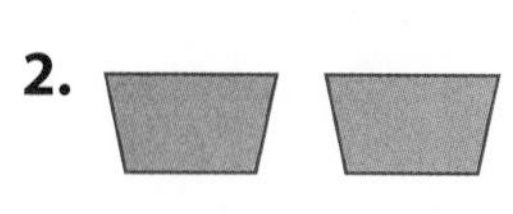

3. 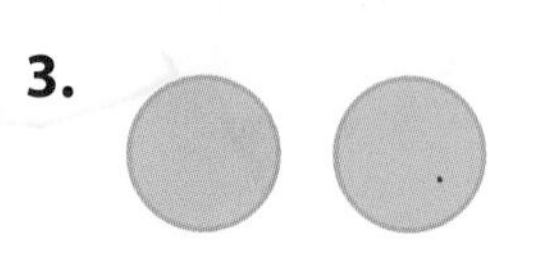

4. 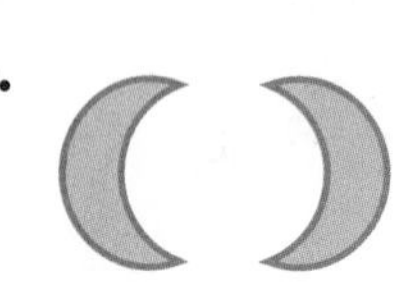

5. 

6. 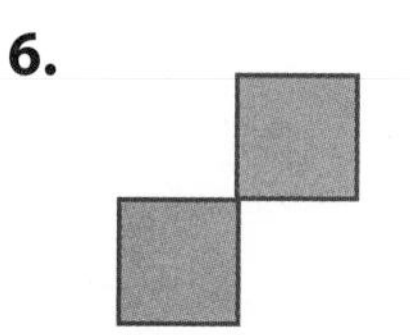

Grupo B, páginas 454 y 455

¿Son congruentes las figuras? Si así fuera, di si están relacionadas por una reflexión, una traslación o una rotación.

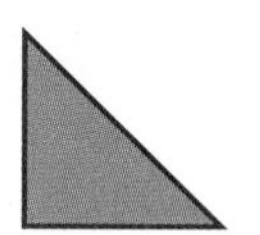
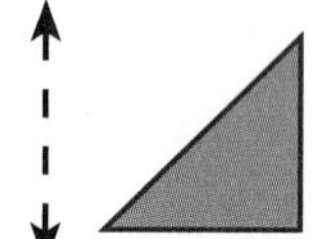

Los triángulos tienen el mismo tamaño y la misma forma; por tanto, son congruentes. Están relacionados por una reflexión.

Los círculos no tienen el mismo tamaño; por tanto, no son congruentes.

Recuerda que puedes usar la traslación, la reflexión y la rotación para comprobar si dos figuras son congruentes.

¿Son congruentes las figuras de cada par?

1. 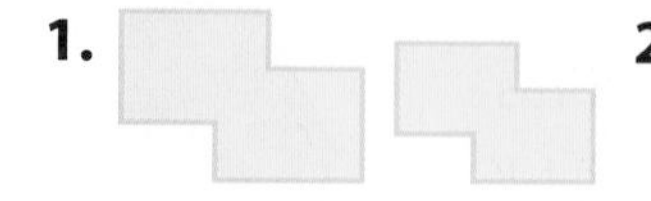

2. 

3. 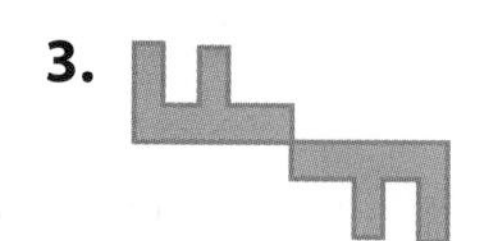

4. 

Grupo C, páginas 456 y 457

¿Cuántos ejes de simetría tiene la figura?

Dobla la figura por la línea discontinua. Las dos mitades son congruentes y se superponen la una encima de la otra.

Tiene un eje de simetría.

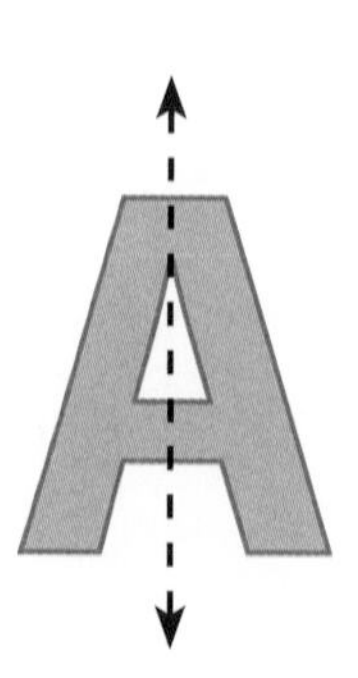

Recuerda que las figuras pueden tener muchos ejes de simetría.

Traza los ejes de simetría de las figuras.

1. 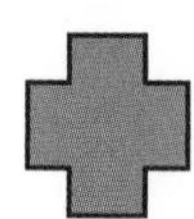

2. 

3. 

Grupo D, páginas 458 y 459

¿Qué tipo de rotación hace la figura?

Esta figura puede rotar 90°, o $\frac{1}{4}$ de giro, para caer sobre sí misma.

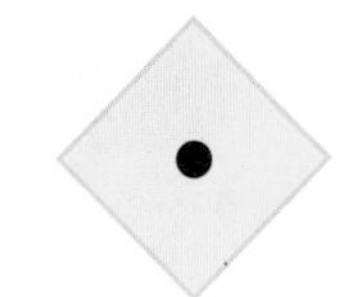

Esta figura puede rotar 180°, o $\frac{1}{2}$ giro, para caer sobre sí misma.

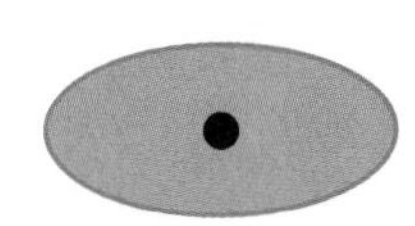

Esta figura puede rotar 90°, 180° ó 270°; o $\frac{1}{4}$ de giro, $\frac{1}{2}$ giro o $\frac{1}{4}$ de giro; para caer sobre sí misma.

Recuerda que una figura tiene simetría rotacional si puede rotar sobre sí misma en menos de un giro completo.

Di qué tipo de simetría rotacional tiene cada figura.

1. 

2. 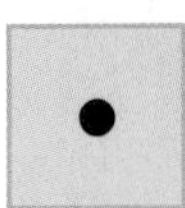

3.

4. 

5. 

6. 

Grupo E, páginas 460 y 461

Haz una letra "T" que sea exactamente de la misma forma. Explica cómo sabes que es de la misma forma.

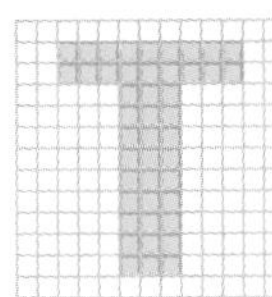

¿Qué sé?	La letra tiene 11 unidades de altura en sentido vertical y se extiende 9 unidades en sentido horizontal.
¿Qué se me pide que haga?	Hacer una letra "T" que sea exactamente de la misma forma.

Duplica las dimensiones de la figura.

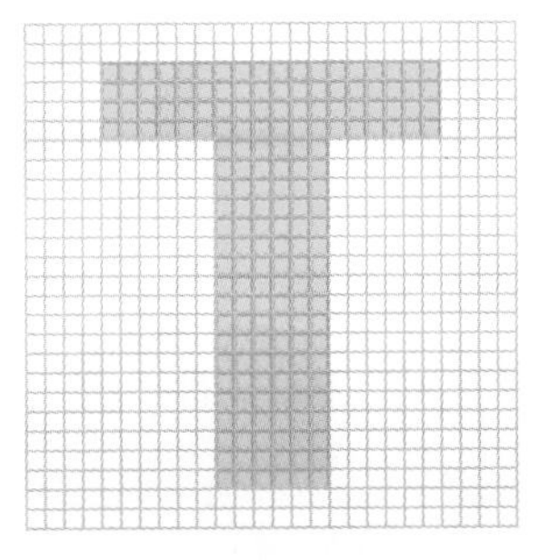

Recuerda medir la figura antes de trazarla.

1. Haz una letra "L" que sea exactamente de la misma forma. Explica cómo sabes que es de la misma forma.

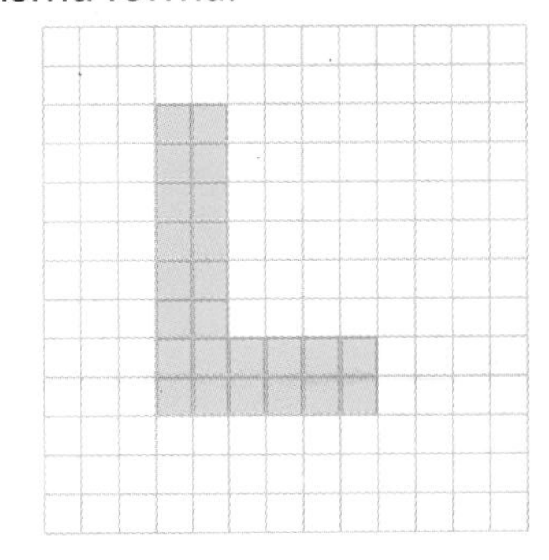

Tema 20

Probabilidad

1

¿Cuántos pasajeros caben en cada cabina de la rueda *London Eye*? Lo averiguarás en la Lección 20-3.

2 La bola curva fue un lanzamiento que cambió el juego de beisbol. ¿Quién lanzó la primera bola curva en un partido? Lo averiguarás en la Lección 20-2.

3 Cuando se corren carreras con botes a escala, cada persona usa una señal de radio diferente para controlar su bote. ¿Cómo se aseguran los participantes de que nadie más usa la misma señal de radio? Lo averiguarás en la Lección 20-1.

Repasa lo que sabes

Vocabulario

Elige el mejor término del recuadro.

- probable
- probabilidad
- resultado
- diagrama de árbol

1. La _?_ es la posibilidad de que un evento ocurra.
2. La consecuencia posible de un juego o un experimento es el _?_.
3. Un evento _?_ es aquel que tiene posibilidades de ocurrir.

Posibilidad

Da las posibilidades de cada resultado para la parte amarilla de la rueda.

4. 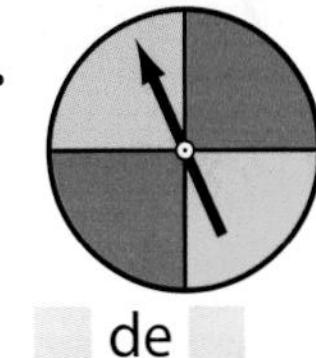

 de

5. 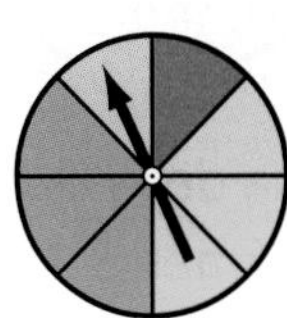

 de

6. 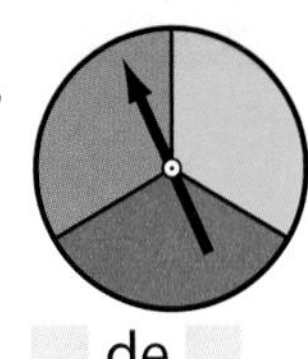

 de

7. 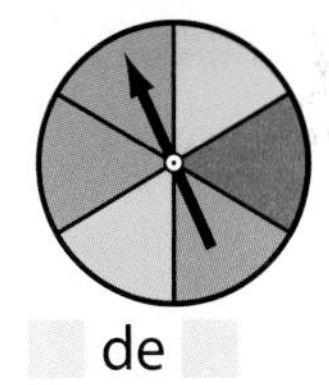

 de

Fracciones

Escribe una fracción que describa la parte coloreada de cada región o conjunto.

8.

9. 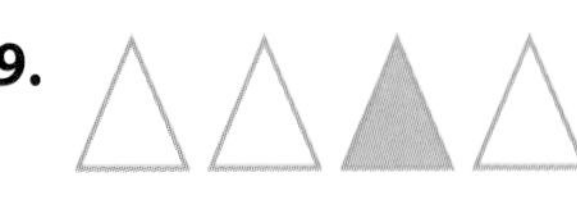

10. **Escribir para explicar** ¿Comerías más si comieras $\frac{1}{4}$ de pizza pequeña o $\frac{1}{4}$ de pizza mediana?

Lección
20-1

¡Lo entenderás!
Se debe usar objetos y dibujos para hallar el número de combinaciones posibles.

Hallar combinaciones

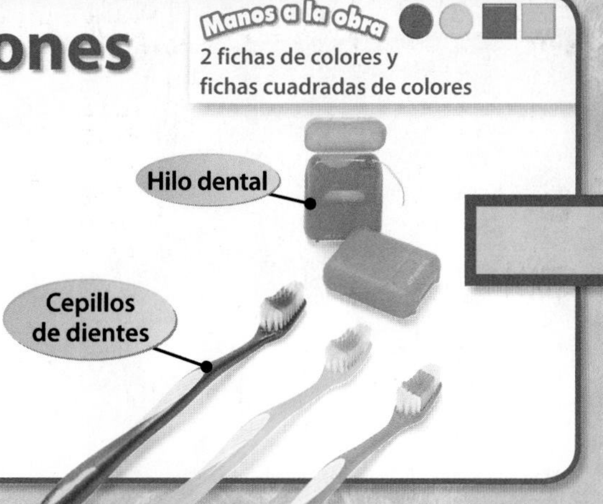

¿Cómo hallas todas las combinaciones posibles?

El dentista de Jay regala hilo dental y cepillos de dientes. Jay recibirá un cepillo de dientes y una clase de hilo. ¿Cuántas combinaciones diferentes puede elegir Jay?

Práctica guiada*

¿CÓMO hacerlo?

En los Ejercicios **1** y **2,** halla el número de combinaciones posibles. Usa objetos como ayuda.

1. Elige una de las letras A o B, y uno de los números 1 ó 2.

2. Elige una de las letras A, B, C o D, y uno de los números 1 ó 2.

¿Lo ENTIENDES?

3. **Escribir para explicar** En los Ejercicios **1** y **2,** ¿tiene importancia si eliges primero la letra o primero el número? Explícalo.

4. En el ejemplo de arriba, si se ofrece una tercera clase de hilo dental, ¿cuántas combinaciones puede elegir Jay?

Práctica independiente

En los Ejercicios **5** y **6,** copia y completa la tabla para hallar el número de combinaciones posibles. Usa objetos como ayuda.

5. Elige una ficha de color y una ficha cuadrada de color.

	Ficha roja	Ficha amarilla
Ficha cuadrada azul		
Ficha cuadrada verde		

6. Elige una moneda y un billete.

	Moneda de 25¢	Moneda de 10¢	Moneda de 5¢	Moneda de 1¢
Billete de 1 dólar				
Billete de 5 dólares				

*** Puedes encontrar otro ejemplo en el Grupo A, página 480.***

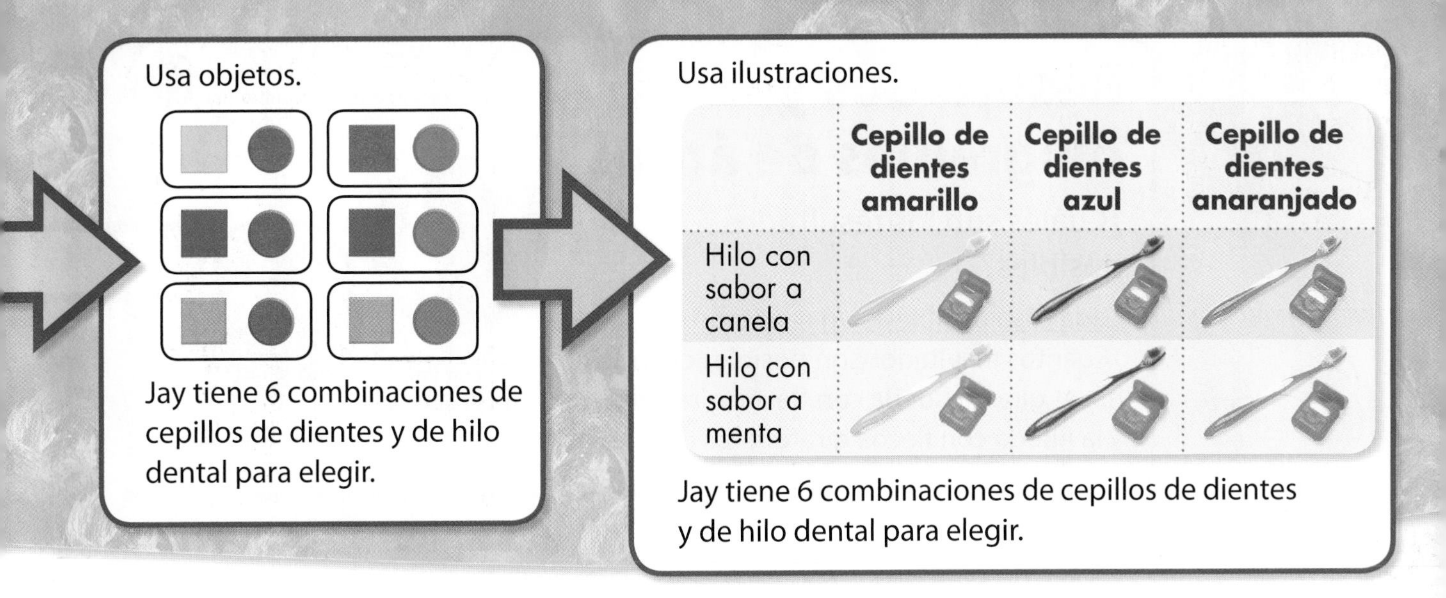

En los Ejercicios **7** y **8,** usa objetos o ilustraciones para hallar el número de combinaciones posibles.

7. Elige una mascota entre perro, gato o conejo, y un cuidador de mascotas, Jill, Marta o David.

8. Elige uno de 3 libros y uno de 8 CD para llevar en un viaje en autobús.

Resolución de problemas

9. En una carrera de botes a escala, cada persona usa una señal de radio diferente. La señal de radio se cambia usando los conmutadores del control remoto. Cada conmutador puede estar en "activar" o "desactivar". Si hay 4 conmutadores. ¿cuántas combinaciones son posibles?

Ojo *Si hay 2 conmutadores, hay 2×2 ó 4 combinaciones. Si hay 3 conmutadores, hay $2 \times 2 \times 2 = 8$ combinaciones.*

10. Jane hizo 19 panqueques pequeños. Tomó 7 y luego dio un número igual a cada una de sus dos hermanas. ¿Cuántos panqueques pequeños recibió cada hermana?

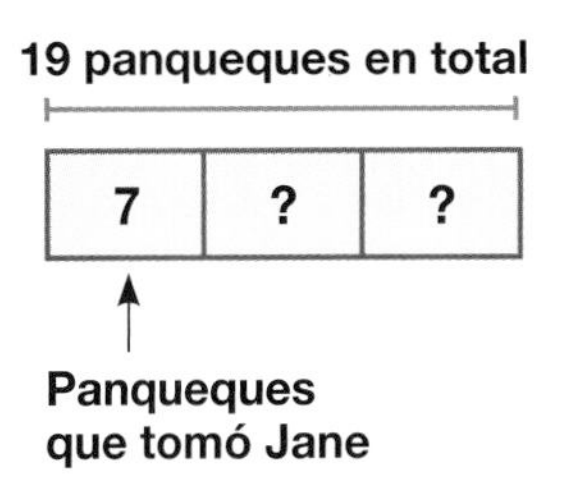

11. Razonamiento El señor Fines necesitaba comprar números para una placa de dirección para su tienda nueva. Encargó los números 1, 3 y 5. Si pudiera colocar los números en cualquier orden, ¿cuáles son las combinaciones posibles para la dirección de su tienda?

12. Tommy tenía una cita con el doctor a las 4:45. Necesita 15 minutos para prepararse y 20 minutos de viaje en carro. ¿A qué hora necesita empezar a prepararse Tommy?

Lección
20-2

¡Lo entenderás!
Se puede hacer un diagrama de árbol o multiplicar para hallar el número de combinaciones posibles.

Resultados y diagramas de árbol

Manos a la obra
ruedas con flecha giratoria

¿Cuáles son los resultados posibles?

Cada caso posible es un resultado. ¿Cuántos resultados son posibles cuando haces girar la Rueda con flecha giratoria 1 y la Rueda con flecha giratoria 2?

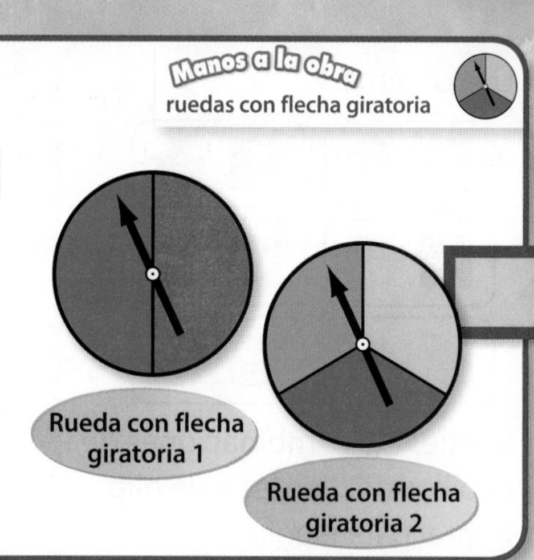

Práctica guiada*

¿CÓMO hacerlo?

Para los Ejercicios **1** y **2,** usa los diagramas de abajo.

1. Haz una lista de todos los resultados posibles para la extracción de una tarjeta de la Bolsa 2.
2. Haz un diagrama de árbol para mostrar todos los resultados posibles para la extracción de una tarjeta de la Bolsa 1, seguida de una tarjeta de la Bolsa 2.

¿Lo ENTIENDES?

3. ¿Qué oración numérica puedes usar para hallar el número de resultados posibles en el Ejercicio 2?
4. **Escribir para explicar** En el ejemplo de arriba, ¿por qué Azul Azul es un resultado, pero Rojo Rojo no lo es?
5. Un juego de tablero usa la Rueda con flecha giratoria 1. En cada turno, debes hacer girar dos veces la flecha. ¿Cuántos resultados son posibles para cada turno?

Práctica independiente

En los Ejercicios **6** a **8,** dibuja un diagrama de árbol para hacer una lista de todos los resultados posibles para cada situación.

Ojo *Cuando haces un diagrama de árbol, puedes hacer la lista de los resultados en el orden que prefieras.*

6. Haz girar una vez la Rueda 3 con flecha giratoria y lanza una vez el cubo numérico.
7. Elige una tarjeta de la Bolsa 3 y lanza una vez el cubo numérico.
8. Elige una tarjeta de la Bolsa 3 y haz girar una vez la Rueda 3 con flecha giratoria.

Bolsa 3

Cubo numérico

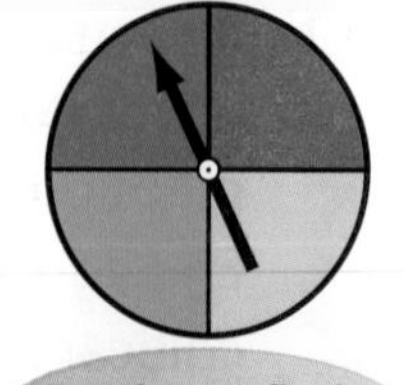
Rueda con flecha giratoria 3

* Puedes encontrar otro ejemplo en el Grupo B, página 480.

Haz un diagrama de árbol. Un diagrama de árbol es un dibujo que muestra todos los resultados posibles.

Rueda 1	Rueda 2	Resultados posibles
Azul	Verde	Azul Verde
	Amarillo	Azul Amarillo
	Azul	Azul Azul
Rojo	Verde	Rojo Verde
	Amarillo	Rojo Amarillo
	Azul	Rojo Azul

Hay 6 resultados posibles.

Multiplica.

Hay 2 resultados para la Rueda con flecha giratoria 1 y 3 resultados para la Rueda con flecha giratoria 2.

$3 \times 2 = 6$

Hay 6 resultados posibles.

En los Ejercicios **9** y **10,** multiplica para hallar el número de resultados posibles.

9. Lanza una moneda y lanza un cubo numérico que esté numerado del 1 al 6.

10. Elije una tarjeta de cada una de las dos pilas. Una pila tiene las tarjetas rotuladas F, I, T, P, N, C y O. La otra tiene las tarjetas rotuladas A, R, S y Q.

Resolución de problemas

Para el Ejercicio **11,** usa los cubos numéricos de la derecha.

11. ¿Cuántos resultados hay para un lanzamiento del octaedro y un lanzamiento del dodecaedro?

12. Se atribuye a Candy Cummings el lanzamiento de la primera bola curva en un juego de beisbol, en 1867. Algunos lanzadores saben cómo lanzar 2 tipos de bolas curvas, 2 tipos de bolas rápidas y 1 tipo de bola de nudillos. Si un lanzador poncha a un bateador en tres lanzamientos, ¿cuántas combinaciones diferentes de lanzamientos son posibles?

En los Ejercicios **13** y **14,** usa la ilustración de la derecha.

13. Con los ojos vendados, lanzas dos anillos. Ambos lanzamientos caen en una botella. Haz una lista de todos los resultados posibles.

14. Escribir para explicar ¿Cambiaría el número de resultados posibles si hubiera más botellas azules que botellas rojas y blancas?

Lección

20-3

¡Lo entenderás!
Se puede usar las fracciones para describir la probabilidad de un evento.

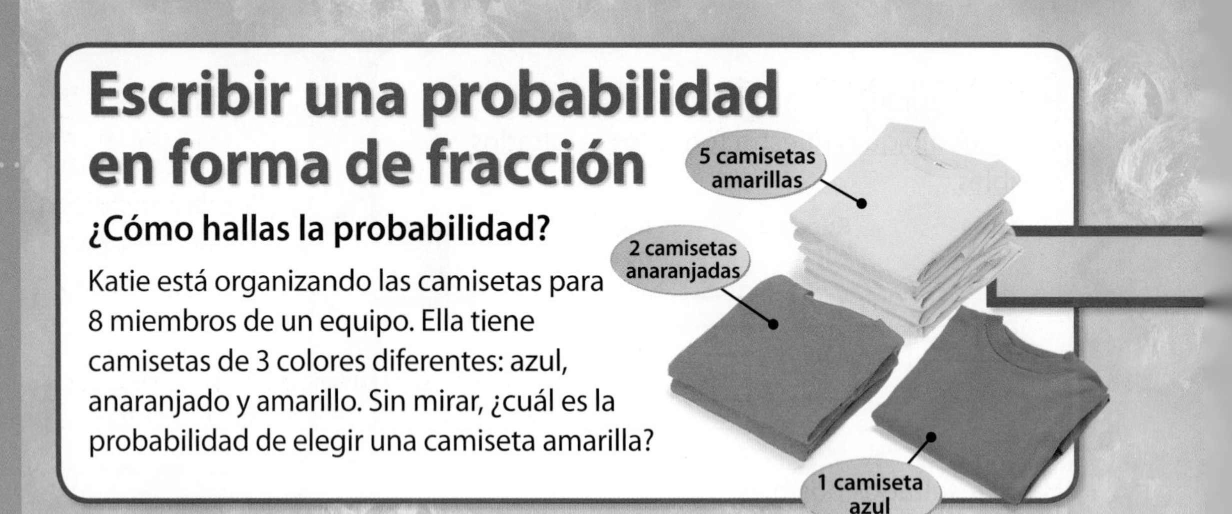

Escribir una probabilidad en forma de fracción

¿Cómo hallas la probabilidad?

Katie está organizando las camisetas para 8 miembros de un equipo. Ella tiene camisetas de 3 colores diferentes: azul, anaranjado y amarillo. Sin mirar, ¿cuál es la probabilidad de elegir una camiseta amarilla?

Otro ejemplo ¿Cómo puedes describir la probabilidad?

Ya has aprendido a usar fracciones para describir partes de conjuntos, regiones y distancias en rectas numéricas. En esta lección, aprenderás cómo se pueden usar las fracciones para describir una probabilidad.

Un evento imposible tiene una probabilidad de 0. Un evento seguro tiene una probabilidad de 1. Cualquier otro evento tiene una probabilidad entre 0 y 1.

Es seguro que Katie elija una camiseta.

Es probable que Katie elija una camiseta que sea amarilla.

Es poco probable que Katie elija una camiseta que sea azul.

Es imposible que Katie elija una camiseta que sea verde.

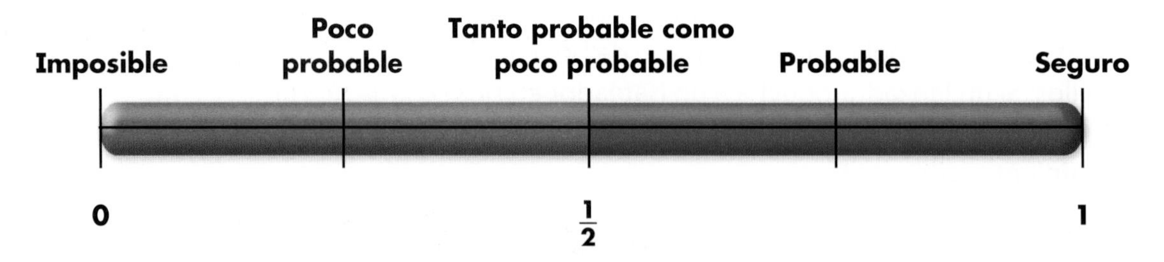

Explícalo

1. ¿Cuál es la probabilidad de elegir una camiseta azul?

2. ¿Qué tan probable es que Katie elija una camiseta anaranjada? Explícalo.

Puedes usar fracciones para describir la probabilidad de un evento.

La probabilidad es la posibilidad de que un evento ocurra.

$$\text{Probabilidad} = \frac{\text{número de resultados favorables}}{\text{número de resultados posibles}}$$

$$P\,(\textit{camiseta amarilla}) = \frac{\text{número de camisetas amarillas}}{\text{número de camisetas en total}}$$

$$P = \frac{5}{8}$$

La probabilidad de elegir una camiseta amarilla es de $\frac{5}{8}$.

Práctica guiada*

¿CÓMO hacerlo?

En los Ejercicios **1** a **4,** halla la probabilidad de sacar sin mirar una ficha cuadrada de las que están a continuación.

1. Media luna

2. No es un círculo.

3. Corazón o media luna

4. Diamante

       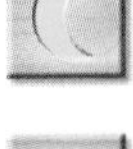

¿Lo ENTIENDES?

5. En el ejemplo anterior, ¿cuál es la probabilidad de elegir una camiseta azul o una camiseta anaranjada?

6. Describe un evento que sea.

7. Describe un evento que sea seguro.

Práctica independiente

En los Ejercicios **8** a **15,** escribe la probabilidad de elegir la tarjeta o la letra que se describe, sin mirar.

8. Una consonante que no sea la M

9. La letra D, E, G, O, S, T o U

10. Una tarjeta azul, anaranjada o verde

11. Una letra que no sea la G

12. Una tarjeta amarilla

13. La letra X

14. La letra Q

15. Una vocal

Puedes encontrar otro ejemplo en el Grupo C, página 481.

Práctica independiente

En los Ejercicios **16** a **19,** escribe la probabilidad y di si es probable, poco probable, imposible o seguro que caiga en rojo cuando se gira cada rueda con flecha giratoria una vez.

16. 

17. 

18. 

19. 

Resolución de problemas

20. **Geometría** El rectángulo A mide 4 pies por 6 pies. El rectángulo B mide 1 yarda por 2 yardas. ¿Qué rectángulo tiene un perímetro mayor?

21. ¿Cuántas ventanas hay en un edificio de 9 pisos si hay 28 ventanas por piso?

22. Mira el siguiente problema.

$\triangle + 9 = \square$

Si $\triangle = 4$, ¿cuánto es $\square$?

23. **Estimación** Heather ha leído 393 páginas del libro más reciente de "Girl Wizard". Irene ha leído 121 páginas menos que Heather. Si hay 439 páginas en el libro, ¿aproximadamente cuántas páginas le faltan leer a Irene?

En los Ejercicios **24** a **26,** usa las bolsas a la derecha.

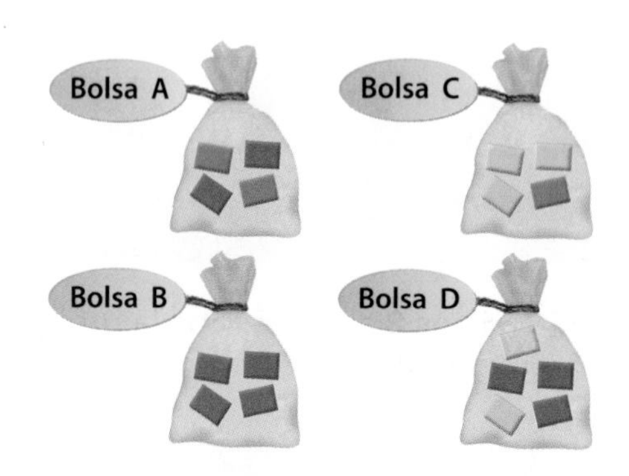

24. ¿De cuál bolsa es un resultado seguro sacar una ficha cuadrada roja?

25. ¿Cuál es la probabilidad de sacar una ficha cuadrada verde de la Bolsa D?

26. ¿Cuál es la probabilidad de sacar una ficha cuadrada verde de la Bolsa C?

En el Ejercicio **27,** usa la tabla de la derecha.

27. Cada cabina de la rueda *London Eye* puede llevar hasta 25 pasajeros. Jared está esperando que Samantha baje del *London Eye*. Sabe que saldrá de la Cabina 1 o de la Cabina 2. ¿Cuál es la probabilidad de que esté en la Cabina 2? Escribe la probabilidad en forma de fracción.

Datos

Número de cabina	Número de personas
1	15
2	25

Teselaciones

Una **teselación** es un patrón repetitivo de figuras que no tienen grietas y que no se sobreponen.

Ejemplos:

Algunos polígonos forman teselaciones.

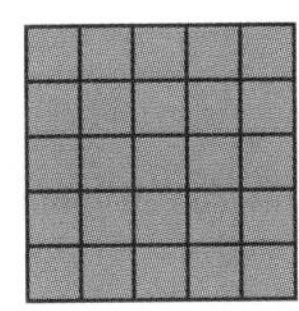

cuadrado

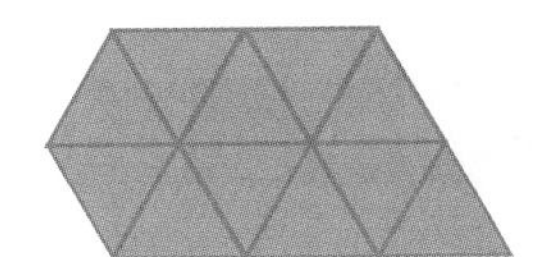

triángulo equilátero

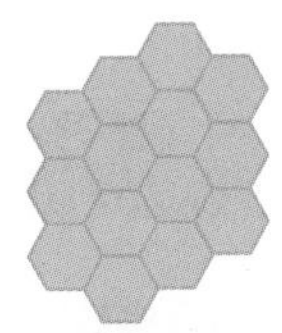

hexágono

Dos o más polígonos se pueden usar para crear teselaciones.

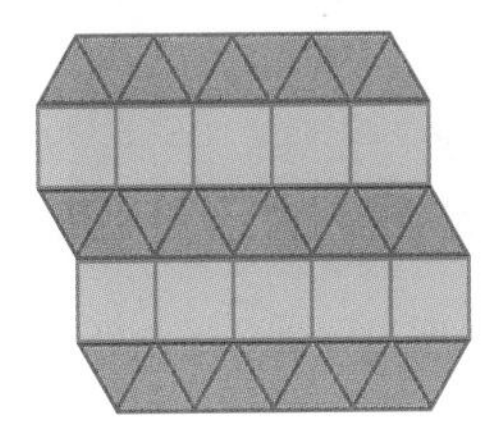

Algunos polígonos no pueden formar una teselación. Estos tienen grietas.

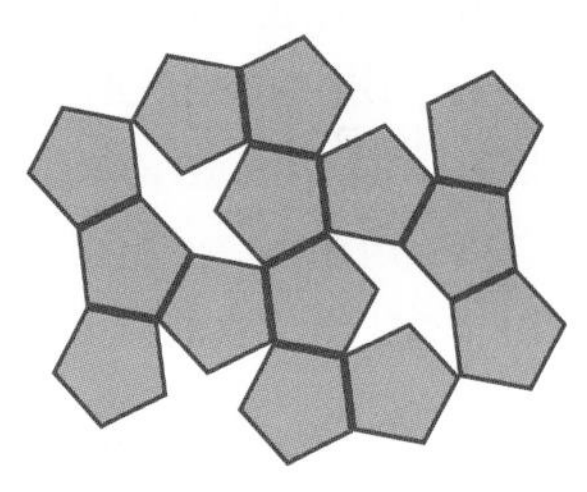

Práctica

Resuelve.

1. Traza la figura que se muestra a continuación. ¿Forma una teselación?

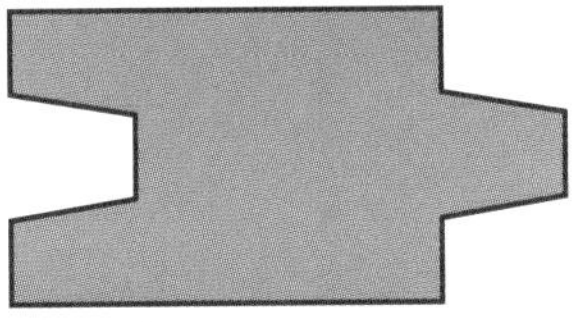

2. Traza la figura que se muestra a continuación. ¿Forma una teselación?

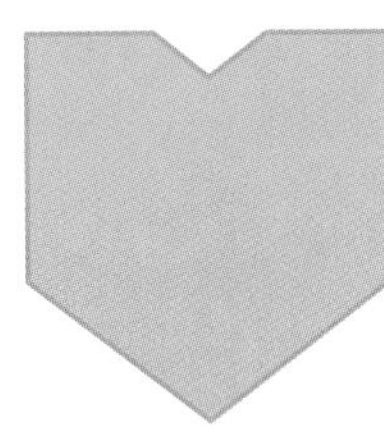

3. Dibuja una teselación que use trapecios y triángulos equiláteros.

4. Dibuja una teselación que use octágonos y cuadrados.

Lección
20-4

¡Lo entenderás!
Aprender cómo y cuándo usar el razonamiento puede ayudar a resolver problemas.

Resolución de problemas

Razonar

Mary, Kristen, Deborah y Amy se conocieron en las vacaciones. Son de Nueva York, Georgia, Nevada y Maine. Amy es de Nueva York y Kristen no es de Georgia. Si Deborah es de Nevada, ¿de dónde es Mary?

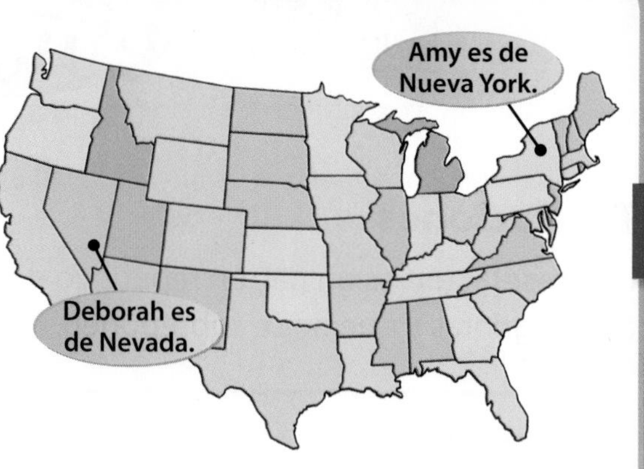

Práctica guiada*

¿CÓMO hacerlo?

Haz una tabla y usa el razonamiento para resolver el problema. Escribe la respuesta en una oración completa.

1. Tony tiene 4 conejos llamados Lenny, Emma, Beau y Blossom. Uno es anaranjado, uno gris, uno negro y uno con manchas. Emma es anaranjada. Beau no es gris. Blossom tiene manchas. ¿De qué color es Lenny?

¿Lo ENTIENDES?

2. En el ejemplo anterior, cuando en una celda hay una "S", ¿por qué hay que poner una "N" en las otras celdas de la misma fila y de la misma columna?

3. **Escribe un problema** Escribe un problema que use la estrategia de razonamiento.

Práctica independiente

Resuelve cada problema. Escribe la respuesta en una oración completa.

4. En la familia Robinson hay 5 personas: Harry, Barb, Roger, Laurie y Carrie. Sus edades son 37, 36, 13, 10 y 5 años. Barb es la mayor y Carrie es la menor. Laurie tiene 13 años. Harry no tiene 10 y es mayor que Roger. ¿Cuántos años tiene Roger?

5. Seis bailarines quieren formar un triángulo de manera que el mismo número de bailarines esté en cada lado. ¿Cómo deben pararse? Haz un dibujo para resolver el problema.

¿En aprietos? Intenta esto:

- ¿Qué sé?
- ¿Qué diagrama puede ayudarme a entender el problema?
- ¿Puedo usar suma, resta, multiplicación o división?
- ¿Está correcto todo mi trabajo?
- ¿Respondí a la pregunta que correspondía?
- ¿Es razonable mi respuesta?

Puedes encontrar otro ejemplo en el Grupo D, página 481.

Planea

Haz una tabla y llénala con la información que conoces.

	NY	GA	NV	ME
Mary				
Kristen		N		
Deborah			S	
Amy	S			

Cada fila y cada columna sólo pueden tener un Sí porque cada joven sólo puede ser de uno de los cuatro estados.

Llena con No (N) en la fila y la columna donde hay un Sí (S).

	NY	GA	NV	ME
Mary	N	**S**	N	N
Kristen	N	N	N	**S**
Deborah	N	N	S	N
Amy	S	N	N	N

Usa el razonamiento para sacar conclusiones. Hay 3 No en la fila de Kristen. Ella debe vivir en Maine. Coloca una S en la columna de Maine. Completa la tabla.

Mary es de Georgia.

6. ¿Qué sigue en el patrón de la derecha?

7. Wendy, Chris, Lauren y Santiago viven en cuatro calles diferentes: Highland, East, Brook y Elm. Wendy vive en Highland. Lauren vive en Elm. Chris no vive en East. ¿En qué calle vive Santiago?

	Brook	East	Elm	Highland
Chris		No		
Lauren			Sí	
Santiago				
Wendy				Sí

8. Eric y su amigo están jugando voleibol. Hicieron 6 grupos en total. Si en cada equipo hay 4 jugadores, ¿cuántas personas están jugando voleibol?

? total de jugadores

4	4	4	4	4	4

Jugadores en cada equipo

9. Vicki tiene una bolsa con 6 canicas azules, 4 canicas rojas, 7 canicas verdes y 8 canicas amarillas, todas del mismo tamaño. Si saca una canica sin mirar, ¿qué color es más probable que elija?

A Azul

B Rojo

C Verde

D Amarillo

10. Weddell, Von Bellingshausen, Cook, Palmer y Wilkes exploraron la Antártida cada uno. Dos eran británicos y uno era ruso. Los otros dos eran de los Estados Unidos. Palmer y Wilkes eran del mismo país. Cook era británico. Weddell era del mismo país que Cook. ¿De qué país era Von Bellingshausen?

Examen

1. Newell y Mateo están jugando un juego. La rueda con flecha giratoria del juego aparece a continuación.

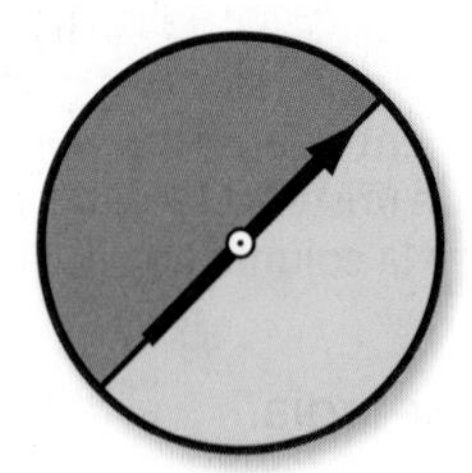

Si Mateo hace girar la flecha dos veces, ¿cuáles son todos los resultados posibles? (20-2)

A 2 rosados o 2 amarillos

B 2 amarillos o 1 rosado y 1 amarillo

C 2 rosados o 1 rosado y 1 amarillo

D 2 rosados o 2 amarillos o 1 rosado y 1 amarillo

2. Alyssa puede comprar uno de 4 juegos de joyería y una de 4 muñecas. ¿Cuántas combinaciones diferentes de juegos y de muñecas puede comprar? (20-1)

A 16

B 12

C 8

D 4

3. Una pecera tiene 2 peces negros, 4 peces blancos, 12 peces anaranjados y 2 peces rojos. Si se quita un pez al azar, ¿qué color es más probable que sea? (20-3)

A Negro

B Blanco

C Anaranjado

D Rojo

4. ¿Qué diagrama de árbol muestra los resultados posibles de hacer girar cada una de las flechas giratorias que se muestran? (20-2)

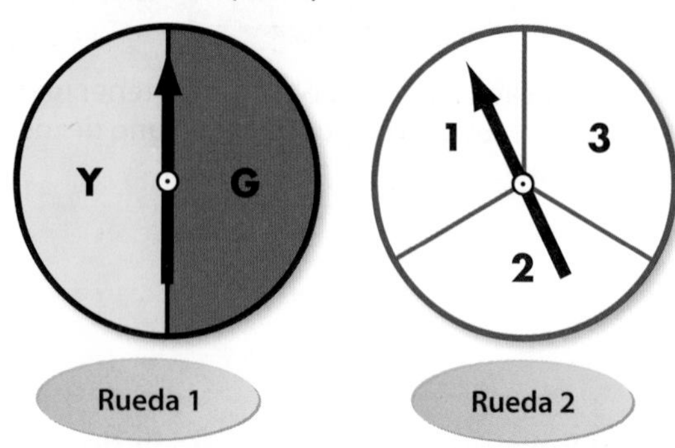

A

Rueda 1	Rueda 2	Resultado
Amarillo	1	A1
	2	A2
Verde	2	V2
	3	V3

B

Rueda 1	Rueda 2	Resultado
Amarillo	1	A1
	2	A2
	3	A3
Verde	2	V2
	3	V3

C

Rueda 1	Rueda 2	Resultado
Amarillo	1	A1
	2	A2
	3	A3
Verde	1	V1
	2	V2
	3	V3

D

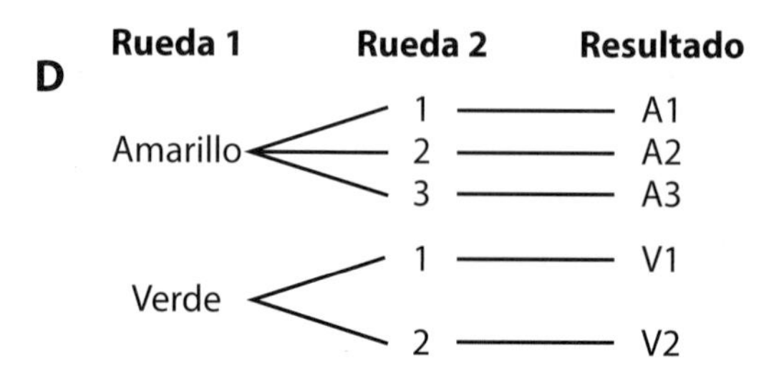

5. Los cuatro hijos de la familia Wininger son Ryan, Makena, Jackson y Whitney. Todos van a la escuela primaria Skyline. Uno va a kínder, otro a 1.er grado, otro a 3.er grado y otro a 5.º grado. Makena está en 5.º grado. Jackson no está en 1.er grado. Si Whitney está en 3.er grado, ¿en qué grado está Ryan? (20-4)

	K	1	3	5
Ryan				
Makena				
Jackson				
Whitney				

A Kínder

B 1.er grado

C 3.er grado

D 5.º grado

6. Si Kinesha elige, sin mirar, un globo de los que están a continuación, ¿cuál es la probabilidad de que elija uno con forma de corazón? (20-3)

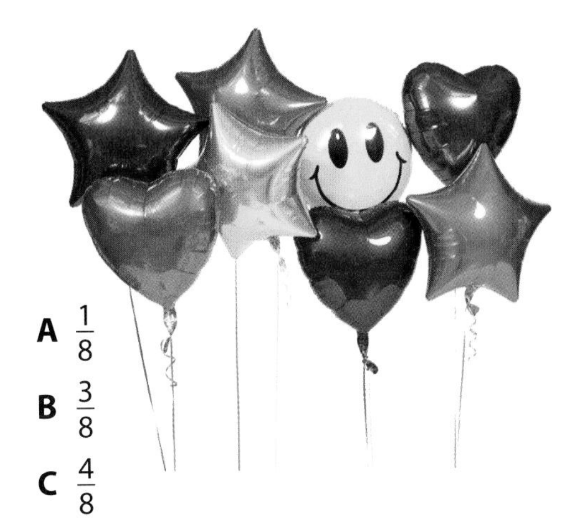

A $\frac{1}{8}$

B $\frac{3}{8}$

C $\frac{4}{8}$

D $\frac{3}{5}$

7. Ben, Gracie, Josh y Avery van cada uno a la escuela de manera diferente. Van en autobús, caminando, en bicicleta o en carro. Ben va caminando. Gracie no va en carro. Si Josh toma el autobús, ¿cómo viaja Avery a la escuela? (20-4)

A En autobús **C** En bicicleta

B Caminando **D** En carro

8. Hay 15 piezas de frutas en una frutera. Hay 8 plátanos, 2 manzanas, 4 kiwis y 1 durazno. ¿Qué fruta sería imposible que elija Regan? (20-3)

A Pera

B Plátano

C Durazno

D Manzana

9. Payton puede elegir como plato principal carne, pollo o cerdo y una porción de arvejas, maíz, zapallo, habichuelas verdes, papas, quingombó o espinaca. ¿Cuántas combinaciones diferentes puede elegir? (20-1)

A 10 **C** 21

B 18 **D** 28

10. Describe el siguiente evento. (20-3)
El sol orbitará la Tierra.

A Probable **C** Imposible

B Poco probable **D** Seguro

Refuerzo

Grupo A, páginas 468 y 469

Elige un color y una figura.
Colores: Rojo, azul o verde

Figuras:  o  o 

¿Cuántas combinaciones hay?

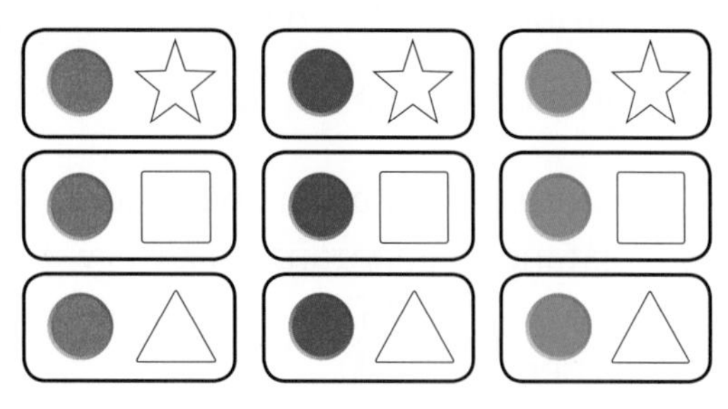

Hay 9 combinaciones en total.

Recuerda que cuando cuentas combinaciones, el orden no tiene importancia.

Halla el número de combinaciones posibles.

1. Elige leche o jugo, más una porción de puré de papas, una papa asada o habichuelas verdes.
2. Elige una mochila, una maleta blanda o una maleta dura y luego elige uno de 5 colores.

Grupo B, páginas 470 y 471

Haz una lista de los resultados de sacar un objeto del Recuadro 1 y del Recuadro 2. ¿Cuántos resultados son posibles?

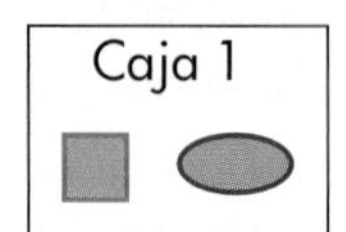

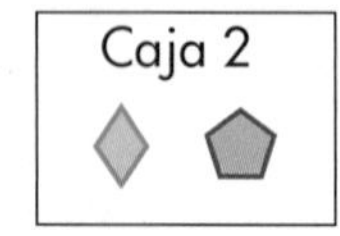

Puedes hacer un diagrama de árbol.

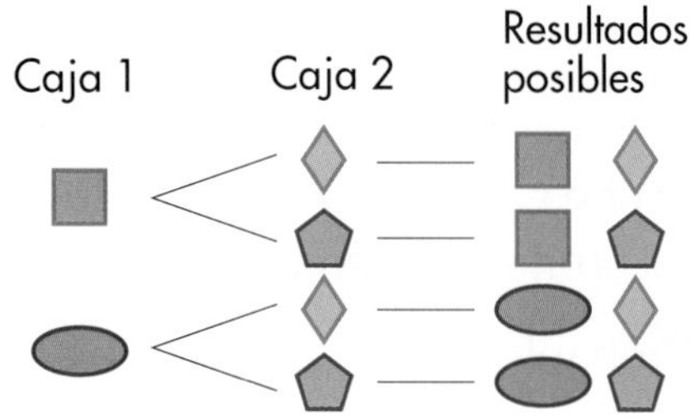

Puedes multiplicar.

Hay **2** resultados para la Caja 1 y **2** resultados para la Caja 2.

$$2 \times 2 = 4$$

Hay 4 resultados posibles.

Recuerda que puedes usar un diagrama de árbol o multiplicar para hallar el número de resultados posibles.

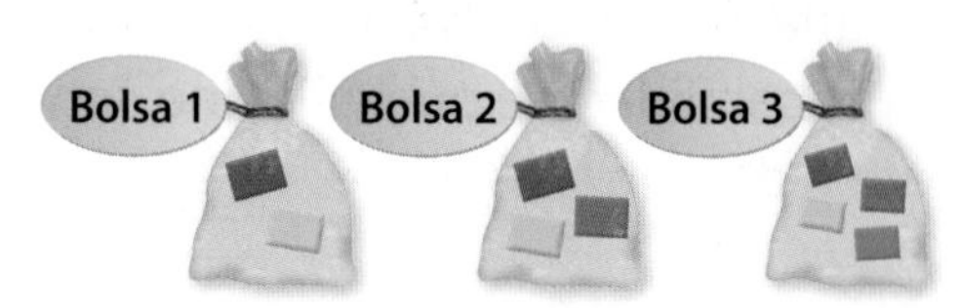

En los Ejercicios **1** a **6,** halla el número de resultados posibles de sacar una figura de:

1. Bolsa 1
2. Bolsa 2
3. Bolsa 1 y Bolsa 2
4. Bolsa 2 y Bolsa 3
5. Bolsa 1 y Bolsa 3
6. Bolsa 3
7. Haz un diagrama de árbol con una lista de los resultados de sacar las letras A, B o C del Recuadro 1 y los números 5 ó 6 del Recuadro 2.

Grupo C, páginas 472 a 474

Beatrice escribió cada letra de su nombre en un papelito y los metió en una bolsa. Si Beatrice saca un papelito de la bolsa, ¿cuál es la probabilidad de que saque una vocal?

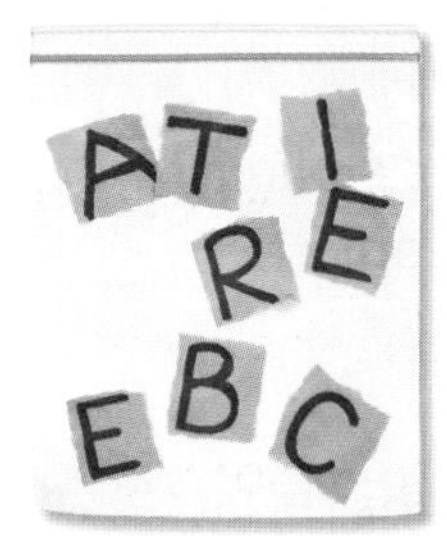

La probabilidad de sacar una vocal se puede expresar en forma de fracción.

$$\frac{\text{número de vocales}}{\text{número de letras}} = \frac{4}{8}$$

La probabilidad de sacar una vocal es de $\frac{4}{8}$ o $\frac{1}{2}$ en su mínima expresión.

Recuerda que las fracciones se pueden usar para describir la probabilidad.

En los ejercicios **1** a **4,** escribe la probabilidad de elegir, sin mirar, una ficha de las siguientes fichas cuadradas.

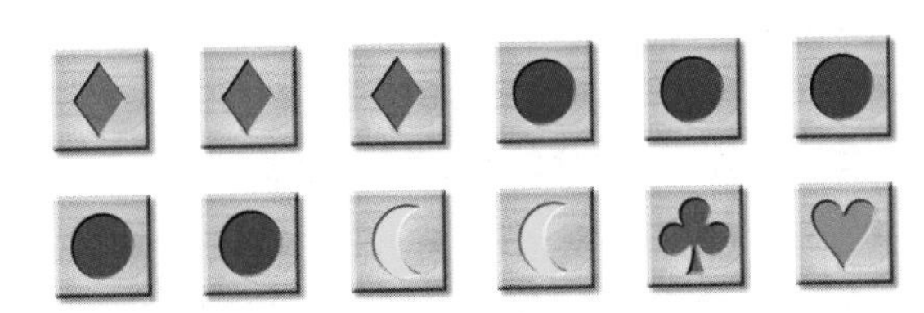

1. Diamante
2. Círculo
3. Corazón
4. Media luna
5. ¿Cuál es la probabilidad de sacar una estrella?

Grupo D, páginas 476 y 477

Margaret forró de azul, verde, amarillo y anaranjado sus libros de Matemáticas, Ciencias, Ortografía e Historia. No forró de verde el de Matemáticas. Forró de azul el de Ciencias y de amarillo el de Historia. ¿De qué color forró el libro de Ortografía? Razona lógicamente para resolver.

	Matemáticas	Ciencias	Ortografía	Historia
Azul	No	Sí	No	No
Verde	No	No	Sí	No
Amarillo	No	No	No	Sí
Anaranjado	Sí	No	No	No

Margaret forró de verde su libro de Ortografía.

Recuerda que puedes usar información del problema para sacar conclusiones.

Razona para resolver. Copia y completa la tabla como ayuda.

	5	6	8	10
Larry				
Evelyn				
Terri				S
Vivian				

1. Todas las personas bajan del ascensor en el 5.º, 6.º, 8.º o 10.º piso. Vivian baja después que Evelyn. Cuando Larry baja, saluda a Terri, que es la última persona en bajar. ¿Dónde baja cada persona?

Glosario

A.M. Tiempo entre la medianoche y el mediodía.

ángulo Figura formada por dos semirrectas que tienen el mismo extremo.

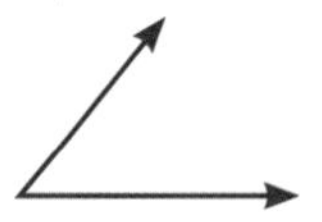

ángulo agudo Ángulo que es menor que un ángulo recto.

ángulo llano Ángulo que forma una línea recta.

ángulo obtuso Ángulo que es mayor que un ángulo recto.

ángulo recto Ángulo que forma una esquina cuadrada.

año Unidad de tiempo que equivale a 365 días o 52 semanas o 12 meses.

año bisiesto Unidad de tiempo que equivale a 366 días.

área Número de unidades cuadradas que se necesitan para cubrir una superficie o región.

arista Segmento de recta donde se encuentran dos caras de un cuerpo geométrico.

Arista

capacidad El volumen de un recipiente en unidades de medida para liquidos.

cara Superficie plana de un cuerpo geométrico que no rueda.

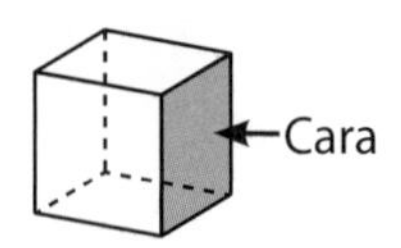

centésima Una de las 100 partes iguales de un todo o entero.

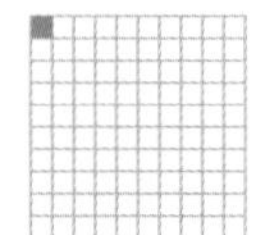

centímetro (cm) Unidad métrica de longitud. 100 centímetros = 1 metro

centro Punto dentro de un círculo, que está a la misma distancia de todos los puntos del círculo.

cilindro Cuerpo geométrico que tiene dos bases circulares congruentes.

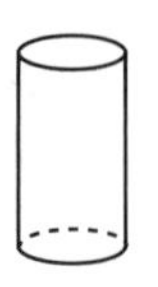

círculo Figura plana cerrada en la cual todos los puntos están a la misma distancia de un punto llamado centro.

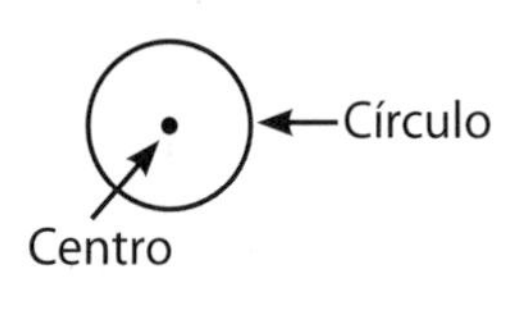

circunferencia Distancia que hay alrededor de un círculo.

clave Parte de una pictografía que indica lo que representa cada símbolo.

cociente La respuesta a un problema de división.

compensación Sumar y restar el mismo número para hacer que la suma o la diferencia sean fáciles de hallar.

cono Cuerpo geométrico cuya base es un círculo y que tiene una superficie curva que converge en un punto.

cuadrado Cuadrilátero que tiene 4 ángulos rectos y todos los lados de la misma longitud.

cuadrícula de coordenadas Cuadrícula que se usa para mostrar pares ordenados.

cuadrilátero Polígono que tiene 4 lados.

cuarto de galón (cto.) Unidad usual de capacidad. 1 cuarto de galón = 2 pintas

cubo Cuerpo geométrico cuyas seis caras son cuadrados congruentes.

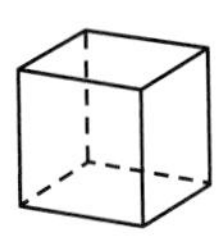

cucharada (cda.) Unidad usual de capacidad. 1 cucharada = 3 cucharaditas

cucharadita (cdta.) Unidad usual de capacidad. 3 cucharaditas = 1 cucharada

cuerda Cualquier segmento de recta que conecta dos puntos cualesquiera de un círculo.

cuerpo geométrico Figura que tiene longitud, ancho y altura.

datos Información recopilada.

década Unidad de tiempo que equivale a 10 años.

decímetro (dm) Unidad métrica de longitud que equivale a 10 centímetros.

décimo Una de las diez partes iguales de un todo o entero.

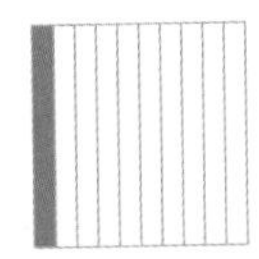

denominador Número que aparece debajo de la barra en una fracción; el número total de partes iguales en el todo.

descomponer Método de cálculo mental que se usa para reescribir un número como una suma de números, con el fin de hacer que un problema sea más fácil.

desigualdad Oración numérica que usa el signo "mayor que" (>) o el signo "menor que" (<) para indicar que dos expresiones no tienen el mismo valor.

día Unidad de tiempo que equivale a 24 horas.

diagrama de puntos Representación gráfica de datos a lo largo de una recta numérica.

diagrama de árbol Representación gráfica que muestra todos los resultados posibles.

diagrama de tallo y hojas Representación gráfica que muestra datos en el orden de valor de posición.

diagrama de Venn Diagrama que usa círculos para mostrar la relación entre grupos de datos.

Ejemplo:

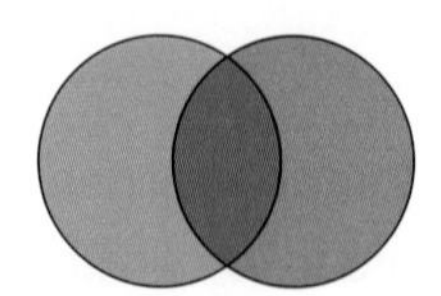

diámetro Segmento de recta que une dos puntos en un círculo y pasa por el centro.

diferencia Resultado de la resta de dos números.

dígitos Los símbolos que se usan para escribir un número: 0, 1, 2, 3, 4, 5, 6, 7, 8 y 9.

dividendo El número que se va a dividir.

dividir Operación que sirve para hallar el número que hay en cada grupo o el número de grupos iguales.

divisible Que se puede dividir por otro número sin dejar residuo. *Ejemplo*: 10 es divisible por 2.

divisor Número por el cual se divide otro número. *Ejemplo*: $32 \div 4 = 8$

↑ Divisor

ecuación Oración numérica que usa el signo igual (=) para mostrar que dos expresiones tienen el mismo valor.

eje de simetría Recta a lo largo de la cual puede doblarse una figura, formando dos mitades congruentes que al superponerse, coinciden.

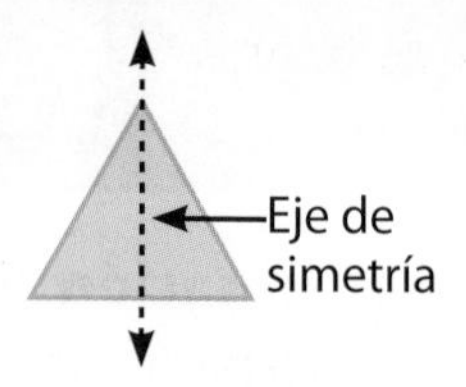

encuesta Reunir información haciendo la misma pregunta a cierto número de personas y anotando sus respuestas.

equivalentes Números que designan la misma cantidad.

escala Números que muestran las unidades usadas en una gráfica.

esfera Cuerpo geométrico que incluye todos los puntos que están a la misma distancia de un punto en el centro.

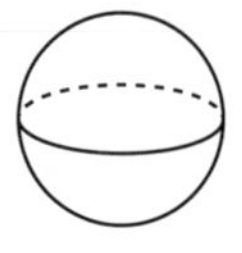

estimación por exceso Estimación que es mayor que la respuesta exacta.

estimación por defecto Estimación que es menor que la respuesta exacta.

estimación por la izquierda Manera de estimar una suma o total, haciendo la suma del primer dígito de cada sumando y ajustando el resultado con base en los dígitos que quedan.

evento de igual probabilidad Evento que es igualmente probable que suceda como que no suceda.

evento imposible Evento que no puede ocurrir.

evento poco probable Evento que tiene poca posibilidad de ocurrir.

evento probable Evento que es posible que ocurra.

evento seguro Evento que con toda certeza va a ocurrir.

expresión algebraica Expresión con variables.

expresión numérica Expresión que contiene números y, al menos, una operación.

factor común Factor que tienen en común dos o más números.

factores Números que se multiplican para hallar un producto. *Ejemplo*: $3 \times 6 = 18$

familia de operaciones Grupo de operaciones relacionadas que usan el mismo conjunto de números.

figuras congruentes Figuras que tienen la misma forma y el mismo tamaño.

figuras semejantes Figuras que tienen la misma forma y que pueden tener el mismo tamaño o no.

forma desarrollada Número escrito como la suma de los valores de su dígitos. *Ejemplo*: $2{,}000 + 400 + 70 + 6$

forma estándar Forma de escribir un número mostrando sólo sus dígitos. *Ejemplo*: 2,613

fracción Una fracción es un símbolo, como $\frac{2}{3}$, $\frac{5}{1}$ u $\frac{8}{5}$, que se usa para designar una parte de un todo, una parte de un conjunto, una posición en una recta numérica o una división de números enteros.

fracciones de referencia Fracciones que se usan comúnmente para hacer estimaciones: $\frac{1}{4}$, $\frac{1}{3}$, $\frac{1}{2}$, $\frac{2}{3}$ y $\frac{3}{4}$.

fracciones equivalentes Fracciones que designan la misma región, parte de un conjunto o parte de un segmento.

fracción impropia Fracción en la cual el numerador es mayor o igual que el denominador.

galón (gal.) Unidad usual de capacidad. 1 galón = 4 cuartos de galón

grado (°) Unidad de medida para los ángulos.

grados Celsius (°C) Unidad métrica de temperatura.

grados Fahrenheit (°F) Unidad convencional de temperatura.

gráfica de barras Una gráfica que muestra datos por medio de barras.

gráfica circular Gráfica que tiene forma de círculo y que muestra cómo el todo o entero se descompone en partes.

gráfica lineal Gráfica que conecta puntos para mostrar cómo cambian los datos con el tiempo.

gramo (g) Unidad métrica de masa.
1,000 gramos = 1 kilogramo

hexágono Polígono que tiene 6 lados.

hora Unidad de tiempo que equivale a 60 minutos.

intervalo Número que es la diferencia entre dos números consecutivos en la escala de una gráfica.

kilogramo (kg) Unidad métrica de masa.
1 kilogramo = 1,000 gramos

kilómetro (km) Unidad métrica de longitud. 1 kilómetro = 1,000 metros

lado Cada uno de los segmentos de recta de un polígono.

libra (lb) Unidad usual de peso.
1 libra = 16 onzas

líneas intersecantes Líneas que se cortan en un punto.

líneas paralelas En un plano, líneas que nunca se intersecan.
Ejemplo:

líneas perpendiculares Dos líneas intersecantes que forman ángulos rectos. *Ejemplo*:

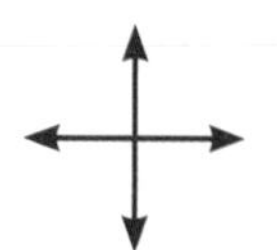

litro (L) Unidad métrica de capacidad.
1 litro = 1,000 mililitros

marcar Localizar y dibujar en una cuadrícula un punto designado por un par ordenado.

masa La cantidad de materia que tiene un objeto.

matriz Manera de ordenar objetos en filas y en columnas.

media Promedio que se halla sumando todos los números de un conjunto y dividiendo por el número de valores.

mediana El número del medio en un conjunto de datos ordenados.

mes Una de las 12 partes en que se divide un año.

metro (m) Unidad métrica de longitud. 1 metro = 100 centímetros

milenio Unidad para medir el tiempo, que equivale a 1,000 años.

mililitro (mL) Unidad métrica de capacidad. 1,000 mililitros = 1 litro

milímetro (mm) Unidad métrica de longitud. 1,000 milímetros = 1 metro

minuto Unidad de tiempo que equivale a 60 segundos.

milla (m) Unidad usual de longitud. 1 milla = 5,280 pies

mínima expresión Fracción en la que el numerador y el denominador no tienen ningún factor común más que 1.

moda El número o números que aparecen con mayor frecuencia en un conjunto de datos.

modelo plano Patrón que se usa para formar un sólido.

Ejemplo:

múltiplo El producto de dos números enteros cualesquiera.

numerador El número que está arriba de la barra en una fracción.

número en palabras Número escrito con palabras. *Ejemplo*: cuatro mil seiscientos treinta y dos.

número mixto Número que tiene un número entero y una fracción.

números compatibles Números con los que es fácil calcular mentalmente.

octágono Polígono que tiene 8 lados.

onza (oz) Unidad usual de peso. 16 onzas = 1 libra

onza líquida (oz líq.) Unidad usual de capacidad. 1 onza líquida = 2 cucharadas

operaciones inversas Dos operaciones que se cancelan entre sí. *Ejemplos*: Sumar 6 y restar 6 son operaciones inversas. Multiplicar por 4 y dividir por 4 son operaciones inversas.

par ordenado Par de números que designan un punto en una gráfica de coordenadas.

paralelogramo Cuadrilátero en el que los lados opuestos son paralelos.

pentágono Figura plana que tiene 5 lados.

perímetro La distancia que hay alrededor de una figura.

período En un número, un grupo de tres dígitos separados por comas, empezando desde la derecha.

peso Una medida de lo pesado que es un objeto.

pictografía Gráfica que usa ilustraciones o símbolos para mostrar datos.

pi (π) Razón de la circunferencia de un círculo a su diámetro. Pi es aproximadamente 3.14.

pie Unidad usual de longitud.
1 pie = 12 pulgadas

P.M. Tiempo entre el mediodía y la medianoche.

pinta (pt) Unidad usual de capacidad.
1 pinta = 2 tazas

pirámide Cuerpo geométrico cuya base es un polígono y cuyas otras caras son triángulos que tienen un vértice común.

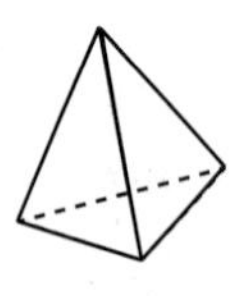

pirámide cuadrangular Cuerpo geométrico con una base cuadrada y cuatro caras que son triángulos.

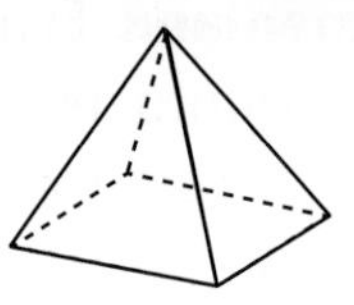

pirámide rectangular Cuerpo geométrico cuya base es un rectángulo y cuyas otras caras son triángulos.

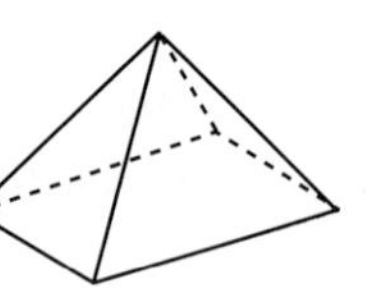

plano Superficie plana que se entiende al infinito.

polígono Figura plana cerrada compuesta por segmentos de recta.

predicción Suposición informada sobre lo que sucederá.

prisma rectangular Cuerpo geométrico cuyas caras son rectángulos.

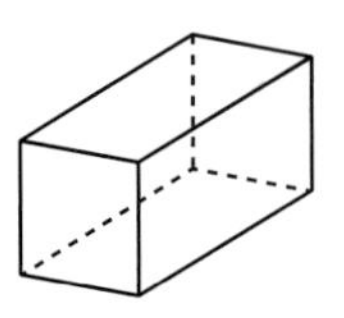

prisma triangular Cuerpo geométrico que tiene dos bases que son triángulos y cuyas otras tres caras son rectángulos.

probabilidad Número que indica la posibilidad de que un evento ocurra.

producto La respuesta a un problema de multiplicación.

productos parciales Productos que se hallan al descomponer uno de los factores de un problema de multiplicación en unidades, decenas, centenas, etc., y luego multiplicando cada uno de ellos por el otro factor.

promedio La media, que se halla al sumar todos los números de un conjunto y dividir el resultado por el número de valores.

propiedad asociativa de la multiplicación Los factores se pueden reagrupar y el producto sigue siendo el mismo.

propiedad asociativa de la suma Los sumandos se pueden reagrupar y la suma sigue siendo la misma.

propiedad conmutativa de la multiplicación Los factores se pueden multiplicar en cualquier orden y el producto sigue siendo el mismo.

propiedad conmutativa de la suma Los números se pueden sumar en cualquier orden y la suma sigue siendo la misma.

propiedad del cero en la multiplicación El producto de cualquier número y cero es cero.

propiedad distributiva Descomponer un problema en dos problemas más sencillos. *Ejemplo*: $(3 \times 21) = (3 \times 20) + (3 \times 1)$

propiedad de identidad de la multiplicación El producto de cualquier número y uno es ese número.

propiedad de identidad de la suma La suma de cualquier número y cero es ese número.

pulgada (pulg.) Unidad usual de longitud. 12 pulgadas = 1 pie

punto Ubicación exacta en el espacio.

punto decimal Punto que se usa para separar los dólares de los centavos o las unidades de las décimas en un número.

radio Cualquier segmento de recta que une el centro con un punto del círculo.

rango La diferencia entre el valor mayor y el valor menor de un conjunto de datos.

recta Sucesión rectilínea de puntos que se extiende infinitamente en dos direcciones.

rectángulo Cuadrilátero que tiene 4 ángulos rectos.

redondear Reemplazar un número por otro número que indica cuánto aproximadamente.

reflexión Nos da la imagen reflejada de una figura.

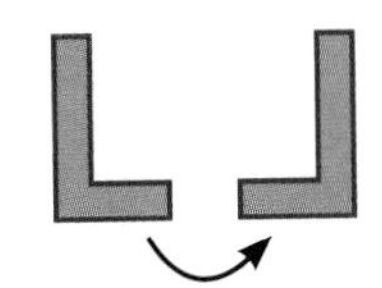

reglas de divisibilidad Reglas que establecen cuándo un número es divisible por otro número.

reloj digital Muestra la hora con números. Las horas están separadas de los minutos por medio de dos puntos.

reloj tradicional Muestra la hora mediante manecillas que apuntan hacia números en un círculo.

residuo El número que sobra después de completar una división.

resolver Hallar una solución a una ecuación.

resultado Consecuencia posible de un juego o de un experimento.

rombo Cuadrilátero en el que los lados opuestos son paralelos y todos los lados tienen la misma longitud.

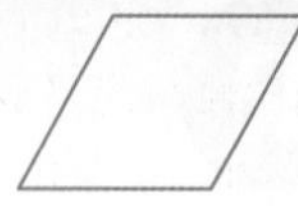

rotación Mueve una figura alrededor de un punto.

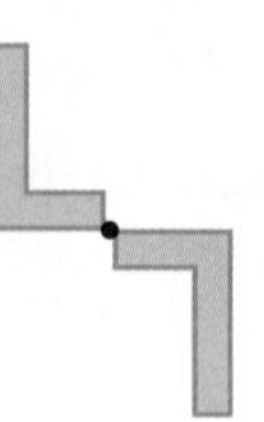

S

segmento de recta Parte de una recta que tiene dos extremos.

segundo Unidad de tiempo.
60 segundos = 1 minuto

semana Unidad de tiempo que equivale a 7 días.

semirrecta Parte de una recta que tiene un extremo y continúa indefinidamente en una dirección.

siglo Unidad de tiempo igual a 100 años.

simétrica Una figura es simétrica si puede doblarse en dos mitades congruentes que coinciden una sobre la otra.

solución El valor de la variable que hace verdadera una ecuación.

suma El resultado de sumar números.

sumandos Números que se suman para hallar una suma o total.
Ejemplo: 2 + 7 = 9

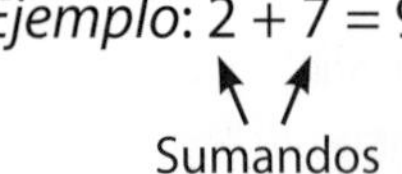

taza (t) Unidad usual de capacidad.
1 taza = 8 onzas fluídas

tendencia Patrón en los datos de una gráfica lineal, que aparece como un incremento o una disminución.

teselación Un patrón repetitivo de figuras que no dejan espacios entre ellas y que no se superponen.

tiempo transcurrido Cantidad de tiempo que pasa desde el comienzo hasta el fin de un evento.

tonelada (T) Unidad usual de peso.
1 tonelada = 2,000 libras

transportador Instrumento que se usa para medir y dibujar ángulos.

trapecio Cuadrilátero que tiene un par de lados paralelos.

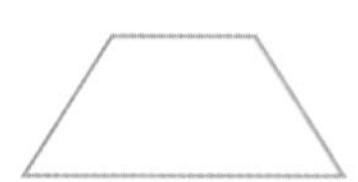

traslación Cambio en la posición de una figura que la mueve hacia arriba, hacia abajo o hacia los costados.

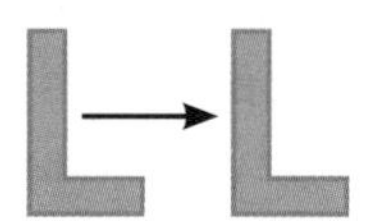

triángulo Polígono que tiene 3 lados.

triángulo acutángulo Triángulo que tiene tres ángulos agudos.

triángulo equilátero Triángulo en el que todos los lados tienen la misma longitud.

triángulo escaleno Triángulo en el que no hay dos lados que tengan la misma longitud.

triángulo isósceles Triángulo que tiene al menos dos lados iguales.

triángulo obtusángulo Triángulo en el que hay un ángulo obtuso.

triángulo rectángulo Triángulo en el que hay un ángulo recto.

unidades de medida del sistema usual Unidades de medida que se usan en los Estados Unidos.

valor extremo En un conjunto de datos, número que es muy diferente del resto de los números.

variable Símbolo o letra que representa un número.

vértice El punto donde convergen dos semirrectas, formando un ángulo. Los puntos donde convergen los lados de un polígono. Los puntos donde convergen tres o más aristas de un cuerpo geométrico que no rueda. La punta de un cono.

volumen El número de unidades cúbicas necesarias para llenar un cuerpo geométrico.

yarda (yd) Unidad usual de longitud.
1 yarda = 3 pies

Ilustraciones

Cover: Luciana Navarro Powell

Fotografías

Every effort has been made to secure permission and provide appropriate credit for photographic material. The publisher deeply regrets any omission and pledges to correct errors called to its attention in subsequent editions.

Unless otherwise acknowledged, all photographs are the property of Scott Foresman, a division of Pearson Education.

Photo locators denoted as follows: Top (T), Center (C), Bottom (B), Left (L), Right (R), Background (Bkgd)

2 (CL) Bettmann/Corbis, (BC) Getty Images (CL) Russell Gordon/Danita Delimont, Agent (BR) Earth Imaging/Getty Images 7 (CR) Corbis 8 (BR) Getty Images 10 (TL) ©Rexford Lord/Photo Researchers, Inc. 26 (TL) ©Nicholas Veasey/Getty Images, (BL) NASA, (B) Getty Images 28 (TR) ©Nicholas Veasey/Getty Images 40 (BR) ©Ulrich Doering/Alamy Images 44 (TR) ©Mark Sykes/Alamy 52 (T) Marc Muench/ Corbis (C) Jean-Pierre Courau, Private Collection/Bridgeman Art Library 53 (TL) Getty Images 54 (BR) ©Garold W. Sneegas 58 (L) ©Amos Nachoum/Corbis (CL) ©age fotostock/SuperStock 74 (L) ©Corbis (BC) J.M. Labat/Peter Arnold, Inc. 94 (TL) Roger Harris/Photo Researchers, Inc. (B) Purestock/ Getty Images (TR) ©Nils Jorgensen/Rex USA (T) Roger Harris/Photo Researchers, Inc. 95 (TL) Getty Images 98 (BR) Richard Lewis/©DK Images 114 (All) ©Royalty-Free/Corbis 116 (BR) Tracy Morgan/©DK Images 126 (C) Pablo Martinez Monsivais/AP Images (TL) Mehau Kulyk /Photo Researchers, Inc. (BL) ©Chuck Pratt/Bruce Coleman Inc. (BC) ©Inga Spence/Getty Images 134 (TR) Jupiter Images 140 (C) Andy Holligan/DK Images (C) SSPL/The Image Works, Inc. (TL) ©Daniel Joubert/Reuters/Corbis 142 (BR) ©Daniel Joubert/Reuters/Corbis 144 (TR) GSFC/NASA 152 (BR) ©Daniel Joubert/Reuters/Corbis 162 (T) AP Images (B) ©Stefano Paltera/ Reuters/Landov LLC (T) ©Richard D. Fisher (T) ©JSC/NASA 170 (BL) ©Panoramic Images/ Getty Images 172 (BR) Getty Images 182 (BR) Jupiter Images 194 (TL) Getty Images (BL) 3D4Medical/Getty Images 195 (CC) Getty Images 196 (C) ©photolibrary/Index Open 199 Map Resources 202 (TL,BR) Getty Images 204 (BR) Netter medical illustration used with permission of Elsevier. All rights reserved. 214 (B) Momatiuk - Eastcott/Corbis (TL) Geosphere/Planetary Visions/Photo Researchers, Inc. (TR) Courtesy of New Bremen Giant Pumpkin Growers (TL) © Stockbyte 224 (C) ©Barbara Strnadova 234 (TR) ©VStock/Index Open 248 (B) ©Richard Hamilton Smith/Corbis 249 (BL) Bettmann/ Corbis 250 (B) ©Richard Hamilton Smith/ Corbis 268 (TL) ©Charles E. Rotkin/Corbis (TL) The Granger Collection, NY (B) Getty Images (L) ©Ron Niebrugge/Alamy Images 270 (TR) ©VStock/Index Open 288 (CL) R. Harris/Photo Researchers, Inc. 290 (B) DK Images (TL) ©USGS/Photo Researchers, Inc. 296 (BC) Corbis (CLC,TC) ©photolibrary/ Index Open (C) ©photolibrary/Index Open (TC) ©photolibrary/Index Open 306 (TCR) ©Jeff Rotman (Avi Klapfer)/Nature Picture Library (TR) Jupiter Images 308 (TR) Getty Images 314 (T) ©Susan Carlson/Getty Images (BL) ©Doug Pearson/Alamy Images (B) ©Rudy Sulgan/Corbis 327 (CR) Corbis 344 (TR) ©Robert F. Bukaty/AP Images 346 Getty Images 348 (TL) Getty Images (R) ©Goodshoot/Jupiter Images 349 ©Jeff Greenberg/Index Stock Imagery 352 (TR) Getty Images 354 (CR) ©Will & Deni McIntyre/Getty Images 364 (B) AP Images (CR) ©Jerry Cooke/Corbis (TR) Getty Images (TL) age fotostock /SuperStock (TL) ©Norman Tomalin/Alamy Images 366 (C) Jupiter Images (C) AP Images Photos 368 (TL) ©Royalty-Free/Corbis (TL) ©photolibrary/ Index Open (CR) GK & Vicki Hart/Getty Images (BR) ©photolibrary/Index Open 370 (CLTC,BR) Getty Images (BC) Hemera Technologies (C) ©photolibrary/Index Open (TR) Jupiter Images 376 (C) ©Jonathan Blair/Corbis (TC) Jerry Young/DK Images 378 (CC) Getty Images (CL) Stockdisc 380 ©face to face Bildagentur GMBH/Alamy (C) Ingram Publishing (CR) Goodshoot/Jupiter Images (CR) ©DK Images (TR) Getty Images 388 (BR) ©Dean Fox/SuperStock 401 (BR) ©David R. Frazier Photolibrary, Inc/Alamy Images 402 (TL) DAJ/Getty Images (B) Keren Su/Corbis (C) ©Barbara Strnadova 408 (TR) Alaskan Express/Jupiter Images 432 (TL) ©Harold Sund/Getty Images (B) ©Don Klumpp/Getty Images (TC) NASA/ Science Faction/Getty Images (B) Getty Images 446 (B) ©James P. Blair/Corbis 448 (B) Max Alexander/©DK Images (TL) M. C. Escher's "Symmetry Drawing E78"/©The M. C. Escher Company, Baarn, Holland. All rights reserved. 450 (TB,TR) Getty Images (C) Hemera Technologies (TR) Jupiter Images (BR) M. C. Escher's "Symmetry Drawing E78"/©The M. C. Escher Company, Baarn, Holland. All rights reserved. 452 (TR) Jupiter Images 454 Jupiter Images 457 (BR) ©Asa Gauen/Alamy Images 458 (BR) ©Dean Fox/SuperStock 467 (TL) John Gress/Corbis 468 ©Alex Steedman/ Corbis 478 Digital Wisdom, Inc.

Índice

S

T

U

Scott Foresman · Addison Wesley

enVisionMATH™

en español

Scott Foresman · Addison Wesley

enVisionMATH™

en español